经纬度·原典系列

资治通鉴

全本全注全译

第七册

魏纪　晋纪

[宋] 司马光　编著
张大可　韩兆琦　等　注译

浙江人民出版社

浙江省版权局
著作权合同登记章
图字:11-2023-344号

图书在版编目（CIP）数据

资治通鉴全本全注全译. 第七册 /（宋）司马光编著 ；张大可等注译. -- 杭州 ：浙江人民出版社，2024. 10（2025. 6重印）.

ISBN 978-7-213-11665-0

Ⅰ. K204. 3

中国国家版本馆CIP数据核字第2024FA1015号

资治通鉴全本全注全译　第七册

ZIZHI TONGJIAN QUANBEN QUANZHU QUANYI

[宋] 司马光　编著　　张大可　韩兆琦　等　注译

出版发行：浙江人民出版社（杭州市环城北路 177 号　邮编　310006）
　　　　　市场部电话：（0571）85061682　85176516
选题策划：胡俊生
项目统筹：潘海林　魏　力
责任编辑：潘海林　王子佳
特约编辑：褚　燕
营销编辑：顾　颖
责任校对：马　玉　陈　春　汪景芬
责任印务：程　琳　幸天骄
封面设计：北京之江文化传媒有限公司
电脑制版：北京之江文化传媒有限公司
印　　刷：浙江新华数码印务有限公司
开　　本：710 毫米 ×1000 毫米　1/16　　印　　张：40
字　　数：780 千字　　插　　页：4
版　　次：2024 年 10 月第 1 版　　印　　次：2025 年 6 月第 2 次印刷
书　　号：ISBN 978-7-213-11665-0
定　　价：124.00 元

目 录

卷第六十九　魏纪一

起上章困敦（庚子，公元二二〇年），尽玄黓摄提格（壬寅，公元二二二年），凡三年。

【题解】

本卷记事起公元二二〇年，迄公元二二二年，凡三年，当魏黄初元年到黄初三年。此时期的重大事件有四：第一，曹丕代汉；第二，刘备称帝；第三，孙权接受曹魏加封吴王；第四，吴蜀交兵，发生夷陵之战。夷陵之战，吴胜蜀败，荆州归吴，三国地理均势形成，三国鼎立的局面正式形成，三分的国家建制也已完成，国号魏、蜀、吴，只差孙权称帝罢了。刘备建国称汉，以示正统，因所统只在蜀地，故史称蜀国，或称蜀汉。

【原文】

世祖文皇帝①上

黄初②元年（庚子，公元二二〇年）

春，正月，武王③至洛阳。庚子④，薨⑤。

王知人善察，难眩⑥以伪。识拔奇才，不拘微贱，随能任使，皆获其用。与敌对陈⑦，意思安闲，如不欲战然。及至决机乘胜，气势盈溢⑧。勋劳宜赏，不吝千金，无功望施，分豪不与。用法峻急⑨，有犯必戮，或对之流涕，然终无所赦。雅性⑩节俭，不好华丽。故能芟刈⑪群雄，几⑫平海内。

是时太子在邺，军中骚动，群僚欲秘不发丧。谏议大夫⑬贾逵以为事不可秘，乃发丧。或言宜易诸城守，悉用谯、沛人⑭。魏郡太守广陵徐宣厉声曰："今者远近一统，人怀效节，何必专任谯、沛，以沮宿卫者之心！"乃止。

【语译】

世祖文皇帝上

黄初元年（庚子，公元二二〇年）

春，正月，魏武王曹操到达洛阳。二十三日庚子，曹操去世。

魏王知人善察，难以用假象迷惑他。能识别提拔有特别才干的人，不受微贱局限，根据才能使用，让他们都能发挥自己的作用。与敌人对阵打仗，仪态安然，好像不想作战的样子。等到确定了策略，乘胜出击时，气势洋溢。对有功应该赏赐的人，不惜千金；对无功想得恩施的人，分毫不给。执法严急，有罪的一定诛杀，有时对当诛之人惋惜流泪，但最终不会赦免。生性节俭，不爱华丽。所以能铲除群雄，几乎平定了海内。

这时太子在邺城，军中骚动不安，群臣想保密不发布丧讯。谏议大夫贾逵认为此事不可保密，才发布了丧讯。有人建言应当调换各城的守将，全部换用谯县和沛县的人。魏郡太守广陵人徐宣厉声说道："如今远近一统，人人怀有尽节之心，何必专用谯县、沛县的人，来伤害各城守卫者之心！"此事这才作罢。

青州兵⑮擅击鼓相引去，众人以为宜禁止之，不从者讨之。贾逵曰："不可。"为作长檄⑯，令所在给其禀食⑰。鄢陵侯彰⑱从长安来赴，问逵先王玺绶所在。逵正色曰："国有储副⑲，先王玺绶，非君侯⑳所宜问也。"

凶问㉑至邺，太子号哭不已。中庶子㉒司马孚㉓谏曰："君王晏驾㉔，天下恃殿下为命，当上为宗庙，下为万国，奈何效匹夫孝也！"太子良久乃止，曰："卿言是也。"时群臣初闻王薨，相聚哭，无复行列。孚厉声于朝曰："今君王违世㉕，天下震动，当早拜嗣君㉖，以镇万国，而但哭邪！"乃罢群臣，备禁卫，治丧事。孚，懿之弟也。群臣以为太子即位，当须诏命㉗。尚书陈矫㉘曰："王薨于外，天下惶惧，太子宜割哀即位，以系远近之望。且又爱子㉙在侧，彼此生变，则社稷危矣。"即具官备礼，一日皆辨㉚[1]。明旦，以王后令，策太子即王位，大赦。汉帝寻遣御史大夫㉛华歆奉策诏，授太子丞相印、绶，魏王玺、绶，领冀州牧。于是尊王后曰王太后。

改元㉜延康。

二月丁未朔，日有食之。

壬戌㉝，以太中大夫贾诩为太尉，御史大夫华歆为相国㉞，大理王朗为御史大夫。

丁卯㉟，葬武王于高陵㊱。

王弟鄢陵侯彰等皆就国。临淄监国谒者㊲灌均希指㊳奏："临淄侯植醉酒悖慢㊴，劫胁㊵使者。"王贬植为安乡侯㊶，诛右刺奸掾㊷沛国丁仪，及弟黄门侍郎廙并其男口，皆植之党也。

鱼豢㊸论曰："谚言：'贫不学俭，卑不学恭。'非人性分㊹殊也，势使然耳。假令太祖防遏植等在于畴昔，此贤之心，何缘有窥望乎！彰之挟恨，尚无所至；至于植者，岂能兴难！乃令杨脩以倚注㊺遇害，丁仪以希意㊻族灭，哀夫！"

青州兵擅自击鼓，相互引领离去，众人认为应该加以禁止，不听从的就加以诛讨。贾逵说："不可以。"于是写了一篇长长的文告，命令青州兵所经过的地方，官府要为他们供给食物。鄢陵侯曹彰从长安来赴丧，向贾逵询问先王的玺绶在什么地方。贾逵严肃地说："国家已有王储，先王玺绶，不是您应当询问的。"

噩耗传到邺城，太子大哭不止。中庶子司马孚劝谏说："君王逝世，天下依赖殿下做主，应当上为祖宗，下为全国百姓着想，怎么能去效法一般人的孝行呢！"太子过了许久才停住悲哭，说："你说得对。"这时群臣刚刚听到魏王的死讯，相聚大哭，班行错乱。司马孚在朝廷高声喊道："如今君王离世，天下震动，应当尽早拜立继位新君，来震慑各国，却只该哭吗！"于是令群臣退朝，设置警卫，治理丧事。司马孚，是司马懿的弟弟。群臣认为太子即位，应当等待汉献帝的诏命。尚书陈矫说："大王在外地去世，全国人心惶惶忧惧，太子应节哀即位，来维系远近的人心。况且魏王的爱子在旁边，他此时如果发生变故，国家就危险了。"随即配备相应的官吏，安排礼仪，一天之内，都办好了。第二天早上，宣布王后的命令，策命太子登上王位，大赦天下。汉帝随即派御史大夫华歆带着诏书，授给太子丞相印、绶，魏王玺、绶，兼任冀州牧。于是尊王后为王太后。

献帝改年号为延康。

二月初一日丁未，发生日食。

十六日壬戌，任命太中大夫贾诩为太尉，御史大夫华歆为相国，大理王朗为御史大夫。

二十一日丁卯，武王曹操葬于高陵。

魏王曹丕的弟弟鄢陵侯曹彰等都各自到自己的封国。临淄侯的监国谒者灌均迎合曹丕的旨意上奏说："临淄侯曹植醉酒之后，悖逆无礼，要挟胁迫使者。"魏王曹丕把曹植贬降为安乡侯，诛杀右刺奸掾沛国人丁仪和他的弟弟黄门侍郎丁廙及其两家的男子。他们都是曹植的党羽。

鱼豢评论说："谚语说：'贫穷的人，不学也自然俭朴；卑贱的人，不学也自然谦恭。'这不是人性有不同，而是形势造成的。假使太祖曹操在以前就预防遏制曹植等，有这样贤明的用心，怎么会使他们产生非分欲望呢！曹彰的怨恨，就不会产生；至于曹植，怎么能够发难！竟使杨脩因依附曹植而遇害，丁仪也因迎合主人之意而被灭族，可悲啊！"

【段旨】

以上为第一段，写曹操之死，曹丕继位为魏王，立即诛杀曹植党羽。

【注释】

①世祖文皇帝（公元一八七至二二六年）：即曹丕，字子桓，曹操之太子。世祖，庙号。《谥法》：景物四方曰世；承命不迁曰世。公元二二〇至二二六年在位。文，帝号。《谥法》：学勤好问曰文。事见《三国志》卷二《文帝纪》。②黄初：曹丕代汉后，按五行之说，汉为火德，魏为土德，以土继火，而土色为黄，故以黄初为年号。曹操初封为公，食邑邺城在魏郡，故称魏公，魏字又应当时谶语“代汉者当涂高”，于是曹丕代汉，建国称魏。③武王：曹操。曹操死后谥为武。④庚子：正月二十三日。⑤薨：古代诸侯死称薨。⑥眩：迷惑。⑦陈：通“阵”。⑧盈溢：充溢。⑨峻急：严厉急迫。⑩雅性：谓本性。⑪芟刈：削除。⑫几：几乎。⑬谏议大夫：官名，属光禄勋，掌议论。⑭悉用谯、沛人：曹氏为沛国谯县（今安徽亳州）人，此言者以家乡人为可信。⑮青州兵：汉献帝初平三年（公元一九二年）曹操击破青州黄巾军所改编的军队。⑯长檄：长篇文告。⑰禀食：谓由当地政府发给粮食。禀，通“廪”。⑱鄢陵侯彰：曹彰。建安二十四年（公元二一九年）曹操从汉中还长安，因留曹彰镇守，现曹彰知曹操死，故自长安来赴。⑲储副：君主之副，即君位的继承者。⑳君侯：对诸侯之尊称。㉑凶问：死亡的音信。㉒中庶子：即太子中庶子，官名，太子的侍从官。㉓司马孚：字叔达，司马懿之弟。初为曹植的文学掾，后为曹丕的太子中庶子。曹丕为帝后，为黄门侍郎。魏明帝时，为尚书右仆射、尚书令。三少帝时，为司空、太尉、太傅，封长社县侯。后入

【原文】

初置散骑常侍、侍郎[47]各四人，其宦人为官者不得过诸署令[48]，为金策，藏之石室[49]。时当选侍中、常侍，王左右旧人讽主者，便欲就用，不调余人。司马孚曰：“今嗣王新立，当进用海内英贤，如何欲因际会[50]，自相荐举邪！官失其任，得者亦不足贵也。”遂他选。

尚书陈群以天朝[51]选用不尽人才，乃立九品官人之法[52]，州、郡皆置中正以定其选，择州、郡之贤有识鉴者为之，区别人物，第其高下。

夏，五月戊寅[53]，汉帝追尊王祖太尉[54]曰太王，夫人丁氏曰太王后。

王以安定太守邹岐为凉州刺史[55]，西平[56]麹演结旁郡作乱以拒岐。张掖[57]张进执太守杜通，酒泉[58]黄华不受太守辛机，皆自称太守以应演。

晋。传见《晋书》卷三十七。㉔晏驾：古人称君王死为晏驾。㉕违世：死的别称。㉖嗣君：继位的国君。㉗诏命：指汉献帝的诏命。㉘陈矫（？至公元二三七年）：字季弼，广陵东阳（今安徽天长西北）人，初为本郡功曹，后为曹操司空掾属、丞相长史、尚书等。曹丕代汉为帝后，为尚书令。魏明帝时，封东乡侯，官至司徒。传见《三国志》卷二十二。㉙爱子：指鄢陵侯曹彰。㉚辨：通"办"。㉛御史大夫：官名，主要掌监察、执法，亦兼掌重要文书图籍。㉜改元：此为汉朝改元。㉝壬戌：二月十六日。㉞相国：官名，即丞相。此为魏国之相国，当时汉丞相为曹丕。㉟丁卯：二月二十一日。㊱高陵：曹操的陵墓名，后遂以为地名。在当时的邺城西。㊲监国谒者：官名。汉制，王国置谒者，掌宾赞受事，侯国不置。此监国谒者为魏文帝所置，职在监视诸侯王。㊳希指：迎合在上者的旨意。㊴悖慢：无礼傲慢。㊵劫胁：要挟胁迫。㊶安乡侯：曹植从县侯贬为乡侯。㊷右刺奸掾：官名，主罪法。㊸鱼豢：三国魏人，曾任郎中，著有《魏略》《典略》。㊹分：本质；素质。㊺倚注：附着；依附。注，属也；附也。㊻希意：通"希旨"。谓迎合在上者之意。

【校记】

［1］辨：胡三省注云蜀本作"办"。据章钰校，甲十六行本、乙十一行本、孔天胤本皆作"办"。

【语译】

首次设置散骑常侍、侍郎各四人，宦官任职不准高于各署的署令，把这一规定制作成金策，收藏在石室里。当时正在选拔侍中、常侍，魏王曹丕身边的亲信旧人，暗示主持选举的官员，想就近任用他们，不再选调他人。司马孚说："如今嗣王刚登位，应进用天下的英才贤能，怎么能乘此机会，自相荐举呢！任官失其所当任，得到官职也不足为贵。"于是另行选用。

尚书陈群认为汉朝选用官吏不能用尽人才，于是设立九品选官制度，州、郡都设置中正官来评定人选，选拔州、郡中贤能有鉴别人才能力的人担任，区别人物品行，评品他们的高下。

夏，五月初三日戊寅，汉献帝诏令追尊魏王曹操的祖父汉太尉曹嵩为太王，他的夫人丁氏为太王后。

魏王任命安定太守邹岐为凉州刺史，西平人麹演勾结邻郡作乱来抗拒邹岐。张掖人张进抓获了太守杜通，酒泉人黄华不接受太守辛机，他们都自称太守来响应麹演。

武威三种胡复叛。武威太守毌丘兴⑲告急于金城⑳太守、护羌校尉㉑扶风苏则㉒，则将救之，郡人皆以为贼势方盛，宜须大军。时将军郝昭、魏平先屯金城，受诏不得西渡㉓。则乃见郡中大吏及昭等谋曰："今贼虽盛，然皆新合，或有胁从，未必同心，因衅击之，善恶必离，离而归我㉔，我增而彼损矣。既获益众之实，且有倍气之势，率以进讨，破之必矣。若待大军，旷日弥久，善人无归，必合于恶，善恶既合，势难卒离。虽有诏命，违而合权㉕，专之可也。"昭等从之，乃发兵救武威，降其三种胡，与毌丘兴击张进于张掖。麹演闻之，将步骑三千迎则，辞来助军㉖，而[2]实欲为变，则诱而斩之，出以徇军㉗，其党皆散走。则遂与诸军围张掖，破之，斩进。黄华惧，乞降。河西㉘平。

初，敦煌㉙太守马艾卒官，郡人推功曹㉚张恭行长史㉛事，恭遣其子就诣朝廷请太守。会黄华、张进叛，欲与敦煌并势，执就，劫以白刃。就终不回，私㉜与恭疏曰："大人率厉敦煌，忠义显然，岂以就在困厄之中而替之哉！今大军垂至，但当促兵以掎㉝之耳。愿不以下流㉞之爱，使就有恨于黄壤也。"恭即引兵攻酒泉，别遣铁骑二百及官属，缘酒泉北塞，东迎太守尹奉。黄华欲救张进，而西顾恭兵，恐击其后，故不得往而降。就卒平安，奉得之郡，诏赐恭爵关内侯㉟。

六月庚午㊱，王引军南巡。

秋，七月，孙权遣使奉献。

蜀将军孟达屯上庸㊲，与副军中郎将㊳刘封不协。封侵陵之，达率部曲㊴四千余家来降。达有容止才观㊵，王甚器爱之，引与同辇㊶，以达为散骑常侍、建武将军㊷，封平阳亭侯。合房陵㊸、上庸、西城㊹三郡为新城，以达领新城太守，委以西南之任。行军长史㊺刘晔曰："达有苟得之心，而恃才好术，必不能感恩怀义。新城与孙、刘接连㊻，若有变态，为国生患。"王不听。遣征南将军夏侯尚㊼、右将军徐晃与达共袭刘封。上庸太守申耽叛封来降。封破，走还成都。

初，封本罗㊽侯寇氏之子，汉中王初至荆州，以未有继嗣，养之为子。诸葛亮虑封刚猛，易世之后，终难制御，劝汉中王因此际除之，遂赐封死。

武威三部种姓胡人又反叛。武威太守毌丘兴向金城太守、护羌校尉扶风人苏则告急，苏则要去救援，郡中人都认为叛贼势力正强盛，应该等候大军到来。当时将军郝昭、魏平先前就驻守在金城，接受诏令不得向西渡过黄河。苏则于是召见郡中的重要官员和郝昭等人商议说："现在叛贼虽然强盛，但都是刚刚纠合起来，有的是受胁迫的，不一定同心，利用他们的弱点进击，善良的人与邪恶的人必然分离，脱离的人会投归我们，这样，我军得到增强而敌人受到损失。我们既获得增强军队的实惠，而且会士气倍增，率兵去征讨，一定能打败他们。如果等待大军，旷日持久，善良的人没有归宿，必然跟恶人同流，善良的人跟邪恶的人结合，势必难以很快分离。现在虽然有诏命，但违背诏命合乎权变之宜，专断是可以的。"郝昭等人接受了这个意见，于是出兵救援武威，三部种姓胡人被降服，和毌丘兴合力在张掖攻击张进。麹演得知后，率步兵、骑兵三千人迎接苏则，声称来助战，而实际上是想反叛，苏则将计就计，诱杀了麹演，把他的尸体展示给他的部众看，麹演的党羽便都逃散了。苏则就和各路军队包围张掖，攻破张掖，斩了张进。黄华恐惧，请求投降。于是平定了河西。

起初，敦煌太守马艾死在任上，郡人推举功曹张恭代替长史的职务，张恭派他的儿子张就到朝廷请求派任太守。正逢黄华、张进反叛，企图与敦煌郡联合，因此抓住张就，拔刀胁迫。张就始终不从，并暗中送信给他父亲张恭说："大人为敦煌的表率，忠义显示天下，怎么能因为我处于危困之中就改变呢！如今大军即将到来，您应当赶紧率兵牵制叛贼，希望您不要因父子私情，而使我饮恨黄泉。"张恭马上率兵进攻酒泉，另外派二百名铁骑及其官属，沿着酒泉的北面边塞，向东迎接太守尹奉。黄华想去救张进，但顾忌西边张恭的军队来攻击自己的后方，所以无法前往，只好投降。张就终于平安脱险，尹奉得以到郡上任，诏令赐爵张恭为关内侯。

六月二十六日庚午，魏王曹丕率领军队南巡。

秋，七月，孙权派使者向朝廷进贡。

蜀将军孟达驻军上庸，与副军中郎将刘封不和。刘封欺凌孟达，孟达率领部属四千多家前来投降。孟达容貌举止出众，又有才能仪表，魏王曹丕很器重宠幸他，让他跟自己同乘一辆车子，任命孟达为散骑常侍、建武将军，封为平阳亭侯。合并房陵、上庸、西城三郡为新城郡，委任孟达为新城太守，把西南的事务交给他。行军长史刘晔说："孟达有侥幸得利之心，而且他依仗才能，好弄权术，一定不会感恩戴德，心怀忠义，新城与孙权、刘备的地盘相连，如有变故，将成为国家的祸患。"魏王不听。派征南将军夏侯尚、右将军徐晃与孟达一起袭击刘封。上庸太守申耽背叛刘封前来投降。刘封被打败，逃回成都。

刘封本是罗侯寇氏的儿子，汉中王刘备刚到荆州时，因没有儿子，就收刘封为养子。诸葛亮考虑刘封为人刚强勇猛，若刘备去世后，最终难以驾驭，劝汉中王刘备趁此机会除掉他，于是刘备令刘封自杀。

武都[89]氐王杨仆率种人内附。

甲午[90]，王次[91]于谯[92]，大飨[93]六军[94]及谯父老于邑东，设伎乐百戏，吏民上寿[95]，日夕而罢。

孙盛曰："三年之丧[96]，自天子达于庶人。故虽三季[97]之末，七雄[98]之敝，犹未有废衰斩[99]于旬朔[100]之间，释麻[101]杖[102]于反哭[103]之日者也。逮于汉文，变易古制[104]，人道之纪，一旦而废，固已道薄于当年，风颓于百代矣。魏王既追汉制，替[105]其大礼，处莫重[106]之哀而设飨宴之乐，居贻厥[107]之始而堕王化之基。及至受禅[108]，显纳二女，是以知王龄之不遐，卜世[109]之期促也。"

【段旨】

以上为第二段，写曹丕平定河西之乱；刘备诛杀养子刘封；孙盛评论魏朝国运不长，因曹丕居丧淫乐，不守礼制，人心不附。

【注释】

㊼散骑常侍、侍郎：皆官名，秦汉时置散骑，骑马随从皇帝车后；又有中常侍，得出入宫中，但皆为加官。东汉初，省散骑，而中常侍又以宦官为之。现将散骑与中常侍合为一官，称散骑常侍，同时又置散骑侍郎，皆备顾问，掌规谏。但后来却成为显职。散骑常侍、散骑侍郎与侍中、黄门侍郎共平尚书奏事。㊽诸署令：诸署之长。诸署指左、右、中尚方、中黄门、左右藏、左校、甄官、奚官、黄门、掖庭、永巷、御府、钩盾、中藏府、内者等署。㊾石室：国家藏图书档案之室。㊿际会：谓新旧交接的时机。(51)天朝：指汉朝。(52)九品官人之法：选举人才的一种制度，又称为九品中正制。其具体做法是：每州、郡由有声望的中央官兼任本州、郡中正，将本州、郡内的士人，按其才能、家世分为上上、上中、上下、中上、中中、中下、下上、下中、下下九品，即九等，然后由吏部按品授予官职。(53)戊寅：五月初三日。(54)王祖太尉：指曹丕的祖父汉太尉曹嵩。(55)凉州刺史：此时又新置凉州，刺史治所在武威姑臧，在今甘肃武威。(56)西平：郡名，汉献帝建安中分金城郡置，治所西都，在今青海西宁。(57)张掖：郡名，治所觻得，在今甘肃张掖西北。(58)酒泉：郡名，治所禄福，在今甘肃酒泉。(59)武威太守毌丘兴：武威，郡名，治所姑臧，在今甘肃武威。毌丘兴，复姓毌丘，名兴。(60)金城：郡名，治所

武都氐王杨仆率领氐人归附朝廷。

七月二十日甲午，魏王曹丕驻军谯县，在县城东大摆宴席，慰劳全军以及谯县的家乡父老，并表演舞乐杂技，官民们都来向魏王敬酒祝贺，直到太阳落山宴席才结束。

孙盛说："为父母守丧三年，从天子到百姓都要遵守。所以即便是夏、商、周三代末世，七雄的乱世，也没有人在十天或一个月之内除去丧服，在反哭之日丢下丧杖的。到了汉文帝时，变更古代的制度，为人之道的纲纪，顷刻废弃，本来已经道德衰微，不如从前；风俗已经颓废，不如古代了。魏王曹丕既然追随汉家制度，废弃重大礼仪，身处最沉重的悲哀之时，却设宴作乐，身为继位的第一代子孙，却损坏王道教化的根基。等到接受汉献帝的禅让时，公然收纳汉献帝的两个女儿为嫔妃，由此可知魏王朝的年代不会久远，预料它的期限很短暂。"

允吾，在今甘肃永靖北。㉑护羌校尉：官名，汉代置护羌校尉一人管理西羌事。㉒苏则（？至公元二二三年）：字文师，扶风武功（今陕西武功西南）人，初为酒泉、安定、武都等郡太守。曹操征汉中后，命他为金城太守。后平麹演等有功，封都亭侯。曹丕代汉为帝后，为侍中。传见《三国志》卷十六。㉓西渡：谓西渡黄河。金城郡与武威、张掖、酒泉西隔黄河。㉔善恶必离二句：谓善者与恶者一定分离，分离后善者归我。㉕权：权宜；机变。㉖辞来助军：以前来帮助军事行动为说辞。㉗徇军：在军中陈尸示众。㉘河西：地区名，指今甘肃、青海两省黄河以西之地，即河西走廊与湟水流域一带。㉙敦煌：郡名，治所敦煌县，在今甘肃敦煌西。㉚功曹：官名，即功曹史，太守的主要佐吏，除分掌人事外，还参与一郡政务。㉛长史：官名，郡太守的主要佐吏，并由中央任命。东汉时边郡不置丞，由长史兼领丞的职务，即协佐郡守理事，有时还代替郡守行事。又边郡不置将兵长史时，长史还要领兵作战。㉜私：暗自。㉝掎：谓从后牵制。㉞下流：魏晋人称子孙为下流。㉟关内侯：汉代封爵之一，次于列侯，但只有俸禄而无封地。㊱庚午：六月二十六日。㊲上庸：郡名，治所上庸县，在今湖北竹山县东南。㊳副军中郎将：官名，刘备所置次于将军之武官。㊴部曲：此指兵家，即带家属的军队。㊵容止才观：谓容貌举止与才能皆佳。容止，容貌举止。才观，才能与仪表。㊶辇：皇帝所乘之车。㊷建武将军：官名，属杂号将军。㊸房陵：郡名，治所房陵县，在今湖北房陵。㊹西城：郡名，治所西城县，在今陕西安康西北。㊺行军长史：官名，当时曹丕引军南巡，临时设置行军长史管理军务。㊻接连：新城郡与蜀之汉中郡、吴之宜都郡皆接

连。⑧⑦夏侯尚（？至公元二二五年）：字伯仁，夏侯渊之从子。曹操定冀州后，为军司马，常从征伐。魏国建立后，为黄门侍郎，又为散骑常侍、中领军。曹丕代汉后，官至征南大将军、荆州牧，封平陵乡侯。传见《三国志》卷九。⑧⑧罗：侯国名，国治在今湖南湘阴北。⑧⑨武都：郡名，治所下辨，在今甘肃成县西。⑨⓪甲午：七月二十日。⑨①次：停驻。⑨②谯：县名，县治在今安徽亳州。⑨③飨：设宴款待。⑨④六军：周制，天子有六军，诸侯国有三军、二军、一军不等。后作为军队的统称。⑨⑤上寿：祝寿。⑨⑥三年之丧：古时君王、父母死，臣、子皆服丧三年。⑨⑦三季：夏、商、周三代。⑨⑧七雄：指战国时秦、赵、韩、魏、齐、楚、燕七雄。⑨⑨衰斩：即斩衰，丧服名，为五种丧服中最重的一种。用粗麻布制成，左右和下边皆不缝。臣对君主，子和未嫁女对父母皆服斩衰。⑩⓪旬

【原文】

王以丞相祭酒[110]贾逵为豫州刺史[111]。是时天下初定，刺史多不能摄[112]郡。逵曰："州本以六条诏书[113]察二千石以下，故其状皆言严能鹰扬[114]，有督察之才，不言安静宽仁，有恺悌[115]之德也。今长吏[116]慢法[117]，盗贼公行，州知而不纠，天下复何取正乎！"其二千石以下，阿纵不如法者，皆举奏免之。外修军旅，内治民事，兴陂[118]田，通运渠，吏民称之。王曰："逵真刺史矣！"布告天下，当以豫州为法，赐逵爵关内侯。

左中郎将[119]李伏、太史丞[120]许芝表言魏当代汉，见于图纬[121]，其事众甚。群臣因上表劝王[122]顺天人之望，王不许。

冬，十月乙卯[123]，汉帝告祠高庙，使行御史大夫张音持节奉玺绶诏册，禅位于魏。王三上书辞让，乃为坛于繁阳[124]，辛未[125]，升坛受玺绶，即皇帝位，燎祭[126]天地、岳渎，改元，大赦。

十一月癸酉[127]，奉汉帝为山阳[128]公，行汉正朔[129]，用天子礼乐，封公四子为列侯[130]。追尊太王曰太皇帝，武王曰武皇帝，庙号太祖。尊王太后曰皇太后。以汉诸侯王为崇德侯，列侯为关中侯[131]。群臣封爵、增位各有差。改相国为司徒，御史大夫为司空。山阳公奉二女以嫔[132]于魏。

帝欲改正朔，侍中[133]辛毗曰："魏氏遵舜、禹之统，应天顺民。至于汤、武，以战伐定天下，乃改正朔。孔子曰'行夏之时[134]'，《左氏

朔：十天或一个月。⑩麻：指古人在丧期中结在头上和腰间的麻带。⑩杖：指苴杖，即古人居父母丧所用的竹杖。⑩反哭：古时丧礼，葬毕，丧主奉神主归而哭，称为反哭。⑩变易古制：汉文帝后七年遗诏改变古丧制，详见本书卷十五汉文帝后七年。⑩替：废弃；替除。⑩莫重：没有比此更重。⑩贻厥：谓遗传于后世子孙。⑩受禅：谓受汉献帝之禅。⑩卜世：用占卜预测传国的世数。

【校记】

［2］而：原无此字。据章钰校，甲十六行本、乙十一行本、孔天胤本皆有此字，今据补。

【语译】

魏王曹丕任命丞相祭酒贾逵为豫州刺史。这时天下刚刚平定，刺史大多不能统理所属的各郡。贾逵说："州刺史本来是按照六条诏书监察二千石以下的官员，所以在谈论他们的形象时，都说是严而有能，如同雄鹰那样威武，有监督官吏的才能，而不说安静、宽厚、仁慈，有平易近人的美德。如今地方长官轻忽法纪，致使盗贼公开行窃，州刺史明知却不予以查办，天下人又拿什么作为正确的榜样呢！"那些二千石以下的官吏，庇护放纵不按法行事的，都上奏免官。对外整顿军队，对内治理民事，兴建水塘，开垦田地，疏通运渠，官民称颂。魏王曹丕说："贾逵是真正的刺史啊！"公告天下，应当以豫州为榜样，赏赐贾逵爵位为关内侯。

左中郎将李伏、太史丞许芝上表说魏国应当取代汉朝，已经在图纬中显现，事例很多。群臣趁势上表劝说魏王曹丕顺应天命人心，魏王曹丕没有同意。

冬，十月十三日乙卯，汉献帝在高祖庙祭告，派代理御史大夫张音持符节奉玺绶诏册，向魏王禅让帝位。魏王三次上书推辞，然后才在繁阳设坛台。二十九日辛未，曹丕登坛台接受玺绶，即皇帝位，燃火祭天地、山川，改易年号，大赦天下。

十一月初一日癸酉，尊奉汉献帝为山阳公，奉行汉代历法，仍用天子的礼乐；封山阳公四个儿子为列侯。追尊魏太王曹嵩为魏太皇帝，魏武王曹操为魏武皇帝，庙号太祖。尊王太后为皇太后。改汉朝所封的诸侯王为崇德侯，列侯为关中侯。群臣得到不同等级的封爵和官位升迁。改相国为司徒，御史大夫为司空。山阳公奉送两个女儿给魏文帝曹丕做嫔妃。

魏文帝想更改历法，侍中辛毗说："魏氏遵循舜、禹的正统，上应天命，下顺民心。至于汤、武，依靠武力平定天下，才更改历法。孔子说'实行夏朝的历法'，

传》曰‘夏数为得天正⑬⑤’，何必期于相反！”帝善而从之。时群臣并颂魏德，多抑损前朝。散骑常侍卫臻⑬⑥独明禅授之义，称扬汉美。帝数目臻曰：“天下之珍，当与山阳公[3]共之。”帝欲追封太后父、母，尚书陈群奏曰：“陛下以圣德应运受命，创业革制，当永为后式。按典籍之文，无妇人分土命爵之制。在礼典，妇因夫爵⑬⑦。秦违古法，汉氏因之，非先王之令典也。”帝曰：“此议是也，其勿施行。”仍著定制，藏之台阁⑬⑧。

十二月，初营洛阳宫。戊午⑬⑨，帝如⑭⓪洛阳。

帝谓侍中苏则曰：“前破酒泉、张掖，西域通使敦煌，献径寸大珠，可复求市⑭①益得⑭②不？”则对曰：“若陛下化洽⑭③中国⑭④，德流沙幕⑭⑤，即不求自至。求而得之，不足贵也。”帝嘿然。

帝召东中郎将蒋济为散骑常侍。时有诏赐征南将军⑭⑥夏侯尚曰：“卿腹心重将，特当任使，作威作福，杀人活人。”尚以示济。济至，帝问以所闻见，对曰：“未有他善，但见亡国之语耳。”帝忿然作色而问其故，济具以答，因曰：“夫‘作威作福’，《书》之明诫⑭⑦。天子无戏言，古人所慎，惟陛下察之。”帝即遣追取前诏。

帝欲徙冀州士卒家⑭⑧十万户实河南⑭⑨。时天旱蝗，民饥，群司以为不可，而帝意甚盛。侍中辛毗与朝臣俱求见，帝知其欲谏，作色以待之，皆莫敢言。毗曰：“陛下欲徙士家，其计安出？”帝曰：“卿谓我徙之非邪？”毗曰：“诚以为非也。”帝曰：“吾不与卿议也。”毗曰：“陛下不以臣不肖⑮⓪，置之左右，厕⑮①之谋议之官⑮②，安能[4]不与臣议邪！臣所言非私也，乃社稷之虑也，安得怒臣！”帝不答，起入内。毗随而引⑮③其裾⑮④，帝遂奋衣⑮⑤不还，良久乃出，曰：“佐治⑮⑥，卿持⑮⑦我何太急邪！”毗曰：“今徙既失民心，又无以食也，故臣不敢不力争。”帝乃徙其半。帝尝出射雉⑮⑧，顾群臣曰：“射雉乐哉！”毗对曰：“于陛下甚乐，于群下甚苦。”帝默然，后遂为之稀出。

《左传》说‘夏朝的历数，最合天地运行的正道’，何必期望与它相反呢！”魏文帝认为有理，采取了这一建议。当时群臣都称颂魏王朝的功德，大多贬损前朝。散骑常侍卫臻却独自阐明禅位的意义，称颂汉朝的美德。魏文帝多次注目卫臻，并说：“天下的珍宝，将和山阳公共同享用。”魏文帝想追封太后的父母，尚书陈群上奏说：“陛下以圣德膺受天命，创立大业，改革制度，应当永远成为后世的榜样。考察经典文籍，没有给妇女分封土地和爵位的制度。在礼制的典籍里，只有妇女从享丈夫的爵位。秦朝违背古代的法典，汉朝继承秦制，不是先王的美好法典。”魏文帝说：“这个意见是对的，那就不要施行追封之礼了。”于是著为制度，并把它保存在尚书管理的台阁中。

十二月，开始营建洛阳宫。十七日戊午，魏文帝到达洛阳。

魏文帝对侍中苏则说：“先前攻破酒泉、张掖时，西域曾派使节到敦煌，贡献直径一寸大的珍珠，还能再买到更多的珍珠吗？”苏则回答说：“如果陛下的教化能够沾润中原，恩德远被沙漠，即便不求，珍珠也自然会有人送来。通过追求而得到，就不足珍贵了。”魏文帝沉默不语。

魏文帝征召东中郎将蒋济为散骑常侍。当时曾有诏书赐给征南将军夏侯尚，说：“你是我的心腹将领，给予你特别职任，你可以作威作福，可以处死人，可以赦免人。”夏侯尚把诏书拿给蒋济看。蒋济来到京城，魏文帝问他有什么见闻，蒋济说：“没有其他好讲的，只看到了亡国的话语。”魏文帝愤怒地变了脸色，问他为何这么说。蒋济把看到诏书的事据实作了回答，还借机说：“‘作威作福’，《尚书》明明白白加以鉴戒。天子无戏言，古人对此特别谨慎，希望陛下明察。”魏文帝马上派人追回前诏。

魏文帝想迁移冀州籍的士兵十万家充实河南。当时天旱加上蝗灾，百姓饥饿，朝廷各部门认为不可以移民，但魏文帝态度十分坚定。侍中辛毗和朝中大臣一起求见，魏文帝知道他们想来谏阻，就板起面孔来接待他们，大家都不敢发言。辛毗说：“陛下想迁移士兵的家眷，这是为了什么？”魏文帝说：“你认为我迁移的做法不对吗？”辛毗说：“我确实认为不对。”魏文帝说：“我不跟你商议了。”辛毗说：“陛下不认为臣不才，才把臣安排在您身边，置身谋议之官，怎么能不与臣商议呢！臣所讲的不是出于私心，而是为国家考虑，怎么能对臣生气呢！”魏文帝不回答，起身进入内室。辛毗跟在后面拉住他的衣后襟，魏文帝甩开辛毗，头也不回地走了进去，过了很久才出来，说：“辛毗，你对我为什么逼得这么急！”辛毗说：“现在迁移士兵家眷，既失去民心，又没食物给他们吃，所以我不敢不力争。”魏文帝于是只迁移士兵家眷中的一半。魏文帝曾经出外射取野鸡，回头对群臣说：“射野鸡，真快活！”辛毗回答说：“对陛下来说十分快活，对群臣来说十分辛苦。”魏文帝沉默无语，后来就很少出猎了。

【段旨】

以上为第三段，写曹丕代汉为魏开国之君，尚能听谏诤之言。

【注释】

⑩ 丞相祭酒：按《三国志·魏书·贾逵传》，贾逵当时为丞相主簿祭酒，为丞相府之属官，职掌省录众事。⑪ 豫州刺史：当时豫州刺史的治所为谯县，在今安徽亳州。⑫ 摄：总领。⑬ 六条诏书：汉武帝置十三部刺史时，令刺史按六条诏书督察所部二千石长吏等（即郡太守等）。参见本书卷二十一汉武帝元封五年（公元前一〇六年）。⑭ 鹰扬：如鹰之奋扬，比喻威武。⑮ 恺悌：和乐平易。⑯ 长吏：此指郡太守。汉代，官六百石以上皆可称长吏。⑰ 慢法：轻忽法律。⑱ 陂：堰塘。⑲ 左中郎将：官名，汉代于光禄勋下置左、右、五官三署中郎将，统领皇帝侍卫军。⑳ 太史丞：官名，属太史令，协助太史令掌天文历算。㉑ 图纬：《河图》与纬书。纬书为汉代人伪托孔子所作，有六经纬及《孝经纬》七种。当时李伏、许芝所引谶纬书有《孔子玉板》《春秋汉含孳》《孝经中黄谶》《易运期谶》等等。㉒ 上表劝王：当时上表劝进者有辛毗、刘晔、傅巽、卫臻、桓阶、陈矫、陈群、苏林、董巴以及司马懿、郑浑、羊秘、鲍勋等。㉓ 乙卯：十月十三日。㉔ 繁阳：即颍阴县曲蠡之繁阳亭。同年，魏文帝改繁阳为繁昌县，县治在今河南临颍西北。㉕ 辛未：十月二十九日。㉖ 燎祭：以柴燃火祭天地山川。㉗ 癸酉：十一月初一日。㉘ 山阳：县名，县治在今河南修武西北。㉙ 正朔：谓历法。正，一年之始。朔，一月之始。古时改朝换代，一般都重定正朔，颁行新历。㉚ 列侯：汉代分爵为二十级，列侯位最高。列侯功大者食县邑，为侯国；功小者食乡亭。㉛ 关中侯：曹魏所置，在列侯之下，无封地，不食租税。㉜ 嫔：古代帝王女儿出嫁谓之嫔。㉝ 侍中：官名，职在侍从皇帝，应对顾问。

【原文】

二年（辛丑，公元二二一年）

春，正月，以议郎孔羡为宗圣侯[159]，奉孔子祀。

三月，加辽东太守公孙恭车骑将军[160]。

初复五铢钱[161]。

蜀中传言汉帝已遇害，于是汉中王发丧[162]制服[163]，谥曰孝愍皇帝。群下竞言符瑞[164]，劝汉中王称尊号。前部司马[165]费诗上疏曰："殿下以曹操父子逼主篡位，故乃羁旅万里，纠合士众，将以讨贼。今大敌未

汉代侍中无定员，曹魏定员为四人。⑬④行夏之时：此语见《论语·卫灵公》。孔子主张用夏代之历法。⑬⑤夏数为得天正：此语见《左传》昭公十七年，但原文作“夏数得天”，谓夏正与自然气象相适应。因为夏历大体是以立春之月为正月。⑬⑥卫臻：字公振，陈留襄邑（今河南睢县）人，初参曹操丞相军事，又为户曹掾。曹丕为魏王后，任散骑常侍。黄初初，任侍中、吏部尚书。魏明帝时，为尚书右仆射，主管选举。后官至司空、司徒，封长垣侯。传见《三国志》卷二十二。⑬⑦妇因夫爵：《礼记·郊特牲》云：“妇人无爵，从夫之爵。”⑬⑧台阁：尚书台中藏档案的处所。⑬⑨戊午：十二月十七日。⑭⓪如：到。⑭①求市：索购。⑭②益得：得到更多。⑭③化洽：谓恩德普遍施及。化，德化，即以德感化人。洽，沾润，即遍及。⑭④中国：指中原地区。⑭⑤沙幕：即沙漠。指西域地区。⑭⑥征南将军：官名，曹魏以后，征东、征西、征南、征北等四将军，位次于三公，在四镇将军之上。⑭⑦《书》之明诫：《尚书·洪范》云：“臣无有作福作威玉食，臣之有作福作威玉食，其害于而（你）家，凶于而国。”⑭⑧士卒家：即士家，又称兵家。曹魏实行士家制（又称世兵制），士家单独列于兵籍，不与民籍相混；士家子弟世代为兵，未经赦免不得脱籍。⑭⑨河南：即河南尹，治所洛阳，在今河南洛阳白马寺东。⑮⓪不肖：不才。⑮①厕：置。⑮②谋议之官：侍中在皇帝左右，掌应对顾问，故为谋议之官。⑮③引：牵。⑮④裾：衣服的后襟。⑮⑤奋衣：谓摆脱辛毗所牵的后衣襟。⑮⑥佐治：辛毗字佐治。⑮⑦持：谓相逼。⑮⑧雉：野鸡。

【校记】

［3］公：原无此字。据章钰校，甲十六行本有此字，今据补。［4］能：据章钰校，甲十六行本、乙十一行本皆作“得”。

【语译】

二年（辛丑，公元二二一年）

春，正月，册封议郎孔羡为宗圣侯，奉承孔子的祭祀。

三月，为辽东太守公孙恭加衔为车骑将军。

首次恢复使用五铢钱。

蜀中传言汉献帝已经遇害，于是汉中王刘备发布丧事消息，穿戴孝服，上谥号为孝愍皇帝。群臣竞相进言说有祥瑞出现，劝汉中王刘备称帝。前部司马费诗上奏疏说：“殿下正因为曹操父子逼主篡位，所以才辗转万里，聚合士卒，率领他们讨伐逆贼。

克而先自立，恐人心疑惑。昔高祖与楚约，先破秦者王之。及屠咸阳，获子婴，犹怀推让，况今殿下未出门庭⑯，便欲自立邪！愚臣诚不为殿下取也。”王不悦，左迁⑯诗为部永昌从事⑯。

夏，四月丙午⑯，汉中王即皇帝位于武担⑰之南，大赦，改元章武。以诸葛亮为丞相，许靖为司徒⑰。

臣光曰：“天生烝民⑰，其势不能自治，必相与戴君⑰以治之。苟能禁暴除害，以保全其生，赏善罚恶，使不至于乱，斯可谓之君矣。是以三代之前，海内诸侯，何啻⑰万国⑰，有民人、社稷者，通谓之君。合万国而君之，立法度，班⑰号令，而天下莫敢违者，乃谓之王。王德既衰，强大之国能帅诸侯以尊天子者，则谓之霸。故自古天下无道，诸侯力争，或旷世无王者，固亦多矣。秦焚书坑儒，汉兴，学者始推五德生、胜⑰，以秦为闰位⑰，在木火之间⑰，霸而不王，于是正闰⑱之论兴矣。及汉室颠覆，三国鼎跱⑱。晋氏失驭，五胡云扰⑱。宋、魏以降，南北分治，各有国史，互相排黜，南谓北为索虏⑱，北谓[5]南为岛夷⑱。朱氏⑱代唐，四方幅裂，朱邪⑱入汴，比之穷、新⑱，运历年纪，皆弃而不数⑱。此皆私己之偏辞，非大公之通论也。

“臣愚诚不足以识前代之正闰，窃以为苟不能使九州合为一统，皆有天子之名而无其实者也。虽华夷[6]仁暴，大小强弱，或时不同，要皆与古之列国无异，岂得独尊奖一国谓之正统，而其余皆为僭伪哉！若以自上相授受者为正邪，则陈氏⑱何所受[7]？拓拔氏⑲何所受？若以居中夏⑲者为正邪，则刘、石、慕容、苻、姚、赫连⑲所得之土，皆五帝、三王之旧都也。若以有道德者为正邪，则蕞尔⑲之国，必有令主⑲，三代之季⑲，岂无僻王⑲！是以正闰之论，自古及今，未有能通其义，确然使人不可移夺者也。

“臣今所述，止欲叙国家之兴衰，著生民之休戚⑲，使观者自择其善恶得失，以为劝戒，非若《春秋》立褒贬之法，拨乱世

如今大敌还没有消灭却先自立为帝，恐怕人心会产生疑惑。从前高祖与楚霸王约定，先打败秦朝就称王。等到高祖攻灭咸阳，俘获了子婴，仍然怀有推让之心，况且殿下如今尚未打出蜀地，就想自立为帝吗！臣确实认为殿下这么做是不可取的。”汉中王很不高兴，将费诗贬为永昌从事。

夏，四月初六日丙午，汉中王刘备在武担之南即皇帝位，大赦天下，改年号为章武。任命诸葛亮为丞相，许靖为司徒。

司马光说：“天生百姓，百姓势必不能自治，必须共同拥立君主加以治理。如果能禁暴除害来保全百姓的生存，赏善罚恶，使他们不至于作乱，这才可以称之为君主。所以三代以前，海内的诸侯国何止一万个，只要拥有百姓，能祭祀土神和谷神的人通通被称为君主。能聚合万国而加以统治，设立法度，颁布号令，而天下没有人敢违抗，就被称为王。王道衰落以后，强大的国君能统率诸侯尊奉天子的人，就被称为霸。因此自古以来，天下无道时，诸侯争雄，长期无王无霸的时代，本来是很多的。秦朝焚书坑儒，汉朝兴起，学者们开始推演五德相生相胜的理论，认为秦朝处于闰位，在木德与火德之间，只是霸而不是王，于是正位和闰位的争论就兴起了。等到汉室颠覆，三国鼎立。晋朝失去统治权，五胡大乱中原。刘宋、北魏以来，南北分治，各自写自己的国史，相互排斥、贬损，南朝称北朝是索虏，北朝称南朝为岛夷。朱温取代唐朝，四方分裂，沙陀人李存勖进入汴京，把朱温比作篡夏的有穷氏、篡汉的王莽新朝，朱梁一朝的历法和纪年都被抛弃不算数。这都是自私的偏颇之言，不是大公的通行理论。

“臣愚笨，实在没有能力认清前面朝代哪些是正位哪些是闰位。我认为如果不能统一九州的人，都只有天子之名而无天子之实。政权虽然华与夷有仁暴、大小、强弱等区别，或有时间前后的不同，但总而言之，它们都与古人的列国毫无差别，怎么能只尊奉一国称之为正统，而把其余的都视为僭伪呢！如果认为从上一个皇帝传授下来的政权为正统，那么南朝的陈氏是谁传授的？北魏的拓跋氏是谁传授的？如果认为居于中原的为正统，那么匈奴刘氏、羯族石氏、鲜卑族慕容氏、氐族苻氏、羌族姚氏、匈奴赫连氏所统治的国土，则都是五帝、三王的旧有国都。如果认为有道德的为正统，那么弹丸小国也必有明主，三代的末世，难道就没有奸邪的国王吗！所以关于正闰的理论，从古到今，没有能通晓它的含义，的确使人无法改易的。

“臣现在所说的，只是想说明国家的兴衰，关乎民生的苦乐，让读者自己去识别善恶得失，用来作为劝勉和鉴戒，不像《春秋》那样，建立褒贬的标准，

反诸正也。正闰之际，非所敢知，但据其功业之实而言之。周、秦、汉、晋、隋、唐，皆尝混壹⑲⑧九州，传祚于后，子孙虽微弱播迁⑲⑨，犹承祖宗之业，有绍复之望。四方与之争衡者，皆其故臣也，故全用天子之制以临之。其余地丑⑳⓪德齐，莫能相壹，名号不异，本非君臣者，皆以列国之制处之。彼此均[8]敌，无所抑扬，庶几⑳①不诬事实，近于至公。然天下离析⑳②之际，不可无岁、时、月、日以识⑳③事之先后。据汉传于魏而晋受之，晋传于宋以至于陈而隋取之，唐传于梁以至于周而大宋承之，故不得不取魏⑳④、宋、齐、梁、陈、后梁、后唐、后晋、后汉、后周年号，以纪诸国之事，非尊此而卑彼，有正闰之辨也。昭烈⑳⑤之于汉，虽云中山靖王之后，而族属疏远，不能纪其世数名位，亦犹宋高祖⑳⑥称楚元王后，南唐烈祖⑳⑦称吴王恪后，是非难辨，故不敢以光武及晋元帝为比，使得绍汉氏之遗统也。”

【段旨】

以上为第四段，写刘备称帝，自以为正统。司马光论正统，阐明《通鉴》纪年不依世俗之见，而以实际传承与功业大小为系年依据。

【注释】

⑮⑨孔美为宗圣侯：孔美为孔子二十一世孙。宗圣侯食邑百户。⑯⓪车骑将军：官名，曹魏时，车骑将军为都督者，仪同四征将军。如不为都督，虽持节属四征者，与前、后、左、右杂号将军同。⑯①五铢钱：汉献帝初平元年（公元一九〇年）董卓坏五铢钱更铸小钱，现又恢复。⑯②发丧：公布丧事于众；发布死讯。⑯③制服：守制之服，即丧服。⑯④符瑞：祥瑞的征兆。⑯⑤前部司马：费诗当时为益州前部司马。司马本将军府属官，非州牧刺史的属吏。而东汉末的州牧刺史却仿将军府置吏，置有司马，其职掌大概同于将军府之司马。⑯⑥未出门庭：指刘备还没有打出蜀地，即未占有中原之地，称帝尚早。⑯⑦左迁：降职调任。⑯⑧部永昌从事：即益州刺史部的从事史，所部为永昌郡。永昌郡治所在不韦县，在今云南保山市东北。⑯⑨丙午：四月初六日。⑰⓪武担：山名，在当时成都县西北，即在今四川成都旧城内西北角，北较场之东南角，今为高约二十米、长百余米、宽

拨乱反正。关于正闰的区别，我不敢说弄明白了，只是依据他们功业的实际来叙述。周、秦、汉、晋、隋、唐，都曾统一九州，传帝位于子孙，子孙们虽然衰弱，甚至颠沛流离，仍然能继承祖宗的基业，希望接续恢复以前的盛况。四方与他们争夺权力的，都是他们以前的臣子，所以，本书全都用君臣关系来对待。对其余国土大小差不多，功德相等，谁也不能统一，名号没什么区别，原本就不是君臣关系的，都用对待春秋列国的办法来处理。彼此均衡对待，不贬抑也不褒扬，这样也许不会歪曲事实，接近于公正。但天下分崩离析的时代，不可能没有年、季、月、日来记叙事情的先后。根据汉传位至魏而晋承受，晋传位到宋以至于陈而被隋取代，唐传位到梁以至于周而大宋承继，因此不得不用魏、宋、齐、梁、陈、后梁、后唐、后晋、后汉、后周的年号，用它们来记叙各国的事情，不是尊此而抑彼，有什么正闰的区分。蜀汉昭烈帝刘备对汉朝来说，虽然说是西汉中山靖王的后代，但族属关系疏远，不能说清他的世系代数、名分和地位，这就同南朝宋高祖刘裕自称是西汉楚元王的后代，南唐烈祖李昪自称是唐朝吴王李恪的后代一样，是非难辨，所以不敢把刘备与东汉光武帝继承西汉、东晋元帝继承西晋相类比，说他是承续汉朝的传统。”

三四十米的一土丘。⑰ 司徒：官名，西汉哀帝时罢丞相置大司徒，东汉去“大”称司徒，司徒之职相当于丞相，而蜀汉此时两者并置。但蜀汉司徒无实权，丞相录尚书事才是总揽朝政者。⑰ 烝民：众民；百姓。⑰ 戴君：立一个君主。戴，拥立；尊奉。⑰ 啻：只。⑰ 万国：在夏代以前，氏族部落众多，故有万国之称。如《史记·五帝本纪》谓黄帝“置左右大监，监于万国”。⑰ 班：颁布。⑰ 五德生、胜：秦汉方士以金、木、水、火、土五行相生相胜（又称克）之说来附会王朝的命运，称为五德。由于说法不同，同一王朝之属德亦有不同。如相生说认为，木生火，火生土，土生金，金生水，水生木；所以尧为火德，舜为土德，禹为金德，商为水德，周为木德，皆依次相生。而相胜说却认为，水胜火，火胜金，金胜木，木胜土，土胜水；故黄帝属土，夏属木，商属金，周属火，皆依次相胜。⑰ 闰位：古人称非正统的帝位为闰位。⑰ 在木火之间：汉代方士以五德相生说认为，夏为金德，商为水德，周为木德，汉为火德，皆依次相生。汉虽伐秦而代之，却上继周德，秦不在五行相生之正运，而在木火之间，故为闰位。⑱ 正闰：正统和非正统。⑱ 跱：同“峙”。直立。⑱ 云扰：谓纷扰如云。⑱ 索虏：以拓跋鲜卑为主的北朝诸族，皆编发为辫，故南朝蔑称之为索虏。⑱ 岛夷：南朝地近东南沿海，土地低下，北朝蔑称之为岛夷。⑱ 朱氏：唐朝末年朱温代唐称帝，国号梁，建都于汴，在今河南开封。⑱ 朱邪：指后唐庄宗李存勖，朱邪是原来的姓，李氏是唐室赐姓。⑱ 穷、新：

指有穷氏与王莽的新朝。后唐庄宗李存勖建国后，自以为继承唐朝，遂将朱梁比之为有穷氏篡夏，王莽篡汉。⑱运历年纪二句：指后唐不承认朱梁是一个朝代，朱梁的历法纪年都不算数。⑱陈氏：南朝陈霸先建立陈朝。⑲拓拔氏：指建立北魏的鲜卑拓跋氏。拓拔，也作“拓跋”。⑲中夏：中原。⑲刘、石、慕容、苻、姚、赫连：皆十六国时期的立国者。匈奴人刘渊建立汉，刘曜继之改称赵（前赵），羯人石勒亦建立赵（后赵），鲜卑慕容氏建立燕（此指后燕、南燕），氐人苻健、苻坚建立秦（前秦），羌人姚苌、姚兴亦建立秦（后秦），匈奴人赫连勃勃建立大夏。⑲蕞尔：小貌。⑲令主：明君。⑲季：末期。⑲僻王：奸邪的国君。⑲休戚：喜乐与忧伤。⑲混壹：统一。⑲播迁：奔走流亡于外。⑳地丑：土地大小类似。⑳庶几：或许。⑳离析：分裂。⑳识：标志；记载。⑳魏：胡三省注：“‘魏’下当有‘晋’字。”⑳昭烈：即蜀汉昭烈帝刘备。⑳宋高祖：即南朝建立宋王朝的刘裕。刘裕自称是刘邦异母弟汉楚元王刘交的二十一世孙。⑳南唐烈祖：即南唐开国皇帝李昪。李昪自称为唐太宗子吴王李恪之后代。

【原文】

孙权自公安徙都鄂[208]，更名鄂曰武昌。

五月辛巳[209]，汉主立夫人吴氏[210]为皇后。后，偏将军懿之妹，故刘璋兄瑁之妻也。立子禅为皇太子，娶车骑将军[211]张飞女[212]为皇太子妃。

太祖之入邺也，帝为五官中郎将，见袁熙妻中山甄氏[213]美而悦之，太祖为之聘焉，生子叡。及即皇帝位，安平郭贵嫔[214]有宠，甄夫人留邺不得见，失意，有怨言，郭贵嫔谮之，帝大怒。六月丁卯[215]，遣使赐夫人死。

帝以宗庙在邺，祀太祖于洛阳建始殿，如家人礼。

戊辰晦[216]，日有食之。有司奏免太尉，诏曰：“灾异之作，以谴元首，而归过股肱[217]，岂禹、汤罪己[218]之义乎！其令百官各虔厥[219]职。后有天地之眚[220]，勿复劾三公。”

汉主立其子永[221]为鲁王，理[222]为梁王。

汉主耻关羽之没，将击孙权。翊军将军[223]赵云曰：“国贼，曹操，非孙权也。若先灭魏，则权自服。今操身虽毙，子丕篡盗，当因众心，早图关中，居河、渭上流以讨凶逆，关东义士必裹粮策马以迎王师。不应置魏，先与吴战。兵势一交，不得卒解[224]，非策之上也。”群臣谏者甚众，

【校记】

[5] 谓：原作“为”。据章钰校，甲十六行本、乙十一行本皆作“谓”，熊罗宿《胡刻资治通鉴校字记》同，今据改。[6] 夷：原作“夏”。据章钰校，甲十六行本、乙十一行本皆作“夷”，张敦仁《通鉴刊本识误》同，今据改。[7] 受：据章钰校，甲十六行本、乙十一行本皆作“授”。[8] 均：据章钰校，甲十六行本、乙十一行本皆作“钧”，二字通。

【语译】

孙权从公安县迁都到鄂县，改鄂县为武昌。

五月十二日辛巳，汉主刘备册立夫人吴氏为皇后。吴皇后，是偏将军吴懿的妹妹，已故刘璋哥哥刘瑁的妻子。立儿子刘禅为皇太子，娶车骑将军张飞的女儿为皇太子妃。

魏太祖曹操进入邺城的时候，魏文帝曹丕担任五官中郎将，看到袁熙的妻子中山人甄氏貌美，很喜欢她，魏太祖为曹丕娶了甄氏，生下儿子曹叡。等到曹丕即皇帝位，安平人郭贵嫔有宠，甄夫人留在邺城不能见面，因失落而抱怨，郭贵嫔诋毁甄夫人，魏文帝大怒。六月二十八日丁卯，派使者赐甄夫人自杀。

魏文帝鉴于宗庙在邺城，于是在洛阳建始殿祭祀太祖，用家人的礼仪。

六月最后一天二十九日戊辰，发生日食。主管官员上奏请罢免太尉。魏文帝下诏说：“灾异的发生，这是上天在谴责君主，而把过错归罪于辅佐大臣，这哪里符合夏禹、商汤归罪于己的遗意呢！现在命令百官各尽其职。今后有天灾怪异的事情发生，不要再弹劾三公。”

汉主刘备立他的儿子刘永为鲁王，刘理为梁王。

汉主刘备对关羽被杀感到耻辱，要攻打孙权。翊军将军赵云说：“窃国之贼是曹操，不是孙权。如果先灭了魏，孙权就会自动归服。现在曹操虽死，他的儿子曹丕篡位窃国，我们应当借助民心，早点谋取关中，占据黄河、渭水的上游来讨伐叛逆，关东的义士必然会带着粮食、鞭策战马来迎接我仁义之师。不应丢开曹魏，先与吴交战。双方兵力一旦相交，就不能很快解决，这不是上策。”群臣中劝谏的很多，

汉主皆不听。广汉处士[225]秦宓[226]陈天时必无利，坐[227]下狱幽闭[228]，然后贷出[229]。

初，车骑将军张飞雄壮威猛亚于关羽，羽善待卒伍而骄于士大夫，飞爱礼君子而不恤[230]军人。汉主常戒飞曰："卿刑杀既过差[231]，又日鞭檛[232]健儿[233]而令在左右，此取祸之道也。"飞犹不悛[234]。汉主将伐孙权，飞当率兵万人自阆中[235]会江州[236]。临发，其帐下[237]将张达、范强杀飞，以其首顺流[238]奔孙权。汉主闻飞营都督[239]有表，曰："噫，飞死矣[240]！"

陈寿[241]评曰："关羽、张飞皆称万人之敌，为世虎臣。羽报效曹公[242]，飞义释严颜[243]，并有国士之风。然羽刚而自矜[244]，飞暴而无恩[245]，以短取败，理数之常也。"

【段旨】

以上为第五段，写张飞之死。

【注释】

[208]鄂：县名，县治在今湖北鄂州。[209]辛巳：五月十二日。[210]吴氏：吴懿之妹。死后谥为穆皇后。传见《三国志》卷三十四。[211]车骑将军：官名，位次于骠骑将军，掌京师兵卫与边防屯警。[212]张飞女：张飞长女，刘禅即帝位后，立为皇后。死后谥为敬哀皇后。传见《三国志》卷三十四。[213]甄氏：中山无极（今河北无极西）人，初为袁熙妻，后被曹丕所娶，生子曹叡。后因失宠被赐死。曹叡即帝位后，追谥为文昭皇后。传见《三国志》卷五。[214]郭贵嫔：安平广宗（今河北威县东）人，曹操为魏公时，被曹丕所纳。曹丕称帝后，立为嫔（妃嫔称号，曹丕始置，位次皇后），后立为皇后。魏明帝即位后，尊为皇太后，称永安宫。死后谥为文德皇后。传见《三国志》卷五。[215]丁卯：六月二十八日。[216]戊辰晦：六月二十九日，即六月最后一天。[217]股肱：大腿和胳膊。比喻辅佐君主的大臣。[218]禹、汤罪己：《左传》庄公十一年：臧文仲曰："禹、汤罪己，其兴也悖（通'勃'）焉。"禹罪己之事，《尚书》未载。汤罪己之言，见《论语·尧曰》。[219]厥：其。[220]眚：灾异。[221]永：刘永，字公寿，刘备之子。刘禅时改封为甘陵王。蜀汉灭亡后，被迁至洛阳。传见《三国志》卷三十四。[222]理：刘理，字奉孝，刘备之子。刘禅时改封

刘备都不听从。广汉的隐士秦宓陈述天时，认为伐吴一定不利，因此被治罪下狱，囚禁起来，后来才被宽免放出。

起初，车骑将军张飞雄壮威猛仅次于关羽，关羽善待士兵，而对士大夫很傲慢，张飞对士大夫很有礼貌，而不体恤士兵。汉主刘备经常告诫张飞说："你刑杀已经过分，又经常鞭打勇士，还把他们留在身边，这是自取祸害之途。"张飞仍然不改。汉主将要讨伐孙权，张飞将率领一万兵马从阆中到江州与大军会合。临出发时，张飞帐下将领张达、范强杀死张飞，拿着他的首级顺流而下去投奔孙权。汉主听到张飞的营部都督有表呈上，说："哎呀，张飞死了！"

陈寿评论说："关羽、张飞都被称为能敌万人，是一代龙虎之臣。关羽为报恩效命于曹操，张飞仗义释放严颜，都表现了国士的风范。然而关羽刚愎自用，张飞残暴无情，都由于自己的弱点而遭受失败，这是合乎常理的。"

为安平王。传见《三国志》卷三十四。刘理与刘永所封之梁与鲁，皆中原郡国，非蜀汉之地，只是寄封而已。说明蜀汉政权念念不忘恢复中原。㉓翊军将军：官名，刘备所置的杂号将军。㉔卒解：很快结束。㉕处士：未做官的士人。㉖秦宓（？至公元二二六年）：字子敕，广汉绵竹（今四川德阳北）人，少有才学，州郡辟召，皆不应征。后主刘禅即位初，诸葛亮领益州牧，辟宓为别驾。其后又为左中郎将、长水校尉。后又为大司农。传见《三国志》卷三十八。㉗坐：获罪。㉘幽闭：囚禁。㉙贷出：宽免出狱。㉚恤：顾惜；爱护。㉛过差：过分。㉜鞭楇：鞭打。㉝健儿：勇士。㉞悛：改变。㉟阆中：县名，县治在今四川阆中。㊱江州：县名，县治在今重庆市南岸区。㊲帐下：部下。㊳顺流：指沿今嘉陵江、长江顺流而下。㊴营都督：营统兵长官。㊵飞死矣：上表当由张飞，而营都督越级上表，故知张飞已死。㊶陈寿（公元二三三至二九七年）：字承祚，巴西安汉（今四川南充）人，在蜀汉后主时期，曾为卫将军主簿、东观秘书郎、散骑黄门侍郎。入晋后，曾为著作郎、治书侍御史等。著有《益部耆旧传》《三国志》等。传见《晋书》卷八十二。本书所引"陈寿评"，即陈寿在《三国志》中的评语。㊷羽报效曹公：建安五年（公元二〇〇年）曹操东征刘备，刘备败走。曹操虏得刘备妻子及关羽，而礼待关羽甚厚。官渡之战中，关羽为报答曹操，遂斩袁绍大将颜良。事见本书卷六十三汉献帝建安五年。㊸飞义释严颜：建安十九年刘备入蜀攻刘璋，诸葛亮与张飞从荆州逆江而上，分定郡县。攻下江州后，太守严颜守义不降，张飞为之感动，遂释放严颜。事见本书卷六十七汉献帝建安十九年。㊹自矜：骄狂自大。㊺无恩：无情；缺少关爱。

【原文】

秋，七月，汉主自率诸军击孙权，权遣使求和于汉。南郡太守诸葛瑾遗[246]汉主笺曰："陛下以关羽之亲，何如先帝[247]？荆州大小，孰与海内？俱应仇疾，谁当先后？若审此数，易于反掌矣。"汉主不听。时或言瑾别遣亲人与汉主相闻者，权曰："孤与子瑜[248]有死生不易之誓，子瑜之不负孤，犹孤之不负子瑜也。"然谤言流闻于外，陆逊表明瑾必无此，宜有以散其意。权报曰："子瑜与孤从事积年，恩如骨肉，深相明究。其为人，非道不行，非义不言。玄德昔遣孔明至吴，孤尝语子瑜曰：'卿与孔明同产，且弟随兄，于义为顺，何以不留孔明？孔明若留从卿者，孤当以书解玄德，意自随人[249]耳。'子瑜答孤言：'弟亮已失身于人[250]，委质[251]定分[252]，义无二心。弟之不留，犹瑾之不往也。'其言足贯神明，今岂当有此乎！前得妄语文疏，即封示子瑜，并手笔与之。孤与子瑜，可谓神交，非外言所间[253]。知卿意至，辄封来表以示子瑜，使知卿意。"

汉主遣将军吴班[254]、冯习[255]攻破权将李异、刘阿等于巫[256]，进兵[9]秭归[257]，兵四万余人。武陵[258]蛮夷皆遣使往请兵，权以镇西将军陆逊为大都督[259]、假节，督将军朱然、潘璋、宋谦、韩当、徐盛、鲜于丹、孙桓[260]等五万人拒之。

皇弟鄢陵侯彰、宛侯据、鲁阳侯宇、谯侯林、赞侯衮、襄邑侯峻、弘农侯幹、寿春侯彪、历城侯徽、平舆侯茂[261]皆进爵为公，安乡侯植改封鄄[10]城侯。

筑陵云台[262]。

初，帝诏群臣令料刘备当为关羽出报孙权否，众议咸云："蜀小国耳，名将唯羽，羽死军破，国内忧惧，无缘复出。"侍中刘晔独曰："蜀虽狭[263]弱，而备之谋欲以威武自强，势必用众以示有余。且关羽与备，义为君臣，恩犹父子。羽死，不能为兴军报敌，于终始之分[264]不足矣。"

八月，孙权遣使称臣，卑辞奉章，并送于禁等还[265]。朝臣皆贺，刘晔独曰："权无故求降，必内有急。权前袭杀关羽，刘备必大兴师

【语译】

秋，七月，汉主刘备亲自率领各路军队进攻孙权，孙权派使者向汉求和。南郡太守诸葛瑾在送给汉主的信中说："陛下您与关羽的亲情，与先帝相比哪个亲？荆州的大小，与海内相比哪个大？曹操、东吴都应是您所仇恨的，但谁先谁后？如果弄清了这些问题，该怎么办就易如反掌。"汉主不听从。当时有人对孙权说诸葛瑾另外派亲信与汉主互通消息，孙权说："孤和诸葛瑾有生死不变心的誓言，诸葛瑾不辜负孤，犹如孤不辜负他一样。"但诽谤的言语仍在外面流传，陆逊上表说明诸葛瑾一定不会有这种事情，但应有所表白，来打消他的疑虑。孙权回答说："诸葛瑾与孤共事多年，情同骨肉，互相深为了解。他的为人，不做不合道义的事，不说不合情义的话。刘玄德从前派孔明到吴，孤曾对子瑜说：'你和孔明是同胞兄弟，而且弟弟跟随哥哥是符合道义的，为什么不留下孔明？孔明如果留下跟从你的话，孤将写信向刘备解释，料想他会同意的。'诸葛瑾回答孤说：'弟弟诸葛亮已经委身于人，确定了臣子的名分，按道义不会有二心。弟弟不留下，正如我不会前往刘备那里一样。'这些话足以上通神明，现在怎么会发生这种事情呢！以前收到诽谤他的奏疏，孤立刻封起来给子瑜看，并亲笔批示交给他。孤和子瑜可说是神明之交，不是外面的流言能够离间的。孤了解卿的用意很恳切，就将来表封上，送给他，让他知道你的心意。"

汉主派将军吴班、冯习在巫县打败孙权的部将李异、刘阿等，进军秭归，兵力有四万多人。武陵的蛮夷都派使者往东吴请求派兵支援，孙权任命镇西将军陆逊为大都督、持符节，统领将军朱然、潘璋、宋谦、韩当、徐盛、鲜于丹、孙桓等五万人抵御刘备。

魏文帝的弟弟鄢陵侯曹彰、宛侯曹据、鲁阳侯曹宇、谯侯曹林、赞侯曹衮、襄邑侯曹峻、弘农侯曹幹、寿春侯曹彪、历城侯曹徽、平舆侯曹茂都晋爵为公，改封安乡侯曹植为鄄城侯。

修建陵云台。

当初，魏文帝诏令群臣讨论刘备是否会为关羽报仇出兵攻打孙权，众臣都议论说："蜀是一个小国罢了，名将只有关羽，关羽死了，部众被歼灭，国内恐惧，没有理由再出兵。"只有侍中刘晔说："蜀国虽然国土狭窄兵力衰弱，但刘备试图想以炫耀武力来自强，势必用兵来表明自己的力量有余。况且关羽和刘备，既有君臣的名分，又情同父子。关羽被杀，不能为他出兵向敌人报仇，就不足以表示始终如一的情分。"

八月，孙权派使者向魏称臣，奏章言辞谦卑，并把于禁等人送回。朝中大臣都来祝贺，只有刘晔说："孙权无故请求投降，一定内部发生危急。孙权从前袭击杀死

伐之。外有强寇，众心不安，又恐中国㉖往乘其衅，故委地求降，一以却中国之兵，二假㉗中国之援，以强其众而疑敌人耳。天下三分，中国十有其八。吴、蜀各保一州㉘，阻山依水，有急相救，此小国之利也。今还自相攻，天亡之也。宜大兴师，径渡江袭之。蜀攻其外，我袭其内，吴之亡不出旬月㉙[11]矣。吴亡则蜀孤，若割吴之半以与蜀，蜀固不能久存，况蜀得其外，我得其内乎！”帝曰：“人称臣降而伐之，疑天下欲来者心，不若且受吴降而袭蜀之后也。”对曰：“蜀远吴近，又闻中国伐之，便还军，不能止也。今备已怒，兴兵击吴，闻我伐吴，知吴必亡，将喜而进与我争割吴地，必不改计抑怒救吴也。”帝不听，遂受吴降。

于禁须发皓白，形容憔悴㉚，见帝，泣涕顿首。帝慰谕以荀林父㉛、孟明视㉜故事，拜安远将军㉝，令北诣邺谒高陵。帝使豫㉞于陵屋画关羽战克、庞德愤怒、禁降伏之状。禁见，惭恚㉟发病死。

臣光曰：“于禁将数万众，败不能死，生降于敌，既而复归，文帝废之可也，杀之可也，乃画陵屋以辱之，斯为不君㊱矣。”

【段旨】

以上为第六段，写汉主刘备统兵伐吴，孙权称臣于曹魏求援，释放于禁回国。

【注释】

㉔⑥遗：赠予。㉔⑦先帝：当时蜀人传言汉献帝已被害，因称之为先帝。㉔⑧子瑜：诸葛瑾字子瑜。㉔⑨意自随人：谓意料刘备之意，当听从诸葛孔明之留吴。㉕⓪失身于人：诸葛瑾站在东吴的立场上，其弟诸葛亮事敌人刘备，自然是失身。㉕①委质：谓臣服于人。委，置。质，通“贽”，礼物。古时定君臣关系，臣必献礼物于君，即《吕氏春秋·审分览·执一》所谓的“置质为臣”。㉕②定分：谓定君臣名分。㉕③间：离间。㉕④吴班：字

关羽，刘备必定大举兴兵讨伐他。他外面有强寇，部众心中不安，又惧怕我国出兵乘机攻打，所以才伏地求降，这样一来可以阻止我国出兵，二来可以借助我国的支援，以此增强部众的信心而使敌人迟疑。天下三分，我国占有十分之八。吴、蜀各保一州，凭着山水险阻，有危急时相互救援，这对小国是有利的。如今却自相攻击，这是上天要灭亡他们了。我国应该大举出兵，直接渡过长江攻打孙权，蜀攻其外，我袭其内，吴的灭亡不会超过一个月。吴灭亡了，蜀就势孤，即使把吴地的一半割让给蜀，蜀本来就不能长久存在，何况蜀只得到吴的边缘地区，而我们得到吴的腹心地带呢！”魏文帝说：“人家来称臣投降，却去征讨他，将使天下想来归顺的人产生疑虑，不如暂且接受吴的投降而去袭击蜀的后方。”刘晔回答说：“蜀地远，吴地近，蜀听说我国去讨伐，就会撤军而回，没有办法阻止它。现在刘备已经怒火中烧，兴兵伐吴，听说我们征讨吴，就知道吴一定灭亡，将高高兴兴进军与我们争着分割吴地，一定不会改变计划，抑制怒火救吴。”魏文帝不听从，于是接受吴的投降。

于禁头发胡须都白了，体貌憔悴，见到魏文帝，流泪跪拜。魏文帝用荀林父、孟明视的故事来抚慰他，任他为安远将军，命令他到北边的邺城拜谒曹操的高陵。魏文帝先派人在陵室的墙上绘制关羽得胜、庞德愤怒、于禁伏首投降的壁画。于禁看见后，惭愧怨悔，发病而死。

司马光说：“于禁率领数万兵马，兵败不能战死疆场，为了求生向敌人投降，不久又回归，魏文帝可以废黜他，也可以处死他，但在陵室墙上作画来羞辱他，这就不像个君主了。”

符雄，吴壹之族弟。刘备征吴时为领军，后主刘禅时，官至骠骑将军，封绵竹侯。㉕冯习：字休元，刘备征吴时为领军，因大败于猇亭而死。二人事均见《三国志·蜀书·杨戏传》附《季汉辅臣赞》。㉖巫：县名，县治在今重庆巫山。㉗秭归：县名，县治在今湖北秭归。㉘武陵：郡名，治所临沅，在今湖南常德。㉙大都督：官名，总统诸军的最高统帅，以后成为全国最高的军事统帅。㉖⓪孙桓：字叔武。与陆逊共拒刘备有功，为建武将军，封丹徒侯。传见《三国志》卷五十一。㉖①平舆侯茂：以上诸侯皆有传，除鄢陵侯曹彰外，均见《三国志》卷二十。㉖②陵云台：在当时洛阳城中。㉖③狭：狭小。㉖④终始之分：谓始终如一的情谊。㉖⑤送于禁等还：于禁等被关羽俘虏后，被置于南郡。孙权破南郡后，得于禁等，现又送还曹操。㉖⑥中国：古时居住中原之华夏称中国，后世或称中原为中国，或以华夏之正统为中国，此指当时的魏国。㉖⑦假：借。㉖⑧吴、蜀各保一州：大略而言，吴据扬州，蜀据益州。㉖⑨旬月：一个月。㉗⓪憔悴：面黄肌瘦，萎靡不振。㉗①荀

林父：春秋时晋国大夫。晋景公时，荀林父曾任中军统帅，执掌国政，因救郑被楚击败。晋景公复用他，后遂攻灭赤狄。事见《史记·晋世家》。㉗㉒孟明视：春秋时秦国大夫。秦穆公时，曾奉命将兵袭郑，而中途被晋军袭击，大败于淆被俘。后得释回国，秦穆公复重用他，终败晋国。事见《史记·秦本纪》。㉗㉓安远将军：官名，曹丕所置的杂号将军。㉗㉔豫：预先；事前。㉗㉕惭恚：惭恨。㉗㉖不君：不符合君道。《左传》昭公二十年："赏庆刑威曰君。"

【原文】

丁巳㉗㉗，遣太常㉗㉘邢贞奉策即拜孙权为吴王，加九锡㉗㉙。刘晔曰："不可。先帝㉘⓪征伐天下，十兼其八，威震海内。陛下受禅即真，德合天地，声暨㉘①四远。权虽有雄才，故汉票骑将军、南昌侯㉘②耳，官轻势卑[12]，士民有畏中国心，不可强迫与成所谋也。不得已受其降，可进其将军号，封十万户侯，不可即以为王也。夫王位去天子一阶耳，其礼秩服御相乱也。彼直㉘③为侯，江南士民未有君臣之分。我信其伪降，就封殖㉘④之，崇其位号，定其君臣，是为虎傅㉘⑤翼也。权既受王位，却蜀兵㉘⑥之后，外尽礼以事中国，使其国内皆闻，内为无礼以怒陛下。陛下赫然㉘⑦发怒，兴兵讨之，乃徐告其民曰：'我委身事中国，不爱珍货重宝，随时贡献，不敢失臣礼，而无故伐我，必欲残我国家，俘我人民，以为仆妾。'吴民无缘不信其言也。信其言而感怒，上下同心，战加十倍矣。"又不听。诸将以吴内附，意皆纵缓㉘⑧，独征南大将军㉘⑨夏侯尚益修攻守之备。山阳曹伟素有才名，闻吴称藩，以白衣㉙⓪与吴王交书求赂，欲以交结京师，帝闻而诛之。

吴又[13]城武昌。

初，帝欲以杨彪为太尉，彪辞曰："尝为汉朝三公，值世衰乱，不能立尺寸之益，若复为魏臣，于国之选，亦不为荣也。"帝乃止。冬，十月己亥㉙①，公卿朝朔旦，并引彪，待以客礼，赐延年[14]杖、冯几㉙②，使著布单衣、皮弁㉙③以见。拜光禄大夫㉙④，秩中二千石。朝见，位次三公。又令门施行马㉙⑤，置吏卒，以优崇之。年八十四而卒。

以谷贵，罢五铢钱。

【校记】

［9］兵：据章钰校，甲十六行本、乙十一行本皆作“军”。［10］鄄：原误作“甄”。据胡三省注，蜀本作“鄄”，尚不误。本书下文亦作“鄄”，与《三国志·魏书·陈思王植传》同，今据改。［11］月：原作“日”。据章钰校，甲十六行本、乙十一行本、孔天胤本皆作“月”，张敦仁《通鉴刊本识误》同，今据改。

【语译】

八月十九日丁巳，魏文帝派太常邢贞携带策命，前去册封孙权为吴王，加九锡之礼。刘晔说：“不可以。先帝征伐天下，兼并土地十分之八，威震海内。陛下受禅即皇帝位，威德与天地协合，声名远播四方。孙权虽然有雄才，只不过是汉朝的骠骑将军、南昌侯罢了，官位轻势力薄，所属民众都敬畏我国，我们仍不可用强迫的手段成就我们的谋划。不得已接受他的投降，可以晋升他的将军称号，封他为十万户侯，不可立即就封他为王。王位距离天子只差一级台阶，他的礼仪待遇、服饰用具与天子往往相混。孙权只是一个侯爵，江南的士民与他就没有君臣的名分。我们相信了他的假投降，就分封给他疆土，提升他的地位和名号，这就确定了他与士民的君臣名分，这是在为虎添翼啊。孙权接受了王位，击败蜀兵之后，在表面上敬礼我国，让他的国内士民全都知道，实际上却用无礼举动来激怒陛下。如果陛下勃然发怒，举兵讨伐孙权，孙权便从容地告诉他的民众说：‘我委身侍奉魏国，不吝惜珍宝货物，按时进贡，不敢有失臣子的礼节，魏国却无故讨伐我国，一定要摧毁我们的国家，抢掠我的人民去做奴仆和婢妾。’吴国的百姓没有理由不相信他的话。相信他的话就会感到愤怒，上下同心协力，战斗力就会增加十倍。”魏文帝还是不听。众将领认为吴已归附，心里都松懈了，只有征南大将军夏侯尚更加紧地进行攻守准备。山阳人曹伟一向以有才著称，得知吴国成了魏国的藩属，便以平民的身份与吴王通信，要求给他财物，用来为吴国结交京师的官员，魏文帝知道后杀掉了他。

吴国又修建武昌城。

魏文帝想任命杨彪为太尉，杨彪推辞说：“我曾任汉朝的三公，正值世道衰乱，不能建立尺寸之功，如果再做魏国的臣子，对国家的选拔，也不算光彩。”魏文帝这才作罢。冬，十月初二日己亥，公卿每月初一早朝，魏文帝也把杨彪请来，以宾客的礼节对待他，赐给他延年杖、凭几，允许他穿布制单衣、戴皮帽来朝见。封拜他为光禄大夫，品级为中二千石。朝见时，班位仅次于三公。又允许他在门前设置行马，自行设置官员和士卒，用优厚的待遇尊崇杨彪。杨彪八十四岁时去世。

由于谷价昂贵，停用五铢钱。

【段旨】

以上为第七段，写魏文帝赐封孙权为吴王。

【注释】

[277] 丁巳：八月十九日。[278] 太常：官名，列卿之一。掌礼乐、郊庙、社稷祭祀等事。[279] 九锡：古代帝王赐给有大功或有权势的诸侯、大臣的九种物品：一曰车马，二曰衣服，三曰乐则，四曰朱户，五曰纳陛，六曰虎贲，七曰弓矢，八曰斧钺，九曰秬鬯。[280] 先帝：指曹操。曹丕即皇帝位后，即追封曹操为武帝。[281] 暨：及。[282] 票骑将军、南昌侯：建安二十四年曹操表荐孙权为骠骑将军、领荆州牧，封南昌侯。[283] 直：仅；只。[284] 封殖：谓增其封土，使之壮大。[285] 傅：附着。[286] 却蜀兵：打退蜀兵。指夷陵之战，吴国得胜。[287] 赫然：发怒貌。[288] 纵缓：放松；松懈。[289] 征南大将军：官名，四征大将

【原文】

凉州卢水胡[296]治元多等反，河西大扰。帝召邹岐还，以京兆尹[297]张既为凉州刺史，遣护军夏侯儒、将军费曜等继其后。胡七千余骑逆拒既于鹯阴口[298]。既扬声军从鹯阴，乃潜由且次[299]出武威。胡以为神，引还显美[300]。既已据武威，曜乃至，儒等犹未达。既劳赐将士，欲进军击胡，诸将皆曰："士卒疲倦，虏众气锐，难与争锋。"既曰："今军无见[301]粮，当因敌为资。若虏见兵合，退依深山，追之则道险穷饿，兵还则出候寇抄。如此，兵不得解，所谓一日纵敌，患在数世也[302]。"遂前军显美。十一月，胡骑数千，因大风欲放火烧营，将士皆恐。既夜藏精卒三千人为伏，使参军成公英督千余骑挑战，敕使阳[303]退。胡果争奔之，因发伏截其后，首尾进击，大破之，斩首获生以万数，河西悉平。

后西平麹光反，杀其郡守。诸将欲击之，既曰："唯光等造反，郡人未必悉同。若便以军临之，吏民、羌、胡必谓国家不别是非，更使皆相持著，此为虎傅翼也。光等欲以羌、胡为援，今先使羌、胡钞击，

军，位从三公，在四征将军之上。㉚白衣：平民。㉛己亥：十月初二日。㉜冯几：古时设于座侧，便于凭倚的小桌。冯，通“凭”。古时以赐几杖为敬老之礼。《礼记·曲礼上》说：“大夫七十而致事，若不得谢（辞），则必赐之几杖。”㉝皮弁：古时男子畋猎或征战时所戴的冠。着布单衣及戴皮弁朝见，表示不拘礼仪，受特殊待遇。㉞光禄大夫：官名，曹魏时此官无实职，诸公告老还家，多拜此位；亦为在朝显官之加衔。㉟行马：以交叉木条制成，用以拦阻人马通行的栅栏。魏、晋之制，三公及位从公者，门前设行马。

【校记】

［12］卑：此下原有一空格。据章钰校，甲十六行本、乙十一行本、孔天胤本皆无空格，今据删。［13］又：据章钰校，甲十六行本、乙十一行本、孔天胤本皆作“人”。［14］年：此下原有一空格。据章钰校，甲十六行本、乙十一行本皆无空格，今据删。孔天胤本空格作“扶”，熊罗宿《胡刻资治通鉴校字记》疑孔本臆补。

【语译】

凉州的卢水胡人治元多等叛乱，河西大乱。魏文帝召回邹岐，任命京兆尹张既为凉州刺史，派护军夏侯儒、将军费曜等为后继部队。卢水胡的七千多名骑兵在鹯阴口迎击张既。张既宣称军队要通过鹯阴口，却暗中取道且出现在武威。卢水胡人认为他们是神兵，撤回到显美。张既已经占据武威，费曜才赶到，夏侯儒等还没到达。张既犒劳赏赐将士，打算进军攻打卢水胡人，各位将领都说：“士卒疲倦，敌人众多，士气旺盛，难以相争。”张既说：“现在军中没有现存的粮食，应当利用敌人的粮食作为资助。如果敌人看到我军会合，就会退据深山，我军追击，道路险阻，士兵饥饿，我军撤回，敌人就出来抢掠。这样，战事就无法结束，这就是所说的：‘一日纵敌，患在数世。’”于是前进，驻军显美。十一月，卢水胡骑兵数千人想趁风放火烧毁魏军军营，将士们都很惊恐。张既夜里埋伏精兵三千，派参军成公英统率一千多骑兵挑战，命令他假装败退。卢水胡人果然争先追击，张既乘机出动伏兵截断卢水胡兵的退路，前后夹击，大破卢水胡兵，杀死俘获数以万计，河西全部平定。

后来西平人麹光反叛，杀死西平郡守。各位将领要求进击麹光，张既说：“只有麹光等人造反，郡中人未必一同反叛。如果派兵前去讨伐，西平的官民、羌人、胡人一定认为朝廷不辨是非，更促使他们都去支持麹光，这是在为虎添翼。麹光等想利用羌人、胡人作为援助，现在我们要先唆使羌人、胡人去攻击抄掠麹光等，

重其赏募，所虏获者，皆以畀㉚之。外沮其势，内离其交，必不战而定。”乃移檄㉛告谕诸羌，为光等所诖误㉜者原之，能斩贼帅送首者当加封赏。于是光部党斩送光首，其余皆安堵如故。

【段旨】

以上为第八段，写魏文帝第二次平定河西之乱。

【注释】

㉖卢水胡：东汉时分布于湟水流域一带胡人。㉗京兆尹：官名，京兆尹的长官，相当于郡太守。京兆尹本政区名，为汉代三辅之一，治所长安（今陕西西安西北），而京

【原文】

邢贞至吴，吴人以为宜称上将军㉝、九州伯㉞，不当受魏封。吴王曰：“九州伯，于古未闻也。昔沛公亦受项羽封为汉王，盖时宜耳，复何损邪！”遂受之。吴王出都亭㉟候贞，贞入门，不下车。张昭谓贞曰：“夫礼无不敬，法无不行。而君敢自尊大，岂以江南寡弱，无方寸㊱之刃故乎！”贞即遽㊲下车。中郎将琅邪徐盛忿愤，顾谓同列曰：“盛等不能奋身出命，为国家并许、洛，吞巴、蜀，而令吾君与贞盟，不亦辱乎！”因涕泣横流。贞闻之，谓其徒曰：“江东将相如此，非久下人者也。”

吴王[15]遣中大夫㊳南阳赵咨入谢。帝问曰：“吴主何等主也？”对曰：“聪明、仁智、雄略之主也。”帝问其状，对曰：“纳鲁肃于凡品，是其聪也；拔吕蒙于行陈㊴，是其明也；获于禁而不害，是其仁也；取荆州兵不血刃，是其智也；据三州㊵虎视于天下，是其雄也；屈身于陛下，是其略也。”帝曰：“吴王颇知学乎？”咨曰：“吴王浮江万艘，带甲百万，任贤使能，志存经略，虽有余闲，博览书传，历史籍，采奇

用重金悬赏，把捕获所得全都赏给他们。这样，外面削弱麹光的势力，内部离间他与羌人、胡人的关系，一定可以不战而加以平定。”于是发出文告晓谕羌人，凡被麹光等欺骗的人，可以免罪，能够杀死敌人头领送来首级的人，必受封爵奖赏。于是麹光的党羽杀死麹光，送来了他的首级，其余的人都安然如故。

兆尹的长官亦称京兆尹，官名与政区名相同。此后曹魏即改称京兆郡。㉘鹯阴口：即鹯阴河口。鹯阴河在鹯阴县，县治在今甘肃靖远西北。㉙且次：县名，即武威郡之揟次县，县治在今甘肃古浪西北。㉚显美：县名，县治在今甘肃永昌。301见：“现”的本字。现成。302一日纵敌二句：《左传》僖公三十三年：先轸曰：“吾闻之：‘一日纵敌，数世之患也。’”303阳：通“佯”，伪，假。304畀：给予。305檄：古代的官文书。306诖误：欺骗连累。

【语译】

魏国邢贞出使到了吴国，吴人认为孙权应该称上将军、九州伯，不应接受曹魏的封爵。吴王孙权说：“九州伯的称号，在古代没听说过。从前沛公刘邦也接受过项羽封他为汉王，这都是因时制宜，又有什么损害呢！”于是孙权接受了吴王的封爵。吴王孙权出城至都亭迎候邢贞，邢贞进入都亭门时，不下车。张昭对邢贞说：“礼节没有心存不敬的，法度没有不付诸实行的，而你敢妄自尊大，难道以为江南人少势弱，连小小的兵刃都没有吗！”邢贞就立刻下车，中郎将琅邪人徐盛十分愤怒，回头对同僚们说：“我们不能奋勇拼命，为国家兼并许都、洛阳，吞并巴、蜀，使得我们的君主与邢贞订盟，不是很耻辱吗！”于是涕泪横流。邢贞听了这些话，对他的随从说：“江东有这样的将相，不会久居人下的。”

吴王派中大夫南阳人赵咨入朝谢恩。魏文帝问赵咨说：“吴王是什么样的君主？”赵咨回答说：“他是个聪明、仁爱、智慧、有雄才大略的君主。”魏文帝又问有什么具体表现，赵咨回答说：“吴王从平民中识拔鲁肃，表现出他的聪明；从军士中提拔吕蒙，表现出他的英明；俘获于禁不加杀害，表现出他的仁爱；攻取荆州兵不血刃，表现出他的智慧；雄踞三州虎视天下，表现出他的雄才；屈尊卑躬向陛下称臣，表现出他的谋略。”魏文帝说：“吴王很有学问吗？”赵咨说：“吴王在江上拥有战船万艘，统率百万兵众，任用贤能，志在治理国家，只要有空暇，就博览群书，涉

异[16]，不效书生寻章摘句[315]而已。”帝曰：“吴可征否？”对曰：“大国有征伐之兵，小国有备御之固。”帝曰：“吴难[316]魏乎？”对曰：“带甲百万，江、汉为池，何难之有！”帝曰：“吴如大夫者几人？”对曰：“聪明特达[317]者，八九十人。如臣之比，车载斗量，不可胜数。”

帝遣使求雀头香[318]、大贝[319]、明珠[320]、象牙、犀角、玳瑁[321]、孔雀、翡翠[322]、斗鸭[323]、长鸣鸡[324]于吴。吴群臣曰：“荆、扬二州，贡有常典。魏所求珍玩之物，非礼也，宜勿与。”吴王曰：“方有事于西北[325]，江表[326]元元[327]，恃主为命。彼所求者，于我瓦石耳，孤何惜焉！且彼在谅暗[328]之中而所求若此，宁可与言礼哉！”皆具以与之。

吴王以其子登[329]为太子，妙选师友，以南郡太守诸葛瑾之子恪、绥远将军[330]张昭之子休、大理[331]吴郡顾雍[332]之子谭、偏将军[333]庐江陈武[334]之子表皆为中庶子[335]，入讲诗书，出从骑射，谓之四友。登接待僚属，略用布衣之礼。

十二月，帝行东巡。

帝欲封吴王子登为万户侯，吴王以登年幼，上书辞不受，复遣西曹掾吴郡[17]沈珩[336]入谢，并献方物[337]。帝问曰：“吴嫌魏东向乎？”珩曰：“不嫌。”曰：“何以？”曰：“信恃旧盟，言归于好，是以不嫌。若魏渝[338]盟，自有豫备。”又问：“闻太子当来，宁然乎[339]？”珩曰：“臣在东朝[340]，朝不坐，宴不与，若此之议，无所闻也。”帝善之。

吴王于武昌临钓台[341]饮酒，大醉，使人以水洒群臣[342]，曰：“今日酣饮，惟醉堕台中，乃当止耳！”张昭正色[343]不言，出外，车中坐。王遣人呼昭还入，谓曰：“为共作乐耳，公何为怒乎？”昭对曰：“昔纣[344]为糟丘酒池，长夜之饮，当时亦以为乐，不以为恶也。”王默然惭，遂罢酒。

吴王与群臣饮，自起行酒[345]，虞翻伏地，阳[346]醉不持。王去，翻起坐。王大怒，手剑[347]欲击之，侍坐者莫不惶遽。惟大司农[348]刘基起抱王，谏曰：“大王以三爵之后，手杀善士，虽翻有罪，天下孰知之！且大王以能容贤蓄众，故海内望风，今一朝弃之，可乎！”王曰：“曹孟

猎史籍，采摘奇闻逸事，不效法儒生的寻章摘句罢了。”魏文帝说：“吴国可以征服吗？”赵咨回答说：“大国有征伐的兵力，小国有坚固的防御。”魏文帝说：“吴国畏惧魏国吗？”赵咨回答说：“吴国拥有军队百万，以长江、汉水为防护池，有什么可畏惧的！”魏文帝说：“吴国像你这样的人有多少？”赵咨回答说：“聪明又特别通达的，有八九十人。像我这样的人，车载斗量，不可胜数。”

魏文帝派使者向吴国索求雀头香、大贝、明珠、象牙、犀角、玳瑁、孔雀、翡翠、斗鸭、长鸣鸡。吴国的大臣们说：“荆、扬两州，向朝廷进贡有明文规定。魏国所要求的珍奇玩物是非礼的举动，不应当给他。”吴王说：“我国正与西面的蜀国对峙，北面又须防魏，江南的黎民百姓，要依靠魏主来安身立命，他所要的，对我们来说如同瓦砾，我有什么可吝啬的呢！况且魏主在服丧期间索要这些东西，还能与他谈论礼义吗！”于是全部配齐送给魏文帝。

吴王立儿子孙登为太子，慎选师友，任命南郡太守诸葛瑾的儿子诸葛恪、绥远将军张昭的儿子张休、大理吴郡人顾雍的儿子顾谭、偏将军庐江人陈武的儿子陈表都为中庶子，入太子府为孙登讲诗书，外出则教骑射，当时称他们为四友。孙登接待部属时，大体使用平民的礼节。

十二月，魏文帝巡视东方。

魏文帝想册封吴王的儿子孙登为万户侯，吴王以孙登年幼为借口，上书推辞不受。吴王又派西曹掾吴郡人沈珩入朝谢恩，并进贡土特产。魏文帝问沈珩说：“吴国担心魏国向东进攻吗？”沈珩说：“不担心。”魏文帝说：“为什么？”沈珩说：“信赖以前的盟约，言归于好，所以不担心。如果魏国违背盟约，我们自然会有预防。”魏文帝又问沈珩说：“听说吴太子将要入朝，难道是这样吗？”沈珩说：“臣在东吴，从不上朝，也不参加宴会，这样的议论，从没听到过。”魏文帝十分称赞沈珩。

吴王在武昌的钓台饮酒，大醉，叫人拿水洒群臣，说：“今天畅饮，只有醉倒在钓台上，才可罢休！”张昭表情严肃不说一句话，走到外面，坐在车中。吴王派人招呼张昭回来，对他说：“只是为了一起作乐罢了，你为什么要生气？”张昭回答说：“从前商纣王建糟丘酒池，整夜欢饮，当时也认为是作乐，不认为是坏事。”吴王默然羞愧，于是解散酒宴。

吴王与群臣饮酒，亲自起身敬酒，虞翻拜伏地上，假装酒醉无法自持。吴王走过去后，虞翻起身坐好。吴王大怒，抽出剑来要刺杀虞翻，在座陪侍的人无不惊惧。只有大司农刘基起身抱住吴王，劝谏说：“大王酒过三杯之后，亲手刺杀贤良之士，即便虞翻有罪，天下谁知道呢！况且大王因为能纳贤容众，所以才使海内向往，如今把这些做法一旦抛弃了，行吗！”吴王说：“曹操尚且杀了孔融，我杀个虞翻有什么

德尚杀孔文举[349]，孤于虞翻何有哉！”基曰：“孟德轻害士人，天下非之。大王躬行德义，欲与尧、舜比隆，何得自喻于彼乎！”翻由是得免。王因敕左右：“自今酒后言杀，皆不得杀。”基，繇之子也。

初，太祖既克蹋顿[350]，而乌桓浸[351]衰，鲜卑大人步度根、轲比能、素利、弥加、厥机等因阎柔上贡献，求通市[352]，太祖皆表宠以为王。轲比能本小种鲜卑，以勇健廉平为众所服，由是能威制诸部，最为强盛。自云中[353]、五原[354]以东抵辽水[355]，皆为鲜卑庭，轲比能与素利、弥加割地统御，各有分界。轲比能部落近塞，中国人多亡叛归之。素利等在辽西[356]、右北平[357]、渔阳[358]塞外，道远，故不为边患。帝以平虏校尉牵招为护鲜卑校尉[359]，南阳太守田豫为护乌桓校尉[360]，使镇抚之。

【段旨】

以上为第九段，写吴魏信使往来，孙权卑辞纳贡，而辞太子之封，不接受曹魏征质，灵活外交，独步当时。

【注释】

[307]上将军：吴人以为将军之最上者。[308]九州伯：古曾分天下为九州，天子自有一州，余八州各置伯，并无九州伯，所以下文吴王说“九州伯，于古未闻”。[309]都亭：城外之亭。[310]方寸：言其小。[311]遽：急速。[312]中大夫：官名，闲散之官，无实职。[313]行陈：军队行列。[314]三州：指荆州、扬州、交州。[315]不效书生寻章摘句：胡三省注谓曹丕“好文章，故赵咨以此言讥之”。[316]难：通“戁”，恐惧。[317]特达：特别通达。[318]雀头香：植物名，即香附子，可用以合香料。[319]大贝：甲壳软体动物之一种，其甲壳质白如玉，并有紫点花纹，古代以为宝器。[320]明珠：珍珠。产于合浦郡。[321]玳瑁：动物名，似龟，背面甲片呈褐色和淡黄色相间的花纹，可作装饰品，亦可入药。[322]翡翠：鸟名，也称翠雀。羽毛有蓝、绿、赤、棕等色，可作装饰品。雄性赤色者称翡，雌性青色者称翠。[323]斗鸭：鸭性温驯，能斗者难得。[324]长鸣鸡：鸣叫声长的雄鸡。[325]有事于西北：谓西边与蜀相抗，北边又须防魏。[326]江表：即江东。从中原看长江以南，是在江之外，江之表。[327]元元：民众；百姓。[328]谅暗：天子居丧之所。谓当时曹丕在服曹操之丧。[329]登：孙登（公元二〇九至二四一年），字子高，孙权长子。孙权称帝时，又立为皇太子。仁厚而有治能，死后谥为宣太子。传见《三国志》卷五十九。[330]绥远将军：官名，《宋书·百

不可以!”刘基说:“曹操轻易杀害士人，天下人都非难他。大王亲自推行道德仁义，想与尧、舜比高下，怎么能自比曹操呢!”虞翻因此才得以幸免。吴王由此告诫身边的人说:“从今以后，凡我在酒后说要杀人，都不许杀。”刘基，是刘繇的儿子。

当初，魏太祖曹操战胜蹋顿后，乌桓族逐渐衰落，鲜卑族酋长步度根、轲比能、素利、弥加、厥机等通过阎柔向朝廷进贡，请求通商，魏太祖对步度根等全都上表示宠册封为王。轲比能本属鲜卑族的一个旁支部落，因为勇猛、清廉、公平，为众所服，因此能凭借威力控制各部落，势力最为强盛。从云中、五原以东直到辽水，都是鲜卑族的地盘，轲比能与素利、弥加划分疆土进行统治，各有分界线。轲比能的部落靠近边塞，中原人有许多人叛逃投奔他。素利等在辽西、右北平、渔阳的边塞之外，道路辽远，因此不构成边害。魏文帝任平虏校尉牵招为护鲜卑校尉，南阳太守田豫任护乌桓校尉，让他们镇抚鲜卑和乌桓。

官志》所列三国时期四十号将军，绥远为第十四。㉛大理：官名，即汉之廷尉，掌司法刑狱。㉜顾雍（公元一六八至二四三年）：字符叹，吴郡吴县（今江苏苏州）人，初为合肥长，孙权领会稽太守，不至郡，以雍为郡丞，代理太守事。孙权为吴王后，历官大理、奉常，领尚书令。孙权称帝后，为丞相十九年，封醴陵侯。传见《三国志》卷五十二。㉝偏将军：官名，在三国时期四十号将军中占第三十九。㉞陈武：字子烈，庐江松滋（今安徽霍邱东）人，初为孙策别部司马。孙权统事后，为偏将军，建安二十年（公元二一五年）从孙权击合肥，奋战而死。传见《三国志》卷五十五。㉟中庶子：即太子中庶子，太子之侍从官。㊱沈珩：字仲山，吴郡（治所在今江苏苏州）人，孙权以其有智谋，故遣使至魏，以出使称职，封永安乡侯，后官至少府。事见《三国志·吴书·吴主传》注引《吴书》。㊲方物：土特产。㊳渝：违背。㊴宁然乎：难道是如此吗。宁，岂、难道。㊵东朝：吴在江东，故称东朝。㊶钓台：当时武昌之南有樊山，山北背大江，江中有钓台。㊷以水洒群臣：以水洒酒醉人，可使清醒，然后能再饮。㊸正色：表情端庄严肃。㊹纣：殷纣王。纣王曾“为酒池，回船糟丘而牛饮者三千余人”，又“悬肉为林，使男女倮相逐其间，为长夜之饮”。事见《史记·殷本纪》之《正义》引《括地志》。㊺行酒：巡行斟酒劝饮。㊻阳：通“佯”。假装。㊼手剑：手执剑。㊽大司农：官名，掌租税钱谷及财政收支，并掌屯田。㊾孔文举：孔融字文举。㊿蹋顿：辽西乌桓首领。曹操克蹋顿事，见本书卷六十五汉献帝建安十二年。(351)浸：渐。(352)通市：通商；相互交易。(353)云中：郡名，治所云中县，在今内蒙古托克托东北。(354)五原：郡名，治所九原，在今内蒙古包头西北。(355)辽水：古又称大辽水，即今辽河，在辽宁西部，上游有

二河，即辽东河与辽西河，二河在辽宁昌图靠山屯汇合后，始称辽河。㊻辽西：郡名，治所阳乐，在今辽宁义县西。㊼右北平：郡名，治所土垠，在今河北唐山市丰润区东南。㊽渔阳：郡名，治所渔阳县，在今北京市密云西南。㊾护鲜卑校尉：官名，曹魏所置管辖各地鲜卑之官。360护乌桓校尉：官名，曹魏沿两汉所置，以管辖各地乌桓。

【原文】

三年（壬寅，公元二二二年）

春，正月丙寅朔，日有食之。

庚午361，帝行如许昌362。

诏曰："今之计、孝363，古之贡士也。若限年然后取士，是吕尚364、周晋365不显于前世也。其令郡国所选，勿拘老幼，儒通经术，吏达文法366，到皆试用。有司纠故不以实367者。"

二月，鄯善368、龟兹369、于阗370王各遣使奉献。是后西域复通，置戊己校尉371。

汉主自秭归将进击吴，治中从事372黄权谏曰："吴人悍战，而水军沿流，进易退难。臣请为先驱以当寇，陛下宜为后镇。"汉主不从，以权为镇北将军373，使督江北诸军。自率诸将，自江南缘山截岭374[18]，军于夷道375猇亭376。吴将皆欲迎击之。陆逊曰："备举军东下，锐气始盛，且乘高守险，难可卒攻。攻之纵377下，犹难尽克，若有不利，损我大势，非小故也。今但且奖厉378将士，广施方略，以观其变。若此间是平原旷野，当恐有颠沛交逐379之忧。今缘山行军，势不得展，自当罢380于木石之间，徐制其敝耳。"诸将不解，以为逊畏之，各怀愤恨。

汉人自佷山381通武陵，使侍中襄阳马良382以金锦赐五溪383诸蛮夷，授以官爵。

三月乙丑384，立皇子齐公叡为平原王，皇弟鄢陵公彰等皆进爵为王。

甲戌385，立皇子霖386为河东王。

【校记】

［15］王：原作“主”。据章钰校，甲十六行本、乙十一行本皆作“王”，今据改。［16］奇异：张敦仁《通鉴刊本识误》作“徼奥”，其义长。［17］郡：原作“兴”。据章钰校，甲十六行本、乙十一行本、孔天胤本皆作“郡”，今据改。

【语译】

三年（壬寅，公元二二二年）

春，正月初一日丙寅，发生日食。

初五日庚午，魏文帝巡幸到达许昌。

魏文帝下诏说：“现今推举计吏、孝廉，犹如古代的贡士。如果限制年龄取士，这样吕尚、周晋就不会显名于前代。现令郡国选举的人才，不论老幼，儒者要通晓经学，官吏要熟悉法令条文，荐举上来都要试用。有关部门要揭发故意弄虚作假的人。”

二月，鄯善、龟兹、于阗三王各自派使者入朝进贡。从此以后，中国与西域重新交通，在西域设立戊己校尉。

汉主刘备即将从秭归进攻吴军，治中从事黄权谏阻说：“吴人强悍善战，而且我们的水军顺流而下，前进容易，退却艰难。臣请求作为前锋来面对敌寇，陛下应作为后镇。”汉主不听从，任命黄权为镇北将军，派他统率江北的各路军队。自己率领众将，从江南翻山越岭前行，在夷道县的猇亭驻军。吴国的将领都想迎击刘备。陆逊说：“刘备率军东下，士气正盛，而且登高守险，很难很快战胜。即使战胜，也难以将他们全都消灭，如果攻击不利，就会损我大局，这可不是小事情。现在只有奖励将士，多用谋略，来观察形势的变化。如果这里是平原旷野，我们会担心有奔波追逐的忧虑。现在他们沿山进军，兵力无法展开，自然会在树林岩石间疲于奔命，要慢慢制服疲惫的敌人。”各位部属将领不明白陆逊的意图，认为他惧怕刘备，各个满怀愤恨。

蜀汉人从佷山打通到武陵，派侍中襄阳人马良带着黄金锦帛赏赐给五溪的各个蛮夷部落，并授予他们官爵。

三月初一日乙丑，魏文帝册立皇子齐公曹叡为平原王，皇弟鄢陵公曹彰等都晋升为王。

初十日甲戌，册立皇子曹霖为河东王。

甲午[387]，帝行如[388]襄邑[389]。

夏，四月戊申[390]，立鄄城侯植为鄄城王。是时，诸侯王皆寄地空名而无其实，王国各有老兵百余人以为守卫，隔绝千里之外，不听朝聘，为设防辅[391]、监国[392]之官以伺察之。虽有王侯之号而侪[393]于匹夫，皆思为布衣[394]而不能得。法既峻切[395]，诸侯王过恶日闻，独北海王衮[396]谨慎好学，未尝有失。文学[397]、防辅相与言曰："受诏察王举措，有过当奏，有善亦宜以闻。"遂共表称陈衮美。衮闻之，大惊惧，责让[398]文学曰："修身自守，常人之行耳。而诸君乃以上闻，是适[399]所以增其负累也。且如有善，何患不闻，而遽[400]共如是，是非所以为益也。"

癸亥[401]，帝还许昌。

五月，以江南八郡为荆州，江北诸郡为郢州[402]。

汉人自巫峡[403]建平[404]连营至夷陵[405]界，立数十屯[406]，以冯习为大督，张南[407]为前部督，自正月与吴相拒，至六月不决。汉主遣吴班将数千人于平地立营，吴将帅皆欲击之。陆逊曰："此必有谲[408]，且观之。"汉主知其计不行，乃引伏兵八千从谷中出。逊曰："所以不听诸君击班者，揣[409]之必有巧[410]故也。"逊上疏于吴王曰："夷陵要害，国之关限[411]，虽为易得，亦复易失。失之，非徒损一郡之地，荆州可忧。今日争之，当令必谐[412]。备干[413]天常[414]，不守窟穴而敢自送，臣虽不材，凭奉威灵，以顺讨逆，破坏在近，无可忧者。臣初嫌之水陆俱进，今反舍船就步，处处结营，察其布置，必无他变。伏愿至尊高枕[415]，不以为念也。"

闰月，逊将进攻汉军，诸将并曰："攻备当在初，今乃令入五六百里，相守经七八月，其诸要害皆已固守，击之必无利矣。"逊曰："备是猾虏，更[416]尝事多，其军始集，思虑精专，未可干也。今住已久，不得我便，兵疲意沮，计不复生，掎角[417]此寇，正在今日。"乃先攻一营，不利。诸将皆曰："空杀兵[418]耳！"逊曰："吾已晓破之之术。"乃敕各持一把茅，以火攻，拔之；一尔[419]势成[420]，通率诸军，同时俱攻，斩张南、冯习及胡王沙摩柯等首，破其四十余营，汉将杜路、刘宁等穷逼请降。

三十日甲午，魏文帝巡幸到达襄邑。

夏，四月十四日戊申，册立鄄城侯曹植为鄄城王。当时，诸侯王都是寄封，空有其名而无其地，所封王国各有老兵一百多人作为守卫，与京城隔绝千里之外，不允许诸侯王入京朝拜，还设立防辅、监国谒者来监察诸侯王。他们虽有王侯的封号，但与平民差不多，他们都想当平民却不可得。法令严厉苛刻，诸侯王的过失和恶行天天向朝廷报闻，只有北海王曹衮言行谨慎，刻苦好学，从没有过错。北海王国的文学、防辅相互议论说："我们受诏命监察诸侯王的举止言行，有过错应当上奏，有善行也应该上报。"于是共同上表陈述曹衮的美德。曹衮听到后，大为惊恐，责备文学说："修身自我约束，只是平常人的行为罢了。而诸位就把这些上报，这样反而给我增加了负担。如果我真有善言善行，何必担心皇上听不到，而你们匆匆向皇上报告，这不会给我带来好处的。"

四月二十九日癸亥，魏文帝回到许昌。

五月，诏命荆州江南八郡为荆州，荆州江北各郡另立一州为郢州。

蜀汉军队从扎营巫峡建平起始，一直连绵扎营到夷陵境界，设置了几十个营寨，任命冯习为大督，张南为前部督，从正月开始与吴军对峙，到六月仍未决战。汉主刘备派吴班率数千人在平地上扎营，吴军将帅都想出击。陆逊说："这必定有诈，暂时先作观察。"汉主知道自己的计策不能实现，于是率领八千伏兵从山谷中冲出。陆逊说："不允许诸位进攻吴班，是我料定刘备一定有诡计的缘故。"陆逊上疏对吴王说："夷陵是战略要地，国家的门户，虽然容易获得，也容易失去。失去它，不仅仅是丢掉一郡的土地，整个荆州也就令人担心了。今天争夺它，一定要成功。刘备违反自然常理，不守住巢穴，自己却来送死，臣虽然不才，但凭着您的威灵，以顺讨逆，将很快打败敌人，没有什么可忧虑的。臣当初担心刘备水陆并进，现今刘备却抛弃舟船，从陆上进军，步步扎营，观察他的部署，一定没有其他变化。希望您高枕而卧，不要把这事挂在心上。"

闰六月，陆逊即将进攻汉军，各位将领都说："应当在刚开始时就进攻刘备，如今已经让他深入五六百里，相互对峙经历了七八个月，刘备的各个要塞都已加固防守，攻击他一定不利。"陆逊说："刘备是个狡猾的敌人，加上他经事很多，汉军开始集结时，他专心思考，虑事精详，我们不可去冒犯他。如今他的军队停驻已久，又没占到我们的便宜，士兵疲惫，意志沮丧，再也无计可施，分兵夹击这帮寇贼，今天正是时机。"于是先攻打一个军营，战事不利。各位将领都说："白白让士兵送命罢了！"陆逊说："我已晓得打败敌人的战术了。"就令士兵每人拿一束茅草，采用火攻，攻下了一座军营；用这一方法进攻其他军营就形成优势，于是统率各军，同时一起进攻，斩下张南、冯习以及胡王沙摩柯等人的头颅，攻破刘备的军营四十多座，汉军将领杜路、刘宁等被逼得走投无路，请求投降。

汉主升马鞍山[421]，陈兵自绕。逊督促诸军，四面蹙[422]之，土崩瓦解，死者万数。汉主夜遁，驿人[423]自担烧铙[424]铠[425]断后，仅得入白帝城，其舟船器械，水步军资，一时略尽，尸骸塞江而下。汉主大惭恚[426]曰："吾乃为陆逊所折辱，岂非天耶！"将军义阳傅彤[427]为后殿[428]，兵众尽死，彤气益烈。吴人谕之使降，彤骂曰："吴狗，安有汉将军而降者！"遂死之。从事祭酒[429]程畿[430]溯江而退，众曰："后追将至，宜解舫[431]轻行。"畿曰："吾在军，未习为敌之走也。"亦死之。

初，吴安东中郎将孙桓别击汉前锋于夷道，为汉所围，求救于陆逊。逊曰："未可。"诸将曰："孙安东，公族，见围已困，奈何不救？"逊曰："安东得士众心，城牢粮足，无可忧也。待吾计展，欲不救安东，安东自解。"及方略大施，汉果奔溃。桓后见逊曰："前实怨不见救，定至今日[432]，乃知调度自有方耳。"

初，逊为大都督，诸将或讨逆[433]时旧将，或公室贵戚，各自矜持[19]，不相听从。逊按剑曰："刘备天下知名，曹操所惮，今在疆[20]界，此强对也。诸君并荷[434]国恩，当相辑睦[435]，共翦此虏，上报所受[436]，而不相顺，何也？仆虽书生，受命主上，国家所以屈诸君使相承望者，以仆尺寸[437]可称，能忍辱负重[438]故也。各在[21]其事，岂复得辞！军令有常，不可犯也！"及至破备，计多出逊，诸将乃服。吴王闻之曰："公何以初不启诸将违节度者邪？"对曰："受恩深重，此诸将或任腹心，或堪爪牙，或是功臣，皆国家所当与共克定大事者，臣窃慕相如[439]、寇恂[440]相下之义，以济国事。"王大笑称善，加逊辅国将军[441]，领荆州牧，改封江陵侯。

初，诸葛亮与尚书令法正好尚不同，而以公义相取，亮每奇正智术。及汉主伐吴而败，时正已卒，亮叹曰："孝直[442]若在，必能制主上东行；就使东行，必不倾危矣。"汉主在白帝，徐盛、潘璋、宋谦等各竞表言备必可禽，乞复攻之。吴王以问陆逊，逊与朱然、骆统上言曰："曹丕大合士众，外托助国讨备，内实有奸心，谨决计辄还。"

初，帝闻汉兵树栅连营七百余里，谓群臣曰："备不晓兵，岂有

汉主登上马鞍山，把军队布置在自己的周围。陆逊督促各军，从四面紧逼刘备，蜀军土崩瓦解，死者数以万计。汉主趁夜逃走，驿站人员挑着沿途抛弃的铙和铠甲，并加燃烧，阻断后路，刘备这才得以进入白帝城，蜀军的船只、器械，水军、步军的军用物资，一时抛弃殆尽，尸首塞满江面，顺流而下。汉主大为惭愧、怨恨，说道："我竟然被陆逊捉弄欺辱，这难道不是天意吗！"将军义阳人傅彤殿后，他的部众大都死亡，傅彤却斗志更盛。吴军劝他投降，傅彤骂道："东吴的狗东西听着，哪有汉将军投降的！"最后战死。从事祭酒程畿逆江撤退，众人说："后面的追兵将到，应当解开并在一起的船只，轻舟前进。"程畿说："我从军以来，还没有学过临阵脱逃。"于是战死。

起初，吴安东中郎将孙桓率领另一路人马在夷道攻打汉军前锋，被汉军包围，孙桓向陆逊求救。陆逊说："不可救援。"各位将领说："孙安东，是大王的同族，被围困蹙，为什么不救？"陆逊说："安东深得军心，城池牢固，粮食充裕，没什么可忧虑的。等到我的计划施展，不用去救孙安东，对他的包围也会自行解除。"等到陆逊的谋略大力推行时，汉军果然逃奔溃退。孙桓后来见到陆逊，说："先前我确实抱怨你不来救，从战事平定直到今天，才知道你调度有方。"

陆逊当初任大都督时，各位将领或者是讨逆将军孙策的老部下，或者是孙氏的宗族和亲戚，各个骄傲自大，不听从指挥。陆逊手按剑柄说："刘备天下知名，连曹操都惧怕他，如今就在我国境内，这是强大的对手。诸位都蒙受国恩，就应和睦团结，共同消灭这个敌人，用来报答所受恩典，而你们却不顺从，为什么？我虽是一介书生，但受命于主上，国家之所以委屈各位，让你们来听从于我，是因为我有一片可称扬的忠心，能够忍辱负重。诸位各司其职，岂得再推诿！军令有常规，不可违犯！"等到打败刘备，谋略大多出自陆逊，各位将领才真心佩服。吴王听到此事，说："你怎么当初不向我报告那些不听从指挥的将领呢？"陆逊说："他们都蒙受重恩，这些将领中有的是大王的心腹，有的是得力助手，有的是功臣，都是国家所应依靠，共同完成大业的人，我敬慕蔺相如、寇恂甘为人下以成就国家大业的行为。"吴王大笑称好，给陆逊加衔为辅国将军，兼任荆州牧，改封为江陵侯。

起初，诸葛亮与尚书令法正两人的爱好和崇尚不同，但都以国事为重互相取长补短，诸葛亮经常惊叹法正的智谋。等到汉主讨伐吴国失败，这时法正已去世，诸葛亮慨叹道："法孝直如果健在，一定能阻止主上东征；即便东征，也一定不会如此颓败。"汉主在白帝城，魏将徐盛、潘璋、宋谦等各自争相上表说一定可以擒获刘备，请求再次出击。吴王就此事征询陆逊的意见，陆逊和朱然、骆统上书说："曹丕大量结集兵马，表面托词是帮助我国讨伐刘备，内心其实怀有奸计，请决策立即撤回。"

当初，魏文帝听说汉兵竖立栅栏扎营连绵七百多里，对群臣说："刘备不懂军

七百里营可以拒敌者乎！‘苞[443]、原隰[444]、险阻而为军者，为敌所禽’，此兵忌也。孙权上事今至矣。”后七日，吴破汉书到。

秋，七月，冀州大蝗，饥。

汉主既败走，黄权在江北，道绝，不得还。八月，率其众来降。汉有司请收权妻子，汉主曰：“孤负黄权，权不负孤[445]也。”待之如初。帝谓权曰：“君舍逆效顺，欲追踪陈、韩[446]邪？”对曰：“臣过受刘主殊遇，降吴不可，还蜀无路，是以归命。且败军之将，免死为幸，何古人之可慕也！”帝善之，拜为镇南将军[447]，封育阳侯，加侍中，使陪乘[448]。蜀降人或云汉诛权妻子，帝诏权发丧[449]。权曰：“臣与刘、葛[450]推诚相信，明臣本志。窃疑未实，请须[451]。”后得审问[452]，果如所言。马良亦死于五溪。

【段旨】

以上为第十段，写夷陵之战，汉主全军覆没。

【注释】

㊱庚午：正月初五。㊲许昌：县名，即东汉之许县。魏文帝即位后，建都于洛阳，改许为许昌，县治在今河南许昌东。㊳计、孝：上计吏与孝廉。上计吏是郡国派到京都上计簿（内载年内人口、钱粮、盗贼、狱讼等事）的官吏，孝廉是汉代选举制的主要科目，现曹魏沿袭。㊴吕尚：即齐太公吕尚。殷商末年，吕尚已年老，因穷困而钓于渭滨，遇周文王，文王即以他为师，后辅助周武王灭商。传见《史记·齐太公世家》。㊵周晋：周灵王太子晋，少年时即有美名。汪继培辑《尸子》卷下说：“周王太子晋，生八年而服师旷。”㊶文法：法制；法令条文。㊷故不以实：谓有意诈伪欺骗。㊸鄯善：古西域国名，在今新疆若羌境。㊹龟兹：古西域国名，在今新疆库车一带。㊺于阗：古西域国名，在今新疆和田一带。㊻戊己校尉：官名，西汉元帝时置于西域，因戊己方位居中，而所置校尉亦处西域之中，故名。掌屯田事务。东汉时置时废，魏晋皆沿置。㊼治中从事：官名，州牧刺史的主要佐吏，职责是居中治事，主众曹文书。㊽镇北将军：官名，魏晋时期，四镇将军次于四征。㊾截岭：谓直越山岭。㊿夷道：县名，县治在今湖北宜都西北。[376]猇亭：地名，在今湖北宜都北三十里，长江北岸之虎脑背，又称古老背。[377]纵：

事，哪有连营七百里和敌人对抗的！兵家说，‘在杂草丛生、地势平坦、低洼潮湿、险峻阻塞之地驻军扎营的，会被敌人所擒’，这是兵家大忌。孙权报捷的上疏，很快就要送来了。”七天后，吴军打败汉军的奏疏就送到了。

秋，七月，冀州发生严重蝗灾，闹饥荒。

汉主败逃之后，黄权驻军江北，退路被吴国切断，不能返回。八月，黄权率领部众前来投降魏国。蜀汉的有关部门请求收捕黄权的妻子儿女。汉主说：“是我辜负了黄权，黄权没有辜负我。”对待黄权家属依旧。魏文帝对黄权说：“你脱离叛逆，归顺朝廷，是想效法陈平、韩信吗？”黄权回答说：“我蒙受汉主的特殊恩遇，不可投降吴国，回蜀又无路，所以来归顺陛下。况且败军之将，能免一死已算幸运，还谈什么向慕古人！”魏文帝大加赞赏，任命他为镇南将军，封为育阳侯，加侍中衔，让他做自己的陪乘。蜀国的降人有的说，汉主已杀死黄权的妻子儿女，魏文帝诏令黄权发丧。黄权说：“我与刘备、诸葛亮推诚相待，他们了解我的本意。我怀疑这个消息不确实，请等等看。”后来得到确切消息，果然像黄权所说的那样。马良也死在五溪。

即使。㊳㊸ 奖厉：褒奖鼓励。⑲379 颠沛交逐：颠沛，狼狈困顿。交逐，相互追逐。380 罢：通“疲”。疲困。381 佷山：县名，县治在今湖北长阳西北。382 马良（公元一八七至二二二年）：字季常，襄阳宜城（今湖北宜城南）人，初为刘备荆州从事，又为左将军掾。刘备称帝后，为侍中。刘备征吴，奉命入武陵，因刘备失败而被害。传见《三国志》卷三十九。383 五溪：指五条溪水，在武陵郡，即雄溪、樠溪、沅溪、酉溪、辰溪，在今湖南西部与贵州东部一带。当时聚居着南方少数民族，时人称之为“五溪蛮”。384 乙丑：三月初一日。385 甲戌：三月初十日。386 霖：初封河东王，魏明帝时改封东海王。传见《三国志》卷二十。387 甲午：三月三十日。388 如：到。389 襄邑：县名，县治在今河南睢县。390 戊申：四月十四日。391 防辅：曹魏置以控制诸侯王之官。防备侯王为非而辅佐匡正。392 监国：官名，即监国谒者，曹魏置以监视诸侯王之官。393 侪：类。394 布衣：平民。395 峻切：严厉苛刻。396 北海王衮：曹操之子。初封平乡侯、赞侯。魏文帝时为北海王，魏明帝时改封赞王、中山王。传见《三国志》卷二十。397 文学：官名，王国之官，掌校典籍，侍奉文章。398 责让：责备。399 适：正好。400 遽：匆忙。401 癸亥：四月二十九日。402 郢州：魏文帝以孙权为荆州牧，以江南八郡为荆州，江北诸郡为郢州。本年十月孙权独立，废郢州。403 巫峡：长江三峡之一，在今湖北巴东县西，重庆巫山县东，因巫山而得名。《水经注》谓长一百六十里。404 建平：郡名，吴孙休永安三年（公元二六〇年）始分宜都郡置，治所巫县（在今重庆巫山）。405 夷陵：县名，县治在今湖北宜昌东南。406 屯：营

寨。⑰张南：字文进，从荆州随刘备入蜀，后领兵随刘备东征吴，大败于猇亭而死。事见《三国志·蜀书·杨戏传》附《季汉辅臣赞》。⑱谲：欺诈。⑲揣：估计。⑳巧：欺骗。㉑国之关限：长江三峡，起自瞿塘峡，中经巫峡，止于西陵峡，其间皆连山叠嶂，水流湍急，至西陵峡口，水势始缓，而夷陵正当峡口，故吴人以之为关限。㉒谐：成功。㉓干：冒犯。㉔天常：天之常规。㉕高枕：谓无忧虑。㉖更：经历。㉗掎角：夹击。㉘空杀兵：谓白白使士兵被杀。㉙一尔：一如此。⑳势成：谓胜利之势成。㉑马鞍山：山名，在今湖北宜昌西北。㉒蹙：逼击。㉓驿人：驿站之人。㉔铙：军中所用乐器，形状如铃而大，中空短柄，用时执把，口朝上，用槌敲击作响，以止击鼓。㉕铠：铠甲；战衣。刘备征吴之初，自白帝至夷陵界，沿途皆置驿站。至兵败之时，诸军已溃散，赖驿站的人收拾溃兵所弃铙、铠，烧于险隘口，以阻断吴之追兵，刘备因而得逃入白帝城（在今重庆市奉节东）。㉖惭恚：惭愧愤恨。㉗义阳傅肜：义阳郡为魏文帝分南阳郡所置，时在傅肜入蜀之后。傅肜事见《三国志·蜀书·杨戏传》附《季汉辅臣赞》。㉘后殿：行军的尾部。㉙从事祭酒：官名，诸从事之长。㉚程畿：字季然，巴西阆中（今四川阆中）人，初为刘璋汉昌长，又为江阳太守。刘备入益州后，命他为从事祭酒，后随刘备东征吴，兵败而死。事见《三国志·蜀书·杨戏传》附《季汉辅臣赞》。㉛舫：两船相并的载兵船。㉜定至今日：谓从战事平定直至今天。㉝讨逆：指孙策，孙策曾为讨逆将军。㉞荷：承受。㉟辑睦：和睦。㊱所受：指所受的高爵厚禄。㊲尺寸：谓忠心。㊳忍辱负重：此处指能宽容诸将而担负重任。㊴相如：蔺相如，战国赵大夫，因完璧归赵有功而为上大夫，又因赵王与秦王会于渑池，相如使赵王免受屈辱，以功为上卿。

【原文】

九月甲午[453]，诏曰："夫妇人与政，乱之本也。自今以后，群臣不得奏事太后，后族之家不得当辅政之任，又不得横[454]受茅土之爵。以此诏传之后世，若有背违，天下共诛之。"卞太后[455]每见外亲，不假以颜色[456]，常言："居处当节俭，不当望赏，念[457]自佚[458]也。外舍[459]当怪吾遇之太薄，吾自有常度故也。吾事武帝四五十年，行俭日久，不能自变为奢。有犯科禁[460]者，吾且[461]能加罪一等[462]耳，莫望钱米恩贷也。"

帝将立郭贵嫔为后。中郎[463]栈潜[464]上疏曰："夫后妃之德，盛衰治乱所由生也。是以圣哲慎立元妃[465]，必取先代世族之家，择其令淑[466]，以统六宫[467]，虔奉宗庙。《易》曰：'家道正而天下定[468]。'由内及外，先

大将廉颇不服，欲面辱相如，相如皆回避。其群下耻之，相如说："强秦之所以不敢加兵于赵者，徒以吾两人在也。今两虎相斗，其势不俱生。吾所以为此者，以先国家之急而后私仇也。"廉颇得知，遂向相如谢罪。事见《史记·廉颇蔺相如列传》。㊵寇恂：东汉初年大臣。汉光武帝初年，寇恂为颍川太守，执金吾贾复的部将在颍川杀人，寇恂斩之。贾复以此为耻，声言相见时必杀恂。寇恂得知后，有意不与相见。谷崇请恂勿畏，寇恂说："昔蔺相如不畏秦王而屈于廉颇者，为国也。区区之赵尚有此义，吾安可以忘乎？"光武帝得知后，遂和解二人。事见《后汉书·寇恂传》。㊶辅国将军：官名，魏晋时期辅国将军位次于三公。㊷孝直：法正字孝直。㊸芭：指植物丛生茂密之状。㊹原隰：广平低湿之地。㊺权不负孤：黄权曾向刘备建议，自己带兵先攻击吴，刘备为后镇。刘备不采纳，故今有此言。㊻陈、韩：指秦末的陈平、韩信，二人皆从项羽部下投归刘邦。㊼镇南将军：官名，魏晋时期，四镇将军次于四征。㊽陪乘：即骖乘，亦即车上侍卫。㊾发丧：公布丧事于众。㊿刘、葛：刘备与诸葛亮。(451)须：等待。(452)审问：确实的音讯。问，讯息。

【校记】

［18］岭：原作"领"。据章钰校，甲十六行本、乙十一行本、孔天胤本皆作"岭"，今据改。［19］持：据章钰校，甲十六行本、乙十一行本皆作"恃"，张敦仁《通鉴刊本识误》同。［20］疆：据章钰校，甲十六行本、乙十一行本、孔天胤本皆作"境"。［21］在：据章钰校，孔天胤本作"任"。

【语译】

九月初三日甲午，魏文帝下诏说："妇女参政，是祸乱的根源。从今以后，群臣不许向太后奏事，皇后、皇太后的亲属不得任辅佐朝政的职务，也不得无故封爵受土。这个诏令要传给后代，如有违反，天下共同诛伐。"卞太后每次接见外戚，从不给好脸色，经常说："居家应当节俭，不应当期望赏赐，想着自我安乐。亲戚们会怪我待他们太薄情，这是因为我有自己的规矩。我侍奉武帝四五十年，已习惯节俭，不能再变得奢华。有违犯法令制度的，我将要罪加一等，不要指望我给钱给米加恩宽免。"

魏文帝将要册立郭贵嫔为皇后。中郎栈潜上书说："后妃的品德关系到国家的治乱兴衰。因此圣明的君主非常慎重地选立皇后，一定要从世代显贵的家族中选择贤德的淑女为皇后，用以统率六宫，虔诚地供奉皇室宗庙。《易经》说：'家道端正，天

王之令典也。《春秋》书宗人衅夏云'无以妾为夫人之礼[469]'，齐桓誓命于葵丘，亦曰'无以妾为妻[470]'。令后宫嬖宠[471]，常亚乘舆。若因爱登后，使贱人暴贵，臣恐后世下陵上替[472]，开张非度[473]，乱自上起也。"帝不从。庚子[474]，立皇后郭氏。

【段旨】

以上为第十一段，写魏文帝册立郭皇后。

【注释】

[453]甲午：九月初三日。[454]横：无故。[455]卞太后：魏文帝曹丕之母。建安二十四年（公元二一九年）立为魏王后，曹丕即帝位后，尊为皇太后，居永寿宫。魏明帝时尊为太皇太后。传见《三国志》卷五。[456]不假以颜色：谓不讲情面，严肃正直。[457]念：想；考虑。[458]佚：通"逸"。安乐。[459]外舍：后妃称外家（娘家）为外舍。[460]科禁：律条禁令。[461]且：将。[462]加罪一等：谓比常人犯法加罪一等处置。[463]中郎：官名，皇帝近侍之官，属光禄勋，长官称中郎将，亦通称中郎。汉代有五官、左、右三署中郎及虎贲、羽林中郎，因曹丕曾任五官中郎将，故曹魏只置左、右中郎及虎贲、羽林中郎。[464]栈潜：

【原文】

初，吴王遣于禁护军浩周[475]、军司马东里衮诣帝，自陈诚款，辞甚恭悫[476]。帝问周等："权可信乎？"周以为权必臣服，而衮谓其不可必服。帝悦周言，以为有以知之，故立为吴王，复使周至吴。周谓吴王曰："陛下未信王遣子入侍[477]，周以阖门百口明之。"吴王为之流涕沾襟，指天为誓。周还而侍子不至，但多设虚辞。帝欲遣侍中辛毗、尚书桓阶往与盟誓，并责任子[478]，吴王辞让不受。帝怒，欲伐之。刘晔曰："彼新得志[479]，上下齐心，而阻带江湖，不可仓卒制也。"帝不从。

九月，命征东大将军[480]曹休、前将军[481]张辽、镇东将军[482]臧霸出

下才会安定。’由治家推及治国，这是先王的善美典则。《春秋》中记载宗人衅夏说‘没有立妾为夫人的礼仪’，齐桓公在葵丘盟誓时也说‘不要立妾为妻’。若让后宫受宠嫔妃的地位，常常仅次于君主。如果因宠爱而升为皇后，使卑贱的突然显贵，臣担心后世在下者凌驾于上，在上者废替于下，贱升贵降，倡导失度，祸乱就会从上层发生了。”魏文帝不听从。九月初九日庚子，册立郭贵嫔为皇后。

字彦皇，任城（治所在今山东济宁）人，曹操时为县令，后督守邺城。魏文帝和魏明帝时皆有谏疏。传见《三国志》卷二十五。㊻⑤元妃：国君之嫡妻。㊻⑥令淑：美德贤良之女。㊻⑦六宫：相传古代天子有六宫，后世泛称皇后妃嫔所居之宫室。㊻⑧家道正而天下定：《易·家人·彖》云：“父父、子子、兄兄、弟弟、夫夫、妇妇而家道正，家正而天下定矣。”㊻⑨无以妾为夫人之礼：《左传》哀公二十四年载，鲁哀公将立公子荆之母为夫人，使宗人（主礼之官）衅夏司礼，衅夏却说无此礼，哀公怒责之。衅夏说：“周公及武公娶于薛，孝公、惠公娶于商，自桓以下娶于齐，此礼也则有。若以妾为夫人，则固无其礼也。”㊼⓪无以妾为妻：《孟子·告子下》谓齐桓公会诸侯于葵丘，初命曰：“无以妾为妻。”㊼①嬖宠：宠爱之人。㊼②下陵上替：在下者凌驾于上，在上者废败于下。㊼③非度：非法。㊼④庚子：九月初九日。

【语译】

起初，吴王派于禁的护军浩周、军司马东里衮前往魏文帝那里，表明自己的忠诚，言辞非常恭敬谨慎。魏文帝问浩周等：“孙权可以信任吗？”浩周认为孙权一定会臣服，而东里衮认为不一定会臣服。魏文帝欣赏浩周的话，认为他了解孙权，因而封立孙权为吴王，又派浩周出使东吴。浩周对吴王孙权说：“陛下不相信大王会派儿子入朝侍奉，我浩周拿全家百口的性命来担保，表明大王的心意。”吴王为此泪水打湿了衣襟，指天发誓。浩周回到了魏国，但孙权没有送来质子，只是用许多假话搪塞。魏文帝想派侍中辛毗、尚书桓阶去和吴王盟誓，并责令吴王送儿子做人质，吴王推辞不肯接受辛毗和桓阶来访。魏文帝大怒，打算讨伐孙权。刘晔说：“孙权为刚刚战胜刘备而得意，上下齐心，况且有江湖阻隔，不可能很快制服他。”魏文帝不接受。

九月，魏文帝命令征东大将军曹休、前将军张辽、镇东将军臧霸出兵洞口，大

洞口[483]，大将军[484]曹仁出濡须[485]，上军大将军[486]曹真[487]、征南大将军夏侯尚、左将军张郃、右将军徐晃围南郡[488]。吴建威将军[489]吕范督五军，以舟军拒休等；左将军诸葛瑾、平北将军[490]潘璋、将军杨粲救南郡；裨将军[491]朱桓[492]以濡须督拒曹仁。

冬，十月甲子[493]，表首阳山[494]东为寿陵[495]，作终制，务从俭薄，不藏[496][22]金玉，一用瓦器。令以此诏藏之宗庙，副[497]在尚书[498]、秘书[499]、三府[500]。

吴王以扬越[501]蛮夷多未平集，乃卑辞上书，求自改厉："若罪在难除，必不见置，当奉还土地民人，寄命交州，以终余年。"又与浩周书，云欲为子登求昏宗室，又云以登年弱，欲遣孙长绪[502]、张子布[503]随登俱来。帝报曰："朕之与君，大义已定，岂乐劳师远临江、汉？若登身朝到，夕召兵还耳。"于是吴王改元黄武，临江拒守。

帝自许昌南征，复郢州为荆州。十一月辛丑[504]，帝如[505]宛[506]。曹休在洞口，自陈："愿将锐卒虎步[507]江南，因敌取资，事必克捷。若其无臣，不须为念。"帝恐休便渡江，驿马止之。侍中董昭侍侧，曰："窃见陛下有忧色，独以休济江故乎？今者渡江，人情所难，就休有此志，势不独行，当须诸将。臧霸等既富且贵，无复他望，但欲终其天年，保守禄祚[508]而已，何肯乘危自投死地，以求徼幸。苟霸等不进，休意自沮。臣恐陛下虽有敕渡之诏，犹必沉吟[509]，未便从命也。"顷之，会暴风吹吴吕范等船，绠缆[510]悉断，直诣休等营下，斩首获生以千数，吴兵进散[511]。帝闻之，敕诸军促渡。军未时进，吴救船遂至，收军还江南。曹休使臧霸追之，不利，将军尹卢战死。

庚申晦[512]，日有食之。

吴王使太中大夫[513]郑泉聘于汉，汉太中大夫宗玮报之，吴、汉复通。

汉主闻魏师大出，遗陆逊书曰："贼今已在江、汉，吾将复东，将军谓其能然否？"逊答曰："但恐军新破，创夷[514]未复，始求通亲[515]；且当自补，未暇穷兵[516]耳。若不推算，欲复以倾覆之余远送以来者，无所逃命。"

汉汉嘉[517]太守黄元叛。

吴将孙盛督万人据江陵中洲[518]，以为南郡外援。

将军曹仁出兵濡须，上军大将军曹真、征南大将军夏侯尚、左将军张郃、右将军徐晃包围南郡。吴国建威将军吕范统领五路军队，以水军抵抗曹休等；左将军诸葛瑾、平北将军潘璋、将军杨粲救援南郡；裨将军朱桓在濡须督军抗拒曹仁。

冬天，十月初三日甲子，魏文帝将自己的陵墓建在首阳山东侧，颁示有关丧葬礼仪的诏书，要求丧事从俭从薄，不可陪葬金玉，陪葬品一律使用陶器。下令把这道诏书保存在皇家宗庙，副本留在尚书台、秘书监、三公府。

吴王因为扬越的蛮夷大多没有平定，就言辞谦卑地上奏，请求让自己改过自新，说："若我的罪过难以赦免，定然不会被放过，我当奉还土地和民众，寄身于交州，以度余年。"又写信给浩周，说想替儿子孙登向皇室求婚，还说因为孙登年幼，打算派孙邵、张昭跟随孙登一同入朝。魏文帝回复说："朕和你之间，君臣名分已定，哪里乐意劳师动众远征长江、汉水呢？若孙登早晨到，晚上我便把兵马召回来。"于是吴王改年号为黄武，亲临长江据守。

魏文帝从许昌率兵南征，恢复郢州为荆州。十一月十一日辛丑，魏文帝到达宛城。曹休在洞口，上奏请求："愿率精兵，像猛虎一样进军江南，从敌人那里劫取军需，此役定能胜利。若我战死，请陛下不必挂念。"魏文帝担心曹休立即渡江，便派驿马去制止他。侍中董昭在旁侍奉，说："臣观察陛下面有忧色，难道是为了曹休渡江的缘故吗？如今渡江，人人都会感到难以实现，即使曹休有这个想法，势必不能单独行动，还要等待众将领一起行动。臧霸等既富有又显贵，不再有其他的想望，只想富贵到老死，保住禄位封爵罢了，岂肯冒险自投死路，以求侥幸的胜利。若臧霸等不进军，曹休自然会心意沮丧。臣只怕陛下即使有诏令渡江，他们也一定会犹豫，未必就执行命令。"过了不久，适逢暴风吹翻吴军吕范等人的船只，船缆绳全被暴风刮断，船只一直漂到曹休等人的军营下，魏军斩杀与俘获吴军数以千计，吴军四处逃散。魏文帝听到这个消息，下令各军迅速渡江。魏军没有及时前进，吴国的救援船队已经赶到，搜集溃军返回江南。曹休派臧霸追击，战事不利，将军尹卢战死。

十一月最后一天三十日庚申，发生日食。

吴王派遣太中大夫郑泉出使蜀汉，蜀汉也派太中大夫宗玮回访，吴、汉又恢复了往来。

汉主得知魏国军队大举进攻吴国，写信给陆逊说："敌贼已到长江、汉水一带，我将再次东下，将军认为能行吗？"陆逊回答说："只担心贵军新败，创伤没有恢复，刚开始与我们交往，只应当好好地自我补养，没有能力来穷兵黩武。如果不算计好，想再以大败后的残余力量远道送上门来，将会无处逃命。"

蜀汉的汉嘉太守黄元反叛。

吴将孙盛统率一万人据守江陵中洲，作为南郡的外援。

【段旨】

以上为第十二段，写孙权拒绝曹魏征质，临江拒守，遣使通蜀，欲重结盟好。

【注释】

㊼浩周：字孔异，上党（治所在今山西长治北）人，建安中为萧令、徐州刺史，后为于禁护军，于禁败，被关羽所虏。关羽败，又为孙权所得，后孙权令他还魏，未再被用。事见《三国志·吴书·吴主传》及注引《魏略》。㊽悫：谨慎。㊾遣子入侍：派遣儿子入朝侍奉，实际上是做人质。㊿任子：人质。⑪新得志：谓大败刘备于夷陵。⑫征东大将军：官名，四征大将军位从公，在四征将军之上。⑬前将军：官名，位次于上卿，与后将军及左、右将军掌京师兵卫和边防屯警。⑭镇东将军：官名，魏晋时期，四镇将军次于四征将军。⑮洞口：在当时历阳县江边。历阳县县治在今安徽和县。⑯大将军：官名，掌统兵征伐，位在三公上。⑰濡须：建安十七年（公元二一二年）孙权曾在濡须水口筑坞，称濡须坞，在今安徽无为东北。⑱上军大将军：官名，魏、吴皆置，位在大将军上，是将军的最高称号。⑲曹真（？至公元二三一年）：字子丹，曹操族子。曹操起兵，其父募兵被杀，操遂收养他。初为偏将军，又为中领军。曹丕即王位，以真为镇西将军。曹丕称帝后，曾为上军大将军、都督中外诸军事，假黄钺，总统全国军事。曹丕临终时，又与陈群、司马懿等受遗诏辅政。魏明帝时为大将军、大司马，封邵陵侯。传见《三国志》卷九。⑳南郡：郡名，治所江陵，在今湖北江陵。㉑建威将军：官名，吴所置杂号将军。㉒平北将军：官名，魏晋时期，四平将军次于四安将军。㉓裨将军：官名，《宋书·百官志》所列魏晋四十号将军，裨将军居最末。㉔朱桓（公元一六七至二三八年）：字休穆，吴郡吴县（今江苏苏州）人，初为孙权余姚长、荡寇校尉，又为裨将军、奋武将军。孙权称帝，为前将军。传见《三国志》卷五十六。㉕甲子：十月初三。㉖首阳山：在当时洛阳东北。㉗寿陵：帝王生前预建之陵墓。㉘藏：埋藏。㉙副：副本。㉚尚书：尚书台，掌办理文书，传达诏命。㉛秘书：秘书监，掌艺文图书。㉜三府：三公府。㉝扬越：指江南地区。古扬州（江南）为越族之分布地，故称扬越。㉞孙长绪：孙邵字长绪，北海（治所在今山东潍坊西南）人，初为孙权庐江太守，又为车骑将军长史。孙权黄武初年，为丞相、威远将军，封阳羡侯。事见《三国志·吴书·吴主传》及注引《吴录》。㉟张子布：张昭字子布。㊱辛丑：十一月十一日。㊲如：到。㊳宛：县名，县治在今河南南阳。㊴虎步：比喻威武。㊵禄祚：官爵。㊶沉吟：犹豫。㊷绠缆：系船的绳索。㊸迸散：奔散。㊹庚申晦：十一月三十日。㊺太中大夫：官名，魏晋时期无定员，掌议论。㊻创夷：同"疮痍"。创伤。㊼通亲：谓通使建立亲善关系。㊽穷兵：用兵好战。㊾汉嘉：郡名，蜀汉所置，治所阳嘉县，在今四川芦山县。㊿中洲：江中之洲称中洲。此中洲即江陵附近的百里洲。

【校记】

［22］藏：原作"臧"。据章钰校，甲十六行本、乙十一行本皆作"藏"，今据改。

【研析】

本卷所载最大的历史事件是吴蜀夷陵之战。从大局说是曹孙刘三方争夺荆州最后一个回合。此役吴胜蜀败，形成了三分的地理均势，正式确立了三国鼎立的局面，同时也是拉开了北方统一南方的序幕，因为夷陵战后，蜀弱吴孤，两国俱受损伤，曹魏坐大，收渔人之利，北方占了绝对优势。形成地理均势与南弱北强，这两方面是夷陵之战对于历史的重大影响。今天重评夷陵之战，无论是从政治层面，还是军事层面，仍然有许多话可说。政治上讲，执意发动夷陵之战的是刘备，他肯定不愿意看到吴胜蜀败的结果，但这样一个结果也肯定是刘备的预料之一，而他为什么还要发动呢？从军事上说，长期以来，学术界研究夷陵之战，牵强附会地论证是陆逊以少胜众，以弱胜强，甚不得要领。夷陵之战，双方的军事对比，基本是势均力敌，孙吴之兵强于蜀军，吴胜蜀败在意料之中，那么在军事上还有什么意义呢？下面分层讨论。

夷陵之战，不可避免。公元二二一年刘备称帝后倾巢伐吴，既在意料之中，又在意料之外。孙权一方在意料之中，所以孙权卑辞厚礼向曹丕称臣，君臣上下一心备战。曹魏一方，没有做好应变准备，以曹丕为首的群臣在意料之外。蜀国内部，也有激烈争论，诸葛亮、赵云反对东出，刘备、张飞决心复仇。赵云说："国贼是曹操，非孙权。只要先灭了魏国，那么吴国自然归服。曹操虽然死了，他的儿子曹丕篡国，要趁现在人心思汉，及早图取关中，占据黄河、渭水上游形胜以讨伐凶逆，关东义士一定会带着粮食、乘着快马来迎接我们。不应当把魏国放到一边，选择与吴国作战。战端一开，那就不是一时半刻可以了结的。"孙权背盟，袭夺荆州，已经是敌人，但要分清主次。孙权求和，让诸葛瑾写信给刘备，劝刘备要分清轻重大小。诸葛瑾说："陛下以关羽之亲何如先帝？荆州大小孰与海内？都是仇敌，两相比较，谁先谁后，不是很容易分清吗？"诸葛瑾的话，与赵云所谏，大体一致。诸葛亮的劝谏，《三国志》没有记载下来，但是《法正传》记载的诸葛亮议论，说明诸葛亮是反对东征的，由此可见，蜀汉群臣大都是反对东征的，但都未能阻止刘备东征，看来刘备是一意孤行。旧臣中，张飞由于结义恩重，愤愤不平，起了推波助澜的作用。他整日酗酒，拿士兵部下出气，在刘备出兵前夕，被部将张达、范强杀死，取了首级，顺着长江飞流而下去投奔孙权。张飞之死，使刘备旧仇添新恨，谁也不能阻挡他的东出了。

曹魏方面，魏文帝曹丕召集群臣讨论当前形势，分析刘备会不会东征。大家都

说："蜀汉国小力弱，名将只有关羽，关羽败亡，全国震恐，没有力量再战。"只有侍中刘晔一人持相反意见，他说："蜀国虽然小弱，但是刘备是在关羽死后称帝，他要显示武力，表示还有力量，一定会东伐。再说关羽与刘备，名义为君臣，而恩爱比父子还亲，关羽死亡如不兴兵报仇，那就等于是刘备对结义兄弟有始无终，这面子也下不去的。"刘晔说话有分寸，实际意思是说，刘备称帝，表明正统所在，他必然要讨伐叛逆，以表示有统一天下的力量。伐魏，力量不足；讨吴，自谓可胜，加之为关羽报仇，可以激扬士气。因此，夷陵之战，不可避免。

三国时期的三大战役，官渡之战、赤壁之战、夷陵之战，都是影响全局的大战役。在三大战役中，赤壁之战规模最大，官渡之战其次，夷陵之战略与官渡相当；但决战时间，夷陵之战最长，官渡之战其次，赤壁之战最短。官渡之战，历时九个月；赤壁之战，历时三个月；夷陵之战，跨了两年，从蜀章武元年（公元二二一年）七月到蜀章武二年八月，历时十五个月。由此可见，这一战役的激烈与残酷。刘备是倾国远征，孙权是全力保卫，吴蜀两国拼尽全力作主力决战。自古以来，自相残杀，超过敌对争逐，夷陵之战是一个典型例证。因为敌对斗争，目的是分一个输赢，即便是灭人之国，失败的一方可以委曲求全，投降对方，摇尾乞怜。自相残杀，目的是生死抉择，不是你死，就是我亡，所以斗争异常残酷。

在军事上，夷陵之战，是一场势均力敌的歼灭战。双方兵力，蜀方全国常备军力不过十五六万,四方守境，最大动员十万。刘备东征，所统入峡之军八万余人，赵云统兵二万驻江州为后援，合计十万左右，已是倾巢出动。孙吴兵力，陆逊所统五万大军在第一线，诸葛瑾驻公安为第二线，孙权屯武昌为第三线，三线兵力集中了吴国兵力的四分之三，最保守的估计也有二十万。但在三峡第一线的蜀兵（八万）多于吴兵（五万），但吴兵集中于一点，刘备所统，绵延三峡七百里，分江北大营和江南大营，在交战的前沿，却又是吴兵多于蜀兵，至于战将，更不可同日而语。蜀国五虎将，关羽、张飞、马超、黄忠、赵云，没有一个在场，昔日老将大部凋零。刘备班底，多是蜀中战将，以及荆州的二流人物。冯习为大督，张南为先锋，吴班、陈式统水军，黄权、赵融、廖谆、傅彤等为别督，多未经历能征惯战的锻炼，不能与孙吴的一班虎将相比。吴方多是功臣宿将，有徐盛、韩当、潘璋、朱然、宋谦、鲜于丹等。孙吴崭露头角的青年将领，也十分骁勇了得。例如孙桓，二十五岁，能得士众心，他驻防夷道，牵制了蜀军的前锋。反攻后奋勇向前，切断蜀军归路打阻击战，迫使刘备"逾山越险，仅乃得免"。刘备忿恚叹息说："我当初到京口，桓尚小儿，而今迫孤乃至此也。"归师勿迫，乃兵家之忌，孙桓初生牛犊，敢断刘备归师，足见吴兵作战骁勇。论兵论将，孙吴之师强于蜀汉。

但是，蜀军也有一定优势。首先是复仇之师，哀兵必胜，讨伐孙权背义袭盟，全军同仇敌忾，有一股不可阻挡的锐气。其二，刘备刚登皇帝大位，将士受封受赏，

正是立功报效之时，加之刘备东征，将士激动，士气旺盛。其三，人心向背，蜀汉占有优势。刘备在荆州长达十七八年，荆州士民，追随刘备，从者如云，蜀汉政权，荆州人士居当路要冲。孙吴政权中的荆州人士，只有黄盖、潘浚二人而已。蜀将大督冯习、前部张南，都是荆州人，他们为收复故土而战，也必效死力。夷陵之战，他们都以马革裹尸还。其四,三峡地区及武陵，都是少数民族聚居区，孙吴的民族高压政策使他们仇吴亲蜀。其五，蜀军居高临下，又善于山地战，占有地利。初战时，蜀军集中，数量也占有优势。但蜀军的这些优势，没有充分发挥，被陆逊的战略大撤退所避开，很快丧失了。蜀军的初战胜利，只是破吴边将，未遇孙权主力。当蜀将推进至夷陵时已成强弩之末，受阻于坚城之下，陷入了进退维谷的境地。这时，初战时的强弱众寡，全部易位，吴军掌握了主动权。

如上分析，夷陵之战双方兵力大体上势均力敌。陆逊在这样的条件下打了一场大规模的歼灭战，入峡蜀军全军覆没。陆逊的指挥艺术，丰富了中国军事史的内容，值得称道。陆逊留给后人两大军事克敌经验，应当总结。第一，避敌锋芒，诱其深入。蜀军入峡，气势汹汹，陆逊大踏步后撤，拉长蜀军战线，疲敌斗志，把四五百里的山区让给蜀军，完成了战略退却，待机全线反击。第二，集中兵力，火烧连营。陆逊大步后退，让出三峡，迎敌于秭归以东，五万兵力握成拳头，孙桓受困宜都，也不分兵去救，此乃效法周亚夫以梁委吴之计，消耗蜀军主力。而刘备，建行营于猇亭，布前锋于夷道，置黄权于江北防魏，兵力分散，沿途防守，直接所统蜀军不足四万。最后，陆逊又是寻机火攻，各个击破分散的蜀兵，打了一场漂亮的歼灭战。陆逊一战成名，是历史上不可多得的儒将之一。战后，孙权加拜陆逊为辅国将军，领荆州牧，改封江陵侯。

卷第七十　魏纪二

起昭阳单阏（癸卯，公元二二三年），尽强圉协洽（丁未，公元二二七年），凡五年。

【题解】

本卷记事起公元二二三年，迄公元二二七年，凡五年，当魏文帝黄初四年到魏明帝太和元年。魏文帝在位共七年，尽管是魏国的开国君主，却无多少政绩可述，基业乃其父曹操开创，文帝一平庸守成之君而已。文帝失去与蜀夹击吴国，一举下江南的时机，等到孙权稳定局势后，拒绝征质，文帝始用兵江南，三次临江，只是兴叹而已，恰恰是推动了吴蜀重新结盟。蜀国邓芝两次使吴修复旧好，诸葛亮平定南中，稳固后方，吴国也平定了交趾之乱，两国政治稳定，重结盟好，同时举兵北伐。诸葛亮北驻汉中，上《出师表》，表达北伐的决心。曹魏第二代君主登基，明帝即位。

【原文】

世祖文皇帝下

黄初四年（癸卯，公元二二三年）

春，正月，曹真使张郃击破吴兵，遂夺据江陵中洲。

二月，诸葛亮至永安[①]。

曹仁以步骑数万向濡须，先扬声欲东攻羡溪[②]，朱桓分兵赴之。既行，仁以大军径进，桓闻之，追还羡溪兵，兵未到而仁奄至。时桓手下及所部兵在者才五千人，诸将业业[③]各有惧心。桓喻之曰："凡两军交对，胜负在将，不在众寡。诸君闻曹仁用兵行师，孰与桓邪？兵法所以称'客倍而主人半'者，谓俱在平原无城隍[④]之守，又谓士卒勇怯齐等故耳。今仁既非智勇，加其士卒甚怯，又千里步涉，人马罢[⑤]困。桓与诸君共据高城，南临大江，北背山陵，以逸待劳，为主制客，

【语译】

世祖文皇帝下

黄初四年（癸卯，公元二二三年）

春天，正月，曹真派张郃打败吴军，于是夺占了江陵的中洲。

二月，诸葛亮到达永安。

曹仁率领步、骑兵数万向濡须进军，事先扬言要向东攻打羡溪，朱桓分兵奔赴羡溪；增援羡溪的军队出发后，曹仁率大军直接进军濡须，朱桓得知这个消息，赶紧追回派往羡溪的援军，援军没有赶回而曹仁突然来到。此时朱桓手下和在濡须坞里的兵众仅五千人，众将领惶恐不安，各怀畏惧之心。朱桓开导他们说："大凡两军交锋对阵，胜负决于将领，不在兵员多少。诸位认为曹仁用兵作战，与我朱桓相比，谁更高明？兵法上说'客军人数的一倍只相当主军的一半'，这是针对双方都在平原上没有城池可守而言的，同时，也是在双方士兵勇怯程度相当的情况下说的。现在曹仁既没有智勇，加上他的士兵十分胆怯，又经过千里跋涉，人马疲惫困乏。我与各位一起据守高大的城池，南临长江，北靠山岭，以逸待劳，以主制客，

此百战百胜之势，虽曹丕自来，尚不足忧，况仁等邪!”桓乃偃旗鼓，外示虚弱以诱致仁。仁遣其子泰[6]攻濡须城，分遣将军常雕、王双等乘油船[7]别袭中洲。中洲者，桓部曲妻子所在也。蒋济曰:“贼据西岸，列船上流，而兵入洲中，是为自内[8]地狱[9]，危亡之道也。”仁不从，自将万人留橐皋[10]，为泰等后援。桓遣别将击雕等，而身自拒泰，泰烧营退，桓遂斩常雕，生虏王双，临陈杀溺死者千余人。

初，吕蒙病笃[11]，吴王问曰:“卿如不起，谁可代者?”蒙对曰:“朱然胆守有余，愚以为可任。”朱然者，九真太守朱治姊子也，本姓施氏，治养以为子，时为昭武将军[12]。蒙卒，吴王假然节，镇江陵。及曹真等围江陵，破孙盛，吴王遣诸葛瑾等将兵往解围，夏侯尚击却之。江陵中外断绝，城中兵多肿病，堪战者裁[13]五千人。真等起土山，凿地道，立楼橹[14]临城，弓矢雨注，将士皆失色。然晏如[15]无恐意，方厉[16]吏士，伺间隙攻破魏两屯[17]。魏兵围然凡六月，江陵令姚泰领兵备城北门，见外兵盛，城中人少，谷食且尽，惧不济[18]，谋为内应，然觉而杀之。

时江水浅狭[19]，夏侯尚欲乘船将步骑入渚[20]中安屯，作浮桥，南北往来，议者多以为城必可拔。董昭上疏曰:“武皇帝智勇过人，而用兵畏敌，不敢轻之若此也。夫兵好进恶退，常然之数。平地无险，犹尚艰难，就当深入，还道宜利，兵有进退，不可如意。今屯渚中，至深也；浮桥而济，至危也；一道而行，至狭也。三者，兵家所忌，而今行之。贼频攻桥，误[21]有漏失[22]，渚中精锐非魏之有，将转化为吴矣。臣私戚[23]之，忘寝与食，而议者怡然[24]不以为忧，岂不惑哉！加江水向长[25]，一旦暴增，何以防御！就不破贼，尚当自完，奈何乘危不以为惧！惟陛下察之。”帝即诏尚等促出。吴人两头并前，魏兵一道引去，不时得泄[26]，仅而获济。吴将潘璋已作荻筏[27]，欲以烧浮桥，会尚退而止。后旬日[28]，江水大涨，帝谓董昭曰:“君论此事，何其审[29]也!”会天大疫，帝悉召诸军还。

三月丙申[30]，车驾还洛阳。

初，帝问贾诩曰:“吾欲伐不从命，以一[31]天下，吴、蜀何先?”对曰:“攻取者先兵权[32]，建本者尚德化。陛下应期受禅，抚临率土，

这是百战百胜的形势。即使曹丕亲自前来，也不值得忧虑，何况是曹仁这些人呢！”朱桓于是偃旗息鼓，表面显示虚弱来引诱曹仁。曹仁派自己的儿子曹泰进攻濡须城，分兵派将军常雕、王双等乘牛皮油船去袭击中洲。中洲是朱桓和部属的妻儿们居留的地方。蒋济说：“敌贼占据西岸，船只停泊在上游，而我军进入洲中，这是自入地狱，自取危亡的道路。”曹仁不听从，亲自率领一万人留在橐皋，作为曹泰的后援。朱桓派遣另外的将领攻击常雕等，亲自抵抗曹泰，曹泰烧掉军营退走，朱桓于是杀了常雕，生擒王双，在阵前魏军被杀死、淹死的有一千多人。

当初，吕蒙病重时，吴王问他说：“你若一病不起，谁能代替你？”吕蒙回答说：“朱然胆识有余，我认为可以接任。”朱然，是九真太守朱治姐姐的儿子，原姓施，朱治收为养子，当时任昭武将军。吕蒙去世，吴王授予朱然符节，镇守江陵。等到曹真等包围江陵，打败孙盛，吴王派诸葛瑾等领兵去解围，被夏侯尚打退。江陵内外隔绝，城中守兵大多患有水肿病，能战的才五千人。曹真等筑起土山，挖掘地道，临城修造瞭望楼，城中箭如雨下，将士们都害怕得变了脸色。朱然安然自若，毫无惧色，他鼓励将士，寻找敌人破绽，攻破了魏军的两座营垒。魏军围攻朱然共六个月，江陵令姚泰率兵防守北门，看到城外兵势很盛，城中人少，而且粮食将尽，担心守不住，阴谋做魏军的内应，被朱然察觉后杀了。

此时江水浅，江面窄，夏侯尚打算乘船率领步兵、骑兵进入江陵的中洲安营，架设浮桥，南北往来，参与谋议的人大多认为江陵城一定可以攻克。董昭上奏说：“武皇帝智勇过人，用兵时尚且畏惧敌人，不敢这样轻敌。指挥作战，喜欢进攻讨厌退却，这是常理。平原上没有险阻，退兵尚且困难，即使深入，也应考虑利于撤退，战争中有进有退，不可能尽如人意。现在驻军中洲，太深入了；靠浮桥来往，太危险了；只有一条通道可行，太狭隘了。这三个方面，都是兵家忌讳的，但现在我方在全面推行。敌人频频攻击浮桥，如果有失误，中洲的精锐部队就不属魏国所有，将转而归吴了。我对此十分忧愁，废寝忘食，但谋议的人却安然自若，毫不担忧，这不是糊涂吗！加之江水上涨，一旦暴涨，我们将如何防御！即使打不败敌贼，也应该自我保全，怎能这样冒险而不感到畏惧呢！希望陛下明察。”魏文帝立即诏令夏侯尚迅速撤出。吴军两路并进，魏军从一条通道上撤退，难以及时通过，勉强渡回北岸。吴将潘璋已制造了芦苇扎成的筏子，准备用它来烧毁浮桥，正遇夏侯尚退走而作罢。过了十来天后，江水大涨，魏文帝对董昭说：“你判断此事，怎么如此准确！”正巧天生瘟疫，魏文帝召各路军队全部撤回。

三月初八日丙申，魏文帝回到洛阳。

当初，魏文帝问贾诩：“我准备讨伐不听从命令的人，以统一天下，吴国与蜀国，对哪个先下手？”贾诩回答说：“攻取领土首先要靠武力和权谋，建立根本大业要崇尚道德教化。陛下顺应天时，接受禅让，安抚天下，若用文教德化来抚慰人心，

若绥之以文德而俟其变，则平之不难矣。吴、蜀虽蕞尔㉝小国，依山阻水。刘备有雄才，诸葛亮善治国，孙权识虚实，陆逊[1]见兵势，据险守要㉞，泛舟江湖㉟，皆难卒谋也。用兵之道，先胜后战，量敌论将，故举无遗策。臣窃料群臣无备、权对，虽以天威临之，未见万全之势也。昔舜舞干戚而有苗服㊱，臣以为当今宜先文后武。”帝不纳，军竟无功。

【段旨】

以上为第一段，写魏文帝南征孙权，无功而返。

【注释】

①永安：县名，刘备大败于夷陵后，逃至白帝城鱼复县，遂改鱼复为永安，在今重庆市奉节东。②羡溪：在濡须东，即在今安徽无为东北。③业业：畏惧貌。④城隍：城壕。⑤罢：通“疲”。⑥泰：曹泰，曹仁之子。曹仁死后袭爵，官至镇东将军，转封宁陵侯。事见《三国志·魏书·曹仁传》。⑦油船：牛皮所制之船，外涂油以防水。⑧内：通“纳”。纳入。⑨地狱：谓地中之狱，言其地险，非后世所说的阴司地狱。⑩橐皋：地名，在今安徽巢湖市。⑪病笃：病危急。⑫昭武将军：官名，孙吴所置杂号将军。⑬裁：通“才”。⑭橹：顶部无覆盖的望楼。⑮晏如：安然。⑯厉：勉励。⑰屯：营寨。⑱济：成功。⑲狭：狭窄。⑳渚：洲。此指江陵之中洲（百里洲）。㉑误：或许；假

【原文】

丁未㊲，陈忠侯曹仁卒。

初，黄元为诸葛亮所不善，闻汉主疾病，惧有后患，故举郡反，烧临邛㊳城。时亮东行省疾㊴，成都单虚，元益㊵无所惮。益州治中从事㊶杨洪启太子遣将军陈曶、郑绰讨元。众议以为元若不能围成都，当由越嶲㊷据南中㊸。洪曰：“元素性凶暴，无他恩信，何能办此！不过乘水东下㊹，冀主上平安，面缚归死。如其有异，奔吴求活耳。但敕曶、绰于南安㊺峡口邀遮㊻，即便得矣。”元军败，果顺江东下，曶、绰生获斩之。

等待时局的变化，那么平定天下就不难了。吴、蜀虽然是区区小国，但依靠山水险阻。刘备有雄才大略，诸葛亮擅长治国，孙权能明辨虚实，陆逊善于观察军事形势，蜀国据守险要，吴国泛舟江湖，都难以很快谋取。用兵的原则是，先创造取胜的形势，然后再战；先估量敌人的力量，然后选用将领，这样攻战才不会失策。我料定，我们群臣中没有刘备、孙权的对手，即使陛下御驾亲征，也未必万无一失。从前虞舜在朝廷上舞弄干戚，有苗部落就归服了，臣以为当前应该先用文德教化，然后再施用武力。”魏文帝不采纳，征伐最后没有成功。

如。㉒漏失：谓桥被敌所断。㉓戚：忧愁。㉔怡然：欢快。㉕向长：上涨。㉖泄：通过。㉗荻筏：用芦苇制作的筏子。㉘旬日：十日。㉙审：准确。㉚丙申：三月初八日。㉛一：统一。㉜兵权：用兵的权谋。此指审时度势。㉝蕞尔：小貌。㉞据险守要：此言蜀国。㉟泛舟江湖：此言吴国。㊱舜舞干戚而有苗服：干戚，兵器。干，盾。戚，大斧。《韩非子·五蠹》：“当舜之时，有苗（部族）不服，禹将伐之。舜曰：‘不可。上德不厚而行武，非道也。’乃修教三年，执干戚舞，有苗乃服。”意谓舜偃武修文，将干戚用为舞具而不用于战争，以修德教而感化有苗，有苗乃服。

【校记】

［1］逊：原作“议”。据章钰校，甲十六行本、乙十一行本、孔天胤本皆作“逊”。〖按〗陆逊本名议。今从甲十六行本。

【语译】

三月十九日丁未，陈忠侯曹仁去世。

当初，黄元不被诸葛亮善待，他听说汉主病重，害怕有后患，因而率领汉嘉郡反叛，烧毁临邛城。当时诸葛亮东行探视刘备的病情，成都防守单薄空虚，黄元更加肆无忌惮。益州治中从事杨洪启奏太子派将军陈曶、郑绰讨伐黄元。众人讨论认为，黄元若不能包围成都，当经越嶲郡去占据南中。杨洪说：“黄元生性凶恶，对人没有恩德信义，怎么能办成这种事！不过是乘船顺流东下，希望主上平安，再自缚请死。如果有异常情况，逃奔吴国求得活命而已。只需命令陈曶、郑绰在南安峡口拦击，就可以将他擒获了。”黄元战败，果然顺江东下，陈曶、郑绰俘获黄元，杀死了他。

汉主病笃，命丞相亮辅太子，以尚书令李严为副。汉主谓亮曰："君才十倍曹丕，必能安国，终定大事。若嗣子可辅，辅之；如其不才，君可自取。"亮涕泣曰："臣敢不竭股肱之力，效忠贞之节，继之以死[47]！"汉主又为诏敕太子曰："人五十不称夭[48]，吾年已六十有余，何所复恨，但以卿兄弟为念耳。勉之，勉之！勿以恶小而为之，勿以善小而不为。惟贤惟德，可以服人。汝父德薄，不足效也。汝与丞相从事，事之如父。"

夏，四月癸巳[49]，汉主殂于永安，谥曰昭烈[50]。

丞相亮奉丧还成都，以李严为中都护[51]，留镇永安。

五月，太子禅即位，时年十七。尊皇后曰皇太后，大赦，改元建兴。封丞相亮为武乡侯，领益州牧，政事无巨细，咸决于亮。亮乃约官职，修法制，发教与群下曰："夫参署[52]者，集众思，广忠益也。若远小嫌，难相违覆，旷阙损矣[53]。违覆而得中，犹弃敝蹻[54]而获珠玉。然人心苦不能尽，惟徐元直[55]处兹不惑。又，董幼宰[56]参署七年，事有不至，至于十反，来相启告。苟能慕元直之十一，幼宰之勤渠[57]，有忠于国，则亮可以少过矣。"又曰："昔初交州平[58]，屡闻得失。后交元直，勤见启诲。前参事于幼宰，每言则尽。后从事于伟度，数有谏止。虽资性鄙暗，不能悉纳，然与此四子终始好合，亦足以明其不疑于直言也。"伟度者，亮主簿义阳胡济[59]也。

亮尝自校簿书，主簿杨颙[60]直入，谏曰："为治有体，上下不可相侵。请为明公以作家譬之：今有人使奴执耕稼，婢典炊爨[61]，鸡主司晨，犬主吠盗，牛负重载，马涉远路，私业无旷，所求皆足，雍容[62]高枕[63]，饮食而已。忽一旦尽欲以身亲其役，不复付任，劳其体力，为此碎务，形疲神困，终无一成。岂其智之不如奴婢鸡狗哉？失为家主之法也。是故古人称[64]'坐而论道，谓之王公；作而行之，谓之士大夫'。故丙吉[65]不问横道死人而忧牛喘，陈平[66]不肯知钱谷之数，云'自有主者'，彼诚达于位分之体也。今明公为治，乃躬自校簿书，流汗终日，不亦劳乎！"亮谢之。及颙卒，亮垂泣三日。

汉主刘备病危，诏命丞相诸葛亮辅佐太子，任命尚书令李严为副手。汉主对诸葛亮说："你的才能是曹丕的十倍，一定能安定国家，最终完成统一大业。若太子可以辅佐，你就辅佐他；如果他不具备君主之才，你可以取代他。"诸葛亮泪流满面说："我岂敢不竭尽全力辅佐，献出忠贞的节操，直至身死！"汉主又作诏命令太子说："人五十而死不算夭折，我已六十有余，没有什么遗憾，只是挂念你们兄弟罢了。努力啊，再努力！切不要因为坏事小就去做，不要因为好事小就不去做。唯有贤明和恩德，才能服人。你父亲德行浅薄，不值得你效法。你与丞相共事，要将他当作父亲一样侍奉。"

夏，四月癸巳日，汉主在永安病逝，谥号为昭烈。

丞相诸葛亮护送灵柩回成都，任命李严为中都护，留下镇守永安。

五月，太子刘禅即位，时年十七岁。尊称皇后为皇太后，大赦天下，改年号为建兴。封丞相诸葛亮为武乡侯，兼任益州牧，政事无论大小，均由诸葛亮裁决。诸葛亮于是精简官职，修订法制，向群臣发布教令，说："参政的含义，就是要集中众人的智慧，广开忠诚有益之路，若因小小的隔阂而相互疏远，就不能相互驳难审议，这样职事就会遭受旷缺损失。能够互相驳难审议，从而得出中肯的决断，就如同扔掉破旧的鞋子而获得珠玉。但是人心苦于不能完全做到这一点，唯独徐庶遇到这种事不会迷惑。还有，董和参政七年，凡事情没有最好的办法，就反复听取不同意见十余次，然后再报告我。若能学到徐庶的十分之一，学到董和的勤奋，对国家忠心耿耿，如此我就可以少犯些过错了。"诸葛亮又说："从前初次结交崔州平，他多次指出我的优缺点。后来结交徐庶，经常蒙受他的启迪和教诲。先前与董和商议事情，每次都言无不尽。后来跟胡伟度共事，他对我多次劝止。我虽生性鄙陋愚暗，不能全部采纳他们的意见，但是与这四人始终合作得很好，这也足以表明我对直言是不会猜疑的。"胡伟度，就是诸葛亮的主簿义阳人胡济。

诸葛亮曾经亲自校对公文，主簿杨颙径直进来，劝谏说："治理国家是有制度的，上下的职权不能相互侵犯。请让我为明公您拿治家来做比喻：现今有个主人命奴仆管耕种，婢女管烧饭，雄鸡司晨报晓，狗主管吼叫惊盗，牛拉车负重，马代步走远路，家业没有旷废，需求的东西都能得到满足，从容不迫，高枕无忧，要做的只是吃饭饮酒罢了。忽然有一天，这个主人打算亲身去做各种事情，不再役使其他人和牲畜，什么事都自己亲力亲为。为了这些琐碎的事务，弄得身体疲惫精神困乏，最终一事无成。难道是他的智力不如奴婢和鸡狗吗？是他丢掉了作为一家之主的职责。因此古人说'坐着谈论治理之道的，称为王公；动手实际执行的，称作士大夫'。因而丙吉不过问横躺路上的死人是怎么回事，而担忧耕牛受热气喘；陈平不肯了解国家的钱粮数量，说'自有主管的人'，他们都真正懂得各司其职的体统。现在明公您治理国政，却亲自去校对公文，整天汗流浃背，不是太辛劳了吗！"诸葛亮向他表示了谢意。后来杨颙去世，诸葛亮哭了三天。

【段旨】

以上为第二段，写诸葛亮顾命辅政，事无巨细，总揽一切权力。

【注释】

㊲丁未：三月十九日。㊳临邛：县名，县治在今四川邛崃。㊴省疾：探视刘备病情。㊵益：更加。㊶治中从事：官名，州牧刺史的主要佐吏，职责是居中治事，主众曹文书。㊷越巂：郡名，治所邛都县，在今四川西昌。㊸南中：地区名，三国时期，称今四川西南部与云南、贵州连境的部分地区为南中，包括当时的越巂、益州、永昌、牂牁、朱提等五郡。蜀汉并置庲降都督以督统。㊹乘水东下：乘船浮水东下。此水指青衣水，即今四川青衣江，源出今四川芦山县西北，东南流，经洪雅、夹江，至乐山与大渡河汇合后入岷江。岷江至宜宾与金沙江汇合东流，是为长江。故黄元可能从青衣水东下奔吴。㊺南安：县名，县治在今四川乐山。㊻邀遮：拦击。㊼效忠贞之节二句：诸葛亮此语，用春秋时晋国荀息答献公之语意。《左传》僖公九年载：晋献公以荀息为其爱子奚齐之傅，献公临终时，便托奚齐于荀息，荀息说："臣竭其股肱之力，加之以忠贞。其济，君之灵也；不济，则以死继之。"㊽夭：夭折；短命早死。㊾癸巳：四月己未朔，无癸巳。按《三国志·蜀书·先主传》载诸葛亮上后主言，谓刘备卒于四月二十四日。则"癸巳"当为"壬午"。㊿昭烈：《谥法》，昭德有劳曰昭，有功安民曰烈。(51)中都护：官名，蜀汉所置，统内外军事。(52)参署：对所行之事，参考各种意见，采其善者署而行之。(53)难相违覆二句：谓难于互相驳难和审议，即听不到不同意见和争论，就会造成职

【原文】

六月甲戌[67]，任城威王彰卒。

甲申[68]，魏寿肃侯贾诩卒。

大水。

吴贺齐袭蕲春[69]，虏太守晋宗[70]以归。

初，益州郡[71]耆帅[72]雍闿[73]杀太守正昂，因士燮[74]以求附于吴；又执太守成都张裔[75]以与吴，吴以闿为永昌[76]太守。永昌功曹吕凯[77]、府丞王伉率吏士闭境拒守，闿不能进，使郡人孟获[78]诱扇诸夷，诸夷皆从之。牂柯[79]太守朱褒、越巂夷王高定皆叛应闿。诸葛亮以新遭大丧，皆抚而不讨，务农殖谷，闭关[80]息民，民安食足而后用之。

事之旷缺损失。㉞敝跻：破鞋。㉟徐元直：徐庶字元直。㊱董幼宰：董和字幼宰，曾与诸葛亮并署左将军、大司马府事。㊲勤渠：犹言勤快。㊳州平：崔州平，诸葛亮在隆中之好友。㊴胡济：字伟度，义阳（治所在今湖北枣阳东）人，初为诸葛亮主簿，诸葛亮去世后，为中典军，统诸军，封成阳亭侯。后官至右骠骑将军。事见《三国志·蜀书·董和传》裴松之注。㊵杨颙：字子昭，襄阳（治所在今湖北襄阳）人，入蜀后，曾为巴郡太守、丞相诸葛亮主簿，后又为东曹属典选举。事见《三国志·蜀书·杨戏传》附《季汉辅臣赞》及注引《襄阳记》。㊶炊爨：做饭。㊷雍容：从容不迫。㊸高枕：谓无忧虑。㊹古人称：此古人所称，为《周礼·考工记》之言。㊺丙吉：汉宣帝时为丞相，曾乘车外出，遇人群斗殴，死伤横道，丙吉却不过问。后遇人追牛，牛吐舌喘息，丙吉即令停车，使骑吏问追牛人追牛有几里了。随行掾史以为丙吉之问不当，丙吉说："民斗相杀伤，长安令、京兆尹职所当禁备逐捕。……宰相不亲小事，非所当于道路问也。方春少阳用事，未可大热，恐牛近行，用（因）暑故喘，此时气失节，恐有所伤害也。三公典调和阴阳，职当忧，是以问之。"掾史乃服，谓丙吉知大体。事见《汉书·丙吉传》。㊻陈平：汉文帝初，周勃为右丞相，陈平为左丞相。一次朝会，文帝问周勃："天下一岁决狱几何？"勃答："不知。"又问："天下一岁钱谷出入几何？"周勃又不知，并非常惭愧。文帝又再问陈平，平答："有主者。"文帝说："主者谓谁？"平答："陛下即问决狱，责廷尉；问钱谷，责治粟内史。"文帝说："苟各有主者，而君所主者何事也？"陈平说："宰相者，上佐天子理阴阳，顺四时，下育万物之宜，外镇抚四夷诸侯，内亲附百姓，使卿大夫各得任其职焉。"文帝乃称善。事见《史记·陈丞相世家》。

【语译】

六月十七日甲戌，任城威王曹彰去世。

二十七日甲申，魏寿肃侯贾诩去世。

洛阳发生严重水灾。

吴国贺齐袭击魏国的蕲春，俘获太守晋宗并把他带回吴国。

当初，益州郡地方武装首领雍闿杀死太守正昂，通过交趾太守士燮向吴国请求归附；又把巴郡太守成都人张裔抓起来献给吴国，吴国任命雍闿为永昌太守。永昌郡功曹吕凯、府丞王伉率领官兵封锁边境拒守，雍闿不能进入，就派同郡人孟获诱惑煽动各部夷人，各部夷人都随从他。牂柯太守朱褒、越巂夷王高定都反叛响应雍闿。诸葛亮因为刚刚遭遇国丧，对这些人都加以安抚而不讨伐，致力发展农业，种植五谷，封锁关口，让人民休养生息，待民安食足之后，再动用民力。

秋，八月丁卯[81]，以廷尉[82]锺繇为太尉[83]，治书执法[84]高柔代为廷尉。是时三公无事，又希与朝政，柔上疏曰："公辅之臣，皆国之栋梁，民所具瞻。而置之三事[85]，不使知政，遂各偃息[86]养高[87]，鲜有进纳，诚非朝廷崇用大臣之义，大臣献可替否[88]之谓也。古者刑政有疑，辄议于槐、棘之下[89]。自今之后，朝有疑议及刑狱大事，宜数以咨访三公。三公朝朔、望之日，又可特延入讲论得失，博尽事情，庶[90]有补起天听，光益大化。"帝嘉纳焉。

辛未[91]，帝校猎于荥阳[92]，遂东巡。九月甲辰[93]，如许昌。

汉尚书义阳邓芝[94]言于诸葛亮曰："今主上幼弱，初即尊位，宜遣大使重申吴好。"亮曰："吾思之久矣，未得其人耳，今日始得之。"芝问："其人为谁？"亮曰："即使君[95]也。"乃遣芝以中郎将[96]修好于吴。

冬，十月，芝至吴。时吴王犹未与魏绝，狐疑，不时见芝。芝乃自表请见，曰："臣今来，亦欲为吴，非但为蜀也。"吴王见之，曰："孤诚愿与蜀和亲，然恐蜀主幼弱，国小势逼，为魏所乘，不自保全耳。"芝对曰："吴、蜀二国，四州[97]之地。大王命世之英，诸葛亮亦一时之杰也。蜀有重险[98]之固，吴有三江[99]之阻。合此二长，共为唇齿，进可并兼天下，退可鼎足而立，此理之自然也。大王今若委质于魏[100]，魏必上望大王之入朝，下求太子之内侍。若不从命，则奉辞伐叛，蜀亦顺流见可而进，如此，江南之地非复大王之有也。"吴王默然良久，曰："君言是也。"遂绝魏，专与汉连和。

是岁，汉主立妃张氏[101]为皇后。

【段旨】

以上为第三段，蜀汉南中反叛，邓芝使吴，重结盟好。

秋，八月十一日丁卯，魏文帝任命廷尉锺繇为太尉，治书执法高柔代理廷尉。这时三公没有什么事情可做，又很少参与朝政，高柔上疏说："三公与辅佐大臣，都是国家的栋梁，为百姓所瞻仰。把他们安置在三公职位上，却不让他们主持政务，因此他们各自静养高尚的情趣，很少进言献策，这实在不是国家尊用大臣的本意，进献正确可行的建议，废除错误的政令，这样才称之为大臣。古时在刑事和政务上有疑问时，总是在三槐、九棘下商议。今后，朝廷有疑议和刑狱大事，应当多多咨询三公。每月初一、十五，在三公上朝之日，还可专门请他们议论政事的得失，广泛地、详细地畅谈对各种事务的主张，或许有益于皇上的视听，可使德政、教化更加发扬光大。"魏文帝称赞并采纳了这一建议。

八月十五日辛未，魏文帝在荥阳围猎，于是东巡。九月十九日甲辰，前往许昌。

汉尚书义阳人邓芝向诸葛亮进言说："现今主上年幼弱小，初登帝位，应派大使到吴国重修旧好。"诸葛亮说："我考虑这件事已很久了，只是没有合适的人选罢了，直到今日才找到了。"邓芝问："这人是谁？"诸葛亮说："就是使君你啊。"于是派邓芝以中郎将身份出使吴国建立友好关系。

冬，十月，邓芝抵达吴国。当时吴王还没有与魏国断绝关系，迟疑不决，没有及时接见邓芝。邓芝就自己上表请求晋见，说："臣今天到吴国来，也是想为了吴国，不仅只是为了蜀国。"吴王接见邓芝，说："孤真心愿与蜀国和好，只担心蜀国君主幼弱，国土狭小，形势逼仄，给魏国以可乘之机，不能保全自己。"邓芝回答说："吴、蜀两国，拥有四州的土地。大王是闻名当世的英雄，诸葛亮也是一时的豪杰。蜀国有重重坚固的关塞，吴国有三江的险阻。汇聚两国之长，共为唇齿相依，进可以兼并天下，退可以鼎足而立，这是很自然的道理。大王现在如果归附魏国，魏国必然上而期望大王入京侍候，下而索求太子进京作为人质。如不听命，便会找借口讨伐叛逆，蜀国也会顺流而下见机而进，这样一来，江南的土地就不再属大王所有了。"吴王沉默了许久，说道："你说得对。"于是断绝了与魏国的关系，专心与蜀汉联合。

这一年，汉主刘禅立妃子张氏为皇后。

【注释】

㊲甲戌：六月十七日。㊳甲申：六月二十七日。㊴蕲春：郡名，治所蕲春县，在今湖北蕲春西北。㊵晋宗：原为吴戏口守将，叛投魏，魏命他为蕲春太守，现又被贺齐所俘。㊶益州郡：治所滇池县，在今云南昆明市晋宁区东。㊷耆帅：地方武装头目。㊸雍闿：益州郡大姓。㊹士燮：士燮时为吴交趾太守。㊺张裔（？至公元二三〇年）：字君嗣，蜀郡成都（今四川成都）人，初为刘璋鱼复长、帐下司马。刘备入蜀得益州后，命他

为巴郡太守，又为司金中郎将。益州太守正昂被杀后，复以裔为太守，又被雍闿执送于吴。归蜀后为益州治中从事史、射声校尉兼丞相留府长史。传见《三国志》卷四十一。⑯永昌：郡名，治所不韦，在今云南保山市东北。⑰吕凯：字季平，永昌不韦人，初为本郡功曹（太守的主要佐吏），雍闿反蜀投吴，吴以闿为永昌太守，吕凯与府丞王伉遂闭境拒守，雍闿不得入郡。诸葛亮南征至南中，遂以凯为云南太守，封阳迁亭侯。传见《三国志》卷四十三。⑱孟获：南中建宁（今云南曲靖）人，蛮夷酋长，诸葛亮七擒七纵，孟获心悦诚服，誓不复反，官至蜀汉御史中丞。⑲牂柯：郡名，治所且兰，在今贵州福泉。柯，又写作“牁”。⑳关：指越巂郡之灵关，即司马相如通西南夷之灵关，在今四川越西县界。㉑丁卯：八月十一日。㉒廷尉：官名，汉代称廷尉，建安中魏国建立后，改称大理，魏文帝代汉后又改称廷尉。掌司法刑狱。㉓太尉：官名，三公之一。建安中曹操罢三公，魏文帝即位后又恢复。㉔治书执法：官名。曹魏所置，掌奏劾。㉕三事：古又称三公为三事。㉖偃息：安卧。㉗养高：谓培养高尚情趣。㉘献可替否：进献可行

【原文】

五年（甲辰，公元二二四年）

春，三月[2]，帝自许昌还洛阳。

初平以来，学道废坠。夏，四月，初立太学[102]，置博士[103]，依汉制设“五经”课试之法[104]。

吴王使辅义中郎将[105]吴郡张温[106]聘于汉，自是吴、蜀信使不绝。时事所宜，吴主常令陆逊语诸葛亮。又刻印置逊所，王每与汉主及诸葛亮书，常过示逊，轻重、可否有所不安，每[3]令改定，以印封之。

汉复遣邓芝聘于吴，吴主谓之曰：“若天下太平，二主分治，不亦乐乎?”芝对曰：“天无二日，土无二王[107]。如并魏之后，大王未深识天命，君各茂其德，臣各尽其忠，将提枹鼓[108]，则战争方始耳。”吴王大笑曰：“君之诚款乃当尔[109]邪!”

秋，七月，帝东巡，如许昌。

帝欲大兴军伐吴，侍中辛毗谏曰：“方今天下新定，土广民稀，而欲用之，臣诚未见其利也。先帝屡起锐师，临江而旋。今六军[110]不增于故，而复修之，此未易也。今日之计，莫若养民屯田，十年然后用之，

者，除去不可行者。⑧⑨议于槐、棘之下：周时，朝廷种三槐九棘，公卿大夫分坐其下以议事。左九棘，为孤卿大夫之位，右九棘，为公侯伯子男之位，面三槐为三公之位。据说，棘取其赤心而外刺。槐取怀意，谓怀来人于此欲与之谋。事参见《周礼·秋官·朝士》。⑨⓪庶：幸。希冀之词。⑨①辛未：八月十五日。⑨②荥阳：县名，县治在今河南荥阳东北。⑨③甲辰：九月十九日。⑨④邓芝（？至公元二五一年）：字伯苗，义阳新野（今河南新野）人，汉末入蜀，未被任用。刘备得益州后，命他为郫令、广汉太守，又为尚书。刘备卒后，奉命出使吴，与吴和好。后为扬武将军、车骑将军，封阳武亭侯。传见《三国志》卷四十五。⑨⑤使君：汉代人称郡太守为使君。此时邓芝为广汉太守，故云。⑨⑥中郎将：官名，次于将军之武官。⑨⑦四州：指益州、荆州、扬州与交州。⑨⑧蜀有重险：谓蜀之外有斜谷、骆谷、子午谷之险，内又有剑阁之险，是为双重之险。⑨⑨吴有三江：指吴境内的吴淞江、钱塘江与浦阳江。⑩⓪委质于魏：臣服于魏。⑩①张氏：张飞的长女。

【语译】

五年（甲辰，公元二二四年）

春，三月，魏文帝从许昌返回洛阳。

汉献帝初平以来，学术废坏。夏，四月，魏国初立太学，设置博士，根据汉代制度，采取以“五经”考试取士的办法。

吴王派辅义中郎将吴郡人张温出使蜀汉，从此吴、蜀两国信使来往不断。按当时的形势应该采取的适宜措施，吴王常常让陆逊告诉诸葛亮。还刻了印章放在陆逊那里，吴王每次给汉主刘禅和诸葛亮写信，常常让陆逊过目，语气轻重，事情可否，有不妥之处，每每让陆逊改定，用印密封。

蜀汉再次派邓芝出访吴国，吴主对邓芝说：“如果天下太平，两主分治，不是很快乐的事吗?”邓芝回答说：“天上没有两个太阳，地上也不能并存两个帝王。若兼并魏国以后，大王没有深知天命，两国君主各自崇尚德政，臣子各自竭尽忠诚，将领提起鼓槌，那么战争就要开始了。”吴王大笑道：“你的诚实竟然这样!”

秋，七月，魏文帝东巡，前往许昌。

魏文帝想大肆发兵讨伐吴国，侍中辛毗劝谏说：“如今天下刚刚安定，地广人稀，却想使用民众，臣实在看不出其利所在。先帝多次兴起精锐之师，到了长江边就回师了。如今军力比过去没有增加，却要重开战事，这不是容易的事。当今的策略，莫过于休养民力，推行屯田，十年以后再用兵，那么战役不用进行第二次。”

则役不再举矣。”帝曰：“如卿意，更当以虏遗子孙邪？”对曰：“昔周文王以纣遗武王，惟知时也。”帝不从，留尚书仆射[111]司马懿镇许昌。

八月，为水军，亲御龙舟，循蔡、颍[112]，浮淮[113]如寿春[114]。

九月，至广陵[115]。

吴安东将军[116]徐盛建计，植木衣苇，为疑城假楼[117]，自石头[118]至于江乘[119]，联绵相接数百里，一夕而成，又大浮舟舰于江。

时江水盛长，帝临望，叹曰：“魏虽有武骑千群，无所用之，未可图也。”帝御龙舟，会暴风漂荡，几至覆没。帝问群臣：“权当自来否？”咸曰：“陛下亲征，权恐怖，必举国而应，又不敢以大众委之臣下，必当自来。”刘晔曰：“彼谓陛下欲以万乘[120]之重牵己，而超越江湖者在于别将，必勒兵待事，未有进退也。”大驾停住积日，吴王不至，帝乃旋师。是时，曹休表得降贼辞，孙权已在濡须口[121]。中领军[122]卫臻曰：“权恃长江，未敢抗衡，此必畏怖伪辞耳！”考核降者，果守将所作也。

吴张温少以俊才有盛名，顾雍以为当今无辈，诸葛亮亦重之。温荐引同郡暨艳为选部尚书[123]。艳好为清议[124]，弹射百僚，核奏三署[125]，率皆贬高就下，降损数等[126]，其守故者，十未能一。其居位贪鄙，志节污卑者，皆以为军吏，置营府以处之。多扬人暗昧之失，以显其谪[127]。同郡陆逊、逊弟瑁[128]及侍御史朱据[129]皆谏止之。瑁与艳书曰：“夫圣人嘉善矜愚[130]，忘过记功，以成美化。加今王业始建，将一大统，此乃汉高弃瑕录用[131]之时也。若令善恶异流，贵汝、颍月旦之评[132]，诚可以厉俗明教，然恐未易行也。宜远模仲尼之泛爱[133]，近则郭泰之容济[134]，庶有益于大道也。”据谓艳曰：“天下未定，举清厉浊，足以沮劝。若一时贬黜，惧有后咎。”艳皆不听。于是怨愤盈路，争言艳及选曹郎[135]徐彪专用私情，憎爱不由公理，艳、彪皆坐[136]自杀[137]。温素与艳、彪同意，亦坐斥还本郡，以给厮吏[138]，卒于家。始，温方盛用事，余姚虞俊叹曰：“张惠恕才多智少，华而不实，怨之所聚，有覆家之祸，吾见其兆矣。”无几何而败。

冬，十月，帝还许昌。

十一月戊申晦[139]，日有食之。

魏文帝说："按你的意思，更应把敌人留给子孙喽？"辛毗回答说："从前周文王将商纣留给武王，是他能认清时务。"魏文帝不听从，留下尚书仆射司马懿镇守许昌。

八月，调集水军，亲自乘坐龙舟，沿着蔡河、颍水，经过淮河，进入寿春。

九月，到达广陵。

吴国安东将军徐盛建议，竖起木桩包裹上芦苇，做成假城楼，从石头城直到江乘，连绵不绝几百里，一夜之间就建成了，又在长江上布置大量游弋战舰。

这时江水大涨，魏文帝临江眺望，叹息说："魏国纵然有铁骑千部，也没有用武之地，看来不可攻取了。"魏文帝乘坐的龙舟，正遇上暴风，上下颠簸漂荡，几至倾覆。魏文帝询问群臣："孙权会亲自来吗？"都说："陛下亲征，孙权恐惧，必定会倾其国力来应战，但又不敢把大量的兵众交给臣下，一定会亲自来。"刘晔说："孙权他认为陛下想用御驾亲征引他出来，而派别部将领渡江越湖，他本人必定会约束部队等待事态的变化，他不会进也不会退。"魏文帝停留许多天，吴王没有来，魏文帝于是班师。这时，曹休上表说，从吴国投降人的口中得知，孙权已经在濡须口。中领军卫臻说："孙权凭恃长江，不敢和我抗衡，这一定是因恐怖而编造的假话！"审问投降的人，果真是吴军守将制造的谎言。

吴国张温年轻时因为才智过人而负有盛名，顾雍认为当时无人能跟他比肩，诸葛亮也很器重他。张温举荐同郡人暨艳为选部尚书。暨艳喜欢议论朝政评品人物，指摘百官同僚，弹劾三署郎官，大多贬高就低，一降就是数级，能保住原来官位的，不到十分之一。那些居官贪婪卑劣、志趣和节操污浊低下的，都用为低级军吏，安置在各营府。还大肆宣扬别人的愚昧之误，来显示他的贬黜。同郡人陆逊、陆逊的弟弟陆瑁和侍御史朱据都曾劝说阻止他。陆瑁写信给暨艳说："圣人褒扬善行，同情愚暗，忘掉别人的过失，记住别人的功劳，以成就美好的风化。加之如今王业刚刚建立，将要完成统一的大业，这正是汉高祖不求全责备、广揽人才的时候。如想使善恶分流，推崇汝南、颍川的月旦评的做法，这固然可以激励风俗、彰明教化，但恐怕不容易实行。应当远学孔子的泛爱精神，近效郭泰的宽容品德，这样或许有益于治国大道。"朱据对暨艳说："天下尚未平定，举用清白的人，激劝贪浊的人，足以阻恶劝善。如果你同时把他们全都降职或罢免，恐怕会有后患。"暨艳都不听从。于是怨声载道，争相上告暨艳和选曹郎徐彪只凭私情用人，憎爱不以公理，暨艳和徐彪都获罪自杀。张温一向跟暨艳、徐彪观点相同，也受到牵连，被逐回本郡的官府当杂役，死于家中。起初，张温正得势当权，余姚人虞俊感叹说："张温才多智少，华而不实，怨愤积聚其身，会有败家之祸，我已经看到苗头了。"没多久，张温身败失官。

冬，十月，魏文帝回到许昌。

十一月最后一天二十九日戊申，发生日食。

鲜卑轲比能诱步度根兄扶罗韩杀之，步度根由是怨轲比能，更相攻击。步度根部众稍弱，将其众万余落保太原⑭、雁门⑭。是岁，诣阙贡献。而轲比能众遂强盛，出击东部大人素利，护乌丸校尉⑭田豫乘虚掎其后。轲比能使别帅琐奴拒豫，豫击破之。轲比能由是携贰⑭，数为边寇，幽、并苦之。

【段旨】

以上为第四段，写魏文帝耀兵广陵。孙权使张温聘于汉，汉再使邓芝回报，自是吴蜀信使往来不绝。

【注释】

⑩太学：古学校名，即国学。汉武帝时始置，由“五经”博士教授。⑩博士：官名，自汉武帝以后，博士掌经学传授。⑩“五经”课试之法：汉代设“五经”课试之法始于汉武帝，当时置“五经”博士，下置弟子五十人，免其徭役，一年后课试，按其学业之高下，分别补郎中、文学、掌故等官。后来博士、弟子皆增多，东汉时“五经”有十四博士，太学生多至三万余人。⑩辅义中郎将：官名，吴所置次于将军之武官，辅义为其名号。⑩张温：字惠恕，吴郡吴县（今江苏苏州）人，初为议郎、选曹尚书，又为太子太傅。以辅义中郎将出使蜀，因称赞蜀政，引起孙权不满，又因名声太盛，为孙权所忌，借故他事被废。传见《三国志》卷五十七。⑩土无二王：此为孔子之言。《礼记·曾子问》：孔子曰：“天无二日，土无二王。”⑩枹鼓：鼓槌和鼓，作战时所用。⑩当尔：当犹“如”。尔，这样。⑪六军：古时天子有六军，诸侯三军，后世因称皇帝或国家军队为六军。⑪尚书仆射：尚书令之副。⑪蔡、颍：即蔡河与颍水。蔡河即今贾鲁河。古蔡河上流即汴河，今已湮。今贾鲁河由河南郑州东流至中牟南，经尉氏、扶沟二县入颍河。颍水即今颍河，源出河南登封西南，东南流，经禹州、临颍、西华、商水，至周口镇，北合贾鲁河，南合沙河入淮。⑪淮：即今淮河。⑪寿春：县名，县治在今安徽寿县。⑪广陵：县名，县治在今江苏扬州。⑪安东将军：官名，魏晋时期，四安将军次于四镇将军。⑪植木衣苇二句：竖木于内，再用芦苇席遮于外，以此为疑城假楼。⑪石头：即石头城，孙权所建，在建业西，即在今江苏南京西南。⑪江乘：汉代为县，吴省为典农都尉治所，在今江苏句容北。⑫万乘：皇帝。古时天子有兵车万乘，诸侯千乘。后世遂以万乘称天子。⑫濡须口：即濡须水入长江处，在今安徽无为东北。⑫中领军：官名，曹操为丞相时，自置领军，后称中领军。魏文帝即位后，以资重者为领军将军，

鲜卑族酋长轲比能诱杀了步度根的哥哥扶罗韩，步度根由此怨恨轲比能，相互攻击。步度根的部众稍微弱小，他率领万余部落退保太原、雁门。这一年，步度根入朝进贡。轲比能部众于是强盛起来，出兵攻击东部大人素利，护乌丸校尉田豫乘虚攻打他的后方。轲比能派另外的将领琐奴抵御田豫，田豫击败了他。轲比能从此怀有二心，数为边寇，幽、并两州深受其害。

资轻者为中领军，掌京师禁卫军。⑫③选部尚书：官名，主选举官吏。⑫④清议：批评议论人物。⑫⑤三署：指五官、左署、右署。三署各置中郎将分领郎官，中郎、侍郎、郎中皆属之。⑫⑥降损数等：曹魏实行九品中正制，州、郡中正将本地人物品评为九等，吏部按等级铨选人物。孙吴也实行中正制，办法与曹魏大体相同。暨艳为选部尚书，主持铨选人物，总是在铨选中有意降低被选人的等级。⑫⑦谪：贬降。⑫⑧瑁：陆瑁，字子璋，陆逊弟。孙权嘉禾中，为议郎、选曹尚书，赤乌二年（公元二三九年）卒。传见《三国志》卷五十七。⑫⑨朱据（公元一九〇至二四六年）：字子范，吴郡吴县（今江苏苏州）人，孙权黄武中，为五官郎中、侍御史。后得娶公主，为左将军，封云阳侯。官至骠骑将军。传见《三国志》卷五十七。⑬⓪圣人嘉善矜愚：《论语·子张》载子张述子夏之言曰："君子尊贤而容众，嘉善而矜（可怜；同情）不能。"⑬①弃瑕录用：谓不计较人的缺点而任用。⑬②汝、颍月旦之评：汝、颍，指汝、颍二水流域的汝南郡。东汉末，汝南许劭与从兄许靖俱有高名，好品评乡里人物，每月更换其品题，故称汝南月旦评。⑬③仲尼之泛爱：《论语·学而》载孔子之言："泛爱众（博爱大众），而亲仁（亲近有仁德者）。"⑬④郭泰之容济：东汉末郭泰有高名，并善评论人物。但对犯法被开除的郡学生左原，郭泰却劝导鼓励；对性情险恶，被乡人厌恶的贾淑，郭泰也与他交好。左、贾二人终被感动而成为善士，这就是郭泰之容济。事见《后汉书》卷六十八。⑬⑤选曹郎：官名，即选部尚书郎，选部尚书之属官，主作文书起草。⑬⑥坐：获罪。⑬⑦自杀：谓赐死。⑬⑧给厮吏：谓在本地官府中做杂役。⑬⑨戊申晦：十一月二十九日。⑭⓪太原：郡名，治所晋阳，在今山西太原西南。⑭①雁门：郡名，治所广武，在今山西代县西南。⑭②护乌丸校尉：曹魏沿两汉所置，以管辖各地乌丸。按《三国志·魏书·乌丸鲜卑传》，田豫当时还持节并护鲜卑，驻屯于昌平，在今北京市昌平南。⑭③携贰：怀二心。

【校记】

［2］三月：原作"二月"。据章钰校，甲十六行本、乙十一行本皆作"三月"，与《三国志·魏书·文帝纪》合，今据改。［3］每：据章钰校，甲十六行本、乙十一行本皆作"使"，张敦仁《通鉴刊本识误》同。

【原文】

六年（乙巳，公元二二五年）

春，二月，诏以陈群为镇军大将军[144]，随车驾董督[145]众军，录行尚书事[146]；司马懿为抚军大将军[147]，留许昌，督后台[148]文书。

三月，帝行如召陵[149]，通讨虏渠[150]。乙巳[151]，还许昌。

并州刺史[152]梁习讨轲比能，大破之。

汉诸葛亮率众讨雍闿，参军马谡[153]送之数十里。亮曰："虽共谋之历年，今可更惠良规?"谡曰："南中恃其险远，不服久矣，虽今日破之，明日复反耳。今公方倾国北伐以事强贼，彼知官势[154]内虚，其叛亦速。若殄尽遗类，以除后患，既非仁者之情，且又不可仓卒也。夫用兵之道，攻心为上，攻城为下，心战为上，兵战为下，愿公服其心而已。"亮纳其言。谡，良之弟也。

辛未[155]，帝以舟师复征吴，群臣大议。宫正[156]鲍勋[157]谏曰："王师屡征而未有所克者，盖以吴、蜀唇齿相依，凭阻山水，有难拔之势故也。往年龙舟飘荡，隔在南岸，圣躬蹈危，臣下破胆。此时宗庙几至倾覆，为百世之戒。今又劳兵袭远，日费千金[158]，中国[159]虚耗。令[4]黠[160]虏玩[161]威，臣窃以为不可。"帝怒，左迁勋为治书执法[162]。勋，信之子也。

夏，五月戊申[163]，帝如谯。

吴丞相北海孙劭卒。初，吴当置丞相，众议归张昭。吴王曰："方今多事，职大者责重，非所以优之也。"及劭卒，百僚复举昭。吴王曰："孤岂为子布有爱乎！领丞相事烦，而此公性刚，所言不从，怨咎将兴，非所以益之也。"六月，以太常[164]顾雍为丞相、平尚书事[165]。雍为人寡言，举动时当。吴王尝叹曰："顾君不言，言必有中。"至饮宴欢乐之际，左右恐有酒失，而雍必见之，是以不敢肆情。吴王亦曰："顾公在坐，使人不乐。"其见惮如此。初领[166]尚书令，封阳遂乡侯。拜侯还寺[167]，而家人不知，后闻，乃惊。及为相，其所选用文武将吏，各随能所任，心无适莫[168]。时访逮[169]民间及政职所宜，辄密以闻，若见

【语译】

六年（乙巳，公元二二五年）

春，二月，魏文帝下诏任命陈群为镇军大将军，随从魏文帝督领各军，总领随驾尚书台事务；司马懿任抚军大将军，留守许昌，负责处理留在许昌的尚书台公文。

三月，魏文帝前往召陵县，疏通讨虏渠。二十八日乙巳，魏文帝返回许昌。

并州刺史梁习征讨轲比能，大败敌人。

蜀汉诸葛亮率兵众征讨雍闿，参军马谡送行数十里，诸葛亮说："虽然我们共同谋划此事多年，现在能否惠赠更好的计谋?"马谡说："南中凭仗其地险路远，不归服已很久了，即使今天打败他们，明天又会反叛。如今明公正集中全国的力量举行北伐对付强敌，雍闿得知国内空虚，会加速反叛。如果杀尽他们，以除后患，这既不符合仁者的情怀，也不可能在短期内做到。用兵的原则，攻心为上，攻城为下，心理战为上，武力交战为下，希望明公让他们心服就行了。"诸葛亮采纳了他的建议。马谡，是马良的弟弟。

三月辛未日，魏文帝率领水军再次征吴，群臣纷纷议论。宫正鲍勋劝谏说："朝廷大军多次出征而没有取胜的原因，是吴、蜀两国唇齿相依，据山阻水，有难以攻克的地理形势。去年龙舟颠簸漂荡，被隔阻在长江南岸，陛下身陷危境，群臣吓破了胆。当时国家几乎倾覆，此事应作为百世的鉴戒。如今又劳师远征，每日耗费千金，致使国库空虚。如果狡猾的敌人玩弄武力，我认为不能再去攻打。"魏文帝大怒，将鲍勋降为治书执法。鲍勋，是鲍信的儿子。

夏，五月初二日戊申，魏文帝前往谯县。

吴国丞相北海人孙劭去世。当初，吴国设置丞相，众议归向张昭。吴王说："现在是多事之秋，职位高的责任重大，这不是优待张昭。"等到孙劭去世，百官们再次推举张昭。吴王说："孤难道对张子布有什么舍不得的吗！担任丞相，事务繁多，但这位先生性情刚烈，他的建议我若不同意，就会产生怨恨和责怪，对国家对他都无益处。"六月，任命太常顾雍为丞相、平尚书事。顾雍为人少言寡语，举措适合当时情况。吴王曾感叹说："顾君不言，言必中肯。"甚至在宴饮作乐时，吴王身边的大臣唯恐饮酒失态，被顾雍看到，因此都不敢放纵尽情。吴王也说："顾公在座，使人不快乐。"顾雍就是这样被人惧怕。顾雍刚刚兼尚书令时，就被封为阳遂乡侯。受封后回到官府，他的家人却不知道，后来听说，都很吃惊。等到任命为丞相，顾雍所选用的文臣武将，都根据各自的能力委任，没有亲疏薄厚之分。有时咨访到民间涉及

纳用，则归之于上，不用，终不宣泄⑰，吴王以此重之。然于公朝⑰有所陈及，辞色虽顺而所执者正。军国得失，自非面见，口未尝言。王常令中书郎⑫诣雍有所咨访，若合雍意，事可施行，即相与[5]反覆究而论之，为设酒食。如不合意，雍即正色⑬改容，默然不言，无所施设。郎退告王，王曰："顾公欢悦，是事合宜也，其不言者，是事未平也。孤当重思之。"江边诸将各欲立功自效，多陈便宜，有所掩袭。王以访雍，雍曰："臣闻兵法戒于小利，此等所陈，欲邀功名而为其身，非为国也。陛下宜禁制，苟不足以曜威损敌，所不宜听也。"王从之。

利成郡⑭兵蔡方等反，杀太守徐质，推郡人唐咨⑮为主，诏屯骑校尉⑯任福等讨平之。咨自海道亡入吴，吴人以为将军。

【段旨】

以上为第五段，写诸葛亮进兵南中。吴王孙权用顾雍为丞相。

【注释】

⑭镇军大将军：官名，曹魏所置，位从公，后不常置。⑮董督：督察；督领。⑯录行尚书事：官名，总领随皇帝外行之尚书台事。⑰抚军大将军：官名，曹魏所置，位从公。⑱后台：谓留许昌之尚书台。⑲召陵：县名，县治在今河南郾城东。⑳讨虏渠：为伐吴所开之渠，在郾城东。㉑乙巳：三月二十八日。㉒并州刺史：建安十八年（公元二一三年），曹操将并州并入冀州，魏文帝即位后复置并州，领太原、上党、西河、雁门、乐平、新兴六郡。刺史治所在晋阳，即今山西太原西南古城营西古城。㉓马谡（公元一九〇至二二八年）：字幼常，襄阳宜城（今湖北宜城南）人，马良之弟。初为荆州从事，随刘备入蜀得益州后，为绵竹、成都令，又为越嶲太守。后为诸葛亮丞相府参军，随诸葛亮北伐，于街亭失利，被下狱诛死。传见《三国志》卷三十九。㉔官势：犹言国势。㉕辛未：三月戊寅朔，无辛未。当作闰三月辛未，即闰三月二十四日。㉖宫正：官名，曹魏黄初四年改御史中丞为宫正，后又复称御史中丞。掌律令图籍，督察诸州刺史与郡国长吏，考察四方文书计簿，劾按公卿奏章。㉗鲍勋（？至公元二二六年）：字叔业，泰山平阳（今山东新泰）人，鲍信之子。初为曹操丞相掾，后为太子中庶子、黄门侍郎、侍御史。魏文帝即位后，为右中郎将、宫正、治书执法。传见《三

朝政适宜的建议，都秘密上报，若被采纳，就归功于主上，不被采纳，就始终不泄露出去，吴王因此很器重他。在朝廷上陈述自己的主张，言辞表情虽然温顺，却能坚持自己正确的见解。军国大事的得失，除非面见主上时谈到，在外从不言及。吴王常常派中书郎去顾雍那里咨询，如果所议事与顾雍的心意正合，认为此事可以施行，顾雍就和中书郎反复研究讨论，并设酒饭款待。若不合顾雍的心意，脸就变得严肃，沉默不语，就不设酒食。中书郎回去禀报吴王，吴王说："顾公高兴，说明事情合乎时宜，他不说话，说明事情欠妥，孤应当重新考虑。"驻军长江沿岸的各位将领，都想立功报效吴王，大多上书陈述有利的时机，可以袭击敌人。吴王以此征询顾雍的意见，顾雍说："我听说兵法上戒贪小利，诸将所陈说的这些做法，是想为他们自身邀功请赏，不是为了国家，陛下应当禁止，如果不足以扬我神威，挫损敌人，就不应当听从。"吴王听从了他的意见。

利成郡的士兵蔡方等反叛，杀死太守徐质，推举郡中人唐咨为主，魏文帝诏令屯骑校尉任福等讨平了叛乱。唐咨从海路逃入吴国，被吴国任命为将军。

国志》卷十二。⑱千金：谓巨额钱财。《孙子兵法·作战》云："带甲十万，千里馈（运送）粮，……日费千金。"⑲中国：古时把中原地区称为中国，后世或称中原为中国，或以华夏之正统为中国。此指魏国。⑳黠：狡猾。⑯玩：玩弄。⑯治书执法：官名，曹魏所置，掌奏劾。⑯戊申：五月初二日。⑯太常：官名，列卿之一。掌礼乐、郊庙、社稷等事。⑯平尚书事：官名，西汉有领、平、视尚书事之职，东汉皆称录尚书事。录为总领之意，平为平决之意，亦即参与之意。今孙吴又置平尚书事，职权盖同于录尚书事。⑯领：兼任。⑯寺：官署。⑯适莫：犹言厚薄。心之所主为适，心之所否为莫。谓顾雍选用文武将吏，只以才能为标准，没有亲疏厚薄之分。⑯逮：及。⑰宣泄：公开泄露。⑰公朝：在大庭广众的朝廷上。⑰中书郎：官名，即曹魏之通事郎，晋之中书侍郎。为中书监、令之副，佐典尚书奏事。⑰正色：表情端庄严肃。⑰利成郡：治所利成县，在今江苏连云港市赣榆区西。⑰唐咨：利成人，魏文帝遣军讨平利成后，唐咨从海上逃入吴，吴以之为左将军、持节，封侯。后助诸葛诞反司马氏，兵败被俘至魏，魏又以他为安远将军。事见《三国志·魏书·诸葛诞传》。⑰屯骑校尉：官名，掌京都宿卫兵。

【校记】

［4］令：原作"今"。据章钰校，甲十六行本、乙十一行本皆作"令"，张瑛《通鉴校勘记》同，今从改。［5］相与：据章钰校，甲十六行本、乙十一行本、孔天胤本二字皆互乙。

【原文】

秋，七月，立皇子鉴为东武阳王。

汉诸葛亮至南中，所在战捷。亮由越嶲入，斩雍闿及高定。使庲降督⑰益州李恢⑱由益州入，门下督⑲巴西马忠⑳由牂柯入，击破诸县，复与亮合。孟获收闿余众以拒亮。获素为夷、汉所服，亮募生致之。既得，使观于营陈㉑之间，问曰："此军何如？"获曰："向者㉒不知虚实，故败。今蒙赐观营陈，若只如此，即定易胜耳。"亮笑，纵㉓使更战，七纵七禽而亮犹遣获，获止不去，曰："公，天威也，南人不复反矣！"亮遂至滇池㉔。

益州、永昌、牂柯、越嶲四郡皆平，亮即㉕其渠率㉖而用之。或以谏亮，亮曰："若留外人，则当留兵，兵留则无所食，一不易也；加夷新伤破，父兄死丧，留外人而无兵者，必成祸患，二不易也；又，夷累有废杀㉗之罪，自嫌衅㉘重，若留外人，终不相信，三不易也。今吾欲使不留兵，不运粮，而纲纪粗定，夷、汉粗安故耳。"亮于是悉收其俊杰孟获等以为官属，出其金、银、丹㉙、漆、耕牛、战马以给军国之用。自是终亮之世，夷不复反。

八月，帝以舟师自谯㉚循涡㉛入淮。尚书蒋济表言水道难通，帝不从。

冬，十月，如广陵故城㉜，临江观兵㉝。戎卒十余万，旌旗数百里，有渡江之志。吴人严兵固守。时天[6]寒，冰，舟不得入江。帝见波涛汹涌，叹曰："嗟乎，固天所以限南北也！"遂归。孙韶遣将高寿等率敢死之士五百人，于径路㉞夜要㉟帝，帝大惊。寿等获副车、羽盖㊱以还。于是战船数千皆滞不得行，议者欲就留兵屯田，蒋济以为："东近湖，北临淮，若水盛时，贼易为寇，不可安屯。"帝从之，车驾即发。还，到精湖㊲，水稍尽，尽留船付济。船连延在数百里中，济更凿地作四五道，蹴㊳船令聚。豫作土豚㊴遏断湖水，皆引后船，一时开遏入淮中，乃得还。

十一月，东武阳王鉴薨。

十二月，吴番阳⑳贼彭绮攻没郡县，众数万人。

【语译】

秋，七月，魏文帝册立皇子曹鉴为东武阳王。

汉诸葛亮进军到达南中，所到之处都取得胜利。诸葛亮从越巂进军，杀掉雍闿和高定。派庲降督益州人李恢从益州进军，门下督巴西人马忠从牂柯进军，攻破各县，又和诸葛亮会合。孟获搜集雍闿的残部抵御诸葛亮。孟获一向受到当地夷人、汉人的信服，诸葛亮招募人活捉他。捉到后，让他往军营兵阵之间参观，问他："这样的军队怎么样?"孟获回答说："以前不了解虚实，所以失败。现在蒙您许可参观了军营兵阵，若只是这样，我必定能轻易地取胜。"诸葛亮笑了笑，释放孟获让他再来交战，对他七纵七擒，而诸葛亮还是放走他，孟获却留下不走了，说："明公是天降的神威，南方人不再反叛了!"诸葛亮于是进至滇池。

益州、永昌、牂柯、越巂四郡全部平定，诸葛亮就任用当地原来的头领做地方长官。有人劝谏诸葛亮，诸葛亮说："若留下外地人做官，就应当留下军队，军队留下却没有军粮，这是第一件不容易的事；加上夷人刚刚受到战争的创伤，父兄死亡丧命，留下外地人而不留下军队，势必造成祸患，这是第二件不容易的事；还有，夷人多次犯有杀害我地方官员之罪，自知罪行深重，若留下外地人，始终不会被信任，这是第三件不容易的事。现在我不想留下军队，不运送军粮，而让法纪在这里初步推行，夷人、汉人大体安定，所以才这样安排。"诸葛亮于是招收孟获等当地所有的头领，任用他们为地方官吏，收取当地的金、银、丹、漆、耕牛、战马，用以供军国之用。自此，直至诸葛亮去世之前，夷人不再反叛。

八月，魏文帝率领水军从谯县顺着涡水进入淮河。尚书蒋济上表说水路难以通行，魏文帝不听。

冬，十月，魏文帝到达广陵旧城，在长江边检阅部队。全副武装的士兵十余万，旌旗连绵数百里，大有渡江之志。吴国重兵固守。这时天气寒冷，水面结冰，船只不能进入长江。魏文帝看到长江波涛汹涌，叹息说："啊，这实在是上天限隔南北啊!"于是班师而回。孙韶派遣将领高寿等率领敢死队五百人，在小路上趁夜色拦截魏文帝，魏文帝大惊。高寿等缴获副车、羽盖而归。此时，数千艘战船都因冰冻停滞无法前进，谋议的人主张就地留兵屯田，蒋济认为："此地东面临近高邮湖，北面靠着淮河，如果水涨时，敌人容易寇掠，不可在这里安营屯田。"魏文帝听从了这个建议，车驾立即启程，回到精湖，湖水逐渐消退，便把所有的船只交给蒋济。船只绵延数百里，蒋济命令挖掘四五条水道，把船只集中起来。预先修筑土坝，堵住湖水，使水面升高把后面的船托举上来，然后突然挖开土坝，让船顺流进入淮河，这才得以返回。

十一月，东武阳王曹鉴去世。

十二月，吴国番阳叛贼彭绮攻陷郡县，部众有数万人。

【段旨】

以上为第六段，写诸葛亮平定南中。魏文帝三临长江。

【注释】

⑰庲降督：即庲降都督，官名，蜀汉置以督统南中地区。最初都督治所在南昌县（在今云南镇雄境），至李恢为都督，移治所于平夷县（在今云南富源境），至马忠为都督，又移治所于味县（在今云南曲靖境）。⑱李恢（？至公元二三一年）：字德昂，益州俞元（在今云南澄江市境）人，刘备入蜀，恢托名郡吏北投刘备。刘备得益州后，遂命他为功曹书佐、主簿、别驾从事，又为庲降都督，领交州刺史。诸葛亮南征，恢配合征讨，功最多，故封汉兴亭侯，加安汉将军。传见《三国志》卷四十三。⑲门下督：官名，丞相府之属官。⑳马忠（？至公元二四九年）：字德信，巴西阆中（今四川阆中）人，初为郡吏、汉昌长。后为诸葛亮丞相府门下督、牂柯太守。助诸葛亮平定南中后，被召为丞相参军，领益州治中从事。后又为庲降都督、安南将军，最后官至镇南大将军、平尚书事，封彭乡亭侯。传见《三国志》卷四十三。㉑陈：通“阵”。㉒向者：以前。㉓纵：

【原文】

七年（丙午，公元二二六年）

春，正月壬子[201]，帝还洛阳，谓蒋济曰：“事不可不晓。吾前决谓分半烧船于山阳湖[202]中，卿于后致之，略与吾俱至谯。又每得所陈，实入吾意。自今讨贼计画，善思论之。”

汉丞相亮欲出军汉中，前将军李严当知[203]后事，移屯江州[204]，留护军陈到[205]驻永安，而统属于严。

吴陆逊以所在少谷，表令诸将增广农亩。吴王报曰：“甚善！令孤父子亲受田，车中八牛，以为四耦[206]，虽未及古人，亦欲令与众均等其劳也。”

帝之为太子也，郭夫人弟有罪，魏郡西部都尉[207]鲍勋治之。太子请，不能得，由是恨勋。及即位，勋数直谏，帝益忿之。帝伐吴还，屯陈留界。勋为治书执法，太守孙邕见出，过勋。时营垒未成，但立标[208]埒[209]。

释放。⒅ 滇池：县名，县治在今云南昆明市晋宁区东。⒅ 即：就。⒅ 渠率：大帅，地方武装头领或部族头人。⒅ 废杀：谓执杀郡太守。⒅ 衅：罪。⒅ 丹：丹砂；朱砂。一种矿物，红色或棕红色，可作药用或颜料。⒆ 谯：县名，治所在今安徽亳州。⒆ 涡：水名，即今涡河。上源名青冈河，出河南通许县东南，南流经太康，称涡河，东经安徽亳州，又东南流，经涡阳、蒙城，至怀远入淮。⒆ 广陵故城：即芜城，在今江苏江都境。本战国楚地，秦汉置县。西汉吴王刘濞都于此，筑广陵城。南朝宋竟陵王刘诞据广陵反，兵败而死，城邑荒芜，鲍照因作《芜城赋》，故名芜城。⒆ 观兵：检阅军队以显示兵威。⒆ 径路：小路。⒆ 要：通"邀"。拦截。⒆ 羽盖：以翠羽为饰的车盖。⒆ 精湖：即今江苏宝应南之津湖。⒆ 蹴：通"蹙"。收缩。⒆ 土豚：形状如小猪的沙袋，用以筑城或防水。⒇ 番阳：番，又写作"鄱"。郡名，治所鄱阳县，在今江西鄱阳东。

【校记】

［6］天：据章钰校，甲十六行本、乙十一行本、孔天胤本皆作"大"，张瑛《通鉴校勘记》同。

【语译】

七年（丙午，公元二二六年）

春，正月初十日壬子，魏文帝返回洛阳，对蒋济说："对事情不可不弄明白。我先前决定要把一半的船只在山阳湖中烧毁，幸亏你把这些船开出来，虽在我后面，却大体和我同时到达谯县。还有，你每次陈述的意见，很符合我的想法。从今以后讨伐孙权的计划，要好好地思考讨论。"

汉丞相诸葛亮想出兵汉中，前将军李严承担主管后勤事务，移兵驻守江州，留下护军陈到驻守永安，归属李严指挥。

吴国陆逊因为所在地方粮食缺乏，上表请求命令众将领广垦农田。吴王答复说："很好！让孤王父子亲自领受田地耕作，用拉车的八头牛分四对耕地，尽管赶不上古人，也想使自己和众人分担劳苦。"

魏文帝做太子时，郭夫人的弟弟犯了罪，魏郡西部都尉鲍勋将他治罪。太子向鲍勋求情，没有办成，由此怀恨鲍勋。即帝位后，鲍勋多次直言劝谏，魏文帝更加恼怒于他。魏文帝讨伐吴国返回，驻守在陈留境内。鲍勋任治书执法，太守孙邕晋见魏文帝后出来，过访鲍勋。那时营垒尚未建成，只竖了些标记，圈筑起矮墙。

邕邪行，不从正道。军营令史刘曜欲推[210]之，勋以堑垒未成，解止不举。帝闻之，诏曰："勋指鹿作马，收付廷尉。"廷尉法议[211]，正刑[212]五岁，三官[213]驳，依律，罚金二斤。帝大怒曰："勋无活分，而汝等欲纵之！收三官已下付刺奸[214]，当令十鼠同穴[215]！"锺繇、华歆、陈群、辛毗、高柔、卫臻等并表勋父信有功于太祖[216]，求请勋罪，帝不许。高柔[217]固执不从诏命，帝怒甚，召柔诣台[218]，遣使者承指[219]至廷尉诛勋。勋死，乃遣柔还寺[220]。

票骑将军[221]都阳侯曹洪家富而性吝啬，帝在东宫，尝从洪贷绢百匹，不称意，恨之。遂以舍客犯法，下狱当死。群臣并救，莫能得。卞太后[222]责怒帝曰："梁、沛[223]之间，非子廉[224]无有今日。"又谓郭后曰："令曹洪今日死，吾明日敕帝废后矣！"于是郭后泣涕屡请，乃得免官，削爵土。

初，郭后无子，帝使母养平原王叡。以叡母甄夫人被诛，故未建为嗣。叡事后甚谨，后亦爱之。帝与叡猎，见子母鹿，帝亲射杀其母，命叡射其子，叡泣曰："陛下已杀其母，臣不忍复杀其子。"帝即放弓矢，为之恻然[225]。

夏，五月，帝疾笃，乃立叡为太子。丙辰[226]，召中军大将军[227]曹真、镇军大将军陈群、抚军大将军司马懿，并受遗诏辅政。丁巳[228]，帝殂[229]。

陈寿评曰："文帝天资文藻，下笔成章，博闻强识[230]，才艺兼该[231]。若加之旷大之度，励以公平之诚，迈志存道，克广德心，则古之贤主，何远之有哉！"

孙邕斜穿过去，没有从正路走。军营令史刘曜要追究他的罪责，鲍勋认为营垒没有筑成，劝止刘曜不必追究。魏文帝得知此事，下诏说："鲍勋指鹿为马，收捕交付廷尉治罪。"廷尉依法议决，依罪判五年徒刑，三官反驳，依据律条，只应罚金二斤。魏文帝大怒道："鲍勋没有活命的道理，而你们却要释放他！收捕三官以下的官员交付刺奸都督治罪，要让你们十只老鼠同埋在一个坑里！"锺繇、华歆、陈群、辛毗、高柔、卫臻等共同上表陈述鲍勋的父亲鲍信对太祖有功，请求赦免鲍勋的罪过，魏文帝不允许。高柔坚持己见，不听从诏命，魏文帝大怒，召高柔到尚书台，派使者禀承文帝的旨意到廷尉诛杀鲍勋。鲍勋被杀后，才放高柔回到廷尉官府。

骠骑将军都阳侯曹洪家中富有而生性吝啬，魏文帝在东宫时，曾经向曹洪借一百匹绢，未能如愿，便怀恨曹洪。于是以曹洪的宾客犯法为由，把曹洪下狱判处死刑。群臣一起救助，没有成功。卞太后怒斥魏文帝说："当年在梁、沛一带，若没有曹洪奋战，不会有今天。"又对郭皇后说："假若曹洪今天被杀，我明天就让皇帝废掉你这个皇后！"因此郭皇后多次哭着为曹洪求情，曹洪才得以免去官职，削去爵位和封地。

当初，郭皇后没有儿子，魏文帝让她以生母的身份抚养平原王曹叡。因为曹叡的母亲甄夫人被杀，故而没有立他为太子。曹叡侍奉皇后非常谨慎，皇后也很喜欢他。魏文帝和曹叡狩猎，看见一只母鹿带着小鹿，魏文帝亲自射死了母鹿，命令曹叡射杀小鹿，曹叡哭泣说："陛下已杀死了它的母亲，臣不忍心再杀死母鹿的幼子。"魏文帝当即放下弓箭，为此伤感。

夏，五月，魏文帝病危，于是立曹叡为太子。十六日丙辰，召集中军大将军曹真、镇军大将军陈群、抚军大将军司马懿，一起接受遗诏辅佐朝政。十七日丁巳，魏文帝去世。

陈寿评论说："魏文帝天赋文采，落笔成章，博闻强记，才艺兼备。如果再增加宽阔旷达的气度，磨砺公平的真心实意，志向豪迈，维护王道，能广开德政之心，这样，和古代的贤明君主，就不会相去多远了！"

【段旨】

以上为第七段，写魏文帝任情枉法。

【注释】

㉑ 壬子：正月初十日。㉒ 山阳湖：在精湖以南，即今江苏高邮湖、邵伯湖一路之小湖。㉓ 知：主管。㉔ 江州：县名，县治在今重庆市南岸区。㉕ 陈到：字叔至，汝南（治所在今河南平舆北）人，自豫州跟随刘备，以忠勇著称。蜀汉建兴初，官至永安都督、征西将军，封亭侯。事见《三国志·蜀书·杨戏传》附《季汉辅臣赞》。㉖ 耦：二牛并耕称耦。四耦共为八牛。㉗ 魏郡西部都尉：官名，相当于郡太守。建安十八年（公元二一三年），曹操分魏郡，置东部都尉与西部都尉，以后东部都尉立阳平郡，西部都尉立广平郡，称为三魏。㉘ 标：标志。㉙ 埒：矮墙。㉚ 推：追究。㉛ 法议：按法议决。㉜ 正刑：治罪判刑。㉝ 三官：指廷尉三官，即廷尉正、廷尉监、廷尉平，均掌决狱。㉞ 刺奸：曹魏置有刺奸掾、刺奸令史、刺奸主簿。㉟ 十鼠同穴：比喻集中一处，可一网打尽。㊱ 信有功于太祖：初平元年（公元一九〇年）曹操起兵，鲍信即率兵响应。初平三年，青州

【原文】

太子即皇帝位，尊皇太后曰太皇太后，皇后曰皇太后。

初，明帝在东宫，不交朝臣，不问政事，惟潜思书籍。即位之后，群下想闻风采。居数日，独见侍中㉒刘晔，语尽日，众人侧听。晔既出，问：“何如？”曰：“秦始皇、汉孝武之俦，才具㉓微不及耳。”

帝初莅政㉔，陈群上疏曰：“夫臣下雷同㉕，是非相蔽，国之大患也。若不和睦则有雠党，有雠党则毁誉无端，毁誉无端则真伪失实，此皆不可不深察也[7]。”

癸未㉖，追谥甄夫人曰文昭皇后。

壬辰㉗，立皇弟蕤为阳平王。

六月戊寅㉘，葬文帝于首阳陵㉙。

吴王闻魏有大丧，秋，八月，自将攻江夏郡㉚，太守文聘坚守㉛。朝议欲发兵救之，帝曰：“权习水战，所以敢下船陆攻者，冀掩不备也。今已与聘相拒，夫攻守势倍，终不敢久也。”先是，朝廷遣治书侍御史㉜荀禹慰劳边方，禹到江夏，发所经县兵及所从步骑千人乘山举火，吴王退[8]走。

黄巾入兖州杀刺史刘岱，鲍信与州吏遂迎曹操领兖州牧。后与黄巾激战而死。事见《三国志·魏书·鲍勋传》裴松之注引《魏书》及本书卷五十九与六十汉献帝初平元年至三年。㉑⑦高柔：高柔当时为廷尉，故不执行诏命处决鲍勋。㉑⑧台：指尚书台。㉑⑨指：通“旨”，意旨。㉒⓪寺：官府。㉒①票骑将军：官名，位次于大将军。㉒②卞太后：魏文帝曹丕之母，琅邪开阳（今山东临沂北）人，初为曹操妾，建安初丁夫人被废后，遂为夫人。后为魏王后，魏文帝即位后，尊为皇太后，居永寿宫。魏明帝即位后，尊为太皇太后。传见《三国志》卷五。㉒③梁、沛：梁国与沛国，为曹操初起之地。㉒④子廉：曹洪字子廉。初平元年曹操起兵后，至荥阳汴水被董卓部将徐荣所败，曹操中流矢，乘马也被伤，曹洪遂让马与曹操，曹操因而脱险。逃至汴水，水深不得渡，又赖曹洪得船而渡。参见本书卷五十九汉献帝初平元年。㉒⑤恻然：悲痛。㉒⑥丙辰：五月十六日。㉒⑦中军大将军：官名，曹魏所置，位从公。㉒⑧丁巳：五月十七日。㉒⑨殂：死亡。按《通鉴》之例，天子统一天下者，死称崩，分治一方者称殂。㉓⓪识：通“志”。记住。㉓①兼该：兼备。

【语译】

太子曹叡即皇帝位，尊奉皇太后为太皇太后，皇后为皇太后。

当初，明帝曹叡在东宫时，不与朝中群臣交往，不过问政事，只潜心读书。即位之后，群臣想见识他的风采。过了几天，唯独接见了侍中刘晔，交谈了一整天，众人在外侧耳细听。刘晔出来后，众人问：“怎么样？”刘晔说：“秦始皇、汉武帝一类的人，只不过才能和器度稍差一点罢了。”

魏明帝刚临政，陈群上奏说：“臣下随声附和，是非互相掩蔽，是国家的大患。若不能和睦相处，就会有对立的党派；有对立的党派，就会有无端的毁誉；有了无端的毁誉，就真假难辨，这些都不能不明察。”

癸未日，追谥甄夫人为文昭皇后。

壬辰日，立皇弟曹蕤为阳平王。

六月初九日戊寅，在首阳陵安葬魏文帝。

吴王得知魏文帝去世，秋，八月，亲自率军进攻江夏郡，太守文聘坚守。魏国朝廷大臣们商量打算派兵救援江夏郡，魏明帝说：“孙权熟悉水战，他之所以敢弃船登陆进攻，是希望乘我不备而突然袭击。现在已经和文聘相持，按照进攻一方要比防守一方多出一倍兵力的常理，孙权终究不敢久留。”在此之前，朝廷派治书侍御史荀禹慰劳边防将士，荀禹赶到江夏，征调所过之县的兵众和自己随从的一千名步、骑兵一同登山举起火把，吴王退走。

辛巳[243]，立皇子冏为清河王。

吴左将军诸葛瑾等寇襄阳，司马懿击破之，斩其部将张霸。曹真又破其别将于寻阳[244]。

吴丹阳[245]、吴[246]、会[247]山民复为寇，攻没属县。吴王分三郡[248]险地[249]为东安郡[250]，以绥南将军[251]全琮领太守。琮至，明赏罚，招诱降附，数年得万余人。吴王召琮还牛渚[252]，罢东安郡。

冬，十月，清河王冏卒。

吴陆逊陈便宜，劝吴王以施德缓刑，宽赋息调[253]。又云："忠谠[254]之言，不能极陈，求容小臣，数以利闻。"王报曰："《书》载'予违汝弼[255]'，而云不敢极陈，何得为忠谠哉！"于是令有司尽写科条[256]，使郎中[257]褚逢赍以就逊及诸葛瑾，意所不安，令损益之。

十二月，以锺繇为太傅[258]，曹休为大司马[259]，都督[260]扬州如故，曹真为大将军，华歆为太尉[261]，王朗为司徒，陈群为司空，司马懿为票骑大将军。歆让位于管宁，帝不许。征宁为光禄大夫，敕青州[262]给安车[263]吏从，以礼发遣，宁复不至。

是岁，吴交趾[264]太守士燮卒，吴王以燮子徽为安远将军[265]，领九真[266]太守，以校尉陈时代燮。交州[267]刺史吕岱[268]以交趾绝远，表分海南三郡[269]为交州，以将军戴良为刺史；海东四郡[270]为广州，岱自为刺史；遣良与时南入。而徽自署交趾太守，发宗兵[271]拒良，良留合浦[272]。交趾桓[9]邻，燮举吏也，叩头谏徽，使迎良。徽怒，笞杀[273]邻，邻兄治合宗兵击，不克。吕岱上疏请讨徽，督兵三千人，晨夜浮海而往。或谓岱曰："徽藉累世之恩，为一州所附，未易轻也。"岱曰："今徽虽怀逆计，未知吾之卒[274]至。若我潜军轻举，掩其无备，破之必也。稽留不速，使得生心，婴城[275]固守，七郡百蛮，云合响应，虽有智者，谁能图之！"遂行，过合浦，与良俱进。岱以燮弟子辅为师友从事[276]，遣往说徽。徽率其兄弟六人出降，岱皆斩之。

孙盛论曰："夫柔远能迩[277]，莫善于信。吕岱师友士辅，使通

六月十二日辛巳，立皇子曹冏为清河王。

吴国左将军诸葛瑾等寇掠襄阳，被司马懿打败，杀了诸葛瑾的部将张霸。曹真又在寻阳击败了诸葛瑾的另一部将。

吴国的丹阳、吴郡、会稽三郡山民再度为寇，攻陷了三郡的属县。吴王划出三郡的险要地方，设置东安郡，任命绥南将军全琮兼任太守。全琮到任，赏罚分明，招抚劝诱，使叛民降附，几年之间收聚一万多人。吴王召全琮返回牛渚，撤销东安郡。

冬，十月，清河王曹冏去世。

吴国陆逊陈述当今应办的事情，劝吴王施行德政，宽缓刑罚，减免赋税，停征户调。又说："忠诚正直的言论，不能尽情地向君主陈述，取悦君主的小臣，屡屡以利益奏闻。"吴王回答说："《尚书》记载'我有违误，你应纠正'，你说不敢尽情地陈述，怎么能称得上是忠诚正直呢！"于是命令有关部门把这些都写入法令条规，派郎中褚逢送到陆逊和诸葛瑾那里，认为有不妥的地方，令他们加以删减或增益。

十二月，魏明帝任命锺繇为太傅，曹休为大司马，仍然都督扬州，曹真任大将军，华歆为太尉，王朗为司徒，陈群为司空，司马懿为骠骑大将军。华歆将职位让给管宁，魏明帝不准许。魏明帝征召管宁为光禄大夫，命令青州官府给管宁提供安车与随从官吏，按礼仪派遣，管宁还是不应召。

这一年，吴国交趾太守士燮去世，吴王任命士燮的儿子士徽为安远将军，兼任九真太守，以校尉陈时取代士燮的职务。交州刺史吕岱认为交趾极为辽远，上表请求把海南三郡设为交州，任命将军戴良为刺史；海东四郡设为广州，吕岱自任刺史。吕岱派戴良和陈时南下。而士徽则自命为交趾太守，调动自己宗族的军队拒绝戴良入境，戴良停留在合浦。交趾人桓邻是士燮举荐的官吏，磕头劝说士徽，让他迎接戴良。士徽大怒，把桓邻用棍棒打死。桓邻的哥哥桓治集合宗族的军队攻击士徽，没有取胜。吕岱上奏请求讨伐士徽，于是率兵三千，日夜兼程，渡海前往。有人对吕岱说："士徽凭据他家代代对交趾人的恩德，为一州人所归附，不能轻视。"吕岱说："现在士徽虽然心怀叛逆的阴谋，但不知道我突然来到。如果我暗中进军，轻装行动，攻其不备，必定能打败他。如果迟疑滞留，不赶快进军，使他产生疑心，环城固守，七郡的众多蛮族部落，纷纷起来响应，即使有智计的人，谁能对付他们呢！"于是进军，经过合浦时，与戴良一起前进。吕岱任命士燮弟弟的儿子士辅为从事，以师友之礼相待，派他去劝说士徽投降。士徽率领兄弟六人出城投降，吕岱把他们全部杀掉。

孙盛评论说："安抚远人，亲善近民，没有比讲信义更好的了。吕岱按照师

信誓，徽兄弟肉袒[278]，推心[279]委命[280]，岱因灭之以要[281]功利，君子是以知吕氏之祚[282]不延者也。”

徽大将甘醴及桓治率吏民共攻岱，岱奋击，破之。于是除广州，复为交州如故。岱进讨九真，斩获以万数。又遣从事南宣威命，暨[283]徼外[284]扶南[285]、林邑[286]、堂明[287]诸王，各遣使入贡于吴。

【段旨】

以上为第八段，写魏明帝曹叡即位。吴平交趾之乱。

【注释】

㉜侍中：官名，职在侍从皇帝，应对顾问。汉代侍中无定员，曹魏定员为四人。㉝才具：才能器度。㉞莅政：亲政；料理政事。㉟雷同：谓随声附和。㊱癸未：五月辛丑朔，无癸未。〖按〗《三国志·魏书·文帝纪》，文帝五月丁巳卒，六月戊寅葬。追谥甄夫人盖在葬文帝之后，则癸未当为六月癸未，即六月十四日。以下“六月戊寅，葬文帝于首阳陵”条应移于“癸未”之前。㊲壬辰：当为六月二十三日。㊳戊寅：六月初九。㊴首阳陵：在当时洛阳东北的首阳山，因以“首阳”为陵名。㊵江夏郡：汉末魏初江夏郡治所多次变更，文聘为江夏太守数十年，治所在安陆，在今湖北安陆北。㊶文聘坚守：据《三国志·魏书·文聘传》与《吴书·吴主传》，文聘当时屯石阳，孙权围攻文聘所坚守之地亦石阳，即今湖北应城东南。㊷治书侍御史：官名，掌律令，评判疑狱是非。㊸辛巳：六月十二日。㊹寻阳：县名，县治在今湖北黄梅北。㊺丹阳：郡名，治所宛陵，在今安徽宣城。㊻吴：郡名，治所吴县，在今江苏苏州。㊼会：会稽郡之省称。会稽郡治所山阴，在今浙江绍兴。㊽三郡：指上述丹阳、吴、会稽三郡。㊾险地：险阻之地。㊿东安郡：治所富春，在今浙江杭州市富阳区北。[251]绥南将军：官名，吴所置杂号将军。[252]牛渚：山名，又名牛堵圻，在今安徽马鞍山市西南长江边，山之北部突入江中，又名采石矶，形势险要。[253]调：一种征收纺织品的户税。汉末魏晋之户调，每年征收绵和绢若干。[254]谠：正直。[255]予违汝弼：此为《尚书·益稷》舜对禹之言，意思是说：我有违道之处，你当辅正。[256]科条：法令条规。[257]郎中：官名，属光禄勋，除宿卫宫殿门户外，还外从作战。[258]太傅：官名，为上公，位在三公上，无职事，多为大官之加衔。[259]大司马：官名，曹魏并置大司马与太尉，而大司马为上公，位在三公上。[260]都

友之礼对待士辅，让他去和士徽结下诚信的誓约，士徽兄弟肉袒诚心归降，吕岱却乘机消灭他们以邀取功名利禄，君子由此可推知吕氏的禄位不会延续了。”

士徽的大将甘醴与桓治率领官民一起进攻吕岱，吕岱奋勇反击，打败了甘醴等。于是撤销广州，又依旧恢复交州建置。吕岱进军征讨九真，斩杀、俘获的人数以万计。又派从事南下宣布吴王的声威命令，并晓谕境外的扶南、林邑、堂明众王，众王各自派遣使者向吴国朝贡。

督：即都督诸州军事，曹魏黄初三年始置，统领所督诸州之军事。曹休于此为都督扬州诸军事。㉖①太尉：官名，曹魏置太尉、司徒、司空为三公。名义上太尉掌军事、司徒掌民政、司空掌土木营建与水利工程，而曹魏三公常不与事，有名无实。㉖②敕青州：管宁为北海朱虚（今山东临朐东北）人，属青州，故敕青州以礼送遣。㉖③安车：古代车为立乘，安车为坐乘，且多用一马拉车，礼尊者则用四马。㉖④交趾：郡名，治所龙编，在今越南河内东北。㉖⑤安远将军：官名，三国时期的杂号将军。㉖⑥九真：郡名，治所胥浦，在今越南清化西北。㉖⑦交州：刺史治所广信，在今广西梧州。㉖⑧吕岱（公元一六一至二五六年）：字定公，广陵海陵（今江苏泰州）人，初为余姚长、庐陵太守。后为交州刺史、镇南将军，封番禺侯。后又督武昌右部，为上大将军、大司马。传见《三国志》卷六十。㉖⑨海南三郡：指交趾、九真、日南三郡。㉗⓪海东四郡：指苍梧、南海、郁林、合浦四郡。㉗①宗兵：自汉末战乱，各地豪族头领多以宗人为兵，率以自保，称为宗兵。㉗②合浦：郡名，治所合浦县，在今广西合浦东北。㉗③笞杀：用鞭、杖打死。㉗④卒：同“猝”，忽然。㉗⑤婴城：环绕城。㉗⑥师友从事：谓署为从事史之官，而待以师友之礼。㉗⑦迩：近。㉗⑧肉袒：脱去上衣，裸露肢体，表示惶惧。㉗⑨推心：推诚；诚心诚意。㉘⓪委命：寄托性命。㉘①要：通“邀”，求取。㉘②祚：指官爵。㉘③暨：及。㉘④徼外：境外。㉘⑤扶南：古国名，在今柬埔寨境内。㉘⑥林邑：古国名，在今越南中南部。㉘⑦堂明：古国名，在今柬埔寨北。

【校记】

［7］也：据章钰校，甲十六行本无此字。［8］退：原作“遁”。据章钰校，甲十六行本、乙十一行本、孔天胤本皆作“退”，张敦仁《通鉴刊本识误》同，今据改。［9］桓：从此字笔画结构来看，末笔系后来补入，原刻为“桓”字，缺末笔，系避讳字。下文“桓治”之“桓”字同。〖按〗《三国志·吴书·士燮传》有桓邻、桓治，《吕岱传》有桓治。

【原文】

烈祖明皇帝[288]上之上

太和元年（丁未，公元二二七年）

春，吴解烦督[289]胡综[290]、番阳太守周鲂[291]击彭绮，生获之。

初，绮自言举义兵为魏讨吴。议者以为因此伐吴，必有所克。帝以问中书令[292]太原孙资[293]，资曰："番阳宗人前后数有举义者，众弱谋浅，旋辄乖散。昔文皇帝尝密论贼形势，言洞浦[294]杀万人，得船千数，数日间，船人复会；江陵被围历月，权裁[295]以千数百兵住东门，而其土地无崩解者，是其[10]法禁上下相维之明验也。以此推绮，惧未能为权腹心大疾也。"至是，绮果败亡。

二月，立文昭皇后寝园于邺[296]。王朗[297]往视园陵，见百姓多贫困，而帝方营修宫室，朗上疏谏曰："昔大禹欲拯天下之大患，故先卑其宫室[298]，俭其衣食；勾践[299]欲广其御儿之疆，亦约其身以及家，俭其家以施国；汉之文、景欲恢弘祖业，故割意于百金之台[300]，昭[301]俭于弋绨之服；霍去病中才之将，犹以匈奴未灭，不治第宅[302]。明恤[303]远者略近，事外者简内也。今建始[304]之前，足用列朝会；崇华之后，足用序内官；华林、天渊[305]，足用展游宴。若且先成象魏[306]，修城池，其余一切须丰年，专以勤耕农为务，习戎备为事，则民充兵强，而寇戎宾服[307]矣。"

三月，蜀丞相亮率诸军北驻汉中[308]，使长史张裔、参军蒋琬统留府事。临发，上疏曰："先帝创业未半而中道崩殂，今天下三分，益州疲敝[309]，此诚危急存亡之秋也。然侍卫之臣不懈于内，忠志之士忘身于外者，盖追[310]先帝之殊遇[311]，欲报之于陛下也。诚宜开张圣听[312]，以光先帝遗德，恢弘[313]志士之气，不宜妄自菲薄[314]，引喻失义[315]，以塞忠谏之路也。

"宫中[316]、府中[317]，俱为一体，陟罚[318]臧否[319]，不宜异同。若有作奸犯科[320]及为忠善者，宜付有司[321]论其刑赏，以昭陛下平明之理，不宜偏私，使内外异法也。

【语译】

烈祖明皇帝上之上

太和元年（丁未，公元二二七年）

春，吴国的解烦督胡综、番阳太守周鲂攻打彭绮，活捉了他。

当初，彭绮自称兴举义兵为魏国讨伐吴国。魏国参谋人员认为趁此机会讨伐吴国，一定能获得胜利。魏明帝询问中书令太原人孙资，孙资说："番阳彭绮的宗族人曾经前后多次举兵起义，只因人数少，谋议不深，随即就离散了。当初文帝曾经周密地分析过敌人的形势，说我们在洞浦杀了敌军一万人，缴获船只数以千计，数天之内，敌人的船只人马又集中起来了；江陵被围困一个多月，孙权才率领一千几百名援兵驻守东门，然而吴国的国土没有分崩离析，这是他们执法严、上下同心维护的显著证明。以此来推论彭绮的举动，大概不能成为孙权的心腹大患。"到此时，彭绮果然失败了。

二月，在邺城建立文昭皇后的陵园。王朗前往视察陵园，发现百姓大多贫困，而魏明帝正在营建宫殿，王朗上疏劝谏说："从前大禹想要拯救天下的深重灾难，所以率先住简陋的宫室，衣食节俭；勾践为了拓展北部御儿的疆域，也约束自己和家人，节俭家用来用于国事；汉代的文帝、景帝，为了发扬光大祖宗的基业，割爱停建百金之费的楼台，穿粗厚黑色的衣服以昭示他的节俭；霍去病是个中等才干的将领，尚且因为匈奴没有消灭不修宅第。这些都表明，忧念长远的人，忽略眼前的享受；有事于外部的人，要内部节俭。现有的建始殿前面，足可以用来供大臣们列班上朝；崇华殿的后面，足可以用来安置内官；华林园、天渊池，完全可以用来安排宴会与游乐。如果暂时只先建成宫室外的门阙，修缮城池，其余的一切等到丰年再兴建，专心以劝农勤耕为要务，讲习军事为大事，这样，人民富足，军队强大，而敌人便会臣服了。"

三月，蜀国丞相诸葛亮率领各军北上，进驻汉中，派长史张裔、参军蒋琬统管留守丞相府的事务。诸葛亮出发前上奏说："先帝创立大业未及一半就中途去世，现今天下三分，益州最为困乏，这确实是到了存亡危急的时刻。然而陛下身旁的侍卫臣子在宫内毫不松懈，忠诚的志士在外忘我地为国效劳，他们这样做是为了追念先帝的深厚恩遇，想以此来报答陛下。陛下确实应当广泛听取各种意见，用以光大先帝流传下来的美德，发扬有志之士的气节，不应该妄自菲薄，援引比喻不恰当，从而堵塞了忠诚劝谏的言路。

"宫禁内的官员和相府里的官员，都是一个整体，赏罚褒贬，不应有区别。如果有奸行触犯法律的，以及尽忠行善的，应当交由有关部门论定罪罚和奖赏，用以表明陛下的公允、明察，不应偏私，使宫廷内外执法不一致。

“侍中[322]、侍郎[323]郭攸之、费祎[324]、董允[325]等，此皆良实，志虑忠纯，是以先帝简拔以遗陛下。愚以为宫中之事，事无大小，悉以咨之，然后施行，必能裨补阙漏，有所广益。将军向宠[326]性行淑均[327]，晓畅军事，试用于昔日，先帝称之曰能，是以众议举宠为督。愚以为营中之事，悉以咨之，必能使行陈[328]和睦，优劣得所[11]。

“亲贤臣，远小人，此先汉所以兴隆也。亲小人，远贤臣，此后汉所以倾颓也。先帝在时，每与臣论此事，未尝不叹息痛恨于桓、灵[329]也。侍中[330]、尚书[331]、长史[332]、参军[333]，此悉端良[334]死节之臣，愿陛下亲之信之，则汉室之隆，可计日而待也。

“臣本布衣[335]，躬耕南阳[336]，苟全性命于乱世，不求闻达于诸侯。先帝不以臣卑鄙[337]，猥自枉屈[338]，三顾臣于草庐之中，谘臣以当世之事。由是感激，遂许先帝以驱驰[339]。后值倾覆[340]，受任于败军之际，奉命于危难之间，尔来二十有一年矣。先帝知臣谨慎，故临崩寄[341]臣以大事[342]也。

“受命以来，夙夜[343]忧叹，恐托付不效，以伤先帝之明。故五月渡泸[344]，深入不毛[345]。今南方已定，甲兵已足，当奖[346]率三军，北定中原，庶[347]竭驽钝[348]，攘除[349]奸凶[350]，兴复汉室，还于旧都[351]，此臣所以报先帝，而忠陛下之职分也。至于斟酌损益，进尽忠言，则攸之、祎、允之任也。愿陛下托臣以讨贼兴复之效，不效，则治臣之罪，以告先帝之灵[352]；责攸之、祎、允等之慢，以章其咎[353][12]。陛下亦宜自谋，以谘诹[354]善道，察纳雅言[355]，深追先帝遗诏，臣不胜受恩感激。今当远离，临表涕零，不知所言。”遂行，屯于沔[356]北阳平[357]石马[358]。

亮辟广汉太守姚伷[359]为掾[360]，伷并进文武之士，亮称之曰：“忠益者莫大于进人，进人者各务其所尚。今姚掾并存刚柔以广文武之用，可谓博雅矣。愿诸掾各希[361]此事以属[362]其望。”

帝闻诸葛亮在汉中，欲大发兵就攻之，以问散骑常侍[363]孙资，资曰：“昔武皇帝征南郑，取张鲁，阳平之役，危而后济，又自往拔出夏侯渊军，数言‘南郑直为天狱，中斜谷道[364]为五百里石穴耳’，言其深险，喜出渊军之辞也。又，武皇帝圣于用兵，察蜀贼栖于山岩，视吴

“侍中、侍郎郭攸之、费祎、董允等，他们全都善良诚实、思虑忠贞纯正，因而先帝选拔出来留给陛下。臣认为宫中的事情，事无大小，都应当向他们咨询，然后再施行，这样必能弥补缺漏，能有更多的收益。将军向宠生性善良公正，精通军事，从前屡经考验，先帝称赞他有才能，因此众人推举他为统领禁军的中郎。臣认为禁卫军营的事务，都去征询他的意见，这样一定能让将士和睦，优秀和劣陋的人各得其所。

“亲近贤臣，疏远小人，这是前汉所以兴盛的原因。亲近小人，疏远贤臣，这是后汉所以衰败的根源。先帝在世时，每次和我谈论此事，没有一次不叹恨桓、灵二帝的。侍中、尚书、长史、参军，他们都是正直贤良、能以节操献身的臣子，希望陛下亲近他们、信任他们，那么，汉室的兴盛，就指日可待了。

“臣原是平民百姓，亲自在南阳耕作，只求在乱世中能保全性命，不求在诸侯中闻名显达。先帝不认为我卑贱鄙陋，屈尊俯就，三次到草庐中来拜访我，向我咨询当今事务。我因而感激，于是允诺为先帝奔走效命。后来遭遇失败，臣受命于军败之际，在危难的时候接受使命，自那时以来，已经二十一年了。先帝了解我办事谨慎，因而临终时才将辅佐大事托付给我。

“自从接受先帝遗命以来，日夜忧虑叹息，唯恐先帝的重托不能实现，有损先帝的知人之明。因此臣五月渡过泸水，深入不毛之地。现在南方已经平定，兵力和装备已经充足，应当激励将士，率领部队，北伐平定中原，希望尽我微薄之力，铲除奸凶，复兴汉室，回到故都，这是臣报答先帝，忠于陛下的职责。至于对政事的斟酌兴革，进献忠言，则是郭攸之、费祎、董允的职责。希望陛下委托臣讨伐国贼，光复汉室的使命，如果没有成效，就将臣治罪，以告先帝的在天之灵；如果没有振兴德政的建言，就责备郭攸之、费祎、董允等人的失职，并彰显他们的过失。陛下也应当从自身考虑，征询好的治国方案，采纳正确的建议，深切追念先帝的遗诏，臣因深受厚恩不胜感激。现在就要远离陛下了，面对这份表章，不禁泪流满面，不知道自己说了些什么。”于是诸葛亮率军出发，驻扎在沔水以北的阳平石马。

诸葛亮征辟广汉太守姚伷为掾属，姚伷同时举荐一些文武之士，诸葛亮称赞他说：“对国家尽忠没有比举荐人才更好的了，推荐人往往只根据自己的爱好，现今掾属姚伷推荐的人才刚柔并举，可以广泛地任用于文武之职，可说是既多且好啊。希望众属官都以此事为榜样，满足我对你们的期望。”

魏明帝听说诸葛亮驻军汉中，想大举发兵就地攻打他，拿此事征询散骑常侍孙资的意见，孙资说：“当年武皇帝征讨南郑，攻取张鲁，在阳平之战中，身陷危境，后来取胜，又亲自前往救出夏侯渊的部队。武皇帝多次说‘南郑简直就是一座天然牢狱，中间的斜谷道就是五百里长的石墓’，说的是谷道幽深险要，庆幸自己救出了夏侯渊的部队。再者，武皇帝用兵如神，察知蜀贼栖息在山岭，看见吴寇鼠窜于江

虏窜于江湖，皆桡[365]而避之，不责将士之力，不争一朝之忿，诚所谓见胜而战，知难而退也。今若进军就南郑讨亮，道既险阻，计用精兵及转运、镇守南方四州[366]，遏御水贼，凡用十五六万人，必当复更有所发兴，天下骚动，费力广大，此诚陛下所宜深虑。夫守战之力，力役参[367]倍。但以今日见[368]兵分命大将据诸要险，威足以震摄强寇，镇静疆场[369]，将士虎睡，百姓无事。数年之间，中国日盛，吴、蜀二虏必自罢[370]敝。”帝乃止。

【段旨】

以上为第九段，写诸葛亮北伐，临行，上《出师表》于后主，忠义奋发，《通鉴》在此全文引载。

【注释】

㉘烈祖明皇帝（公元二〇五至二三九年）：姓曹，名叡，字符仲，魏文帝长子。公元二二六至二三九年在位。事详见《三国志》卷三。㉙督：督将。㉚胡综（？至公元二四三年）：字仲则，汝南固始（今河南沈丘东南）人，孙权时，与徐详共管军国秘事，官至偏将军，兼左执法。传见《三国志》卷六十二。㉛周鲂：字子鱼，吴郡阳羡（今江苏宜兴）人，孙权黄武中为鄱阳太守，后加裨将军。传见《三国志》卷六十。㉜中书令：官名，曹操为魏王时，设秘书令掌机要文书，魏文帝黄初中改秘书令为中书监、令，二者皆参与机要和主拟诏旨。中书令位次略低于中书监。㉝孙资：字彦龙，与刘放俱掌曹魏机要近三十年。事见《三国志·魏书·刘放传》。㉞洞浦：即洞口，在当时历阳江边。历阳县治在今安徽和县。洞浦杀万人之事见本书卷六十九黄初三年（公元二二二年）。㉟裁：通“才”。㊱立文昭皇后寝园于邺：文昭皇后甄氏被魏文帝赐死于邺，故在邺立陵园。㊲王朗（？至公元二二八年）：字景兴，东海郯县（今山东郯城北）人，曹操初荐他为谏议大夫，参司空军事。又为魏国大理、御史大夫。魏文帝即位后，为司空。魏明帝时为司徒，封兰陵侯。长于经学，曾注解《易》《春秋》《周礼》等。传见《三国志》卷十三。㊳卑其宫室：孔子曾说夏禹“菲饮食”（吃得坏）、“恶衣服”（穿得粗劣）、“卑宫室”（住得简陋），却对祭祀和水利特别用心，见《论语·泰伯》。㊴勾践：春秋时越国国君。勾践被吴国打败求和后，其地南至句无（今浙江诸暨南），北至御儿（在今浙江嘉兴境），纵横仅百里。勾践为了拓地复国，遂勤俭节约，亲率家人耕织生产以自

湖，都迂曲避开，不责令将士去拼杀，不争一朝之愤，这就是所谓见胜而战，知难而退。现在如果进军赴南郑征伐诸葛亮，道路既险阻，还要调用精兵以及物资转运，加上镇守南方四州的兵力，以及抵御水贼，预计总共需用兵士十五六万人。如此，必定要征调人力、物力，天下骚动，耗费巨大，这确实是陛下应当深深加以考虑的。防守方与进攻方的兵力，应有二三倍之差。只以目前现有的兵力，分派大将据守各个险要，威力足可震慑强敌，镇定边界，将士可以像猛虎那样安睡养威，百姓也可以安居无事。数年之后，我国日益强盛，吴、蜀两贼必将自然衰败。”魏明帝便停止出兵。

给，十年不收国人赋税，最后民富国强，终于复国。事见《国语·越语上》。㉚割意于百金之台：汉文帝曾想建一露台，召工匠计算，听说需用百金，即果断地决定不建。汉文帝又常穿弋绨（黑色粗厚的丝织物）制作的衣服，以倡导节俭。事见《汉书·文帝纪》。㉛昭：显示。㉜不治第宅：汉武帝时，霍去病两次大败匈奴，打开了西域通道，又与卫青共击败匈奴主力，立了大功，汉武帝为了奖赏他，为他修建府第，他却说：“匈奴不灭，无以家为也。”事见《汉书·霍去病传》。㉝恤：忧念。㉞建始：建始与下文之崇华皆殿名。在当时洛阳北宫。㉟华林、天渊：即华林园与天渊池，在当时洛阳城东北。㊱象魏：宫廷外的阙门。古代宫廷门外建有二台，台上又建楼观，上圆下方，门在两旁，中央空阙为道，并以悬法，称为象魏。㊲宾服：臣服；归顺。㊳汉中：郡名，治所南郑，在今陕西汉中。㊴疲敝：困乏。㊵追：怀念。㊶殊遇：特殊的恩遇。㊷开张圣听：指广泛听取各种意见。㊸恢弘：发扬；扩张。㊹妄自菲薄：自轻自贱。㊺引喻失义：援引比喻不恰当。㊻宫中：指皇帝宫禁中。㊼府中：指丞相府中。㊽陟罚：赏罚。㊾臧否：褒贬。㊿科：律条。321有司：官吏。古代设官分职，各有专司，故称有司。322侍中：当时郭攸之、费祎为侍中。323侍郎：即黄门侍郎，当时董允为此官。324费祎（？至公元二五三年）：字文伟，江夏鄳县（今河南罗山一带）人，初为蜀汉黄门侍郎，为诸葛亮所重，后继蒋琬执政，为大将军、录尚书事，后被魏降人刺死。传见《三国志》卷四十四。325董允：字休昭，董和之子。蜀汉后主初年，为黄门侍郎，又为虎贲中郎将，统宿卫兵。后为侍中、守尚书令。传见《三国志》卷三十九。326向宠：初为刘备牙门将，夷陵之败，宠营独完好无损。后主初年，为中部督，领宿卫兵。官至中领军。事见《三国志·蜀书·向朗传》。327淑均：善良公正。328行陈：行阵；行列。此指军队。329桓、灵：汉桓帝与灵帝。二帝皆信任宦官，政治腐败。330侍中：指上述的郭攸之、费祎。331尚书：指陈震，当时任尚书。332长史：指张裔，当时诸葛亮北伐，张裔任留府长史。333参军：指蒋琬，当时任参军，与张裔共统留府事。334端良：正直善良。335布衣：平民百姓。336躬耕南阳：诸葛亮早年在隆中躬耕，虽距襄阳城西仅二十里，但在

行政区划中，却属南阳郡之邓县，故诸葛亮就说“躬耕南阳”。南阳，郡名，治所宛县，在今河南南阳。㊲卑鄙：低微鄙陋。㊳猥自枉屈：谓屈尊亲身前往。㊴驱驰：奔走效劳。㊵倾覆：指汉献帝建安十三年曹操下荆州，刘备败逃之事。㊶寄：托付。㊷大事：指托孤之事。㊸夙夜：早晚。㊹泸：泸水，即今金沙江。㊺不毛：不生长草木庄稼之地，即谓荒凉之地。㊻奖：鼓励。㊼庶：希望。㊽驽钝：比喻才能薄弱。驽，劣马。钝，钝刀。㊾攘除：扫除。㊿奸凶：指曹魏。(351)旧都：指东汉都城洛阳。(352)则治臣之罪二句：此下原文当有脱漏。检《三国志·诸葛亮传》所载《出师表》作：“若无兴德之言，则责攸之、祎、允等之慢，以彰其咎。”是《通鉴》此处脱漏“若无兴德之言，则”七字。若无此七字，“责攸之、祎、允”等语就突兀难解。译文据此补出。(353)章其咎：显示他们的过失。(354)谘诹：询问。(355)雅言：正言。(356)沔：沔水。(357)阳平：即阳平关，在今陕西勉县西北白马城。(358)石马：在今陕西勉县东，其地有白马山，山石似马，故名。(359)姚

【原文】

初，文帝罢五铢钱，使以谷帛为用。人间巧伪渐多，竞湿谷以要(371)利，薄绢以为市，虽处以严刑，不能禁也。司马芝等举朝大议，以为：“用钱非徒丰国，亦所以省刑，今不若更铸五铢为便。”夏，四月乙亥(372)，复行五铢钱。

甲申(373)，初营宗庙于洛阳。

六月，以司马懿都督荆、豫州(374)诸军事，率所领镇宛。

冬，十二月，立贵嫔河内毛氏(375)为皇后。初，帝为平原王，纳河内虞氏为妃。及即位，虞氏不得立为后，太皇卞太后慰勉焉。虞氏曰：“曹氏自好立贱，未有能以义举者也。然后职内事(376)，君听外政(377)，其道相由而成，苟不能以善始，未有能令终者也，殆必由此亡国丧祀[13]矣！”虞氏遂绌(378)还邺宫。

初，太祖、世祖皆议复肉刑，以军事不果。及帝即位，太傅锺繇上言：“宜如孝景(379)之令，其当弃市(380)欲斩右趾(381)者，许之；其黥(382)、劓(383)、左趾(384)、宫刑(385)者，自如孝文(386)易以髡(387)笞(388)，可以岁生三千人。”诏公卿已下议，司徒朗(389)以为：“肉刑不用已来，历年数百，今复行之，恐所减之文未彰于万民之目，而肉刑之问已宣于寇雠之耳，非所

佃：字子绪，阆中（今四川阆中）人，后官至尚书仆射。事见《三国志·蜀书·杨戏传》附《季汉辅臣赞》陈寿注。㊱掾：副官或佐吏称掾。㊲希：仰慕。㊳属：符合。㊴散骑常侍：官名，魏文帝所置，备顾问，掌规谏。㊵斜谷道：即褒斜道。此道北起斜谷（在今陕西眉县西南），南至褒谷（在陕西勉县褒城镇北），总长四百七十里，为秦蜀间险要之道。㊶桡：委屈。㊷四州：指荆、徐、扬、豫四州。㊸参：通“三”。㊹见：“现”的本字。㊺疆场：疆界；边界。㊻罢：通“疲”。疲困。

【校记】

［10］其：据章钰校，甲十六行本、乙十一行本皆作“有”。［11］所：据章钰校，此下孔天胤本有“也”字。［12］咎：此字下原有一空格。据章钰校，甲十六行本、乙十一行本、孔天胤本皆无，今据删。

【语译】

当初，魏文帝废除五铢钱，用粮食和丝帛为货币。社会上投机取巧弄虚作假的情况日益严重，竞相把谷物弄湿以获利，用薄绢来购物，即使用严刑处罚，还是不能禁止。司马芝等在朝廷上广泛深入议论，认为：“使用钱币不只可以富国，也可以省刑，现在不如重新铸造五铢钱更为方便。”夏，四月初十日乙亥，魏国恢复使用五铢钱。

十九日甲申，魏国开始在洛阳营建宗庙。

六月，任命司马懿都督荆、豫州的军事，率领所属部队镇守宛城。

冬，十二月，魏明帝册立贵嫔河内人毛氏为皇后。当初，魏明帝为平原王，娶河内人虞氏为妃。等到即皇帝位，虞氏没能被立为皇后，太皇卞太后对她安抚、劝慰。虞氏说：“曹氏家族原本就好立低贱的人，没有能按照礼义册立的。但皇后执掌宫内事务，君主主持宫外政事，是相辅相成的关系，若不能开好先例，就不会有好的结果，必定会因此而亡国绝祀！”于是虞氏被废，回到邺城的宫中。

起初，魏太祖武帝、世祖文帝都议论过恢复肉刑，因为战争的原因没有实施。等到魏明帝即皇帝位，太傅锺繇进言道：“应仿照汉景帝的诏令，如果应当斩首示众的罪犯愿意砍去右脚抵罪的，应当允许；那些处以黥、劓、左趾、宫刑的，自然也应当依照汉文帝时的法令，改为削发和鞭打，这样每年可以使三千人活命。”魏明帝诏令公卿以下的大臣商议，司徒王朗认为：“从废除肉刑以来，已经过了几百年，如今再使用它，恐怕减轻刑罚的条文国民还没看到，而恢复肉刑的消息已经传到了仇

以来远人也。今可按繇所欲轻之死罪，使减死髡刑，嫌其轻者，可倍其居作[390]之岁数，内有以生易死不訾[391]之恩，外无以刖[392]易钛[393]骇耳之声。”议者百余人，与朗同者多。帝以吴、蜀未平，且寝。

是岁，吴昭武将军韩当卒，其子综淫乱不轨，惧得罪，闰月，将其家属、部曲[394]来奔。

初，孟达既为文帝所宠，又与桓阶、夏侯尚亲善，及文帝殂，阶、尚皆卒，达心不自安。诸葛亮闻而诱之，达数与通书，阴许归蜀。达与魏兴[395]太守申仪有隙，仪密表告之。达闻之，惶惧，欲举兵叛。司马懿以书慰解之，达犹豫未决，懿乃潜军进讨。诸将言："达与吴、汉交通，宜观望而后动。”懿曰："达无信义，此其相疑之时也，当及其未定促决之。”乃倍道兼行，八日到其城下。吴、汉各遣偏将向西城[396]安桥[397]、木阑塞[398]以救达，懿分诸将以距之。初，达与亮书曰："宛[399]去洛八百里，去吾一千二百里。闻吾举事，当表上天子，比相反覆，一月间也，则吾城已固，诸军足办。吾所在深险，司马公必不自来，诸将来，吾无患矣。”及兵到，达又告亮曰："吾举事八日而兵至城下，何其神速也!”

【段旨】

以上为第十段，写魏复行五铢钱。孟达反复，叛魏归蜀。

【注释】

㉛要：通“徼”，取。㉜乙亥：四月初十日。㉝甲申：四月十九日。㉞荆、豫州：魏明帝时，荆州刺史治所在宛，在今河南南阳。豫州刺史治所在项，在今河南沈丘。㉟毛氏：河内（治所在今河南武陟西南）人。传见《三国志》卷五。㊱内事：后宫之事。㊲外政：指朝廷百官治理天下之政事。《礼记·昏义》谓："天子听外治，后听内职，教顺成俗，外内和顺，国家理治。”虞氏所言盖据此。㊳绌：通“黜”，贬退。㊴孝景：汉景帝。㊵弃市：死刑。㊶趾：脚。㊷黥：在人面、额上刺字，然后涂上墨的刑罚。又称为墨刑。㊸劓：割去人的鼻子的刑罚。㊹左趾：砍去人的左脚的刑罚。㊺宫刑：阉割男性

敌的耳中，这样做不是招徕远方之人的办法。现在可以按照锺繇减轻死罪的想法，把死刑减为削发服苦役，如嫌刑罚太轻，可使他们的服刑年限加倍，这样，对内有以生代死不可估量的恩德，对外不致招来用砍脚的刖刑来代替脚镣的骇人听闻的名声。”参加谋议的有一百多人，和王朗意见相同的占多数，魏明帝认为吴、蜀两国还没有平定，就暂时搁置了此事。

这一年，吴国昭武将军韩当去世，他的儿子韩综淫乱不守法规，害怕被治罪，闰十二月，便带领他的家属、部众来投降魏国。

起初，孟达受到魏文帝的宠幸，又和桓阶、夏侯尚亲善，到魏文帝去世，桓阶、夏侯尚也都相继去世，孟达心中不安，诸葛亮得到这个消息，就引诱他，孟达多次与诸葛亮通信，暗中许诺归蜀。孟达与魏兴太守申仪有仇怨，申仪秘密上表告发。孟达得知后，惶恐不安，想举兵反叛。司马懿写信加以安慰劝解，孟达犹豫不决，司马懿就秘密发兵讨伐。各位将领说：“孟达与吴、汉勾结串通，应当先观察一下再行动。”司马懿说：“孟达不讲信义，现在是他迟疑观望的时刻，应该趁他还没下决心时快速解决他。”于是日夜兼程，用了八天就赶到了孟达的城下。吴、汉各自派偏将向西城的安桥、木阑塞进军，救援孟达，司马懿也分派将领分头阻击。起初，孟达写信给诸葛亮说：“宛城距洛阳八百里，距我一千二百里。司马懿听到我起事，应当上表天子，往返来回，也就一个月过去了，那时我的城防已经牢固，各军足以防守。我所处的地方幽深险要，司马懿一定不会亲自前来，其他的将领来，我就没有危险了。”等司马懿率兵到达，孟达又告诉诸葛亮说：“我起事才八天，司马懿就已兵临城下，怎么如此神速呢！”

生殖器，破坏女子生殖机能的刑罚。㊱⑯ 孝文：汉文帝。㊱⑰ 髡：剃去人头发之刑。㊱⑱ 笞：用竹板或荆杖打人臀部、腿部之刑。㊱⑲ 朗：王朗。㊱⑳ 居作：罚作苦役之刑。㊳㉑ 訾：毁。392 刖：砍去人脚的刑罚，即斩趾之刑。393 钛：在脚上套刑具之刑。394 部曲：军队。此指亲兵、卫队。395 魏兴：郡名，即蜀汉之西城郡，太守申仪叛蜀降魏后，魏文帝改为魏兴郡，仍以申仪为太守，屯驻洵口，在今陕西旬阳东。以后魏兴郡之治所在西城县，在今陕西安康西北。396 西城：即西城县。397 安桥：在今陕西安康西，汉水之北。398 木阑塞：在今陕西旬阳东。以当时形势而论，大概蜀出兵安桥，吴出兵木阑塞。399 宛：当时司马懿屯驻于此。

【校记】

[13] 祀：据章钰校，甲十六行本作“纪”。

【研析】

本卷所载最大历史事件是吴蜀重结盟好。借此，这里研析一个专题：三国形成时期的外交。

所谓三国形成时期的外交，系指从公元二〇七年诸葛亮提出隆中路线，规划孙刘结盟抗曹起，到公元二二九年吴蜀订立中分天下盟约止，前后二十三年。其特点是，密切配合三方争夺荆州的军事斗争，成功地使“人谋”规划的鼎足三分变成了现实，它以历史走了曲折的道路而大放异彩，是我国古代列国外交史上的一枝奇葩。

外交是政治集团，国与国之间的一种政治对话。三国外交，是特指曹孙刘三个独立的政治集团，以及魏蜀吴三国鼎立之间所发生的交往，它为实现各自的政治目的服务，尤其是着重于对现实的形势服务。因此，我们评价三国外交的得失，不能用一个统一的标准，而只能依据各自现实的政治目的来衡量他们各自所采取的策略是否得当。例如赤壁之战前夕，曹操具有统一的形势，正确的外交策略是阻止孙刘结盟，各个击破，他没有做到这一点就是失策。反过来看孙刘，他们为了生存，携手联合抗曹，取得了胜利，其外交策略就是正确的。由于三方的最高政治目的，都是统一天下，这一形势决定了三国外交具有浓厚的互相利用的色彩，而没有真诚的联盟。所以刘孙之间的明争暗斗以及公开交战都是顺乎自然的。但总体形势决定了孙刘联盟才能生存，所以三国外交，其主旋律是孙刘联盟阻挡曹操的统一，以成鼎立之势，而后观天下之变。所谓“鼎立”就是保持三方之间的力量均衡，这可称之为均衡外交。吴蜀小国，连体相依，所以金戈铁马之后，仍能握手言和，魏吴联盟只是短暂地互相利用，因为小国与大国结盟是不平等的依附，随时都有被吞灭的危险。孙权附魏，称臣纳贡，坐卧不宁，这种联盟是不能持久的。这说明，外交的灵活有一定的限度，它不是“人谋”可以任意设计的，最终要受到形势的制约。高超的外交艺术能因势利导，取得胜利。

曹操、刘备都是一流的政治家，他们有魄力、有智慧，在三方斗争中善于化被动为主动，打出了不少好牌。曹操在与刘备争夺汉中之战失败以后，他改变了策略，挑动吴蜀火并，由进攻转为防御，让孙权腾出手来去进攻关羽。曹操的这一手，收到了预期的效果，削弱了吴蜀，摆脱了困境，保持了曹魏的优势。刘备在困境时也表现了智勇兼备的外交才能。建安十五年十二月（公元二一一年一月），他深入虎穴，求借荆州，诸葛亮曾加以劝阻，预料周瑜等人会设陷阱。果然周瑜和吕范都劝孙权软禁刘备，作为人质，挟制关羽、张飞驱驰疆场。孙权不从，采纳了鲁肃树操之敌的“上计”，刘备才幸免于难。数年后，刘备仍心有余悸，对庞统说，他料孙权“所防在北，当赖孤为援”（《三国志·庞统传》裴注引《江表传》）才计出险途的。刘备此行虽险，但对于局势的分析却了如指掌，好似战场用奇兵，走棋出奇着，死中求

活，得其所愿，表现了他的大智大勇。随后，刘备阻挡孙权伐蜀，权谋也运用得十分高超。先是推说新据诸郡，“未可兴动”，不与孙权合作。孙权说，刘璋不武，恐失益州，危及荆州。刘备回答说，曹操志在吴、会，同盟不宜自相攻伐。孙权不听，遣孙瑜率军独进。刘备以自己与刘璋同宗为辞而代璋请罪，同时进行军事部署，“使关羽屯江陵，张飞屯秭归，诸葛亮据南郡，备自往孱陵”，进退有节，有理有据，有实有虚，孙吴君臣，无如之何。但是曹操败于葛鲁之谋，刘备输于吕蒙之手，都是在自己鼎盛的时候遭到突然的挫折，不能不使人深思。曹操进兵赤壁，未能料到孙刘结盟，使他的强权外交断送了统一的大好形势，是曹操外交的一大失着。刘备命关羽北伐，没有料到吕蒙偷袭，根本原因就是因胜利而骄矜，放松了外交斗争。刘备得蜀，不把同盟放在眼里，寸土不让，以力相争，这是不得人心的。孙权愤然作色骂刘备：“猾虏乃敢挟诈！”决定以武力强索荆州，这是刘备黩武而招致的外交失败。复仇东伐，不听赵云等人的劝谏，不度德量力，不计后果，死抱住正统与道义，这是僵化外交断送了隆中路线。孙权奉行灵活外交，第一个果敢决策是借荆州给刘备，树操之敌，屏蔽东吴，联合作战，驱赶曹操还北。孙权第二个果敢决策是称臣于曹魏，袭杀关羽，夺回荆州，并在随后的夷陵之战避免了两线作战。孙权不仅决策果敢，而且手段灵活，笼络于禁护军浩周，利用质子之争赢得了备战时间。孙权发动的袭夺荆州之战，前后三年，全力对蜀，拖死了刘备，自己未受两线夹击，反而使刘备征吴还要防北，这是孙权在外交上的最大成功。荆州归吴，三国鼎立的地理均势形成。我们可以毫不夸张地说，诸葛亮隆中路线规划的三分蓝图，只是一个剧目的脚本，导演三分成功演出的不是诸葛亮，而是孙权。

外交从属于政治。三国之间的矛盾，蜀魏两国有正统与僭伪之分，因此是不可调和的。蜀汉国小力弱，需要结援孙权才能对抗曹魏。孙权是异军突起，可秦可楚。地理位置处于全国形胜的下游，联蜀才可能立国，附魏只能称臣。如果蜀亡，或者魏亡，吴国都将失去独立地位，这种政治形势和地理环境决定了吴国外交的摇摆，时而向敌称臣，时而以友为敌，魏强则联蜀，蜀强则附魏，顺应形势求得生存和发展。鼎立均衡是吴国生存的最佳环境，因此是孙吴君臣追求的政治格局。孙权的屈身辱志，陆逊的及时退防，都是为此。

蜀汉夷陵败北，刘备去世，诸葛亮痛定思痛，结束了死守原则的僵化外交，承认曹魏政权，认可孙权称帝，服从三国鼎立的现实，也采取了灵活外交，重新联吴抗魏。邓芝是一个优秀的外交家，很好地贯彻了诸葛亮的意图，重新修好吴蜀联盟，于是三国鼎立之局得以持续。

卷第七十一　魏纪三

起著雍涒滩（戊申，公元二二八年），尽上章阉茂（庚戌，公元二三〇年），凡三年。

【题解】

本卷记事起公元二二八年，迄公元二三〇年，凡三年，当魏明帝太和二年到太和四年。此时期最大事件是诸葛亮出师北伐，连年动众，收效甚微。首次出兵，误用马谡，蜀兵大败，诸葛亮丧失了夺取关中的最好时机。太和四年，曹魏反击，曹真兵出斜谷，亦无功而返，魏蜀形成对峙局面。孙权称帝，北进争合肥，亦无尺寸之功。曹魏取守势，蓄聚力量，疲弊吴蜀，魏明帝不失为一英主。此外，孙权经营台湾，值得大书一笔。

【原文】

烈祖明皇帝上之下

太和二年（戊申，公元二二八年）

春，正月，司马懿攻新城[①]，旬有六日，拔之，斩孟达。申仪久在魏兴，擅承制刻印，多所假授。懿召而执之，归于洛阳。

初，征西将军夏侯渊之子楙[②]尚太祖女清河公主，文帝少与之亲善。及即位，以为安西将军，都督关中，镇长安，使承渊处。

诸葛亮将入寇，与群下谋之。丞相司马[③]魏延曰："闻夏侯楙，主婿也，怯而无谋。今假延精兵五千，负粮五千，直从褒中[④]出，循秦岭[⑤]而东，当子午[⑥]而北，不过十日，可到长安。楙闻延奄[⑦]至，必弃城逃走。长安中惟御史[⑧]、京兆[⑨]太守耳。横门邸阁[⑩]与散民之谷，足周食也。比东方相合聚，尚二十许日，而公从斜谷来，亦足以达。

【语译】

烈祖明皇帝上之下

太和二年（戊申，公元二二八年）

春，正月，司马懿攻打新城，十六天，攻下城池，杀了孟达。魏兴郡守申仪，长期驻守魏兴，擅自假借圣旨，私刻官印，私授很多官职。司马懿把他召来并逮捕了他，送回洛阳。

当初，征西将军夏侯渊的儿子夏侯楙娶了太祖的女儿清河公主，魏文帝年轻时和他关系很好。等到即位，任命他为安西将军，总领关中事务，镇守长安，让他接替当年夏侯渊镇守的地区。

诸葛亮即将入侵魏国，与部下商议此事。丞相司马魏延说："听说夏侯楙是魏主的女婿，怯懦而无谋略，现在交给我精兵五千，运粮兵五千，直接从褒中出击，沿秦岭向东，到达子午道后就入谷北进，不过十天，可以到达长安。夏侯楙得知我突然兵临城下，必然弃城逃走。长安城中只有御史、京兆太守了。横门粮仓的储粮和逃散百姓留下的粮食，足够供给我军的军粮。等到魏国在东方集结起军队，尚需约二十多天，而明公自斜谷出兵，这段时间也完全可以到达。如此则一举就可以平定

如此则一举而咸阳[11]以西可定矣。”亮以为此危计，不如安从坦道，可以平取陇右[12]，十全必克而无虞，故不用延计。

亮扬声由斜谷道取郿[13]，使镇东将军赵云、扬武将军邓芝为疑兵，据箕谷[14]。帝遣曹真都督关右诸军军郿。亮身率大军攻祁山[15]，戎阵整齐，号令明肃。始，魏以汉昭烈既死，数岁寂然无闻，是以略无备豫[16]。而卒闻亮出，朝野恐惧，于是天水[17]、南安[18]、安定[19]皆叛应亮，关中响震，朝臣未知计所出。帝曰：“亮阻山为固，今者自来，正合兵书致人之术，破亮必也。”乃勒兵马步骑五万，遣右将军张郃督之，西拒亮。

丁未[20]，帝行如长安。

初，越嶲太守马谡才器过人，好论军计，诸葛亮深加器异[21]。汉昭烈临终，谓亮曰：“马谡言过其实，不可大用，君其察之。”亮犹谓不然，以谡为参军，每引见谈论，自昼达夜。及出军祁山，亮不用旧将魏延、吴懿等为先锋，而以谡督诸军在前，与张郃战于街亭[22]。

谡违亮节度，举措烦扰，舍水上山，不下据城。张郃绝其汲道，击，大破之，士卒离散。亮进无所据，乃拔西县[23]千余家还汉中。收谡下狱，杀之。亮自临祭，为之流涕，抚其遗孤，恩若平生。蒋琬谓亮曰：“昔楚杀得臣，文公喜可知[24]也。天下未定而戮智计之士，岂不惜乎！”亮流涕曰：“孙武[25]所以能制胜于天下者，用法明也。是以扬干乱法[26]，魏绛戮其仆。四海分裂，兵交方始，若复废法，何用讨贼邪！”

谡之未败也，裨将军巴西王平[27]连规谏谡，谡不能用。及败，众尽星散，惟平所领千人鸣鼓自守。张郃疑其有伏兵，不往逼也。于是平徐徐收合诸营遗迸[28]，率将士而还。亮既诛马谡及将军李盛，夺将军黄袭等兵，平特见崇显，加拜参军，统五部兼当营事[29]，进位讨寇将军，封亭侯[30]。亮上疏请自贬三等，汉主以亮为右将军，行[31]丞相事。

是时赵云、邓芝兵亦败于箕谷，云敛众固守，故不大伤，云亦坐贬为镇军将军[32]。亮问邓芝曰：“街亭军退，兵将不复相录[33]，箕谷军

咸阳以西的地区了。”诸葛亮认为这是冒险的计策，不如安稳地沿坦途而进，可以攻取陇右地区，有十拿九稳的把握取胜而不必忧虑，所以没有用魏延的计策。

诸葛亮声称取道斜谷道攻取郿县，派镇东将军赵云、扬武将军邓芝作为疑兵，据守箕谷。魏明帝派曹真统率关右各军进驻郿县。诸葛亮亲自率领大军攻打祁山，军容整齐，号令严明。当初，魏国认为汉昭烈帝刘备已死，几年默默无闻，因此丝毫没有防备。当突然得知诸葛亮出兵，朝廷内外都感到恐惧，于是天水、南安、安定三郡都反叛魏国响应诸葛亮，关中大为震动，朝廷大臣不知所措。魏明帝说：“诸葛亮本来是据山固守，现在前来自投罗网，正符合兵书上所说的招致敌人前来的策略，一定能击败诸葛亮。”便集结步、骑兵五万，派右将军张郃统率，向西进军抗击诸葛亮。

丁未日，魏明帝进至长安。

当初，越巂太守马谡才干与器识过人，喜欢谈论兵法，诸葛亮十分赏识器重他。汉昭烈帝刘备临终前对诸葛亮说：“马谡言过其实，不能重用，你可要明察。”诸葛亮不以为然，任命马谡为参军，每每召见马谡高谈阔论，从白天直到夜晚。等到出兵祁山，诸葛亮不用老将魏延、吴懿等人为先锋，而用马谡统率各军在前，和张郃在街亭交战。

马谡违反诸葛亮的指挥，措施琐碎混乱，放弃有水源之地，上山扎营，不下山据守城池。张郃切断马谡的取水通道，发动攻击，大败马谡，士卒溃散。诸葛亮进军没有据守之地，就挟持西县一千多家居民回到汉中。收捕马谡入狱，斩了他。诸葛亮亲自吊祭，为马谡痛哭流涕，抚养马谡遗留的子女，恩遇和马谡在世时一样。蒋琬对诸葛亮说：“从前楚国杀了得臣，晋文公喜形于色。现在天下尚未平定却杀死智谋之士，岂不可惜吗！”诸葛亮伤心流泪说：“孙武所以能在天下克敌制胜，原因是用法严明。因此扬干犯了法，魏绛就杀了他的仆人。如今四海分裂，战争才刚刚开始，如果再废止法纪，凭什么来讨伐敌贼呢！”

马谡未败之前，裨将军巴西人王平连连规劝马谡，马谡没能采纳。等到战败，士兵全部溃散，只有王平所率领的一千人擂着战鼓坚守营寨。张郃怀疑王平有伏兵，不敢进逼。因此王平渐渐聚拢各营残兵和溃散的兵众，率领将士退回。诸葛亮斩了马谡和将军李盛后，剥夺了将军黄袭等人的兵众，唯有王平特别受到重用，擢升他为参军，统领五部军队兼管汉中大本营的事务，晋升为讨寇将军，封亭侯。诸葛亮上奏请求将自己降职三级，汉主刘禅降诸葛亮为右将军，代理丞相事务。

此时赵云、邓芝的军队也在箕谷战败，赵云收拢部众坚守，所以损伤不大，赵云也因为兵败被贬为镇军将军。诸葛亮问邓芝说：“街亭败退，兵将四散没法集结，

退，兵将初㉞不相失，何故?”芝曰:“赵云身自断后，军资什物，略无所弃，兵将无缘相失。”云有军资余绢，亮使分赐将士。云曰:“军事无利，何为有赐，其物请悉入赤岸㉟库，须㊱十月为冬赐。”亮大善之。

或劝亮更发兵者，亮曰:“大军在祁山、箕谷，皆多于贼，而不破贼，乃为贼所破，此病不在兵少也，在一人㊲耳。今欲减兵省将，明罚思过，校变通之道于将来，若不能然者，虽兵多何益！自今已后，诸有忠虑于国者[1]，但勤攻吾之阙，则事可定，贼可死，功可跻足而待矣。”于是考微劳，甄㊳壮烈，引咎责躬，布所失于境内，厉兵讲武㊴，以为后图，戎士简练㊵，民忘其败矣。

亮之出祁山也，天水参军姜维㊶诣亮降。亮美维胆智，辟为仓曹掾㊷，使典军事。

曹真讨安定等三郡，皆平。真以诸葛亮惩于祁山，后必出从陈仓㊸，乃使将军郝昭等守陈仓，治其城。

【段旨】

以上为第一段，写诸葛亮第一次北伐，误用马谡丢失街亭而败。

【注释】

①新城：郡名，当时孟达为新城太守，治所在西城。以后移至房陵，在今湖北房陵。②夏侯渊之子楙：夏侯楙为夏侯惇之子，《三国志·魏书·夏侯惇传》载：“惇弟廉及子楙素自封列侯。初，太祖以女妻楙，即清河公主也。”裴松之注引《魏略》亦载：“楙字子林，惇中子也。文帝少与楙亲，及即位，以为安西将军、持节，承夏侯渊处都督关中。”据上所载，《通鉴》实误。夏侯渊，夏侯惇之堂弟。③丞相司马：官名，蜀汉丞相之属官有长史而无司马，当时因出兵，故特置司马以参与军事谋划。④褒中：县名，县治在今陕西勉县褒城镇南。⑤秦岭：山名，横亘于今川陕之间的大山脉，东起于甘肃天水市，西至河南三门峡市陕州区，而通常又指今陕西西安南之终南山一段为秦岭。⑥子午：即子午道，是古代关中和巴蜀的交通要道，北口称子，即今陕西西安南秦岭的一个

箕谷战败，兵将全部没有失散，是什么缘故？”邓芝说：“赵云亲自断后，军用物资，丝毫没有丢弃，兵将没有理由散失。”赵云有些剩余的军用绢帛，诸葛亮让他分赏给将士。赵云说：“军事上没有取得胜利，为什么赏赐，请将这些物资全部收入赤岸库，等到十月用作冬季犒赏。”诸葛亮对此大为赞赏。

有人劝诸葛亮再征调士兵，诸葛亮说：“大军在祁山、箕谷的时候，人数都比敌人多，但没有打败敌人，反倒被敌人打败，失误不在兵少，只在统帅一人。如今我想减兵省将，严明惩罚，反思过失，理清变通的策略用于来日，如果不能这样，即使兵多又有什么益处！自今往后，凡是尽忠忧国之士，尽管多多批评我的缺漏，那么战事就可以成功，敌人就会被消灭，功业就可以翘足而待了。”于是连微小功劳也考察，甄别出为国捐躯的烈士。诸葛亮引咎自责，在全国境内公开宣布自己的过失，磨砺兵器，讲习武事，进行以后的筹划，对将士精选训练，百姓很快忘掉了过去的失败。

诸葛亮出兵祁山时，天水郡参军姜维归降诸葛亮。诸葛亮赏识姜维的胆略，征辟他为仓曹掾，由他掌管军事。

曹真征讨安定等三郡，将其全部平定。曹真认为诸葛亮会以祁山之败为鉴戒，今后一定会从陈仓出兵，因此派将军郝昭等守卫陈仓，修治城池。

谷口；南口称午，在陕西洋县东，全长六百六十里。⑦奄：突然。⑧御史：指督军御史。当时曹魏遣督军御史与京兆太守共守长安。⑨京兆：即汉代京兆尹，魏文帝即位后称京兆郡，治所皆在长安。⑩邸阁：贮粮之所。⑪咸阳：古都邑名，为秦朝之都城，在今陕西咸阳东。⑫陇右：地区名，指陇山以西地区，约相当于今甘肃六盘山以西、黄河以东一带。⑬郿：县名，县治在今陕西眉县东北。⑭箕谷：在今陕西勉县褒城镇北十五里箕山中。⑮祁山：在今甘肃礼县东南。⑯备豫：预备。⑰天水：郡名，曹魏改汉阳为天水，治所仍在冀县，在今甘肃甘谷县东南。⑱南安：郡名，治所豲道，在今甘肃陇西县东南渭水东岸。⑲安定：郡名，治所临泾，在今甘肃镇原东南。⑳丁未：正月辛酉朔，无丁未，有误。应为二月十七日丁未。㉑器异：特别器重。㉒街亭：地名，在今甘肃秦安东北九十里的陇城镇。㉓西县：县治在今甘肃天水市西南。㉔文公喜可知：文公，春秋时晋文公。知，见。喜可知，即喜形于色。楚成王时，子玉得臣为令尹（相当于宰相），曾与晋文公大战于城濮，得臣失败而归，但楚成王却无赦令，得臣遂中途自杀而死。晋文公得知后非常高兴，即所谓“喜可知也”。事见《左传》僖公二十八年。㉕孙武：春秋时兵家，齐国人，曾以《兵法》十三篇见吴王阖闾，被任为将，以用法严明著称，曾率兵击破楚国。孙武所传《兵法》，世称《孙子兵法》。《史记》卷六十五有

传。㉖扬干乱法：扬干，春秋时晋悼公之弟。公元前五七〇年，晋悼公与诸侯会盟于鸡泽。古代诸侯会盟，皆有兵车相随，扬干却在鸡泽附近扰乱了晋国兵车行列，破坏了军容。当时主管晋军军法的中军司马魏绛，就杀了扬干之仆（驾车人），晋悼公最后也夸奖魏绛“能以刑佐民”。事见《左传》襄公三年。㉗王平（？至公元二四八年）：字子均，巴西宕渠（今四川渠县东北）人，所识不过十字，而善于用兵，官至镇北大将军，封安汉侯。传见《三国志》卷四十三。㉘遗迸：遗留及溃散的兵众。㉙统五部兼当营事：即总统当时五部兵，并兼管诸葛亮所在汉中之营。㉚亭侯：汉制，列侯功大者食禄县邑，小者食禄乡、亭。食禄于亭者称亭侯。㉛行：代理。㉜镇军将军：官名，魏晋之镇军将军在四征、四镇将军之上，而赵云自镇东将军贬为镇军将军，则蜀汉以镇军在四镇之下，是为杂号将军。㉝录：搜集。㉞初：完全。㉟赤岸：地名，又称赤崖，在今陕西汉中西

【原文】

夏，四月丁酉㊹，帝还洛阳。

帝以燕国徐邈㊺为凉州㊻刺史。邈务农积谷，立学明训，进善黜恶，与羌、胡从事，不问小过。若犯大罪，先告部[2]帅㊼，使知应死者，乃斩以徇㊽。由是服其威信，州界肃清。

五月，大旱。

吴王使鄱阳㊾太守周鲂㊿密求山中旧族名帅(51)为北方所闻知者，令谲(52)挑(53)扬州(54)牧曹休。鲂曰：“民帅小丑，不足杖任(55)，事或漏泄，不能致休。乞遣亲人赍笺以诱休，言被谴惧诛，欲以郡降北，求兵应接。”吴王许之。时频有郎官(56)诣鲂诘问(57)诸事，鲂因诣郡门下(58)，下发谢。休闻之，率步骑十万向皖(59)以应鲂。帝又使司马懿向江陵(60)，贾逵向东关(61)，三道俱进。

秋，八月，吴王至皖，以陆逊为大都督(62)，假黄钺(63)，亲执鞭以见之。以朱桓、全琮为左右督，各督三万人以击休。休知见欺，而恃其众，欲遂与吴战。朱桓言于吴王曰：“休本以亲戚见任，非智勇名将也。今战必败，败必走，走当由夹石(64)、挂车(65)。此两道皆险阨，若以万兵柴(66)路，则彼众可尽，而[3]休可生虏。臣请将所部以断之，若蒙

北。蜀汉在此建有军资库。㊱须：等待。㊲一人：谓统帅。㊳甄：鉴别。㊴厉兵讲武：磨砺兵器，讲习武事。㊵简练：精选训练。㊶姜维（公元二〇二至二六四年）：字伯约，天水冀县（今甘肃甘谷县东南）人，初为曹魏凉州从事、本郡参军（参谋郡军事）。投归蜀汉后，深得诸葛亮之信重，任命为征西将军。诸葛亮死后，继统其军，后为大将军，屡攻魏无功，而宦官黄皓又弄权于内，维遂领兵于外，不还成都。后锺会破蜀，维被迫投降，后又趁锺会叛魏，拟乘机复蜀，但事败被杀。传见《三国志》卷四十四。㊷仓曹掾：官名，丞相府属官，主管仓谷事。㊸陈仓：县名，县治在今陕西宝鸡东。

【校记】

［1］者：据章钰校，甲十六行本、乙十一行本皆无此字。

【语译】

夏，四月初八日丁酉，魏明帝由长安返回洛阳。

魏明帝任命燕国人徐邈为凉州刺史。徐邈重视农业，积蓄粮食；建立学校，彰明圣训；进拔善良，罢黜恶人。与羌人、胡人一起处事，不追究他们的小小过失。如果犯了大罪，先通报羌胡人的首领，让羌胡人首领知道犯罪人处死的原因，然后才斩首示众。因而羌人、胡人敬服他的声威和信誉，凉州全境安宁无事。

五月，魏国发生严重旱灾。

吴王孙权派遣鄱阳太守周鲂秘密访求在北方已经知名的山越宗族首领，让他去诱骗挑逗扬州牧曹休。周鲂说："山民头领，卑贱的小人，不足凭信，事情或泄露，不能诱致曹休，我请求派亲信拿我的书信去诱骗曹休，就说我受到谴责，害怕被杀，想献郡归降，请求派兵来接应。"吴王同意了。当时不断有郎官到周鲂那里责问各种事情，周鲂因此到鄱阳郡门外，削发谢罪。曹休得到情报后，率领步、骑兵十万进军皖城以接应周鲂。魏明帝又派司马懿进军江陵，贾逵进军东关，三路人马同时并进。

秋，八月，吴王到达皖城，任命陆逊为大都督，授予黄钺，亲自执鞭驾车召见陆逊。任命朱桓、全琮为左、右督，各率三万人马去攻击曹休。曹休发觉被欺骗，但仗着兵多，就想和吴兵交战。朱桓向吴王进言说："曹休不过是皇室宗亲才被重用，并不是大智大勇的名将。如今他来交战，必定失败，失败必定逃走，逃走时应经过夹石、挂车。这两条路都狭窄险要，如果用一万名士兵运栅栏堵塞道路，那么曹休的部众便会全部被消灭，而可以活捉曹休。臣请求率领所属部队去断路，若蒙大王

天威，得以休自效，便可乘胜长驱，进取寿春，割有淮南[67]，以规许、洛[68]，此万世一时[69]，不可失也。”权以问陆逊，逊以为不可，乃止。

尚书蒋济上疏曰：“休深入虏地，与权精兵对，而朱然等在上流，乘休后，臣未见其利也。”前将军满宠上疏曰：“曹休虽明果而希[70]用兵，今所从道，背湖旁[71]江，易进难退，此兵之挂地[72]也。若入无彊口[73]，宜深为之备。”宠表未报，休与陆逊战于石亭[74]。逊自为中部，令朱桓、全琮为左右翼，三道并[4]进，冲休伏兵，因驱走之，追亡逐北，径至夹石，斩获万余，牛马骡驴车乘万两，军资器械略尽。

初，休表求深入以应周鲂，帝命贾逵引兵东与休合。逵曰：“贼无东关之备，必并军于皖，休深入与贼战，必败。”乃部署诸将，水陆并进，行二百里，获吴人，言休战败，吴遣兵断夹石，诸将不知所出。或欲待后军，逵曰：“休兵败于外，路绝于内，进不能战，退不得还，安危之机，不及终日。贼以军无后继，故至此，今疾进，出其不意，此所谓‘先人以夺其心[75]’也，贼见吾兵必走。若待后军，贼已断险，兵虽多何益！”乃兼道[76]进军，多设旗鼓为疑兵[77]。吴人望见逵军，惊走，休乃得还。逵据夹石，以兵粮给休，休军乃振。初，逵与休不善，及休败，赖逵以免。

九月乙酉[78]，立皇子穆为繁阳王。

长平壮侯曹休上书谢罪，帝以宗室不问。休惭愤，疽发于背。庚子[79]，卒。帝以满宠都督扬州以代之。

护乌桓校尉田豫击鲜卑郁筑鞬，郁筑鞬妻父轲比能救之，以三万骑围豫于马城[80]。上谷[81]太守阎志，柔之弟也，素为鲜卑所信，往解谕之，乃解围去。

冬，十一月，兰陵成侯王朗卒。

【段旨】

以上为第二段，写吴魏夹石之战，陆逊大败曹休。

的神威，使得曹休投降效命，便可乘胜长驱直入，进取寿春，割据淮南，从而谋取许昌、洛阳，这是千载难逢的时机，不可失去。”孙权就此询问陆逊，陆逊认为不行，便作罢了。

魏国的尚书蒋济上奏说：“曹休深入敌境，和孙权的精兵对决，而朱然等人在长江上游，会乘机攻击曹休的后军，臣看不到有利之处。”前将军满宠上书说：“曹休尽管明智果断，然而很少指挥作战，现在他进军所走的路线，背靠湖泊，接近长江，进军容易，后退困难，这是用兵最忌讳的障碍之地。如果军队进入无彊口，应当严密戒备。”满宠的上表还没有得到回复，曹休和陆逊已经在石亭开战。陆逊自己率兵众在中路，命令朱桓、全琮为左右两翼，三路人马齐头并进，冲向曹休的埋伏部队，乘势赶走了他们。吴军乘胜追击逃亡的败军，直至夹石，斩杀俘获一万多人，缴获牛马骡驴车一万辆，以及几乎全部的军用物资器械。

当初，曹休上表请求率兵深入敌境接应周鲂，魏明帝命贾逵率兵东进与曹休会合。贾逵说：“敌贼在东关没有防备，一定会把军队集中到皖城，曹休深入和敌人作战，一定失败。”贾逵于是部署各位将领，水陆并进，前进二百里，抓获到吴人，吴人说曹休战败，吴国军队已经切断夹石，贾逵的各位将领不知所措。有人想要等待后援，贾逵说：“曹休在外兵败，退路断绝，进不能交战，退却无法返回，正是生死存亡的关键时刻，恐怕他支持不了一整天。敌人认为我军没有后续部队，因此才敢这样做。现在我军迅速前进，出其不意，这就是所谓‘抢先一步攻击，就可以挫败敌人的斗志’，敌人看到我军，一定会逃走。如果等待后援，敌人已经切断险路，我军即使再多又有什么用！”于是兼程进军，多处设置旌旗战鼓作为疑兵。吴军看见贾逵的军队，惊慌逃走，曹休才得以返回。贾逵占据夹石，补充曹休士兵和粮食，曹休的军队这才振作起来。当初，贾逵和曹休关系不好，到曹休战败，全仗贾逵才幸免于难。

九月二十九日乙酉，魏国册立皇子曹穆为繁阳王。

长平壮侯曹休上书请罪，魏明帝因为他是宗室未加追究。曹休羞愤，背生毒疮。庚子日，去世。魏明帝任命满宠接替曹休为扬州都督。

护乌桓校尉田豫攻击鲜卑人郁筑鞬，郁筑鞬的岳父轲比能前来救援他，率领三万骑兵在马城包围田豫。上谷太守阎志，是阎柔的弟弟，一向被鲜卑人所信赖，前往解释晓谕，轲比能便解围退去。

冬，十一月，魏国兰陵成侯王朗去世。

【注释】

㊹丁酉：四月初八日。㊺徐邈（公元一七二至二四九年）：字景山，燕国蓟县（今北京市西南）人，初为曹操丞相军谋掾，后为陇西、南安太守。魏明帝命他为凉州刺史，州内大治，官至大司农、光禄大夫。传见《三国志》卷二十七。㊻凉州：州名，治所姑臧，在今甘肃武威。㊼部帅：少数民族的部落头领。㊽徇：示众。㊾鄱阳：郡名，治所鄱阳县，在今江西鄱阳东。㊿周鲂：字子鱼，吴郡阳羡（今江苏宜兴南）人，有文武才，任鄱阳太守，诱曹休中计，致使曹休夹石之败。传见《三国志》卷六十。(51)山中旧族名帅：指山越的有名头领。(52)谲：欺骗。(53)挑：挑逗。此指引诱敌人进入伏击圈。(54)扬州：曹魏扬州，仅有东汉九江、庐江之地。刺史治所在寿春，在今安徽寿县。(55)杖任：依靠任用。(56)郎官：指尚书郎，主文书起草。(57)诘问：责问。(58)郡门下：指鄱阳郡门下。(59)皖：县名，县治在今安徽潜山。(60)江陵：县名，县治在今湖北江陵。(61)东关：地名，在濡须口，即濡须水入长江处，在今安徽无为东北。孙权曾于此筑坞，称濡须坞。其地又有东关、西关之称，东关之南岸孙吴筑有城，西关之北岸曹魏置有栅。(62)大都督：官名，总统内外诸军，为孙吴全国最高的军事统帅。(63)假黄钺：假，授予之意。黄钺，以黄金为饰的大斧，帝王威武的象征。假黄钺即授予总统内外诸军之权力。(64)夹石：镇戍名，在今安徽桐城北。(65)挂车：镇名，在今安徽桐城西。(66)柴：通“砦”，防守用的

【原文】

汉诸葛亮闻曹休败，魏兵东下，关中虚弱，欲出兵击魏，群臣多以为疑。亮上言于汉主曰：“先帝深虑以汉、贼不两立，王业不偏安，故托臣以讨贼。以先帝之明，量臣之才，固当知臣伐贼，才弱敌强；然不伐贼，王业亦亡，惟坐而待亡，孰与伐之！是故托臣而弗疑也。臣受命之日，寝不安席，食不甘味。思惟北征，宜先入南，故五月渡泸，深入不毛。臣非不自惜也，顾(82)王业不可偏全于蜀都，故冒危难以奉先帝之遗意也，而议者以[5]为非计。今贼适(83)疲于西(84)，又务于东(85)，兵法乘劳，此进趋之时也。谨陈其事如左：

“高帝明并日月，谋臣渊深，然涉险被创(86)，危然后安。今陛下未及高帝，谋臣不如良、平(87)，而欲以长计取胜，坐定天下，此臣之未解一也。刘繇、王朗各据州郡(88)，论安言计，动(89)引圣人，群疑满腹，

栅栏。⑰淮南：王国名，魏文帝黄初中改汉九江郡置，治所寿春，在今安徽寿县。⑱许、洛：许昌、洛阳。许为汉末献帝之都城，洛阳为曹魏之都城，皆曹魏时期的重地。⑲万世一时：谓经历万世，仅此时有此机会。犹言千载难逢。⑳希：少。㉑旁：通“傍”，靠近。㉒绖地：谓地形复杂，多障碍之地，即兵法所说的挂地。《孙子·地形》说：“地形有通者，有挂者。……我可以往，彼可以来，曰通。……可以往，难以返，曰挂。”㉓无彊口：在夹石东南。㉔石亭：地名，在今安徽潜山东北。㉕先人以夺其心：此语来源于《左传》宣公十二年孙叔引《军志》曰“先人有夺人之心”。意思是说，进攻在敌人之先，就可打击敌人的斗志。㉖兼道：加倍赶路。㉗疑兵：虚设以迷惑敌人之兵。㉘乙酉：九月二十九日。㉙庚子：九月丁巳朔，无庚子，应为十月庚子日。㉚马城：东汉为县，曹魏省，故县治在今河北怀安北。㉛上谷：郡名，治所沮阳，在今河北怀来东南。

【校记】

［2］部：原作“都”。据章钰校，甲十六行本、乙十一行本、孔天胤本皆作“部”，熊罗宿《胡刻资治通鉴校字记》同，今据改。〖按〗《三国志·魏书·徐邈传》亦作“部”。［3］而：原无此字。据章钰校，甲十六行本、乙十一行本皆有此字，张敦仁《通鉴刊本识误》同，今据补。［4］并：据章钰校，甲十六行本、乙十一行本、孔天胤本皆作“俱”。

【语译】

汉诸葛亮得知曹休战败，魏军东下，关中空虚，想出兵袭击魏国，群臣大都对此持怀疑态度。诸葛亮上书向汉后主刘禅进言说：“先帝深知汉与魏贼势不两立，帝王大业不可偏安于一隅，所以委托臣讨伐贼敌。凭先帝的英明，度量臣的才能，当然明白臣讨伐魏贼，才能太弱而敌人太强；但是不去讨伐魏贼，帝王之业也会消亡，与其坐等灭亡，还不如去讨伐魏贼！因此先帝毫不犹豫托付臣这一重任。臣从受命之日起，卧不安席，食不甘味，我考虑北征，应该首先进军南方，所以在五月渡过泸水，深入不毛之地。臣并非不爱惜自己，但想到王业不可偏安于蜀都，所以冒着危难去实现先帝的遗愿，但参与谋议的人认为这不是好的对策。现今魏贼刚在西面疲于奔命，又要到东边与吴国对抗，兵法上说要利用敌人的疲劳，这正是进击的时机。谨向陛下陈述臣的想法：

“汉高帝的贤明如同日月，谋臣的智慧渊博深广，但仍然历经艰险，身受创伤，然后才转危为安。现今陛下不如高帝，谋臣不如张良、陈平，却想用万无一失的办法取胜，坐而平定天下，这是臣困惑的原因之一。刘繇、王朗各自占据州郡，议论安危，商量计策，动辄援引圣人之言，然而却是满腹疑虑，心中充斥着各种困难，

众难塞胸，今岁不战，明年不征，使孙策坐大⑨⓪，遂并江东，此臣之未解二也。曹操智计殊绝于人，其用兵也，仿佛孙、吴⑨①，然困于南阳⑨②，险于乌巢⑨③，危于祁连⑨④，逼于黎阳⑨⑤，几败伯山⑨⑥，殆死潼关⑨⑦，然后伪定一时耳。况臣才弱，而欲以不危[6]定之，此臣之未解三也。曹操五攻昌霸⑨⑧不下，四越巢湖⑨⑨不成，任用李服⑩⓪而李服图之，委夏侯⑩①而夏侯败亡。先帝每称操为能，犹有此失，况臣驽下⑩②，何能必胜！此臣之未解四也。自臣到汉中，中间期年⑩③耳，然丧赵云、阳群、马玉、阎芝、丁立、白寿、刘郃、邓铜等及曲长⑩④、屯将⑩⑤七十余人，突将⑩⑥、无前⑩⑦、賨⑩⑧、叟⑩⑨、青羌⑪⓪、散骑、武骑⑪①一千余人，皆数十年之内所[7]纠合四方之精锐，非一州之所有。若复数年，则损三分之二，当何以图敌！此臣之未解五也。今民穷兵疲，而事不可息，事不可息，则住与行，劳费正等，而不及虚图之，欲以一州之地与贼支久⑪②，此臣之未解六也。

"夫难平者事也。昔先帝败军于楚⑪③，当此时，曹操拊手⑪④，谓天下已定。然后先帝东连吴、越⑪⑤，西取巴、蜀⑪⑥，举兵北征⑪⑦，夏侯授首⑪⑧，此操之失计而汉事将成也。然后吴更违盟，关羽毁败，秭归蹉跌⑪⑨，曹丕称帝。凡事如是，难可逆见。臣鞠躬尽力，死而后已。至于成败利钝，非臣之明所能逆⑫⓪睹也。"

【段旨】

以上为第三段，载诸葛亮《后出师表》。诸葛亮明知"民穷兵疲"，但"事不可息"，明知不可为而为之，鞠躬尽力而已。

【注释】

⑧②顾：想到。⑧③适：正。⑧④疲于西：指曹魏在郿县、祁山的军队刚与蜀汉交战之后，已经疲乏。⑧⑤务于东：指曹魏在江陵、东关、石亭之军队正与孙吴对抗。⑧⑥创：伤。⑧⑦良、平：指张良、陈平，汉高帝刘邦之谋臣。⑧⑧各据州郡：汉献帝兴平中刘繇为扬州刺史，王朗为会稽太守。⑧⑨动：动不动；动辄。⑨⓪坐大：安然不动而日趋强

今年不打，明年不征，眼睁睁看着孙策安然壮大，终于兼并江东，这是臣困惑的原因之二。曹操智略计谋超绝常人，他用兵打仗，如同孙武、吴起，但也曾在南阳被困，在乌巢遇险，在祁连遭危难，在黎阳受逼，几乎在伯山失败，差点在潼关丧命，然后才成就了一时平定的假象。何况臣才疏智浅，而想不经危难就平定天下，这是臣困惑的原因之三。曹操五次不能攻下昌霸，四次不能跨越巢湖，信用李服而李服谋害他，委任夏侯渊而夏侯渊败亡。先帝时常称赞曹操能干，尚且有这些过失，何况臣才能劣下，岂能必胜！这是臣困惑的原因之四。自从我到汉中，不过一年时间，就失去了赵云、阳群、马玉、阎芝、丁立、白寿、刘郃、邓铜等及其曲长、屯将七十多人，还有突击将领、所向无前的将领、賨人士兵、叟人士兵、青羌士兵、游击骑兵、武勇骑兵一千多人，这些都是经过数十年的时间所聚集起来的四方精英，并不是一州之地所能拥有的。如果再过几年，就会损失三分之二，将用什么去战胜敌人！这是臣困惑的原因之五。现在民穷兵疲，然而战事不可停息，既然战事不可停息，那么原地驻守与出兵征讨，所付出的劳务费用相等，为什么不趁关中空虚进攻它，却想凭借一州之地和敌人持久抗衡，这是臣困惑的原因之六。

“有些事是很难判断的。从前先帝在楚地失败，当时曹操拍手称快，认为天下已经平定了。然而后来先帝东联吴越、西取巴蜀，挥兵北征，杀了夏侯渊，这是曹操判断失误，而汉之大业将要成功的契机。可是后来吴国又违背盟约，关羽兵败身亡，汉军秭归受挫，曹丕称帝。大凡世事就是如此，难以预见。我将鞠躬尽力，死而后已。至于成败得失，并非我的智虑所能预见的。”

大。㉑孙、吴：指春秋时的兵家孙武，战国时的吴起。㉒困于南阳：指曹操在宛城被张绣所败。㉓险于乌巢：曹操与袁绍相持官渡，袁绍派淳于琼将兵护送运粮车队，曹操自将兵五千人袭击。淳于琼退守营垒，袁绍遣骑援助淳于琼。曹操兵少势弱，处境危险。由于士卒死战，大败淳于琼于乌巢，斩之。㉔危于祁连：大概指曹操围袁尚于祁山（在今河南安阳西）之事。㉕逼于黎阳：指曹操围攻袁谭、袁尚于黎阳。㉖几败伯山：指曹操北征乌桓，与乌桓战于白狼山之事。㉗殆死潼关：指曹操与马超初战于潼关，几乎不得渡河。㉘五攻昌霸：昌霸即昌豨。昌豨据东海郡叛，曹操多次未攻下，后被于禁所杀。㉙四越巢湖：指曹操数次攻孙权。⑩⓪李服：当时无此人，可能指王服。建安初王服与董承等谋除曹操被杀。⑩①夏侯：指夏侯渊。张鲁降后，曹操命夏侯渊驻守汉中，后被刘备部将黄忠所攻杀。⑩②驽下：比喻才能低下。⑩③期年：一年。⑩④曲长：古代军队编制，将军所统有部，部下有曲，曲下有屯。曲长，一曲之长。⑩⑤屯将：统领一屯之头领。⑩⑥突将：冲锋陷阵之勇将。⑩⑦无前：谓所向无前之将领。⑩⑧賨：古代居住于四川嘉

陵江与渠江流域的一少数民族，又称板楯蛮。⑩⑨叟：古代南中地区的一少数民族。⑪⓪青羌：羌人之一种。⑪⑪散骑、武骑：当时蜀汉骑兵分部之名。⑪⑫支久：持久。⑪⑬败军于楚：指建安十三年刘备在荆州被曹操所败。⑪⑭拊手：拍手称快。⑪⑮吴、越：江东古为吴、越二国之地，因以吴、越称江东地区。⑪⑯巴、蜀：巴郡与蜀郡。⑪⑦北征：指刘备征汉中。⑪⑧夏侯授首：指夏侯渊被杀。⑪⑨蹉跌：失足。比喻失误。⑫⓪逆：预先。

【原文】

十二月，亮引兵出散关⑫①，围陈仓。陈仓已有备，亮不能克。亮使郝昭乡人靳详于城外遥说昭，昭于楼上应之曰："魏家科法⑫②，卿所练⑫③也；我之为人，卿所知也。我受国恩多而门户重，卿无可言者，但有必死耳。卿还谢诸葛，便可攻也。"详以昭语告亮，亮又使详重说昭，言："人兵不敌，无为[8]空自破灭。"昭谓详曰："前言已定矣。我识卿耳，箭不识也。"详乃去。亮自以有众数万，而昭兵才千余人，又度⑫④东救⑫⑤未能便到，乃进兵攻昭，起云梯⑫⑥冲车⑫⑦以临城。昭于是以火箭逆射其梯，梯然，梯上人皆烧死。昭又以绳连石磨压其冲车，冲车折。亮乃更为井阑⑫⑧百尺以射城中，以土丸填堑⑫⑨，欲直攀城，昭又于内筑重墙。亮又为地突⑬⓪，欲踊出于城里，昭又于城内穿地横截之，昼夜相攻拒二十余日。

曹真遣将军费耀等救之。帝召张郃于方城⑬①，使击亮。帝自幸河南城⑬②，置酒送郃，问郃曰："迟⑬③将军到，亮得无⑬④已得陈仓乎？"郃知亮深入无谷，屈指计曰："比⑬⑤臣到，亮已走矣。"郃晨夜进道，未至，亮粮尽引去。将军王双追之，亮击斩双。诏赐昭[9]爵关内侯⑬⑥。

初，公孙康卒，子晃、渊⑬⑦等皆幼，官属立其弟恭。恭劣弱，不能治国，渊既长，胁夺恭位，上书言状。侍中刘晔曰："公孙氏汉时所用，遂世官⑬⑧相承，水则由海，陆则阻山，外连胡夷，绝远难制，而世权日久，今若不诛，后必生患。若怀贰阻兵，然后致诛，于事为难，不如因其新立，有党有仇，先其不意，以兵临之，开设赏募，可不劳师而定也。"帝不从，拜渊杨烈将军、辽东太守。

【校记】

[5]以：据章钰校，甲十六行本、乙十一行本皆作“谓”。[6]危：据章钰校，此字下甲十六行本、乙十一行本、孔天胤本皆有“而”字。[7]所：原无此字。据章钰校，甲十六行本、乙十一行本皆有此字，今据补。

【语译】

十二月，诸葛亮率兵出散关，围攻陈仓。陈仓已有防备，诸葛亮不能攻克。诸葛亮派郝昭的同乡靳详在城外远处喊话劝郝昭投降，郝昭在城楼上回应说：“魏国的法律，您是熟悉的；我的为人，您是了解的。我受国家厚恩且担负守卫门户的重任，您不必再说了，我只有拼死。您回去告诉诸葛亮，可以来攻了。”靳详把郝昭的话报告了诸葛亮，诸葛亮又让靳详再去劝降郝昭，说：“您的人马寡不敌众，不要因此白白地自取灭亡。”郝昭对靳详说：“前面我已说定了，我认识您，弓箭不认识您。”靳详便离去。诸葛亮自认为有数万兵众，而郝昭兵才一千多人，又估计东来的救兵不能及时赶到，就进兵攻打郝昭，架起云梯、出动冲车逼近城下。郝昭于是用火箭迎射云梯，云梯着火燃烧，梯上的人都被烧死。郝昭便用绳子系着石磨从上往下砸压汉军的冲车，冲车被砸毁。诸葛亮于是又制作百尺高的井字架栏，向城中射箭，用土块填平护城的壕沟，打算直接攀登城墙，郝昭又在城里筑起一堵墙。诸葛亮又挖掘地道，想钻进城里，郝昭又在城内横着挖掘壕沟拦截，昼夜互相攻防二十多天。

曹真派将军费耀等救援郝昭。魏明帝征召驻守方城的张郃，让他攻击诸葛亮。魏明帝亲自到河南城，设酒宴为张郃送行，问张郃说：“等将军赶到，诸葛亮该不会已经拿下陈仓吧？”张郃知道诸葛亮非常缺少军粮，掐指计算说：“等我赶到，诸葛亮已经撤走了。”张郃日夜赶路，还没到达，诸葛亮军粮没了，率军离去。将军王双追赶诸葛亮，被诸葛亮击杀。魏明帝下诏赐封郝昭为关内侯。

当初，公孙康去世，儿子公孙晃、公孙渊等全都年幼，所属官吏拥立公孙康的弟弟公孙恭。公孙恭才劣智弱，不能治国，公孙渊长大后，用胁迫的手段夺取了叔父公孙恭职位，上书朝廷详述了事情的经过。侍中刘晔说：“公孙氏在汉代被任用，于是子孙世袭官职，水路有海阻隔，陆路有山阻塞，外与胡人勾结，偏远难以控制，而且世袭权位已久，如今若不诛灭，将来必生祸患。如他怀有二心，守险抗拒，然后再去诛讨，就很艰难，不如趁他刚刚即位，内有仇党，在他没有料到之前，以大军压境，悬赏捉拿他，便可以不劳兵将就平定了。”魏明帝不听，任命公孙渊为杨烈将军、辽东太守。

吴王以扬州牧吕范为大司马，印绶未下而卒。初，孙策使范典财计，时吴王年少，私从有求，范必关白[139]，不敢专许，当时以此见望[140]。吴王守阳羡[141]长，有所私用，策或[142]料覆[143]，功曹周谷辄为傅著[144]簿书，使无谴问，王临时悦之。及后统事，以范忠诚，厚见信任，以谷能欺更簿书，不用也。

【段旨】

以上为第四段，写诸葛亮第二次出师，兵围陈仓，粮尽退军，斩魏追将王双。

【注释】

⑫散关：亦名大散关，在今陕西宝鸡西南的大散岭上，形势险要，古为军事重地。⑫科法：法律条令。⑬练：熟习。⑭度：推测。⑮东救：谓魏军自东而来救援陈仓。⑯云梯：古代攻城之工具。以大木为架，下有六轮，可转动，架上起飞梯和云梯，四面以生牛皮为屏蔽，人在内推进，至城，起飞梯于云梯之上，可以窥望城中，也可以登城。⑰冲车：古代攻城的战车，车辕前端置有铁，可以冲城。⑱井阑：登高攻城的工具，以木交叉构成，形似井栏。⑲堑：护城河。⑳地突：地道。㉛方城：山名，在今河

【原文】

三年（己酉，公元二二九年）

春，汉诸葛亮遣其将陈戒[145]攻武都、阴平[146]二郡，雍州[147]刺史郭淮引兵救之。亮自出至建威[148]，淮退，亮遂拔二郡以归。汉主复策拜亮为丞相。

夏，四月丙申[149]，吴王即皇帝位，大赦，改元黄龙。百官毕会，吴主归功于[10]周瑜。绥远将军[150]张昭举笏欲褒赞功德，未及言，吴主曰："如张公之计[151]，今已乞食矣！"昭大惭，伏地流汗。吴主追尊父坚为武烈皇帝，兄策为长沙桓王，立子登为皇太子，封长沙桓王子绍为吴侯。

吴王任命扬州牧吕范为大司马，印绶还没有颁发下来他就去世了。当初，孙策命吕范掌管财务，当时吴王孙权年轻，私下向吕范索求钱物，吕范一定向上报告，不敢专断私许，因此被孙权怨恨。吴王孙权代理阳羡县长时，有私用公家钱物的行为，孙策有时去核查，功曹周谷就伪造假账，使孙权不被谴责追究，那时孙权很喜欢周谷。等到孙权统管国事后，认为吕范忠诚，深为信任；因周谷伪造文书账簿，不加任用。

南叶县南。⑬² 河南城：在洛阳城西。⑬³ 迟：等到。⑬⁴ 得无：该不会。⑬⁵ 比：等到。⑬⁶ 关内侯：汉魏封爵之一，次于列侯，只有俸禄而无封地。⑬⁷ 渊：公孙渊，公孙康之子。胁夺叔父公孙恭之位后，魏明帝命他为辽东太守，又加拜大司马，封乐浪公。后叛魏，自称燕王，魏明帝遂遣司马懿征讨，渊兵败被杀。传见《三国志》卷八。⑬⁸ 世官：谓子孙相袭为同一官职，此指公孙氏相袭为辽东太守。⑬⁹ 关白：禀报。⑭⁰ 望：怨恨。⑭¹ 阳羡：县名，县治在今江苏宜兴南。⑭² 或：有时。⑭³ 料覆：审查。⑭⁴ 傅著：附着。

【校记】

[8] 无为：原无此二字。据章钰校，甲十六行本、乙十一行本、孔天胤本皆有此二字，张敦仁《通鉴刊本识误》同，今据补。[9] 昭：据章钰校，此字上甲十六行本、乙十一行本皆有“郝”字。

【语译】

三年（己酉，公元二二九年）

春，汉诸葛亮派部将陈戒攻打武都、阴平二郡，雍州刺史郭淮率军救援。诸葛亮亲自出兵到建威，郭淮退走，诸葛亮于是攻克二郡后回师。汉后主又委任诸葛亮为丞相。

夏，四月十三日丙申，吴王孙权登皇帝位，大赦天下，改年号为黄龙。文武百官都来朝会，吴主归功于周瑜。绥远将军张昭捧起朝笏准备称颂孙氏的功德，还没来得及开口，吴主说：“如果当初按张公的计谋行事，现在已经讨饭了！”张昭大为惭愧，伏地流汗。吴主孙权追尊父亲孙坚为武烈皇帝，哥哥孙策为长沙桓王，册立儿子孙登为皇太子，封长沙桓王的儿子孙绍为吴侯。

以诸葛恪[152]为太子左辅，张休[153]为右弼，顾谭[154]为辅正，陈表[155]为翼正都尉[156]，而谢景、范慎、羊衜[157]等皆为宾客，于是东宫号为多士。太子使侍中胡综作《宾友目[158]》曰："英才卓越，超逾伦匹[159]，则诸葛恪；精识[160]时机，达幽究微[161]，则顾谭；凝辩宏达[162]，言能释结[163]，则谢景；究学甄微[164]，游、夏[165]同科，则范慎。"羊衜私驳综曰："元逊才而疏，子默精而狠[166]，叔发[167]辩而浮，孝敬[168]深而狭[169]。"衜卒以此言为恪等所恶。其后四人皆败，如衜所言。

【段旨】

以上为第五段，写诸葛亮第三次出师，蚕食曹魏武都、阴平二郡。吴诸葛恪崭露头角。

【注释】

⑭⑤陈戒：据《三国志·诸葛亮传》应作"陈式"，《资治通鉴》误。⑭⑥武都、阴平：两郡名，武都，治所下辨，在今甘肃成县西。阴平，治所阴平道，在今甘肃文县。⑭⑦雍州：曹魏雍州刺史治所在长安，在今陕西西安西北。⑭⑧建威：即建威城，在今甘肃成县西北。东汉末于此置戍守。⑭⑨丙申：四月十三日。〖按〗孙吴于黄武二年（公元二二三年）采用《乾象历》，较魏、蜀用《四分历》的时间一般早一日。此丙申又相合。⑮⓪绥远将军：官名，魏晋四十号杂号将军中，绥远将军为第十四。⑮①张公之计：指建安十三年曹操带兵下江南，张昭主张迎降。⑮②诸葛恪：字符逊，诸葛瑾长子。后为抚越将军、丹阳太守，率兵进攻山越，迁出不少山越民至平原，并以其丁壮为兵。孙权死后，恪辅立

【原文】

吴主使以并尊二帝之议往告于汉。汉人以为交之无益而名体弗顺，宜显明正义，绝其盟好。丞相亮曰："权有僭逆之心久矣，国家所以略其衅情[170]者，求掎角[171]之援也。今若加显绝，雠我必深，更当[11]移兵东戍，与之角力，须并其土，乃议中原。彼贤才尚多，将相辑穆[172]，

吴主任命诸葛恪为太子左辅，张休为右弼，顾谭为辅正，陈表为翼正都尉，而谢景、范慎、羊衜等都为宾客，因而太子的东宫号称人才济济。太子命侍中胡综作《宾友目》说："英才卓越，超越同辈，是诸葛恪。深刻认识时机，洞察隐微，是顾谭。论辩通达，善解疑难，是谢景。学识精微，可比拟子游、子夏，是范慎。"羊衜私下驳斥胡综说："诸葛恪有才但粗疏，顾谭精明但狠戾，谢景善辩但虚浮，范慎深邃但褊狭。"羊衜终于因此言论被诸葛恪等人憎恶。后来这四人都遭失败，正如羊衜所说。

孙亮，任大将军，执国政，后被孙峻所杀。传见《三国志》卷六十四。⑮³ 张休：字叔嗣，张昭之子。后官至扬武将军，被诬告赐死。传见《三国志》卷五十二。⑮⁴ 顾谭：字子默，顾雍之孙。后为太常，平尚书事，因被诬谮，流放交州而亡。传见《三国志》卷五十二。⑮⁵ 陈表：字文奥，陈武之子。后官至偏将军，封都乡侯。传见《三国志》卷五十五。⑮⁶ 翼正都尉：官名，与上文左辅、右弼、辅正都尉皆为孙吴所置，职责是侍从辅导太子。⑮⁷ 衜：古"道"字。⑮⁸ 目：意谓根据某人的才品进行评论。⑮⁹ 超逾伦匹：超过同辈人。⑯⁰ 精识：见解深刻。⑯¹ 达幽究微：洞察隐微。⑯² 凝辩宏达：谓论辩坚定，论据充实，论理明白通达。⑯³ 释结：解开疙瘩，开释疑问。⑯⁴ 甄微：辨别细致。⑯⁵ 游、夏：孔子弟子子游、子夏。两人均精通文献。《论语·先进》曰："文学，子游、子夏。"这里借以赞誉范慎经学、文献底子深厚。⑯⁶ 狠：心狠。⑯⁷ 叔发：谢景字叔发。⑯⁸ 孝敬：范慎字孝敬。⑯⁹ 狭：心胸褊狭。

【校记】

[10] 于：原无此字。据章钰校，甲十六行本、乙十一行本、孔天胤本皆有此字，今据补。

【语译】

吴主派使者把并尊吴蜀二帝的建议前去告知蜀汉。蜀汉大臣认为与吴结交没有好处，双方称帝名不正言不顺，蜀国应深明大义，断绝与吴国的友好结盟。丞相诸葛亮说："孙权有僭逆的野心已经很久了，我国之所以不去追究他的僭位野心，为的是利用吴国来牵制曹魏，作为援军。现在如果公开断绝关系，吴对我会加深怨恨，我们势必转移兵力防守东方，跟吴国较量，只有等到吞并吴国之后，才可以谋议中原。

未可一朝定也。顿兵相守，坐而须⑬老，使北贼⑭得计，非算之上者。昔孝文卑辞匈奴，先帝优与吴盟，皆应权通变，深思远益，非若匹夫之忿者也。今议者咸以权利在鼎足，不能并力，且志望已满，无上岸之情⑮。推此，皆似是而非也。何者？其智力不侔⑯，故限江自保。权之不能越江，犹魏贼之不能渡汉⑰，非力有余而利不取也。若大军致讨，彼高当分裂其地以为后规，下当略民广境，示武于内，非端坐者也。若就其不动而睦于我，我之北伐，无东顾忧，河南之众不得尽西⑱，此之为利，亦已深矣。权僭逆之罪，未宜明也。”乃遣卫尉⑲陈震⑳使于吴，贺称尊号。吴主与汉人盟，约中分天下，以豫、青、徐、幽属吴，兖、冀、并、凉属汉，其司州㉑之土，以函谷关㉒为界。

张昭以老病上还官位及所统领，更拜辅吴将军，班亚三司，改封娄侯，食邑万户。昭每朝见，辞气壮厉，义形于色，曾已㉓[12]直言逆旨，中不进见。后汉使来，称汉德美，而群臣莫能屈。吴主叹曰：“使张公在坐，彼不折㉔则废㉕，安复自夸乎！”明日，遣中使劳问，因请见昭，昭避席㉖谢，吴主跪㉗止之。昭坐定，仰曰：“昔太后、桓王不以老臣属㉘陛下，而以陛下属老臣，是以思尽臣节以报厚恩，而意虑浅短，违逆盛旨。然臣愚心所以事国，志在忠益毕命而已。若乃变心易虑以偷荣取容，此臣所不能也。”吴主辞谢焉。

【段旨】

以上为第六段，写孙权称帝，蜀使陈震使吴庆贺，吴蜀订立中分天下条约。

【注释】

⑰ 衅情：隙欲；非分的欲望。⑰ 掎角：谓牵制夹击敌人。⑰ 辑穆：和睦。穆，通“睦”。⑬ 须：等到。⑭ 北贼：指曹魏。⑮ 无上岸之情：谓孙权只求保江东，无上岸北讨曹魏的打算。⑯ 不侔：不等；不够。⑰ 汉：汉水。⑱ 河南之众不得尽西：指曹魏河南之兵须防备孙吴，不可能完全调到西边与蜀汉抗争。⑲ 卫尉：官名，汉九卿之一，掌

吴国贤才仍然很多，将相团结和睦，不可能很快平定。屯兵相守，坐而等老，让北方的魏贼阴谋得逞，这不是上策。从前汉文帝对匈奴卑辞谦下，先帝宽容大度与吴结盟，都是一时的权宜变通之计，深思长远的利益，不像匹夫为一时愤恨用事。现在参与谋议的人都认为孙权以鼎足三分为有利，而不愿合力对敌，再说孙权已志得意满，没有上岸北伐的雄心了。其实这些说法，都似是而非。为什么？孙权的智力和兵力都不能与魏相敌，因此才以长江为限以求自保。孙权不能越过长江北上，就像魏贼不能渡过汉水南下一样，不是力量有余，而不夺取利益。如果我国大军伐魏，孙权的上策应当是分占魏国土地以为将来事业的根基，下策也会去掳掠魏国民众，广拓疆土，向国内显示威武，不会端坐不动的。即使他不行动而与我国和睦，我军北伐，没有东顾之忧，牵制魏国黄河以南的军队无法全部西进，只此一项利益，也已经够深远的了。因而对孙权僭逆的罪过，不应当显著揭露。”于是派卫尉陈震出使吴国，祝贺孙权称帝登极。吴主与汉结盟，约定中分天下，豫、青、徐、幽四州归属吴，兖、冀、并、凉归属汉，司州地区，以函谷关为界。

吴国张昭因为年老有病辞去官职，归还所辖军队，改任为辅吴将军，官位仅次于三公，改封娄侯，食邑一万户。张昭每次上朝，语气雄壮严肃，满脸正义之色，曾因直言违逆孙权的旨意，此后不肯进见孙权。后来汉使来吴，称颂汉德之美，但群臣没有谁能让汉使屈服。吴主叹息说：“假若张公在座，汉使不折服也会丧气，哪能再让他自夸呢！”第二天，派中使慰问张昭，借机请见张昭，张昭离开座位请罪，吴主跪下阻止。张昭坐定后，仰起头说：“从前太后、桓王没有把老臣托付给陛下，而是把陛下托付给老臣，因此我想尽臣节来报答厚恩，只因见识短浅，违背了陛下旨意。然而我是一心为国，志在尽忠效命死而后已。至于要老臣改变心志，用苟且逢迎来换取荣华富贵，这是老臣做不到的。”吴主向张昭表示歉意。

宫门警卫及宫中巡逻。⑱⓪陈震（？至公元二三五年）：字孝起，南阳（治所在今河南南阳）人，随刘备入蜀，初为汶山、犍为太守。后主刘禅时，为尚书令，以卫尉出使孙吴有功，封城阳亭侯。传见《三国志》卷三十九。⑱①司州：此司州非曹魏之司州，指汉代司隶校尉部。曹魏以河南尹、河内、河东、弘农、平阳等五郡为司州，以剩余的汉司隶校尉部合于雍州。汉司隶校尉部辖三辅（京兆尹、左冯翊、右扶风）、三河（河南尹、河内郡、河东郡）及弘农郡。⑱②函谷关：在今河南新安东。⑱③已：通“以”，因为。⑱④折：屈。⑱⑤废：丧气。⑱⑥避席：古人席地而坐，避席即离开座位。⑱⑦跪：古人铺席于地，两膝着席，臀部压在脚跟上叫坐；臀部离脚跟、伸直腰叫跪。⑱⑧属：即“嘱”，托付。

【校记】

[11] 更当：原作“当更”。据章钰校，甲十六行本、乙十一行本皆作“更当”，今据改。[12] 已：原误作“巳”。据章钰校，乙十一行本作“以”，与“已”通，古代典籍中常互写，今据改。

【原文】

元城哀王礼[189]卒。

六月癸卯[190]，繁阳王穆[191]卒。

戊申[192]，追尊高祖大长秋[193]曰高皇帝，夫人吴氏曰高皇后。

秋，七月，诏曰：“礼，王后无嗣，择建支子[194]以继大宗[195]，则当纂正统而奉公义，何得复顾私亲哉！汉宣继昭帝后，加悼考以皇号[196]；哀帝以外藩援立[197]，而董宏等称引亡秦[198]，惑误时朝，既尊恭皇[199]，立庙京都，又宠藩妾[200]，使比长信，叙昭穆[201]于前殿，并四位于东宫[202]，僭差无度，人神弗祐，而非罪师丹忠正之谏，用致丁、傅焚如之祸[203]。自是之后，相踵行之[204]。昔鲁文逆祀[205]，罪由夏父；宋国非度[206]，讥在华元。其令公卿有司深以前世行事为戒，后嗣万一有由诸侯入奉大统[207]，则当明为人后之义，敢为佞邪导谀时君，妄建非正之号，以干正统，谓考为皇，称妣为后，则股肱大臣诛之无赦。其书之金策，藏之宗庙，著于令典[208]。”

九月，吴主迁都建业[209]，皆因故府，不复增改。留太子登及尚书九官[210]于武昌，使上大将军[211]陆逊辅太子，并掌荆州及豫章三郡[212]事，董督[213]军国。

南阳刘廙[214]尝著《先刑后礼论》，同郡谢景称之于逊，逊呵之[13]曰：“礼之长于刑久矣，廙以细辩而诡[215]先圣之教，君今侍东宫，宜遵仁义以彰德音，若彼之谈，不须讲也！”

太子与西陵[216]都督步骘[217]书，求见启诲，骘于是条于时事业在荆

【语译】

魏国元城哀王曹礼去世。

六月二十一日癸卯，繁阳王曹穆去世。

二十六日戊申，魏明帝追尊高祖大长秋曹腾为高皇帝，夫人吴氏为高皇后。

秋，七月，魏明帝下诏说："礼制规定，王后没有生儿子，选立旁支之子以继承大宗，就应承袭大宗为正统，奉规制守正义，岂能再顾及个人原来的亲情呢？汉宣帝继为昭帝之后，追谥自己的生父为悼，又尊称皇考；哀帝以外藩入承大统即位，而董宏等援引亡秦为例，迷惑当时的朝廷，既尊生父刘康为'恭皇'，在京都建立宗庙，又尊崇刘康的妃妾傅昭仪为恭皇太后，把她与长信宫里的太后相比，在朝廷前殿排列恭皇和元帝的宗庙次序，在东宫并列四位太后，僭越礼制，毫无法度，人神都不会保佑，却反而非难归罪忠正规劝的师丹，招致丁太后和傅昭仪死后被火焚身之祸。从此之后，相继效法。从前鲁文公违礼祭祀，罪魁祸首是夏父弗忌；宋文公厚葬过度，华元应受责难。现今诏令公卿及有关负责官员要深深地以前代的做法为鉴戒，皇室后裔若有由诸侯入奉大统的，就应当明白作为他人之后的大义，有敢用奸邪之道诱导谀媚当时君主，妄自建立非正统的名号，冒犯正统，称其父为皇，其母为后，那么辅佐大臣也诛杀无赦。将这些内容写在金策上，收藏于宗庙里，载入法典中。"

九月，吴主迁都建业，使用旧有的官府，不再增修改建。让太子孙登和尚书九卿留守武昌，命令上大将军陆逊辅佐太子，并掌管荆州及豫章三郡事务，总督全国的军政事务。

南阳人刘廙曾著《先刑后礼论》，同郡人谢景在陆逊面前称赞这部书，陆逊大声斥责谢景说："礼教优于刑法由来已久，刘廙用烦琐的诡辩歪曲先圣的教诲，你如今侍奉东宫太子，应当遵循仁义之道来彰显有德之言，像刘廙那样的话，不可再讲了！"

太子孙登写信给西陵都督步骘，要求见面请教。步骘因此把荆州地区的事务，

州界者及诸僚吏行能以报之，因上疏奖劝曰：“臣闻人君不亲小事，使百官有司各任其职。故舜命九贤㉑⑧，则无所用心，不下庙堂㉑⑨而天下治也。故贤人所在，折冲㉒⓪万里，信国家之利器，崇替㉒①之所由也。愿明太子重以经意，则天下幸甚！”

张纮还吴迎家，道病卒。临困，授子靖[14]留笺㉒②曰：“自古有国有家者，咸欲修德政以比隆盛世，至于其治，多不馨香㉒③。非无忠臣贤佐也，由主不胜其情，弗能用耳。夫人情惮难而趋易，好同而恶异，与治道相反。《传》曰：‘从善如登，从恶如崩。’㉒④言善之难也。人君承奕世㉒⑤之基，据自然之势，操八柄㉒⑥之威，甘易同之欢，无假取于人。而忠臣挟难进之术，吐逆耳之言，其不合也，不亦宜乎！离则有衅㉒⑦，巧辩㉒⑧缘间，眩㉒⑨于小忠，恋于恩爱，贤愚杂错，黜陟㉓⓪失序，其所由来，情乱之也。故明君寤之，求贤如饥渴，受谏而不厌，抑情损欲，以义割恩，则上无偏谬㉓①之授，下无希冀㉓②之望矣。”吴主省书，为之流涕。

【段旨】

以上为第七段，写魏明帝无子，预下支子入承大统不得顾私亲之诏。孙权定都建业。

【注释】

⑱⑨礼：曹礼，魏文帝曹丕第六子，封元城王，死后谥曰哀。⑲⓪癸卯：六月二十一日。⑲①穆：曹穆，魏明帝曹叡之子，封繁阳，死后谥曰穆。⑲②戊申：六月二十六日。⑲③大长秋：官名，汉代皇后的近侍宦官，负责传达皇后旨意，管理宫中事务。此大长秋指魏明帝的高祖曹腾，他在汉桓帝时任大长秋。⑲④支子：嫡长子及继承先祖的儿子为宗子，其余的儿子为支子。⑲⑤大宗：始祖的嫡长子孙一系为大宗，其余的子孙为小宗。⑲⑥加悼考以皇号：汉宣帝是汉武帝史皇孙之子、戾太子之孙。汉武帝晚年因巫蛊事，戾太子自杀，史皇孙被害。汉宣帝即位后，追谥史皇孙为悼，后又尊称为皇考。见《汉书·宣帝纪》。⑲⑦哀帝以外藩援立：汉哀帝是汉成帝异母弟定陶恭王刘康之子，汉成帝无子，死后以哀帝继位，故谓之外藩援立。⑲⑧董宏等称引亡秦：汉哀帝即位后，成

以及其各官吏的品行才能逐条一一报告给孙登，借机上书鼓励规劝孙登说："我听说君主不亲自处理小事，让各级官吏各司其职。所以虞舜任命了九位贤人，自己就无所用心，不出庙堂而天下得到治理。所以贤人在位，就能拒敌于万里之外，他们确实是国家利器，兴亡的关键。希望英明的太子特别留意，那真是天下的幸运！"

张纮回到吴郡迎接家眷，在途中生病去世。临终前，把呈交孙权的遗表交给儿子张靖，遗表上说："自古拥有国家的人，都想修明德政与太平盛世比美，至于他们的治理，大多不够完美。并不是没有忠臣贤良辅佐，原因是君主无法克制私情，不能任用他们。人之常情是畏难趋易，喜欢相同的意见，憎恶不同的见解，与治国之道相违背。《传》上说，'从善就像登高一样，从恶就像山崩一样'，说的是从善的艰难。君主继承累世的基业，据有至高无上的权势，操持八种权柄的威严，喜欢与自己意见一致的话，无须采纳别人的意见。而忠臣提出难以实现的治国之策，口出逆耳之言，不合君主的心意，这不是很自然的事吗！上下离心离德就会出现裂隙，花言巧语的小人乘机离间，君主被这些小忠小信所迷惑，迷恋于个人的恩爱，贤良和愚恶混杂，罢黜与提升失去标准，形成这种情况的根源，就是私情作乱。因此圣明的君主省悟此事此情，于是求贤如饥似渴，接受规劝而不满足，抑制自己的情欲，用大义割断私恩，那么君主用人就不会发生偏颇，臣下就不会产生非分之想了。"吴主读了这篇遗表，感动得涕泪横流。

帝母王太后称太皇太后，居长信宫，成帝赵皇后称皇太后，高昌侯董宏便上书请依秦庄襄王尊生母夏氏、养母华阳夫人俱为太后之例，尊哀帝祖母傅氏为太后、母丁氏为皇后。当时师丹等认为董宏"引称亡秦以为比喻，诖误圣朝"，应治罪。事见《汉书·师丹传》。⑲既尊恭皇：汉哀帝即位后，尊定陶恭王刘康为恭皇。⑳又宠藩妾：董宏之议被驳后，哀帝祖母傅氏大怒，一定要称尊号，哀帝遂尊傅氏为恭皇太后，丁氏为恭皇后。㉑昭穆：古代的宗法制度，宗庙或墓地的辈次排列有严格的规定，始祖居中，二世、四世、六世等偶数世代位于左方，称为昭；三世、五世、七世等奇数世代位于右方，称为穆。以此来分别宗族内部的长幼亲疏远近。㉒东宫：指太后宫。当时太皇太后王氏称长信宫，后来汉哀帝又尊傅恭皇太后为皇太太后，称永信宫，尊丁恭皇后为帝太后，称中安宫；再加赵皇太后，并为四太后。㉓致丁、傅焚如之祸：汉平帝即位后，王莽执政，贬傅太后号为定陶恭王母、丁太后号为丁姬。后又发掘傅氏、丁氏墓，改用民礼埋葬。当打开丁氏棺椁时，突然起火，其中器物全遭焚毁。事见《汉书·外戚孝元傅昭仪传》。㉔相踵行之：指汉安帝尊父清河孝王刘庆为孝德皇，汉桓帝尊祖父河间孝王刘开为孝穆皇、父蠡吾侯刘志为孝崇皇，汉灵帝尊祖父河间王刘淑为孝元皇、父解渎亭侯刘苌

为孝仁皇。以上各王侯之妃皆尊为后。㉕鲁文逆祀：春秋时，鲁闵公死后鲁僖公继位，虽然二公是兄弟关系，但僖公是袭闵公之位，按宗法之礼，在太庙中，闵公的神位当然应在僖公之前，而鲁文公二年之太庙祭祀，却将僖公之神位升于闵公之前，这就叫逆祀。当时为宗伯的夏父弗忌还说，他看到新鬼（指僖公）大，故鬼（指闵公）小，先大后小，该顺序是合于礼的。而当时的正人君子认为这样做是失礼的。事见《左传》文公二年。㉖宋国非度：春秋时，宋文公死，始为厚葬，墓中用了蚌蛤炭和木炭，增加了随葬车马和器物，还用了人殉（活人随葬），棺和椁也精致华丽。当时君子就说，宋国的执政大臣华元有失臣道，国君活着的时候随他去放纵作恶，死了以后又增加其奢侈，这还算什么大臣？事见《左传》成公二年。㉗大统：皇帝位。㉘令典：国家之宪章法令。㉙建业：县名，原名秣陵，孙权改称建业，县治在今江苏南京。㉚九官：即九卿。㉛上大将军：官名，又称为上军大将军，魏、吴皆置，位在大将军上，是将军的最高称号。㉜三郡：指豫章、鄱阳、庐陵三郡。豫章郡治所南昌，在今江西南昌。鄱阳郡治所鄱阳县，在今江西鄱阳东。庐陵郡治所高昌，在今江西吉安南。㉝董督：总督。㉞刘廙：字恭嗣，南阳（今河南南阳）人。东汉末名士，魏大臣。初从刘表，投归曹操为黄门侍郎，文帝代汉，擢为侍中，赐爵关内侯。传见《三国志》卷二十一。㉟诡：欺诈。㊱西陵：县名，即汉之夷陵，孙权改名西陵，县治在今湖北宜昌东南。孙吴在边要之地皆置督，而西陵是吴国之西门，故特置都督镇守。㊲步骘：字子山，临淮淮阴（今江苏淮安市淮

【原文】

冬，十月，改平望观[233]曰听讼观。帝常言："狱者，天下之性命也。"每断大狱，常诣观临听之。初，魏文侯师李悝[234]著《法经》六篇，商君受之以相秦。萧何定《汉律》，益为九篇，后稍增至六十篇。又有《令》三百余篇，《决事比》[235]九百六卷，世有增损，错糅[236]无常，后人各为章句[237]，马、郑[238]诸儒十有余家，以至于魏，所当用者合二万六千二百七十二条，七百七十三万余言，览者益难。帝乃诏但用郑氏章句。尚书卫觊奏曰："刑法者，国家之所贵重，而私议之所轻贱；狱吏者，百姓之所县[239]命，而选用者之所卑下。王政之敝，未必不由此也，请置律博士[240]。"帝从之。又诏司空陈群、散骑常侍刘劭[241]等删约汉法，制《新律》十八篇，《州郡令》[242]四十五篇，《尚书官令》《军中令》合百八十余篇，于《正律》九篇为增，于旁章科令为省矣。

阴区南）人，初为孙权车骑将军东曹掾，又为交州刺史。孙权称帝后，为骠骑将军，都督西陵。后官至丞相。传见《三国志》卷五十二。㉑⑧ 舜命九贤：指舜任命禹为司空（掌水土）、弃为后稷（掌农事）、契为司徒（掌教化）、皋陶为士（掌刑狱）、垂为共工（掌百工）、益为朕虞（掌山泽）、伯夷为秩宗（掌郊庙）、夔为典乐（掌音乐教化）、龙为纳言（掌出纳王命）。事见《尚书·舜典》。㉑⑨ 庙堂：宗庙明堂。古代帝王遇大事，必告于宗庙，议于明堂。后世又以庙堂指朝廷。㉒⓪ 折冲：谓击退敌军。冲，战车。㉒① 崇替：兴亡。㉒② 留笺：遗表。㉒③ 馨香：香美。㉒④《传》曰三句：引自《周礼·天官》。㉒⑤ 奕世：累世。㉒⑥ 八柄：古代帝王驾驭臣下的八种手段，即爵（封爵）、禄（俸禄）、予（赐予）、置（安置）、生（养）、夺（没收）、废（放逐）、诛（责备）。事见《周礼·天官·太宰》。㉒⑦ 离则有衅：谓忠臣直言敢谏，多有逆耳之言，因而不合君主之意，于是君主与忠臣之间便有了隔阂。㉒⑧ 巧辩：花言巧语。㉒⑨ 眩：迷惑。㉓⓪ 黜陟：谓进退人才。降官称黜，升官称陟。㉓① 偏谬：偏颇；偏爱。㉓② 希冀：非分之想。

【校记】

［13］之：据章钰校，甲十六行本、乙十一行本皆作“景”。［14］靖：原无此字。据章钰校，甲十六行本、乙十一行本、孔天胤本皆有此字，张敦仁《通鉴刊本识误》、张瑛《通鉴校勘记》同，今据补。

【语译】

冬，十月，魏改平望观为听讼观。魏明帝常说：“审狱断案，关系到天下人的性命。”因此每次审断重要案件，魏明帝经常到听讼观旁听。古时，魏文侯的老师李悝著《法经》六篇，商鞅接受李悝的法理，用它来辅佐秦国。萧何据此制定《汉律》，增为九篇，后来逐渐增到六十篇。另有《令》三百多篇，《决事比》九百零六卷，历代有增有减，错杂混乱，没有定本。后来人各自引章析句以解读，有马融、郑玄诸儒十多家，以至于到了魏朝，应用的条令合计二万六千二百七十二条，七百七十三万多字，阅读起来更加困难。魏明帝于是下诏只用郑玄一家的章句。尚书卫觊上奏说：“刑法，是国家十分重视的，但是人们私下议论往往轻视它。法官之职，掌管百姓的性命，但选拔法官的官员认为法官地位卑下。国家政治的弊端，未必不是由此引起的，请求设置法律博士。”魏明帝采纳了这个建议。又诏令司空陈群、散骑常侍刘邵等删减汉代的法律，制定《新律》十八篇，《州郡令》四十五篇，以及《尚书官令》《军中令》共计一百八十多篇，比萧何的《正律》九篇有所增加，但比起其他附属律令要减省许多。

十一月，洛阳庙成，迎高、太、武、文[243]四神主于邺。

十二月，雍丘王植徙封东阿。

汉丞相亮徙府营于南山[244]下原上，筑汉城于沔阳[245]，筑乐城于成固[246]。

【段旨】

以上为第八段，写魏明帝颁布新律。

【注释】

㉝平望观：在洛阳华林园东南。㉞李悝：战国时法家。曾任魏文侯相，使魏国富兵强。李悝所著《法经》是中国最早的法典，有《盗法》《贼法》《囚法》《捕法》《杂律》《具法》六篇。㉟《决事比》：供狱官判断狱讼的比附案例。狱官判断狱讼时，如无旧例可援，则可比附《决事比》中之他例以判决。比，以例相比况。㊱糅：混杂。㊲章句：

【原文】

四年（庚戌，公元二三〇年）

春，吴主使将军卫温、诸葛直将甲士万人，浮海求夷洲[247]、亶洲[248]，欲俘其民以益众。陆逊、全琮皆谏，以为："桓王创基，兵不一旅。今江东见[249]众，自足图事，不当远涉不毛，万里袭人，风波难测。又民易水土，必致疾疫，欲益更损，欲利反害；且其民犹禽兽，得之不足济事，无之不足亏众。"吴主不听。

尚书琅邪诸葛诞[250]、中书郎[251]南阳邓飏等相与结为党友，更相题表[252]，以散骑常侍[253]夏侯玄[254]等四人为四聪，诞辈八人为八达。玄，尚之子也。中书监[255]刘放子熙、中书令孙资子密、吏部尚书[256]卫臻子烈三人咸不及比[257]，以其父居势位，容之为三豫[258]。

行[259]司徒事董昭上疏曰："凡有天下者，莫不贵尚敦朴忠信之士，

十一月，洛阳的宗庙建成，从邺城把高帝、太帝、武帝、文帝四位祖先的神主迎到宗庙供奉。

十二月，魏明帝改封雍丘王曹植为东阿王。

汉丞相诸葛亮将相府军营迁移到南山下的高地上，在沔阳县筑汉城，在成固县筑乐城。

分析古书的章节、句读。㉓⑧马、郑：马融、郑玄，东汉末之大经学家。㉓⑨县："悬"本字。㉔⓪律博士：属廷尉。㉔①刘卲："卲"《三国志》作"劭"。字孔才，广平邯郸（今河北邯郸）人，魏文帝黄初中为尚书郎、散骑侍郎，受诏纂《皇览》。魏明帝时，为骑都尉，作《新律》十八篇，又著《律略论》。后又受诏作《都官考课》。一生著述颇多，《法令》《人物志》为其代表。传见《三国志》卷二十一。㉔②《州郡令》：施行于刺史、太守。下文《尚书官令》施行于国政，《军中令》施行于军伍。㉔③高、太、武、文：指高帝曹腾、太帝曹嵩、武帝曹操、文帝曹丕。㉔④南山：即秦岭。㉔⑤沔阳：县名，县治在今陕西勉县东南。㉔⑥成固：县名，县治在今陕西城固西北。

【语译】

四年（庚戌，公元二三〇年）

春，吴主派将军卫温、诸葛直甲胄之卒一万人，渡海寻找夷洲、亶洲，想俘获当地百姓来扩充兵力。陆逊、全琮都加劝阻，认为："桓王孙策创立基业时，兵众不足一旅。目前江东现有部众，自身足够用以谋事，不应当远涉不毛之地，到万里之外去掳掠他人，海上风波难以预料。况且士兵改换水土环境，一定会生病，本想增加兵力，反而受损；本想获得利益，反而遭受祸害。况且那里的百姓犹如禽兽，得到他们不足以成事，没有他们也不会兵力亏损。"吴主不听从。

魏国尚书琅邪人诸葛诞、中书郎南阳人邓飏等相互结成朋党，互相品题称扬，以散骑常侍夏侯玄等四人为"四聪"，诸葛诞等八人为"八达"。夏侯玄，是夏侯尚的儿子。而中书监刘放的儿子刘熙、中书令孙资的儿子孙密、吏部尚书卫臻的儿子卫烈都不能和他们相提并论，因为这三人的父亲身居要职，容纳他们为"三豫"。

代理司徒董昭上疏说："凡是拥有天下的帝王，无不尊崇敦厚忠信之士，深恶虚

深疾虚伪不真之人者，以其毁教乱治，败俗伤化也。近魏讽伏诛建安之末，曹伟斩戮黄初之始。伏惟前后圣诏，深疾浮伪，欲以破散邪党，常用切齿。而执法之吏，皆畏其权势，莫能纠擿㉖⓪，毁坏风俗，侵欲滋甚。窃见当今年少不复以学问为本，专更以交游为业；国士不以孝悌清修为首，乃以趋势游利为先。合党连群，互相褒叹，以毁訾㉖①为罚戮，用党誉为爵赏，附己者则叹㉖②之盈言㉖③，不附者则为作瑕衅㉖④。至乃相谓：'今世何忧不度邪，但求人道不勤，罗之不博耳㉖⑤；人何患其不己知[15]，但当吞之以药而柔调耳㉖⑥。'又闻或有使奴客名作在职家人㉖⑦，冒之出入，往来禁奥㉖⑧，交通书疏，有所探问。凡此诸事，皆法之所不取，刑之所不赦，虽讽、伟之罪，无以加也。"帝善其言。

二月壬午㉖⑨，诏曰："世之质文㉗⓪，随教而变。兵乱以来，经学废绝，后生进趣㉗①，不由典谟㉗②，岂训导未洽，将进用者不以德显乎？其郎吏㉗③学通一经，才任牧民，博士课试，擢㉗④其高第㉗⑤者，亟用；其浮华不务道本者，罢退之。"于是免诞、飏等官。

【段旨】

以上为第九段，写吴主孙权浮海经营台湾。魏司徒董昭上疏禁朋党浮华。

【注释】

㉔⑦夷洲：岛名，即今台湾。《太平御览》卷七百八十引《临海水土志》所记夷洲的方位、气候、地形、物产以及当地的风俗习惯，均与台湾的自然环境及高山族的情况相符合。㉔⑧亶洲：岛名，今地未详。《史记·秦始皇本纪》张守节《正义》引《括地志》说："亶洲在东海中，秦始皇使徐福将童男女入海求仙人，止在此洲，共数万家，至今洲上人有至会稽市易者。吴人《外国图》云亶洲去琅邪万里。"㉔⑨见："现"的本字。㉕⓪诸葛诞：字公休，琅邪阳都（今山东临沂）人，诸葛亮之同族。魏明帝时为御史中丞、尚书。齐王芳正始中为扬州刺史、昭武将军。后为征东大将军，封高平侯。高贵乡公曹髦即帝位后，司马昭专权，诞据淮南反司马氏，兵败被杀。传见《三国志》卷二十八。㉕①中书郎：官名，即通事郎，魏文帝所置，魏明帝时又改称中书侍郎，为中书监、令之副，佐典尚书奏事。㉕②题表：品题表彰，即对人物评价后进行宣扬。㉕③散骑常侍：官名，魏

伪不真诚的人，因为虚伪的人败坏教化，扰乱治道，伤风败俗。近来有魏讽在建安末年被诛，曹伟在黄初初年被斩。臣低头沉思陛下前后的诏旨，极度憎恶浮华虚伪，想要粉碎奸邪的朋党，时常因此切齿愤恨。然而执法的官吏，都畏惧朋党的权势，没人敢检举揭发，以致风俗败坏的局面，日益严重。臣私下观察，现今的年轻人不再把学问当作根本，专门以交游为业；国士不把孝悌修身放在首位，却以趋炎附势谋取私利为先。他们拉帮结党，相互吹捧赞叹，把诋毁当作刑罚，把朋党的称誉作为爵赏，依附自己的人就赞不绝口，不依附自己的人就吹毛求疵。以至相互议论：'这一生何愁日子不好度过，只看你是否勤于人际关系，网罗的党友是否广泛；也无须担心别人不知道自己，只要让他吞下毁誉褒贬这副灵丹妙药，他就会柔顺服帖。'又听说有人用他的奴仆宾客充当在职的差役，冒名出入官府，往来宫禁，传递书信，探听宫中的奥秘。所有这一切，都是法律所不容许的，刑罚所不赦免的，即使是魏讽、曹伟的罪行，也不比这更严重。"魏明帝很赞同董昭的话。

二月初四日壬午，魏明帝下诏说："社会风气是质朴还是文雅，随着教化而变化。战乱以来，经学废置，年轻人进取的途径，不凭学习经典，这难道不是训导不当，或对被任用的人道德考察不够的缘故吗？郎吏能通晓一经，才能可以任官治民，博士考试，要提拔成绩优异的人，立即录用；浮华不务根本之道的，罢免不用。"于是罢免了诸葛诞、邓飏等人的官职。

文帝所置，备顾问，掌规谏。㉔夏侯玄（公元二〇九至二五四年）：字太初，夏侯尚之子。齐王芳正始中曹爽辅政，玄为散骑常侍、中护军，又为征西将军，假节都督雍、凉州诸军事。后被司马氏所诛杀。传见《三国志》卷九。㉕中书监：官名，魏文帝黄初初改秘书令置中书监、令，以参与机要，主拟诏旨。中书监位次略高于中书令。㉖吏部尚书：官名，曹魏改选部尚书为吏部尚书，主官吏之选用。㉗比：并列。㉘三豫：谓三人得参与品题。豫，通"与"。㉙行：代理。董昭资望轻，不能为三公，故为行司徒事。㉖⓪纠擿：揭发检举。㉖①毁訾：诋毁。㉖②叹：赞叹。㉖③盈言：谓过分称赞。㉖④瑕衅：缺陷；过错。㉖⑤今世何忧不度邪三句：意谓广布党友，则互为羽翼，身安而无患，可以度世。㉖⑥人何患其不己知二句：胡三省注："谓毁誉所加，彼诚好誉而恶毁，则其心柔服调顺，于我无忤，如吞之以药也。"㉖⑦在职家人：在职仆役。如尚书之主书、苍头、庐儿之类。㉖⑧禁奥：宫中。㉖⑨壬午：二月初四。㉗⓪质文：质朴与文雅。㉗①趣：通"趋"，趋向。㉗②典谟：《尚书》中有《尧典》《舜典》《大禹谟》《皋陶谟》等篇，因以典谟泛指儒家经典。㉗③郎吏：指尚书郎。尚书郎初至尚书台称守尚书郎，一年后称尚书郎，三年后选拔其能干者，称尚书侍郎。㉗④擢：提拔。㉗⑤高第：考试成绩列入优等。

【校记】

[15] 己知：据章钰校，甲十六行本、乙十一行本二字皆互乙。

【原文】

夏，四月，定陵成侯锺繇卒。

六月戊子[276]，太皇太后卞氏殂。秋，七月，葬武宣皇后。

大司马[277]曹真以汉人数入寇，请由斜谷[278]伐之，诸将数道并进，可以大克。帝从之，诏大将军司马懿溯[279]汉水由西城[280]入，与真会汉中，诸将或由子午谷，或由武威[281]入。司空陈群谏曰："太祖昔到阳平攻张鲁[282]，多收豆麦以益军粮，鲁未下而食犹乏。今既无所因，且斜谷阻险，难以进退，转运必见钞截，多留兵守要则损战士，不可不熟虑也。"帝从群议。真复表从子午道，群又陈其不便，并言军事用度之计。诏以群议下真，真据之遂行[283]。

八月辛巳[284]，帝行东巡。乙未[285]，如[286]许昌。

汉丞相亮闻魏兵至，次于成固赤坂[287]以待之。召李严使将二万人赴汉中，表严子丰为江州[288]都督，督军典严后事。

会天大雨三十余日，栈道断绝。太尉华歆上疏曰："陛下以圣德当成、康[289]之隆，愿先留心于治道，以征伐为后事。为国者以民为基，民以衣食为本。使中国无饥寒之患，百姓无离上之心，则二贼[290]之衅可坐而待也。"帝报曰："贼凭恃山川，二祖[291]劳于前世犹不克平，朕岂敢自多，谓必灭之哉！诸将以为不一探取，无由自敝，是以观兵[292]以窥其衅。若天时未至，周武还师[293]，乃前事之鉴，朕敬不忘所戒。"

少府杨阜上疏曰："昔武王白鱼入舟[294]，君臣变色，动得吉瑞，犹尚忧惧，况有灾异而不战竦[295][16]者哉！今吴、蜀未平，而天屡降变，诸军始进，便有天雨之患，稽阂[296]山险，已积日矣。转运之劳，担负

【语译】

夏，四月，定陵成侯锺繇去世。

六月十一日戊子，太皇太后卞氏去世。秋，七月，安葬武宣皇后卞氏。

大司马曹真认为蜀汉屡次入侵，请求经斜谷讨伐他们，多路将领同时推进，可以大胜。魏明帝听从了曹真的建议，诏令大将军司马懿逆汉水而上由西城进入，与曹真在汉中会合，各路将领或由子午谷或由武威入蜀地。司空陈群劝谏说："先前太祖到阳平进攻张鲁，大量收割豆麦以增加军粮，张鲁未被打败而粮食就已经匮乏，现今既无豆麦可以收割，况且斜谷地势险阻，难以进退，转运军粮必被抄掠截击，多留兵把守险要就会减少作战的士兵，对此不可不深思熟虑。"魏明帝采纳陈群的建议。曹真又上表请求从子午道出兵，陈群又陈述不便的理由，并谈及军事费用的情形。魏明帝下诏把陈群的建议批示给曹真，曹真却依据此诏立即出兵。

八月初五日辛巳，魏明帝巡视东方。十九日乙未，到达许昌。

汉丞相诸葛亮得知魏兵入侵，就结集重兵在成固赤坂等待魏兵。又召来李严让他率领二万人奔赴汉中，上表推举李严的儿子李丰任江州都督，督领军队主管李严的后勤事务。

正逢大雨下了三十多天，栈道断绝。太尉华歆上书说："陛下的圣德相当于周成王、周康王，希望陛下首先留心治国之道，把征伐作为以后的事情。治理国家的人以百姓为基础，百姓以衣食为根本。假若中原地区没有饥寒的忧患，百姓没有脱离陛下的想法，那么消灭吴、蜀二贼的机会，可以坐而等得。"魏明帝回复说："敌人凭据高山大川，前世太祖和世祖奔波劳苦，尚且不能平定，我岂敢自夸，说一定能消灭他们！各位将领认为如果不做一次进取，二贼没缘由自行败亡，因此炫耀武力以窥视敌人的破绽。如果天时未到，就效法周武王回师，这是前车之鉴，朕诚然不会忘记历史的教训。"

少府杨阜上书说："过去周武王伐纣，一条白鱼跃入所乘舟中，君臣大惊失色。行军中获得吉祥的征兆，尚且忧虑害怕，何况面临灾异，岂能不战栗吗！现在吴、蜀还没有平定，而上天屡降灾变，各军刚开始进军，就有天降大雨的灾患，被山险阻隔，已积时日。转运军需的劳累，肩挑背负的辛苦，耗费的已经很多，如果供应

之苦，所费已多，若有不继，必违本图。《传》曰：'见可而进，知难而退，军之善政也[297]。'徒使六军[298]困于山谷之间，进无所略，退又不得，非王兵[299]之道也。"

散骑常侍王肃[300]上疏曰："前志[301]有之：'千里馈粮，士有饥色；樵苏后爨[302]，师不宿饱[303]。'此谓平涂之行军者也。又况于深入阻险，凿路而前，则其为劳必相百也。今又加之以霖雨[304]，山坂峻滑，众迫而不展，粮远而难继，实行军者之大忌也。闻曹真发已逾月而行裁[305]半谷[306]，治道功夫，战士悉作。是贼偏得以逸待劳，乃兵家之所惮也。言之前代，则武王伐纣，出关而复还；论之近事，则武、文征权，临江而不济。岂非所谓顺天知时，通于权变者哉！兆民知上圣以水雨艰剧之故，休而息之，后日有衅，乘而用之，则所谓悦以犯难，民忘其死[307]者矣。"肃，朗之子也。

九月，诏曹真等班[308]师。

【段旨】

以上为第十段，写曹真伐蜀，无功而返。

【注释】

㉗⑥戊子：六月十一日。㉗⑦大司马：官名，曹魏并置太尉与大司马，而大司马为上公，位在三公上。㉗⑧斜谷：在今陕西眉县西南，为古褒斜道之北口。㉗⑨溯：逆流而上。㉘⓪西城：县名，县治在今陕西安康西北。㉘①武威：武威远在凉州，无必要派兵从武威入汉中。胡三省注说："'武威'恐当作'武都'，否则'建威'也。"㉘②太祖昔到阳平攻张鲁：事见本书卷六十七汉献帝建安二十年。㉘③据之遂行：据诏出发。魏明帝本下陈群所议与曹真商讨，曹真锐意出兵，便以诏为据起行。㉘④辛巳：八月初五。㉘⑤乙未：八月十九日。㉘⑥如：到。㉘⑦赤坂：山名，即龙亭山，因山坡赤色，故名赤坂，在今陕西洋县东二十里。魏兵溯汉水及从子午道入者，皆会于成固，所以诸葛亮率军在成固赤坂等待魏兵。㉘⑧江州：县名，县治在今重庆市南岸区。李严当时本都督江州，现因受命至汉中，故又命其子为都督督军。㉘⑨成、康：指周成王与康王。成、康之时，为周代盛世。㉙⓪二贼：指蜀汉与孙吴。㉙①二祖：指曹操、曹丕。魏明帝景初初，尊曹操为太祖武皇帝，曹

不继，便完全违背了行动的意图。《左传》说：‘见机可行则进军，知难以进攻则撤退，才是用兵的良策。’白白地让大军被困在山谷中，进无所取，又后退不得，这不符合王者之兵的原则。”

散骑常侍王肃上书说：“从前的记载有这样的说法：‘千里转运军粮，士兵会饿肚皮；等候砍柴草来烧饭，军队没有隔夜饱。’这说的是在平坦道路上行军的情况，又何况是深入险阻之地，开凿道路而进军，如此所耗费的劳苦一定是坦路行军的百倍。如今又加上连绵大雨，山路又陡又滑，军队窘迫不得施展，军粮遥远难继，这实在是行军的大忌。听说曹真出发已超过一个月，才走了子午谷的半程，修路的劳作，士兵们全部参加，这样反而使敌人能以逸待劳，这更是兵家所忌惮的。拿古代来说，便是武王伐纣，出了关而又退回；拿近事来论，就是武帝、文帝征讨孙权，到了长江边而不渡。这难道不正是所谓顺应天时，通达权变的做法吗！天下万民知道圣上因为大雨行军艰难，让士兵休息，日后敌人有破绽，再乘机利用，这正是所说的军民乐于冒险赴难，百姓才会拼死的原因。”王肃，是王朗的儿子。

九月，诏令曹真等班师。

丕为高祖文皇帝。㉜观兵：检阅军队以炫耀武力。此指用兵。㉝周武还师：殷商末年周文王死后，周武王率军东伐，至盟津，叛殷诸侯来会者八百，皆说：“纣可伐矣。”周武王认为时机还未成熟，遂撤军。事见《史记·周本纪》。㉞白鱼入舟：周武王东伐，至盟津渡河，船至中流，有白鱼跃入船中，武王取以祭拜。事见《史记·周本纪》。㉟战竦：通“颤悚”。恐惧发抖。㊱稽阂：阻隔不通。㊲军之善政也：此《传》语为《左传》宣公十二年随武子之言。㊳六军：天子之军。㊴王兵：王者之兵。㊵王肃（？至公元二五四年）：字子雍，王朗之子。魏文帝黄初中，为散骑黄门侍郎，魏明帝太和初为散骑常侍。后官至中领军。长于经学，曾为《尚书》《诗经》《论语》、三《礼》、《左传》作注解。传见《三国志》卷十三。㊶前志：前志之语见《史记·淮阴侯列传》李左车对陈余之言。㊷樵苏后爨：打柴割草然后做饭。谓行军后勤不继，吃饭时，临时找米找柴。㊸宿饱：犹言隔夜饱。因晚餐多吃，至次晨仍饱。不宿饱，没晚饭吃。㊹霖雨：连绵大雨。㊺裁：通“才”。㊻半谷：谓子午谷全程之半。㊼民忘其死：《周易·兑·彖辞》说，“说（悦）以犯难，民忘其死”。意思是说：能够使人民喜悦，乐意冒险犯难，人民就会忘记死亡的危险。㊽班：回归。

【校记】

［16］竦：据章钰校，甲十六行本作“悚”。

【原文】

冬，十月乙卯[309]，帝还洛阳。时左仆射[310]徐宣总统留事，帝还，主者奏呈文书。帝曰："吾省[311]与仆射省何异！"竟不视。

十二月辛未[312][17]，改葬文昭皇后于朝阳陵。

吴主扬声欲至合肥[313]，征东将军[314]满宠[315]表召兖、豫诸军皆集，吴寻退还，诏罢其兵。宠以为："今贼大举而还，非本意也，此必欲伪退以罢吾兵，而倒还乘虚，掩不备也。"表不罢兵。后十余日，吴果更[18]到合肥城，不克而还。

汉丞相亮以蒋琬为长史[316]。亮数外出，琬常足食足兵，以相供给。亮每言："公琰[317]托志忠雅，当与吾共赞王业者也。"

青州人隐蕃逃奔入吴，上书于吴主曰："臣闻纣为无道，微子[318]先出；高祖宽明，陈平[319]先入。臣年二十二，委弃[320]封域[321]，归命有道，赖蒙天灵，得自全致[322]。臣至止有日，而主者[323]同之降人，未见精别，使臣微言妙旨，不得上达，於邑[324]三叹，曷惟其已[325]！谨诣阙拜章，乞蒙引见。"吴主即召入。蕃进谢，答问及陈时务，甚有辞观[326]。侍中、右领军[327]胡综侍坐，吴主问："何如？"综对曰："蕃上书大语[328]有似东方朔[329]，巧捷诡辩有似祢衡，而才皆不及。"吴主又问："可堪何官？"综对曰："未可以治民，且试都辇[330]小职。"吴主以蕃盛语刑狱，用为廷尉监[331]。左将军朱据、廷尉[332]郝普[333]数称蕃有王佐之才，普尤与之亲善，常怨叹其屈。于是蕃门车马云集，宾客盈堂，自卫将军全琮等皆倾心接待，惟羊衜及宣诏郎[334]豫章杨迪拒绝不与通。潘浚子翥亦与蕃周旋[335]，馈饷[336]之。浚闻，大怒，疏[337]责翥曰："吾受国厚恩，志报以命[338]，尔辈在都，当念恭顺，亲贤慕善，何故与降虏交，以粮饷之！在远闻此，心震面热，惆怅[339]累旬。疏到，急就往使受杖一百，促责所饷。"当时人咸怪之。顷之，蕃谋作乱于吴，事觉，亡走，捕得，伏诛。吴主切责郝普，普惶惧，自杀。朱据禁止[340]，历时乃解。

武陵[341]五溪[342]蛮夷叛吴。吴主以南土清定，召交州刺史吕岱还屯长沙[343]沤口[344]。

【语译】

冬，十月十一日乙卯，魏明帝返回洛阳。当时左仆射徐宣留守，总管京师的事务。魏明帝回来后，各部门主管官员奏呈文书。魏明帝说："我审阅与左仆射审阅有什么不同！"竟然连看都不看。

十二月二十八日辛未，将文昭皇后改葬在邺城朝阳陵。

吴主声称要进兵合肥，魏国征东将军满宠上表请调动兖州、豫州各军都到合肥结集。吴军很快退回，魏明帝诏令退兵。满宠认为："如今敌人大举退兵，并不是他们的本意，这一定是想伪装撤退让我们退兵，然后回头乘虚而入，攻我不备。"上表请求不要退兵。十多天后，吴军果然重到合肥城下，未能攻克城池，退了回去。

汉丞相诸葛亮任命蒋琬为长史。诸葛亮多次外出征战，蒋琬都能调集到足够粮食和兵员，保障了后勤供给。诸葛亮时常说："蒋琬忠诚正直，他是和我共同辅佐帝王大业之人。"

青州人隐蕃逃奔到吴国，向吴主上书说："臣听说商纣暴虐无道，微子首先离国出走；汉高祖宽厚英明，陈平先来投奔。臣现年二十二岁，抛弃故土，归附有道的君王，有赖上天之灵，得以安全抵达。臣来此已有一些时日，而主管宾客之官将臣视同降服之人，不加考察鉴别，使臣的精言妙计无法进献，不禁忧郁苦闷连声叹息，怎么能止得住呢！臣恭敬地到宫门呈上奏章，请求蒙恩召见。"吴主立即召隐蕃入宫。隐蕃上前叩谢，回答问题和议论时事，谈吐举止，不同凡响。侍中、右领军胡综在座，吴主问："这人怎么样？"胡综回答说："隐蕃上书中说大话犹如东方朔，机灵敏捷、善于诡辩有如祢衡，但才能都比不上二人。"吴主又问："他适合担任什么官职？"胡综回答说："不可以治民，暂时在京都安排低级职务试用。"吴主鉴于隐蕃谈了许多关于刑狱的事，就任用他为廷尉监。左将军朱据、廷尉郝普屡次称赞隐蕃有辅佐帝王的才干，郝普与隐蕃尤其亲近友好，常常抱怨叹惜隐蕃受了委屈。于是隐蕃门前车马云集，宾客满堂，自卫将军全琮以下都倾心接待他，唯有羊衜和宣诏郎豫章人杨迪拒绝和隐蕃来往。潘浚的儿子潘翥也与隐蕃交往，并赠送粮食给他。潘浚听说后，大怒，写信责备潘翥说："我蒙受国家的厚恩，志在以命报效，你在京都，应当心怀恭顺，亲近贤良，仰慕善人，为什么和一个降贼交往，还送给他粮食！我在远方听说这些，心头震动，脸面发热，惆怅了几十天，书信到后，立即前往信使那里接受一百刑杖，立刻索回所赠的粮食。"当时人都对潘浚的做法感到奇怪。不久，隐蕃阴谋在吴作乱，事情被发觉，隐蕃逃走，终被捕获，处以死刑。吴主严厉地责备郝普，郝普惶恐畏惧，自杀了。拘禁了朱据，过了一段时间才释放。

武陵五溪蛮夷反叛吴国。吴主认为南方疆土清静安定，便召回交州刺史吕岱驻守长沙沤口。

【段旨】

以上为第十一段，写吴主孙权识察奸佞。

【注释】

㉚乙卯：十月十一日。⑩左仆射：仆射为尚书令之副。曹魏置左、右仆射，令缺，则左为省主。⑪省：看阅。⑫辛未：十二月二十八日。⑬合肥：县名，县治在今安徽合肥。⑭征东将军：官名，在汉代，征东、征西、征南、征北诸将军与杂号将军同。曹魏以后，则四征为上，位次于三公。⑮满宠：字伯宁，山阳昌邑（今山东巨野南）人，曹魏名将，守合肥抗拒孙吴，坚如泰山。明帝时官至太尉。传见《三国志》卷二十六。⑯长史：即丞相长史，为丞相之主要属官，职责是协助丞相，署理诸曹事。⑰公琰：蒋琬字公琰。⑱微子：殷纣王之庶兄。纣王无道，微子多次进谏，纣王不听，微子遂首先出走。事见《史记·宋微子世家》。⑲陈平：陈平先在项羽部下，后惧项羽诛杀，遂投归刘邦。⑳委弃：抛弃。㉑封域：指家乡。㉒得自全致：谓得自全至吴。㉓主者：指主管宾客之官。㉔於邑：通"郁悒"，忧闷，苦闷。㉕曷惟其已：此语见《诗经·绿衣》，意为怎么能阻止得住呢。㉖辞观：言辞与仪表。㉗右领军：官名，孙吴置中领军及左右领军，掌禁军。㉘大语：夸大之言。㉙东方朔：汉武帝时之文学家，性诙谐滑稽。㉚都辇：指京都。㉛廷尉监：官名，廷尉之属官。㉜廷尉：官名，列卿之一，掌司法刑狱。㉝郝普：字子太，刘备自荆州入蜀，以普为零陵太守，后被吕蒙骗降至吴，官至廷尉。事见《三国志·蜀书·杨戏传》附《季汉辅臣赞》。㉞宣诏郎：官名，孙吴所置，掌宣传诏命。㉟周旋：谓交结往来。㊱馈饷：赠送财物。㊲疏：此指写信。㊳志报以命：谓志在以命报效国恩。㊴惆怅：伤感。㊵禁止：拘禁。㊶武陵：郡名，治所临沅，在今湖南常德。㊷五溪：指雄溪、樠溪、沅溪、酉溪、辰溪。在五溪流域居住着南方少数民族，当时人们称之为"五溪蛮"。㊸长沙：郡名，治所临湘，在今湖南长沙。㊹沤口：今地不详。

【校记】

［17］辛未：原无此二字。据章钰校，甲十六行本、乙十一行本、孔天胤本皆有此二字，张敦仁《通鉴刊本识误》同，今据补。［18］更：据章钰校，此字下甲十六行本、乙十一行本皆有"来"字。

【研析】

诸葛亮北伐，是三国鼎立时期的一件大事。本卷《魏纪三》和下一卷《魏纪四》所载史事，诸葛亮北伐也是第一大事。因此，本卷研析，着重谈诸葛亮北伐的动因，

下一卷研析，专题谈诸葛亮北伐失败的原因。

先说，诸葛亮北伐过程。

诸葛亮北伐，袁枢的《资治通鉴纪事本末》标目为“诸葛亮出师”，学术界研讨命题为“诸葛亮北伐”。诸葛亮北伐，前后六次，五次进攻，一次防守。公元二二八年春，诸葛亮从汉中大举出祁山，志欲一举平陇右，由于马谡违亮节度，兵败街亭退回。同年，冬出散关，围陈仓，粮尽退兵。公元二二九年，第三次出兵蚕食魏境武都、阴平二郡。公元二三〇年，魏国分兵进攻汉中，诸葛亮防守，魏兵遇雨退回。公元二三一年，诸葛亮再出祁山，粮尽退军。诸葛亮鉴于后勤不继，在汉中实行大规模军屯，经过两年的充分准备，于公元二三四年再度大举北伐。诸葛亮出兵斜谷，屯田武功，欲与魏军作持久战，因积劳成疾，病逝五丈原而罢兵。由于诸葛亮北伐，第一次进兵祁山，所以习惯上称为六出祁山。

诸葛亮北伐是三国史研究中的一个热门课题，也是一个老生常谈的论题。由于诸葛亮在“隆中对策”中提出了以人谋智计安天下的路线，替刘备规划了三分天下的蓝图，经过十余年的征战，得以实现。诸葛亮被目为智慧的化身，认为他的“权智英略，有逾管晏”(晋人郭冲语，见《明帝纪》裴注引《魏书》)，但后来诸葛亮北伐，手握重兵，却未建奇功从而引发争议。先不谈成败，以及诸葛亮的主观能力，单从客观形势论，魏强蜀弱，魏大蜀小，而守与战，兵力财物有三倍之差，即进攻的一方要三倍于守，才相均衡。蜀国是攻不足而守有余，而诸葛亮为何要发动进攻呢？在当世就引起了人们的争论。总体来说，前人有三种意见。与诸葛亮同时代的吴国大鸿胪张俨所作《默记》提出了截然相反的两种意见。第一种意见肯定诸葛亮北伐，认为诸葛亮志在吞魏，饮马河、洛，只是死得太早，不然一定会成功。第二种意见否定诸葛亮北伐，认为诸葛亮处益州孤绝之地，战士不满五万，应闭关守境，蓄养士民，而连年动众，“使国内受其荒残，西土苦其役调”，空劳师旅，非明哲之士。西晋时论者，多讥诸葛亮“托身非所，劳困蜀民，力小谋大，不能度德量力”。明人王夫之提出了第三种观点，认为诸葛亮北伐是“以攻为守”，经略中原只不过是一个口号、一种理想而已。王夫之的观点为近现代时贤所公认。但是以攻为守，在理论上和实践上都是站不住脚的，也不符合诸葛亮北伐的实际。在理论上，弱国对抗强国，采取“以攻为守”，等于是弱小的一方主动挑起战争，古今中外无此实例。《孙子兵法》指出:“故善战者，致人而不致于人。”魏明帝曹叡也说:“亮阻山为固，今者自来，正合兵书致人之术，破亮必也。”(《明帝纪》裴注引《魏书》)以诸葛亮之明，不至于不懂得这个起码的军事常识。他在《后出师表》中明确地说:“今民穷兵疲，而事不可息。”可见北伐另有深意。如果诸葛亮北伐是“以攻为守”，那应是虚张声势，而不会亲率三军北驻汉中。从蜀汉立国路线上说，“以攻为守”，它的潜台词就是说诸葛亮以守土偏安为国策，这与诸葛亮本志与隆中路线是大相径庭的。

后人从历史事势的分析说，刘备发动夷陵之战，已经葬送了隆中路线，但诸葛亮并不这么看，他还要做主观的努力来兴复汉室。北伐的最高目的就是兴复汉室。千古名文《出师表》透出了个中信息。《出师表》恳切地劝说后主刘禅要奋发自励，不要妄自菲薄而满足于偏安王室，要亲贤远佞，兴复汉室。这里，诸葛亮表明了统一中原的壮志。他说："今南方已定，甲兵已足，当奖率三军，北定中原，庶竭驽钝，攘除奸凶，兴复汉室，还于旧都。"《后出师表》笔调凄凉，已无《出师表》的英气奋发，明知蜀国"民穷兵疲"，而仍然是"事不可息"。为什么"事不可息"，即一定要坚持北伐呢？因为诸葛亮所处地位、所肩负责任，以及他的本志，诸葛亮坚持北伐，有以下六大主要原因。

第一，兴复汉室，还于旧都，是根本原因。这一动因，诸葛亮在《出师表》中有明确论述，不赘引。

第二，树立威望，凝聚蜀汉人心。蜀汉统治集团的政治结构，有益州土著、刘璋旧部、刘备荆州集团三大部分。如何凝聚三大部分人士，团结蜀汉士民，诸葛亮必须提出服众、威众的基本国策。"奖率三军，北定中原"，"兴复汉室，还于旧都"，既可作激励人心的口号，又可作压倒一切的最高政治路线。诸葛亮《出师表》，开门见山摆出益州面临的艰难形势："先帝创业未半而中道崩殂，今天下三分，益州疲弊，此诚危急存亡之秋也。"诸葛亮紧接着笔锋一转，说："然侍卫之臣不懈于内，忠志之士忘身于外者，盖追先帝之殊遇，欲报之于陛下也。"诸葛亮劝谏后主怎么为宜，怎么为不宜，用的是先帝权威，指出团结士民，就要"光先帝之遗德"，完成先帝"创业未半"的事业，那就是北伐中原。蜀汉君臣，举国上下，一切为了北伐，一切服从北伐，这是前后两个《出师表》的基调。

第三，北伐曹魏，推动联吴外交。诸葛亮在公元二二三年十月主动派邓芝使吴，不失时机抓住曹丕大举伐吴的有利形势联吴。孙权狐疑不见，邓芝上书说："臣今来，亦欲为吴，非但为蜀也。"孙权这才接见邓芝，说出心里话，"孤诚愿与蜀和亲"。邓芝阐明"蜀有重险之固，吴有三江之阻。合此二长，共为唇齿"，这样"进可并兼天下，退可鼎足而立"的道理，孙权才下定决心，与蜀联盟，与魏断交。公元二二九年，诸葛亮已三次北伐，曹魏兵力西调，对吴压力减轻，孙权这才正式称帝。诸葛亮派陈震使吴庆贺，吴蜀两国签订中分天下条约，至此吴蜀联盟才得以巩固。如果诸葛亮不举兵北伐，吴蜀联盟就是一句空话。在联吴外交上，诸葛亮北伐与联盟是互为因果，相辅相成，形势使然。

第四，王业不偏安，北伐中原，死中求活。《后出师表》集中阐述"汉、贼不两立，王业不偏安"的道理。诸葛亮认为蜀汉不北伐中原，必然坐以待亡，与其"惟坐待亡"，不如"孰与伐之"，争一线生存希望。

第五，蚕食魏境，观衅伺隙。这一北伐战略早为法正劝刘备取汉中时所定。法

正认为，攻克汉中，“广农积谷，观衅伺隙，上可以倾覆寇敌，尊奖王室；中可以蚕食雍凉，广拓境土；下可以固守要害，为持久之计”。这就是说，汉中是蜀汉生存和发展的一块基地，以汉中为基地，兵出秦川，倾覆曹魏，此为上策。兵出陇右，广境拓土，是为中策。固守汉中，可以持久，此为下策。诸葛亮兵出祁山，即采法正之中策。出兵蚕食魏境，才能挑起事端，才能瓦解敌人阵线，也才能吸引兴汉的志士仁人，这叫“观衅伺隙”。诸葛亮在《后出师表》中进一步作了发挥。诸葛亮说："自臣到汉中，中间期年耳，然丧赵云、阳群、马玉、阎芝、丁立、白寿、刘郃、邓铜等及曲长、屯将七十余人。”又说："皆数十年之内所纠合四方之精锐，非一州之所有。若复数年，则损三分之二，当何以图敌!”由此，显然可见，诸葛亮不肯闭关息民与曹魏开展“和平竞赛”，因曹魏大国，蜀汉仅有一州，双方休养生息，国力日益拉大差距，只有坐以待亡了。诸葛亮认为，趁开疆拓土的老一代还有人在，及早与曹魏较量，或可有为，这就是“今民穷兵疲，而事不可息”的原因之一。

第六，统一大业，非己莫属。对此，陈寿在《上诸葛亮集表》中有精彩评说。陈寿说:“当此之时，亮之素志，进欲龙骧虎视，苞括四海，退欲跨陵边疆，震荡宇内。又自以为无身之日，则未有能蹈步中原，抗衡上国者，是以用兵不戢，屡耀其武。”这就是诸葛亮之为诸葛亮的本志，十分中肯。至于事功成败，那是另当别论。就其本志来说，它是一种精神。诸葛亮在《后出师表》中已经看到北伐难以取胜，说出“难可逆见”的话，但仍然认为，只要坚持北伐，尚有一线希望，即使一线希望也没有，由于“王业不偏安，汉贼不两立”，也要亮剑，“鞠躬尽力，死而后已”，这是在追步圣人孔子“知其不可而为之”的执着精神。诸葛亮的这一精神和品格修养，已成为民族文化的精神财富，涵养了中华民族的奋发自强精神。公元二三四年，诸葛亮病逝于北伐军中，星落关中五丈原，结束了悲壮的北伐事业，“出师未捷身先死，长使英雄泪满襟”，可歌可泣。也许诸葛亮怀抱遗恨而去，但他留给人们的是无限的怀念，无限的敬仰。诸葛亮的精神比他的事功，还要传之久远。

卷第七十二　魏纪四

起重光大渊献（辛亥，公元二三一年），尽阏逢摄提格（甲寅，公元二三四年），凡四年。

【题解】

本卷记事起公元二三一年，迄公元二三四年，凡四年，当魏明帝太和五年至青龙二年。本卷史事着重记载魏明帝、诸葛亮、孙权三人所历军国大事，相互形成对照，北强南弱形势已经鲜明显现。魏明帝雄略英明，不失为一个有为之君。励精图治，识刘晔之谄，纳曹植、杜恕之谏，准满宠之奏，改善内政，是一个明君。明帝也有昏聩之行，为殇女送葬，不符礼制，然亦是小疵。对抗吴蜀，西守东攻，打破吴蜀的东西夹攻，战略取守势，休养人民，疲弊吴蜀，获得成功。孙权此时刚愎自用，受欺于公孙渊，比于明帝，稍逊一筹。诸葛亮仍全力经营北伐，星落五丈原，做到了“鞠躬尽瘁，死而后已”，得到了古代历史家的好评，在当世就受到庶民百姓的颂扬缅怀，一代贤臣形象，跃然纸上。

【原文】

烈祖明皇帝中之上

太和五年（辛亥，公元二三一年）

春，二月，吴主假太常①潘浚节，使与吕岱督诸[1]军五万人讨五溪蛮。浚姨兄②蒋琬为诸葛亮长史，武陵太守卫旍③奏浚遣密使与琬相闻，欲有自托之计。吴主曰：“承明④不为此也。”即封旍表以示浚，而召旍还，免官。

卫温、诸葛直军行经岁，士卒疾疫死者什八九，亶洲绝远，卒不可得至，得夷洲数千人还。温、直坐⑤无功，诛。

汉丞相亮命李严以中都护⑥署府事⑦。严更名平。亮帅诸军入寇，围祁山⑧，以木牛⑨运。于是大司马曹真有疾，帝命司马懿西屯长安，督将军张郃、费曜、戴陵、郭淮等以御之。

【语译】

烈祖明皇帝中之上

太和五年（辛亥，公元二三一年）

春，二月，吴主授予太常潘浚符节，派他和吕岱统率各军五万兵马征讨五溪蛮。潘浚的姨表兄蒋琬担任诸葛亮长史，武陵太守卫旍奏告潘浚派密使和蒋琬联络，有托身归蜀的打算。吴主说："潘浚不会做这种事情。"随即把卫旍的奏表封好交给潘浚看，并召回卫旍，罢免了他的官职。

卫温、诸葛直率兵出海已一年多，士兵患疾病或染瘟疫而死的有十之八九。亶洲非常遥远，最后没能到达，掠得夷洲几千人而返。卫温、诸葛直因无功获罪，被杀。

汉丞相诸葛亮命李严以中都护的身份署理汉中留守府事务。李严改名李平。诸葛亮率领各路军队入侵，包围祁山，用木牛运输军粮。这时大司马曹真病重，魏明帝命司马懿西进屯驻长安，统领将军张郃、费曜、戴陵、郭淮等来抵抗诸葛亮。

三月，邵陵元侯曹真卒。

自十月不雨，至于是月。

司马懿使费曜、戴陵留精兵四千守上邽[10]，余众悉出，西救祁山。张郃欲分兵驻雍[11]、郿[12]，懿曰："料前军能独当之者，将军言是也。若不能当而分为前后，此楚之三军所以为黥布禽也[13]。"遂进。亮分兵留攻祁山，自逆懿于上邽。郭淮、费曜等徼[14]亮，亮破之，因大芟刈[15]其麦，与懿遇于上邽之东。懿敛军依险，兵不得交，亮引还。

懿等寻[16]亮后至于卤城[17]。张郃曰："彼远来逆我，请战不得，谓我利在不战，欲以长计制之也。且祁山知大军已在近，人情自固，可止屯于此，分为奇兵，示出其后，不宜进前而不敢逼，坐失民望也。今亮孤军食少，亦行去矣。"懿不从，故寻亮。既至，又登山掘营，不肯战。贾栩、魏平数请战，因曰："公畏蜀如虎，奈天下笑何！"懿病[18]之。诸将咸请战。

夏，五月辛巳[19]，懿乃使张郃攻无当监[20]何平[21]于南围[22]，自按中道向亮[23]。亮使魏延、高翔、吴班逆战，魏兵大败，汉人获甲首[24]三千，懿还保营。

六月，亮以粮尽退军，司马懿遣张郃追之。郃进至木门[25]，与亮战，蜀人乘高布伏，弓弩乱发，飞矢中郃右膝而卒。

【段旨】

以上为第一段，写诸葛亮公元二三一年第二次兵出祁山，在退兵途中击杀魏名将张郃。

【注释】

①太常：官名，列卿之一，掌礼乐、郊庙、社稷等事。②姨兄：即姨表兄，谓母之姐妹之子年长于本人者。③卫旍：旍，又作"旌"。字子旗，广陵（今江苏扬州）人，吴武陵太守，因诬告潘浚被免官。④承明：潘浚字承明。⑤坐：因某事而获罪。⑥中都护：官名，蜀汉所置，统内外军事。⑦署府事：指代管汉中留府事。署，署理、代

三月，邵陵元侯曹真去世。

从去年十月没有下雨，一直到这个月。

司马懿派费曜、戴陵留下四千精兵守卫上邽，其余的部众全部出动，西进救援祁山。张郃想分派部众驻守雍、郿二县。司马懿说："预料先头部队能独立抵挡敌军的话，将军的话是对的。如果先头部队不能抵挡敌军且分为前后两个部分，这就是楚的三军被黥布攻破的原因。"于是继续推进。诸葛亮分出一部分兵众留下攻打祁山，自己率军到上邽迎战司马懿。郭淮、费曜等拦击诸葛亮，被诸葛亮击败，趁机大肆收割上邽的麦子，和司马懿在上邽以东相遇。司马懿收拢军队据守险要，不与蜀军交战，诸葛亮率军撤回。

司马懿等尾追诸葛亮到达卤城。张郃说："敌人远道而来迎战我军，要求交战没有达到目的，认为我军以不战为利，企图用持久的战术制服他们。何况祁山的我军知道大军已在附近，人心自然稳定，应当让大军驻扎在这里，分出一支奇兵，表示要出击敌人的后背，不应当像现在这样既不宜向前进攻，又不敢紧逼，让民众大失所望。现今诸葛亮只是一支孤军，粮食又少，就要退走了。"司马懿不听从，依然尾随诸葛亮。追上后，又上山挖掘营垒，不肯交战。贾栩、魏平多次请战，并说："明公您畏蜀如虎，怎能不被天下人笑话！"司马懿内心实感羞愧。众将领都要求出战。

夏，五月初十日辛巳，司马懿派张郃到蜀军包围圈的南部攻打蜀无当监何平，自己据中路逼向诸葛亮。诸葛亮派魏延、高翔、吴班迎战，魏军大败，蜀军斩获三千首级，司马懿退保大营。

六月，诸葛亮因粮尽撤军，司马懿派张郃追赶蜀军。张郃前进到木门，和诸葛亮交战，蜀军登上高地设下伏兵，弓弩齐发，飞箭射中张郃右膝致其身亡。

管。⑧祁山：在今甘肃礼县东南。⑨木牛：诸葛亮创制的运输工具，《诸葛亮集》虽有所描绘，但具体形制仍不太清楚，有人认为木牛即后世所用的独轮车。⑩上邽：县名，县治在今甘肃天水市东南。⑪雍：县名，县治在今陕西凤翔南。⑫郿：县名，县治在今陕西眉县东北。⑬此楚之三军所以为黥布禽也：黥布发兵反汉后，东击破荆王刘贾，遂渡淮击楚。当时楚将已有准备，把军队分为三路，有人建议不宜如此，如果一军被破，其余二军就会溃散，楚将不听。果然黥布破其一军后，其余二军皆溃。事散见《史记·黥布列传》。⑭徼：通"邀"，截击。⑮芟刈：收割。⑯寻：尾随其后。⑰卤城："卤"为"西"字之讹。古"西"字写作"卣"，遂误为"卤"。西县城，在今甘肃天水市西南。⑱病：羞愧。⑲辛巳：五月初十日。⑳无当监：官名，大概蜀军有以"无当"为号之军营，意为无敌能挡的精勇部队。监护无当营的官即无当监。㉑何平：即蜀将王平。

少时随外祖姓何，后复姓王，字子均，巴西宕渠（今四川渠县）人，初为曹操部将，从操征汉中，败降刘备，为裨将军。随诸葛亮北伐，多有战功。官至安汉将军，领汉中太守。㉒南围：指蜀兵围祁山之南屯。㉓自按中道向亮：司马懿分道进兵以解祁山之围，司马懿则自据中道。按，据。㉔甲首：甲士之首级。㉕木门：地名，在今甘肃天水市西南。

【原文】

秋，七月乙酉㉖，皇子殷生，大赦。

黄初以来，诸侯王法禁严切㉗，吏察之急[2]，至于亲姻皆不敢相通问㉘。东阿王植上疏曰："尧之为教㉙，先亲后疏，自近及远。周文王刑于寡妻㉚，至于兄弟，以御于家邦。伏惟陛下资㉛帝唐㉜钦明㉝之德，体㉞文王翼翼㉟之仁，惠洽㊱椒房㊲，恩昭九族㊳，群后㊴百寮，番休递上㊵，执政不废于公朝，下情得展于私室，亲姻之路通，庆吊之情展，诚可谓恕己治人㊶，推惠施恩者矣。至于臣者，人道㊷绝绪，禁锢明时，臣窃自伤也。不敢乃望交气类㊸，修人事，叙人伦，近且婚媾㊹不通，兄弟乖绝，吉凶之问塞，庆吊之礼㊺废，恩纪之违，甚于路人，隔阂之异，殊于胡、越㊻。今臣以一切㊼之制，永无朝觐㊽之望。至于注心皇极㊾，结情紫闼㊿，神明知之矣。然天实为之，谓之何哉(51)！退惟诸王常有戚戚具尔(52)之心，愿陛下沛然(53)垂诏，使诸国庆问，四节(54)得展，以叙骨肉之欢恩，全怡怡(55)之笃义。妃妾之家，膏沐(56)之遗(57)，岁得再通，齐义于贵宗(58)，等惠于百司(59)。如此，则古人之所叹，风雅(60)之所咏，复存于圣世矣。臣伏自惟省(61)，无锥刀之用(62)。及观陛下之所拔授，若以臣为异姓，窃自料度(63)，不后于朝士矣。若得辞远游(64)，戴武弁(65)，解朱组(66)，佩青绂(67)，驸马、奉车(68)，趣(69)得一号，安宅京室，执鞭珥笔(70)，出从华盖(71)，入侍辇毂(72)，承答圣问，拾遗左右，乃臣丹诚之至愿，不离于梦想者也。远慕《鹿鸣》(73)君臣之宴，中咏《常棣》(74)匪他之诫，下思《伐木》(75)友生之义，终怀《蓼莪》(76)罔极(77)之哀，每四节之会，块然(78)独处，左右惟仆隶，所对惟

【校记】

[1] 诸：原无此字。据章钰校，甲十六行本、乙十一行本、孔天胤本皆有此字，张敦仁《通鉴刊本识误》同，今据补。

【语译】

秋，七月十五日乙酉，皇子曹殷出生，大赦天下。

黄初以来，对诸侯王的法禁严酷，官吏监察严厉，以至亲戚之间都不敢互通消息。东阿王曹植上疏说："唐尧推行教化，先亲后疏，由近及远。周文王以身作则给妻子做出榜样，再推及兄弟，以此来治理国家。臣想到陛下天生具备唐尧圣明之德，身体力行文王恭敬的仁爱，惠爱滋润后宫，恩德显扬九族，诸侯百官依次当值，更替休息，执政的官员不会荒废朝政，个人亲情可以在私室展现，亲戚往来之路畅通，喜庆丧吊的情感能够尽情表达，真可谓是推己及人，广施恩德了。至于臣下我，人际往来完全断绝，被禁锢在圣明的时代，臣私下甚感悲伤。不敢奢望结交志同道合的朋友，修复人情关系，维系人伦常情，近来姻亲尚且不通来往，兄弟关系断绝，吉凶得不到音讯，喜庆丧吊之礼废弃，亲情如此隔离疏远，超过了不相识的路人，感情隔阂，甚于胡人与越人。现今限制臣的一律不得例外的法禁，使臣永无入朝晋见的希望。至于臣心系陛下，情牵宫廷，只有神明才能知道。但这是上天的行为，无可奈何！退而思念各个亲王兄弟，免不了产生亲兄弟亲密无间的情怀，希望陛下像天降甘露一样，早日下诏，使各诸侯国之间相互祝贺问候，四时之节，能够探视相聚，述说骨肉亲情，成全兄弟和睦友爱之天理。王侯妃妾的娘家，馈赠脂粉，一年可以来往两次，使诸侯王在礼义上和其他皇戚相同，在待遇上与文武百官相当。如此，古人所赞叹的，《诗经》中《风》《雅》所咏唱的，就再现于圣明之世了。臣私下反省，我没有锥刀之用。但当我看到陛下所提拔任用的官吏时，我想如果把臣当作异姓，我自料不会比在朝之士差。如果能让臣辞去王侯的身，戴上侍中之冠，解除红绶带，佩戴青绶，得到驸马都尉、奉车都尉之类的一个官职，把家安在京城，手执马鞭，插笔冠侧，出行时跟随天子乘舆，入宫后侍奉天子，承答圣上的问话，在天子身边拾遗补阙，这就是臣这颗赤诚之心的最大愿望，也是梦寐以求的理想。臣上慕《鹿鸣》所描述的君臣宴乐，其次咏《常棣》所言'兄弟不是外人'的告诫，下而思《伐木》中求友的情意，最终感怀《蓼莪》所述的父母之恩没能报答的悲哀。每逢四时之节，臣寂寞独处，左右只有奴仆，面前只有妻子儿女，想要

妻子，高谈无所与陈，精义无所与展，未尝不闻乐而拊心，临觞⑲而叹息也。臣伏以为[3]犬马之诚不能动人，譬人之诚不能动天，崩城⑳、陨霜㉑，臣初信之，以臣心况㉒，徒虚语耳。若葵藿㉓之倾叶[4]，太阳虽不为回光，然向之者诚也。窃自比葵藿，若降天地之施，垂三光㉔之明者，实在陛下。臣闻《文子》曰：'不为福始，不为祸先。'今之否隔㉕，友于㉖同忧，而臣独倡言者，窃[5]不愿于圣世使[6]有不蒙施之物，欲陛下崇光被时雍㉗之美，宣缉熙㉘章明㉙之德也。"诏报曰："盖教化所由，各有隆敝㉚，非皆善始而恶终也，事使之然。今令诸国兄弟情礼简怠，妃妾之家膏沐疏略，本无禁锢诸国通问之诏也。矫枉过正，下吏惧谴㉛，以至于此耳。已敕有司，如王所诉。"

植复上疏曰："昔汉文发代，疑朝有变㉜，宋昌曰：'内有朱虚、东牟㉝之亲，外有齐、楚、淮南、琅邪㉞，此则磐石之宗，愿王勿疑。'臣伏惟陛下远览姬文㉟二虢㊱之援，中虑周成㊲召、毕㊳之辅，下存宋昌磐石之固。臣闻羊质虎皮，见草则悦，见豺则战，忘其皮之虎也㊴。今置将不良，有似于此。故语曰：'患为之者不知，知之者不得为也。'昔管、蔡放诛⑩⓪，周、召作弼⑩①；叔鱼陷刑，叔向赞国⑩②。三监⑩③之衅⑩④，臣自当之；二南之辅⑩⑤，求必不远。华宗贵族藩王之中，必有应斯举者。夫能使天下倾耳注目者，当权者是也。故谋能移主⑩⑥，威能慑下，豪右执政，不在亲戚，权之所在，虽疏必重，势之所去，虽亲必轻。盖取齐者田族⑩⑦，非吕宗也，分晋者赵、魏⑩⑧，非姬姓也，惟陛下察之。苟吉专其位，凶离其患者，异姓之臣也；欲国之安，祈家之贵，存共其荣，殁同其祸者，公族之臣也。今反公族疏而异姓亲，臣窃惑焉。今臣与陛下践冰履炭⑩⑨，登山浮涧，寒温燥湿，高下共之，岂得离陛下哉！不胜愤懑⑪⓪，拜表陈情。若有不合，乞且藏之书府，不便灭弃，臣死之后，事或可思。若有毫厘少挂圣意者，乞出之朝堂，使夫博古之士，纠臣表之不合义者，如是则臣愿足矣。"帝但以优文⑪①答报而已。

八月，诏曰："先帝著令，不欲使诸王在京都者，谓幼主在位，母

高谈阔论没有对象，精辟见解不能向人陈说，未曾不是听到音乐就扪心悲痛，举起酒杯就感伤叹息。臣以为犬马的诚心不能感动人，犹如人的诚心不能感动苍天一样，杞梁妻能哭倒城墙，邹衍能使夏日降霜，臣当初曾相信这些，但是以臣现在的心境来比对，这只不过是虚言罢了。正像葵花叶子倾向太阳，尽管太阳不回光反射，但倾向之心是真诚的。臣自比为葵花，若能得到天地般恩德的下降，下垂日月星三光之明，全在陛下了。我看到《文子》书上说：'不要抢先争福，也不要抢先惹祸。'现今的隔阂，兄弟们共同担忧，而臣之所以独自出面发言，是不希望在圣明之世假设有不能蒙受陛下恩泽之人，希望陛下崇尚唐尧时代和善的美俗，光大文王之世开明的德政。"魏明帝下诏回复说："教化的推行，各时代有兴衰，并非都是善始而恶终，而是形势使然。现今的法令，本意只要求各封国兄弟间，尽量减少人情应酬，妃妾娘家尽量减少脂粉馈赠，原本就没有禁锢各国互通讯息的诏令。矫枉过正，下面的官吏害怕受到谴责，以至出现了这种情况。已命令有关部门，依你所上诉的意见办理。"

曹植又上书说："从前汉文帝从代国出发赴京继承皇位，怀疑朝廷有变故，宋昌说：'朝中有朱虚侯、东牟侯这些亲戚，朝外有齐王、楚王、淮南王、琅邪王，这些都是坚如磐石的宗族，希望大王不要起疑心。'臣衷心希望陛下远思周文王依靠虢仲、虢叔完成王业，再思周成王时召公、毕公辅佐治国，三思宋昌皇族坚如磐石的比喻。臣听说羊披上虎皮，看见青草就欢喜，遇到豺狼就战栗，忘记了它身上披的是虎皮。如今任用的将领不良，好似上面说的这样。所以俗话说：'忧患在于做事的人不具备这方面的知识，而具备这方面知识的人又不能去做。'古代周成王诛杀管叔、放逐蔡叔，以周公、召公为辅佐；叔鱼被刺杀，叔鱼之兄叔向仍忠心为国。西周三监之乱，臣自当引为鉴戒；周、召二南之辅，不必远求。皇室显贵和藩王之中，一定有适应此职的人才。能使天下人耳目关注的，就是当权的人。所以谋略能改变君主的旨意，威望能使下面的人慑服，执政豪杰，不一定是皇亲国戚，大权在握，即使关系疏远照样举足轻重，权势已去，虽然是亲近的人也一定人微言轻。所以取代齐国的是田氏，不是吕氏，瓜分晋国的是赵氏、魏氏，不是姬氏，希望陛下明察。若在太平无事时占据权位，在灾祸降临时逃离的，一定是异姓之臣；希望国家安定，祈求家族显贵，存则共享荣华，亡则同担其祸的，必是皇族之臣。而今恰恰相反，疏远皇族，亲近异姓，臣深感困惑。如今臣与陛下一起履薄冰，踏炭火，攀高山，跨深涧，寒温干湿，好坏共担，哪能离开陛下呢！臣不胜悲愤苦恼，上表陈情。若有不合圣意之处，请暂且收藏在书府，不要毁弃，臣死之后，此事或许可以引人深思。如果有一点能合于圣意的，请求在朝廷公布，让博古通今之士，纠正臣奏书中不合道义的地方，能够这样，那我的愿望就满足了。"魏明帝用美诏答复而已。

八月，魏明帝正式下诏说："先帝曾经颁布诏令，不让诸王留在京城，是因为幼

后摄政，防微以渐，关诸盛衰也。朕惟不见诸王十有二载，悠悠⑪²之怀，能不兴思！其令诸王及宗室公侯各将嫡⑪³子一人朝明年正月。后有少主、母后在宫者，自如先帝令。”

【段旨】

以上为第二段，写曹植上奏明帝，陈述曹魏诸侯王，特别是自己，遭遇禁闭的痛苦。

【注释】

㉖乙酉：七月十五日。㉗严切：严酷。㉘通问：通消息。问，音讯；消息。㉙尧之为教：唐尧推行教化。教化的内容，据《尚书·尧典》说：“克明俊德，以亲九族，九族既睦，平章百姓，百姓昭明，协和万邦。”㉚刑于寡妻：《诗经·思齐》，“刑于寡妻。至于兄弟，以御于家邦”。刑，通“型”，示范之意。寡妻，寡德之妻，谦辞。御，治理。家邦，家和国。㉛资：天赋。㉜帝唐：唐尧。㉝钦明：恭敬而明智。《尚书·尧典》说尧“钦明文思”。㉞体：本身具备。㉟翼翼：恭慎貌。《诗经·大明》：“维此文王，小心翼翼。”㊱洽：沾润。㊲椒房：指后妃。古代皇后所居宫室，用椒和泥涂壁，取温香多子之义，后世因以椒房指后妃。㊳九族：指上至高祖，下至玄孙的九代。㊴群后：此指诸侯。㊵番休递上：谓在职百官依次轮休，又依次当值。㊶恕己治人：谓以自己之心去揆度他人之心。㊷人道：人伦之道。即君臣、父子、兄弟、夫妇、朋友各自应有的道德规范。㊸气类：同气相求之人，指曹植早年的文学朋友。㊹婚媾：婚姻，此泛指亲戚。㊺庆吊之礼：即婚丧之礼。婚礼为喜庆之礼，丧礼为吊唁之礼。㊻殊于胡、越：谓甚于胡、越。胡、越皆少数民族。胡在北方，越在南方，隔绝甚远。㊼一切：一概；一律。㊽朝觐：朝见天子。古时诸侯春天朝见天子称朝，秋天朝见天子称觐。㊾注心皇极：谓心系皇帝。皇极，指皇帝之位。㊿紫闼：皇宫门。51谓之何哉：对它怎么办呀。《诗经·北门》：“天实为之，谓之何哉！”王引之《经传释词》说“谓”犹“奈”，“谓之何”犹言“奈之何”。52戚戚具尔：意谓亲兄弟都亲近无间。《诗经·行苇》：“戚戚兄弟，莫远具尔。”戚戚，亲。具，俱。尔，与“迩”同，近。53沛然：迅疾地；及时地。54四节：春夏秋冬四时之节。55怡怡：《论语·子路》：“兄弟怡怡”。怡怡，和顺的样子。56膏沐：膏，润发油。沐，洗发液。皆妇女所用。57遗：赠送。58贵宗：指贵戚及公卿之族。59百司：百官。60风雅：指《诗经》。61惟省：思量。62无锥刀之用：谓能力弱，没用处，连锥刀之用都没有。63料度：估计。64远游：远游冠，王侯所

主在位，母后摄政，为的是防微杜渐，关系到国家的盛衰。朕考虑到不见诸王已有十二年了，悠悠之情怀，岂能不引发思念？现令各位封王及皇室的公侯各带领嫡子一人于明年正月入京朝贺。今后凡遇皇帝年幼、母后在宫中摄政的情况，自然按照先帝的诏令办理。”

戴。⑥⑤武弁：侍中等所戴之冠。⑥⑥朱组：朱组绶，王侯所佩带。⑥⑦青绂：青组绶，二千石以上官所佩带。“辞远游”“解朱组”谓放弃王侯爵位，“戴武弁”“佩青绂”谓在朝为官。⑥⑧驸马、奉车：即驸马都尉与奉车都尉，皆皇帝近侍官，驸马掌副车之马，奉车掌车舆。魏晋以后，二官多以宗室及外戚充任。⑥⑨趣：通“取”。⑦⓪珥笔：插笔于冠侧。⑦①华盖：指皇帝车舆。⑦②辇毂：皇帝车舆。代指皇帝。⑦③《鹿鸣》:《诗经·小雅》中的一篇。《毛诗序》说《鹿鸣》是宴群臣嘉宾之作。⑦④《常棣》:《诗经·小雅》中的一篇。《毛诗序》说《常棣》是宴兄弟之作。其中有“凡今之人，莫如兄弟”，即是“匪他”（非他人）之诫，亦即《诗经·頍弁》所说:“岂伊异人，兄弟匪他。”⑦⑤《伐木》:《诗经·小雅》中的一篇。《毛诗序》说《伐木》是宴朋友故旧之作。其中有“矧伊人矣，不求友生”之句。友生即友人。⑦⑥《蓼莪》:《诗经·小雅》中的一篇，其中有“哀哀父母，生我劬劳”“父兮生我，母兮鞠我”“欲报之德，昊天罔极”诸句。⑦⑦罔极：无穷。⑦⑧块然：孤单的样子。⑦⑨觞：酒杯。⑧⓪崩城：春秋时齐庄公袭莒城，齐大夫杞梁殖战死，其妻无子，又无亲人可依，遂至莒城下哭，感动路人，十日而城崩。事见《文选》李善注引《列女传》。⑧①陨霜：战国时，邹衍至燕国，尽忠于燕惠王，而惠王听信谗言，将邹衍囚禁起来，邹衍仰天而哭，时值盛夏，天竟降霜。事见《文选》注引《淮南子》。⑧②以臣心况：谓用臣下现在的心境来比对。⑧③葵藿：偏指葵，即向日葵。其花性向太阳，古人多用以比喻下对上之忠心。⑧④三光：日、月、星三光。⑧⑤今之否隔：现在的隔阂。否隔，闭塞不通。⑧⑥友于：兄弟。⑧⑦光被时雍：光被，光所照耀。时雍，和善。《尚书·尧典》有“光被四表”“黎民于变时雍”之语。⑧⑧缉熙:《诗经·维清》:“维清缉熙，文王之典。”缉熙，光明。⑧⑨章明:“章”“昭”义同，章明即昭明。《尚书·尧典》:“百姓昭明，协和万邦。”昭明，光明。缉熙昭明之德，即谓唐尧、周文王之德。⑨⓪隆敝：兴衰。⑨①谴：责备。⑨②疑朝有变：西汉初，吕后死，诸吕作乱，周勃等平乱后迎立代王刘恒，即后来的汉文帝。当时代王官属中有人怀疑周勃等不可信，宋昌分析当时形势，劝代王勿疑。事见《汉书·文帝纪》。⑨③朱虚、东牟：朱虚侯刘章、东牟侯刘兴居，为汉高祖之孙。⑨④齐、楚、淮南、琅邪：齐王刘襄，汉高祖之孙。楚王刘交，汉高祖之弟。淮南王刘长，汉高祖之子。琅邪王刘泽，汉高祖之从祖弟。⑨⑤姬文：周文王。⑨⑥二虢：指虢仲与虢叔，周文王之母弟。二人皆助文王，奠定了周人得天下之基础。事见《左

传》僖公五年。⑰周成：周成王。⑱召、毕：召公奭与毕公高，周之宗室，皆辅助周成王。⑲忘其皮之虎也：谓羊披上虎皮，见到草则喜悦高兴，见到豺就恐惧颤抖，因为它忘了自己披的是虎皮。语见扬子《法言·吾子》。⑳管、蔡放诛：管叔、蔡叔皆周武王之弟。周武王死后，成王即位，而成王年幼，周公代为执政，管叔、蔡叔因不满而怀疑周公，遂与武庚叛乱。周公东征平叛后，诛杀武庚、管叔，放逐蔡叔。事见《史记·周本纪》。㉑周、召作弼：周成王年长后，周公还政成王，成王遂以周公为师，召公为保，以辅助自己。事见《史记·周本纪》。㉒叔鱼陷刑二句：叔向是春秋时晋国大夫，叔鱼是其弟。叔鱼为代理刑狱官。当时邢侯与雍子争田，久而未决，韩宣子使叔鱼判决。雍子知罪在己，遂将女儿送与叔鱼为妾，叔鱼因而归罪于邢侯。邢侯大怒，杀叔鱼与雍子于朝。韩宣子知叔向公正，便问三人是否有罪，叔向认为三人皆有罪，请依刑法惩处。于是杀邢侯，陈叔鱼、雍子之尸于市。事见《左传》僖公十四年。㉓三监：指管叔、蔡叔与霍叔，三人皆为周朝派去监视纣子武庚的，故称三监。㉔衅：罪。㉕二南之辅：指周公、召公之辅成王。《诗经·国风》中有《周南》《召南》，称为“二南”。二南中的诗篇分别系之周公与召公，故二南可指代周公与召公。㉖谋能移主：谓谋略能改变君主的意旨。㉗取齐者田族：周初封太公吕尚于齐，是为齐国之始祖，传至齐康公时，为田和所

【原文】

汉丞相亮之攻祁山也，李平[114]留后，主督运事。会天霖雨，平恐运粮不继，遣参军狐忠[115]、督军成藩喻指[116]，呼亮来还，亮承以退军。平闻军退，乃更阳[117]惊，说“军粮饶足，何以便归！”又欲杀督运岑述以解己不办之责。又表汉主，说“军伪退，欲以诱贼与战[7]”。亮具[118]出其前后手笔书疏，本末违错，平辞穷情竭，首谢罪负[119]。于是亮表平前后过恶，免官，削爵土，徙梓潼郡[120]。复以平子丰为中郎将、参军事，出教敕之[121]曰：“吾与君父子戮力[122]以奖[123]汉室，表都护[124]典汉中，委君于东关[125]，谓至心感动，终始可保，何图中乖[126]乎！若都护思负[127]一意[128]，君与公琰[129]推心从事，否[130]可复通，逝[131]可复还也。详思斯戒，明吾用心。”

亮又与蒋琬、董允书曰：“孝起前为吾说正方[132]腹中有鳞甲[133]，乡党[134]以为不可近。吾以为鳞甲者[8]，但不当犯之耳，不图复有苏、

代，吕氏齐灭，田氏齐兴。⑩⑧分晋者赵、魏：晋国的始祖是周成王弟唐叔虞，故为姬姓。传至晋静公时，为赵籍、魏斯、韩虔三家所分，晋遂亡。而韩也为姬姓，故此分晋者只言赵、魏。⑩⑨践冰履炭：履薄冰，踏炭火。比喻寒热同感，休戚与共。⑪⓪愤懑：抑郁烦闷。⑪①优文：文辞美好的诏书。⑪②悠悠：深思；忧思。⑪③嫡：嫡亲，跟“庶”相对。

【校记】

［2］吏察之急：原无此四字。据章钰校，甲十六行本、乙十一行本、孔天胤本皆有此四字，今据补。［3］为：原无此字。据章钰校，甲十六行本、乙十一行本皆有此字，今据补。〖按〗《三国志·魏书·陈思王植传》有“为”字。［4］叶：原无此字。据章钰校，甲十六行本、乙十一行本、孔天胤本皆有此字，张敦仁《通鉴刊本识误》同，今据补。〖按〗《三国志·魏书·陈思王植传》有“叶”字。［5］窃：原作“实”。据章钰校，甲十六行本、乙十一行本、孔天胤本皆作“窃”，今据改。〖按〗《三国志·魏书·陈思王植传》作“窃”。［6］使：原无此字。据章钰校，甲十六行本、乙十一行本、孔天胤本皆有此字，张敦仁《通鉴刊本识误》同，今据补。

【语译】

汉丞相诸葛亮进攻祁山时，李平留守后方，主管粮运事务。正值大雨连绵，李平害怕粮运难以为继，派参军狐忠、督军成藩去宣旨，令诸葛亮回师，诸葛亮承旨撤军。李平听说军队撤退，却假装惊讶，说“军粮充足，为什么就退回来了！”还想杀掉督运官岑述以开脱自己失职不办的责任。又向汉主上表，说“军队佯退，想以此诱敌交战”。诸葛亮拿出李平前后亲笔所写的全部信件、奏疏，指出其前后矛盾错乱，李平理屈词穷，叩首谢罪。于是诸葛亮上表陈述李平前后的罪过，罢免了他的官职，削夺了他的封爵和食邑，流放到梓潼郡。诸葛亮又任命李平的儿子李丰为中郎将、参军事，发出教令训示李丰说：“我和你们父子并力辅助汉室，上表推荐你父亲任都护主管汉中军营事务，委任你镇守东关，我以为对你们至诚相待，情感友谊可以始终保持，哪会想到中途背弃呢！如果都护能思过而一心为国，你与蒋琬推诚共事，那么阻隔可以融通，离去了的还可以再找回。仔细地考虑这一告诫，明白我的用心。”

诸葛亮又致信蒋琬、董允说：“孝起从前对我说过李平心怀阴毒诡诈，同乡人认为不可接近。我以为对他的阴毒诡诈，只要不触犯就行了，没想到有苏秦、张仪之

张[135]之事出于不意，可使孝起知之。”孝起者，卫尉南阳陈震也。

冬，十月，吴主使中郎将孙布诈降，以诱扬州[136]刺史王凌[137]。吴主伏兵于阜陵[138]以俟之。布遣人告凌云：“道远不能自致，乞兵见迎。”凌腾[139]布书，请兵马迎之。征东将军满宠以为必诈，不与兵，而为凌作[9]报书曰：“知识[140]邪正，欲避祸就顺，去暴归道，甚相嘉尚。今欲遣兵相迎，然计兵少则不足相卫，多则事必远闻。且先密计以成本志[141]，临时节度其宜。”会宠被书入朝，敕留府长史，若凌欲往迎，勿与兵也。凌于后索兵不得，乃单遣一督将步骑七百人往迎之。布夜掩击，督将迸走，死伤过半。凌，允之兄子也。

先是凌表宠年过[142]耽酒，不可居方任[143]。帝将召宠，给事中[144]郭谋曰：“宠为汝南太守、豫州刺史二十余年，有勋方岳[145]，及镇淮南，吴人惮之。若不如所表，将为所窥。可令还朝，问以东方事以察之。”帝从之。既至，体气康强，帝慰劳遣还。

十一月，戊戌晦[146]，日有食之。

十二月，戊午[147]，博平敬侯华歆卒。

丁卯[148]，吴大赦，改明年元曰嘉禾。

【段旨】

以上为第三段，写蜀大臣李平玩忽职守，吴中郎将孙布尽心国事，两相对照，适成鲜明对比。

【注释】

⑭李平：即李严。李严改名平。⑮狐忠：即马忠。马忠年少时养于外家，姓狐名笃。后还姓马，改名忠。⑯喻指：谓说明后主之旨意，粮运跟不上。⑰阳：通“佯”，假装。⑱具：通“俱”，全。⑲首谢罪负：叩首谢罪。⑳梓潼郡：治所梓潼县，在今四川梓潼。㉑出教敕之：发出教令训示李丰。教，教令。敕，作动词用，告诫。㉒戮力：并力。㉓奖：辅助。㉔都护：指李平。李平此前为中都护，主管汉中留府事。㉕东关：指江州。㉖何图中乖：哪里想到中途背离。李平与诸葛亮同受先帝刘备遗诏辅政，应齐心协力辅汉，想不到半途发生李平遭败逐事。㉗思负：谓思其罪过。㉘一意：谓一心为国。㉙公

类的诡诈之事出人意料，应该让孝起知道这件事。”孝起，是卫尉南阳人陈震。

冬，十月，吴主派中郎将孙布诈降，引诱扬州刺史王凌。吴主在阜陵设下伏兵等待王凌。孙布派人告诉王凌说：“路远我无能力自己前去，请求派兵来迎接。”王凌送上孙布的书信，请求出兵迎接孙布。征东将军满宠认为其中一定有诈，不给兵马，而代替王凌回复孙布说：“阁下知道邪正之分，想躲避灾祸顺应天意，背离暴政回归正道，就很值得称赞。本想派兵相迎，但想到派兵少不足以保护您，派兵多此事必然会传扬很远。暂且先对您的计划保密，以成全您的本意，等待机会再作适宜安排。”正好满宠受召入朝，嘱咐留府长史，如果王凌想前去迎接孙布，不要给他派兵。王凌后来求兵不得，就单独派一个督将率领步、骑兵七百人前去迎接孙布。孙布趁夜袭击，督将逃走，士兵死伤大半。王凌，是王允哥哥的儿子。

在此以前，王凌上表称满宠年迈嗜酒，不可担负独当一面的大任。魏明帝要召回满宠，给事中郭谋说：“满宠任汝南太守、豫州刺史二十多年，在封疆大吏的职务上有功劳，到他镇守淮南时，东吴人很畏惧他。如果不像王凌表上所说的那样，将给敌人以可乘之机。可以令满宠回朝述职，通过询问东方的情势来考察他。”魏明帝听从了这个建议。满宠到达京都，他身体健壮，精神饱满，魏明帝加以慰劳，命他回到任上。

十一月最后一天三十日戊戌，发生日食。

十二月二十日戊午，博平敬侯华歆去世。

二十九日丁卯，吴国大赦天下，明年改年号为嘉禾。

琰：蒋琬字公琰。⑬⓪ 否：闭塞。⑬① 逝：离去。⑬② 正方：李严（平）字正方。⑬③ 鳞甲：鱼之鳞，兽之坚甲，喻狠毒、狡诈。⑬④ 乡党：乡里，比喻同乡亲近的人。⑬⑤ 苏张：战国时的苏秦、张仪。二人皆花言巧语、反复无常地游说于诸侯之间。⑬⑥ 扬州：州治寿春，在今安徽寿县。⑬⑦ 王凌：魏大臣。字彦云，太原祁县（今山西祁县）人，汉司徒王允之侄，王允被杀，王凌逃归乡里。后被曹操辟为丞相掾属。历仕武帝、文帝、明帝、齐王芳四朝。官至司空。嘉平元年（公元二四九年）任太尉，谋废曹芳，事泄，服毒死。⑬⑧ 阜陵：县名，县治在今安徽全椒东。⑬⑨ 腾：送上。⑭⓪ 知识：知道；认识到。⑭① 本志：本心。指孙布想归顺魏朝之志。⑭② 年过：年老。⑭③ 方任：方面之任。当时满宠任征东将军、都督扬州诸军事。⑭④ 给事中：官名，西汉沿秦置有此官，东汉省，曹魏复置，为将军、列侯、九卿以及黄门、谒者等的加官。均给事殿中，备顾问应付，讨论政事，至晋代始为正官。⑭⑤ 方岳：古代有方伯、岳牧为地方之长。自曹魏以后，以督州为方岳之任。⑭⑥ 戊戌晦：十一月三十日。⑭⑦ 戊午：十二月二十日。⑭⑧ 丁卯：吴《乾象历》十二月二十九日。

【校记】

［7］与战：原无此二字。据章钰校，甲十六行本、乙十一行本、孔天胤本皆有此二字，张敦仁《通鉴刊本识误》、张瑛《通鉴校勘记》同，今据补。［8］者：原无此字。据章钰校，甲十六行本、乙十一行本皆有此字，今据补。［9］作：据章钰校，孔天胤本作“诈”。

【原文】

六年（壬子，公元二三二年）

春，正月，吴主少子建昌侯虑卒。太子登自武昌[149]入省[150]吴主，因自陈久离定省，子道有阙[151]；又陈陆逊忠勤，无所顾忧，乃留建业[152]。

二月，诏改封诸侯王，皆以郡为国。

帝爱女淑卒，帝痛之甚，追谥平原懿公主，立庙洛阳，葬于南陵，取甄后从孙黄与之合葬，追封黄为列侯，为之置后袭爵。帝欲自临送葬，又欲幸许，司空陈群谏曰：“八岁下殇[153]，礼所不备，况未期月[154]，而以成人礼送之，加为制服[155]，举朝素衣，朝夕哭临，自古以来，未有此比。而乃复自往视陵，亲临祖载[156]。愿陛下抑割无益有损之事，此万国之至望也。又闻车驾欲幸许昌，二宫上下，皆悉俱［10］东，举朝大小，莫不惊怪。或言欲以避衰[157]，或言欲以便移殿舍[158]，或不知何故。臣以为吉凶有命，祸福由人，移走求安，则亦无益。若必当移避，缮治金墉城[159]西宫及孟津[160]别宫，皆可权时分止[161]，何为举宫暴露野次[162]，公私烦费，不可计量。且吉士贤人，犹不妄徙其家，以宁乡邑，使无恐惧之心；况乃帝王万国之主，行止动静，岂可轻脱[163]哉！”少府[164]杨阜曰：“文皇帝、武宣皇后崩，陛下皆不送葬，所以重社稷，备不虞[165]也，何至孩抱之赤子[166]而送葬也哉！”帝皆不听。

三月癸酉[167]，行东巡。

吴主遣将军周贺、校尉裴潜乘海之辽东[168]，从公孙渊求马。

初，虞翻性疏直，数有酒失，又好抵忤[169]人，多见谤毁。吴主尝

【语译】

六年（壬子，公元二三二年）

春，正月，吴主的小儿子建昌侯孙虑去世。太子孙登从武昌入朝探视吴主，趁机陈说自己长久隔离，不能早晚问安，为子之道缺失；又陈述陆逊忠诚勤国，没有什么值得忧虑，于是留在建业。

二月，魏明帝下诏改封诸侯王，都以所封之郡为国。

魏明帝爱女曹淑去世，魏明帝非常悲伤，追谥为平原懿公主，在洛阳建立祭庙，葬在南陵，娶甄后已故的侄孙甄黄与她合葬，追封甄黄为列侯，给他安排继承人，承袭爵位。魏明帝想亲自送葬，又想巡行许昌，司空陈群谏阻说："八岁的孩子死亡属于下殇，没有丧葬的礼仪，何况没有满月，就以成人之礼送葬，加穿丧服，满朝官员素服，早晚到棺前哭泣凭吊，自古以来，没有前例。而陛下竟然还要去视察陵墓，亲临祖载。希望陛下割舍这种有害无益的事情，这是全国人最大的愿望。还听说陛下想巡幸许昌，太后、皇后两宫上下，都要去往东方，全朝大小官员，无不震惊。有人说陛下想借此躲避灾祸，有的说是想借此迁移宫殿，有的不知是为了什么。臣以为吉凶有命，祸福由人，用迁移来求平安，肯定是无益之事。如果定要迁移避灾，修缮金墉城西宫和孟津别宫，都可以临时居停，何必把全部宫中人暴露于荒郊、露宿于野外，这样公私耗费，无法计算。即便是贤人良士，也不妄自轻易搬家，以此来安宁乡里，使人们没有恐惧之心；何况帝王是万邦之主，一举一动，怎可轻率！"少府杨阜说："文皇帝、武宣皇后逝世，陛下都不送葬，为的是以国家利益为重，以防不测，何至于要给一个怀抱的婴儿送葬呢！"魏明帝全都不听从。

三月初七日癸酉，起行东巡。

吴主派将军周贺、校尉裴潜渡海到辽东，向公孙渊求购马匹。

当初，虞翻性格粗疏率直，多次酒后犯错，又喜欢顶撞人，经常被人毁谤。吴主

与张昭论及神仙，翻指昭曰："彼皆死人而语神仙，世岂有仙人也！"吴主积怒非一，遂徙翻交州[170]。及周贺等之辽东，翻闻之，以为五溪宜讨，辽东绝远，听使来属尚不足取，今去人财以求马[171]，既非国利，又恐无获。欲谏不敢，作表以示吕岱，岱不报。为爱憎[172]所白，复徙苍梧猛陵[173]。

夏，四月壬寅[174]，帝如许昌。

五月，皇子殷卒。

秋，七月，以卫尉董昭为司徒。

九月，帝行如摩陂[175]，治许昌宫，起景福、承光殿。

公孙渊[176]阴怀贰心，数与吴通。帝使汝南太守田豫督青州诸军自海道[177]，幽州刺史王雄自陆道讨之。散骑常侍蒋济谏曰："凡非相吞之国，不侵叛之臣，不宜轻伐；伐之而不能制，是驱使为贼也。故曰：'虎狼当路，不治狐狸。'先除大害，小害自已。今海表之地，累世委质[178]，岁选计、孝[179]，不乏职贡，议者先之。正使一举便克，得其民不足益国，得其财不足为富。傥不如意，是为结怨失信也。"帝不听。豫等往皆无功，诏令罢军。

豫以吴使周贺等垂还，岁晚风急，必畏漂浪，东道无岸，当赴成山[180]；成山无藏船之处，遂辄以兵屯据成山。贺等还至成山，遇风，豫勒兵击贺等，斩之。吴主闻之，始思虞翻之言，乃召翻于交州。会翻已卒，以其丧还。

十一月庚寅[181]，陈思[182]王植卒。

十二月，帝还许昌宫。

曾和张昭讨论神仙的事，虞翻指着张昭说："他们都是死人而却说是神仙，世上哪有仙人！"吴主对他积怒不止一次，于是把虞翻流放到交州。等到周贺等人到辽东，虞翻听说后，认为应当征讨五溪；辽东遥远，即便听任使人前来归属尚且不足取，如今派遣人员送去财物来求得马匹，既对国家没有好处，又恐怕没有收获。想上书谏劝又不敢，便把写好的表章送给吕岱看，吕岱不作回答。虞翻被奸佞人告发，再被流放到苍梧郡的猛陵。

夏，四月初六日壬寅，魏明帝到达许昌。

五月，皇子曹殷去世。

秋，七月，任命卫尉董昭为司徒。

九月，魏明帝到达摩陂，修筑许昌宫室，新建景福殿、承光殿。

公孙渊暗中怀有二心，多次与吴国交通。魏明帝派汝南太守田豫督领青州各军从海道出击，幽州刺史王雄由陆路进讨公孙渊。散骑常侍蒋济劝谏说："凡是无须相互吞并的国家，对不侵凌不叛逆的臣子，不应当轻易讨伐；讨伐而又不能制服，这等于是驱使他们为贼。所以说：'虎狼当道，不整治狐狸。'先除掉大害，小害自然消失。如今海外之地，历代归服，每年推选计吏、孝廉，不断尽职纳贡，议论政事的人都首先提到辽东。即使一举就能平定，获得它的民众不足以增强国力，获得它的财物也不足以使我们富裕。倘若不能得志，还会结下怨仇，失去诚信。"魏明帝不听。田豫等前去征讨都无战功，诏令撤兵。

田豫鉴于吴国派出的周贺等人即将返回，正值岁末风急，他必定畏惧海浪颠簸，东路又无海岸，必当赶赴成山；成山没有藏船的地方，因此就派兵屯守成山。周贺等回到成山，遇到大风，田豫率兵攻击周贺等人，斩杀了周贺。吴主听到这一消息，才想到虞翻的话，便从交州召回虞翻。适逢虞翻已经去世，接回了他的灵柩。

十一月二十八日庚寅，陈思王曹植去世。

十二月，魏明帝返回许昌宫。

【段旨】

以上为第四段，写魏明帝与孙权刚愎自用，举措失当，均被公孙渊所误。魏明帝悲痛殇女的送葬行动，近乎昏聩。

【注释】

⑭武昌：县名，孙吴改鄂县为武昌，县治在今湖北鄂州。⑮省：问候；探视。⑮子道有阙：为子之道有缺失。子道，做儿子的道德规范。《礼记·曲礼上》说："凡为人子之礼，冬温而夏凊，昏定而晨省。"⑮建业：县名，孙吴之都城，在今江苏南京。⑮下殇：未成年而死叫殇。八岁至十一岁死叫下殇。⑮期月：一个月。⑮制服：丧服。⑮祖载：将葬之时，将棺材放到车上，再行祖祭（祭祀路神）礼，称为祖载。⑮避衰：避灾。⑮移殿舍：谓移于许昌。⑮金墉城：在当时洛阳城西北角。⑯孟津：关名，在今河南洛阳市孟津区南。⑯分止：谓分别居停。⑯野次：野外。⑯轻脱：轻率随意。⑯少府：官名，列卿之一，掌宫中御衣、宝货、珍膳等。⑯不虞：不测；预料不到的事。⑯孩抱之赤子：谓抱于怀中的婴儿。⑯癸酉：三月初七日。⑯辽东：郡名，治所襄平，在今辽宁辽阳。⑯抵忤：抵触；顶撞。⑰交州：州名，治所广信，在今广西梧州。⑰今去人财以求马：谓现

【原文】

侍中刘晔为帝所亲重。帝将伐蜀，朝臣内外皆曰"不可"。晔入与帝议，则曰"可伐"，出与朝臣言，则曰"不可"。晔有胆智，言之皆有形[183]。中领军[184]杨暨，帝之亲臣，又重晔，执不可伐之议最坚，每从内出，辄过晔，晔讲不可之意。后暨与帝论伐蜀事，暨切谏[185]，帝曰："卿书生，焉知兵事！"暨谢曰："臣言诚不足采，侍中刘晔，先帝谋臣，常曰蜀不可伐。"帝曰："晔与吾言蜀可伐。"暨曰："晔可召质[186]也。"诏召晔至，帝问晔，终不言。后独见，晔责帝曰："伐国，大谋也。臣得与闻大谋，常恐眯梦[187]漏泄以益臣罪，焉敢向人言之！夫兵诡道也，军事未发，不厌其密。陛下显然露之，臣恐敌国已闻之矣。"于是帝谢之[188]。晔见出，责暨曰："夫钓者中大鱼，则纵而随之，须可制而后牵，则无不得也。人主之威，岂徒大鱼而已！子诚直臣，然计不足采，不可不精思也。"暨亦谢之。

或谓帝曰："晔不尽忠，善伺上意所趋而合之。陛下试与晔言，皆反意而问之，若皆与所问反者，是晔常与圣意合也。每问皆同者，晔

在派遣人员送去财物来求得马匹。⑫爱憎：谓谗佞之人。⑬猛陵：县名，属苍梧郡，县治在今广西苍梧西北。⑭壬寅：四月初六日。⑮摩陂：堰名，在今河南郏县东南。⑯公孙渊：辽东割据者，公孙康之子。公孙渊在吴魏之间骑墙，两边讨好，接受魏明帝任命为扬烈将军、辽东太守；又遣使通孙吴，接受孙权封号为燕王。景初元年（公元二三七年），公孙渊自立为燕王，第二年，魏明帝派司马懿出兵辽东，灭了公孙渊。传见《三国志》卷八。⑰海道：指从东莱郡出海之道。东莱郡，治所黄县，在今山东龙口东南。⑱委质：臣服。⑲岁选计、孝：计，指上计吏，由郡举荐到朝廷报告钱粮户的官员。孝，指孝廉，选士的科目。上计吏、孝廉，每年由郡选荐。⑳成山：在今山东荣成东北荣成湾。㉑庚寅：十一月二十八日。㉒思：《谥法》，追思前过曰思。

【校记】

［10］俱：原作“居”。据章钰校，甲十六行本、乙十一行本皆作“俱”，今据改。

【语译】

侍中刘晔被魏明帝亲近器重。魏明帝将要讨伐蜀国，朝廷内外的大臣都说“不可行”。刘晔入宫与魏明帝商议，却说“可以征伐”，出宫和朝廷大臣议论时，却又说“不可行”。刘晔有胆识智慧，他说可伐与不可伐都有形势可据。中领军杨暨，是魏明帝亲近的大臣，他也器重刘晔，坚持不可伐的主张最为坚决，每次从宫中出来，就去拜访刘晔，刘晔就讲不可伐的道理。后来杨暨和魏明帝讨论征伐蜀国的事情，杨暨极力劝谏，魏明帝说：“你是个书生，怎么懂得军事！”杨暨道歉说：“我说的的确不值得采纳，侍中刘晔，是先帝的谋臣，常说蜀国不可以讨伐。”魏明帝说：“刘晔对我说蜀国可以讨伐。”杨暨说：“可以召刘晔来对质。”下诏让刘晔入宫，魏明帝问刘晔，刘晔始终默不作声。事后魏明帝单独召见刘晔，刘晔埋怨魏明帝说：“征伐他国，是国家大计。我得参与这一国家机密，常常害怕梦中泄密而增加我的罪过，岂敢对人说起！用兵打仗，本质就是诡诈，军事行动尚未开始，计划越机密越好，陛下公开泄露，我担心敌国已经知道了。”于是魏明帝表示歉意。刘晔晋见完出宫，责备杨暨说：“钓鱼的人钓住了一条大鱼，就要放长线跟随它，等到可以制服之后把它牵引上来，这样就没有不成功的。君主的威严，哪里只是一条大鱼呢！你诚然是个正直的臣子，但是计谋不足取，不可不精密思考啊。”杨暨也向刘晔表示歉意。

有人对魏明帝说：“刘晔不尽忠心，而善于窥探皇上的意向来迎合。陛下不妨试探与刘晔交谈，全用相反的意思来问他，如果他的回答全都和所问相反，就是刘晔的见解常常与陛下的意向相合。如果陛下每次所提的问题他都赞同的话，刘晔的迎

之情[189]必无所复[11]逃矣。”帝如言以验之，果得其情，从此疏焉。晔遂发狂，出为大鸿胪[190]，以忧死。

《傅子》[191]曰：“巧诈不如拙诚[192]，信矣。以晔之明智权计，若居之以德义，行之以忠信，古之上贤，何以加诸[193]！独任才智，不敦[194]诚悫[195]，内失君心，外困于俗，卒以自危，岂不惜哉！”

晔尝谮尚书令陈矫专权。矫惧，以告其子骞。骞曰：“主上明圣，大人大臣，今若不合，不过不作公耳。”后数日，帝意果解。

尚书郎乐安廉昭[196]以才能得幸，好抉擿[197]群臣细过以求媚于上。黄门侍郎[198]杜恕[199]上疏曰：“伏见廉昭奏左丞[200]曹璠以罚当关[201]不依诏，坐判问[202]。又云：‘诸当坐者[203]别奏。’尚书令陈矫自奏不敢辞罚[204]，亦不敢陈理，志意恳恻[205]。臣窃愍然[206]为朝廷惜之。古之帝王所以能辅世长民者，莫不远得百姓之欢心，近尽群臣之智力。今陛下忧劳万机，或亲灯火，而庶事不康[207]，刑禁日弛。原其所由，非独臣不尽忠，亦其主不能使也。百里奚愚于虞而智于秦[208]，豫让苟容中行而著节智伯[209]，斯则古人之明验矣。若陛下以为今世无良才，朝廷乏贤佐，岂可追望稷、契[210]之遐踪，坐待来世之俊乂[211]乎！今之所谓贤者，尽有大官而享厚禄矣。然而奉上之节未立，向公之心不一者，委任之责不专，而俗多忌讳故也。臣以为忠臣不必亲，亲臣不必忠。今[212]有疏者毁人而陛下疑其私报所憎，誉人而陛下疑其私爱所亲，左右或因之以进憎爱之说，遂使疏者不敢毁誉，以至政事损益，亦皆有嫌。陛下当思所以阐广[213]朝臣之心，笃厉[214]有道[215]之节，使之自同古人，垂名竹帛[216]，反使如廉昭者扰乱其间。臣惧大臣遂将[12]容身保位，坐观得失，为来世戒也。

“昔周公戒鲁侯曰：‘无使大臣怨乎不以[217]。’言不贤则不可为大臣，为大臣则不可不用也。《书》数[218]舜之功，称去四凶[219]，不言有罪无问大小则去也。今者朝臣不自以为不能，以陛下为不任也；不自以为不知[220]，以陛下为不问也。陛下何不遵周公之所以用，大舜之所以去，

合之情就再也无所躲藏了。”魏明帝以此来考验刘晔，果然发觉刘晔的迎合之情，从此疏远了他。刘晔因此精神失常，被逐出内朝任大鸿胪，随后忧郁而死。

《傅子》上说：“巧诈不如拙诚，确实是如此啊。凭借刘晔的聪明才智和权变谋计，如果坚信德义，按忠信行事，即使是古代上等的贤人，又岂能超过他！但刘晔只凭才智，不崇尚诚实，这样内失君主的信任，外受世俗的压力，终于自己害了自己，难道不可惜吗？”

刘晔曾经诋毁尚书令陈矫专权。陈矫很害怕，把这事告诉了儿子陈骞。陈骞说：“主上圣明，您是朝中大臣，现今如果与朝廷不融洽，只不过不任三公罢了。”几天后，魏明帝的不满情绪果然消解。

尚书郎乐安人廉昭因为有才能受到宠幸，廉昭喜欢揭发群臣的细小过失来向皇上献媚。黄门侍郎杜恕上疏说：“臣看到廉昭上奏尚书台左丞曹璠，没有依照诏书治罪要向上报告，应当追究责问。又说：‘其他应该获罪的人，另外上奏。’尚书令陈矫也自己上奏不敢推卸处罚，也不敢陈述理由，心意诚恳痛切。臣暗自忧愁，为朝廷惋惜。古代帝王之所以能治理社会，作万民之长，无不是远得百姓的欢心，近靠群臣竭尽智力。现今陛下忧虑辛劳，日理万机，有时还挑灯连夜工作，但仍有许多的事务不够妥帖，刑法禁令日益松弛。究其根源，不仅仅是群臣没有尽到忠心，也是因为主上不能役使他们。百里奚在虞国愚钝但在秦国明智，豫让在中行家苟且偷安但在智伯家节操显著，这是古人的明证。如果陛下认为当今没有良才，朝廷缺乏贤能的辅佐，难道现在可以去追寻后稷与契的踪迹而坐等未来的俊杰吗？如今所称的贤人，都是些做大官而享厚禄的人。可是没有树立侍奉君上的节操，奉公的心思不够专一，这是因为委任的职责不专一，而世俗有很多忌讳的缘故。臣认为忠臣未必是亲近之臣，亲近之臣不一定忠心。假若有被疏远的人批评他人，陛下就会怀疑他挟私报复所憎恨的人；赞誉他人，陛下就会怀疑他挟私偏爱亲近之人。陛下身边的人乘机进献爱憎之说，于是被疏远的人不敢提出批评或赞誉，以致对于政事的损益，也都会避嫌而不言。陛下应当思考如何让朝臣的心胸开阔，鼓励有道之士的气节，使他们自觉向古人看齐，名垂青史，怎么反让廉昭之类的人在中间扰乱。臣恐怕大臣们苟且偷安，只为保住官位，坐观政事的得失，成为后世的鉴戒。

“从前周公告诫鲁侯说：‘不要让大臣抱怨不被信任。’说的是不贤的人就不可以任用为大臣，任用为大臣就不能不信任。《尚书》历述虞舜的功绩，称他除去了四凶，不说有罪不问大小就一概去除。现在朝廷大臣并不认为自己没有能力，而认为陛下不任用他们；不认为自己没有智慧，而认为陛下没有去询问他们。陛下何不遵循周公任用贤臣、大舜除去奸凶的做法，让侍中、尚书坐朝时侍候在帷幄之中，

使侍中、尚书坐则侍帷幄，行则从华辇，亲对诏问，各陈所有，则群臣之行皆可得而知，忠能者进，暗劣者退，谁敢依违㉑而不自尽。以陛下之圣明，亲与群臣论议政事，使群臣人得自尽，贤愚能否㉒，在陛下之所用。以此治事，何事不办；以此建功，何功不成！

“每有军事，诏书常曰：‘谁当忧此者邪？吾当自忧耳。’近诏又曰：‘忧公忘私者必不然，但先公后私即自办也。’伏读明诏，乃知圣思究尽下情，然亦怪陛下不治其本㉓而忧其末㉔也。人之能否，实有本性，虽臣亦以为朝臣不尽称职也。明主之用人也，使能者不敢遗其力，而不能者不得处非其任。选举非其人，未必为有罪也；举朝共容非其人，乃为怪耳。陛下知其不尽力也[13]，而代之忧其职，知其不能也，而教之治其事，岂徒主劳而臣逸哉！虽圣贤并世，终不能以此为治也。

“陛下又患台阁㉕禁令之不密，人事请属之不绝，作迎客出入之制，以恶吏守寺门㉖，斯实未得为禁之本也。昔汉安帝时，少府窦嘉辟廷尉郭躬无罪之兄子㉗，犹见举奏，章劾纷纷。近司隶校尉孔羡辟大将军㉘狂悖之弟㉙，而有司嘿尔㉚，望风㉛希指㉜，甚于受属㉝，选举不以实者也。嘉有亲戚之宠㉞，躬非社稷重臣，犹尚如此，以今况古，陛下自不督必行之罚以绝阿党㉟之原耳。出入之制，与恶吏守门，非治世之具也。使臣之言少蒙察纳，何患于奸不削灭，而养若廉昭等乎！夫纠擿㊱奸宄㊲，忠事也，然而世憎小人行之者，以其不顾道理而苟求容进也。若陛下不复考其终始，必以违众迕世㊳为奉公，密行白人㊴为尽节㊵，焉有通人大才而更不能为此邪？诚顾道理而弗为耳。使天下皆背道而趋利，则人主之所最病者也，陛下将何乐焉！”恕，畿之子也。

帝尝卒至尚书门，陈矫跪问帝曰：“陛下欲何之？”帝曰：“欲案行㊶文书耳。”矫曰：“此自臣职分，非陛下所宜临也。若臣不称其职，则请就黜退。陛下宜还。”帝惭，回车而反。帝尝问矫：“司马公㊷忠贞，可谓社稷之臣㊸乎？”矫曰：“朝廷之望㊹也，社稷则未知也。”

出行时跟随御驾，亲自回答陛下的咨询，各自陈述自己所有的意见，那么群臣的品行陛下都可以得知，忠诚贤能的人晋官加爵，愚钝卑劣的人予以黜退，谁还敢犹豫不决而不竭尽才能呢。凭着陛下的圣明，亲自同群臣议论政事，使群臣人人得以竭尽自己的才能，那么是贤良还是愚劣，是能干还是鄙劣，全在陛下的使用。用这种方法治理政事，没有什么事不能办成；用这种方法建立功业，没有什么功业不能建立！

“每逢有军机大事，陛下的诏书常说：‘谁该忧虑这事呢？该当我自己忧虑罢了。’近日诏书上又说：‘忧公忘私的人必然不会这样，只要先公后私就自然办到。’恭读圣明的诏书，才知陛下尽知下情，但对陛下不从根本上着手，而只忧虑细枝末节感到奇怪。人的贤能与否，实由先天决定，就连臣也认为朝中大臣不能尽职尽责。圣明的君主用人，是让贤能的人不敢保留他的能力，而使无能的人不能身处他不胜任的位置上。举荐了不贤能之人，未必就有罪过；满朝一起容纳无能之人，才真是怪事呢。陛下知道某人不尽力，却替他忧虑职事，知道某人无能，却还叫他办事，这难道不是主上辛劳而臣下安逸吗？即便是圣人与贤人并存于世，最终也不能用这种办法治理好国家。

“陛下又担心台阁禁令不机密，人事请托不能断绝，制定迎客出入的制度，让凶恶的官吏把守官府大门，这实在是没有抓住禁令的根本。从前汉安帝时，少府窦嘉征召廷尉郭躬无罪的哥哥的儿子，还被人举奏，弹劾的奏章纷纷而至。近来司隶校尉孔羡征召大将军司马懿狂妄背理的弟弟，但有关部门却沉默不言，望风迎合，比接受请托更严重，这是用人不实造成的。窦嘉有皇亲的宠信，郭躬并不是国家的重臣，尚且如此，拿今天的情况和古代相比，这是因为陛下没有亲自督促落实必行之罚来杜绝徇私枉法的源头。出入的制度，交给恶吏把门，这不是治世的做法。假使臣的话稍微蒙受陛下的明察，承陛下采纳，还忧虑什么奸邪之行不能铲除，而去豢养廉昭这类人呢！说起纠举揭发奸恶，是忠于职守的表现，然而世人憎恨小人之行的原因，是由于小人不讲道理而苟且偷安，谄媚钻营。如果陛下不再去考察事情的本末，就一定会认为违背众意违背世俗是奉公，窥人过失秘密上告是尽节，有通达大才的人怎么会做不来这种事的呢？实在是他们顾及道义而不肯做罢了。若使天下的人都背道义而逐利，那才是君主最感痛切的事情，陛下还有什么可高兴的呢！”杜恕，是杜畿的儿子。

魏明帝曾突然来到尚书门，陈矫下跪问魏明帝：“陛下想去哪里？”魏明帝说：“我想审察一下公文罢了。”陈矫说：“这是臣下的职责，不是陛下应当亲自过问的事。如果臣不称职，就请就地罢免。陛下应该回宫。”魏明帝感到惭愧，乘车返回。魏明帝曾经问陈矫：“司马懿忠诚坚贞，可说是国家重臣吗？”陈矫说：“司马懿是朝廷官员所敬仰的，是不是国家的重臣我还不知道。”

吴陆逊引兵向庐江[245]，论者以为宜速救之。满宠曰："庐江虽小，将劲兵精，守则经时[246]。又，贼舍船二百里来，后尾空绝。不来尚欲诱致，今宜听其遂进，但恐走不可及耳。"乃整军趋杨宜口[247]。吴人闻之，夜遁。

是时，吴人岁有来计。满宠上疏曰："合肥城南临江湖，北远寿春[248]，贼攻围之，得据水为势。官兵救之，当先破贼大辈，然后围乃得解。贼往甚易，而兵往救之甚难，宜移城内之兵，其西三十里，有奇险可依，更立城以固守，此为引贼平地而掎[249]其归路，于计为便。"护军将军[250]蒋济议以为："既示天下以弱，且望贼烟火而坏城，此为未攻而自拔。一至于此，劫略无限[251]，必淮北为守[252]。"帝未许。宠重表曰："孙子言[253]：'兵者，诡道[254]也，故能而示之不能，骄之以利[255]，示之以慑[256]。'此为形实[257]不必相应也。又曰：'善动敌者形之[258]。'今贼未至而移城却内，所谓形而诱之也。引贼远水，择利而动，举得于外，则福生于内矣。"尚书赵咨以宠策为长，诏遂报听。

【段旨】

以上为第五段，写魏明帝英明，识刘晔之谄，纳杜恕之谏，准满宠之奏，曹魏达于鼎盛。

【注释】

⑱③言之皆有形：谓言蜀之可伐与不可伐，皆有形势可据。⑱④中领军：官名，曹操为丞相时，自置领军，后称中领军。魏文帝即位后，以资历深者为领军将军，资历浅者为中领军，掌京师禁卫军。⑱⑤切谏：深切劝阻；极力劝谏。⑱⑥质：验证；对证。⑱⑦眯梦：梦中。⑱⑧谢之：对刘晔表示歉意。⑱⑨情：真情；实情。谓刘晔内心深处迎合之情。⑲⓪出为大鸿胪：侍中为皇帝左右之官，大鸿胪为外朝官，故云"出"。大鸿胪掌宾礼，凡附属的少数民族及诸侯入朝、迎送、朝会、封授等皆掌管。⑲①《傅子》：西晋傅玄所著。傅玄在曹魏时曾选入著作，撰集《魏书》。入晋后，为散骑常侍、侍中、司隶校尉等。所撰《傅子》论述较广，得到时人好评。传见《晋书》卷四十七。⑲②巧诈不如拙诚：此

吴国陆逊领兵向庐江进军，谋议的人认为应当火速救援。满宠说：“庐江虽小，将勇兵精，可以长时间防守。况且，敌人弃船陆行二百里而来，后续部队断绝。敌人不来还打算引诱他们来，现在应听任他们前进，只怕他们逃走，我军追赶不上。”于是整饬军队奔赴杨宜口。吴军听到了消息，夜里逃走了。

此时，东吴每年都有进攻魏国的计划。满宠上书说：“合肥城南临长江、巢湖，北面远离寿春，敌人围攻合肥，占据水上的优势。我军救援，要先击破敌人主力，然后才能解除围困。敌人前来很容易，但我军前去救援却很困难，应当调移城内军队，在城西三十里，有奇险可以凭据，另建新城来固守，这是为了把敌人引诱到平地，然后阻止他们的归路，这一计谋最合宜。”护军将军蒋济认为：“这样做既向天下示弱，而且只看到敌营的烟火就毁掉城池，这等于敌人还没有来攻就自己弃城。一旦到了这个地步，敌人就会无限制地劫掠，我军必然退守淮河以北。”魏明帝没有批准满宠的计划。满宠再次上奏说：“孙子说：‘用兵打仗，是诡诈之术，所以有能力却要显示出无能，用利益引诱敌人骄傲，向敌人示以恐惧。’这就是表面与实际不必相应。又说：‘要善于用假象欺骗敌人。’如今敌人还没到，我们就转移城守，向内退却，这就是用假象来诱骗敌人，引诱敌人远离水域，我军则选择有利时机而行动，在城外行动得手，则城内才可得到保护之福。”尚书赵咨认为满宠计高一筹，于是下诏批准。

语见《韩非子》《说苑》亦引此语，大概是古谚语。⑲³诸：代词兼语气词，是“之乎”的合音。⑲⁴敦：崇尚。⑲⁵诚悫：诚实。⑲⁶廉昭：时任尚书郎，向魏明帝打小报告的恶吏。⑲⁷抉摘：挑剔。⑲⁸黄门侍郎：官名，职务是侍从皇帝，传达诏命。⑲⁹杜恕（？至公元二五二年）：字务伯，京兆杜县（今陕西西安东南）人，杜畿之子。魏明帝太和中为散骑黄门侍郎，在朝直言敢谏，后出为弘农、河东等郡太守，又为幽州刺史、建威将军、护乌桓校尉。传见《三国志》卷十六。⑳⁰左丞：官名，指尚书左丞，掌尚书台内禁令、宗庙祠祀、朝仪礼制、选用署吏等。有尚书右丞，掌尚书台内库藏、庐舍、器用物品，以及刑狱、兵器、文书章奏等。⑳¹以罚当关：罚，罪罚。关，向上报告，此指尚书台治理罪罚应当向上报告，这是有关诏令的规定。左丞曹璠，违反诏令没有事先报告，应当获罪，被廉昭揭发，牵连尚书令陈矫自首认罪。杜恕认为恶吏在侧，小题大做而上奏。⑳²坐判问：谓曹璠有罪应当追究罪责。⑳³诸当坐者：指尚书令、仆射也当获罪。⑳⁴辞罚：推卸处罚。⑳⁵恳恻：诚恳痛切。⑳⁶悠然：忧愁的样子。⑳⁷康：安宁，此处可理解为稳妥。⑳⁸百里奚愚于虞而智于秦：这是韩信对广武君李左车之言，见《史记·淮阴侯列传》。百里奚原为虞国大夫，而虞君不重用他，后来虞国被晋国所灭。百里

奚被虏逃亡后，为楚人所得，秦穆公用五张羖羊（公羊）皮赎得他，用为大夫，称为五羖大夫。后与蹇叔、由余等襄助穆公建立了霸业。事见《史记·秦本纪》。⑳豫让苟容中行而著节智伯：豫让是春秋晋国人，先在范氏及中行氏下为臣，皆不受重视，后又投归智伯，智伯甚尊宠他。至赵襄子灭智伯后，豫让为报答智伯，决心刺杀赵襄子，以致漆身吞炭改变原形，后刺杀未中，被赵襄子捉住。赵襄子问豫让："子不尝事范、中行氏乎？智伯尽灭之，而子不为报仇，而反委质臣于智伯。智伯亦已死矣，而子独何以为之报仇之深也？"豫让说："臣事范、中行氏，范、中行氏皆众人遇我，我故众人报之。至于智伯，国士遇我，我故国士报之。"终于取得赵襄子的同情，剑击襄子之衣后自杀。事见《史记·刺客列传》。⑳稷、契：后稷与契。后稷是周人始祖，尧舜时为农官，教民耕种。契是殷商人始祖，曾助禹治水有功，舜任为司徒，掌教化。㉑俊乂：才能出众之士。㉑今：假设之辞，犹"若"。㉑阐广：开阔。㉑笃厉：鼓励。㉑有道：有道德之士。㉑竹帛：书册、史籍。㉑无使大臣怨乎不以：此语见《论语·微子》。不以，不被信用。㉑数：历述。㉑四凶：舜时四大逆臣，指共工、驩兜、鲧、三苗。《尚书·舜典》说："流共工于幽州，放驩兜于崇山，窜三苗于三危，殛鲧于羽山，四罪而天下咸服。"㉒知：同"智"。㉒依违：谓犹豫不决。㉒否：鄙劣。㉒本：指任用贤人。㉒末：指办事之好坏。㉒台阁：指尚书台。㉒寺门：官府门。㉒少府窦嘉辟廷尉郭躬无罪之兄子：按《后汉书·郭躬传》，郭躬在汉章帝元和三年（公元八六年）为廷尉，至汉和帝永元六年死，没有至汉安帝时。而窦嘉为少府在汉和帝初，大概窦嘉辟郭躬之兄子，在郭躬死了之后的汉安帝时。㉒大将军：指司马懿。当时司马懿为大将军。㉒狂悖之弟：可能指司马懿五弟司马通。司马通在曹魏时曾任司隶从事。事见《晋书·宗室传》。㉓尔：语

【原文】

青龙元年（癸丑，公元二三三年）

春，正月甲申，青龙见摩陂井中[259]。

二月，帝如摩陂观龙，改元。

公孙渊遣校尉宿舒、郎中令[260]孙综奉表称臣于吴，吴主大悦，为之大赦。三月，吴主遣太常[261]张弥、执金吾[262]许晏、将军贺达将兵万人，金宝珍货，九锡[263]备物，乘海授渊，封渊为燕王。举朝大臣自顾雍以下皆谏，以为渊未可信而宠待太厚，但可遣吏兵护送舒、综而已。吴主不听。张昭曰："渊背魏惧讨，远来求援，非本志也。若渊改图，

气词，相当于“矣”字。㉛望风：观察风头。㉜希指：迎合在上者的意旨。㉝受属：接受请托。㉞嘉有亲戚之宠：窦嘉是窦太后的本家人。㉟阿党：徇私枉法；阿附同党。㊱纠擿：纠举揭发。㊲奸宄：奸恶；为非作歹之人。㊳迕世：违背世俗。㊴密行白人：谓秘密搜集别人的过失向上报告。㊵尽节：尽心竭力，效忠臣节。㊶案行：审查。㊷司马公：司马懿。㊸社稷之臣：此谓保卫皇位传统的忠臣。㊹望：为人所敬仰。㊺庐江：郡名，曹魏庐江郡治所阳泉，在今安徽霍邱西。㊻经时：经久；长时间。㊼杨宜口：当时阳泉县有阳泉水，流经县城东，又西北流入决水，入决水处称阳泉口，亦称杨宜口。㊽寿春：魏扬州治所在寿春，距当时合肥城二百余里。㊾掎：牵制，这里可理解为阻止。㊿护军将军：官名，主武官选举，隶属领军。资历深者称护军将军，资历浅者称中护军。(251)劫略无限：谓孙吴肆意劫掠。(252)必淮北为守：指曹魏必在淮北防守。(253)孙子言：此言前三句见《孙子兵法·计》。(254)诡道：诡诈之术。(255)骄之以利：用利引诱敌人使之骄傲。(256)示之以慑：表面上做出畏惧敌人的样子。(257)形实：表面与实际。(258)善动敌者形之：此语见《孙子兵法·势》。形，示形，谓以假象欺骗敌人。全句的意思是说：善于用假象欺骗敌人，敌人就会听从摆布而上当。

【校记】

［11］复：原无此字。据章钰校，甲十六行本、乙十一行本、孔天胤本皆有此字，张敦仁《通鉴刊本识误》同，今据补。［12］遂将：此二字原互倒。据章钰校，甲十六行本、乙十一行本皆作“遂将”，今据改。［13］也：原无此字。据章钰校，甲十六行本、乙十一行本、孔天胤本皆有此字，今据补。

【语译】

青龙元年（癸丑，公元二三三年）

春，正月二十三日甲申，在摩陂井中出现青龙。

二月，魏明帝去往摩陂观看青龙，改年号。

公孙渊派校尉宿舒、郎中令孙综呈奉表章向吴国称臣，吴主大为高兴，为此大赦天下。三月，吴主派太常张弥、执金吾许晏、将军贺达率领一万人，携带金银财宝、九锡所用之物，乘船渡海授予公孙渊，封公孙渊为燕王。满朝大臣从丞相顾雍以下都加以劝阻，认为公孙渊不可信任，况且恩宠礼遇也太优厚，只可派官兵护送宿舒、孙综就够了。吴主不听从。张昭说：“公孙渊背叛魏国害怕被征讨，远道来求援，称臣不是他的本意。如果公孙渊改变主意，为了向魏国表明自己的心迹，我们

欲自明于魏，两使不反，不亦取笑于天下乎！”吴主反覆难昭，昭意弥㉔切。吴主不能堪，按剑[14]而怒曰：“吴国士人入宫则拜孤，出宫则拜君，孤之敬君亦为至矣，而数于众中折孤㉕，孤常恐失计㉖。”昭孰视㉗吴主曰：“臣虽知言不用，每竭愚忠者，诚以太后临崩，呼老臣于床下，遗诏顾命之言故在耳。”因涕泣横流。吴主掷刀于地，与之对泣。然卒遣弥、晏往。昭忿言之不用，称疾不朝。吴主恨之，土塞其门，昭又于内以土封之。

夏，五月戊寅㉘，北海王蕤卒。

闰月庚寅朔，日有食之。

六月，洛阳宫鞠室㉙灾。

鲜卑轲比能诱保塞鲜卑步度根与深结和亲，自勒万骑迎其累重㉚于陉北㉛。荆州刺史毕轨㉜表辄出军，以外威比能，内镇步度根。帝省表曰：“步度根已为比能所诱，有自疑心。今轨出军，慎勿越塞过句注㉝也。”比诏书到，轨已进军屯阴馆㉞，遣将军苏尚、董弼追鲜卑。轲比能遣子将千余骑迎步度根部落，与尚、弼相遇，战于楼烦㉟。二将没，步度根与泄归泥部落皆叛出塞，与轲比能合寇边。帝遣骁骑将军秦朗㊱将中军㊲讨之，轲比能乃走幕北㊳，泄归泥将其部众来降。步度根寻为轲比能所杀。

公孙渊知吴远难恃，乃斩张弥、许晏等首，传送京师，悉没其兵资珍宝。冬，十二月，诏拜渊大司马，封乐浪公。

吴主闻之，大怒，曰：“朕年六十，世事难易，靡㊴所不尝㊵。近为鼠子所前却㊶，令人气踊如山。不自截鼠子头以掷于海，无颜复临万国；就令颠沛㊷，不以为恨！”

陆逊上疏曰：“陛下以神武之资，诞膺期运，破操乌林，败备西陵，禽羽荆州，斯三虏者，当世雄杰，皆摧其锋。圣化所绥㊸，万里草偃，方荡平华夏，总一大猷㊹。今不忍小忿而发雷霆之怒，违垂堂㊺之戒，轻万乘之重，此臣之所惑也。臣闻之，行万里者不中道而辍足，图四海者不怀细而[15]害大。强寇在境，荒服㊻未庭㊼，陛下乘桴㊽远

的两位使者就回不来了，岂不是让天下人取笑吗?”吴主反复驳难张昭，张昭的想法更加坚定。吴主不能忍受，按剑发怒说:“吴国的官员进宫则参拜我，出宫就拜访您，我敬重您已到了极点，您却一再在大家面前折辱顶撞我，我真怕做出感情失控的事来。”张昭久久地盯着吴主说:“臣虽然知道自己所言不会被采纳，每次还是竭尽愚忠，实在是因为太后临终把老臣招呼到她的床前，留下遗诏辅佐陛下的话犹在耳边的缘故。”于是涕泪横流。吴主掷刀于地，与张昭相对痛哭。但是最终吴主还是派张弥、许晏前往。张昭对不采纳他的意见感到气愤，称病不入朝。吴主怨恨张昭，下令用土堵塞张昭的大门，张昭也从里面再用土封堵。

夏，五月十八日戊寅，魏国北海王曹蕤去世。

闰五月初一日庚寅，发生日食。

六月，洛阳宫鞠室发生火灾。

鲜卑首领轲比能，引诱为魏国保卫边塞的另一支鲜卑部落首领步度根和他深交结亲，轲比能亲自率领一万名骑兵在陉北迎接步度根的家属和辎重。荆州刺史毕轨上表请求立即出兵，对外威胁轲比能，对内震慑步度根。魏明帝审阅表章后说:“步度根已经被轲比能诱惑，产生自疑之心。现在毕轨出兵，要谨慎从事，切不要越出边塞越过句注山。”可是等到诏书送到时，毕轨已经进军驻扎阴馆，并派将军苏尚、董弼追击鲜卑人。轲比能派儿子率领一千多名骑兵迎接步度根部落，和苏尚、董弼遭遇，在楼烦交战。苏、董二将战死，步度根和泄归泥部落全都反叛出塞，与轲比能联合侵扰边境。魏明帝派骁骑将军秦朗统率禁卫军讨伐，轲比能于是逃往沙漠以北，泄归泥率领部众前来归降。不久步度根被轲比能杀死。

公孙渊知道吴国相距遥远难以依赖，于是斩下张弥、许晏等人的首级，传送到京师，全部侵吞了张、许等人的军用物资及珍宝。冬，十二月，魏明帝下诏任命公孙渊为大司马，封为乐浪公。

吴主听到这一消息，大为震怒，说:“我年已六十，世上的艰难困苦，无所不尝，近来被鼠辈所戏弄，使人气涌如山。如果不亲自砍下鼠子之头，把它扔进大海，我就没有脸面君临万国；即使国家倾覆，也不会感到悔恨!”

陆逊上奏说:“陛下凭借神明威武的天资，承受大命，在乌林击破曹操，在西陵打败刘备，在荆州擒获关羽，这三个敌人，是当代的盖世英雄，都被您摧折锋芒。圣化所抚，万里尽伏，现在正是荡平中原，实现统一天下的重大谋略的时候，而今却因不忍小愤发雷霆之怒，违背了‘坐不垂堂’的古训，轻视一国之主的贵重，这是臣所感困惑的。臣听说，行万里路的人绝不中途止步，谋取天下的人绝不因小而害大。强敌在境，只因荒远之地没有臣服，陛下就乘筏远征，必定给敌人可乘之机，

征，必致窥阍[289]，戚至而忧，悔之无及。若使大事时捷，则渊不讨自服。今乃远惜辽东众之与马[290]，奈何独欲捐江东万安之本业而不惜乎！”

尚书仆射薛综上疏曰：“昔汉元帝欲御楼船[291]，薛广德[292]请刎颈以血染车。何则？水火之险至危，非帝王所宜涉也。今辽东戎貊[293]小国，无城隍之固，备御之术，器械铢钝[294]，犬羊无政，往必禽克，诚如明诏。然其方土寒埆[295]，谷稼不殖，民习鞍马，转徙无常，卒闻大军之至，自度不敌，鸟惊兽骇，长驱奔窜，一人匹马，不可得见，虽获空地，守之无益，此不可一也。加又洪流滉瀁[296]，有成山之难，海行无常，风波难免，倏忽[297]之间，人船异势[298]，虽有尧、舜之德，智无所施，贲、育[299]之勇，力不得设，此不可二也。加以郁雾冥其上，咸水蒸其下，善生流肿[300]，转相洿染，凡行海者，稀无此[16]患，此不可三也。天生神圣，当乘时平乱，康此民物。今逆虏将灭，海内垂定，乃违必然之图，寻至危之阻，忽九州之固，肆一朝之忿，既非社稷之重计，又开辟以来[301]所未尝有，斯诚群僚所以倾身侧息[302]，食不甘味，寝不安席者也。”

选曹尚书[303]陆瑁上疏曰：“北寇[304]与国，壤地连接，苟有间隙，应机而至。夫所以为越海求马，曲意于渊者，为赴目前之急，除腹心之疾也。而更弃本追末，捐近治远，忿以改规，激以动众，斯乃猾虏[305]所愿闻，非大吴之至计也。又兵家之术，以功役相疲[306]，劳逸相待，得失之间，所觉辄多[307]。且沓渚[308]去渊，道里尚远。今到其岸，兵势三分，使强者进取，次当守船，又次运粮，行人虽多，难得悉用。加以单步负粮，经远深入，贼地多马，邀截无常。若渊狙诈[309]，与北未绝，动众之日，唇齿[310]相济。若实孑[17]然无所凭赖[311]，其畏怖远迸，或难卒灭，使天诛稽于朔野[312]，山虏[313]乘间而起，恐非万安之长虑也。”吴主未许。

瑁重上疏曰：“夫兵革者，固前代所以诛暴乱、威四夷也。然其役皆在奸雄已除，天下无事，从容庙堂之上，以余议议之耳。至于中夏鼎沸，九域[314]盘互[315]之时，率须深根固本，爱力惜费，未有正于此时舍近治远，以疲军旅者也。昔尉佗[316]叛逆，僭号称帝，于时天下乂

危机临头才感忧虑，后悔莫及。如果国家战事时传报捷，那么公孙渊不用征讨自己就会来归服。如今只贪恋远在辽东的民众和马匹，怎么能偏想舍弃江东永安的基业而不珍惜呢!”

尚书仆射薛综上奏说:“从前汉元帝想乘楼船，薛广德要刎颈以血染车。为什么呢？因为水火无情，十分危险，不是帝王应当涉足的。如今辽东不过是东夷小国，没有牢固的城墙，防御无术，武器装备又轻又钝，当权者就像犬羊一样没有政治措施，前往必定获胜，诚如陛下诏书所说的那样。然而辽东土地贫瘠、气候严寒，庄稼不能生长，民众熟悉鞍马游牧，迁徙无常，突然听到大军来到，自量不是对手，像鸟兽惊骇，远逃鼠窜，连一个人、一匹马都看不到，即使获得空虚之地，占守它毫无益处，这是不能去征讨的原因之一。加上大海深广，已发生过成山之难，海上航行变化无常，风浪难以避免，转瞬之间，人船沉没，即使有尧、舜的美德和智慧，也无处施展，有孟贲、夏育的勇力，也难以发挥，这是不能去征讨的原因之二。还有浓雾罩黑天空，咸涩的海水在下面蒸腾，将士们容易双脚发肿，相互传染。大凡航海的人，很少不得这种病的，这是不能去征讨的原因之三。天生神圣贤明的陛下，应当抓住时机平定大乱，使百姓安定富庶。现在反贼曹氏将要被消灭，天下即将平定，却要放弃必成的大计，自找艰难险阻，忽略国家的安全，发泄一时的气愤，既不是国家的重大决策，又是建国以来未曾有过的举动，这确实是群臣侧卧而息，食不甘味，睡不安席的原因。”

选曹尚书陆瑁上疏说:“北边的魏贼和我国土地连接，我们如果有疏漏，魏贼会乘机而来。我国之所以渡海买马，违心顺承公孙渊，是为了解决眼前之急，目的是消除心腹之患。但舍本逐末，舍近求远，因一时气愤而改变规划，因感情激动而兴师动众，这才是狡猾敌人愿意听到的，不是我大吴最好计谋。再说兵家的战略战术，用劳役使对方疲惫，以逸待劳，双方得失相较，感觉差别很大。况且到达辽东沓渚县，那里距公孙渊还很远。在那里登陆上岸，军队势必会三分其众，让强的向前攻取，差一些的守卫船只，再差一些的运送军粮，出征的人数虽多，难以全部用上。加上徒步行军，背负粮食，远道深入，敌地多有战马，拦阻抄掠出没无常。像公孙渊这样狡猾奸诈的敌人，他与北边的魏贼并未断绝关系，兴兵之日，他们唇齿相依。如果公孙渊确实孤立无所依靠，他将畏惧远逃，也难以很快消灭。我大吴对公孙渊的诛杀大军还滞留在北方的原野上，而这时国内的山越却乘机而起，这恐怕不是永安之长计。”吴主不同意。

陆瑁再次上奏说:“兴兵动武，固然是前代用以诛除暴乱、威慑四方蛮夷的举动。但这种行动都是在奸雄已除，天下无事，从容不迫地在朝廷之上，以剩余的议题来讨论罢了。至于中原战乱不已，九州之地各自盘踞互相为敌的时候，正需要牢固根本，爱护民力，珍惜财物，没有正在这时舍近征远，使军队疲劳的。从前尉佗

安[317]，百姓康阜，然汉文犹以远征不易，告喻而已。今凶桀[318]未殄，疆埸[319]犹警，未宜以渊为先。愿陛下抑威任计，暂宁六师，潜神嘿规，以为后图，天下幸甚！”吴主乃止。

吴主数遣人慰谢张昭，昭固不起。吴主因出，过其门呼昭，昭辞疾笃。吴主烧其门，欲以恐之，昭亦不出。吴主使人灭火，住门良久，昭诸子共扶昭起，吴主载以还宫，深自克责[320]。昭不得已，然后朝会。

初，张弥、许晏等至襄平[321]，公孙渊欲图之，乃先分散其吏兵，中使[322]秦旦、张群、杜德、黄强等及吏兵六十人置玄菟[323]。玄菟在辽东北二百里，太守王赞领户二百，旦等皆舍[324]于民家，仰[325]其饮食，积四十许日。旦与群等议曰：“吾人远辱国命，自弃于此，与死无异。今观此郡，形势甚弱，若一旦同心，焚烧城郭，杀其长吏，为国报耻，然后伏死，足以无恨。孰与偷生苟活，长为囚虏乎！”群等然之。于是阴相结约，当用[326]八月十九日夜发。其日中时，为郡中张松所告，赞便会士众，闭城门，旦、群、德、强等[18]皆逾城得走。时群病疽疮[327]著膝[328]，不及辈旅。德常扶接与俱，崎岖山谷，行六七百里，创[329]益困，不复能前，卧草中，相守悲泣。群曰：“吾不幸创甚，死亡无日，卿诸人宜速进道，冀有所达，空相守俱死于穷谷之中，何益也！”德曰：“万里流离，死生共之，不忍相委[330]。”于是推旦、强使前，德独留守群，采菜果食[331]之。旦、强别数日，得达句丽[332]，因宣吴主诏于句丽王位宫及其主簿[333]，绐[334]言有赐，为辽东所劫夺。位宫等大喜，即受诏，命使人随旦还迎群、德[19]，遣皂衣[335]二十五人，送旦等还吴，奉表称臣，贡貂皮千枚，鹖鸡[336]皮十具。旦等见吴主，悲喜不能自胜。吴主壮之，皆拜校尉。

是岁，吴主出兵欲围新城[337]，以其远水，积二十余日，不敢下船。满宠谓诸将曰：“孙权得吾移城，必于其众中有自大之言。今大举来，欲要[338]一切之功，虽不敢至，必当上岸耀兵[339]，以示有余。”乃潜遣步骑六千，伏肥水隐处以待之。吴主果上岸耀兵，宠伏兵卒起击之，斩首数百，或有赴水死者。吴主又使全琮攻六安[340]，亦不克。

蜀庲降都督[341]张翼用法严峻，南夷豪帅刘胄叛。丞相亮以参军巴

叛逆，伪号称帝，当时天下安定，百姓富足，但是汉文帝仍认为远征不易，只是派使者加以晓谕而已。现在元凶未灭，边境还有警报，不应该把公孙渊放在首位。希望陛下抑制威怒，使用计策，暂停大军，潜心思考，默默谋划，以后再去实行，天下则万幸!”吴主这才作罢。

吴主多次派人慰问张昭，以示歉意，张昭执意不起。吴主因事出宫，路过张昭的门口呼唤张昭，张昭推辞病重不见吴主。吴主用火烧他的大门，想以此恐吓他，张昭也还不出来。吴主派人灭火，站在门口许久，张昭的几个儿子一同扶起张昭，吴主用车把他载回宫，深切自责。张昭不得已，然后参加朝会。

当初，张弥、许晏等到达襄平时，公孙渊想谋害他们，就先分散他们的官兵，把中使秦旦、张群、杜德、黄强等及其官兵六十人安置在玄菟郡。玄菟在辽东以北二百里，太守王赞管辖二百户人家，秦旦等都住在民宅，依靠民家供给饮食，历时约四十天。秦旦和张群等商议说:“我们远来有辱国家使命，被弃于此地，和死差不多。现在考察这个郡，势力很弱，如果我们一旦同心，焚烧城郭，杀死他们的官吏，为国报仇雪耻，然后伏法而死，就没有遗憾了。这不比苟且偷生，长期作为囚犯好得多嘛!”张群等认为此话有理。于是暗中相互约定，当在八月十九日夜晚举事。到了那天中午，被郡中人张松告发，郡守王赞就会集部众，关闭城门，秦旦、张群、杜德、黄强等都翻越城墙得以逃走。此时张群膝上生疮，跟不上同伴。杜德常常搀扶照应与他一起走，山谷道路崎岖，行走了六七百里，伤口更加严重，不能再前行，躺在草丛中，相互守着悲痛流泪。张群说:“我不幸伤重，离死没有几天了，你们几位应当迅速向前赶路，希望能找到活路，像这样白白地相互厮守，一起死在深山穷谷之中，有什么好处呢!”杜德说:“万里颠沛流离，生死与共，不忍心抛弃你。”于是催促秦旦、黄强，让他们前行，杜德单独留下守护张群，采集野菜野果给他吃。秦旦、黄强分别了数日，到达高句丽，就向高句丽国王位宫及其主簿宣布吴主诏书，谎称有赏赐，被辽东劫夺。高句丽国王位宫等人大喜，随即接受吴主诏书，命令派人随同秦旦回去迎接张群、杜德。然后高句丽王又派属官皂衣二十五人，护送秦旦等返回吴国，上表称臣，进贡貂皮一千张，鹖鸡皮十张。秦旦等见到吴主，悲喜交集不能自已，吴主称赞他们的壮举，都任命为校尉。

这一年，吴主出兵想围攻合肥新城，因为新城远离水域，历时二十多天，不敢下船。满宠对众将领说:“孙权得知我迁移城址，必定在部属中发布狂妄自大的言论。现在大举发兵前来，想要求取所有的功劳，即使他不敢来攻城，也必定登岸炫耀武力，以显示行有余力。”于是暗中派步、骑兵六千人，埋伏在肥水的隐蔽处等候吴军，吴主果真登岸炫耀武力，满宠的伏兵突然发起攻击，斩首数百，有的吴军逃入水中被淹死。吴主又派全琮攻打六安，也没有攻下。

蜀庲降都督张翼，用法严峻，南方夷人首领刘胄反叛。丞相诸葛亮派参军巴西

西马忠代翼，召翼令还。其人谓翼宜速归即罪，翼曰："不然。吾以蛮夷蠢动，不称职，故还耳。然代人未至，吾方临战场，当运粮积谷，为灭贼之资，岂可以黜退之故而废公家之务乎！"于是统摄不懈，代到乃发。马忠因其成基，破胄，斩之。

诸葛亮劝农㉞²讲武，作木牛、流马㉞³，运米集斜谷口，治斜谷邸阁，息民休士，三年而后用之。

【段旨】

以上为第六段，写孙权不听劝谏，一意孤行，联盟辽东，被公孙渊所欺。

【注释】

㉕⑨青龙见摩陂井中：自此改摩陂为龙陂。㉖⓪郎中令：官名，汉魏时期，王国置郎中令一人，掌郎中宿卫。但公孙渊此前未封王，也未自称王，却置郎中令。㉖①太常：官名，列卿之一，掌礼乐、郊庙、社稷等事。㉖②执金吾：官名，掌督巡宫外、维护皇宫周围及京都的治安，皇帝出行时，则充任护卫及仪仗队。㉖③九锡：古代天子赐给大臣的最高礼遇。《汉书·武帝纪》注引应劭说："九锡者，一曰车马，二曰衣服，三曰乐器，四曰朱户，五曰纳陛，六曰虎贲百人，七曰斧钺，八曰弓矢，九曰秬鬯。"㉖④弥：更加；益发。㉖⑤数于众中折孤：谓一再在大家面前折辱我。折，屈。㉖⑥失计：谓不能容忍而杀张昭。㉖⑦孰视：久久盯看。孰，通"熟"。㉖⑧戊寅：五月十八日。㉖⑨鞠室：踢鞠的场所。鞠，古代用革制成的一种皮球，用于军中习武游戏，以足踢，类似今日的足球。㉗⓪累重：谓家属与资产。累，家累、家属。重，辎重、财货。㉗①陉北：指陉岭以北之地。陉岭一名西陉山，又名句注山，在今山西代县西北。㉗②毕轨：字昭先。魏明帝初为黄门郎，后为并荆刺史。齐王芳正始中为中护军，又为侍中、尚书、司隶校尉，因与曹爽亲善，司马懿诛曹爽时被杀。事见《三国志·魏书·曹爽传》注引《魏略》。㉗③句注：即陉岭。东汉末，自朔方、五原、上郡、定襄、云中，东至陉岭以北，皆为匈奴、羌等少数民族所据有，故魏明帝令毕轨勿越过句注。㉗④阴馆：汉县名，县治在今山西代县西北。㉗⑤楼烦：汉县名，县治在今山西代县西北雁门关之北。㉗⑥秦朗：字符明，其母被曹操纳为妾，故朗长于宫中。魏明帝时为骁骑将军、给事中。事见《三国志·魏书·明帝纪》注引《魏氏春秋》与《魏略》。㉗⑦中军：中央禁卫军。㉗⑧幕北：即漠北。幕，通"漠"。㉗⑨靡：无。㉘⓪尝：经历。㉘①前却：谓公孙渊向吴称臣以诱吴使者前往，后又斩吴使者以戏弄吴。㉘②颠沛：倾覆。㉘③绥：安抚。㉘④总一大猷：实现统一的重大谋略。大猷，大谋。㉘⑤垂堂：堂屋檐下。

人马忠代替张翼，将张翼召回。使者告诉张翼要火速回去领罪，张翼说："不是这样。我因为蛮夷反叛，不称职，才被召回。但是接替的人还没到来，我正面临战场，应当运粮积谷，为消灭叛贼准备物资，岂能因为被革职而废止公务呢！"于是统筹指挥毫不松懈，直至接替的人到了才出发。马忠利用张翼打下的基础，打败叛军，杀了刘胄。

诸葛亮鼓励农耕练兵习武，制作木牛、流马，运粮集中于斜谷口，修缮斜谷栈道，使百姓和士兵得以休息，三年之后再用兵。

在檐下可能被落瓦所伤，故用以比喻危险境地。古谚语即有"千金之子，坐不垂堂"的话。见《史记·袁盎晁错列传》。㉘荒服：古代五服之一。指离王畿二千五百里的地区，为五服中最远之地。此指公孙渊所据的辽东地区。㉘未庭：未臣服。㉘桴：竹木编成的渡水工具，大的叫筏，小的叫桴。㉘窥阚：窥视，伺隙而动。㉙远惜辽东众之与马：谓孙权对遥远的辽东之贪恋，是因为辽东民众多并产马。㉙楼船：有叠层的大船。㉙薛广德：汉元帝时，薛广德为御史大夫，直言敢谏。汉元帝曾想乘楼船往祭宗庙，当乘车舆出长安南门后，薛广德即谏阻，元帝表示不采纳。广德便说："陛下不听臣，臣自刎，以血污车轮，陛下不得入庙矣。"元帝遂改为乘车。事见《汉书·薛广德传》。㉙貊：古代称居于东北地区的民族为貊。㉙铢钝：言其又轻又钝。古代二十四铢为一两。㉙埆：土地贫瘠。㉙滉瀁：水深广的样子。㉙倏忽：指时间极短，犹言瞬息。㉙人船异势：指船翻沉，人与船漂没异处。㉙贲、育：指孟贲、夏育，皆是古代有名的勇士。㉚流肿：下肢肿胀的脚气病。㉚开辟以来：谓建国以来。㉚倾身侧息：谓侧身而息，不敢安稳睡眠。㉚尚书：官名，即曹魏的吏部尚书，主官吏之选用。㉚北寇：指曹魏。㉚猾虏：亦指曹魏。㉚功役相疲：以劳役使对方疲惫。㉚劳逸相待三句：谓对方以逸待劳，双方得失之间，感觉差别很大。㉚沓渚：辽东郡有沓氏县，县治在今辽宁辽阳东南。因沓氏西南临海渚（岛），故又称沓渚。㉚狙诈：诡诈。㉛唇齿：比喻魏与辽东。谓吴伐辽东，魏可能南侵。㉛若实孑然无所凭赖：意谓公孙渊孑然孤立无援。㉛天诛稽于朔野：天诛，上天的诛杀，此指吴军征讨。稽，停留。指诛杀公孙渊还滞留在北方旷野中。㉛山虏：指丹阳、豫章等郡的山越。㉛九域：九州。谓全国。㉛盘互：谓九州各自盘踞，又互相敌对。㉛尉佗：尉佗本真定人，姓赵名佗，秦末为南海尉，故称尉佗。秦亡后，尉佗自称南粤武王。汉高帝刘邦统一全国后，亦遣使立尉佗为南粤王。高后时因禁止铁器入南粤，尉佗因叛汉自称南武帝，并发兵攻长沙边境。汉文帝即位后，遣陆贾至南粤说服尉佗，尉佗遂取消帝号，仍臣服汉，为南粤王。事见《汉书·南粤王赵佗传》。㉛乂安：安定。㉛凶桀：指曹魏。㉛疆埸：疆域之边界，亦即国界。㉜深自克责：深刻责

备自己。克，通“刻”。㉑襄平：县名，辽东郡的治所，在今辽宁辽阳。㉒中使：宫中派出的使者，奉旨执行使命。以宫中宦者充任。㉓玄菟：郡名，治所高句丽，在今辽宁沈阳城东。㉔舍：住宿。㉕仰：依赖。㉖用：于。㉗疽疮：毒疮之一种。㉘著膝：谓毒疮生在膝上。㉙创：谓创伤。㉚委：抛弃。㉛食：拿食物给人吃。㉜句丽：即高句丽国，都城在丸都，在今吉林集安。㉝主簿：高句丽王之属官。㉞绐：欺骗。㉟皂衣：高句丽王之属官。㊱鹖鸡：鸟名，形似野鸡，体型较大，色青，好斗。㊲新城：即合肥新城。太和六年（公元二三二年）满宠于合肥城西三十里更筑新城，称合肥新城，在今安徽合肥旧谢步镇。㊳要：通“徼”，求、取。㊴耀兵：显示兵威。㊵六安：县名，县治在今安徽六安北。㊶庲降都督：官名，蜀汉置以督统南中地区。最初都督治所在南昌县（在今云南镇雄境），至李恢为都督，移治所于平夷县（在今云南富源境）。张翼为都督，治所亦在平夷县。马忠代张翼为都督后，又移治所于味县（在今云南曲靖境）。㊷劝农：鼓励农业生产。㊸流马：诸葛亮创制的先进运输工具，虽然《诸葛亮集》对流马各部件的尺寸都有所说明，但其具体形制仍不很清楚，有人认为即后世的独轮车。

【原文】

二年（甲寅，公元二三四年）

春，二月，亮悉大众十万由斜谷入寇，遣使约吴同时大举。

三月庚寅[344]，山阳公卒，帝素服发丧。

己酉[345]，大赦。

夏，四月，大疫。

崇华殿灾。

诸葛亮至郿，军于渭水之南。司马懿引军渡渭，背水为垒拒之，谓诸将曰：“亮若出武功，依山而东，诚为可忧。若西上五丈原[346]，诸将无事矣。”亮果屯五丈原。

雍州[347]刺史郭淮言于懿曰：“亮必争北原[348]，宜先据之。”议者多谓不然，淮曰：“若亮跨渭登原，连兵北山，隔绝陇道，摇荡民夷，此非国之利也。”懿乃使淮屯北原。堑垒未成，汉兵大至，淮逆击却之。

亮以前者数出，皆以运粮不继，使己志不伸，乃分兵屯田为久驻之基，耕者杂于渭滨居民之间，而百姓安堵，军无私焉。

【校记】

［14］剑：据章钰校，甲十六行本、乙十一行本皆作“刀”。［15］而：据章钰校，甲十六行本、乙十一行本皆作“以”。［16］此：据章钰校，甲十六行本、乙十一行本皆作“斯”。［17］孑：原作“了”。胡三省注云蜀本作“孑”。据章钰校，甲十六行本、乙十一行本亦作“孑”，张敦仁《通鉴刊本识误》同，今从改。［18］等：原无此字。据章钰校，甲十六行本、乙十一行本皆有此字，今据补。［19］德：原无此字。据章钰校，甲十六行本、乙十一行本皆有此字，今据补。

【语译】

二年（甲寅，公元二三四年）

春，二月，诸葛亮倾巢出动了十万大军从斜谷出兵攻魏，派使者相约吴国同时大举出兵。

三月初六日庚寅，山阳公刘协去世，魏明帝身穿丧服宣布丧讯。

二十五日己酉，大赦天下。

夏，四月，瘟疫大流行。

洛阳崇华殿发生火灾。

诸葛亮到达郿县，在渭水南岸扎营。司马懿率军渡过渭水，背靠渭水构筑营垒抵御诸葛亮，对各位将领说：“诸葛亮如果道出武功，依山东进，确实让人担忧。如果西上五丈原，各位将领就平安无事了。”诸葛亮果然屯驻五丈原。

雍州刺史郭淮向司马懿进言说：“诸葛亮必定争夺北原，应当抢先占据北原。”参加谋议的人大多不赞同，郭淮说：“如果诸葛亮跨过渭水登上北原，接连进兵到北山，隔断陇道，就会引起百姓和夷人动荡，这对国家是不利的。”司马懿于是派郭淮屯驻北原。营垒还没有筑成，汉军大量来到，郭淮迎击，打退了汉兵。

诸葛亮因为前几次出兵，都是粮运接济不上，使自己的大志不能实现，于是分兵屯田，作为长期驻军的基础，屯田的士兵和渭水之滨的居民杂居在一起，而百姓安居，军队没有损民肥私之事。

五月，吴主入居巢[349]湖口[350]，向合肥新城，众号十万；又遣陆逊、诸葛瑾将万余人入江夏[351]、沔口[352]，向襄阳[353]；将军孙韶、张承入淮，向广陵[354]、淮阴。

六月，满宠欲率诸军救新城。殄夷将军[355]田豫曰："贼悉众大举，非图小利，欲质[356]新城以致大军耳。宜听使攻城，挫其锐气，不当与争锋也。城不可拔，众必罢[357]怠，罢怠然后击之，可大克也。若贼见计[358]，必不攻城，势将自走。若便进兵，适入其计矣。"

时东方吏士皆分休[359]，宠表请召中军兵[360]，并[20]所休将士，须集击之。散骑常侍广平刘劭议以为："贼众新至，心专气锐，宠以少人自战其地，若便进击，必不能制。宠请待兵，未有所失也。"以为"可先遣步兵五千，精骑三千，先军前发，扬声进道，震曜[361]形势。骑到合肥，疏其行队，多其旌鼓，曜兵城下，引出贼后，拟其归路，要[362]其粮道。贼闻大军来，骑断其后，必震怖遁走，不战自破矣"。帝从之。

宠欲拔新城守，致贼寿春，帝不听，曰："昔汉光武遣兵据略阳[363]，终以破隗嚣。先帝东置合肥，南守襄阳，西固祁山，贼来辄破于三城之下者，地有所必争也。纵权攻新城，必不能拔。敕诸将坚守，吾将自往征之，比至，恐权走也。"乃使征蜀护军秦朗督步骑二万助司马懿御诸葛亮，敕懿："但坚壁拒守，以挫其锋，彼进不得志，退无与战，久停则粮尽，虏略无所获，则必走，走而追之，全胜之道也。"

秋，七月壬寅[364][21]，帝御龙舟东征。

满宠募壮士焚吴攻具，射杀吴主之弟子泰，又吴吏士多疾病。帝未至数百里，疑兵[365]先至。吴主始谓帝不能出，闻大军至，遂遁，孙韶亦退。

陆逊遣亲人韩扁奉表诣吴主，逻者[366]得之。诸葛瑾闻之甚惧，书与逊云："大驾已还，贼得韩扁，具知吾阔狭[367]，且水干，宜当急去。"逊未答，方催人种葑[368]、豆，与诸将弈棋[369]、射戏[370]如常。瑾曰："伯言[371]多智略，其必当有以[372]。"乃自来见逊。逊曰："贼知大驾已还，无所复忧，得专力于吾。又已守要害之处，兵将意动[373]，且当自定以安之，

五月，吴主率军进入巢湖口，向合肥新城进军，号称十万兵马；又派陆逊、诸葛瑾率一万多兵马进入江夏、沔口，进军襄阳；将军孙韶、张承进入淮河，进军广陵、淮阴。

六月，满宠想率领各路军队救援新城。殄夷将军田豫说："敌人倾巢大举出兵，并非贪图小利，而是想利用新城作为诱饵来引我大军前去罢了。应该听任他们攻城，挫伤他们的锐气，不应该与他们争锋。不能攻克城池，敌军势必疲惫懈怠，疲惫懈怠之后去攻击，可以大胜。如果敌人发觉了我们的计谋，一定不会攻城，势必即将自行退走。如果我军立刻进兵，恰恰中了他们的诡计。"

此时，魏国东部的官兵都在轮番休假，满宠上表请求调动朝廷禁军，连同休假的将士，等到军队集结后再发动攻击。散骑常侍广平人刘劭建议说："敌军刚至，全神贯注，士气旺盛，满宠因兵少而又在自己的防地上作战，如果立即去进攻，一定不能战胜敌人。满宠请求等待援兵，没有什么失误。"他认为"可先派步兵五千人，精锐骑兵三千人，作为先头部队出发，虚张声势走上征途，炫耀军队气势。骑兵到达合肥后，撒开队伍，多设置旌旗战鼓，在城下炫耀兵威，将敌人引出之后，切断敌人的归路，拦截敌人的粮道。敌人听说我大军来到，骑兵切断了后路，一定会震惊逃走，不战自败了"。魏明帝听从了这个建议。

满宠想放弃新城防务，引诱敌人深入到寿春，魏明帝不听从，说："从前汉光武帝派军队占据略阳，终于击败隗嚣。先帝在东面设置合肥，在南面据守襄阳，在西面固守祁山，敌人来犯往往就在这三城之下被打败，因为这是兵家必争之地。即使孙权攻打新城，一定不能攻下。命令各位将领坚守，我当亲自去征伐，等我到达时，恐怕孙权已经逃走了。"魏明帝于是派征蜀护军秦朗率领步、骑兵二万人援助司马懿抵御诸葛亮，命令司马懿："只需坚壁拒守，以挫败敌人的锐气，敌人前进不能得志，后退又无人与他交战，久留则粮尽，抢掠一无所获，那么就必然会退走，等敌人退走时再追击，这才是全胜的策略。"

秋，七月壬寅日，魏明帝亲乘龙舟东征。

满宠招募壮士烧毁吴军攻城的器具，射死吴主弟弟的儿子孙泰，加之吴军官兵又多染疾病。魏明帝距离合肥还有几百里，疑惑敌人的兵众已先到达。吴主开始认为魏明帝不会出征，听说大军来到，于是逃走，孙韶也撤退了。

陆逊派亲信韩扁送奏章给孙权，被魏军的巡逻兵截获。诸葛瑾听到消息很害怕，写信给陆逊说："主上大驾已回，敌人俘获韩扁，知道我们的虚实，况且水路已干涸，应当火速撤离。"陆逊没有回复，正在催促部队种蔓菁、种豆，与各位将领下棋、竞猜游戏，和平常一样。诸葛瑾说："陆逊足智多谋，其中必有缘故。"于是亲自前来见陆逊。陆逊说："敌人知道君上已回，无所忧虑，势必集中力量来对付我。况且他们已经控制了各要害之地，我军将士动摇不定，应当自我安定以稳定军心，

施设变术，然后出耳。今便示退，贼当谓吾怖，仍来相蹙[374]，必败之势也。”乃密与瑾立计，令瑾督舟船，逊悉上兵马以向襄阳城。魏人素惮逊名，遽还赴城。瑾便引船出，逊徐整部伍，张拓声势[375]，步趣船，魏人不敢逼。行到白围[376]，托言住猎，潜遣将军周峻、张梁等击江夏、新市[377]、安陆[378]、石阳[379]，斩获千余人而还。

群臣以为司马懿方与诸葛亮相守未解，车驾可西幸长安。帝曰：“权走，亮胆破，大军足以制之，吾无忧矣。”遂进军至寿春，录诸将功，封赏各有差。

八月壬申[380]，葬汉孝献皇帝于禅陵[381]。

辛巳[382]，帝还许昌。

司马懿与诸葛亮相守百余日，亮数挑战，懿不出。亮乃遗[383]懿巾帼[384]妇人之服。懿怒，上表请战，帝使卫尉[385]辛毗杖节为军师[386]以制之。护军姜维谓亮曰：“辛佐治杖节而到，贼不复出矣。”亮曰：“彼本无战情，所以固请战者，以示武于其众耳。将在军，君命有所不受，苟能制吾，岂千里而请战邪！”

亮遣使者至懿军，懿问其寝食及事之烦简，不问戎事。使者对曰：“诸葛公夙兴夜寐[387]，罚二十以上，皆亲览焉，所啖[388]食不至数升[389]。”懿告人曰：“诸葛孔明食少事烦，其能久乎！”

亮病笃，汉主[22]使尚书仆射李福省侍，因谘以国家大计。福至，与亮语已[390]，别去[391]，数日复还。亮曰：“孤知君还意。近日言语虽弥日[392]，有所不尽，更来求决耳。公所问者，公琰[393]其宜也。”福谢：“前实失不谘请。如公百年后，谁可任大事者，故辄还耳。乞复请蒋[23]琬之后，谁可任者？”亮曰：“文伟[394]可以继之。”又问其次，亮不答。

是月，亮卒于军中，长史杨仪[395]整军而出。百姓奔告司马懿，懿追之。姜维令仪反旗鸣鼓，若将向懿者，懿敛军退，不敢逼。于是仪结陈[396]而去，入谷[397]，然后发丧[398]。百姓为之谚曰：“死诸葛走生仲达[399]。”懿闻之，笑曰：“吾能料生，不能料死故也。”懿按行亮之营垒处所，叹曰：“天下奇才也！”追至赤岸[400]，不及而还。

布置应变之术，然后撤退。现在就示意退走，敌人该认为我军恐惧，因而前来紧逼，这是我军必败的形势。”于是秘密地和诸葛瑾订下计谋，命诸葛瑾督领船队，陆逊率领全部精锐兵马向襄阳城进发。魏军素来忌惮陆逊的名声，急速退回襄阳城。诸葛瑾于是率船队驶出，陆逊从容不迫地整饬军队，虚张声势，徒步奔向船队，魏军不敢紧逼。行至白围，声称要停下打猎，暗中派将军周峻、张梁等袭击江夏、新市、安陆、石阳，斩杀俘获一千多人而回。

魏国群臣认为司马懿与诸葛亮正相持不下，明帝可以向西巡幸长安。明帝说：“孙权逃走，诸葛亮闻风破胆，大军足以战胜他，我已无忧虑了。”于是进军到寿春，论列各位将领的功劳，封爵赏赐各有不同的等级。

八月二十日壬申，在禅陵安葬汉献帝。

二十九日辛巳，魏明帝回到许昌。

司马懿与诸葛亮对峙一百多天，诸葛亮多次挑战，司马懿不出战。诸葛亮于是把妇女使用的头巾赠送司马懿。司马懿大怒，上表请求出战，魏明帝派卫尉辛毗执符节作为军师来加以制止。护军姜维对诸葛亮说：“辛毗持符节而至，敌人不会再出战了。”诸葛亮说：“他本来就无心出战，之所以坚持请求出战，是要向他的军队表示威武罢了。将在军中，君命有所不受，如果能战胜我，哪里会千里迢迢去请战呢！”

诸葛亮派使者到司马懿的军中，司马懿询问诸葛亮的睡眠、饮食及其每天处理事务的多少，而不问军事。使者回答说：“诸葛公早起晚睡，二十杖以上的惩罚，都亲自审阅，饭量不到几升。”司马懿对人说：“诸葛孔明吃得少事情多，他能坚持长久吗？”

诸葛亮病危，汉后主派尚书仆射李福探望侍候，并向诸葛亮咨询国家大事。李福来到，与诸葛亮谈话结束，辞别离去，过了几天又回来了。诸葛亮说：“我知道你回来的用意。前几天我们虽交谈了一整天，仍旧没有讲完，你又来听我的决定罢了。你所询问的事，蒋琬适合。”李福道歉说：“前日确实忘了咨询请示。如果您百年之后，谁可当此重任，因此就回来了。请再指示蒋琬之后，谁可继任？”诸葛亮说：“费祎可以继任。”又问费祎之后的人选，诸葛亮不作回答。

这个月，诸葛亮在军中去世，长史杨仪整顿军队撤出。百姓跑着报告司马懿，司马懿追击。姜维命令杨仪反转旗帜，擂响战鼓，好像是要进攻司马懿的样子，司马懿收兵撤退，不敢进逼。于是杨仪把军队组成战斗队形离去，进入斜谷，然后发布诸葛亮的死讯。百姓为此编了一句谚语：“死诸葛吓跑活司马。”司马懿听说后，苦笑着说：“这是我能预料活人之事，而不能预料死人之事的缘故。”司马懿巡视诸葛亮营垒所在之处，感叹道：“真是天下奇才啊！”追到赤岸，没有追上而回军。

【段旨】

以上为第七段，写诸葛亮第五次北伐，卒于军中而退兵。

【注释】

㉞庚寅：三月初六日。㉟己酉：三月二十五日。㊱五丈原：地名，在当时郿县之西，渭水之南。郿县县治在今陕西眉县东北。㊲雍州：州名，曹魏雍州治所长安，在今陕西西安西北。㊳北原：在五丈原与渭水之北。㊴居巢：县名，县治在今安徽巢湖东北。㊵湖口：指巢湖口，即后世的栅江口，因水导源于巢湖，故称巢湖口，在今安徽和县西南。㊶江夏：郡名，孙吴江夏郡治所在武昌，在今湖北鄂州。㊷沔口：又称夏口，即今湖北汉口。㊸襄阳：郡名，治所襄阳县，在今湖北襄阳。㊹广陵：郡名，曹魏广陵郡治所在淮阴，在今江苏淮安市淮阴区西南。㊺殄夷将军：官名，曹魏所置的杂号将军，不在《宋书·百官志》所载魏晋四十号将军之中。㊻质：凭借之意。㊼罢：通“疲”。㊽见计：谓吴军看出魏军待敌之计。㊾分休：轮番休息。㊿中军兵：包括禁军在内的中央军队。[361]震曜：夸耀。[362]要：通“邀”，拦截。[363]略阳：县名，县治在今甘肃秦安西北。东汉初，隗嚣据有天水、武都、金城等郡。汉光武帝建武八年（公元三二年）命来歙袭取隗嚣守将所据的略阳。来歙攻下后，就坚守不放，终败隗嚣。事见《后汉书·光武帝纪》。[364]壬寅：七月甲寅朔，无壬寅。[365]疑兵：迷惑敌人之兵。[366]逻者：巡逻兵。[367]具知吾阔狭：详细知道我们的虚实。阔狭，犹言虚实、宽窄、长短。[368]葑：菜名，即蔓菁。[369]弈棋：下棋。[370]射戏：射覆之游戏，即猜测覆盖物的游戏。[371]伯

【原文】

初，汉前军师[401]魏延勇猛过人，善养士卒。每随亮出，辄欲请兵万人，与亮异道会于潼关[402]，如韩信故事[403]，亮制而不许。延常谓亮为怯，叹恨己才用之不尽。杨仪为人干敏[404]，亮每出军，仪常规画分部，筹度粮谷，不稽思虑，斯须[405]便了，军戎节度，取办于仪。延性矜高[406]，当时皆避下之，唯仪不假借[407]延，延以为至忿，有如水火。亮深惜二人之才，不忍有所偏废也。

费祎使吴，吴主醉，问祎曰：“杨仪、魏延，牧竖小人也，虽尝有鸣吠之益于时务，然既已任之，势不得轻。若一朝无诸葛亮，

言：陆逊字伯言。㊲其必当有以：意谓一定有其缘故。以，缘故。㊳意动：思想动摇不定。㊴蹙：逼迫。㊵张拓声势：虚张声势。㊶白围：在白河口所立的围屯，称为白围。白河在今湖北襄阳东北。㊷新市：县名，即江夏郡之南新市，县治在今湖北京山东北。㊸安陆：县名，为魏江夏郡治所，在今湖北安陆南。㊹石阳：县名，县治在今湖北应城东南。㊺壬申：八月二十日。㊻禅陵：在今河南修武东北。㊼辛巳：八月二十九日。㊽遗：赠与。㊾巾帼：妇女的头巾。㊿卫尉：官名，列卿之一，掌宫门警卫及宫中巡逻。㊿军师：官名，军队的高级参谋。㊿夙兴夜寐：很早即起，深夜方睡。㊿啖：吃。㊿数升：此据《三国志·蜀书·诸葛亮传》注引《魏氏春秋》《晋书·宣帝纪》作"三四升"。㊿已：完；结束。㊿别去：离别归去。㊿弥日：整天。㊿公琰：蒋琬字公琰。㊿文伟：费祎字文伟。㊿杨仪：字公威，襄阳人，建安中投归关羽，后为蜀汉尚书、丞相府参军、长史等。后因怨望诽谤，被废自杀。传见《三国志》卷四十。㊿陈：同"阵"。㊿谷：指斜谷。㊿发丧：公布丧事于众。㊿仲达：司马懿字仲达。㊿赤岸：地名，又称赤崖，在今陕西汉中西北。

【校记】

［20］并：此下原有"召"字。据章钰校，甲十六行本、乙十一行本皆无此字，今据删。〖按〗此谓满宠表请"召中军兵"及"所休将士"，上句已有"召"字，此句无需重出。［21］壬寅：原无此二字。据章钰校，甲十六行本、乙十一行本皆有此二字，今据补。［22］主：原无此字。据章钰校，甲十六行本、乙十一行本皆有此字，今据补。［23］乞复请蒋：据章钰校，此四字甲十六行本作"又问其次"。

【语译】

当初，汉前军师魏延勇猛过人，善待士卒。每次随诸葛亮出征，常想请求率兵万人，和诸葛亮兵分两路在潼关会师，仿效当年韩信请兵独当一面的旧事，诸葛亮制止不同意。魏延经常认为诸葛亮胆怯，为自己的才干没有得到充分发挥而抱怨遗憾。杨仪为人干练机敏，诸葛亮每次出兵，杨仪常常规划部署，筹划调度军粮，不假思索，顷刻就处理了当，军事上的节制调度，都由杨仪办理。魏延性情自大高傲，当时的人都对他避让三分，唯独杨仪不宽容魏延，魏延因此非常愤怒，两人关系有如水火。诸葛亮很爱惜两人的才干，不忍心有所偏向。

费祎出使吴国，吴主酒醉，问费祎："杨仪、魏延，不过是放牛羊的小子，虽曾有鸡鸣狗盗之功补益时务，但既已任用了他们，势必不能轻视。若一旦没有了诸葛亮，

必为祸乱矣。诸君愦愦⑱，不知防虑于此，岂所谓贻厥孙谋乎！”祎对曰：“仪、延之不协，起于私忿耳，而无黥、韩⑲难御之心也。今方扫除强贼，混一函夏⑩，功以才成，业由才广，若舍此不任，防其后患，是犹备有风波而逆废舟楫⑪，非长计也。”

亮病困，与仪及司马费祎等作身殁之后退军节度⑫，令延断后，姜维次之。若延或[24]不从命，军便自发。亮卒，仪秘不发丧，令祎往揣延意指。延曰：“丞相虽亡，吾自见在，府亲官属⑬，便可将丧还葬，吾当自[25]率诸军击贼，云何以一人死废天下之事邪！且魏延何人，当为杨仪[26]所部勒，作断后将乎！”自与祎共作行留⑭部分⑮，令祎手书与己连名，告下诸将。祎绐延曰：“当为君还解杨长史，长史文吏，稀更⑯军事，必不违命也。”祎出，奔马而去。延寻⑰悔之，已不及矣。

延遣人觇⑱仪等欲按亮成规，诸营相次引军还。延大怒，搀⑲仪未发，率所领径先南归，所过烧绝阁道。延、仪各相表叛逆，一日之中，羽檄⑳交至。汉主以问侍中董允、留府长史蒋琬，琬、允咸保仪而疑延。仪等令槎山㉑通道，昼夜兼行，亦继延后。延先至，据南谷口㉒，遣兵逆击仪等，仪等令将军何平㉓于前御延。平叱先登曰：“公亡，身尚未寒，汝辈何敢乃尔！”延士众知曲在延，莫为用命，皆散。延独与其子数人逃亡，奔汉中。仪遣将马岱追斩之，遂夷延三族。蒋琬率宿卫诸营北行赴难[27]，行数十里，延死问㉔至，乃还。始，延欲杀仪等，冀时论以己代诸葛辅政，故不北[28]降魏而南还击仪，实无反意也。

诸军还成都，大赦，谥诸葛亮曰忠武侯。初，亮表于汉主曰：“成都有桑八百株，薄田十五顷，子弟衣食自有余饶，臣不别治生㉕以长尺寸㉖。若臣死之日，不使内有余帛，外有赢财，以负陛下。”卒如其所言。

丞相长史张裔常称亮曰：“公赏不遗远，罚不阿㉗近，爵不可以无功取，刑不可以贵势免，此贤愚之[29]所以佥㉘忘其身者也。”

他们一定为祸作乱。你们诸位糊涂，不知道对此加以防备，难道这就是留给子孙的谋略吗?”费祎回答说:“杨仪、魏延之所以不和睦，起因是私怨罢了，却没有黥布、韩信难以驾驭的野心。现时正在扫除强贼，统一全国，功业仰赖人才来成就，事业凭借人才发扬光大，如果舍弃他们不加任用，反而防备他们成为后患，这就如同为了防备风波反而废弃舟船一样，这不是善策。”

诸葛亮病危时，和杨仪及司马费祎等安排死后退军的调度，命令魏延断后，姜维次之。如果魏延不服从命令，军队就自行出发。诸葛亮去世，杨仪保守秘密不发布死讯，命费祎前往探测魏延的意向。魏延说:“丞相虽然去世，我魏延还在，相府亲信官属，可护送灵柩回去安葬，我应亲自率领各军攻击敌人，岂能因一人之死就废弃天下大事呢！况且我魏延是何等人，要受杨仪的部署约束，去做断后将军啊!”魏延自行与费祎共同安排回去和留下的部队，命费祎亲笔写信和自己联名，传告下属各位将领。费祎欺骗魏延说:“我将为您回去向杨仪解释，杨仪是个文官，很少经历战事，一定不会违命的。”费祎出来后，驰马而去，魏延不久就后悔了，但已追不上了。

魏延派人窥探到杨仪等人想按照诸葛亮既定的计划行动，各军营依次领军回撤。魏延大怒，抢在杨仪出发之前，率领所属部队径直南撤，所过之处烧毁栈道。魏延、杨仪各自上表指控对方叛逆，一天之内，双方告急文书交互传到。汉后主以此询问侍中董允、留府长史蒋琬，蒋琬、董允都保护杨仪而怀疑魏延。杨仪等下令砍伐山林打通道路，日夜兼程，紧跟在魏延的后面。魏延先到，占据了南谷口，派兵迎击杨仪等，杨仪等命将军何平在前抵抗魏延。何平斥责已登上南谷口的士兵说:“诸葛公身死，尸骨未寒，你们怎敢这样!”魏延的部众自知魏延理屈，没人为他效命，全都逃散。魏延只和他的儿子几个人逃走，奔向汉中。杨仪派部将马岱追上杀了他，于是诛灭魏延的三族。蒋琬率禁卫军各营北上救难，才走出几十里，魏延死讯传到，于是返回。开始时，魏延想杀杨仪等，希望当时舆论推荐自己代替诸葛亮辅政，因此不北去投降魏国而南归攻击杨仪，确实没有反叛之意。

各路军队回到成都，宣布大赦，给诸葛亮加谥号为忠武侯。当初，诸葛亮上表对汉后主说:“臣在成都有桑树八百株，薄田十五顷，子弟的衣食自有富余，臣没有另外经营生计增加一点产业。若臣死之日，不使家中有多余的丝帛，家业之外有多余的钱财，而辜负陛下。”最后就像他说的那样。

丞相长史张裔常常称赞诸葛亮说:“诸葛公赏赐不遗漏疏远的人，责罚不偏袒亲近的人，封爵不允许无功获取，刑罚不因权贵得免，这就是贤人和愚人都能忘身报国的原因。”

陈寿评曰："诸葛亮之为相国也，抚百姓，示仪轨[429]，约官职，从权制[430]，开诚心，布公道。尽忠益时者虽雠必赏，犯法怠慢者虽亲必罚，服罪输情[431]者虽重必释，游辞[432]巧饰者虽轻必戮。善无微而不赏，恶无纤而不贬。庶事精练，物理其本[433]，循名责实，虚伪不齿。终于邦域之内，咸畏而爱之。刑政虽峻而无怨者，以其用心平而劝戒明也。可谓识治之良才，管、萧[434]之亚匹[435]矣。"

初，长水校尉[436]廖立[437]自谓才名宜为诸葛亮之副，常以职位游散[438]，怏怏怨谤无已。亮废立为民，徙之汶山[439]。及亮卒，立垂泣曰："吾终为左衽[440]矣！"李平闻之，亦发病死。平常冀亮复收己，得自补复，策后人不能故也。

习凿齿论曰："昔管仲夺伯氏[441]骈邑[442]三百[443]，没齿而无怨言，圣人以为难。诸葛亮之使廖立垂泣，李严致死，岂徒无怨言而已哉！夫水至平而邪者取法，鉴[444]至明而丑者亡[30]怒。水鉴之所以能穷物而无怨者，以其无私也。水鉴无私，犹以免谤，况大人君子怀乐生之心，流矜恕之德，法行于不可不用，刑加乎自犯之罪，爵之而非私，诛之而不怒，天下有不服者乎！"

蜀人所在求为诸葛亮立庙，汉主不听，百姓遂因时节私祭之于道陌上。步兵校尉[445]习隆等上言："请近其墓立一庙于沔阳[446]，断其私祀。"汉主从之。

汉主以左将军吴懿为车骑将军[447]，假节[448]，督汉中；以丞相长史蒋琬为尚书令，总统国事，寻加琬行都护[449]，假节，领益州刺史。时新丧元帅，远近危悚，琬出类拔萃，处群僚之右，既无戚容，又无喜色，神守举止有如平日，由是众望渐服。

吴人闻诸葛亮卒，恐魏承衰取蜀，增巴丘[450]守兵万人，一欲以为救援，二欲以事分割。汉人闻之，亦增永安[451]之守以防非常。汉主使右中郎将宗预[452]使吴，吴主问曰："东之与西，譬犹一家，而闻西更增

陈寿评论说："诸葛亮任丞相，安抚百姓，规范礼仪法度，简约官职，制度时宜，开诚布公，展现公道。对尽忠而有益于时务的人，即便是仇人也一定奖赏，对犯法而懈怠公职的人，即使是亲近之人也一定惩罚，对服罪而心悦诚服的，即使是罪重也一定网开一面，对虚浮不实掩饰真相的，即使罪轻也一定严办。善行虽小也没有不奖励的，恶行不大也一定要责罚。对各种事务都十分精明练达，对事物从根本上去治理，因名责实，痛恨虚伪。最终在全国范围之内，人们都敬畏爱戴。刑罚虽然严厉，但没有抱怨的人，因为他用心公正而劝诫明澈。可谓通晓治理之术的良才，仅仅稍次于管仲、萧何。"

当初，长水校尉廖立认为自己的才气名声应该够格成为诸葛亮的副手，常因自己身处闲散职位而怏怏不乐、怨谤不止。诸葛亮把廖立废为平民，流放到汶山。等到诸葛亮去世，廖立流泪说："我将永远成为野蛮不化之民了！"李平听到噩耗，也发病而死。因为李平常常希望诸葛亮再次收用自己，得以自补过失，料想后继者不能起用他的缘故。

习凿齿评论说："当年管仲夺取了伯氏在骈地的食邑三百户，伯氏至死没有怨言，圣人认为很难做到。诸葛亮之死能使廖立流泪，李平发病而死，岂止是无怨言而已！水面最平，连邪恶的人都会效法，镜子最明，连丑陋的人照镜都没有怒气。水面和镜子能让万物真形毕现而不招致怨恨的原因，是因为它们没有私心。水面和镜子的无私，尚且可以免遭毁谤，何况是大人君子又怀有普爱众生的一颗仁心，流布体恤宽容的仁德，法令在不可不用时才使用，刑罚惩治他们自己所犯之罪，爵赏无私，受诛伐而不怨怒，天下还有不顺服的人吗？"

各地的蜀人请求为诸葛亮建立祭庙，汉后主不允许，百姓于是按照岁时节令在路上田边进行私祭。步兵校尉习隆等向后主进言："请在靠近诸葛亮墓地的沔阳建一座祭庙，断绝私祭。"汉后主听从了这个建议。

汉后主任命左将军吴懿为车骑将军，授予符节，都督汉中；任命丞相长史蒋琬为尚书令，总理国事，不久又给蒋琬加官行都护，授予符节，兼任益州刺史。此时刚刚失去统帅，远近都惶惶不安，蒋琬才能出类拔萃，位处百官之上，既没有忧容也没有喜色，神色举止跟往常一样，因此人心渐渐归服。

吴国得知诸葛亮去世，担心魏国乘蜀衰落而攻取，于是增加巴丘的守兵一万人，一则作为救援，二则乘机分割蜀地。蜀汉听到消息后，也增加永安的守兵以防非常之事。汉后主派右中郎将宗预出使吴国，吴主问道："东吴与西蜀，犹如一家，却听

白帝之守，何也?”对曰:“臣以为东益巴丘之戍，西增白帝之守，皆事势宜然，俱不足以相问也。”吴主大笑，嘉其抗尽㊺，礼之亚于邓芝㊹。

吴诸葛恪以丹阳㊺山险，民多果劲，虽前发兵，徒得外县㊻平民而已，其余深远，莫能禽尽，屡自求为官出之，三年可得甲士四万。众议咸以为[31]:“丹阳地势险阻，与吴郡㊼、会稽㊽、新都㊾、番阳㊿四郡邻接，周旋数千里，山谷万重。其幽邃人民未尝入城邑，对长吏，皆仗兵野逸，白首于林莽(461)。逋亡(462)宿恶，咸共逃窜。山出铜铁，自铸甲兵。俗好武习战，高尚气力。其升山越[32]险，抵突丛棘(463)，若鱼之走渊，猿狖(464)之腾木也。时观间隙，出为寇盗，每致兵征伐，寻其窟藏。其战则蜂至，败则鸟窜，自前世以来，不能羁也。”皆以为难。恪父瑾闻之，亦以事终不逮(465)，叹曰:“恪不大兴吾家，将赤(466)吾族也!”恪盛陈其必捷，吴主乃拜恪抚越将军(467)，领丹阳太守，使行其策。

冬，十一月，洛阳地震。

吴潘浚讨武陵(468)蛮，数年，斩获数万，自是群蛮衰弱，一方宁静。十一月，浚还武昌。

【段旨】

以上为第八段，写蜀将魏延不识大体被冤杀，以及历史家对诸葛亮的评价和在民间的影响。

【注释】

(401)前军师：官名，蜀汉置有中军师、前军师、后军师，皆参谋军事。(402)潼关：关名，在今陕西潼关县北。(403)韩信故事：汉高帝二年（公元前二〇五年），命韩信、曹参等攻击魏王豹。魏地攻下后，韩信使人向刘邦请兵三万，北攻燕、赵，东击齐，南绝楚粮道，刘邦也同意了。事见《汉书·高帝纪上》。(404)干敏：干练敏捷。(405)斯须：片刻。(406)矜高：自大高傲。(407)假借：宽容。(408)愦愦：糊涂。(409)黥、韩：指西汉初年的黥布、韩信。(410)函夏：指全中国。(411)楫：划船用具。(412)节度：安排；调度。(413)府亲官属：指丞相府长史以下官属。(414)行留：谓送诸葛亮丧归还的部队与留下继续对抗魏军的部队。(415)部分：处分，部署。(416)更：经历。(417)寻：不久。(418)觇：窥探；偷偷察见。(419)搀：抢先。(420)羽

说西蜀又增加白帝城的守兵，为什么？”宗预回答说：“我认为东吴增加巴丘的守兵，西蜀增加白帝城的守兵，都是时局要求的必然行动，都不值得相互追问。”吴主大笑，赞赏他刚直不屈，毫无私情，因而对他的礼遇仅次于邓芝。

吴国诸葛恪认为丹阳山势险要，山民大多果敢强悍，尽管以前曾出兵征讨，只得到一些外部边缘上的平民，其余的躲进深山幽谷，无法全部俘获，诸葛恪多次自己请求到当地做官，三年可得甲士四万。大家议论，都认为：“丹阳地势险阻，和吴郡、会稽、新都、番阳四郡接壤，道路盘桓几千里，山谷万重。那些深居幽谷的人从来没有进过城镇，面对官吏，都手持兵器逃走，在树林草丛中白头到老。逃亡的惯犯，也都一起逃入山林。山中产铜铁，自己铸造兵器。民俗喜欢习武，熟悉战事，崇尚气力。他们登山越险，穿越荆棘丛林，仿佛鱼游深渊，猿猴攀树。抓住机会，就出山抢掠，官兵每次征伐，都要费力寻找他们躲藏的巢穴。他们战时就蜂拥而至，败时就如鸟兽散，自前代以来，不能制服。”都认为此事很难办。诸葛恪的父亲诸葛瑾听说后，也认为此事最终做不到，叹息说：“诸葛恪若不能大举兴盛我家，或将灭我家族！”诸葛恪极力陈说一定能取胜报捷，吴主便任命诸葛恪为抚越将军，兼任丹阳太守，让他实行自己的计划。

冬，十一月，洛阳地震。

吴国潘浚征讨武陵蛮，几年中，斩杀俘获数万人，从此众蛮衰落，一方得以安宁。十一月，潘浚返回武昌。

檄：紧急文书。古代传送紧急文书时，在文书上插上鸟羽，表示急速如飞鸟。㉑槎山：砍山上树木。㉒南谷口：即褒斜道之南口褒谷，在今陕西勉县襄城镇北。北口即斜谷，在今陕西眉县西南。全道总长四百七十里。㉓何平：即王平。因王平幼年时养于外家何氏，成年后才复姓王。㉔问：音讯。㉕治生：经营生计。㉖以长尺寸：借以增加一点点财产。尺寸，言其少。㉗阿：偏袒。㉘佥：皆；都。㉙仪轨：礼仪法度。㉚权制：合于时宜的制度。㉛输情：表达真情。㉜游辞：虚浮不实的话。㉝物理其本：谓对事物必从根本上去治理。㉞管、萧：管仲、萧何。㉟亚匹：次一等的。㊱长水校尉：官名，中领军所统五校尉之一，掌禁兵。㊲廖立：字公渊，武陵临沅（今湖南常德）人，初为刘备荆州牧从事，随刘备入蜀后，为巴郡太守。后主刘禅时为长水校尉，后因骄傲自大，被贬为民，流徙汶山郡。传见《三国志》卷四十。㊳游散：谓没有重要职权的散官。㊴汶山：郡名，治所绵虒，在今四川汶川县西南。㊵左衽：前衣襟向左。古代少数民族的衣服，前襟向左，汶山郡即少数民族聚居地，故廖立有此言。㊶伯氏：春秋时齐国大夫。㊷骈邑：地名，在今山东临朐柳山寨。㊸三百：谓三百户人家。亦即谓骈邑这块采

地有三百户人家。《论语·宪问》载孔子说：管仲“夺伯氏骈邑三百，饭疏食，没齿无怨言”。㊹鉴：镜子。㊺步兵校尉：官名，中领军所统五校尉之一，掌禁兵。㊻沔阳：县名，县治在陕西勉县东。㊼车骑将军：官名，车骑将军为都督者，与四征将军同，若不为都督属四征将军者，与前后左右杂号将军同。㊽假节：授以符节。魏晋时，朝中大臣或地方军政长官，依权力大小授以持节、使持节、假节等名号。假节为三者中权力最低者，只可杀犯军令者。㊾行都护：官名，蜀汉所置，盖统领军事。㊿巴丘：山名，即巴陵山，又名天岳山，在今湖南岳阳西南，濒临洞庭湖。㉛永安：县名，县治在今重庆市奉节东白帝城。㉜宗预：字德艳，南阳安众（今河南镇平东南）人，初随张飞入蜀，后主刘禅即位初，为参军、右中郎将。两次出使吴，皆称职。后官至镇军大将军。传见《三国志》卷四十五。㉝抗尽：刚直不阿，毫无私情。㉞邓芝：邓芝在刘备死后诸葛亮执政初期出使吴。㉟丹阳：郡名，治所宛陵，在今安徽宣城。㊱外县："县"通"悬"，外县即暴露在外边之意。㊲吴郡：治所吴县，在今江苏苏州。㊳会稽：郡名，治所山阴，在今浙江绍兴。㊴新都：郡名，治所始兴，在今浙江淳安西。㊵番阳：郡名，治所鄱阳县，在今江西鄱阳东。㊶林莽：茂林深草之地。㊷逋亡：逃亡。㊸抵突丛棘：穿越荆棘丛林。㊹猿狖：兽名，长尾猿。㊺事终不逮：谓终于不能达到得四万山越甲士之数。㊻赤：诛灭无余。㊼抚越将军：官名，孙吴所置杂号将军，以招抚山越为其称号。㊽武陵：郡名，治所临沅，在今湖南常德。

【校记】

［24］或：原无此字。据章钰校，甲十六行本、乙十一行本皆有此字，今据补。［25］当自：据章钰校，此二字甲十六行本、乙十一行本皆互乙。［26］杨仪：此下原有“之”字。据章钰校，甲十六行本、乙十一行本、孔天胤本皆无此字，今据删。［27］北行赴难：据章钰校，甲十六行本、乙十一行本皆作“赴难北行”。［28］北：原无此字。据章钰校，甲十六行本、乙十一行本、孔天胤本皆有此字，张敦仁《通鉴刊本识误》、张瑛《通鉴校勘记》同，今据补。［29］之：原无此字。据章钰校，甲十六行本、乙十一行本、孔天胤本皆有此字，今据补。［30］亡：原作“忘”。据章钰校，甲十六行本、乙十一行本皆作“亡”，今据改。〖按〗亡，古通“无”。［31］为：据章钰校，甲十六行本、乙十一行本皆无此字。［32］越：据章钰校，甲十六行本、乙十一行本皆作“赴”。

【研析】

本卷着重讨论诸葛亮北伐失败的原因。

战争是政治的继续，也是政治激烈斗争的最高形式。两国交战，取决于综合实力的较量。蜀国小弱，政治、经济、军事各个方面与曹魏相比，均处于劣势。军事上，曹魏奄有整个黄河流域，兵强马壮，有带甲兵四五十万，人才济济，勇略兼备，

应付东西两线作战而有余。蜀汉偏据一州，兵弱将寡。诸葛亮惨淡经营，才养成了一支不到二十万人的军队，又要留守后方，又要东防孙吴，又要维持运输粮饷，所以每次用兵不过十余万人，投入第一线的兵力只有数万，因此只能集中使用于一个方向，不能数道并出。难怪魏延请兵万人异道，诸葛亮都不允许，真是捉襟见肘。孙吴伐魏，魏伐吴、蜀，均是多道并进，尚不能取胜，何况诸葛亮只用于一个方向！不致大败已属万幸，取胜的机会实在渺茫。在经济实力上，蜀汉经济衰弱。诸葛亮出师运粮不继，不单是道路崎岖，而且人力单薄，牛马寡少，更是主要原因。在政治上，魏明帝曹叡不失为一个明主。他刚毅果断，察纳雅言，决策正确，反应迅速，这是羸弱的刘禅不能比拟的。诸葛亮第一次出师，曹叡亲镇关中，迅速地调兵遣将入援，挽救了关中不备的危局。诸葛亮第五次北伐，这是一次难得的吴蜀步调一致的协同作战。四月蜀军入秦川，五月孙权大举攻魏，亲率十余万大军向合肥，使陆逊、诸葛瑾向襄阳，孙韶、张承向广陵，三路齐出，来势凶猛。甚至智勇足备的魏将满宠也准备退出合肥以避其锋芒。曹叡果断地采取了西守东攻的正确策略，使辛毗杖节监军，令司马懿坚壁不出，自己亲率大军东征。曹叡这一坚强有力的行动，使孙权闻风丧胆，不战而退，打破了吴、蜀的联合进攻。诸葛亮又陷入了孤军作战的困境，一筹莫展，积劳成疾而病逝五丈原。曹叡还采纳了臣下休兵息民，以逸待劳，消耗拖垮吴、蜀的建议，养蓄国力，促进了政治、经济、军事实力的增长，为统一中国打下了坚实的基础。诸葛亮连年动众，北伐后期已是师劳民竭，而曹魏越战越强，改变了先灭吴、后灭蜀的方针，掉头先灭蜀，后灭吴。诸葛亮及其后继者姜维的连年动众，其后果是加速了蜀汉的灭亡。根本原因是魏强蜀弱。

但是单从强弱之势以论成败也是片面的。曹孙刘三方最初都是以弱胜强，力挫群雄争得了三分，何以三分归一就不能以弱胜强呢？历史并没有注定非要由曹魏来统一天下，后来不是被司马氏篡夺了嘛！天命攸归，在于势力消长和人心所向两个方面。势力消长和人心所向是相辅相成的。天时、地利、人和，是成功者所必争所必守的条件。诸葛亮北伐仍有一线成功的希望。这希望就在他第一次出师碰上曹魏关中防守空虚。诸葛亮出兵，已使曹魏“朝野恐惧”，陇右三郡叛魏应亮，若诸葛亮一举奄有关中，则天下震动，中原人士旋踵西归，吴人拼力北进，曹魏之危真是不待蓍龟了。这是天假蜀汉以难得之机，只可惜诸葛亮过于谨慎，“虑多决少”，不敢用奇，丧失了这一取胜的机会，此后形成了与魏打消耗战，如前所述魏强蜀弱，必败无疑。“出师未捷身先死，长使英雄泪满襟”，可慨也夫！

北伐失败的主观原因，陈寿认为诸葛亮“应变将略，非其所长”（《三国志·诸葛亮传》），引起许多后世人的不满。事实上陈寿的评价是中肯的。以弱蜀抗强魏，只能出奇制胜，化弱为强，才有取胜的希望。诸葛亮第一次出师丧失了出奇制胜的天时，未能发挥好主观的能动性是根本原因。度其所失，有以下几个方面。

第一，战略之失。蜀将魏延善养士卒，勇猛过人，是一个难得的将才。《三国志·魏延传》及裴注引《魏略》载，诸葛亮与诸将计议出师，魏延分析关中形势，夏侯楙镇长安，怯而无谋，不知兵机。他建议大军出斜谷直趋秦川，自告奋勇请兵万人，从子午谷下长安，与诸葛亮异道会于潼关，如韩信故事。诸葛亮以为此计悬危，“不如安从坦道，可以平取陇右，十全必克而无虞，故不用延计”。从陇右三郡叛魏应亮来看，魏延之计可行。公元前二〇六年韩信还定三秦，兵分两路：支兵从汉中西出武都北取陇右，主力则出其不意奇袭陈仓，雍王章邯仓促迎战，连连败北而龟缩废丘。韩信留兵一部攻围章邯，再分出两路支兵掩护主力夺关出陕。一路西越陇山与汉中西出武都之兵形成钳形攻势，围困陇西。一路南出武关入河南吸引项羽的注意力。汉兵主力则置关中残敌于不顾，一路夺取潼关出陕。汉兵半年后平陇右，一年后才破杀章邯，而主力早已进入中原。韩信定关中的兵机谋略精妙奇绝。魏延之策是针对曹魏都洛阳这一形势灵活运用韩信之计，不失为上策。诸葛亮认为此计悬危，可以不出子午谷，但主力实应直取陈仓或雍、郿，屏断陇右，方可十全必克，假若这样也不失为中策。诸葛亮虚张声势取郿，而不派一兵一卒阻断关陇大道，集中兵力用于一个方向，实在是一个最下策的战略。即使街亭不败，曹魏诸军上陇，诸葛亮“十全必克”的计划也是难以实现的。

第二，战术之失。魏将孟达反于新城，与亮书曰：“宛去洛八百里，去吾一千二百里，闻吾举事，当表上天子，比相反复，一月间也，则吾城已固，诸军足办。则吾所在深险，司马公必不自来，诸将来，吾无患矣。”（《晋书·宣帝纪》）不料司马懿当机立断，不等奏报，立即提大军兼程赶来，打了孟达个出其不意，而诸葛亮没有派出有力的策应部队支援孟达。孟达被杀，诸葛亮失去了牵制曹魏河南之兵的侧翼，大为失计，此其一。韩信用兵，明烧栈道，暗度陈仓。诸葛亮扬声取郿，对于防备空虚的关陇，无异于警告敌人。不使赵云、邓芝出谷，控制关陇大道阻滞敌人西援，反遭箕谷不戒之失，此其二。陇右三郡叛魏应亮，而蜀军行动迟缓，没有在陇右展开，没有阻断陇右山口，只派马谡在街亭迎敌，亦为失计，此其三。陇西坚守，蜀军没有乘虚攻克，致使魏军克平三郡后，血腥镇压叛魏者，大加封赏陇西吏民，造成严重的政治后遗症。此后诸葛亮出师，无有应者，此其四。这些失计，客观原因是蜀军少良将，主观原因是诸葛亮过于持重，“应变将略，非其所长”。话又说回来，诸葛亮以弱蜀抗强魏，在秦陇山区自来自去，计杀张郃、王双，仍不失为天下奇才。由于诸葛亮的对手司马懿、张郃、郭淮等人均智勇兼备，难于对付，才使得诸葛亮的神机妙算有些支绌罢了。

第三，用人之失。魏延是蜀中当时存世的唯一一员超群绝伦的大将，远在张郃、郭淮之上，刘备拔延为汉中督，“一军尽惊”。魏延对刘备说：“若曹操举天下而来，请为大王拒之，偏将十万之众至，请为大王吞之。”（《三国志·魏延传》）这并非大

言。他镇守汉中，“实兵诸围以御外敌”，规划严密。延熙七年（公元二四四年），汉中守将王平依魏延成规，以三万之兵，抗御了曹魏十万余大军的进攻，使不得入平地。姜维改变魏延成规，锺会攻蜀，半月失汉中，可见魏延实在是一位难得的将才，王平也是一位智勇双全的大将。但诸葛亮未尽二人之才，不委以方面之任，使魏延领兵不到万人，致使魏延叹恨不已。不尽人之才，已是一失，又违众用马谡，此为再失。以诸葛亮之智，在用人上有此两失，千古而发人深省。

第四，用刑之失。街亭失守以后，诸葛亮诛了马谡，又杀了李盛，废了黄袭，正如蒋琬所说：“昔楚杀得臣，然后文公喜可知也。天下未定而戮智计之士，岂不惜乎！”（《三国志·马谡传》裴注引）习凿齿评论说：“诸葛亮之不能兼上国也，岂不宜哉！今蜀僻陋一方，才少上国，而杀其俊杰，退收驽下之用，明法胜才，不师三败之道，将以成业，不亦难乎！”（《三国志·马谡传》裴注引）习氏的评论是十分公允的。违众用马谡，主要责任在诸葛亮自己。再说马谡虽然短于临机决斗，却不失为一个参谋良将，原可以宽贷立功。加上马谡失街亭在战略部署上也不能说有什么大误。诸葛亮的安排是让他扼守要塞，坚壁不出。马谡“依阻南山，不下据城”，摆出的是决战态势。无奈他本人只是一个书生儒将，不能上马冲阵，所以冲不开张郃的围攻。若是马谡有关羽、张飞之勇，未必会丢失街亭。可以说马谡是志大才疏，有勇有谋而才力不继。诸葛亮也是一个儒将，不能上马冲阵，故而行动迟钝，而又用一个儒将去打先锋，失计之甚。追究责任，杀一马谡已“裁之失中”，况又滥杀李盛，连坐黄袭乎！刘备杀蒋琬，诸葛亮说情宽贷终得用其才，而彭羕、廖立、李严等却借法以废，终身禁锢，何亲之于彼而疏之于此也。

诸葛亮虽有上述四个方面之失，但不能否定他是三国时最杰出的人物之一。正如王夫之在《读通鉴论》中所说，诸葛亮虽将略为短，而治国治军实为少有之奇才。其言曰：“军不治而唯公治之，民不理而唯公理之，政不平而唯公平之，财不足而唯公足之。”对任何一个伟大的历史人物都不能求全责备，但也不应为尊者为贤者讳其所短。“浪淘尽千古风流人物”，今日评说诸葛亮之失，不过是引出历史的教训。诸葛亮最大之失是过于自恃，不能集思广益以补自己之短。《出师表》所荐贤才郭攸之、费祎、董允、向宠、陈震、张裔、蒋琬等七人，除张裔一人为蜀中人士外，余皆为追随诸葛亮的荆州士人。诸葛亮斤斤于亲己之贤才，不能不说气度有些褊狭。这些贤才都是二流人物。像魏延、马超、彭羕、廖立等一流大才人物，诸葛亮未尽其用。“尧虽贤，兴事业不成，得禹而九州宁。且欲兴圣统，唯在择任将相哉！唯在择任将相哉！”诸葛亮以一人之智掩一州之才，以个人之力抗天下之士，焉能不败！大约人之情性，在专制政体下，己有所短则忌人之长，是否如此，值得心理学家们研究。以诸葛亮之智，加之以鞠躬尽瘁之德，尚不能尽小国人士之才，这确实是够发人深省的历史教训。这根源何在，非本文研析所能胜任，谨提出这一问题以待贤者。

卷第七十三　魏纪五

起旃蒙单阏（乙卯，公元二三五年），尽强圉大荒落（丁巳，公元二三七年），凡三年。

【题解】

本卷记事起公元二三五年，迄公元二三七年，凡三年，当魏明帝青龙三年到青龙五年。青龙五年又改元景初元年。本卷所载，三国鼎峙，平静无大事，着重记述曹魏政治。魏明帝曹叡，耽于女色，好内宠，又好土木工程，大建陵寝和宫室。明帝又多疑，用法严急。明帝报复生母甄后之死，逼死郭太后。这些表现了明帝不明不仁的一面。但明帝刚毅果决，大事不糊涂，掌控朝政，奸邪不入，理事大臣多忠良之士，政治稳定，无内争内讧，优于吴、蜀。明帝纳谏不足，但能优容大臣。陈群、蒋济、辛毗、杨阜、高堂隆、王肃、卫觊、董寻、张茂、杜恕、傅嘏等群臣进谏，多有补益。本卷大段采摘曹魏大臣谏章，明帝君臣风采，可见一斑。蜀杨仪冤杀魏延而骄，自己亦不得善终。吴诸葛恪镇抚山越，独出心裁，成绩卓著。

【原文】

烈祖明皇帝中之下

青龙三年（乙卯，公元二三五年）

春，正月戊子①，以大将军司马懿为太尉②。

丁巳③，皇太后郭氏殂。帝数问甄后死状④于太后，由是太后以忧殂。

汉杨仪既杀魏延，自以为有大功，宜代诸葛亮秉政。而亮平生密指，以仪狷狭⑤，意在蒋琬。仪至成都，拜中军师⑥，无所统领，从容⑦而已。初，仪事昭烈帝为尚书，琬时为尚书郎⑧。后虽俱为丞相参军、长史，仪每从行，当其劳剧，自谓年宦先琬，才能逾之，于是怨愤形于声色，叹咤之音发于五内⑨。时人畏其言语不节，莫敢从也。惟后军师费祎往慰省之，仪对祎恨望，前后云云⑩。又语祎曰："往者

【语译】

烈祖明皇帝中之下

青龙三年（乙卯，公元二三五年）

春，正月初八日戊子，魏国任命大将军司马懿为太尉。

二月丁巳日，魏国皇太后郭氏去世。魏明帝屡次向郭太后询问甄皇后临终时的情形，因此郭太后忧惧而死。

蜀汉杨仪杀死魏延后，自以为有大功，应当接替诸葛亮执掌朝政。但诸葛亮生前已有密旨，认为杨仪器量狭隘，意中人是蒋琬。杨仪回到成都，擢升为中军师，但不统率部队，只是安逸悠闲而已。当初，杨仪奉事昭烈帝刘备时为尚书，蒋琬那时任尚书郎。后来尽管都担任丞相参军、长史，但杨仪每次都跟随丞相出行，担当劳累繁巨的任务，自认为官资比蒋琬老，才能超过蒋琬，于是怨恨愤怒，表现在言语神色上，叹气怨愤之声发自肺腑。当时的人担心他说话不节制，没有人敢和他来往。只有后军师费祎去看望安慰他，杨仪对费祎发泄愤恨怨怼情绪，前后说了不少

丞相亡没之际，吾若举军以就魏氏，处世宁当落度⑪如此邪！令人追悔，不可复及！”祎密表其言。汉主废仪为民，徙汉嘉郡⑫。仪至徙所，复上书诽谤，辞指激切。遂下郡收仪，仪自杀。

三月庚寅⑬，葬文德皇后⑭。

夏，四月，汉主以蒋琬为大将军、录尚书事⑮，后军师[1]费祎代琬为尚书令。

【段旨】

以上为第一段，写蜀汉丞相长史杨仪之死。杨仪与魏延争权，杀魏延，自己亦不得善终。

【注释】

①戊子：正月初八日。②太尉：三公之一，但东汉时三公在大将军下，此时太尉却在大将军上。③丁巳：正月辛巳朔，无丁巳。应为二月丁巳。④甄后死状：甄后临终时的情形。甄后死于魏文帝黄初二年（公元二二一年）六月。⑤狷狭：谓器量狭

【原文】

帝好土功⑯，既作许昌宫，又治洛阳宫，起昭阳太极殿⑰，筑总章观，高十余丈，力役不已，农桑失业。司空陈群上疏曰：“昔禹承唐、虞之盛，犹卑宫室⑱而恶衣服⑲。况今丧乱之后，人民至少，比汉文、景之时，不过[2]一大郡⑳。加以边境有事，将士劳苦，若有水旱之患，国家之深忧也。昔刘备自成都至白水㉑，多作传舍㉒，兴费人役，太祖知其疲民也。今中国劳力㉓，亦吴、蜀之所愿。此安危之机㉔也，惟陛下虑之。”帝答曰：“王业、宫室，亦宜并立，灭贼之后，但当罢㉕守御耳，岂可复兴役邪！是固君之职，萧何之大略㉖也。”群曰：“昔汉祖

怨言。又对费祎说："先前丞相去世的时候，我如果率军投奔魏国，处境哪能这样落魄失意呢！令人追悔莫及，不能再有那种机会了！"费祎秘密举报杨仪的话。蜀汉后主罢黜杨仪为平民，流放到汉嘉郡。杨仪到了流放地，又上书诽谤朝政，言辞激烈尖锐。于是朝廷命令郡府逮捕杨仪，杨仪自杀。

三月十一日庚寅，魏国安葬文德皇后郭氏。

夏，四月，蜀汉后主任命蒋琬为大将军、录尚书事，后军师费祎代替蒋琬为尚书令。

谥。⑥中军师：官名，蜀汉所置，参谋军事之官。⑦从容：安逸悠闲。⑧尚书郎：官名，由尚书所统领，曹魏时置二十五曹尚书郎，各主一曹。⑨五内：五脏之内，犹言内心深处。⑩云云：犹言如此这般。⑪落度：失意。⑫汉嘉郡：治所阳嘉县，在今四川芦山。⑬庚寅：三月十一日。⑭文德皇后：即郭太后。郭后谥为德，称文德皇后。⑮录尚书事：官名。东汉以来，政归尚书，录尚书事即总揽朝政。录，总领之意。

【校记】

［1］后军师：原无此三字。据章钰校，甲十六行本、乙十一行本皆有此三字，今据补。〖按〗《三国志·蜀书·费祎传》云："亮卒，祎为后军师。顷之，代蒋琬为尚书令。"

【语译】

魏明帝喜好土木工程，已经修造了许昌宫，又兴建洛阳宫，建起昭阳太极殿，修筑了总章观，高达十余丈，百姓劳役不止，农桑荒废。司空陈群上奏说："从前大禹继承唐尧、虞舜的盛世，尚且住低矮的房屋，穿粗制的衣服。何况现在是天下大乱之后，百姓人数极少，与汉文帝、景帝时相比，不过是一个大郡的人口。加上边境有战事，将士劳苦，如果有水灾旱灾之祸，就成了国家深重的忧患。从前刘备时从成都到白水关，中间修建了许多宾馆驿站，征发耗费人力，太祖知道此举使民众疲困。如今中原劳费民力，也正是吴、蜀所企盼的。这是国家安危的关键，请陛下考虑。"魏明帝回答说："帝王大业和宫室建筑，应当同时并举，等到消灭敌人之后，只能疲于守御罢了，哪里还能大兴土木之役！兴建土木工程，本来是你司空的职责，如同萧何当年修建未央宫的大手笔。"陈群说："当初汉高祖只与项羽争天下，项羽已

惟与项羽争天下，羽已灭，宫室烧焚，是以萧何建武库、太仓，皆是要急，然高祖犹非其壮丽㉗。今二虏未平，诚不宜与古同也。夫人之所欲，莫不有辞，况乃天王，莫之敢违。前欲坏武库，谓不可不坏也；后欲置之，谓不可不置也。若必作之，固非臣下辞言所屈，若少留神，卓然㉘回意，亦非臣下之所及也。汉明帝欲起德阳殿，锺离意谏，即用其言，后乃复作之。殿成，谓群臣曰：'锺离尚书在，不得成此殿㉙也。'夫王者岂惮一人[3]？盖为百姓也。今臣曾不能少凝圣听㉚，不及意远矣。"帝乃为之少有减省。

帝耽于内宠，妇官㉛秩石㉜拟百官之数㉝，自贵人以下至掖庭洒扫者[4]，凡数千人，选女子知书可付信者六人，以为女尚书，使典省外奏事，处当㉞画可㉟。廷尉高柔上疏曰："昔汉文惜十家之资，不营小台之娱；去病虑匈奴之害，不遑㊱治第之事。况今所损者非惟百金之费，所忧者非徒北狄之患乎！可粗成见㊲所营立，以充朝宴之仪，乞罢作者，使得就农；二方㊳平定，复可徐兴。《周礼》，天子后妃以下百二十人㊴，嫔嫱㊵之仪，既已盛矣；窃闻后庭之数，或复过之，圣嗣不昌，殆能由此。臣愚以为可妙简淑媛㊶，以备内官之数，其余尽遣还家，且以育精养神，专静为宝。如此，则《螽斯》㊷之征可庶而致矣。"帝报曰："辄[5]克昌言㊸，他复以闻。"

是时猎法严峻，杀禁地鹿者身死，财产没官。有能觉告者，厚加赏赐。柔复上疏曰："中间以来，百姓供给众役，亲田者㊹既减，加顷复有猎禁，群鹿犯暴，残食生苗，处处为害，所伤不赀㊺[6]，民虽障防，力不能御。至如荥阳㊻左右，周数百里，岁略不收。方今天下生财者甚少，而麋鹿之损者甚多，卒有兵戎之役，凶年之灾，将无以待之。惟陛下宽放民间，使得捕鹿，遂除其禁，则众庶永济，莫不悦豫㊼矣。"

帝又欲平北芒㊽，令于其上作台观，望见孟津㊾。卫尉辛毗谏曰："天地之性，高高下下。今而反之，既非其理，加以损费人功，民不堪役。且若九河盈溢，洪水为害，而丘陵皆夷，将何以御之！"帝乃止。

经消灭，宫室都被烧毁，因而萧何修建武库、太仓，都是紧要的急务，但高祖还批评宫殿修得雄伟华丽。现在两大敌人尚未平定，实在不应与古代相提并论。人想要做某事，没有找不到托词的，何况是天下之主，没人敢违抗。先想毁坏武库，就说不能不毁坏；后来想修建，又说不能不修建。如果一定要建造宫殿，本来就不是臣下的言辞所能说服；如果陛下稍微留心历史教训，异乎寻常地回心转意，也不是臣下能做到的。汉明帝想兴建德阳殿，锺离意劝阻，就采纳了他的意见，以后却又兴建。宫殿修成，汉明帝对群臣说：'锺离尚书要在的话，就不能建成此殿了。'帝王难道是惧怕一个人吗？因为是为了百姓。现在我却不能使圣上听闻稍稍留意于此，我比锺离意差远了。"魏明帝这才稍微有所减省。

魏明帝沉迷后宫嫔妃，宫内女官的官职俸禄比拟朝廷百官，从贵人以下到后宫洒扫者，共有数千人。选拔女子中识字可以信任的六人，任命为女尚书，命她们处理外朝百官上奏的文书，作出肯定或否定的处理。廷尉高柔上奏说："从前汉文帝珍惜十户百姓的资财，不修建一座小小的观台，霍去病忧虑匈奴的危害，顾不上修建个人的府第。何况现在所耗费的资财不止百金之数，所忧虑的也不仅是北方狄人的侵扰啊！可以粗略完成已经动工修建的宫殿，用来朝见和宴会之仪，请放归参加营建的百姓，让他们回去从事农业；蜀、吴平定之后，才可再逐渐兴建。按《周礼》规定，天子的后妃以下为一百二十人，嫔妃按礼仪规定人数，已经够多了；臣听说现在后宫的人数，甚或超过了规定，圣天子的后嗣之所以不兴旺，大概就是这个原因。臣愚昧地认为，可精选贤淑的美女备足后宫女官的数目，其余的人全部遣送回家，并以此来涵养圣王的精神，以专心宁静作为养身之宝。如此，《螽斯》所表现的子孙兴旺的情形就差不多能实现了。"魏明帝批复说："你总能直言不讳，其他的意见也奏上来。"

这时狩猎的法律十分严厉，杀死皇家禁苑一只鹿的人，本人处死，财产没入官府。有能发觉举报的人，厚加赏赐。高柔又上疏说："近年来，百姓供给各种劳役，种田的人已经减少，加之最近又有禁猎的法令，群鹿肆虐，啃食禾苗，到处为害，损坏的庄稼不可计数，百姓虽设障防护，但凭他们的力量不能抵御。以致荥阳一带，周围数百里，一年大致没有收成。现在天下生产财富的人很少，但遭麋鹿的损坏却很多，如果突发战事，或遭凶年灾荒，便没有粮钱来应付。希望陛下放宽民间的禁令，让他们可以捕鹿，进而废除禁令，那么民众可以永远得到救济，没有人不高兴的。"

魏明帝又想削平北芒山，下令在原基址上建造台观，能够眺望孟津。卫尉辛毗谏阻说："大自然是天然形成的，地形有高有低，如今反其道而行之，违背自然规律，再加上耗费人力，百姓不堪忍受这种劳役。而且，如果众多河流水涨溢出，洪水为害，丘陵都被夷平，将靠什么阻挡洪水！"魏明帝这才作罢。

少府杨阜上疏曰："陛下奉武皇帝开拓之大业，守文皇帝克终之元绪[50]，诚宜思齐往古圣贤之善治，总观季世[51]放荡之恶政。曩使桓、灵不废高祖之法度，文、景之恭俭，太祖虽有神武，于何所施，而陛下何由处斯尊哉！今吴、蜀未定，军旅在外，诸所缮治，惟陛下务从约节。"帝优诏答之。

阜复上疏曰："尧尚茅茨[52]而万国安其居，禹卑宫室而天下乐其业。及至殷、周，或堂崇[53]三尺，度[54]以九筵[55]耳。桀作璇室[56]象廊[57]，纣为倾宫鹿台[58]，以丧其社稷；楚灵以筑章华[59]而身受祸；秦始皇作阿房[60]，二世而灭。夫不度万民之力以从耳目之欲，未有不亡者也。陛下当以尧、舜、禹、汤、文、武为法则，夏桀、殷纣、楚灵、秦皇为深诫，而乃自暇[61]自逸，惟宫台是饰，必有颠覆危亡之祸矣。君作元首，臣为股肱，存亡一体，得失同之。臣虽驽怯，敢忘争臣[62]之义！言不切至，不足以感悟陛下；陛下不察臣言，恐皇祖、烈考之祚坠于地。使臣身死有补万一，则死之日犹生之年也，谨叩棺[63]沐浴，伏俟重诛！"奏御[64]，帝感其忠言，手笔诏答。

帝尝著帽[65]，被[66]缥绫[67]半袖[68]。阜问帝曰："此于礼何法服[69]也？"帝默然不答。自是不法服不以见阜。

阜又上疏欲省宫人[70]诸不见幸者，乃召御府吏问后宫人数。吏守旧令，对曰："禁密，不得宣露。"阜怒，杖吏一百，数[71]之曰："国家不与九卿为密，反与小吏为密乎！"帝愈严惮之。

散骑常侍[72]蒋济上疏曰："昔句践养胎以待用[73]，昭王恤病以雪仇[74]，故能以弱燕服强齐，羸越灭劲吴。今二敌[75]强盛，当身[76]不除，百世之责也。以陛下圣明神武之略，舍其缓者，专心讨贼，臣以为无难矣。"

中书侍郎[77]东莱王基[78]上疏曰："臣闻古人以水喻民曰：'水所以载舟，亦所以覆舟[79]。'颜渊曰：'东野子[80]之御，马力尽矣，而求进不已，殆将败矣。'今事役劳苦，男女离旷，愿陛下深察东野之敝，留意舟水之喻，息奔驷于未尽，节力役于未困。昔汉有天下，至孝文时唯

少府杨阜上疏说："陛下承继武皇帝开拓的大业，固守文皇帝实现武帝遗志而受禅的帝位，实在应考虑比肩往古圣贤帝王的善政，统观各朝末代帝王放荡的恶政。从前假使汉桓帝、汉灵帝不废弃汉高祖的法度，不废弃汉文帝、汉景帝的勤敬俭约，太祖即便有神武之才，到哪里去施展，而陛下又怎么能安处此尊位呢！如今吴、蜀尚未平定，军队仍在外作战，各处营建，请陛下务必从俭节约。"魏明帝以好言好语下诏答复杨阜。

杨阜又上疏说："尧崇尚茅屋而天下万国得以安居，禹的宫室低矮而天下百姓乐业。等到了殷、周时，有的厅堂高仅三尺，宽度能容下九桌筵席就行了。夏桀建造用玉石装饰的宫殿，用象牙装饰的走廊，纣王建造倾宫和鹿台，因此而亡国；楚灵王因筑章华台而招致杀身之祸；秦始皇修建阿房宫，到第二代就灭亡了。不考虑万民的承受力而放纵自己耳目之欲，没有不灭亡的。陛下应当以尧、舜、禹、汤、文王、武王为准则，以夏桀、殷纣、楚灵王、秦始皇为深刻警戒，却反而自我逸乐，一味修饰宫殿台阁，必定招致颠覆亡国的大祸。君主是元首，大臣是股肱，存亡一体，同担得失。臣虽然无能懦怯，怎敢忘记诤谏的道义！话说得不激切，不足以感悟陛下；陛下不省察我的进言，恐怕皇祖、先辈创下的帝业坠落于地。假若臣因谏而死有万分之一的补益，那么臣死之日就是臣的再生之年，谨手抚棺木，沐浴更衣，趴伏在地，等候被诛杀！"奏章呈上明帝御览后，明帝被他的忠言感动，亲笔写诏书回复杨阜。

魏明帝曾头戴布帽，披着缥绫做的短袖上衣。杨阜问明帝："这种穿戴是什么礼服？"魏明帝沉默不语。从此不穿朝服就不见杨阜。

杨阜又上疏想裁减后宫中不被宠幸的宫女，因而招来后宫的官吏查问后宫的人数。官吏遵守旧的法令，回答说："这是宫禁的机密，不可泄露。"杨阜大怒，打了官吏一百棍，责骂他说："国家不让九卿保守秘密，反倒让小吏保守秘密吗？"魏明帝就更加忌惮杨阜。

散骑常侍蒋济上疏说："从前越王勾践鼓励百姓保养胎儿，以待胎儿长大为国效力，燕昭王抚恤百姓的病痛，意在报仇雪恨，所以能以弱小的燕国征服了强大的齐国，能以羸弱的越国消灭强劲的吴国。现今吴、蜀两个敌人强盛，如果陛下在位之时不除掉他们，有失历史的责任。以陛下圣明神武的才略，舍弃那些不紧要的事务，专心讨伐敌贼，臣认为没有什么困难。"

中书侍郎东莱人王基上疏说："臣听说古人用水以喻民众，这样说：'水是用来载舟的，也可以颠覆舟船。'颜渊说：'东野子驾车，马的力气已用尽，还策马不停地前进，恐怕要坏事的。'现在战事和劳役十分辛苦，男女长期分离，希望陛下深深借鉴东野子的过失，留意舟与水的比喻，让奔跑的马在体力没有耗尽时休息，在人民尚未困乏之时节约人力。从前汉朝统治天下，到孝文时只有同姓的诸侯王，贾谊仍十

有同姓诸侯，而贾谊忧之[81]曰：'置火积薪之下而寝其上，因谓之安。'今寇贼未殄，猛将拥兵，检之则无以应敌，久之则难以遗后，当盛明之世，不务以除患，若子孙不竞[82]，社稷之忧也。使贾谊复起，必深切于曩时矣。"帝皆不听。

殿中监[83]督役，擅收兰台令史[84]，右仆射[85]卫臻奏按[86]之。诏曰："殿舍不成，吾所留心，卿推[87]之，何也？"臻曰："古制侵官[88]之法，非恶[89]其勤事也，诚以所益者小，所堕者大也。臣每察校事[90]，类皆如此。若又纵之，惧群司将遂越职，以至陵夷[91]矣。"

尚书涿郡孙礼[92]固请罢役，帝诏曰："钦纳谠言[93]。"促遣民作。监作者复奏留一月，有所成讫[94]。礼径至作所，不复重奏，称诏罢民，帝奇其意而不责。帝虽不能尽用群臣直谏之言，然皆优容[95]之。

秋，七月，洛阳崇华殿灾。帝问侍中领太史令[96]泰山高堂隆[97]曰："此何咎也？于礼宁有祈禳[98]之义乎？"对曰："《易传》[99]曰：'上不俭，下不节，孽火烧其室。'又曰：'君高其台，天火为灾。'此人君务饰宫室，不知百姓空竭，故天应之以旱，火从高殿起也。"诏问隆："吾闻汉武之[7]时柏梁[100]灾，而大起宫殿以厌之，其义云何？"对曰："夷越之巫所为，非圣贤之明训也。《五行志》[101]曰：'柏梁灾，其后有江充巫蛊事[102]。'如《志》之言，越巫建章无所厌也。今宜罢散民役。宫室之制，务从约节，清扫所灾之处，不敢于此有所立作，则蓂荚[103]、嘉禾[104]必生此地。若乃疲民之力，竭民之财，非所以致符瑞[105]而怀远人也。"

八月庚午[106]，立皇子芳为齐王，询为秦王。帝无子，养二王为子，宫省事秘，莫有知其所由来者。或云：芳，任城王楷[107]之子也。

丁巳[108]，帝还洛阳。

诏复立崇华殿，更名曰九龙[109]。通引縠水过九龙殿前，为玉井[110]绮栏[111]，蟾蜍[112]含受，神龙吐出。使博士扶风马钧[113]作司南车[114]，水转百戏[115]。

陵霄阙始构，有鹊巢其上。帝以问高堂隆，对曰："《诗曰》[116]，'惟鹊有巢，惟鸠居之'。今兴宫室，起陵霄阙，而鹊巢之，此宫未成

分担忧地说：‘将火放在柴堆下面，而自己睡在上面，还说很安全。’如今敌贼尚未消灭，国内的猛将一个个手握重兵，约束他们便无法应付敌人，但长期使猛将手握重兵，就难以向后世子孙交代。正当国家鼎盛开明之世，不全力除去祸患，倘若子孙不争气，那就成了国家的忧患。假若贾谊复生，一定比当时更加深切感愤。”魏明帝对这些意见一概不听从。

督促劳役的官员殿中监，擅自逮捕兰台令史，右仆射卫臻上奏要审查他。魏明帝下诏说：“宫殿尚未建成，我正关注此事，你要追究他，为什么？”卫臻说：“古代制度中有侵犯他官职权的法律，不是惩罚他的勤恳，实在是因为这样带来的好处少，而毁坏性更大。我时常督察校事的工作，情况大体都是这样。假若又放纵他们，担心各部门将因此而超越职权，以致凌辱上司的情况发生。”

尚书涿郡人孙礼坚决请求停止营建工程，魏明帝下诏说：“采纳你的正直之言。”敦促遣散民工。监工的官员又上奏请求再留一个月，以建造完工。孙礼径自来到工地，不再上奏皇帝，宣称有诏命罢归民工。魏明帝对他的用意感到惊奇，但并没有责怪。魏明帝尽管不能完全采纳群臣的直谏之言，但都宽容对待。

秋，七月，洛阳崇华殿发生火灾。魏明帝问侍中兼太史令泰山人高堂隆说：“这是什么过错带来的灾祸？在礼法上有没有祈祷消灾的办法呢？”高堂隆回答说：“《京房易传》里讲：‘高层人士不俭约，低层的人不节省，罪孽之火就烧毁他们的房子。’又说：‘君主高筑楼台，天火就会造成灾害。’这是因为君主一心装饰宫殿，不知百姓财殚力竭，因而上天以旱灾作为报应，天火从最高的大殿烧起来。”魏明帝又下诏问高堂隆：“我听说汉武帝时柏梁台发生火灾，而以大修宫殿来镇压它，这是什么道理呢？”高堂隆回答说：“那是夷越巫师所为，不是圣贤的明训。《汉书·五行志》说：‘柏梁台火灾，之后发生了江充巫蛊事件。’如《五行志》所说，夷越巫师建议修筑建章宫也没能镇住灾害。现在应当停止劳役，遣散民工。宫殿的标准，务必节约从简，把烧毁的崇华殿清扫干净，不能在此废墟上建立宫殿，这样瑞草、嘉禾就会从此处长出。若仍然疲劳民力，耗尽百姓的资财，这不是招致祥瑞和怀柔远方百姓的办法。”

八月二十四日庚午，魏明帝立皇子曹芳为齐王，曹询为秦王。魏明帝没有儿子，就收养了齐王、秦王为儿子，后宫的事情隐秘，没有人知道这二人的来路。有人说曹芳是任城王曹楷的儿子。

十一日丁巳，魏明帝回到洛阳。

魏明帝下诏重建崇华殿，改名为九龙殿。挖通穀水，引水通过九龙殿前，又在殿前修了玉井绮栏，由石刻蟾蜍吸进河水，经石刻神龙之口吐出。命博士扶风人马钧制作指南车和水转百戏。

陵霄阙刚开始构建，有鹊雀在上边筑巢。魏明帝就此询问高堂隆，高堂隆回答说：“《诗经》上说：‘鹊雀筑窝，鸠鸟居住。’现在兴建宫室，修筑陵霄阙，有鹊雀在

身不得居之象也。天意若曰，宫室未成，将有他姓制御之。斯乃上天之戒也。夫天道无亲，惟与⑪善人，太戊、武丁⑱睹灾悚[8]惧，故天降之福。今若罢休[9]百役，增崇德政，则三王⑲可四，五帝⑳可六，岂惟商宗转祸为福而已哉！”帝为之动容㉑。

帝性严急，其督修宫室有稽限㉒者，帝亲召问，言犹在口，身首已分。散骑常侍领秘书监王肃上疏曰：“今宫室未就，见作者三四万人。九龙㉓可以安圣体，其内足以列六宫；惟泰极㉔已前，功夫尚大。愿陛下取常食禀㉕之士，非急要者之用，选其丁壮，择留万人，使一期而更之。咸知息代有日，则莫不悦以即事，劳而不怨矣。计一岁有三百六十万夫，亦不为少。当一岁成者，听且三年。分遣其余，使皆即农，无穷之计也。夫信之于民，国家大宝也。前车驾当幸洛阳，发民为营㉖，有司命以营成而罢。既成，又利其功力，不以时遣。有司徒营㉗目前之利，不顾经国之体。臣愚以为自今已后，傥复使民，宜明其令，使必如期。以次有事，宁使[10]更发㉘，无或失信。凡陛下临时之所行刑，皆有罪之吏、宜死之人也。然众庶不知，谓为仓卒。故愿陛下下之于吏而暴其罪[11]，钧㉙其死也，无使污于宫掖而为远近所疑。且人命至重，难生易杀，气绝而不续者也，是以圣贤重之。昔汉文帝欲杀犯跸㉚者，廷尉张释之曰：‘方其时，上使诛之则已，今下廷尉，廷尉，天下之平，不可倾也。’臣以为大失其义，非忠臣所宜陈也。廷尉者，天子之吏也，犹不可以失平，而天子之身反可以惑谬乎！斯重于为己而轻于为君，不忠之甚者[12]也，不可不察。”

中山恭王衮疾病，令官属曰：“男子不死于妇人之手㉛，亟以时营[13]东堂。”堂成，舆疾往居之。又令世子曰：“汝幼为人君，知乐不知苦，必将以骄奢为失者也。兄弟有不良之行，当造膝㉜谏之；谏之不从，流涕喻之；喻之不改，乃白其母；犹不改，当以奏闻，并辞国土。与其守宠罹祸，不若贫贱全身也。此亦谓大罪恶耳，其微过细故，当掩覆之。”冬，十月己酉㉝，衮卒。

十一月丁酉㉞，帝行如许昌。

是岁，幽州刺史王雄使勇士韩龙刺杀鲜卑轲比能，自是种落离散，

上面筑巢，这是宫殿修不成而自身不能居住的征兆。天意好像是说，宫室还没修成，将有外姓人来控制。这是上天的警戒。上天不讲亲情，只支持善人，殷王太戊、武丁目睹灾祸而恐惧，因而上天降福给他们。现今如果停止各种劳役，崇尚德政，那么圣贤的三王可以由三而四，圣明的五帝可以由五而六，哪能只有商王可以转祸为福呢!”魏明帝因此改变脸色。

魏明帝性格严厉急躁，监造宫室的官员延误工期的，魏明帝亲自招来责问，话未说完，已经身首两分。散骑常侍兼秘书监王肃上疏说：“如今宫室尚未建成，现服劳役的便有三四万人。九龙殿足以供圣体安居，殿内足以安排六宫后妃；只是泰极殿早已修建，还有很大工程量。希望陛下调派长年食用国家粮饷目前没有紧急任务的士兵，选留其中的强壮者一万人，让他们劳作一期就更换。他们都知道休息替代有期限，就没有人不愿从事，对劳作就不会怨恨了。共计一年有三百六十万个人次，也不算少。计划一年可完工的，姑且听凭三年内完成。遣归其余的人，使他们都回去务农，这才是长久之计。信用对于人民来说，是国家的法宝。先前皇上要巡幸洛阳，就调发民工修建营垒，有关部门命令营垒修成解散民工。然而修成之后，又贪图民工带来的功利，不按时遣返。有关部门只营求眼前的利益，不顾及治国的体统。臣认为自今以后，如果再征用民夫，应宣明法令，让民工一定如期返回。民夫遣返后又有役事，宁可再次征发，不可失去信用。凡是陛下要临时行刑，受刑的人都是有罪的人，应该处死。但是民众不知情，认为是事出仓促。所以希望陛下把这些罪犯交给有关官吏，暴露他们的罪行，同样是死，不要玷污宫廷名声而受远近人们的怀疑。况且人命关天，杀死人容易，让人复活很难，气一断就接续不上了，因而圣贤对此非常慎重。当年汉文帝想杀冒犯车驾的人，廷尉张释之说：‘在现场，皇上若把他杀死也就算了，现在将罪犯交给廷尉，廷尉是天下用法公平的标准，不可有所倾向。’我认为这话太没道理，不是忠臣应该讲的。廷尉，是天子的官吏，尚且不能失去公平，而天子自身反而可以胡作非为吗？这是看重自身的要求，轻视君主的作为，是最不忠的人，不能不认真地省察。”

中山恭王曹衮病重，命令下属官吏：“男子不死在妇人手上，紧急按时营建东堂。”东堂建成后，即抱病乘车前往居住。又命长子说：“你年幼就成了国王，只知道享乐不知道艰苦，必定会因骄奢而犯过失。兄弟若有不良行为，应当到面前劝阻；劝阻而不听从，就流泪开导他；开导而不改正，才禀告他的母亲；若仍不改正，应当奏明圣上，并辞掉自己的封邑。与其固守恩宠而遭受祸患，不如贫贱而保全自身。这是指大罪恶而言，至于那些细微的过失，就该加以遮掩。”冬，十月初三日己酉，曹衮去世。

十一月二十二日丁酉，魏明帝巡幸前往许昌。

这一年，幽州刺史王雄派勇士韩龙刺杀了鲜卑首领轲比能，从此，鲜卑部落离

互相侵伐，强者远遁，弱者请服，边陲遂安。

张掖柳谷口[135]水溢涌，宝石负图，状象灵龟，立于川西，有石马七及凤凰、麒麟、白虎、牺牛、璜[136]玦[137]、八卦、列宿[138]、孛彗[139]之象；又有文曰“大讨曹”。诏书班[140]天下，以为嘉瑞。任[141]令于绰连赍[142]以问钜鹿张臶[143]，臶密谓绰曰：“夫神以知来，不追既[14]往，祥兆先见而后废兴从之。今汉已久亡，魏已得之，何所追兴祥兆乎！此石，当今之变异，而将来之符瑞也。”

帝使人以马易珠玑[144]、翡翠[145]、玳瑁[146]于吴。吴主曰：“此皆孤所不用，而可以得马，孤何爱焉！”尽[15]以与之。

【段旨】

以上为第二段，写魏明帝耽于内宠，好建宫室，曹魏多位大臣切谏，皆不听，但亦优容处之。

【注释】

⑯土功：土木建筑工程。⑰太极殿：上法太极，在洛阳南宫，为汉崇德殿旧址。⑱卑宫室：谓简陋的宫室。⑲恶衣服：谓粗劣的衣服。《论语·泰伯》载孔子说：禹“恶衣服而致美乎黻冕（祭祀礼服），卑宫室而尽力乎沟洫（沟渠）”。⑳大郡：汉代，汝南为大郡，汉平帝元始之初，汝南郡有四十六万一千五百八十七户，二百五十九万六千一百四十八人。见《汉书·地理志》。㉑白水：指白水关。关在白水县，县治在今四川青川东北。㉒传舍：古时供来往行人休息住宿的处所。《三国志·蜀书·先主传》注引《典略》谓刘备以魏延镇汉中，“起馆舍，筑亭障，从成都至白水关四百余区”。㉓劳力：劳费人力。㉔机：关键。㉕罢：通“疲”。㉖萧何之大略：此比拟萧何建未央宫事。㉗高祖犹非其壮丽：萧何建成未央宫，汉高祖刘邦看后，认为太壮丽，非常生气地对萧何说：“天下匈匈，劳苦数岁，成败未可知，是何治宫室过度也！”见《汉书·高帝纪》。㉘卓然：特异；异乎寻常。㉙不得成此殿：此事见《后汉书·锺离意传》。㉚少凝圣听：谓不能不留意听闻。凝，停留。㉛妇官：宫内女官。㉜秩石：官吏的职位与品级。㉝拟百官之数：谓比拟朝官的职位、品级。《三国志·后妃传》说：魏明帝太和中，“命贵嫔、夫人位次皇后，爵无所视（比照）；淑妃位视相国，爵比诸侯王；淑媛位视御史大夫，爵比县公；昭仪比县侯；昭华比乡侯；修容比亭侯；修仪比关内侯；倢伃视中二千石；容

散，互相攻伐，强的部落远远逃走，弱的部落请求降服，边境于是得以安宁。

张掖郡的柳谷口水满涌出，有块宝石，上有图案，形状如同一只灵龟，立于河西，上有石马七匹和凤凰、麒麟、白虎、牺牛、璜玦、八卦、各种星宿、彗星的图像；还有文字为“大讨曹”。魏国用诏书颁布天下，认为这是祥瑞。任县县令于绰连带诏书和图案去询问钜鹿人张臶，张臶秘密地对于绰说：“神可以预知未来，不追究以往的事，祥瑞先出现，之后王朝的兴废随之而来。如今汉朝早已灭亡，魏国已经得了天下，怎么还会是魏国兴起的先兆呢！这块石头，是当前发生的变异，而预示将来的祥瑞。”

魏明帝派人到吴国用马匹交易珍珠、翡翠、玳瑁。吴主孙权说：“这些东西都是我不用的，又可以得到马匹，我有什么可吝惜的！”把这些东西全都交付魏国。

华视真二千石；美人比二千石；良人视千石”。自贵嫔、夫人、淑妃、淑媛、昭仪、昭华、修容、修仪、婕妤、容华、美人，至良人，共十二级。㉞处当：依其所当进行处理。㉟画可：签署从其所奏。㊱不遑：顾不得；没有功夫。㊲见：“现”的本字。㊳二方：指蜀汉与孙吴。㊴后妃以下百二十人：指皇后以下有三夫人、九嫔、二十七世妇、八十一御妻，共为一百二十人。㊵嫔嫱：宫内女官名。㊶淑媛：善良美女。㊷《螽斯》：本虫名，此指《诗经·周南》之《螽斯》篇。此诗用螽斯比喻后妃子孙众多。㊸辄克昌言：总能直言不讳。昌言，无隐瞒的直言。㊹亲田者：耕种田地的人。㊺不赀：不可计量。㊻荥阳：县名，县治在今河南荥阳东北。㊼悦豫：喜乐。㊽北芒：山名。在当时洛阳城北。㊾孟津：关名，在今河南洛阳市孟津区南。㊿文皇帝克终之元绪：谓文帝能完成武帝之志，受汉禅而开创了曹魏天下之端绪。51季世：末世。52茅茨：茅草屋顶。《韩非子·五蠹》说：“尧之王天下也，茅茨不翦（不修剪整齐），采椽不斫（采来之木为椽，不刮削雕饰）。”53崇：高。54度：限度。55筵：铺地之席，此指筵席。56璇室：美玉装饰之室。57象廊：象牙装饰的走廊。58鹿台：周围三里，高千尺，在当时朝歌城中。见《史记·殷本纪》之《集解》。59章华：台名，楚灵王所建。国人因苦于徭役，后来诸公子为乱，国人皆抛弃灵王。灵王只得独自逃入山中，饥饿而死。见《史记·楚世家》。60阿房：宫殿名，故址在今陕西长安西。61暇：悠闲。62争臣：即诤臣，直言敢谏之臣。争，通“诤”。63叩棺：手抚棺材，谓准备死去。64御：奉进御览。65帽：帽非礼冠，只能在居室中戴用。66被：通“披”，穿着。67缥绫：丝织品。青白色的丝绸叫缥，一种很薄有彩纹的丝绸称绫。68半袖：短袖。69法服：礼服。70省宫人：裁减宫女。71数：责备。72散骑常侍：官名，魏文帝所置，备顾问，掌规谏。73句践养胎以待用：春秋时，越王勾践被吴国打败求和后，便采取一系列发展生产、繁殖人口的措

施，规定年老的不能嫁娶年轻的；女子十七岁不嫁，男子二十不娶，其父母要受处罚；将要分娩的人，公家派医生护理，生儿子，公家给二壶酒，一条狗；生女儿，公家给二壶酒，一条小猪；一胎生三子，公家派给乳母；一胎生二子，公家给予口粮。见《国语·越语》。㉔昭王恤病以雪仇：齐愍王破燕国后，燕人立太子平为燕昭王。燕昭王使礼贤下士，吊死问孤，与百姓同甘苦，燕国因而富强，终破齐国。见《史记·燕召公世家》。㉕二敌：指吴、蜀。㉖当身：谓当魏明帝在世之时。㉗中书侍郎：即魏文帝时所置的通事郎，为中书监、令之副，佐典尚书奏书。㉘王基：字伯舆，东莱曲城（今山东烟台东北）人，魏文帝黄初中为郎中，后为秘书郎。魏明帝时为中书侍郎，后官至征东将军、都督扬州诸军事，封东武侯。传见《三国志》卷二十七。㉙水所以载舟二句：此为《孔子家语》所载孔子之言。㉚东野子：鲁国善驾马者。鲁定公曾问颜渊东野子是否善驾马，颜渊回答说东野子是善驾马，但其马可能跑失。鲁定公还不大相信。数日后东野子的马果然挣断缰绳跑了。鲁定公就问颜渊怎么能够预料得到，颜渊说："以前舜善于使用民力，不使民力用尽，所以没有逃走的人民；造父善于用马，不使马力用尽，所以没有跑失的马。现在东野子驾马，马力已经用到最大限度了，但他还不断地使马快跑，所以我知道马可能跑失。"见《荀子·哀公》。㉛贾谊忧之：贾谊之言见其所上《治安策》，载《汉书·贾谊传》。㉜不竞：不强；不争气。㉝殿中监：因此时营造宫室，故设此官以监造。与唐时殿中监不同。㉞兰台令史：官名，御史台之属官。汉魏称御史台为兰台。㉟右仆射：官名，仆射为尚书令之副。曹魏置左、右仆射，令缺，则左为省主。㊱按：审查。㊲推：追究。㊳侵官：侵犯他官的职守。㊴恶：憎恨。㊵校事：曹操执政时，置校事，负责暗中监视百官的言语行动，魏沿置。㊶陵夷：衰落。此指越权者凌辱上司，使上司权威衰落。㊷孙礼：字德达，涿郡容城（今河北容城西北）人，初为山阳、阳平等郡太守，又为尚书。齐王芳初，为大将军曹爽长史，后又为荆州刺史、冀州牧，最后官至司空，封大利亭侯。传见《三国志》卷二十四。㊸谠言：正直之言。㊹成讫：谓想将殿舍建筑完工。㊺优容：宽容。㊻太史令：官名，属太常，掌天文历算。高堂隆以侍中兼领此职。㊼高堂隆：字升平，泰山平阳（今山东邹县）人，魏明帝时，为给事中、博士、驸马都尉，又为侍中、太史令，多次上疏直谏，皆切中时弊。后官至光禄勋。传见《三国志》卷二十五。㊽祈禳：祈求福祥、除去灾变的祭祀。㊾《易传》：此《易传》指汉代京房《易传》。㊿柏梁：台名，汉武帝太初元年柏梁台遭火灾，汉武帝听信越巫人之说，修建建章宫以厌之。事见《汉书·武帝纪》及注引文颖说。(101)《五行志》：指《汉书·五行志》。(102)江充巫蛊事：蛊是一种毒虫。古代称巫师使用邪术嫁祸于人为巫蛊。汉武帝后期，女巫出入宫中，教宫人埋木偶祭祀以免灾。当时太子刘据与武帝信任的江充有矛盾，江充恐太子继位后于己不利，便趁武帝病时，说巫蛊在作祟。武帝命江充追查，江充在宫中掘地搜查，诬称在太子宫中掘得不少木偶，太子畏惧，起兵斩杀江充，自己也兵败自杀。事见《汉书·江充传》与《戾太子

传》。⑩ 蓂荑：草名，一种祥瑞之草。据传，尧时生于庖厨，去暑而凉。⑩ 嘉禾：生长得特别茁壮的稻禾，古人认为是祥瑞的象征。⑩ 符瑞：祥瑞的征兆。犹言吉兆。⑩ 庚午：八月二十四日。⑩ 任城王楷：为任城王曹彰之子。⑩ 丁巳：八月十一日。⑩ 更名曰九龙：《三国志·魏书·高堂隆传》载，魏明帝下诏重建崇华殿，适逢郡国出现九龙，故改名曰九龙殿。⑩ 玉井：井的美称。⑪ 绮栏：雕饰华丽的井栏。⑫ 蟾蜍：即癞蛤蟆，此为石制的蟾蜍。⑬ 马钧：扶风（郡治在今陕西兴平东南）人，魏明帝时为博士，是很有成就的发明家，当时人称他为“天下之名巧”。他曾改进织绫机、水翻车，造指南车，改进连弩与发石车，大大提高了功效。事见《三国志·魏书·方技传》注引傅玄序。⑭ 司南车：即指南车。⑮ 水转百戏：此为马钧用木制作，用水为动力的转动木偶戏装置。其中，有舞女舞蹈、人击鼓吹箫、抛丸掷剑、缘绳倒立，又有百官行署、舂磨斗鸡等。⑯《诗曰》：此诗见《诗经·鹊巢》。⑰ 与：赞成；支持。⑱ 太戊、武丁：皆殷商王。太戊即殷中宗，即位后有祥桑与谷共生于朝，太戊畏惧而行德政，祥桑便枯死消失。武丁即殷高宗，武丁曾祭祀成汤，次日有野鸡飞到鼎耳上鸣叫，武丁畏惧，也推行德政，殷商因而强盛。事俱见《史记·殷本纪》。⑲ 三王：指夏禹、商汤、周文王。⑳ 五帝：指伏羲、神农、黄帝、尧、舜。㉑ 动容：谓内心有所感动而表露于面容。㉒ 稽限：延误期限。㉓ 九龙：九龙殿。㉔ 泰极：太极殿。㉕ 食禀：指由国家供给食物。㉖ 营：营垒。㉗ 徒营：只营求。㉘ 更发：谓重新征发其他民力。㉙ 钧：通“均”，同等。㉚ 犯跸：冒犯皇帝车驾。㉛ 男子不死于妇人之手:《礼记·丧大记》之言。㉜ 造膝：到面前。㉝ 己酉：十月初三日。㉞ 丁酉：十一月二十二日。㉟ 柳谷口：在当时张掖郡删丹县，县治在今甘肃山丹。㊱ 璜：玉璧之半。㊲ 玦：开缺口的玉环。㊳ 列宿：众星宿。㊴ 孛彗：彗星。㊵ 班：颁布。㊶ 任：县名，县治在今河北任县东南。㊷ 连赍：谓连同带着诏书及发下的石图。㊸ 张臶：字子明，学识广博，终身不为官。事见《三国志》卷十一。㊹ 珠玑：珠宝。不圆的珠叫玑。㊺ 翡翠：鸟名，其羽有蓝、绿、赤、棕等颜色，或作装饰品。㊻ 玳瑁：动物名，似龟，背面甲片呈褐色和淡黄色的花纹，可作装饰品或药物。

【校记】

［2］不过：此下原有“汉”字。据章钰校，甲十六行本、乙十一行本皆无此字，张瑛《通鉴校勘记》同，今据删。［3］人：据章钰校，甲十六行本、乙十一行本皆作“臣”。［4］者：原无此字。据章钰校，甲十六行本、乙十一行本、孔天胤本皆有此字，今据补。［5］辄：据章钰校，此字上乙十一行本有“卿”字。［6］赀：原作“訾”。据章钰校，甲十六行本、乙十一行本皆作“赀”，二字通，今从甲十六行本。［7］之：据章钰校，甲十六行本、乙十一行本皆无此字。［8］悚：据章钰校，甲十六行本、乙十一行本皆作“竦”，二字通。［9］罢休：据章钰校，甲十六行本、乙十一行本二字皆互乙。［10］使：据章钰校，甲十六行本、乙十一行本皆作“复”。［11］而暴其罪：原无此四字。据章

钰校，甲十六行本、乙十一行本、孔天胤本皆有此四字，张敦仁《通鉴刊本识误》、张瑛《通鉴校勘记》同，今据补。[12]者：据章钰校，甲十六行本、乙十一行本皆无此字。[13]营：据章钰校，甲十六行本、乙十一行本皆作"成"。[14]既：据章钰校，甲十六行本、乙十一行本皆作"已"。[15]尽：据章钰校，甲十六行本、乙十一行本皆作"皆"。

【原文】

四年（丙辰，公元二三六年）

春，吴人铸大钱⑭⑦，一当五百。

三月，吴张昭卒，年八十一。昭容貌矜严⑭⑧，有威风，吴主以下，举邦惮之。

夏，四月，汉主至湔⑭⑨，登观阪⑮⓪，观汶水⑮①之流，旬日⑮②而还。

武都⑮③氐王[16]苻健请降于汉，其弟不从，将四百户来降。

五月乙卯⑮④，乐平定侯董昭卒。

冬，十月己卯⑮⑤，帝还洛阳宫。

甲申⑮⑥，有星孛于大辰⑮⑦，又孛于东方。高堂隆上疏曰："凡帝王徙都立邑，皆先定天地⑮⑧、社稷之位，敬恭以奉之。将营宫室，则宗庙为先，厩库为次，居室为后。今圜丘、方泽、南北郊⑮⑨、明堂⑯⓪、社稷⑯①神位未定，宗庙之制又未如礼，而崇饰居室，士民失业。外人咸云'宫人之用与军国之费略齐'，民不堪命，皆有怨怒。《书》曰⑯②：'天聪明自我民聪明⑯③，天明畏自我民明威⑯④。'言天之赏罚随民言，顺民心也。夫采椽、卑宫，唐、虞、大禹之所以垂皇风也；玉台、琼室，夏癸⑯⑤、商辛⑯⑥之所以犯昊天⑯⑦也。今宫室过盛，天彗章灼⑯⑧，斯乃慈父恳切之训。当崇孝子祗耸⑯⑨之礼，不宜有忽，以重天怒。"隆数切谏，帝颇不悦。侍中卢毓进曰："臣闻君明则臣直，古之圣王惟恐不闻其过，此乃臣等所以不及隆也。"帝乃解。毓，植之子也。

十二月癸巳⑰⓪，颍阴靖侯陈群卒。群前后数陈得失，每上封事⑰①，辄削其草，时人及其子弟莫能知也。论者或讥群居位拱默⑰②，

【语译】

四年（丙辰，公元二三六年）

春，吴国铸造大钱，一枚大钱相当于五百枚小钱的价值。

三月，吴国张昭去世，年八十一。张昭容貌端庄严肃，有威严，吴主以下，全国人都害怕他。

夏，四月，蜀汉后主刘禅到达湔县，登上观阪崖，考察汶水的水道，十天后才返回。

武都郡的氐族首领苻健请求降服蜀汉，他的弟弟不听从，率领四百户来投降魏国。

五月十三日乙卯，魏国乐平定侯董昭去世。

冬，十月初十日己卯，魏明帝返回洛阳宫。

十月十五日甲申，孛星出现在大辰星区，又出现在东方天空。高堂隆上疏说："凡是帝王迁都建城，都要先确定祭祀天地和社稷的位置，恭敬地奉祀天地社稷之神。要建造宫殿，先要建造宗庙，马厩仓库为其次，最后才考虑居住的宫室。现在圜丘、方泽、南北郊、明堂、社稷神位还没有确定，宗庙的规格又不合乎礼制，却高规格修建居住的宫室，士民因此而荒废本业。社会上都说'宫人的费用与军国开支大略相等'，百姓不堪忍受役使，都有怨恨和愤怒情绪。《尚书》说：'上天的聪明来自民众的聪明，上天的赏罚来自民众的好恶。'这是指上天的赏罚顺从百姓的言论，顺应百姓的心意。至于不加修饰的椽子、低矮的宫室，是唐尧、虞舜、大禹所以能流传其皇王作风的缘由；修筑玉台、琼室，是夏桀、商纣所以触犯上天的原因。如今宫室过多，天上彗星彰显，这就是慈父般的上天恳切的训诫。应当推崇孝子敬惧的礼节，不应有所忽略，以致加重上天的愤怒。"高堂隆多次恳切谏阻，魏明帝很不高兴。侍中卢毓进言说："我听说君主开明则臣子正直，古代的圣王只担心听不到自己的过错，这就是臣等赶不上高堂隆的地方。"魏明帝的怒气这才消解。卢毓，是卢植的儿子。

十二月二十四日癸巳，魏国颍阴靖侯陈群去世。陈群前后多次上奏陈述朝政的得失，每次密封上奏，总是销毁草稿，当时的人及其子弟都不知道上奏的内容。

正始[173]中，诏撰群臣上书以为《名臣奏议》，朝士乃见群谏事，皆叹息焉。

袁子[174]论曰："或云：'少府杨阜岂非忠臣哉？见人主之非则勃然触之，与人言未尝不道[175]。'答曰：'夫仁者爱人，施之君谓之忠，施于亲谓之孝。今为人臣，见人主失道，力[17]诋其非而播扬其恶，可谓直士，未为忠臣也。故司空陈群则不然，谈论终日，未尝言人主之非，书数十上，外人不知。君子谓群于是乎长者[176]矣。'"

乙未[177]，帝行如许昌。

诏公卿举才德兼备者各一人，司马懿以兖州[178]刺史太原王昶[179]应选。昶为人谨厚，名其兄子曰默，曰沈，名其子曰浑，曰深，为书戒之曰："吾以四者为名，欲使汝曹顾名思义，不敢违越也。夫物速成则疾亡，晚就而[18]善终。朝华[180]之草，夕而零落，松柏之茂，隆寒不衰，是以君子戒于阙党[181]也。夫能屈以为伸，让以为得，弱以为强，鲜不遂[182]矣。夫毁誉者，爱恶之原而祸福之机[183]也。孔子曰：'吾之于人，谁毁谁誉[184]？'以圣人之德犹尚如此，况庸庸之徒而轻毁誉哉！人或毁己，当退而求之于身。若己有可毁之行，则彼言当矣；若己无可毁之行，则彼言妄矣。当则无怨于彼，妄则无害于身，又何反报焉！谚曰：'救寒莫如重裘，止谤莫如自修。'斯言信矣。"

【段旨】

以上为第三段，写曹魏大臣，直谏事君，有如杨阜；忠谏事君，有如陈群；醇谨做人，有如王昶。

议论朝政的人有讥刺陈群占据高位拱手默然，正始年间，皇帝下诏命令编撰群臣的奏疏为《名臣奏议》，朝廷官员才看到陈群进谏的奏章，都为之赞叹。

袁宏评论说："有人说：'少府杨阜难道不是忠臣吗？他看到君主的过错就毅然犯颜直谏，与人谈话也未尝不提及。'回答是：'仁者爱人，用到君主身上就叫作忠，用到双亲身上就叫作孝。现今作为人臣，发现君主的言行不合道义，就极力批评君主的错误而宣扬君主的恶行，这可以叫作正直之士，还不算忠臣。已故的司空陈群就不这样，他和人谈论一整天，从未说起君主的过失，陈群几十次上奏章，外人却不知道。君子认为陈群在这一方面真是个长者。'"

十二月二十六日乙未，魏明帝到达许昌。

魏明帝下诏要公卿每人举荐一名才德兼备的人，司马懿推举兖州刺史太原人王昶应选。王昶为人谨慎厚道，为他哥哥的儿子起名为王默、王沈，为自己的儿子起名叫王浑、王深，并写信告诫他们说："我用这四个字起名，是想让你们顾名思义，不敢违反超越命名的含义。事物速成就会迅速消亡，晚成的就会善终。早晨开花的花草，到黄昏就零落了，松柏茂盛，隆冬严寒也不衰败，所以君子应以阙党童子为戒。那些能以屈为伸，以让为得，以弱为强的人，很少有不成功的。诋毁和赞誉，是喜爱厌恶的根源和祸福的关键。孔子说：'我对于人，诋毁过谁，赞誉过谁？'圣人的道德尚且如此，何况庸庸之辈而轻率地诋毁或赞誉呢！他人或许诋毁自己，应当退而省察自身。自己如果有可诋毁的行为，那么他人的话就是对的；如果自己没有可以诋毁的行为，那么他人的话就是胡说。他人的话说得恰当，就不该怨恨他；他人胡说，也无损于自身，又何必反过来报复呢！谚语说：'御寒没有比厚皮衣更好的，止谤没有比提高自我修养更好的办法。'这真是实在话。"

【注释】

⑭⑦大钱：钱面有"大泉五百"四字，直径一寸三分，重十二铢。⑭⑧矜严：端庄严肃。⑭⑨湔：县名，蜀汉所置，县治在今四川都江堰。⑮⓪观阪：崖名，即今四川都江堰市西门外临岷江的一座悬崖，俗称斗鸡台。崖顶有一小坪，在此可观看都江堰全景。⑮①汶水：即岷江。⑮②旬日：十天。十天为旬。⑮③武都：郡名，治所下辨，在今甘肃成县西。⑮④乙卯：五月十三日。⑮⑤己卯：十月十日。⑮⑥甲申：十月十五日。⑮⑦大辰：星次名，即苍龙七宿中第三宿。⑮⑧天地：指祭天的圜丘（圆形高坛）和祭地的方泽（方水

池)。⑮郊：帝王在郊外祭祀天地。南郊祭天，北郊祭地。⑯明堂：古代帝王宣明政教之处所。凡朝会、祭祀、庆赏、教学等大典皆在此举行。后世帝王宫室增多，另在近郊东南建明堂以存古制。⑯社稷：社，土神。稷，谷神。古代帝王必立社稷之坛以祭祀。⑯《书》曰：此说见《尚书·皋陶谟》。⑯天聪明自我民聪明：此句谓上天的聪明来源于民众的聪明。⑯天明畏自我民明威：此句谓上天之赏罚来自人民之好恶。明畏，犹言赏罚。明谓赏善，畏谓罚恶。明威同"明畏"。⑯夏癸：即夏桀王。⑯商辛：即商纣王。⑯昊天：苍天。⑯章灼：彰明显著。⑯祇耸：恭敬而惊惧。⑰癸巳：十二月二十四日。⑰封事：密封的奏章。⑰拱默：拱手默然。⑰正始：少帝曹芳的年号。⑰袁子：名准，字孝尼，魏晋时人，长于儒学，著述多种。事见《三国志·魏书·袁涣传》注引《袁氏世纪》。⑰道：言说。⑰长者：忠厚谨慎之人。⑰乙未：十二月二十六日。⑰兖州：汉武帝所置十三刺史部之一，魏时治所廪丘县(在今山东郓城西)，辖陈留、东郡、济阴、任城、东平、济北、泰山等郡。⑰王昶：字文舒，太原晋阳(今山西太原西南)人，魏文帝时为兖州刺史。后官至司空，封京陵侯。传见《三国志》卷二十七。〖按〗王

【原文】

景初元年(丁巳，公元二三七年)

春，正月壬辰[185]，山荏县[186]言黄龙[187]见。高堂隆以为："魏得土德，故其瑞黄龙见。宜改正朔[188]，易服色，以神明其政，变民耳目。"帝从其议。

三月，下诏改元，以是月为孟夏四月，服色尚黄，牺牲用白，从地正[189]也。更名《太和历》曰《景初历》。

五月己巳[190]，帝还洛阳。

己丑[191]，大赦。

六月戊申[192]，京都地震。

己亥[193]，以尚书令陈矫为司徒，左仆射卫臻为司空。

有司奏以武皇帝为魏太祖，文皇帝为魏高祖，帝为魏烈祖。三祖之庙，万世不毁[194]。

孙盛论曰："夫谥[195]以表行，庙[196]以存容。未有当年而逆制祖宗，未终而豫自尊显，魏之群司[197]于是乎失正矣。"

昶诫子侄，其子侄并不忠孝。后曹髦讨司马昭，王沈为侍中，背叛曹氏向司马师通风报信。晋武帝灭吴，王浑为安东将军，与龙骧将军王浚争功。⑱⓪ 朝华：早上开花。⑱① 阙党：春秋时地名，即孔子所居之地。《论语·宪问》记载：阙党的一个少年来见孔子，有人问："这个少年是求上进的人吗？"孔子说："这不是个肯上进的人，只是个急于求成的人。"⑱② 遂：成功。⑱③ 机：关键。⑱④ 吾之于人二句：孔子语。《论语·卫灵公》孔子说："我对于别人，诋毁了谁？称赞了谁？假如我有所称赞，一定是曾经试用过的人。"孔子不随便毁誉人，认为做到这一点，就是正直的人。

【校记】

[16] 王：原无此字。据章钰校，甲十六行本、乙十一行本皆有此字，张敦仁《通鉴刊本识误》、张瑛《通鉴校勘记》同，今据补。[17] 力：据章钰校，甲十六行本、乙十一行本皆作"直"。[18] 而：据章钰校，甲十六行本、乙十一行本皆作"则"，张瑛《通鉴校勘记》同。

【语译】

景初元年（丁巳，公元二三七年）

春，正月壬辰日，山茌县奏报说黄龙现身。高堂隆认为："魏为土德，因而吉祥物黄龙现身。应该改变正朔，更换服装的颜色，以神明的指示来推行国政，使民众的耳目为之一新。"魏明帝采纳他的建议。

三月，下诏改变年号，以三月为孟夏四月，服装的颜色崇尚黄色，祭祀的牲畜用白色，按照殷历设置正月。又将《太和历》更名为《景初历》。

五月初二日己巳，魏明帝回到洛阳。

二十二日己丑，魏国大赦天下。

六月十二日戊申，京都洛阳地震。

初三日己亥，魏国任命尚书令陈矫为司徒、左仆射卫臻为司空。

魏国有关官吏奏请尊奉武皇帝为魏太祖，尊奉文皇帝为魏高祖，尊奉魏明帝为魏烈祖。这三祖的宗庙，万代不许毁坏。

孙盛评论说："谥号用来显示生前的行为，宗庙用来保存帝王的容貌。从没有在位的当时违反祖宗制度，自己还没有死就预先尊显自己，魏国的群臣们在这个问题上丧失了正直之道。"

秋，七月丁卯[198]，东乡贞侯[19]陈矫卒。

公孙渊数对国中宾客出恶言，帝欲讨之，以荆州刺史河东[20]毌丘俭[199]为幽州刺史。俭上疏曰："陛下即位以来，未有可书。吴、蜀恃险，未可卒平，聊[200]可以此方无用之士克定辽东。"光禄大夫卫臻曰："俭所陈皆战国细术，非王者之事也。吴频岁称兵[201]，寇乱边境，而犹按甲养士，未果致讨者，诚以百姓疲劳故也。渊生长海表，相承三世[202]，外抚戎夷，内修战射，而俭欲以偏军长驱，朝至夕卷，知其妄矣。"帝不听，使俭帅诸军及鲜卑、乌桓屯辽东南界，玺书征渊。渊遂发兵反，逆俭于辽隧[203]。会天雨十余日，辽水大涨，俭与战不利，引军还右北平[204]。渊因自立为燕王，改元绍汉，置百官，遣使假鲜卑单于玺，封拜边民，诱呼鲜卑以侵扰北方。

汉张后殂。

九月，冀、兖、徐、豫大水。

西平郭夫人[205]有宠于帝，毛后[206]爱弛。帝游后园，曲宴[207]极乐。郭夫人请延皇后，帝不[21]许，因禁左右使不得宣。后知之，明日，谓帝曰："昨日游宴北园，乐乎？"帝以左右泄之，所杀十余人。庚辰[208]，赐后死，然犹加谥曰悼。癸丑[209]，葬愍陵，迁其弟曾为散骑常侍。

冬，十月，帝用高堂隆之议，营洛阳南委粟山为圜丘。诏曰："昔汉氏之初，承秦灭学之后，采摭[210]残缺，以备郊祀，四百余年，废无禘礼[211]。曹氏世系出自有虞，今祀皇皇帝天于圜丘，以始祖虞舜配；祭皇皇后地于方丘[212]，以舜妃伊氏配；祀皇天之神于南郊，以武帝配；祭皇地之祇于北郊，以武宣皇后配。"

庐江主簿吕习密使人请兵于吴，欲开门为内应。吴主使卫将军全琮督前将军朱桓等赴之，既至，事露，吴军还。

诸葛恪至丹阳，移书四部[213]属城长吏，令各保其疆界，明立部伍[214]，其从化平民，悉令屯居。乃内[215]诸将，罗[216]兵幽阻，但缮藩篱，不与交锋，俟[22]其谷稼将熟，辄纵兵芟刈[217]，使无遗种。旧谷既尽，

秋，七月初二日丁卯，魏国东乡贞侯陈矫去世。

公孙渊多次在国内宾客面前口出恶言，魏明帝想讨伐他，任命荆州刺史河东毌丘俭为幽州刺史。毌丘俭上疏说："陛下即位以来，没有什么可以记载的大事，吴、蜀两国依仗地势险要，难以很快平定，暂且可用幽州当前没有征伐任务的士卒平定辽东。"光禄大夫卫臻说："毌丘俭所陈述的都是战国人玩弄的小把戏，并非王者所行之事。吴国连年兴兵，侵扰我国边境，而我国仍然按兵不动休养将士。没有果断讨伐，实在是由于百姓疲劳的缘故。公孙渊生长在海外，三代相继为首领，对外安抚戎夷，在内整修战备，而毌丘俭想用一支非主力之师长驱直入，声称早上到达晚上就席卷敌国，可见他在胡说。"魏明帝不听，让毌丘俭率领所属各军以及鲜卑、乌桓之兵屯驻在辽东南界。然后魏明帝用加盖御印诏书征召公孙渊入朝。公孙渊于是发兵反叛，在辽隧迎战毌丘俭。适逢下了十几天雨，辽水暴涨，毌丘俭与公孙渊作战失利，率军退回右北平。公孙渊乘势自立为燕王，改年号为绍汉，设置文武百官，派使者授予鲜卑单于官印，封拜边民为官，诱使鲜卑侵犯魏国北部地区。

蜀汉的张皇后去世。

九月，冀州、兖州、徐州、豫州发生水灾。

西平人郭夫人受到魏明帝宠爱，毛皇后失宠。魏明帝到后花园游玩，设宴极尽欢乐。郭夫人请求邀请毛皇后，魏明帝不答应，还禁止左右侍从不许将此事宣扬出去。毛皇后知道了这件事，第二天，对魏明帝说："昨天游宴北园，快乐吗？"魏明帝认为左右侍从泄露了消息，杀了十多人。九月十六日庚辰，赐毛皇后自杀，还加了一个谥号为"悼"。癸丑日，把毛皇后葬在愍陵。又把毛皇后的弟弟毛曾降为散骑常侍。

冬，十月，魏明帝采纳高堂隆的建议，营建洛阳南边的委粟山为祭天的圜丘。下诏说："从前汉朝初年，正当秦代灭绝学术以后，搜集残缺的典籍，才略备祭祀天地的礼仪，后来四百多年，荒废了祭祀天地的礼制。曹氏的世系出自有虞氏，现今在圜丘祭祀皇皇帝天，以始祖虞舜陪祭；在方丘祭祀皇皇后地，以舜的妃子伊氏陪祭；在京城南郊祭祀皇天之神，以魏武帝陪祭；在北郊祭祀皇地之神，以武宣皇后陪祭。"

庐江郡的主簿吕习秘密派人到吴国请求出兵，他打算打开城门做内应。吴主孙权派卫将军全琮带领前将军朱桓等人前往，到达庐江之后，事情泄露，吴国军队撤回。

吴国诸葛恪到丹阳上任，发公文给予丹阳相邻的四郡各县的长官，命令他们各自保卫辖区的疆界，明确规定各部队的防区，让已经归顺的山民全部聚居一处。然后诸葛恪派各位将领进入深山险阻之地，布下军队，只修缮篱笆栅栏防御工事，不与山民交战，等到当地庄稼将要成熟，就纵兵收割，不留一粒种子。山越把以前的

新谷不收，平民屯居，略无所入。于是山民饥穷，渐出降首，恪乃复敕下曰："山民去恶从化，皆当抚慰，徙出外县，不得嫌疑，有所拘执。"臼阳[218]长胡伉得降民周遗，遗旧恶民，困迫暂出，伉缚送言诸府。恪以伉违教，遂斩以徇。民闻伉坐执人被戮，知官惟欲出之而已，于是老幼相携而出，岁期人数，皆如本规[219]。恪自领万人，余分给诸将。吴主嘉其功，拜恪威北将军[220]，封都乡侯，徙屯庐江皖口[221]。

【段旨】

以上为第四段，写魏明帝改元颁新历，建圜丘，宠郭后，以及首次发兵征公孙渊受挫。写吴诸葛恪讨山越，卓有成效。

【注释】

⑱壬辰：正月己亥朔，无壬辰。当作二月壬辰，即二月二十四日。⑱山茌县：县治在今山东长清东北。⑱黄龙：黄色之龙，古人视为瑞兽。帝王得土德，土色黄，则黄龙出现。《史记·封禅书》即云黄帝得土德，黄龙出现。⑱正朔：正为一年之第一月，朔为一月之第一天。历法须首先确定正朔，故古人以正朔称历法。⑱地正：《三统历》说，夏正建寅为人统，商正建丑为地统，周正建子为天统。此地正，就是依殷商的历法，以建丑为正，即以十二月为岁首。⑲己巳：五月初二日。自此用《景初历》。⑲己丑：五月二十二日。⑲戊申：六月十二日。⑲己亥：六月初三日。⑲万世不毁：宗庙之制，天子立七庙，即供奉七位祖宗，某一祖宗过了七代，因亲尽则毁，他的灵位就要被撤除。只有开国的太祖、高祖或有大功的太宗，则万世不毁。魏明帝曹叡无子，担心自己死后，灵位被撤除，于是在生时自己拟谥为烈祖，规定万世不毁。⑲谥：古代帝王、贵族、大臣死后，依据他的一生行为，拟定一个评价的称号叫谥。善行美谥，恶行恶谥，用意有告诫作用。事实上恶行被隐讳，多为美谥。魏明帝生时自己给自己拟美谥是违礼行为，故孙盛予以批评。⑲庙：宗庙。因宗庙供奉祖宗塑像、灵位，故曰"庙以存容"。⑲群司：众官。孙盛为尊者讳，他不批评魏明帝而说成是曹魏群臣失正。⑲丁卯：七月初二日。⑲毌丘俭：字仲恭，河东闻喜（今山西闻喜）人，魏明帝时曾为荆、幽二州刺史。齐王正始中，为镇东将军、都督扬州诸军事。后在扬州起兵反对司马氏，兵败被杀。传见《三国志》卷二十八。⑳聊：暂且。⑳称兵：举兵；兴兵。⑳三世：指公孙度、康、渊三世。⑳辽隧：县名，县治在今辽宁海城西。⑳右北平：郡名，治所土垠，在今河

粮食吃完了，新熟的粮食收不到，百姓都聚居在一起，山民要抢粮也无处下手。因而山民饥饿困穷，逐渐出山投降。诸葛恪于是又命令部下说："山民只要放弃罪恶行径，接受教化，都应当加以安抚，迁到山外的县邑，不可怀疑他们，随便拘捕。"臼阳县县长胡伉抓到投降山民周遗，周遗本是个恶人，因困迫暂时从深山出来，胡伉将他捆送到郡府并加禀报。诸葛恪因胡伉违犯教令，便斩首示众。山民听说胡伉因抓人而被斩，知道官府不过是想要他们出山罢了，因此老幼相扶出山。一年过后，统计人数，与预期的一样。诸葛恪自己率领一万甲士，其余的分给各位将领。吴主孙权嘉奖诸葛恪的功劳，擢升他为威北将军，封为都乡侯，迁往庐江皖口驻扎。

北唐山市丰润区东。㉕郭夫人：西平郡（治所在今青海西宁）人，本河右大族，黄初中西平郡反，被掳入宫。魏明帝即位后拜为夫人，后为皇后。齐王时为皇太后，称永宁宫。传见《三国志》卷五。㉖毛后：黄初中选入太子宫，魏明帝即位后立为皇后，后被赐死。传见《三国志》卷五。㉗曲宴：便宴。㉘庚辰：九月十六日。㉙癸丑：九月甲子朔，无癸丑。当依《三国志·魏书·明帝纪》作十月癸丑，即十月十九日。㉚采摭：采拾。㉛禘礼：禘礼祭祖宗，这里指祭天之礼。㉜方丘：祭地之坛，在方泽中。方泽本为祭地之处，但水中不能设祭，故在泽中为坛以祭祀。㉝四部：当依《三国志·吴书·诸葛恪传》作"四郡"，即指吴郡、会稽、新都、鄱阳四郡。此四郡皆与丹阳郡邻接。㉞部伍：部队的防务。㉟内：通"纳"，纳入、进入。㊱罗：分布。㊲芟刈：收割。㊳臼阳：当为县名，今地未详。《三国志集解》引胡三省曰："臼阳既置长，必以为县，其地当在丹阳郡，而今无所考。"又引钱大昕曰："丹阳郡无臼县，恐有讹字。"又引吴增仪曰："《汉志》无臼阳，疑汉末孙氏立。"㊴本规：原来的预期。据《三国志·诸葛恪传》，在此前诸葛恪曾预言"三年可得甲士四万"。㊵威北将军：官名，孙吴所置杂号将军。㊶皖口：皖水入长江之处，在今安徽怀宁。

【校记】

［19］东乡贞侯：原作"东乡贞公"。据章钰校，甲十六行本、乙十一行本皆作"东乡贞侯"，张瑛《通鉴校勘记》同，今据改。〖按〗《三国志·魏书·陈矫传》载，明帝即位，陈矫晋爵为东乡侯，食邑六百户，卒谥贞侯。［20］河东：原无此二字。据章钰校，甲十六行本、乙十一行本皆有此二字，张敦仁《通鉴刊本识误》同，今据补。［21］不：据章钰校，甲十六行本、乙十一行本、孔天胤本皆作"弗"。［22］侯：据章钰校，甲十六行本、乙十一行本皆作"候"。

【原文】

是岁，徙长安钟簴㉒、橐佗㉓、铜人㉔、承露盘㉕于洛阳。盘折，声闻数十里。铜人重，不可致，留于霸城㉖。大发铜铸铜人二，号曰翁仲㉗，列坐于司马门㉘外。又铸黄龙、凤皇各一，龙高四丈，凤高三丈余，置内殿前。起土山于芳林园西北陬㉙，使公卿群僚皆负土，树松、竹、杂木、善草于其上，捕山禽杂兽置其中。司徒军议掾㉚董寻上疏谏曰："臣闻古之直士，尽言于国，不避死亡。故周昌㉛比高祖于桀、纣，刘辅㉜譬赵后于人婢，天生忠直，虽白刃沸汤，往而不顾者，诚为时主爱惜天下也。建安以来，野战死亡，或门殚户尽，虽有存者，遗孤老弱。若今宫室狭小，当广大之，犹宜随时，不妨农务；况乃作无益之物，黄龙、凤皇、九龙、承露盘，此皆圣明之所不兴也，其功三倍于殿舍。陛下既尊群臣，显以冠冕，被以文绣，载以华舆，所以异于小人，而使穿方㉝举土，面目垢黑㉞，沾体涂足[23]，衣冠了鸟㉟，毁国之光，以崇无益，甚非谓也。孔子曰：'君使臣以礼，臣事君以忠。'㊱无忠无礼，国何以立！臣知言出必死，而臣自比于牛之一毛，生既无益，死亦何损！秉笔流涕，心与世辞。臣有八子，臣死之后，累陛下矣！"将奏，沐浴以待命。帝曰："董寻不畏死邪！"主者奏收寻，有诏勿问。

高堂隆上疏曰："今世[24]之小人好说秦、汉之奢靡以荡圣心，求取亡国不度之器㊲，劳役费损以伤德政，非所以兴礼乐之和，保神明之休㊳也。"帝不听。

隆又上疏曰："昔洪水滔天二十二载㊴，尧、舜君臣南面㊵而已。今无若时之急，而使公卿大夫并与厮徒㊶共供事役，闻之四夷，非嘉声也，垂之竹帛，非令名也。今吴、蜀二贼，非徒白地㊷小虏㊸，聚邑之寇㊹，乃僭号称帝，欲与中国争衡㊺。今若有人来告：'权、禅并修德政，轻省租赋，动咨耆贤，事遵礼度。'陛下闻之，岂不惕然㊻恶其如此，以为难卒讨灭而为国忧乎！若使告者曰：'彼二贼并为无道，崇侈无度，役其士民，重其赋敛，下不堪命，吁嗟日甚。'陛下闻之，岂不幸彼疲敝而取之不难乎！苟如此，则可易心而度，事义之数㊼亦不

【语译】

这一年，魏国把设置在长安的大钟和钟架、铜骆驼、铜人、接甘露的铜盘运往洛阳。铜盘折断，声传几十里。铜人太重，无法运到，留在霸城。魏明帝又大举征发民间的铜器铸成两个铜人，称为“翁仲”，排列在洛阳皇宫司马门外。又铸造黄龙、凤凰各一，龙高四丈，凤高三丈多，安置在宫内大殿之前。在芳林园西北角堆起土山，命令公卿群臣都背土堆山，在土山上种植松树、竹子、各种树木与名贵花草，又捕捉山禽和各种野兽放在土山树林中。司徒府的军议掾董寻上疏劝谏说：“臣听说古代的直谏之士，为国家尽其所言，不畏惧死亡。所以汉代的周昌把汉高祖比作夏桀、殷纣，刘辅把赵飞燕比作婢女，天生的忠诚直率，即使前面有利刃和沸腾的开水，也往前不回头，这实在是替当时的君主爱惜他的天下。建安年间以来，连年野战，百姓死亡，有的全家无一幸免，纵然有生存的，也是孤寡老弱。假若现在皇宫狭小，应当加以扩大，还应顺应农时，不妨害农业生产；何况是制作无用之物，黄龙、凤凰、九龙宫、承露盘，这都是圣明的帝王所不会兴作的，制造这些东西的工费是修建宫殿的三倍。陛下既然尊重群臣，让他们头戴官帽，身穿绣衣，乘坐华美的车子，用这些以区别小民百姓，而现在却又让他们去挖土运土，脸上又脏又黑，身上脚上沾满泥土，衣帽破烂，毁坏国家声誉，而崇尚无益的东西，实在没有道理。孔子说：‘君主按礼仪来使用大臣，大臣用忠诚来奉事君主。’没有忠诚，没有礼仪，国家凭什么立足于世！臣知道话一说出必被杀头，但臣自比牛身上的一根毛，生既然对国家无益，死也对国家无损！手握笔而眼流泪，心与人世告别。臣有八个儿子，臣死之后，要劳累陛下了！”在上奏之前，沐浴干净来等待皇帝的命令。魏明帝问：“董寻不怕死吗！”主事的人奏请逮捕董寻，明帝下诏不予追究。

高堂隆上疏说：“如今的小人喜欢议论秦、汉皇帝的奢侈豪华，用来摇动皇上的心，求取不合法度的亡国器物，劳民伤财来损害德治，这不是用来兴盛礼乐的和美，保护神明美善的做法。”魏明帝不听从。

高堂隆又上疏说：“上古时洪水滔天历时二十二年，尧、舜君臣只是面南安坐罢了。如今没有那时那么危急，却派公卿大夫和那些苦役一起服劳役，传到四夷那里，不会取得好名声，流传在史书上，也不是好声誉。现在吴、蜀二贼，非但不是沙漠上小小的胡虏，聚集城邑的敌寇，而是非法称帝，想和中国争夺天下。现在如果有人来报告说：‘孙权、刘禅都推行德政，减轻租赋，行动要咨询老人和贤人，行事遵从礼仪法度。’陛下听到这消息，难道不是警惧而厌恶他们这样做，认为难以很快讨伐消灭他们，而为国家忧虑吗？如果报告人说：‘那吴、蜀两贼都在做无道之事，奢侈无度，役使其士民，加重赋敛，下层百姓不堪忍受，嗟叹怨恨日甚一日。’陛下听了，难道不是庆幸他们疲惫不堪而容易攻取吗？假若是这样，就可以换位思考，

远矣。亡国之主自谓不亡，然后至于亡；贤圣之君自谓亡，然后至于不亡。今天下雕敝，民无儋石[248]之储，国无终年之蓄，外有强敌，六军暴边，内兴土功，州郡骚动，若有寇警，则臣惧版筑之士不能投命虏庭矣。又，将吏奉禄，稍见折减，方之于昔，五分居一，诸受休者又绝禀赐，不应输者今皆出半，此为官入兼多于旧，其所出与参[249]少于昔。而度支[250]经用[251]，更每不足，牛肉小赋[252]，前后相继。反而推之，凡此诸费，必有所在[253]。且夫禄赐谷帛，人主所以惠养吏民而为之司命[254]者也，若今有废，是夺其命矣。既得之而又失之，此生怨之府也。”帝览之，谓中书监、令[255]曰：“观隆此奏，使朕惧哉！”

尚书卫觊上疏曰：“今议者多好悦耳，其言政治，则比陛下于尧、舜；其言征伐，则比二虏于貍[256]鼠。臣以为不然。四海之内，分而为三，群士陈力，各为其主，是与六国分治无以为异也。当今千里无烟，遗民困苦，陛下不善留意，将遂雕敝，难可复振。武皇帝之时，后宫食不过一肉，衣不用锦绣，茵蓐[257]不缘饰，器物无丹漆，用能平定天下，遗福子孙，此皆陛下之所览也。当今之务，宜君臣上下，计校府库，量入为出，犹恐不及；而工役不辍，侈靡日崇，帑藏[258]日竭。昔汉武信神仙之道，谓当得云表之露[259]以餐玉屑，故立仙掌以承高露。陛下通明，每所非笑。汉武有求于露而犹尚见非，陛下无求于露而空设之，不益于好而糜费功夫，诚皆圣虑所宜裁制也。”

时有诏录[260]夺[261]士女[262]前已嫁为吏民妻者，还以配士，听以生口[263]自赎，又简选其有姿首[264]者内之掖庭[265]。太子舍人沛国张茂上书谏曰：“陛下，天之子也，百姓吏民，亦陛下子也。今夺彼以与此，亦无以异于夺兄之妻妻[266]弟也，于父母之恩偏矣。又，诏书听[25]得以生口年纪、颜色与妻相当者自代，故富者则倾家尽产，贫者举假贷贳[267]，贵买生口以赎其妻。县官以配士为名而实内之掖庭，其丑恶乃出与士。得妇者未必喜，而失妻者必有忧，或穷或愁，皆不得志。夫君有天下而不得万姓之欢心者，鲜不危殆。且军师在外数十万人，一日之费非徒千金，举天下之赋以奉此役，犹将不给，况复有掖[26]庭非员[268]无录[269]之女，椒房[270]母后之家，赏赐横与，内外交引，其费半军[271]。

这样距事物之理就不远了。亡国的君主自以为不会亡，然后终于灭亡；贤圣的君主自以为会灭亡，然而后来终于没有亡国。现在天下残破民生凋敝，百姓没有一担粮食的积蓄，国家没有一年的储备，外有强敌，朝廷大军长期驻守在边境，国内却大兴土木，州郡骚动不安，如果有敌寇侵边的警报，我担心建筑宫殿的士兵不能到敌境去拼命杀敌了。另外，将吏的俸禄，逐渐被减少，与从前相比，只有五分之一，那些享受国家供应而退休的人，断绝了供应，不应缴纳赋租的人，如今都要缴纳一半，这样国家收入超过了从前一倍多，而官府的支出又比从前少了三分之一。可是国家规划的经费，更是每每不足，甚至征收牛肉税，这种事不断发生。反过来推想，征收了这么多的税，一定有它的去处。而且俸禄赏赐给官员的是谷米、绢帛，是帝王恩养官民用以保命的东西，若现在废除了俸禄，等于要他们的命。已经得到的却又失去，这是招致怨恨的根源。”魏明帝看罢，对中书监、中书令说：“看了高堂隆的这道奏疏，让我警惧啊！”

尚书卫觊上疏说：“如今议政的人大多喜欢讲好听的话，他们谈论政治，就将陛下比作尧、舜；他们谈论征伐，就将吴、蜀二虏比作狐狸老鼠。臣认为不是这样。四海之内，分为三方，群士效力，各为其主，这同六国分治没有什么不同。如今千里无人烟，遗存的民众困苦，陛下若不好好留心抚恤，终将凋零疲敝，很难再振兴。武皇帝的时候，后宫每顿饭不过一个肉菜，衣服不用锦绣，坐褥不加修饰，器物不涂朱砂油漆，因而能平定天下，福遗子孙，这都是陛下所看到的。当今的要务，应该是君臣上下一致，计算府库的收藏，量入为出，这还怕不够用；然而却工役不停，奢侈之风日甚一日，国库日益枯竭。当年汉武帝相信神仙道术，认为必须用云端的露水调和玉粉可以长生，因而建立铜铸仙人手掌承接上天降下的甘露。陛下贤明，常对此加以嘲笑。汉武帝有求于甘露尚且受到指责，陛下不祈求甘露却白白地设立铜人，没有任何益处却耗费财力人力，这些实在是圣上应认真考虑，加以裁撤的。”

当时魏明帝下诏令登记强取已经嫁给官吏和百姓的女士，改嫁给士兵，但允许夫家可以用奴婢来赎回，又从中挑选有姿色的送入后宫。太子舍人沛国人张茂上书劝谏说：“陛下，是上天的儿子，百姓吏民，是陛下的儿子。如今夺取他们的妻子嫁给别人，这无异于夺取兄长的妻子嫁给弟弟，父母的爱子之心就有了偏私。此外，诏书允许可用年纪、容貌与妻子相当的奴仆代替，因而富家就会倾家荡产，贫家就会借贷债务，高价买奴仆来赎回自己的妻子。官家以许配士兵为名而实际上将她们收进后宫，其中丑陋的才拿出来配给士兵。得到老婆的人未必高兴，而失去妻子的人必会忧伤，有人穷困，有人忧愁，都不遂心。君主据有天下而得不到万民的欢心满意，很少不陷入危机的。况且大军在外作战的有几十万人，一天的消费不止千金，把全国的赋税都用来供应此项军役，还不够用，何况后宫又增添那么多簿籍无名员额以外的宫女，再加上给皇后嫔妃，以及皇太后等家族的肆意赏赐，内外相加，开支相当于军费的一半。

昔汉武帝掘地为海[272]，封土为山[273]，赖是时天下为一，莫敢与争者耳。自衰乱以来，四五十载，马不舍鞍，士不释甲，强寇在疆，图危魏室。陛下不战战业业[274]，念崇节约，而乃奢靡是务，中尚方[275]作玩弄之物，后园建承露之盘，斯诚快耳目之观，然亦足以骋寇雠之心矣。惜乎，舍尧、舜之节俭，而为汉武帝之侈事，臣窃为陛下不取也。”帝不听。

高堂隆疾笃，口占[276]上疏曰：“曾子有言曰：‘人之将死，其言也善。’[277]臣寝疾有增无损，常恐奄忽[278]，忠款不昭，臣之丹诚，愿陛下少垂省览！臣观三代之有天下，圣贤相承，历数百载，尺土莫非其有，一民莫非其臣。然癸、辛[279]之徒，纵心极欲，皇天震怒，宗国为墟，纣枭白旗[280]，桀放鸣条[281]，天子之尊，汤、武有之，岂伊异人？皆明王之胄也。黄初之际，天兆[282]其戒，异类之鸟，育长燕巢[283]，口爪胸赤，此魏室之大异也。宜防鹰扬[284]之臣于萧墙[285]之内，可选诸王使君国典兵，往往棋跱[286]，镇抚皇畿，翼亮[287]帝室。夫皇天无亲，惟德是辅[288]。民咏德政，则延期过历；下有怨叹，则辍录[289]授能。由此观之，天下乃天下之天下，非独陛下之天下也！”帝手诏深慰劳之。未几而卒。

陈寿评曰：“高堂隆学业修明，志存匡君，因变陈戒，发于恳诚，忠矣哉！及至必改正朔，俾[290]魏祖虞，所谓意过其通[291]者欤！”

【段旨】

以上为第五段，写曹魏大臣董寻、高堂隆、张茂直谏魏明帝奢侈淫靡，高堂隆切谏最称意帝心，得到史家好评。

昔日汉武帝挖地造湖，堆土为山，所幸当时天下一统，没有人敢与他争夺天下。从东汉衰败战乱以来，四五十年，马不卸鞍，兵不解甲，强敌在边境，图谋危害魏国。陛下不战战兢兢，提倡节约，却专心追求奢侈靡丽，在中尚方署制造赏玩之物，在后花园里修铸承露铜盘，这的确能使耳目愉快，但也足以助长敌寇仇我之心。可惜呀，舍弃尧、舜的节俭，而仿效汉武帝的奢侈之事，臣认为陛下这么做不足取。”魏明帝不听从。

高堂隆病重，口述上疏说：“曾子曾说：‘人之将死，其言也善。’臣的病情有增无减，只怕突然死去，忠诚之心得不到表白，臣的赤诚，希望陛下稍加垂怜理解！臣观察夏、商、周三代统治天下，圣君贤臣前后相承，经历几百年，天下寸土之地，都归他们所有，每一个百姓都是他们的臣民，但是夏桀、殷纣之流，纵心极欲，使皇天震怒，国土变为废墟，纣王的头悬在白旗上示众，夏桀被流放到鸣条，天子的尊严，被商汤、周武王夺去了，难道夏桀、殷纣是与众不同的异类吗？他们都是圣明帝王的后裔。黄初年间，天降征兆以示警戒，异类的鸟，生在燕巢中，嘴爪胸都是红色，这预示魏国将有重大异常之事。应当严防嚣张跋扈的野心大臣，在内部发难，应选择诸侯王，让他们在封国内掌管军队，像棋子一样相持在全国各地，镇守京都地区，辅佐光大皇室。上天不讲亲情，只辅助有德的人。百姓歌颂德政，就能延长国家的期限超过原有的历数；下民有怨叹，上天就收回国家政权授给另外有才能的人。如此看来，天下是天下人的天下，不单单是陛下的天下！”魏明帝亲笔写诏书深情慰问。不久高堂隆就去世了。

陈寿评论说：“高堂隆学识通达，志在匡扶君主，依据种种变异陈说警戒，发自内心的恳切至诚，真是忠诚啊！至于他建议明帝必须改正朔，让魏国以虞舜为始祖，这就是他的意旨超出他的通识之外了！”

【注释】

㉒簴：悬钟之架，饰有兽形。㉓橐佗：即骆驼，铜所铸造。㉔铜人：即秦始皇所铸十二铜人，董卓销毁铸钱后尚存二尊，魏明帝所徙者即此二尊。㉕承露盘：汉武帝曾建通天台，台上铸铜人擎盘以承甘露，称承露盘。㉖霸城：县名，魏改汉霸陵为霸城，县治在今陕西西安东北。㉗翁仲：秦将，姓阮，秦始皇统一六国后，命翁仲守临洮，其声威震动匈奴。翁仲死后，秦始皇便铸翁仲像置于咸阳宫司马门外。魏明帝又仿效铸造。㉘司马门：皇宫外门。㉙陬：隅；角落。㉚司徒军议掾：官名，汉公府无此官，曹魏始置，司徒之属吏。㉛周昌：汉高祖刘邦时为御史大夫。周昌曾进宫奏事，遇

到刘邦拥抱戚夫人，便折回，刘邦追上抓住周昌，问：“我何如主也?”周昌说：“陛下即桀、纣之主也。”刘邦大笑。事见《汉书·周昌传》。(232)刘辅：汉成帝时为谏大夫。成帝将立赵飞燕为皇后，刘辅上书谏阻，书中称赵飞燕为“卑贱之子”。成帝遂收刘辅下狱。事见《汉书·刘辅传》。(233)穿方：挖土。(234)垢黑：又脏又黑。(235)了鸟：衣冠破败之貌。(236)孔子曰三句：语见《论语·八佾》。(237)不度之器：不合法度之器，指长安的钟簴、橐佗、铜人、承露盘等。(238)休：美善；喜庆。(239)二十二载：尧、舜时洪水泛滥，命鲧治水，九年未成；又命禹治水，十三年乃成，共为二十二年。(240)南面：古代以坐北朝南为尊位，天子诸侯见群臣，或卿大夫见僚属，皆南面而坐，故后世又以南面代称帝王或大臣的统治。(241)厮徒：做粗杂活的仆隶。(242)白地：指沙漠。其地不生草木，多为白沙，故称白地。(243)小虏：指乌桓、鲜卑。(244)聚邑之寇：聚集城邑的敌寇。(245)争衡：谓在争斗中较量高低胜负。(246)惕然：戒惧的样子。(247)事义之数：事物之理。(248)儋石：儋，通“甔”，口小腹大的瓦器，可容一石（十斗），故称儋石。(249)参：通“三”，此指三分。(250)度支：规划计算。(251)经用：经常费用。(252)牛肉小赋：此指临时增加的牛肉赋税。(253)所在：指诸费用于兴建宫室等。(254)司命：主宰生命，谓谷帛是人的生命赖以维持之物。(255)中书监、令：中书监与中书令均为中书省长官，皆三品，掌草拟、发布诏书，典奏事，位处机密。(256)貍：动物名，似狐而小的一种小动物。(257)茵蓐：座席；座褥。(258)帑藏：国库。(259)云表之露：云层以上的露水，即所谓甘露。传说甘露加玉屑饮用，可以延年益寿。(260)录：记载；登记。(261)夺：夺取。(262)士女：犹女士。(263)生口：此指奴婢。(264)姿首：谓姿容美丽。(265)掖庭：后宫。(266)妻：此句第二个“妻”字作动词用，指以女嫁人。(267)举假贷贳：借贷债务。(268)非员：谓员额以外的人员。(269)无录：谓宫中籍簿中无名者。(270)椒

【原文】

帝深疾浮华[282]之士，诏吏部尚书卢毓曰：“选举莫取有名，名如画地作饼，不可啖[283]也。”毓对曰：“名不足以致异人，而可以得常士。常士畏教慕善，然后有名，非所当疾也。愚臣既不足以识异人，又主者正以循名按常为职，但当有以验其后耳。古者敷奏以言，明试以功[284]。今考绩之法废，而以毁誉相进退，故真伪浑杂，虚实相蒙。”帝纳其言。诏散骑常侍刘卲作考课法[285]。卲作《都官考课法》七十二条，又作《说略》[286]一篇，诏下百官议。

司隶校尉崔林曰：“按《周官》考课，其文备矣。自康王以下，遂

房：皇后所居的宫室。㉑其费半军：谓其费用占军费的一半。㉒掘地为海：指开昆明池。㉓封土为山：指造三神山与渐台。㉔战战业业：犹言战战兢兢，恐惧谨慎的样子。㉕中尚方：宫中官署名，属少府，主持制作皇室兵器及玩好器物。㉖口占：谓口述使人记录。㉗曾子有言曰三句：此言见《论语·泰伯》。㉘奄忽：突然而死。㉙癸、辛：夏癸桀、商辛纣。㉚纣枭白旗：周武王灭商进入朝歌后，纣自杀，武王仍斩纣首悬于大白旗以示众。㉛桀放鸣条：商汤败桀于鸣条（今山西运城安邑北），又将桀放逐到南方。㉜兆：指事情发生前的征候或迹象。㉝异类之鸟二句：《晋书·五行志》说：魏文帝黄初元年，未央宫中燕子巢里孵化出鹰，口和爪都是赤色。㉞鹰扬：鹰之飞扬。本喻威武雄才，这里谓飞扬跋扈。㉟萧墙：本为古代宫室中用以分隔内外的当门小墙，后世常以萧墙指内部或内部隐祸。㊱棋跱：谓如同棋子分布成相持之势。㊲翼亮：辅佐光大。㊳皇天无亲二句：此语为《左传》僖公五年宫之奇引《周书》之言，伪古文《尚书》采入《蔡仲之命》。㊴录：指图录、图谶。即汉代人所说的王者受符命之书。㊵俾：使。㊶意过其通：谓高堂隆的旨意超出他的通识之外了。

【校记】

［23］沾体涂足：原无此四字。据章钰校，甲十六行本、乙十一行本、孔天胤本皆有此四字，张瑛《通鉴校勘记》同，今据补。［24］世：据章钰校，甲十六行本、乙十一行本皆无此字。［25］听：原无此字。据章钰校，甲十六行本、乙十一行本皆有此字，今据补。［26］掖：据章钰校，甲十六行本、乙十一行本皆作“宫”。

【语译】

魏明帝非常憎恨华而不实的人，下诏给吏部尚书卢毓说：“选官不要任用有名声的人，名声就像是在地上画饼，是不能吃的。”卢毓回答说：“只看名声不足以得到奇异的人才，但可以得到正常的人才。正常的人才敬畏教令而向慕善行，然后才会有名声，这样的人不该被憎恨。臣虽然不足以识别奇异的人才，而主管的工作正是根据名声按正常情况委官任职，但应当在任职之后有办法考察他的能力。古代的臣子是先用言谈来陈述他的见解，然后用实际功效来检验。如今考核成绩的制度被废除，而根据人们的批评和赞誉来决定进退，所以真假混杂，虚实互相掩盖。”魏明帝采纳了卢毓的意见。下诏令散骑常侍刘卲制定考核官吏的制度。刘卲制定了《都官考课法》七十二条，又写了《说略》一篇，诏令交付百官讨论。

司隶校尉崔林说：“考察《周官》的考核之法，条文十分详尽。从周康王以后，

以陵夷[297]，此即考课之法存乎其人也。及汉之季，其失岂在乎佐吏之职不密哉！方今军旅或猥或卒[298]，增减无常，固难一矣。且万目[299]不张，举其纲[300]，众毛不整，振其领[301]。皋陶仕虞，伊尹臣殷，不仁者远[302]。若大臣能任其职，式是百辟[303]，则孰敢不肃，乌[304]在考课哉！”

黄门侍郎杜恕曰：“明试以功，三载考绩[27]，诚帝王之盛制也。然历六代[305]而考绩之法不著，关[306]七圣[307]而课试之文不垂，臣诚以为其法可粗依，其详难备举故也。语曰：‘世有乱人而无乱法。’若使法可专任，则唐、虞可不须稷、契[308]之佐，殷、周无贵伊、吕[309]之辅矣。今奏考功者，陈周、汉之云为[310]，缀[311]京房[312]之本旨，可谓明考课之要矣。于以崇揖让之风，兴济济[313]之治，臣以为未尽善也。其欲使州郡考士，必由四科[314]，皆有事效，然后察举，试辟公府，为亲民长吏，转以功次补郡守者，或就增秩赐爵，此最考课之急务也。臣以为便当显其身，用其言，使具为课州郡之法，法具施行，立必信之赏，施必行之罚。至于公卿及内职大臣，亦当俱以其职考课之。古之三公，坐而论道[315]；内职大臣，纳言补阙，无善不纪，无过不举。且天下至大，万机至众，诚非一明所能遍照。故君为元首，臣作股肱，明其一体相须而成也。是以古人称[316]廊庙之材，非一木之支[28]，帝王之业，非一士之略。由是言之，焉有大臣守职办课可以致雍熙[317]者哉！诚使容身保位，无放退之辜[318]，而尽节在公，抱见疑之势，公义不修而私议成俗，虽仲尼为课，犹不能尽一才，又况于世俗之人乎！”

司空掾北地傅嘏[319]曰：“夫建官均职，清理民物，所以立本也。循名责[29]实，纠励成规，所以治末也。本纲[320]未举而造制末程[321]，国略[322]不崇而考课是先，惧不足以料[323]贤愚之分，精幽明之理也。”议久之不决，事竟不行。

逐渐废弛，这说明考核之法全看主管的人是否执行。到了汉代末年，考核之法的废弛难道是官吏的职责不够严密吗？现今的军事活动，或是过多过滥，或是仓促征发，增减无常，原本就很难统一。而且，就像渔网，万目不张，就要提举其纲，又如同皮衣，众毛不整齐，应抖动衣领。皋陶在虞舜时做官，伊尹在殷朝为臣，不仁之人就躲得远远的。如果大臣能胜任他的职务，给百官作出榜样，那么谁敢不肃然从事，哪靠考核之法呢！”

黄门侍郎杜恕说：“明确地用效绩来考核官吏，三年一次考绩，这的确是帝王的重要制度。但是经历了唐、虞、夏、商、周、汉六个朝代之后，考绩之法不见著录，经历了七位圣主之后，考绩之法的文字没有记载，臣真的认为考绩之法大体可以依据，它的细则却不够完备。俗话说：‘世上只有乱人而没有乱法。’假若法令能单独治理国家，那么唐尧、虞舜便可以不靠稷、契的辅佐，殷、周就不必重视伊尹、吕望的辅弼了。现在奏请施行考绩的人，引述周、汉二代的所说所为，接续京房考绩之法的基本内容，可以说已经抓住了考绩法的要点。但在推崇揖让之风，振兴礼仪兴盛的政治方面，臣认为还未达到尽善尽美的地步。如果要想使州郡考核地方官员，必须从儒学、文吏、孝悌、从政四种科目来考察，四科都有实际功效，然后加以举荐，召入公府中加以试用，担任直接管理民众的官长，继而根据功绩依次补充为郡守，或者给他们提高官级，赐给爵位，这是实行考绩最为紧要的事务。臣认为对这些官员，就应该身份显得高，采纳他们的意见，让他们具体拟订考绩州郡官员的法规，法规具备了就要切实执行。依照法规，树立有功必赏的诚信，施行有过必惩的处罚。至于公卿及宫中的大臣，也应该一律根据他们的职位来加以考核。古代的三公，坐在朝廷讨论治国之道；宫廷大臣，进言弥补帝王的缺失。君王的善行没有不给予记录的，君王的过错没有不加以纠举的。况且天下极为广大，政务繁巨，实在不是一个人的智慧所能照顾周全的。所以把君主比作头脑，把臣子比作四肢，表明君臣一体相辅相成。所以古人说廊庙的栋梁之材，绝不是一根木头能支撑起来的，帝王的大业，绝不能靠某一官员的谋略。由此说来，哪有只靠大臣尽职进行考核就可使天下和谐欢乐的呢！如果大臣只用心于安身保位，不担忧因罪而被放逐，而那些为公事尽节的大臣却受到怀疑，公道不建立，私议就渐成风俗，即使让孔子来进行考核，尚且不能发挥一个普通人才的作用，又何况是由世俗之人进行考核呢！”

司空掾北地人傅嘏说：“设置官职分担职责，处理民事，这是立国的根本。依照官位职责来考察他的实效，根据规章来进行纠举或激励，这是治国的末节。根本大纲没有抓住，却制造细枝末节的法规，治国的大计不被重视，却以考核为先，恐怕不足以区别贤能和愚昧，也不能明辨是非之理。”意见长久不能统一，考核的事终于未能实行。

【段旨】

以上为第六段，写曹魏大臣讨论考绩之法，意见纷纷，终究没有施行。

【注释】

㉜浮华：虚浮不实。㉝啖：吃。㉞敷奏以言二句：此语见《尚书·舜典》。意思是说诸侯向天子陈述自己的见解，然后天子考察其真实功绩。㉟考课法：考察官吏治绩之法。㊱《说略》：内容为说明《考课法》之大略。㊲陵夷：废弛；废替。㊳或猥或卒：谓或失之滥用，或失之仓促。㊴目：网的孔眼。㊵纲：提网的绳。㊶领：指裘衣的领。㊷不仁者远：没有仁德的人离开远走。语见《论语·颜渊》子夏说。㊸式是百辟："式"即榜样，"百辟"指百官。《诗经·烝民》："王命仲山甫，式是百辟。"㊹乌：哪里；怎么。㊺六代：指唐、虞、夏、商、周、汉六代。㊻关：经过。㊼七圣：指唐尧、虞舜、夏禹、商汤、周文王、周武王及周公七人。㊽稷、契：即后稷与契。后稷在尧、舜时为农官。契助禹治水有功，舜命为司徒。㊾伊、吕：伊尹与吕尚。伊尹助商汤，吕尚

【原文】

臣光曰："为治之要，莫先于用人，而知人之道，圣贤所难也。是故求之于毁誉，则爱憎竞进而善恶浑淆；考之于功状[324]，则巧诈横生而真伪相冒。要之，其本在于至公至明而已矣。为人上者至公至明，则群下之能否，焯然[325]形于目中，无所复逃矣。苟为不公不明，则考课之法，适足[30]为曲私欺罔之资也。

"何以言之？公明者，心也，功状者，迹也。己之心不能治，而以考人之迹，不亦难乎！为人上者诚能不以亲疏贵贱异其心，喜怒好恶乱其志，欲知治经之士，则视其记览博洽[326]，讲论精通，斯为善治经矣；欲知治狱之士，则视其曲尽情伪[327]，无所冤抑，斯为善治狱矣；欲知治财之士，则视其仓库盈实，百姓富给，斯为善治财矣；欲知治兵之士，则视其战胜攻取，敌人畏服，斯为善治兵矣。至于百官，莫不皆然。虽询谋于人而决之在己，虽考求于迹而察之在心，研核其实而斟酌其宜，至精至微，不可以口述，

助周文王、武王。⑩云为：说法与做法。⑪缀：连结。⑫京房：西汉经学家，撰有考功课吏法。⑬济济：礼仪兴盛的样子。⑭四科：指汉顺帝时黄琼补充左雄选举人才之科目，朝廷遂定为四科，即儒学、文吏、孝悌及能从政者。⑮古之三公二句：《周礼·冬官考工记》云："坐而论道，谓之三公。"⑯古人称：语见《汉书》卷四十三班固赞："语曰：'廊庙之材非一木之枝，帝王之功非一士之略。'"颜师古注："此语本出《慎子》。"⑰雍熙：和谐欢乐的样子。⑱辜：罪。⑲傅嘏（公元二〇九至二五五年）：字兰石，北地泥阳（今甘肃宁县东南）人，魏明帝时为司空掾，二少帝时为尚书、守尚书仆射，封阳乡侯。传见《三国志》卷二十一。⑳本纲：指为政的根本原则。㉑末程：指细小的规章程序。㉒国略：经国方略。㉓料：估量。

【校记】

[27] 三载考绩：据章钰校，甲十六行本、乙十一行本皆作"三考黜陟"。[28] 支：据章钰校，甲十六行本、乙十一行本、孔天胤本皆作"枝"，二字同。[29] 责：据章钰校，甲十六行本、乙十一行本、孔天胤本皆作"考"。

【语译】

司马光说："治理国家的关键，没有比用人更为首要的了。而了解人才的方法，圣贤也感到困难。所以只好依据诋毁和赞誉来判断，这就会使爱憎竞相呈现，而使善恶混淆；如果只考核业绩，就会巧诈横生，真伪混杂。总之，最根本的是要至公至明。居于上位的人能至公至明，那么众下属是否贤能，便会明明白白看在眼里，没有人可以逃过。如果在上位的人不公不明，那么考核之法，反而成为徇私欺骗的工具。

"为什么这样说呢？公正与光明磊落，是发自内心的，业绩与功效，是外在的表现。自己的心术不端正，而去考核别人的行迹，不是很难吗？作为人的上司真能做到不因亲疏贵贱而改变自己的心志，不因喜怒好恶而乱了方寸，想要了解谁是研治经学之人，就看他记忆和阅览的广博，讲论经义也很精通，这就是善治经学的人了。想要了解谁是办案之人，只要他深入细致地辨别真伪，没有造成冤案，这就是善于办案的人了；想要了解谁是理财之人，只要他能使仓库充盈，百姓富足，这就是善于理财的人了；想要了解能带兵打仗的人，只要他能战必胜攻必取，敌人畏服，这就是善于用兵的人了。推之于文武百官，莫不如此。虽然是咨询他人的意见，决定权在自己；虽然是考核官员的事迹，但明察在心。探讨考核实情，斟酌采取适当的措施，这是至精至微的心理认识，

不可以书传也，安得豫为之法而悉委有司哉！

“或者亲贵虽不能而任职，疏贱虽贤才而见遗。所喜所好者败官而不去，所怒所恶者有功而不录。询谋于人，则毁誉相半而不能决，考求其迹，则文具实亡而不能察。虽复为之善法，繁其条目，谨其簿书，安能得其真哉！

“或曰：人君之治，大者天下，小者一国，内外之官以千万数，考察黜陟㉘，安得不委有司而独任其事哉？曰：非谓其然也。凡为人上者，不特人君而已，太守居一郡之上，刺史居一州之上，九卿居属官之上，三公居百执事之上，皆用此道以考察黜陟在下之人，为人君者亦用此道以考察黜陟公卿、刺史[31]、太守，奚烦劳之有哉㉙！

“或曰：考绩之法，唐、虞所为，京房、刘卲述而修之耳，乌㉚可废哉？曰：唐、虞之官，其居位也久，其受任也专，其立法也宽，其责成也远。是故鲧之治水，九载绩用弗成，然后治其罪㉛；禹之治水，九州攸㉜同，四隩既宅㉝，然后赏其功㉞；非若京房、刘卲之法，校其米盐之课，责其旦夕之效也。事固有名同而实异者，不可不察也。考绩非可行于唐、虞而不可行于汉、魏，由京房、刘卲不得其本而奔趋其末故也。”

【段旨】

以上为第七段，为司马光的评议。司马光只崇尚贤人治国，反对考课条例，是主张把人治置于法治之上的典型代表。

【注释】

㉔功状：记录官吏功绩的行状。㉕焯然：明显地。㉖博洽：广博。㉗曲尽情伪：深入细致地辨别真假。㉘黜陟：官位的升降。降官称黜，升官称陟。㉙奚烦劳之有哉：哪有什么烦劳呀。奚，何、哪。㉚乌：怎么。㉛治其罪：唐尧时洪水泛滥，命鲧治水，经

不能用口来传述，不能用书面记载，怎么能预先制定一套法规而一切委托有关部门去办理呢！

“有的人因为关系亲密身份显贵，即使无能也委任官职，对疏远贫贱的人，即使是贤才也要被遗弃。当权者所喜好的欣赏的人，虽然败坏了职事也不罢免，而自己疾恨厌恶的人，虽然有功绩也不录用。咨询别人的意见，称赞他和诋毁他的人各占一半，而做不出决定，考察他人的行迹，虽有文字记述，实际已经消亡，而无法考察。即使再制定完善的法规，条目再细，记录谨慎，又怎能得到真相呢！

“有人说：君主的治理，大到整个天下，小到一个国家，朝廷内外的百官成千上万，考察升降，怎么能不委托有关部门去办，而由君主一个人来做呢？臣的回答：不是这样的。凡是居于上位的人，不只是君王罢了，太守位居一郡人之上，刺史位居一州人之上，九卿位居属官之上，三公位居百官之上，都以这种办法来考察升降下属官员，作为君主也用这种办法考察升降公卿、刺史、太守，还有什么烦劳困难呢！

“有人说：考核的法规，是唐尧、虞舜设计出来的，京房、刘邵承继并加以补充而已，怎能废除呢？臣的回答是：唐尧、虞舜的官员，在位时间长久，授予他专断的权力，当时的立法是宽松的，而责成的期限又定得很宽缓。因而鲧治理洪水，九年之后没有成效，然后才治他的罪；大禹治理洪水，九州之地全都治理好，四方边远地区的土地都可以安居了，然后才奖赏他的功劳；不像京房、刘邵的办法，考核官员米盐收税，责成官员旦夕之间就做出成效。事情本来就有名同实异的，不可不省察。考绩的办法并非只能在唐尧、虞舜时期实行而不能在汉、魏时期实行，这是因为京房、刘邵不能抓住考绩的根本而仅在细枝末节上下功夫的缘故。”

九年而无成效。舜继尧位后，诛鲧于羽山。事见《史记·夏本纪》。㉜攸：是。㉝四隩既宅：谓四方之宅可以居住。隩，可定居之地。㉞赏其功：鲧治水失败后，舜又命鲧子禹治水，禹经过十三年，三过家门而不入，终于治理了洪水，舜遂赐禹玄圭以赏其功。事见《史记·夏本纪》。

【校记】

［30］足：据章钰校，此字下甲十六行本、乙十一行本皆有“以”字。［31］刺史：原无此二字。据章钰校，甲十六行本、乙十一行本皆有此二字，今据补。

【原文】

初，右仆射卫臻典选举，中护军㉟蒋济遗臻书曰："汉祖㊱[32]遇亡虏㊲为上将，周武拔渔父㊳为太师。布衣厮养，可登王公，何必守文，试而后用。"臻曰："不然。子欲同牧野㊴于成、康㊵，喻断蛇㊶于文、景㊷，好不经㊸之举，开拔奇之津㊹，将使天下驰骋而起矣。"

卢毓论人及选举，皆先性行㊺而后言才，黄门郎冯翊李丰㊻尝以问毓，毓曰："才所以为善也，故大才成大善，小才成小善。今称之有才而不能为善，是才不中器也。"丰服其言。

【段旨】

以上为第八段，写任用人才是破格提拔还是正常提升，是以德为先还是以才为先，仍然纷争不决。

【注释】

㉟中护军：官名，主武官选举，隶属领军。蒋济已从中护军迁官护军将军，此书中护军，是因为此处在追述旧时事。㊱汉祖：汉高祖刘邦。㊲亡虏：指韩信。韩信初属项羽，项羽不能用，遂逃亡归刘邦。刘邦又不能重用，韩信再次逃亡。被萧何追回后，刘邦便任他为大将。事见《史记·淮阴侯列传》。㊳渔父：指吕尚。吕尚钓于渭滨，遇周文王，文王立以为师，周武王又以他为太师。事见《史记·齐太公世家》。㊴牧野：周武王与殷商最后决战之地。㊵成、康：周成王、康王。㊶断蛇：指刘邦斩蛇起兵事。㊷文、景：汉文帝、景帝。这两句话的意思是说蒋济想把开创时的策略措施用于太平之世。㊸不经：不常。㊹津：津要。比喻关键、要害。㊺性行：秉性与品行。㊻李丰：字安国，冯翊（治所在今陕西大荔）人，善于识别人物，青年时即有声誉。魏明帝时为黄门郎、给事中。齐王嘉平中为中书令，因与皇后父张缉谋除司马氏，被司马氏所杀。事详见《三国志·魏书·夏侯玄传》及注引《魏略》。

【校记】

[32]汉祖：原作"汉主"。据章钰校，甲十六行本、乙十一行本皆作"汉祖"，今据改。

【语译】

当初，右仆射卫臻主管选拔官员，中护军蒋济致书卫臻说：“汉高祖重用逃亡的韩信为上将，周武王提拔渔父为太师。平民奴仆，可以登上王公的高位，何必死守条文，先试用，后委任呢。”卫臻说：“不对。你想把牧野之战与周成王、康王时期混同，把汉高祖斩蛇起兵与汉文帝、汉景帝时期相比，喜好不正常的提拔，大开提拔奇才之路，这将使天下人驰逐而起了。”

卢毓评论人才以及选官之法时，都是以性格品行为先而后才谈论他的才能。黄门郎冯翊人李丰曾经为此事问卢毓，卢毓回答说：“才能是用来做善事的，所以大才能完成大善事，小才能完成小善事。现在说一个人有才能却不能做善事，这样的才能就是不成器。”李丰很佩服他的话。

【研析】

景初元年（公元二三七年），魏明帝欲行考课之法，交付大臣廷议，纷争未果。司马光发表长篇评论，支持反对一方，不赞同考课之法，如何评价，这是本卷的研析要点。

在专制政体下的考课之法，奖惩升降条例，也只是统治者的意志表现，但它总是一个标准，管理部门有法可依。正如魏吏部尚书卢毓所说：“依法循名责实，虽然得不到奇异的人才，但可以得到正常的人才。”司隶校尉崔林认为：“即使有好的考课之法，如果执行的人不称职，也没有好效果。”于是崔林把考课之法比作渔网之目、皮衣之毛，把执行的人比作渔网之纲、皮衣之领，纲举才能目张，提领才能衣整毛顺。因此得出结论，人比法更重要。崔林的这个比喻是逻辑混乱。人与法是两个东西，人有意志，一偏心就只是个人意志，法是标准，众人共守，它是约束个人意志的。如果强行按崔林的比喻，应该说法是纲、是衣领，人是目、是毛。因为法是众人的意志，即便是统治者制定的法，也是一个阶级的意志，也有制约个人意志的一面。用今天的话说，就是法治与人治的关系，是法比人大，还是人比法大。在这里，执法的个人就是职位和官长，也就是法比官大，还是官比法大。官比法大，法就可以被践踏；法比官大，个人意志就必须受到约束。司马光完全站在崔林的立场，把政治的好坏，把公正廉明完全寄托在上位的个人，说用人的得失和升降，完全是在上位的人的个人心智活动，不能够记录成为条文准则。这种彻头彻尾为人治辩护的观念，是完全不可取的。

卷第七十四　魏纪六

起著雍敦牂（戊午，公元二三八年），尽旃蒙赤奋若（乙丑，公元二四五年），凡八年。

【题解】

本卷记事起公元二三八年，迄公元二四五年，凡八年，当魏明帝景初二年到齐王芳正始六年。这一时期，三国鼎立，各自忙于内政，三方除公元二四一年，孙权趁曹魏齐王曹芳幼主新立，出兵四路北伐之外，没有大的战事。此役也是孙权在位最后一次的北伐，很快失败，表明北方优势已大大超过南方。曹魏的方针是休养生息，蓄积国力，待机统一吴、蜀，吴、蜀力弱，志在保守，所以三方总体平静，吴、蜀政治开始走下坡。孙权设校事官，实行特务恐怖统治，吕壹事件，又加上鲁王孙霸争太子之位所造成的政治动荡，使吴国大伤元气。孙权已进入晚期，昏聩糊涂已占上风。但孙权尚能及时醒悟，善待功臣之后，使吴国得以继续绵延。蜀相蒋琬厚道，而防魏战略，从汉中退守涪县，实为错误，蜀国走下坡，已不能逆转。曹魏司马懿平定辽东，建立大功，政治上亦得势，与曹爽共受明帝遗诏辅政，进入了中枢。曹爽自身平庸，又任用群小，专权自恣，伐蜀失败，损毁权威，为他的最终失败埋下祸根。司马懿入朝辅政，魏国的一颗政治明星闪亮登场。

【原文】

烈祖明皇帝下

景初二年（戊午，公元二三八年）

春，正月，帝召司马懿于长安，使将兵四万讨辽东[①]。议臣或以为四万兵多，役费难供。帝曰："四千里征伐，虽云用奇，亦当任力，不当稍计[②]役费也。"帝谓懿曰："公孙渊将何计以待君？"对曰："渊弃城豫走，上计也；据辽东[③]拒大军，其次也；坐守襄平[④]，此成禽耳。"帝曰："然则三者何出？"对曰："唯明智能审量彼我，乃豫有所割弃。此既非渊所及，又谓今往孤远[⑤]，不能支久，必先拒辽水，后守襄平也。"帝曰："还往几日？"对曰："往百日，攻百日，还百日，以六十日为休息，如此，一年足矣。"

公孙渊闻之，复遣使称臣，求救于吴。吴人欲戮其使，羊衜[⑥]曰：

【语译】

烈祖明皇帝下

景初二年（戊午，公元二三八年）

春，正月，魏明帝把司马懿从长安召回，派他领兵四万讨伐辽东。议事大臣有人认为四万兵太多了，军费难以供应。魏明帝说："到四千里之外征伐，尽管是用奇兵，却也应该凭实力，不应当斤斤计较军费。"魏明帝对司马懿说："公孙渊将会用什么办法对付你？"司马懿回答说："公孙渊若弃城事先逃走，这是上策；若凭借辽东抗拒大军，是次一等的策略；若坐守襄平，就要被我军擒获。"魏明帝说："那么三者中公孙渊会采取哪一种呢？"司马懿回答说："只有明智的人能够审度敌我双方的力量，才能事先有所舍弃，这并不是公孙渊的智力所及。他又认为我军是孤军深入，不能持久，一定先在辽水抵抗，然后退守襄平。"魏明帝说："来回需要多少时间？"司马懿回答说："去一百天，攻一百天，回程一百天，用六十天的时间休整，这样，一年的时间就足够了。"

公孙渊得到消息，赶紧又派使者称臣向吴国求救。吴国人想杀掉他的使者，羊

"不可，是肆匹夫之怒而捐霸王之计也，不如因而厚之，遣奇兵潜往以要[⑦]其成。若魏伐不克，而我军远赴，是恩结遐夷，义形[⑧]万里。若兵连不解，首尾离隔，则我虏其傍郡，驱略而归，亦足以致天之罚，报雪曩事矣。"吴主曰："善！"乃大勒兵谓渊使曰："请俟后问[⑨]，当从简书[⑩]，必与弟[⑪]同休戚。"又曰："司马懿所向无前，深为弟忧之。"

帝问于护军将军[⑫]蒋济曰："孙权其救辽东乎？"济曰："彼知官[⑬]备已固，利不可得，深入则非力所及，浅入则劳而无获。权虽子弟在危，犹将不动，况异域之人，兼以往者之辱[⑭]乎！今所以外扬此声者，谲[⑮]其行人[⑯]，疑之于我，我之不克，冀其折节[⑰]事己耳。然沓渚[⑱]之间，去渊尚远，若大军相守，事不速决，则权之浅规[⑲]，或得轻兵掩袭，未可测也。"

帝问吏部尚书卢毓谁可为司徒者，毓荐处士[⑳]管宁。帝不能用，更问其次，对曰："敦笃至行[㉑]，则太中大夫韩暨；亮直清方[㉒]，则司隶校尉崔林；贞固纯粹[㉓]，则太常常林。"二月癸卯[㉔]，以韩暨为司徒。

汉主立皇后张氏，前后之妹也。立王贵人子璿为皇太子，瑶为安定王。

大司农[㉕]河南孟光[㉖]问太子读书及情性好尚于秘书郎[㉗]郤正[㉘]，正曰："奉亲虔恭，夙夜匪懈，有古世子[㉙]之风。接待群僚，举动出于仁恕。"光曰："如君所道，皆家户所有耳。吾今所问，欲知其权略智谋何如也。"正曰："世子之道，在于承志[㉚]竭欢[㉛]，既不得妄有施为。智谋藏于胸怀，权略应时而发，此之有无，焉可豫知也。"光知正慎宜[㉜]，不为放谈[㉝]，乃曰："吾好直言，无所回避。今天下未定，智意为先，智意自然，不可力强致也。储君读书，宁当效吾等竭力博识以待访问，如博士探策[㉞]讲试以求爵位邪！当务其急者。"正深谓光言为然。正，俭之孙也。

吴人铸当千大钱[㉟]。

夏，四月庚子[㊱]，南乡恭侯韩暨卒。

庚戌[㊲]，大赦。

衜说："不行，这样做只是发泄匹夫之恨而舍弃了称王称霸的大计，不如借机厚待来使，派奇兵秘密前去胁迫公孙渊归附。如果魏军讨伐不能取胜，而我军远行前去，这就有恩于远方的夷人，正义体现在万里之外。如果他们打得难解难分，公孙渊就会顾头顾不了尾，而我们就可劫掳辽东的边陲郡县，驱赶百姓抢掠物资而归，这也足以执行上天的惩罚，报昔日之仇恨。"吴主孙权说："好！"于是大肆整饬军队，对公孙渊的使者说："请回去等候消息，一定遵从告急文书的要求，和老弟同甘苦共患难。"又说："司马懿所向无敌，我深为老弟担忧。"

魏明帝问护军将军蒋济说："孙权他会救援辽东吗？"蒋济说："孙权知道我国的防备已很坚固，不可能渔利，援军深入我国，孙权没这个力量，侵入不深则劳而无获。孙权即使是儿子、兄弟处于危险之中，也不会出动军队，何况是异国的人，加之先前曾受过公孙渊的羞辱呢！现今孙权之所以向外声扬出兵相救的消息，只是为了欺骗公孙渊的使者，而使我国产生疑惑，我国如果不能战胜公孙渊，孙权就希望公孙渊改变态度心悦诚服地侍奉自己罢了。可是沓渚距离公孙渊还很远，如果我国大军驻守在沓渚，不速战速决，那么凭孙权的肤浅谋略，可能派轻兵偷袭我国，就不可预测了。"

魏明帝问吏部尚书卢毓谁可胜任司徒，卢毓举荐隐士管宁。魏明帝不能任用，又问其次有什么人，卢毓回答说："敦厚诚实而德行极其高尚的人，就数太中大夫韩暨；忠诚正直清廉公正的人，要数司隶校尉崔林；坚贞纯正的人，则数太常常林。"二月十一日癸卯，任命韩暨为司徒。

汉主刘禅册封张氏为皇后，张氏是前皇后的妹妹，立王贵人的儿子刘璿为皇太子，刘瑶为安定王。

大司农河南人孟光向秘书郎郤正询问太子刘璿读书的情况和性情爱好，郤正说："太子奉养双亲虔诚恭敬，从早到晚不敢懈怠，有古代世子的风范。接待下属百官，一举一动都出于仁爱和宽厚。"孟光说："如您所说，每家每户都有这样的德行，我现在所问的，想了解太子的权略智谋怎么样。"郤正说："世子的职责，在于继承君父之志，竭力使君父欢快，也就是不能妄自行动。智谋隐藏在胸中，权略靠临时发挥，智谋权略的有无，怎可预先知道。"孟光知道郤正说话谨慎适宜，不随意妄议，于是说："我喜欢直话直说，无所回避。如今天下未定，智略应首先考虑，智略是人天然具有的，不是勉强用力能学到的。太子读书，怎么能像我们一样竭力博览群书以等待咨询，或者像博士射策一样，用讲述求得俸禄爵位呢！太子应当专心学习最急迫的知识。"郤正深深地认为孟光的说法是对的。郤正，是郤俭的孙子。

吴国铸造以一当千的大钱。

夏，四月初九日庚子，魏国南乡恭侯韩暨逝世。

十九日庚戌，魏国大赦天下。

六月，司马懿军至辽东，公孙渊使大将军卑衍、杨祚将步骑数万屯辽隧㊳，围堑二十余里。诸将欲击之，懿曰："贼所以坚壁，欲老吾兵也。今攻之，正堕其计。且贼大众在此，其巢窟空虚，直指襄平，破之必矣。"乃多张旗帜，欲出其南，衍等尽锐趣之。懿潜济水，出其北，直趣㊴襄平。衍等恐，引兵夜走。诸军进至首山㊵，渊复使衍等逆战，懿击，大破之，遂进围襄平。

秋，七月，大霖雨㊶，辽水暴涨，运船自辽口㊷径至城下。雨月余不止，平地水数尺。三军恐，欲移营，懿令军中："敢有言徙者斩！"都督令史㊸张静犯令，斩之，军中乃定。贼恃水，樵牧自若。诸将欲取之，懿皆不听。司马陈珪曰："昔攻上庸，八部俱[1]进，昼夜不息，故能一旬之半，拔坚城，斩孟达。今者远来而更安缓，愚窃惑焉。"懿曰："孟达众少而食支一年，将士四倍于达而粮不淹月㊹，以一月图一年，安可不速！以四击一，正令㊺失半而克，犹当为之，是以不计死伤，与粮竞也。今贼众我寡，贼饥我饱，水雨乃尔㊻，功力不设，虽当促之，亦何所为！自发京师，不忧贼攻，但恐贼走。今贼粮垂尽而围落未合，掠其牛马，抄其樵采，此故驱之走也。夫兵者诡道，善因事变。贼凭众恃雨，故虽饥困，未肯束手㊼，当示无能以安之。取小利以惊之，非计也。"

朝廷闻师遇雨，咸欲罢兵。帝曰："司马懿临危制变，禽渊可计日待也。"雨霁㊽，懿乃合围，作土山地道，楯橹钩冲㊾，昼夜攻之，矢石如雨。渊窘急，粮尽，人相食，死者甚多，其将杨祚等降。

八月，渊使相国王建、御史大夫柳甫请解围却兵㊿，当君臣面缚。懿命斩之，檄告渊曰："楚、郑列国，而郑伯[51]犹肉袒[52]牵羊迎之。孤天子上公[53]，而建等欲孤解围退舍[54]，岂得礼邪！二人老耄[55]，传言失指[56]，已相为斩之。若意有未已，可更遣年少有明决者来！"渊复遣侍中卫演乞克日送任[57]，懿谓演曰："军事大要有五：能战当战，

六月，司马懿进军到辽东，公孙渊派大将军卑衍、杨祚率领步、骑兵数万人屯守在辽隧，周围挖掘壕沟长达二十多里。魏军各位将领想攻打辽隧，司马懿说："贼军之所以坚壁固守，是想使我军筋疲力尽。如今去进攻，正好中了奸计。况且贼人的大军开到这里，他的老巢必然空虚，我们直捣襄平，必定能破敌。"于是多竖旗帜，伪装成向辽隧南面进军的样子，卑衍等人率领全部精锐奔赴，司马懿率军暗中渡过辽水，出现在辽隧之北，直奔襄平。卑衍等人惊恐，率军连夜退走。魏国各部队挺进到首山，公孙渊又派卑衍等人迎战，司马懿率军出击，大败卑衍，于是进军包围襄平城。

秋，七月，大雨连绵不断，辽水暴涨，运输船从辽河口可直接开到襄平城下。大雨下了一个多月不停，平地积水好几尺深。魏国各部队都很恐慌，打算转移营地。司马懿下令全军："敢有主张迁移者斩！"都督令史张静违反了这条军令，立即斩首，军队这才安定下来。敌军凭借水势，像往常一样出城打柴放牧。魏军各将领想获取打柴放牧的人，司马懿不准许。司马陈珪说："从前进攻上庸，军队分为八路，齐头并进，昼夜不停，因此能在十天之内，攻拔坚固的城池，斩了孟达。现在远道而来行动却更加迟缓，我实在感到迷惑不解。"司马懿说："孟达的兵众少而军食可支持一年，我军将士四倍于孟达，但粮食支持不了一个月，用一个月兵食图谋一年的兵食，怎能不速战速决！以四击一，即使是部队损失一半而能取胜，也要去攻，之所以不顾伤亡，因为是在与敌人竞争军粮支撑的时间。如今贼兵多我军少，贼兵饥饿我军饱，雨水又是这样大，兵力无法展开，虽然应当快攻，又能有什么作为呢！从京师出发时，就不担心贼军来攻，只担心贼军逃走。现在贼军粮食将要吃尽，而包围圈尚未合拢，抢夺他们的牛马，抓捕他们的打柴放牧人员，这不是故意赶他们逃走吗？用兵是一种诡诈行为，要善于按形势而应变。敌人凭借兵多又依恃大雨，因此虽然饥困，还不肯束手就擒，所以我们要装出无能的样子来使他们安心。只贪图小利而惊扰敌人，不是好计策。"

朝廷听说大军遭遇大雨，大臣们都想收兵。魏明帝说："司马懿能够临危权变，擒获公孙渊指日可待。"大雨终于停止，司马懿才合围襄平，堆起土山，挖掘地道，让士兵利用盾牌、高楼车、带钩子的云梯和冲城的冲车等器械，昼夜攻城，羽箭石块像雨点一般落下。公孙渊窘迫，粮也吃完，开始人吃人，死亡的人很多，他的大将杨祚等人投降。

八月，公孙渊派相国王建、御史大夫柳甫来，请求解围退兵，君臣反绑双手当面投降。司马懿下令杀了王建、柳甫，发布檄文通告公孙渊说："楚国和郑国都是同等的诸侯国，而郑伯尚且在战败时脱光上衣牵着羊迎接楚王。我是天子的上公，而王建等人竟然想要我解围退军三十里，这难道合乎礼节吗？这两人老糊涂了，传错了意旨，已经替你斩了他们。如果还有未尽之意，可再派年轻而明白事理能做决断的人来！"公孙渊又派侍中卫演前来请求定时间送人质，司马懿对卫演说："用兵之要有五点：

不能战当守，不能守当走，余二事，但[2]有降与死耳。汝不肯面缚，此为决就死也，不须送任！”

壬午㊽，襄平溃，渊与子脩将数百骑突围东南走，大兵急击之，斩渊父子于梁水㊾之上。懿既入城，诛其公卿以下及兵民七千余人，筑为京观㊿。辽东、带方(61)、乐浪(62)、玄菟(63)四郡皆平。

渊之将反也，将军纶直、贾范等苦谏，渊皆杀之。懿乃封直等之墓，显其遗嗣，释渊叔父恭之囚。中国人欲还旧乡者，恣听之。遂班师。

初，渊兄晃为恭任子在洛阳，先渊未反时[3]数陈其变，欲令国家讨渊。及渊谋逆，帝不忍市斩，欲就狱杀之。廷尉高柔上疏曰：“臣窃闻晃先数自归，陈渊祸萌，虽为凶族，原心可恕。夫仲尼亮司马牛(64)之忧，祁奚(65)明叔向之过，在昔之美义也。臣以为晃信有言，宜贷其死；苟自无言，便当市斩。今进不赦其命，退不彰其罪，闭著囹圄，使自引分(66)，四方观国，或疑此举也。”帝不听，竟遣使赍金屑饮(67)晃及其妻子，赐以棺衣，殡敛于宅。

【段旨】

以上为第一段，写魏明帝遣司马懿平定辽东，灭公孙渊。

【注释】

①讨辽东：指讨伐公孙渊。②稍计：斤斤计较。③辽东：胡三省注云应作“辽水”。《三国志·魏书·明帝纪》注引干宝《晋纪》即作“辽水”。④襄平：县名，辽东郡与公孙渊的治所，在今辽宁辽阳。⑤孤远：谓孤军远征。⑥衜：古“道”字。⑦要：通“徼”，胁迫。⑧形：表现；显示。⑨问：通“闻”，告知。⑩简书：告急文书。古代，国有危难，须向外求救援，而又来不及连简为册，遂书写于一片竹简上，故称简书，相当于后世的羽书。⑪弟：指公孙渊。公孙渊自称燕王，求与吴国为兄弟之国，孙权遂称他为弟。⑫护军将军：官名，主武官选举，隶属领军。资历深者称护军将军，资历浅者称中护军。⑬官：魏、晋人称皇帝为官或官家。⑭往者之辱：指公孙渊斩杀吴使张弥、许晏，戏弄孙权。⑮谲：欺骗。⑯行人：使者。⑰折节：降低身份，屈从于

能战则战，不能战则守，不能守则退走，剩下的两条，只有投降与战死。你不肯倒绑双手来降，这就是决心要赴死了。不需要送人质!”

壬午日，襄平全线溃败，公孙渊和儿子公孙脩率领几百名骑兵突围向东南方向逃窜，大军紧急追击，在梁水岸边杀死公孙渊父子。司马懿进入襄平城之后，诛杀公卿以下大小官员和军人百姓共七千多人，堆尸封土，筑成京观。于是辽东、带方、乐浪、玄菟四郡全部平定。

公孙渊将要反叛时，他的将军纶直、贾范等人苦苦劝阻，公孙渊将他们全都杀死。司马懿把纶直等人的坟墓封土加高，并任命他们的子孙做显官，又将公孙渊的叔父囚徒公孙恭释放。中原人愿意返回故乡的，听凭自主决定。于是班师回朝。

起初，公孙渊的哥哥公孙晃作为公孙恭的人质身处洛阳，在公孙渊未反叛之前，公孙晃多次向魏陈说公孙渊将要反叛，想让魏国讨伐公孙渊。等到公孙渊反叛时，魏明帝不忍心在闹市上斩杀公孙晃，想派人到监狱杀死他。廷尉高柔上疏说：“臣听说公孙晃先前多次主动归顺朝廷，陈说公孙渊有反叛的苗头，他虽然是凶犯公孙渊的亲族，体谅他的本心可加宽恕。孔子能体谅司马牛的忧愁，祁奚能说明叔向没有罪过，这都是当时的美言义行。臣认为公孙晃若真的事先有所揭发，就应宽恕他的死罪；如果他没有揭发，应在闹市斩首示众。现在宽大却不赦他一命，严惩又不彰显他的罪行，关闭在牢狱中，让他自杀，四方关注我国的人，或许要怀疑这种做法了。”魏明帝不听从，最终派使者带着拌有金屑的酒强使公孙晃和妻子儿女喝下，又赏赐棺材寿衣，在公孙晃的住宅内收殓入棺。

人。⑱沓渚：即辽东沓氏县，在今辽宁辽阳东南。因沓氏县西南临海渚（岛），故又称沓渚。⑲浅规：肤浅谋略。⑳处士：指未做官的知识分子。㉑敦笃至行：敦厚诚实，德行极高。㉒亮直清方：忠诚正直，清廉公正。㉓贞固纯粹：坚贞纯正。㉔癸卯：二月十一日。㉕大司农：官名，列卿之一，掌租税钱谷及财政收支。㉖孟光：字孝裕，河南洛阳人。汉献帝初年即入蜀，刘备时为议郎，掌制度。后主即位后，为长乐少府、大司农等，后被免官。传见《三国志》卷四十二。㉗秘书郎：官名，属秘书令，掌校图书。㉘郤正：字令先，河南偃师（今河南洛阳市偃师区）人，祖父俭于汉灵帝末为益州刺史，子孙遂留蜀。郤正博学多识，尤善文章，蜀汉时官至秘书令，蜀亡后，随刘禅到了洛阳。传见《三国志》卷四十二。㉙世子：国君或诸王的嫡子。㉚承志：谓世子继承君父之志。㉛竭欢：谓世子以自己之孝顺，使君父欢快无憾。㉜慎宜：谓语言谨慎适宜。㉝放谈：随意妄谈。㉞探策：即射策。汉代取士的一种方式，由主试者出题在简策上，并将简策列置案上，应试者便随意取答，然后由主试者定其优劣。㉟大钱：一当一

千钱，直径一寸四分，重十六铢。㊱庚子：四月初九。㊲庚戌：四月十九日。㊳辽隧：县名，县治在今辽宁海城西。㊴趣：趋向；奔赴。㊵首山：在襄平西南。㊶大霖雨：连绵大雨。㊷辽口：辽水之渡口。㊸都督令史：官名，曹魏之制，诸公带兵者置都督令史一人。㊹淹月：滞留一月，谓所有的粮食不够一月之用。㊺正令：即使之词。正，真也。㊻尔：如此。㊼束手：束缚双手；束手就擒。㊽雨霁：雨停。㊾楯橹钩冲：四种攻战之具。楯，盾牌，护身之兵器。橹，楼车，用以探察城中情况。钩，钩梯，用以钩引上城。冲，冲车，用以冲城。㊿解围却兵：公孙渊请求司马懿撤围退兵，接受投降。(51)郑伯：指郑襄公。《左传》宣公十二年载：“楚子（庄王）围郑……克之。入自皇门（郑城门），至于逵路（四通八达之大路），郑伯肉袒牵羊以逆（迎）。”(52)肉袒：脱去上衣，裸露肢体，表示恐惧。在古代，肉袒牵羊表示臣服。(53)上公：汉代太尉为三公之一。曹魏有时以太尉、大司马、大将军为上公。(54)舍：军行三十里为一舍。(55)耄：昏愦。(56)传言失指：谓王建、柳甫二人传错了旨意。此乃司马懿不接受公孙渊之降，婉拒的辞令。(57)任：任子；质子。(58)壬午:《景初历》八月（《四分历》七月）庚寅朔，无壬午，疑为九月壬午，即九月二十三日。(59)梁水：即大梁水，亦即今辽宁太子河，流经辽

【原文】

九月，吴改元赤乌(68)。

吴步夫人卒。

初，吴主为讨虏将军，在吴，娶吴郡徐氏(69)。太子登所生庶贱，吴主令徐氏母养之。徐氏妒，故无宠。及吴主西徙(70)，徐氏留处吴。而临淮步夫人宠冠后庭，吴主欲立为皇后，而群臣议在徐氏，吴主依违(71)者十余年。会步氏卒，群臣奏追赠皇后印绶，徐氏竟废，卒于吴。

吴主使中书郎吕壹典校诸官府及州郡文书，壹因此渐作威福，深文巧诋，排陷无辜，毁短大臣，纤介必闻。太子登数谏，吴主不听，群臣莫敢复言，皆畏之侧目(72)。

壹诬白故江夏太守刁嘉谤讪国政，吴主怒，收嘉，系狱验问。时同坐人皆畏怖[4]壹，并言闻之。侍中北海是仪(73)独云无闻，遂见穷诘累日，诏旨转厉，群臣为之屏息(74)。仪曰：“今刀锯已在臣颈，臣何敢为嘉隐讳，自取夷灭，为不忠之鬼！顾以闻知当有本末(75)。”据实答问，辞不倾移，吴主遂舍之，嘉亦得免。

阳，入辽河。⑥⓪ 京观：古代战争，胜利者为了炫耀武功，便搜集敌方尸体堆积起来，再封上土成为高冢，称为京观或京丘。⑥① 带方：郡名，治所带方县，在今朝鲜黄海道凤山郡土城内。⑥② 乐浪：郡名，治所朝鲜县，在今朝鲜平壤西南一里余之土城洞。⑥③ 玄菟：郡名，治所高句丽，在今辽宁沈阳城东。⑥④ 司马牛：春秋时宋国恶人司马桓魋之弟，又是孔子的学生（此点有学者怀疑），司马牛曾忧愁地说："人皆有兄弟（谓好兄弟），我独亡（无）。"孔子宽慰他。事见《论语·颜渊》。⑥⑤ 祁奚：春秋时晋国大夫。晋平公时，范宣子执政，曾驱逐下卿栾盈，并杀栾盈之党羽箕遗、羊舌虎等十人，又囚禁羊舌虎之兄羊舌肸、叔向等。祁奚遂向范宣子陈述父子不相及、兄弟不相同的道理，以明叔向无罪过，叔向因而得释。见《左传》襄公二十一年。⑥⑥ 引分：即引决、自杀。⑥⑦ 饮：给人饮。

【校记】

[1] 俱：据章钰校，甲十六行本、乙十一行本、孔天胤本皆作"并"。[2] 但：据章钰校，甲十六行本、乙十一行本、孔天胤本皆作"惟"。[3] 时：据章钰校，甲十六行本、乙十一行本皆无此字。

【语译】

九月，吴国改年号嘉禾为赤乌。

吴主孙权的步夫人去世。

当初，吴主孙权担任讨虏将军，驻守在吴郡，娶吴郡徐氏的女儿为妻。因太子孙登的生母出身微贱，孙权命徐氏做孙登的养母。徐氏妒忌，所以不受宠爱。等到孙权将都城西迁到武昌，让徐氏留居吴郡。而临淮人步夫人在后宫中极受宠爱，孙权就想立步夫人为皇后，但群臣主张立徐氏为皇后，孙权因此犹豫不决十几年。这时步夫人去世，大臣们奏请追授步夫人皇后印绶。徐氏竟然被废黜，死在吴郡。

吴主孙权让中书郎吕壹主管校理各衙门及各州郡上奏的文书，吕壹因此日渐作威作福，牵强附会地以法律条文罗织罪状进行诋毁，排挤陷害无辜的人，诽谤攻击大臣，琐碎小事也要报告吴主。太子孙登多次劝谏孙权，孙权不听从。群臣没人敢再进言，都惧怕吕壹，不敢正眼看他。

吕壹诬陷原江夏太守刁嘉诽谤朝政，吴主发怒，逮捕刁嘉，关进监狱进行拷问。当时受牵连得罪的人全惧怕吕壹，都说听到过刁嘉诽谤的话。侍中北海人是仪单单说没有听到，于是是仪连日被穷追责问，孙权下诏更为严厉，群臣大气也不敢出。是仪说："如今刀锯已架在臣的脖子上，臣哪敢替刁嘉隐瞒，自取灭族之祸，成为不忠之鬼！但是听说过应有事情的来龙去脉。"是仪据实回答审问，口供丝毫不改，吴主于是放了他，刁嘉也得以免罪。

上大将军陆逊、太常潘濬忧壹乱国，每言之，辄流涕。壹白丞相顾雍过失，吴主怒，诘责雍。黄门侍郎谢厷⑯语次问壹："顾公事何如？"壹曰："不能佳。"厷又问："若此公免退，谁当代之？"壹未答。厷曰："得无潘太常得之乎？"壹良久[5]曰："君语近之也。"厷曰："潘太常常切齿于君，但道无因⑰耳。今日代顾公，恐明日便击君⑱矣！"壹大惧，遂解散雍事。潘濬求朝，诣建业，欲尽辞极谏。至，闻太子登已数言之而不见从，濬乃大请百寮，欲因会手刃杀壹，以身当之⑲，为国除患。壹密闻知，称疾不行。

西陵督⑳步骘上疏曰："顾雍、陆逊、潘濬，志在竭诚，寝食不宁，念欲安国利民，建久长之计，可谓心膂股肱社稷之臣矣。宜各委任，不使他官监其所司，课其殿最㉑。此三臣思虑不到则已，岂敢欺负㉒所天㉓乎！"

左将军朱据部曲应受三万缗㉔，工㉕王遂诈而受之。壹疑据实取，考问主者㉖，死于杖下。据哀其无辜，厚棺敛之。壹又表据吏为据隐，故厚其殡。吴主数责问据，据无以自明，藉草㉗待罪。数日，典军吏刘助觉，言王遂所取。吴主大感悟[6]，曰："朱据见枉，况吏民乎！"乃穷治壹罪，赏助百万。

丞相雍至廷尉断狱，壹以囚见。雍和颜色问其辞状，临出，又谓壹曰："君意得无欲有所道㉘乎？"壹叩头无言。时尚书郎怀叙面詈㉙辱壹，雍责叙曰："官有正法，何至于此！"有司奏壹大辟㉚，或以为宜加焚裂㉛，用彰元恶。吴主以访中书令会稽阚泽㉜，泽曰："盛明之世，不宜复有此刑。"吴主从之。

壹既伏诛，吴主使中书郎袁礼告谢诸大将，因问时事所当损益。礼还，复有诏责诸葛瑾、步骘、朱然、吕岱等曰："袁礼还云：'与子瑜㉝、子山㉞、义封㉟、定公㊱相见，并咨以时事当有所先后㊲，各自以不掌民事，不肯便有所陈，悉推之伯言、承明㊳。伯言、承明见礼，泣涕恳恻㊴，辞旨辛苦㊵，至乃怀执危怖，有不自安之心。'闻之怅然，深自刻怪㊶。何者？夫惟圣人能无过行，明者能自见耳。人之举厝㊷，

吴国的上大将军陆逊、太常潘濬担心吕壹祸乱国家，每次谈到此事，总是流泪不止。吕壹向吴主揭发丞相顾雍的过错，吴主大怒，责问顾雍。黄门侍郎谢厷在闲谈中问吕壹："顾公的事怎么样了?"吕壹说："不会有好结局。"谢厷又问："如果此公被罢免屏退，谁可代替他?"吕壹没有回答。谢厷说："莫非潘太常会得到这一职位?"吕壹过了好久才说："你的话近乎事实。"谢厷说："潘太常经常对你切齿痛恨，只是找不到整你的机会。潘太常如果今天取代了顾公，恐怕明天就会痛击你了!"吕壹大为惊慌，于是化解了顾雍的事。潘濬要求进京朝见，前往建业，打算穷尽说辞向孙权进谏。到建业之后，听说太子孙登已经多次进言，孙权并不听从。潘濬因而大规模宴请百官，想趁机在宴会上亲手杀死吕壹，而由自己承担杀人之罪，为国家铲除祸害。吕壹秘密得到这一消息，托病不去赴宴。

西陵督步骘上疏说："顾雍、陆逊、潘濬，志在竭尽忠诚，寝食不安，心想安国利民，贡献长治久安的计策，可说是国家的心腹和栋梁大臣。应当各委以要职，不让其他官员监督他们主管的事，考核他们孰优孰劣。这三位大臣考虑不周是会有的，岂敢欺骗辜负天子呢!"

左将军朱据的部属应领取三万串钱，工匠王遂将这些钱诈骗冒领。吕壹怀疑钱实际到了朱据之手，就拷问主管此事的官吏，并将他拷打至死。朱据哀怜该官无罪而死，就用厚棺木安葬了他。吕壹又上表揭发朱据的属吏是在替朱据隐瞒，因此朱据才为他厚葬。孙权多次责问朱据，朱据无法表白自己，只好坐在铺草的地上等待定罪。过了几天，典军吏刘助发现了事实真相，说钱被王遂冒领了。孙权大为感悟，说："连朱据都被冤枉了，何况小吏和百姓呢!"于是彻底查处吕壹的罪恶，赏给刘助一百万钱。

丞相顾雍到廷尉府断案，吕壹以囚犯身份来见。顾雍和颜悦色地询问吕壹供词和案情，临走时又对吕壹说："你内心莫非不想有所言语吗?"吕壹磕头不语。这时尚书郎怀叙当面辱骂吕壹，顾雍责备怀叙说："国家有严正的法律，何必这样!"有关部门奏请处吕壹死刑，有人认为应该大火烧死或者车裂分尸，以彰明元凶的罪恶。吴主为此向中书令会稽人阚泽咨询，阚泽说："在圣明时代，不应再有这种酷刑。"吴主听从了这个意见。

吕壹伏罪被处死之后，吴主派中书郎袁礼向各高级将领道歉，同时征询对当时的国事应如何改进的意见。袁礼返回以后，孙权又下诏书责备诸葛瑾、步骘、朱然、吕岱等人说："袁礼回来说：'和诸葛子瑜、步子山、朱义封、吕定公相见，并咨询国事应以何事为先何事为后，但各位都以不掌民事为借口，不肯有所陈述，都将此事推到陆伯言、潘承明身上。陆伯言、潘承明见到袁礼，哭泣流涕恳切悲恻，词意十分辛酸委屈，甚至满怀恐惧，内心十分不安。'我听到之后，内心惆怅，深深地自责。为什么呢？只有圣人才没有错误行为，而明智的人能发现自己的过失。人的举措，

何能悉中！独当己有以伤拒众意，忽不自觉，故诸君有嫌难耳。不尔[103]，何缘乃至于此乎？与诸君从事，自少至长，发有二色[104]，以谓表里足以明露，公私分计足用相保，义虽君臣，恩犹骨肉，荣福喜戚，相与共之。忠不匿情，智无遗计，事统是非[105]，诸君岂得从容[106]而已哉！同船济水，将谁与易！齐桓有善，管子未尝不叹，有过未尝不谏，谏而不得，终谏不止。今孤自省无桓公之德，而诸君谏诤未出于口，仍执嫌难。以此言之，孤于齐桓良优，未知诸君于管子何如耳！”

【段旨】

以上为第二段，写孙权设置校事官，实行特务高压统治，导致满朝人人自危，闭口不言。

【注释】

⑱赤乌：红色羽毛的乌鸦。因赤乌飞集于吴国金銮殿前，吴王孙权改年号嘉禾为赤乌。⑲徐氏：与步夫人皆有传，见《三国志》卷五十。⑳西徙：指孙权从吴县西徙都于武昌。㉑依违：迟疑不决。㉒侧目：谓不敢正视。㉓是仪：字子羽，北海营陵（今山东昌乐东南）人，东汉末避乱至江东，孙权统事之初，专典机密，后为侍中、偏将军、尚书仆射等。传见《三国志》卷六十二。㉔屏息：暂停呼吸，形容畏惧的样子。㉕本末：指事情的来龙去脉。㉖厷：同“宏”。㉗道无因：谓潘浚想举奏吕壹的罪行，但没机会。㉘击君：因丞相有举奏百官罪过的职责，故可打击吕壹。㉙以身当之：谓以自己承当杀人之罪。㉚西陵督：西陵，县名，县治在今湖北宜昌东南。此地为吴国的西大门，故特置都督镇守。㉛殿最：犹言优劣。㉜欺负：欺骗辜负。㉝天：指国君。㉞缗：穿钱用的绳子叫缗，此指成串的钱。㉟工：工匠。㊱主者：指朱据手下主管钱的军吏。

【原文】

冬，十一月壬午[107]，以司空卫臻为司徒，司隶校尉崔林为司空。

十二月，汉蒋琬出屯汉中。

乙丑[108]，帝不豫[109]。

哪能都正确！我偏偏自以为是伤害拒绝了众人的好意，由于疏忽而不能自我觉察，所以各位才有所顾忌不敢开口。不然的话，怎能发展到这个地步呢？我与各位共事，从小到大，头发斑白了，自认为外表内心都足能开诚布公，以公私情分来说，足以互相保护，名义上虽然是君臣关系，感情上都像骨肉至亲，荣耀福禄、欢乐悲伤，我们共同担当。忠诚就不应当隐瞒实情，明智就不该保留谋略，君臣的职责是对是非的决策，各位怎能悠闲地袖手旁观呢！同乘一条船过河，我还能同谁去商议呢！齐桓公有了善行，管仲未尝不赞叹，有了过错，未尝不劝谏，劝谏而不能改正，就劝谏不停。如今我反省自己没有齐桓公的品德，而各位却没有开口劝谏，仍然保持顾忌为难的态度。如此说来，我实际上优于齐桓公，不知道各位比管仲怎么样！”

---

⑰ 藉草：坐在铺草的地上。⑱ 道：言说。⑲ 詈：骂。⑳ 大辟：死刑。㉑ 焚裂：焚烧与车裂。焚烧，活活烧死人，是王莽所创造的死刑。车裂，分尸，秦朝的酷刑。㉒ 阚泽（？至公元二四三年）：字德润，会稽山阴（今浙江绍兴）人，初为吴国钱唐长、郴县令，后为尚书、中书令、太子太傅等。擅长儒学，兼通历数，常释疑解难，为孙权所重。传见《三国志》卷五十三。㉓ 子瑜：诸葛瑾字子瑜。㉔ 子山：步骘字子山。㉕ 义封：朱然字义封。㉖ 定公：吕岱字定公。㉗ 时事当有所先后：谓当时之事应当先做什么，后办什么。㉘ 伯言、承明：陆逊字伯言，潘浚字承明。㉙ 恳恻：诚恳痛切。⑩⓪ 辛苦：辛酸委屈。⑩① 刻怪：责怪。⑩② 举厝：举动。厝，通“措”。⑩③ 尔：如此。⑩④ 二色：谓黑白二色，即头发斑白。⑩⑤ 事统是非：谓君臣之职责在于对是非的决定。⑩⑥ 从容：悠闲安逸。

【校记】

［4］畏怖：据章钰校，甲十六行本、乙十一行本、孔天胤本二字皆互乙。［5］良久：原无此二字。据章钰校，甲十六行本、乙十一行本、孔天胤本皆有此二字，张瑛《通鉴校勘记》同，今据补。［6］悟：据章钰校，甲十六行本、乙十一行本皆作“寤”，二字同。

【语译】

冬，十一月二十四日壬午，魏国任命司空卫臻为司徒，任命司隶校尉崔林为司空。

十二月，蜀汉蒋琬出兵屯驻汉中。

初八日乙丑，魏明帝患病。

辛巳⑩，立郭夫人为皇后。

初，太祖为魏公，以赞⑪令刘放、参军事孙资皆为秘书郎。文帝即位，更名[7]秘书曰中书，以放为监，资为令，遂掌机密。帝即位，尤见宠任，皆加侍中、光禄大夫，封本县侯⑫。是时帝亲览万机，数兴军旅，腹心之任，皆二人管之。每有大事，朝臣会议，常令决其是非，择而行之。中护军蒋济上疏曰："臣闻大臣太重者国危，左右太亲者身蔽，古之至戒也。往者大臣秉事，外内扇动；陛下卓然自览万机，莫不祇肃⑬。夫大臣非不忠也，然威权在下，则众心慢上，势之常也。陛下既已察之于大臣，愿无忘之于左右，左右忠正远虑，未必贤于大臣，至于便辟⑭取合，或能工⑮之。今外所言，辄云'中书'，虽使恭慎，不敢外交，但有此名，犹惑世俗。况实握事要，日在目前。傥因疲倦⑯之间，有所割制⑰，众臣见其能推移于事，即亦因时而向之。一有此端，私招朋援，臧否⑱毁誉，必有所兴，功负⑲赏罚，必有所易⑳，直道而上者或壅㉑，曲附左右者反达，因微而入，缘形而出，意所狎信㉒，不复猜觉。此宜圣智所当早闻，外以经意㉓，则形际自见㉔。或恐朝臣畏言不合而受左右之怨，莫适㉕以闻。臣窃亮㉖陛下潜神默思，公听并观，若事有未尽于理而物有未周于用，将改曲易调，远与黄、唐㉗角功㉘，近昭武、文之绩，岂牵近习而已哉！然人君不可悉任天下之事，必当有所付。若委之一臣，自非周公旦之忠，管夷吾㉙之公，则有弄权败官之敝。当今柱石之士虽少，至于行称一州，智效一官，忠信竭命，各奉其职，可并驱策，不使圣明之朝有专吏㉚之名也。"帝不听。

及寝疾，深念后事，乃以武帝子燕王宇㉛为大将军，与领军将军㉜夏侯献、武卫将军㉝曹爽㉞、屯骑校尉曹肇㉟、骁骑将军秦朗等对辅政。爽，真之子。肇，休之子也。帝少与燕王宇善，故以后事属之。

刘放、孙资久典机任，献、肇心内不平。殿中有鸡栖树㊱，二人相

二十四日辛巳，魏明帝册立郭夫人为皇后。

当初，魏太祖曹操为魏公时，任命赞县县令刘放、参军事孙资均为秘书郎。魏文帝即位后，把秘书省改名为中书省，任命刘放为秘书监，孙资为秘书令，于是二人掌管了机密事务。魏明帝即位后，这两人格外受到宠信，都加官侍中、光禄大夫，封为本县的县级侯爵。这时魏明帝亲自处理万机事务，多次兴兵征战，核心的机密事务，都由二人掌管。每逢有重大事务，朝臣们聚会议事，常常由这两个人裁定是非，选择施行。中护军蒋济上疏说："臣听说大臣权势太重，国家便很危险，皇帝身边的人太受亲信，皇帝本人就会受到蒙蔽，这是自古以来至关重要的鉴戒。从前大臣专权，朝廷内外骚动不安；陛下断然亲理朝政，大臣们无不恭敬而安定。大臣并非不忠诚，但权威落在臣下手中，那么大众的心里对皇上就会怠慢，这是世事的常态。陛下既然已经觉察大臣把持大权的弊端，希望也别忘记左右亲信的人，左右亲信的忠诚与深谋远虑，未必超过大臣，至于逢迎谄媚，迎合讨好，他们更为精通。现在宫外的人一开口说话，总是说'中书如何如何'，纵然陛下身边的人恭顺谨慎，不敢与宫外的人员交结，但是'中书'有了这样的名气，就能让世俗之人感到迷茫，更何况他们实际掌握国事的机要，每天侍奉在陛下眼前。倘若他们趁陛下疲倦的时候，专断朝政，大臣们见他们能左右皇上的决定，也就会趁机倾向他们。一旦开了这个头，私自拉帮结派，褒贬毁誉，就必然会发生，对于功过赏罚，就必然会被颠倒，于是坚持走正路以求上进的人也许被排挤，而巴结逢迎陛下左右的人反而畅通无阻，借助细微的机会钻进去，借助有利形势使出手段，陛下对他们亲近信任，不再警觉防备。这种情况，应该是圣上的智虑已经察觉，只要对他们的外在表现留心观察，他们就会原形毕露。有人担心朝臣们害怕说话不合他们的心意而受他们的怨恨报复，所以大臣们对陛下说些模棱两可的话。臣私下明白陛下圣心自会深思默想，能公正地听取和明察各种意见，如果事情有不合理而人物有未能恰当任用的话，陛下将会改弦易辙，远可与黄帝、唐尧比试功绩，近可光大武帝、文帝的业绩，岂能被身边的亲信牵着鼻子走呢！君主不可能一个人处理天下的全部事务，必当将事务交付其他人办理。如果只交付给一个大臣，而这个人又没有周公旦的忠诚、管夷吾的公正，就会有弄权败职的弊端。如今堪称柱石的人才虽然很少，但也有人品行受到一州称誉，智慧能力能胜任某个职务，对陛下忠信效命，各尽其职，这些人都可供陛下驱使，不让圣明之朝有官吏专权的恶名。"魏明帝不听从。

等到魏明帝病重时，他对身后之事深为忧虑，就任命武帝的儿子燕王曹宇为大将军，和领军将军夏侯献、武卫将军曹爽、屯骑校尉曹肇、骁骑将军秦朗等人共同辅佐朝政。曹爽，是曹真的儿子。曹肇，是曹休的儿子。魏明帝从小与燕王曹宇友善，因此把后事托付给他。

刘放、孙资长期掌管国家机要，夏侯献、曹肇内心愤愤不平。宫中有鸡栖于树

谓曰："此亦久矣，其能复几！"放、资惧有后害，阴图间之。燕王性恭良㊲，陈诚固辞。帝引放、资入卧内，问曰："燕王正尔为㊳？"对曰："燕王实自知不堪大任故耳。"帝曰："谁可任者？"时惟曹爽独在帝[8]侧，放、资因荐爽，且言宜召司马懿与相参。帝曰："爽堪其事不㊴？"爽流汗不能对。放蹑其足，耳之㊵曰："臣以死奉社稷。"帝从放、资言，欲用爽、懿。既而中变，敕停前命。放、资复入见说帝，帝又从之。放曰："宜为手诏。"帝曰："我困笃，不能。"放即上床，执帝手强作之，遂赍出，大言曰："有诏免燕王宇等官，不得停省中。"皆流涕而出。

甲申㊶，以曹爽为大将军。帝嫌爽才弱，复拜尚书孙礼为大将军长史以佐之。

是时，司马懿在汲㊷，帝令给使㊸辟邪赍手诏召之。先是，燕王为帝画计，以为关中事重，宜遣懿便道自轵关㊹西还长安，事已施行。懿斯须得二诏，前后相违，疑京师有变，乃疾驱入朝。

【段旨】

以上为第三段，写魏明帝不听蒋济劝谏，专宠刘放、孙资，终受其挟制，违心诏命曹爽、司马懿辅政。

【注释】

⑩⑦壬午：十一月二十四日。⑩⑧乙丑：十二月初八日。⑩⑨不豫：皇帝生病的讳称。⑪⓪辛巳：十二月二十四日。⑪①赞：又作"酂"。县名，县治在今河南永城西南。⑪②封本县侯：刘放封方城侯，孙资封中都侯。⑪③祗肃：恭敬而严肃。⑪④便辟：逢迎谄媚。⑪⑤工：精通。⑪⑥疲倦：指皇帝疲倦。⑪⑦割制：犹言专断。⑪⑧臧否：褒贬。⑪⑨功负：功罪；功过。⑫⓪所易：谓当赏不赏，当罚不罚。⑫①壅：堵塞；滞留。⑫②狎信：亲近信任。⑫③经意：留心；注意。⑫④形际自见：犹言原形毕露。⑫⑤莫适：模棱两可。《论语·里仁》："子曰：君子之于天下也，无适也，无莫也，义之与比。"⑫⑥亮：明察；明白。⑫⑦黄、唐：黄帝、唐尧。⑫⑧角功：比功。⑫⑨管夷吾：管仲。⑬⓪专吏：专权之吏。此

上，夏侯献和曹肇相互借机说事：“公鸡占据这棵树已经很久了，看它还能占多久！”刘放、孙资怕留下后患，就暗中计划离间魏明帝对夏侯献和曹肇二人的信任。燕王曹宇性情谦恭善良，对魏明帝的任命，诚心诚意地坚辞。魏明帝便召刘放、孙资两人进入卧房内，问道：“燕王这么做是真心的吗？”二人回答说：“燕王确实自知不能胜任这个重任，故而才如此。”魏明帝说：“谁可担当这一重任？”当时只有曹爽一人在明帝旁边，刘放、孙资便乘机推荐曹爽，并且说应召回司马懿和曹爽共同参政。明帝说：“曹爽能胜任这一职事吗？”曹爽汗流满面不能回答。刘放踩曹爽的脚，附在他耳边说：“臣誓死为国。”明帝听从刘放、孙资的话，打算任用曹爽、司马懿。不久又变了卦，下令停止前面的任命。刘放、孙资又入见劝说明帝，明帝又听从了他们。刘放说：“应写份手诏。”明帝说：“我困倦已极，不能握笔。”刘放就上了床，抓住明帝的手强行书写，于是将手诏带到外面，大声说：“有诏免去燕王曹宇等人的官职，不可停留在宫中。”曹宇等人都流泪而出。

十二月二十七日甲申，任命曹爽为大将军。明帝嫌曹爽才力弱，又任命尚书孙礼为大将军长史以佐助曹爽。

此时，司马懿在汲县，明帝命令给使辟邪持手诏召回他。在此以前，燕王为明帝出谋划策，认为关中的事务十分重要，应命司马懿走小路从轵关西返长安，事情已经实施。司马懿短时间内收到两道诏书，前后内容相反，他怀疑京师发生了变故，就急忙策马回京。

指刘放、孙资。⑬宇：曹宇，字彭祖，曹操之子。太和六年封燕王。传见《三国志》卷二十。⑬领军将军：官名，掌中垒、五校，武卫等营禁兵。⑬武卫将军：官名，主管武卫营禁兵。⑬曹爽：字昭伯，曹真之长子，年少时与魏明帝甚亲密，受魏明帝遗诏辅政后，与司马懿不和，后被司马懿所杀。传见《三国志》卷九。⑬曹肇：字长思，曹休之子。事见《三国志·魏书·曹休传》。⑬鸡栖树：殿中养公鸡以报晓，鸡栖息于树上，因称鸡栖树。⑬恭良：谦恭善良。⑬正尔为：此句意谓燕王这么做是真心吗。正，真也。⑬不：同“否”。⑭耳之：耳语。⑭甲申：十二月二十七日。⑭汲：县名，县治在今河南卫辉西南。⑭给使：供差遣的内侍。⑭轵关：关名，在今河南济源西北。

【校记】

［7］名：据章钰校，甲十六行本、乙十一行本皆作“命”。［8］帝：原无此字。据章钰校，甲十六行本、乙十一行本、孔天胤本皆有此字，今据补。

【原文】

三年（己未，公元二三九年）

春，正月，懿至，入见，帝执其手曰："吾以后事属[145]君，君与曹爽辅少子。死乃可忍[146]，吾忍死待君，得相见，无所复恨矣！"乃召齐、秦二王以示懿，别指齐王芳谓懿曰："此是也，君谛[147]视之，勿误也。"又教齐王令前抱懿颈，懿顿首流涕。是日，立齐王为皇太子。帝寻殂。

帝沉毅[148]明敏，任心而行，料简[149]功能，屏绝浮伪。行师动众，论决大事，谋臣将相，咸服帝之大略。性特强识[150]，虽左右小臣，官簿性行，名迹所履，及其父兄子弟，一经耳目，终不遗忘。

孙盛论曰："闻之长老，魏明帝天姿秀出，立发垂地[151]，口吃少言，而沉毅好断。初，诸公受遗辅导，帝皆以方任[152]处之，政自己出。优礼大臣，开容善直，虽犯颜极谏，无所摧戮，其君人之量如此之[9]伟也。然不思建德垂风，不固维城之基[153]，至使大权偏据[154]，社稷无卫，悲夫！"

太子即位，年八岁，大赦。尊皇后曰皇太后，加曹爽、司马懿侍中，假节钺，都督中外诸军[155]，录尚书事[156]。诸所兴作宫室之役，皆以遗诏[157]罢之。

爽、懿各领兵三千人更[158]宿殿内。爽以懿年位素高，常父事之，每事谘访，不敢专行。

初，并州刺史东平毕轨及邓飏[159]、李胜[160]、何晏[161]、丁谧[162]皆有才名，而急于富贵，趋时附势。明帝恶其浮华，皆抑而不用。曹爽素与亲善，及辅政，骤加引擢，以为腹心。晏，进之孙。谧，斐之子也。晏等咸共推戴爽，以为重权不可委之于人。丁谧为爽画策，使爽白天子发诏，转司马懿为太傅[163]，外以名号尊之，内欲令尚书奏事，先来由己，得制其

【语译】

三年（己未，公元二三九年）

春，正月，司马懿到达京师洛阳，入宫朝见魏明帝，明帝拉着他的手说："我将后事托付给你，你与曹爽辅佐幼子。死也是可以接受的，我忍着不死等着你，能够相见，再也没有遗憾了！"于是召来齐王、秦王指示给司马懿看，另外又指着齐王曹芳对司马懿说："就是他，你仔细看清楚，不要认错了。"又让齐王曹芳上前搂住司马懿的脖子，司马懿磕头流泪。当天，立齐王为皇太子。明帝不一会儿就死了。

魏明帝性格深沉刚毅、聪慧敏捷，按自己心意行事，识别选拔有功劳、有能力的人，摒除浮华虚伪的人。调动军队出兵作战，讨论裁决大事，谋臣和将相都佩服明帝的雄才大略。他天生记忆力特别强，即使是身边的小臣，不论是他们的历官、性格、品行，还是名声、行为和所做的事，以及他们的父、兄、子弟，只要眼见或耳闻一次，终生不忘。

> 孙盛评论说："从老辈人那里听说，魏明帝天生资质优秀超过常人，站立时头发可垂到地面，有口吃，很少说话，但深沉刚毅，善于决断。当初，各公卿接受魏文帝的遗诏辅佐明帝，明帝把他们安排为地方大吏，国家政事由自己裁决。他优礼大臣，能宽容善良正直的人，尽管大臣对他当面冲撞冒犯，极力劝谏，他也不加折辱诛杀，他君临天下容人之量是如此伟大。但他没有想树立长远的恩德而留下好的风气，不去巩固皇室至亲的立国基础，以致大权旁落，国家没有人捍卫，可悲啊！"

魏国太子曹芳即位称帝，时年八岁；宣布大赦。尊奉皇后为皇太后，给曹爽、司马懿加官侍中，授予他们象征天子权力的符节和斧钺，总领京都及地方各军，兼管尚书省的事务。各项已经兴建的宫殿建筑工程，都以明帝遗诏的名义下令停罢。

曹爽、司马懿各领三千名兵士轮流在宫内值夜守卫。曹爽因司马懿的年资、职位一向比自己高，平常像对父亲一样侍奉司马懿，每件事都咨询司马懿的意见，不敢独断专行。

当初，并州刺史东平人毕轨和邓飏、李胜、何晏、丁谧都因才干闻名，但急于追求富贵，趋炎附势，依附权势。明帝憎恶他们的浮华作风，均对其贬抑不加任用。曹爽一向和他们关系亲密，等到曹爽辅政，对他们骤然提拔，当作心腹。何晏，是何进的孙子。丁谧，是丁斐的儿子。何晏等人共同拥戴曹爽，认为大权不能交付他人。丁谧替曹爽出谋划策，让曹爽禀告天子发布诏书，将司马懿改任为太傅，表面上用太傅的名号尊崇他，实际想让尚书省奏事时先禀报曹爽，以此控制实权。曹爽

轻重也。爽从之。

二月丁丑⑯，以司马懿为太傅，以爽弟羲为中领军，训为武卫将军，彦为散骑常侍、侍讲⑯，其余诸弟皆以列侯侍从，出入禁闼，贵宠莫盛焉。

爽事太傅，礼貌虽存，而诸所兴造，希复由之。爽徙吏部尚书卢毓为仆射，而以何晏代之，以邓飏、丁谧为尚书，毕轨为司隶校尉。晏等依势用事，附会者升进，违忤者罢退，内外望风，莫敢忤旨。黄门侍郎傅嘏谓爽弟羲曰："何平叔外静而内躁，铦巧⑯好利，不念务本，吾恐必先惑子兄弟，仁人将远而朝政废矣。"晏等遂与嘏不平，因微事免嘏官。又出⑯卢毓为廷尉，毕轨又[10]枉奏毓免官，众论多讼之，乃复以为光禄勋。孙礼亮直⑯不挠，爽心不便，出为扬州刺史。

三月，以征东将军满宠为太尉。

【段旨】

以上为第四段，写魏明帝托孤，曹爽排斥大臣和司马懿，擅权专政。

【注释】

⑭属：通"嘱"，托付。⑭忍：勉强接受。⑭谛：仔细。⑭沉毅：深沉而刚毅。⑭料简：识别选拔。⑮强识：记忆力好，过目不忘。⑮立发垂地：指魏明帝有一头好发，站立时头发可以垂地。⑮方任：地方之任。此指命曹休镇淮南、曹真镇关中、司马懿屯宛。⑮不固维城之基：不去巩固宗室诸王的立国基础，此指明帝猜忌宗室。《诗经·板》有"宗子维城"之说，故以维城称宗子。⑮偏据：旁落。⑮假节钺二句：魏晋南北朝时期的最高武职，掌全国军事大权，总统中外诸军。皇帝赐给代行皇帝权力的符节和大斧，具有诛杀之权，称为假节钺。假，赐予。⑮录尚书事：魏晋南北朝时期的最高文职，总揽朝政大权，凡权臣每兼此职。⑮以遗诏：用遗诏之名。实则罢兴建宫室之遗

听从了这个意见。

二月二十一日丁丑，任命司马懿为太傅，任命曹爽的弟弟曹羲为中领军，曹训为武卫将军，曹彦为散骑常侍、侍讲，其余诸弟都以列侯身份侍从天子，出入宫廷，尊贵恩宠没人比得上他们。

曹爽对待太傅司马懿，礼貌虽存，但各种事物的兴立，很少再请示太傅。曹爽将吏部尚书卢毓调任为仆射，而任何晏代卢毓为吏部尚书，任命邓飏、丁谧为尚书，毕轨为司隶校尉。何晏等人仗势专权，依附他们的人就被提升，违背他们意志的人就被罢免，朝廷内外的官员都见风使舵，没人敢违抗他们的意旨。黄门侍郎傅嘏对曹爽的弟弟曹羲说："何平叔外表文静而内心急躁，好追逐利益而手段精巧，不想从仁德根本上努力，我担心他一定先迷惑你们兄弟，使仁人远避而朝政就荒废了。"何晏等人因此与傅嘏关系失衡，借小事罢免了傅嘏的官职。又把卢毓调出宫廷担任廷尉，毕轨又诬奏而将卢毓免官，遭到众人议论非难，便又任命卢毓为光禄勋。孙礼忠诚耿直不屈不挠，曹爽心感不快，就将孙礼调出朝廷外任扬州刺史。

三月，魏任命征东将军满宠为太尉。

诏。⑱更：轮流。⑲邓飏：字玄茂，魏明帝时曾为尚书郎、中书郎等。曹爽辅政后为侍中、尚书。后被司马懿所杀。⑳李胜：字公昭，曹爽辅政后为洛阳令、河南尹，将为荆州刺史，被司马懿所杀。⑯何晏：字平叔，何进之孙，其母被曹操纳为妾，故何晏长于宫中，又娶公主。曹爽辅政后为尚书，主选举，后被司马懿所杀。⑯丁谧：字彦靖，丁斐之子。魏明帝时为度支郎中，曹爽辅政后，为尚书，后被司马懿所杀。以上诸人事皆见《三国志·魏书·曹爽传》及注引《魏略》。⑯太傅：官名，汉魏曾设置，位在三公上，为上公，无实职，不常设。⑯丁丑：二月二十一日。⑯侍讲：官名，为皇帝讲说典籍。⑯钻巧：取巧。⑯出：尚书仆射为内朝官，列卿为外朝官，廷尉为列卿之一，故云"出"。⑯亮直：忠诚耿直。

【校记】

[9]之：原作"其"。据章钰校，甲十六行本、乙十一行本、孔天胤本皆作"之"，今据改。[10]又：据章钰校，甲十六行本、乙十一行本皆作"复"。

【原文】

夏，四月，吴督军使者[169]羊衜击辽东守将，俘人民而去。

汉蒋琬为大司马[170]，东曹掾犍为杨戏[171]素性简略[172]，琬与言论，时不应答。或谓琬曰："公与戏言而不应，其慢甚矣！"琬曰："人心不同，各如其面。面从后言[173]，古人所诫[174]。戏欲赞吾是邪，则非其本心；欲反吾言，则显吾之非，是以默然，是戏之快也。"又督农[175]杨敏尝毁琬曰："作事愦愦[176]，诚不及前人。"或以白琬，主者[177]请推[178]治敏，琬曰："吾实不如前人，无可推也。"主者乞问其愦愦之状，琬曰："苟其不如，则事不理，事不理，则愦愦矣。"后敏坐事系狱，众人犹惧其必死。琬心无适莫[179]，敏得免重罪。

秋，七月，帝始亲临朝。

八月，大赦。

冬，十月，吴太常潘濬卒。吴主以镇南将军吕岱代濬，与陆逊共领荆州文书。岱时年已八十，体素精勤，躬亲王事，与逊同心协规，有善相让，南土称之。

十二月，吴将廖式杀临贺[180]太守严纲等，自称平南将军，攻零陵、桂阳，摇动交州诸郡，众数万人。吕岱自表辄行，星夜兼路。吴主遣使追拜交州牧，及遣诸将唐咨等络绎相继，攻讨一年，破之，斩式及其支党，郡县悉平。岱复还武昌。

吴都乡侯周胤[181]将兵千人屯公安[182]，有罪，徙庐陵，诸葛瑾、步骘为之请。吴主曰："昔胤年少，初无[183]功劳，横受精兵，爵以侯将[184]，盖念公瑾以及于胤也。而胤恃此，酗淫[185]自恣，前后告谕，曾无悛改。孤于公瑾，义犹二君[186]，乐胤成就，岂有已哉！迫胤罪恶，未宜便还，且欲苦之，使自知耳。以公瑾之子，而二君在中间，苟使能改，亦何患乎！"

瑜兄子偏将军峻卒，全琮请使峻子护领其兵。吴主曰："昔走曹操，拓有荆州，皆是公瑾，常不忘之。初闻峻亡，仍欲用护。闻护性行危险，用之适为作祸，故更止之。孤念公瑾，岂有已哉！"

十二月，诏复以建寅之月为正。

【语译】

夏，四月，吴国督军使者羊衜袭击魏国的辽东守将，俘虏当地百姓后离去。

蜀汉蒋琬担任大司马，东曹掾犍为人杨戏生性一向傲慢不拘小节，蒋琬和他谈话，时常爱答不理。有人对蒋琬说："公与杨戏谈话而他不回答，太傲慢了！"蒋琬说："人心各不相同，犹如各有各的面孔一样。当面顺从转过身就加诋毁，古人引以为戒。杨戏若想赞同我的意见，并非他的本心；倘若反对我的话，则又显露了我的过失，因此他才沉默不语，这正是杨戏的爽快之处啊。"此外督农杨敏曾经诋毁蒋琬说："做事昏聩糊涂，实在赶不上他的前任。"又有人向蒋琬报告此事，主事的官吏请求追究处理杨敏，蒋琬说："我真的不如前任，不可追究处理。"主事官请问蒋琬昏聩糊涂的具体情况。蒋琬说："如果不如前任，那么政事就治理不好，政事治理不好，便是昏聩糊涂了。"后来杨敏因事被关进监狱，大家都担心杨敏必死。蒋琬对杨敏却没有成见，杨敏得以免除重罪。

秋，七月，魏国皇帝曹芳开始亲临朝政。

八月，魏国大赦天下。

冬，十月，吴国太常潘浚去世。吴主用镇南将军吕岱接替潘浚，和陆逊一起掌管荆州的文书往来。吕岱这年已八十岁，体格一向健康，勤劳政务，亲自处理国事，和陆逊同心协力，有成绩彼此推让，南方的人都称赞他们。

十二月，吴国将领廖式杀死临贺太守严纲等人，自封为平南将军，进攻零陵、桂阳等地，以致交州各郡大为震荡。廖式有部众数万人。吕岱自己上表请缨，立即出发，星夜兼程。吴主派使者在后追赶，任命吕岱为交州牧，又派将领唐咨等人陆续增援吕岱，进攻讨伐了一年，打败叛军，斩杀廖式及各地支党，各个郡县全部平定。吕岱又返回武昌。

吴国都乡侯周胤率兵一千人驻守公安县，犯了罪，被流放到庐陵。诸葛瑾、步骘替他求情。吴主说："先前周胤年轻，完全没有功劳，平白无故就让他统率精兵，还封侯拜将，这是怀念周公瑾的功劳才对他如此。但周胤依仗这一点，酗酒淫乱，自我放纵，前前后后多次告诫他，但他从不悔改。我对于周公瑾，在情谊上和对待您二位一样，希望周胤能有所成就，难道这种心意会落空吗？但是周胤的罪行太重，不宜立即让他回任，并且想让他吃点苦头，让他自知其罪。周胤作为公瑾的儿子，又有您二位在中间说情，若他能悔改，还有什么可担心的呢！"

周瑜哥哥的儿子偏将军周峻不幸去世，全琮请求让周峻的儿子周护统领周峻的部队。吴主说："当初赶走曹操，开拓荆州为国土，都是公瑾的功劳，一直不能忘记。刚听说周峻去世的时候，便想仍任用周护。但是听说周护的性情品行凶暴险恶，任用他正好使他闯祸，因此又改变了这个想法。我怀念公瑾，哪有中止的时候呢！"

十二月，魏国下诏仍以建寅之月为正月。

【段旨】

以上为第五段，写蒋琬的厚道，以及孙权善待功臣之后的苦心。

【注释】

⑯⑨督军使者：官名，临时派出督统军队的官职。⑰⓪大司马：官名，蜀汉亦并置太尉与大司马，而大司马为上公。⑰①杨戏：字文然，犍为武阳（今四川眉山市彭山区东北）人，少即知名，为诸葛亮所知，曾为尚书右选部郎、梓潼太守、射声校尉等职，著

【原文】

邵陵厉公[187]上

正始元年（庚申，公元二四〇年）

春，旱。

越巂[188]蛮夷数叛汉，杀太守。是后太守不敢之郡，寄治安定县[189]，去郡八百余里。汉主以巴西张嶷[190]为越巂太守，嶷招慰新附，诛讨强猾，蛮夷畏服，郡界悉平，复还旧治[191]。

冬，吴饥。

【段旨】

以上为第六段，是年无大事，史仅载魏国春旱，吴饥荒，蜀平定越巂郡之乱。

【注释】

⑱⑦邵陵厉公（公元二三二至二七四年）：名芳，字兰卿。魏明帝无子，养以为子，但当时之人已不知其所由来。即帝位后为权臣所控制，公元二三九至二五四年在位，后被司马氏废为齐王。晋代魏后，降为邵陵县公，死后谥为厉（《谥法》：杀戮无辜曰厉）。

有《季汉辅臣赞》，赞颂蜀汉君臣。传见《三国志》卷四十五。⑰简略：傲慢懒散。《三国志》本传作“简情省略”。⑰面从后言：谓当面顺从，背后毁谤反对。⑰古人所诫：《尚书·益稷》载舜诫禹说：“汝无面从，退有后言。”⑰督农：官名，蜀汉所置，是供应军粮之官。⑰愦愦：昏愦糊涂。⑰主者：指督察百官的主事官员。⑰推：追究。⑰适莫：谓无成见，既可这样，又可那样。⑱临贺：郡名，孙吴所置，治所临贺县，在今广西贺州西南。⑱周胤：周瑜次子。事见《三国志·吴书·周瑜传》。⑱公安：县名，县治在今湖北公安东北。⑱初无：全无；都无。⑱爵以侯将：谓既封侯爵，又为统兵将领。⑱酗淫：酗酒淫乱。⑱二君：指诸葛瑾、步骘。

【语译】

邵陵厉公上

正始元年（庚申，公元二四〇年）

春天，魏国发生旱灾。

越巂族多次背叛蜀汉，杀死太守。此后太守不敢到郡治上任，把治所改寄在安定县，距原郡治八百多里。汉主刘禅任命巴西人张嶷为越巂太守，张嶷招降安抚新近归附的百姓，诛杀讨伐豪强顽固，少数民族畏惧而降服，郡内全部平定，于是又把治所迁回原来的地方。

冬天，吴国发生饥荒。

纪见《三国志》卷四。⑱越巂：郡名，治所邛都，在今四川西昌东南。⑱安定县：此据《三国志·蜀书·张嶷传》，而《华阳国志》作“安上县”，当从。安上县为蜀汉所置，但《晋书》《宋书》等地志未载。有人认为在今四川屏山县，又有人认为在今四川峨边。⑲张嶷：字伯岐，巴西郡南充（今四川南部县）人，初为县、州属吏，后为越巂太守十五年。在郡甚有威惠，深得汉民与少数民族之拥护。传见《三国志》卷四十三。⑲旧治：越巂郡的旧治所在邛都县，在今四川西昌。

【原文】

二年（辛酉，公元二四一年）

春，吴人将伐魏。零陵太守殷札言于吴主曰："今天弃曹氏，丧诛[192]累见，虎争之际而幼童莅事[193]。陛下身自御戎，取乱侮亡，宜涤荆、扬之地[194]，举强羸[195]之数，使强者执戟，羸者转运。西命益州[196]，军于陇右，授诸葛瑾、朱然大众，直指襄阳，陆逊、朱桓别征寿春，大驾入淮阳[197]，历青、徐。襄阳、寿春困于受敌，长安以西，务御蜀军，许、洛之众，势必分离，掎角[198]并进，民必内应。将帅对向，或失便宜，一军败绩，则三军离心；便当秣马[199]脂车[200]，陵蹈城邑，乘胜逐北，以定华夏。若不悉军动众，循前轻举，则不足大用，易于屡退，民疲威消，时往力竭，非上策也。"吴主不能用。

夏，四月，吴全琮略淮南[201]，决芍陂[202]，诸葛恪攻六安[203]，朱然围樊，诸葛瑾攻柤中[204]。征东将军王凌、扬州刺史孙礼与全琮战于芍陂，琮败走。荆州刺史胡质[205]以轻兵救樊，或曰："贼盛，不可迫。"质曰："樊城卑兵少，故当进军为之外援；不然，危矣。"遂勒兵临围，城中乃安。

五月，吴太子登卒。

吴兵犹在荆州，太傅懿曰："柤中民夷十万，隔在水南，流离无主；樊城被攻，历月不解。此危事也，请自讨之。"六月，太傅懿督诸军救樊。吴军闻之，夜遁，追至三州口[206]，大获而还。

闰月，吴大将军诸葛瑾卒。瑾长子[11]恪先已封侯，吴主以恪弟融袭爵，摄兵业[207]，驻公安。

汉大司马蒋琬以诸葛亮数出秦川[208]，道险，运粮难，卒无成功，乃多作舟船，欲乘汉、沔东下，袭魏兴[209]、上庸[210]。会旧疾连动，未时得行。汉人咸以为事有不捷，还路甚难，非长策也。汉主遣尚书令费祎、中监军[211]姜维等喻指[212]。琬乃上言："今魏跨带九州，根蒂滋蔓，平除未易。若东西[213]并力，首尾掎角，虽未能速得如志，且当分裂蚕食，先摧其支党。然吴期[214]二三[215]，连不克果[216]。辄与费祎等议，以凉州胡

【语译】

二年（辛酉，公元二四一年）

春，吴国将要进攻魏国。零陵太守殷札对吴主说："如今上天抛弃了曹氏，国君接连遭受天诛。当此猛虎相争之时，魏国却让幼童治理国家。陛下亲自统率军队，攻取昏乱的敌国，侮辱即将灭亡的敌人，应当发动荆州、扬州地区强弱劳力，让强壮者手持武器去作战，让力弱者运输粮草。命令西边的蜀汉，驻军陇右，调给诸葛瑾、朱然主力大军，直指襄阳，让陆逊、朱桓另外出征寿春，陛下大驾进入淮水以北，经略青州、徐州地区。魏国的襄阳、寿春，四面被围而困窘，西方长安以西则要全力抵抗蜀军，魏国许昌、洛阳的军队，势必分散到东西二方，我军各路互相配合，齐头并进，魏国百姓必然从内部响应。双方将帅对阵，敌人有一处失误，有一支部队战败，那么三军将士就会离心离德；我军则应喂饱战马，为车加油，踏平城邑，乘胜追击败退的敌军，借此平定华夏。如果不调发全国的兵众，还像从前那样只是轻微举动，就不足以起大作用，而容易节节败退，这样就会使百姓疲劳而国威消亡，随着时间的流逝而耗尽国力，不是好策略。"吴主孙权没有采纳。

夏，四月，吴国全琮攻掠淮南地区，掘开芍陂堤坝，诸葛恪进攻六安，朱然包围樊城，诸葛瑾进攻柤中。魏国征东将军王凌、扬州刺史孙礼与全琮在芍陂交战，全琮战败逃走。魏国荆州刺史胡质率领轻装军队救援樊城，有人说："贼军势盛，不可逼近。"胡质说："樊城城墙低矮，守兵又少，所以应进军做他们的外援；不然的话，樊城就危险了。"胡质于是率军逼近樊城的敌军包围圈，城中这才安定下来。

五月，吴国的太子孙登去世。

吴国军队还在荆州，太傅司马懿说："柤中的汉民和夷人有十万人，如今被隔离在河南，流离失所，没有头领；樊城受围攻，一个多月还未解围。这是很危急的事，我请求亲自率兵讨伐。"六月，太傅司马懿督率各军救援樊城。吴军得知这个消息，连夜逃走，魏军追到三州口，取得巨大收获，胜利班师。

闰六月，吴国大将军诸葛瑾去世。诸葛瑾的长子诸葛恪在此以前已被封为侯爵，吴主命诸葛恪的弟弟诸葛融承袭诸葛瑾的爵位，摄理兵事，驻守在公安县。

蜀汉的大司马蒋琬鉴于诸葛亮多次出兵秦川，因道路险阻，运粮困难，终未成功，因此大造舟船，打算沿着汉水、沔水东下，袭击魏国的魏兴、上庸。正赶上蒋琬的旧病连连发作，没有能够及时行动，蜀汉人都认为按蒋琬的计划行动若不成功，退军的道路十分艰难，不是好的策略。汉主刘禅派尚书令费祎、中监军姜维等人去见蒋琬，说明想法。蒋琬因此上疏说："现在魏国地跨九州，根基不断巩固，要想铲除它并不容易。如果东西合力，首尾呼应，虽然不能很快达到目的，总能分裂魏地逐步蚕食，先摧毁它的边陲支党，但与吴国三番两次约定行动计划，却接连没有结果。臣就和费祎等

塞之要，进退有资，且羌、胡乃心思汉如渴，宜以姜维为凉州刺史。若维征行，御制河右㉗，臣当帅军为维镇继。今涪㉘水陆四通，惟急是应，若东西有虞，赴之不难，请徙屯涪。”汉主从之。

朝廷欲广田畜谷于扬、豫之间，使尚书郎汝南邓艾㉙行陈㉚、项㉛以东至寿春。艾以为：“昔太祖破黄巾，因为屯田，积谷许都以制四方。今三隅已定，事在淮南，每大军出征，运兵过半，功费巨亿。陈、蔡㉜之间，土下㉝田良，可省许昌左右诸稻田，并水㉞东下，令淮北屯[12]二万人，淮南三万人，什二分休㉟，常有四万人且田且守；益开河渠以增溉灌，通漕运。计除众费，岁完五百万斛以为军资，六、七年间，可积三[13]千万斛于淮上，此则十万之众五年食也。以此乘㊱吴，无不克矣。”太傅懿善之。是岁，始开广㊲漕渠，每东南有事，大兴军众，泛舟而下，达于江、淮，资食有余[14]而无水害。

管宁卒。宁名行高洁，人望之者，邈然若不可及，即之熙熙㊳和易。能因事导人于善，人无不化服。及卒，天下知与不知，闻之[15]无不嗟叹。

【段旨】

以上为第七段，写吴蜀劳师动众北伐，毫无建树，魏国却积蓄力量，待机消灭吴蜀。

【注释】

⑲² 丧诛：谓国君受天诛而死，此指文帝、明帝相继死亡。⑲³ 莅事：临事，谓临朝治事。⑲⁴ 涤荆、扬之地：谓调动吴国全部的百姓。因吴国全境共三州，荆、扬、交，荆、扬二州为主要地区。涤，清扫。⑲⁵ 羸：瘦弱。⑲⁶ 益州：指蜀汉。⑲⁷ 淮阳：指淮水以北之地。⑲⁸ 掎角：本谓互相牵制，此指互相配合之势。⑲⁹ 秣马：喂饱马。⑳⁰ 脂车：给车轴加油脂使之润滑。⑳¹ 淮南：郡名，曹魏时治所寿春，在今安徽寿县。⑳² 芍陂：在今安徽寿县南，因淠水经白芍亭东与附近诸水积而成湖，故名。宋元以后渐湮没，今安丰塘为其残存部分。⑳³ 六安：县名，县治在今安徽六安北。⑳⁴ 柤中：地名，在今湖北宜城西。⑳⁵ 胡质（？至公元二五〇年）：字文德，楚国寿春（今安徽寿县）人，曹操执政时曾为丞相属，魏文帝时为常山太守，后官至荆州刺史、振威将军。传见《三国志》卷二十七。⑳⁶ 三州口：地名，在当时襄阳东北清水入汉水处。襄阳在今湖北襄阳。⑳⁷ 摄兵业：

人商议，认为凉州胡人地区是重要的边塞，进退都有依托，而且当地的羌人、胡人，思念汉朝如饥似渴，应当任命姜维为凉州刺史，如果姜维出征，控制河西地区，臣就率军做姜维的后继。现今涪县水陆四通八达，可以应付危急，如果蜀与吴有意外危机，从这里前去救援就不困难，请求将大军移至涪县驻扎。”汉主刘禅听从了这个建议。

魏国朝廷想在扬州、豫州之间推广屯田积蓄粮食，于是，命尚书郎汝南人邓艾巡行陈县、项县以东前往寿春。邓艾认为：“当年太祖打败黄巾军，乘机进行屯田，在许昌积蓄粮食以控制四方。如今西、北、东三面都已平定，只有淮河以南还有战事，每次大军出征，运粮的士兵超过半数，耗用军费以亿万计。陈县、蔡县之间，地势平坦肥沃是种水稻良田，可以减少许昌附近各处稻田，使各条水流顺着汝、颍等河东下灌溉，命令在淮河之北屯驻的二万人，在淮河之南屯驻的三万人，按十分之二分班轮休，这样就经常有四万人一边种田一边防守；还要增开河渠加强灌溉能力，又可通漕运。计算起来除掉各种费用，每年可上交五百万斛粮食作为军需，六七年间，在淮河地区可蓄积三千万斛粮食，这足够十万军队五年的军粮。用来进攻吴国，没有不胜利的。”太傅司马懿认为很好。这一年，开始挖深拓宽漕渠，每次东南发生战事，大举出兵，泛舟而下，直达长江、淮河，粮食有余而没有水害。

管宁去世。管宁名声大，行为高洁，人们都仰望他，好像远不可及，若接近他，和悦平易。他能随事引导人们向善，人们无不感化信服。到他逝世时，天下无论认识和不认识他的，听到了没人不悲伤叹息。

谓代其父领兵之业。摄，摄代、代理。㉘⑧秦川：指关中。关中古为秦地，又为平川沃野，故称秦川。⑳⑨魏兴：郡名，治所西城，在今陕西安康西北。⑵⑩上庸：郡名，治所上庸县，在今湖北竹山县东南。⑵⑪中监军：官名，蜀汉置中监军、前监军、后监军、右监军，位在军师下。⑵⑫喻指：同“喻旨”，说明旨意。⑵⑬东西：指孙吴与蜀汉。⑵⑭期：邀约；约会。⑵⑮二三：二三次；三番两次。⑵⑯克果：有结果。⑵⑰河右：又称河西，指今甘肃、青海两省黄河以西之地。⑵⑱涪：县名，县治在今四川绵阳东。⑵⑲邓艾（公元一九七至二六四年）：字士载，本义阳棘阳（今河南新野东北）人，曹操破荆州，始徙居汝南，为人养牛，后为典农功曹，为司马懿重视，召辟为掾属，又为尚书郎，后为征西将军，封邓侯，奉命与锺会等征蜀，破蜀后，因锺会等人的诬陷而被杀。传见《三国志》卷二十八。⑵⑳陈：县名，县治在今河南淮阳。(221)项：县名，县治在今河南项城东北。(222)蔡：指上蔡县，县治在今河南上蔡西南。(223)土下：地势低下，易于浇灌。(224)水：指汝水、颍水、蒗荡渠水、涡水等。诸水皆经陈、蔡间东流入淮。(225)什二分休：十分之二的人轮番休息。(226)乘：乘机进攻。(227)开广：开深拓宽。(228)熙熙：温和欢乐的样子。

【校记】

［11］长子：原误作“太子”。据章钰校，甲十六行本、乙十一行本、孔天胤本皆作“长子”，今据校正。［12］屯：原无此字。据章钰校，甲十六行本、乙十一行本、孔天胤本皆有此字，张敦仁《通鉴刊本识误》同，今据补。〖按〗《三国志·魏书·邓艾传》有

【原文】

三年（壬戌，公元二四二年）

春，正月，汉姜维率偏军㉙自汉中还住涪。

吴主立其子和㉚为太子，大赦。

三月，昌邑景侯满宠卒。

秋，七月乙酉㉛，以领军将军蒋济为太尉。

吴主遣将军聂友㉜、校尉陆凯㉝将兵三万击儋耳㉞、珠崖㉟。

八月，吴主封子霸㊱为鲁王㊲。霸，和母弟也，宠爱崇特，与和无殊。尚书仆射是仪领鲁王傅，上疏谏曰：“臣窃以为鲁王天挺懿德，兼资文武。当今之宜，宜镇四方，为国藩辅，宣扬德美，广耀威灵。乃国家之良规，海内所瞻望。且二宫㊳宜有降杀㊴，以正上下之序，明教化之本。”书三、四上，吴主不听。

【段旨】

以上为第八段，写吴主孙权，既立孙和为太子，又封爱子孙霸为鲁王，二子并贵，为孙霸争太子位埋下祸端。

【注释】

㉙偏军：即偏师，全军的一部分，有别于主力军。当时蜀汉军队主力由蒋琬统领，姜维所统仅为一部分军队。㉚和：孙和，字子孝，好学善射，精识聪敏，后被全公主谮毁，废为南阳王，孙峻执政后又被赐死。传见《三国志》卷五十九。㉛乙酉：七月十九

"屯"字。[13]三：原作"二"。据章钰校，甲十六行本、乙十一行本、孔天胤本皆作"三"，熊罗宿《胡刻资治通鉴校字记》同，今据改。〖按〗《三国志·魏书·邓艾传》亦作"三"。[14]余：据章钰校，甲十六行本、乙十一行本、孔天胤本皆作"储"。[15]闻之：原无此二字。据章钰校，甲十六行本、乙十一行本、孔天胤本皆有此二字，张敦仁《通鉴刊本识误》同，今据补。

【语译】

三年（壬戌，公元二四二年）

春，正月，汉将姜维率领偏军从汉中返回涪县驻守。

吴主封他儿子孙和为太子，大赦天下。

三月，魏国昌邑景侯满宠去世。

秋，七月十九日乙酉，魏国任命领军将军蒋济为太尉。

吴主派将军聂友、校尉陆凯率兵三万进攻儋耳郡、珠崖郡。

八月，吴主封儿子孙霸为鲁王。孙霸，是孙和的同母弟弟，特别受到宠爱，与孙和没有差别。尚书仆射是仪兼任鲁王的师傅之官，上疏劝谏说："臣认为鲁王有天生美德，文武兼备。现在合适的安排是，应派鲁王镇守四方边境，作为国家的屏藩，广传美德，向天下炫耀我皇的威灵。这才是国家的良谋善策，也是举国人士所企盼的。况且太子与亲王二者在待遇上应该有等级之别，以摆正上下的秩序，彰显教化的根本。"奏书上了三四次，吴主不听从。

日。㉜聂友：字文悌，后为丹阳太守。事见《三国志·吴书·诸葛恪传》及裴注引《吴录》。㉝陆凯：字敬风，吴郡吴县（今江苏苏州）人，陆逊之族孙。孙权时曾为儋耳太守、绥远将军等，孙晧时官至左丞相。传见《三国志》卷六十一。㉞儋耳：郡名，汉武帝时置，治所在今海南儋州西北。㉟珠崖：郡名，治所徐闻，在今广东徐闻西。㊱霸：孙霸，字子威，后与太子孙和不睦，太子被废，霸亦被赐死。传见《三国志》卷五十九。㊲鲁王：鲁地不在吴国境内，此当为遥封。㊳二宫：指太子孙和与鲁王孙霸。㊴降杀：差别；等差。

【原文】

四年（癸亥，公元二四三年）

春，正月，帝加元服[240]。

吴诸葛恪袭六安，掩其人民而去。

夏，四月，立皇后甄氏，大赦。后，文昭皇后兄俨之孙也。

五月朔，日有食之，既[241]。

冬，十月，汉蒋琬自汉中还住涪，疾益甚。以汉中太守王平为前监军、镇北大将军，督汉中。

十一月，汉主以尚书令费祎为大将军、录尚书事。

吴丞相顾雍卒。

吴诸葛恪远遣谍人[242]观相径要，欲图寿春。太傅懿将兵入舒[243]，欲以攻恪，吴主徙恪屯于柴桑[244]。

步骘、朱然各上疏于吴主曰："自蜀还者，咸言蜀欲背盟，与魏交通，多作舟船，缮治城郭。又，蒋琬守汉中，闻司马懿南向，不出兵乘虚以掎角之，反委汉中，还近成都。事已彰灼[245]，无所复疑，宜为之备。"吴主答曰："吾待蜀不薄，聘享盟誓，无所负之，何以致此！司马懿前来入舒，旬日便退，蜀在万里，何知缓急而便出兵乎！昔魏欲入汉川，此间始严[246]，亦未举动[247]，会闻魏还而止；蜀宁可复以此有疑邪！人言苦不可信，朕为诸君破家保之。"

征东将军、都督扬豫[248]诸军事王昶上言："地有常险，守无常势。今屯宛去襄阳三百余里，有急不足相赴。"遂徙屯新野[249]。

宗室曹冏[250]上书曰："古之王者，必建同姓以明亲亲[251]，必树异姓以明贤贤[252]。亲亲之道专用，则其渐也微弱；贤贤之道偏任，则其敝也劫夺[253]。先圣知其然也，故博求亲疏而并用之，故能保其社稷，历纪长久。今魏尊尊之法[254]虽明，亲亲之道未备，或任而不重，或释而不任。臣窃惟[255]此，寝不安席，谨撰合[256]所闻，论其成败曰：昔夏、商、周历世数十，而秦二世而亡，何则？三代之君与天下共其民[257]，故天下

【语译】

四年（癸亥，公元二四三年）

春，正月，魏国皇帝举行冠礼。

吴国诸葛恪袭击六安，劫掠当地百姓而去。

夏，四月，魏国皇帝册立甄氏为皇后，宣布大赦。甄皇后，是文昭皇后哥哥甄俨的孙女。

五月初一日，发生日食，是日全食。

冬，十月，蜀汉蒋琬从汉中回驻涪县，疾病更重。任命汉中太守王平为前监军、镇北大将军，督理汉中军务。

十一月，汉后主任命尚书令费祎为大将军、录尚书事。

吴国丞相顾雍去世。

吴国诸葛恪派间谍深入魏国侦察路径和险要之处，打算进攻寿春。魏国太傅司马懿率兵进驻舒县，想攻击诸葛恪，吴主把诸葛恪调驻柴桑。

吴国步骘、朱然各自向吴主上疏说："从蜀国回来的人，都说蜀国想背叛盟约，与魏国结交，大量制造舟船，修缮城墙。此外，蒋琬驻守汉中，听说司马懿率兵南下，不出兵乘魏空虚与我国配合，反而放弃汉中，返回靠近成都的涪县。事情已经很明显，不需要怀疑，应当有所防备。"吴主回答说："我待蜀国不薄，无论聘访宴享还是盟誓，没有对不起它的地方，哪里会到这种地步！司马懿前来进入舒县，不过十天就退走了，蜀国在万里之外，怎么能知道这里情况紧急就立即出兵呢！先前魏国打算进入汉川，我国也只是整装待发，并未有所动作，正巧得知魏兵撤退，我们也就按兵不动；对待蜀国，难道还能因这种情况怀疑他们吗？人们的传言很不可信，我用身家性命向诸君担保，蜀国不会背盟。"

魏国征东将军，都督扬州、豫州诸军事王昶上奏说："地形有平常险要之分，防守也没有一成不变的形势。现今我驻军宛城，距离襄阳三百多里，一旦襄阳发生紧急情况，来不及救援。"于是移驻新野。

魏国宗室曹冏上奏说："古代的君王，一定要封同姓的诸侯，以此表明对亲族的亲近和睦；一定要封异姓的诸侯，以此表明对贤人的尊重。若一味专用亲族，政权就会逐渐走向衰弱；若一味偏任贤人，就会产生篡权的弊端。先圣深知这一道理，广求亲疏一并加以任用，所以能保住他的政权，且能经历很久的年代。现今魏国尊重贤才的措施虽然彰明，但提拔亲族的措施尚未完备，亲族中的人有的虽被任用，但没有委以重任，有的则弃而不用。臣私下思考这个问题，睡觉也不安稳，谨总述自己所见所闻，评说成败的原因。当年夏、商、周三代都传位数十代，而秦朝仅仅两代人就灭亡了，为什么呢？夏、商、周三代的君主与天下诸侯共同统治民众，所

同其忧；秦王独制其民，故倾危而莫救也。秦观周之敝，以为小弱见夺，于是废五等之爵㉘，立郡县之官，内无宗子㉙以自毗辅㉚，外无诸侯以为藩卫，譬犹芟刈㉛股肱㉜，独任胸腹，观者为之寒心，而始皇晏然自以为子孙帝王万世之业也，岂不悖哉！故汉祖奋㉝三尺之剑，驱乌合[16]之众，五年之中，遂成帝业。何则？伐深根者难为功，摧枯朽者易为力，理势然也。汉监秦之失，封殖子弟。及诸吕擅权，图危刘氏，而天下所以不倾动者，徒以诸侯强大，盘石胶固㉞故[17]也。然高祖封建，地过古制，故贾谊以为㉟欲天下之治安，莫若众建诸侯而少其力，文帝不从。至于孝景，猥㊱用晁错之计㊲，削黜诸侯，遂有七国之患。盖兆发高帝，衅㊳钟㊴文、景，由宽之过制，急之不渐故也。所谓㊵'末大必折㊶，尾大难掉㊷'，尾同于体，犹或不从，况乎非体之尾，其可掉哉！武帝从主父㊸之策，下推恩之令，自是之后，遂以陵夷，子孙微弱，衣食租税，不预政事。至于哀、平，王氏秉权，假周公之事㊹而为田常㊺之乱，宗室王[18]侯，或乃为之符命㊻，颂莽恩德，岂不哀哉！由斯言之，非宗子独忠孝于惠、文之间而叛逆于哀、平之际也，徒权轻势弱，不能有定耳。赖光武皇帝挺不世之姿，擒王莽于已成，绍汉嗣于既绝，斯岂非宗子之力也！而曾不监秦之失策，袭周之旧制，至于桓、灵，阉宦用事，君孤立于上，臣弄权于下，由是天下鼎沸，奸宄㊼并争，宗庙焚为灰烬，宫室变为榛薮㊽。

"太祖皇帝龙飞凤翔，扫除凶逆。大魏之兴，于今二十有四年矣，观五代㊾之存亡而不用其长策，睹前车之倾覆而不改于辙迹。子弟王空虚之地㊿，君有不使之民(281)；宗室窜于闾阎，不闻邦国之政，权均匹夫，势齐凡庶。内无深根不拔之固，外无盘石宗盟(282)之助，非所以安社稷，为万世之业也。且今之州牧、郡守，古之方伯、诸侯，皆跨有千里之土，兼军武之任，或比国数人，或兄弟并据。而宗室子弟曾无一人间厕(283)其间，与相维制，非所以强干弱枝，备万一之虞(284)也。今之用贤，或超为名都之主，或为偏师之帅。而宗室有文者必限小县之宰，有武

以天下诸侯与君主一起分担忧愁；秦王一人统治他的百姓，所以倾覆危亡而无人来挽救。秦朝认识到周朝的弊病，认为弱小诸侯终会被强大诸侯吞并，因此废除了五等爵位制，设立郡县官长，在朝内没有宗室辅助天子，在朝外没有诸侯作为护卫，这好比砍掉自己的四肢，只用胸腹，旁观的人都感到寒心，但秦始皇却安然得意，自以为可以把帝位传给子孙万代，岂不是荒谬！所以汉高祖挥动三尺之剑，驱驰乌合之众，五年的时间，便成就帝业。为什么呢？挖断根深的大树难以成功，而摧枯拉朽就不费力气，这是事理和形势形成的。汉代以秦代的失误为鉴戒，分立子弟为诸侯。到吕氏家族专权时，图谋危害刘氏王朝，但刘家天下并未因此而倾覆动摇，只因为诸侯强大，如同磐石一样坚固的缘故。但汉高祖分封的诸侯，其国土超过了古代的制度，所以贾谊认为要想使天下长治久安，没有比多封诸侯而削弱他们的力量更好的办法，可是汉文帝不听从。到汉景帝时，轻信晁错的主意，削黜诸侯，于是造成七国之乱。这场祸乱的苗头出现在汉高祖时，而矛盾集中在文、景之时，其原因就在于最初制度过宽，后来又削夺过急。所谓‘树梢粗大树干必定折断，尾巴大了难摆动’，若尾巴与身体一样粗大，尚且不听使唤，何况不属于自己的尾巴，岂能摆动它！汉武帝听从主父偃的策略，实行‘推恩令’，自此之后，诸侯国终于衰败，他们的子孙越来越微弱，只靠封地的租税生活，不再参与政事。到了汉哀帝、平帝时代，王氏把持了大权，假借周公辅成王之名而行田常篡齐之事，而宗室王侯中，有人竟然替王莽编造符命歌功颂德，岂不可悲！如此说来，并不是宗室子弟只在惠帝、文帝时代尽忠尽孝，而到了哀帝、平帝时代就叛逆作乱，只是因为权轻势弱，没有定力罢了。幸赖光武皇帝以稀世的才能，在王莽篡国已成之时将他擒获，在汉代统绪已经断绝之时又继承下来，这难道不是靠宗室的力量吗？但此后未曾以秦朝的失策为鉴戒，采用周代的旧制，到了汉桓帝、灵帝时，宦官把持大权，天子被孤立在上边，大臣在下边弄权，因此造成天下大乱，奸邪之人一起争斗，皇家宗庙焚为灰烬，宫室变成了草木丛生之地。

“魏太祖龙飞凤舞而起，扫除了凶逆。大魏的兴起，到现在已经二十四年了，考察夏、商、周、秦、汉五代的存亡却不采用他们的善策，看到前车的倾覆却不改车迹。宗室子弟被封在空虚之地，君王有不能支使的民众；宗室流落在民间，不能参与国家的政治；权力与匹夫相同，势力与庶民相当。君王内部没有根深蒂固的基础，外部没有如磐石一样的宗族同盟的帮助，这不是安定国家，建万世之业的好策略。况且如今的州牧和郡守，就是古代的一方大吏或强大诸侯，都跨有千里的土地，并且兼任武职，有的一家之中有好几人担任州郡的长官，有的是兄弟并肩任职。但宗室子弟却不曾有一人侧身其中，和他们相互牵制，这不是强干弱枝、以防备万一事变的举措。现今任用贤才，有的越级成为名城的长官，有的成为偏师的主帅。而宗室中有文才的人非要限定只能当小县的县长，有武略的人只能当个百夫长，

者必置[19]百人之上[285]，非所以劝进贤能、褒异宗室之礼也。语曰：'百足[286]之虫，至死不僵[287]。'以其扶之者众也。此言虽小，可以譬大。是以圣王安不忘危，存不忘亡，故天下有变而无倾危之患矣。"冏冀以此论感悟曹爽，爽不能用。

【段旨】

以上为第九段，写魏国宗室曹冏上奏，要求辅政的曹爽封宗室，加重皇族亲戚的权力以辅翼魏朝，曹爽没有听从。

【注释】

[240]元服：冠；帽子。[241]既：日食尽；日全食。[242]谍人：间谍人员。[243]舒：县名，县治在今安徽庐江县西南。当时在魏、吴交界处，成为空旷之地。[244]柴桑：县名，县治在今江西九江市西南。[245]彰灼：明白显著。[246]严：整装。[247]未举动：谓军队整装还未出动。[248]扬豫：《三国志·魏书·王昶传》作"荆、豫"。[249]新野：县名，县治在今河南新野。[250]曹冏：字符首，少帝曹芳之族祖，作《六代论》，欲感悟曹爽，曹爽不能采纳，曾为弘农太守。事见《昭明文选》李善注引《魏氏春秋》。[251]亲亲：和睦亲族。[252]贤贤：尊重贤才。[253]劫夺：谓劫夺君权。[254]尊尊之法：即尊重贤才之法。[255]惟：思虑。[256]撰合：犹撮合、总结。[257]与天下共其民：谓封建诸侯，天子与诸侯共治其民。如此，天子与诸侯利益一致，患难同忧。[258]五等之爵：公、侯、伯、子、男五等爵位。[259]宗子：指皇室成员。《诗经·大雅·生民·板》："宗子维城，无俾城坏。"此宗子为王之嫡子。[260]毗辅：辅助。[261]芟刈：割除。[262]股肱：大腿和胳膊。[263]奋：奋举。[264]胶固：坚固。[265]贾谊以为：贾谊之说见其所上《治安策》，载《汉书·贾谊传》。[266]猥：苟且。[267]晁错之计：汉景帝时晁错为御史大夫，建议逐步削夺诸侯封地，以巩固中央集权，得到汉景帝的采纳，吴楚七国遂借诛晁错为名起兵反叛。事见《汉书·晁错传》。[268]衅：衅隙；矛盾。[269]钟：

【原文】

五年（甲子，公元二四四年）

春，正月，吴主以上大将军陆逊为丞相，其州牧[288]、都护[289]、领武昌事如故。

这不是用来鼓励贤能、褒奖宗室的制度。俗话说：‘百足之虫，至死不僵。’这是因为扶助它的腿脚众多的缘故。这话所说的事情微小，但可用来比喻国家大事。因此圣明的君王安不忘危，存不忘亡，所以天下虽有变乱但并无倾覆危亡之祸。”曹冏希望用这一论说感悟曹爽，但曹爽没有采纳。

聚集。㉗⓪所谓：所谓之语为《左传》昭公十一年申无宇对楚灵王之言。㉗①末大必折：谓树梢大于树干，遇风必折断。末，树梢。㉗②尾大难掉：谓牛马之尾太大就难以摆动。掉，摆动。㉗③主父：主父偃。汉武帝时为中大夫，建议削弱诸侯势力，使诸侯王推恩分其地与诸子为侯。汉武帝采纳后下“推恩令”，从此王国封地逐渐缩小，名存实亡。事见《汉书·主父偃传》。㉗④假周公之事：王莽借周公辅佐成王之名而篡汉。㉗⑤田常：即田成子，春秋时齐国大臣，于公元前四八一年杀死齐简公，拥立齐平公，自任齐相，遂专齐政。事见《史记·齐世家》。㉗⑥符命：古代文体之一种，即述说祥瑞征兆为帝王歌功颂德的文章。㉗⑦奸宄：为非作歹的人。㉗⑧榛薮：草木丛生之地。㉗⑨五代：指夏、商、周、秦、汉五代。㉘⓪空虚之地：谓只有封国之名，而无王侯的实权。㉘①不使之民：不能使唤的民众。㉘②宗盟：谓同姓诸侯盟会。㉘③厕：通“侧”，置。㉘④虞：忧患。㉘⑤百人之上：指百夫长，军队下层小官。㉘⑥百足：虫名，又名马陆，马蚿。长一寸左右，体如圆管，有很多环节和腿足，切断后仍能蠕动不倒。㉘⑦僵：倒。

【校记】

［16］合：据章钰校，甲十六行本、乙十一行本、孔天胤本皆作“集”。［17］故：原无此字。据章钰校，甲十六行本、乙十一行本、孔天胤本皆有此字，张敦仁《通鉴刊本识误》同，今据补。［18］王：原作“诸”。据章钰校，甲十六行本、乙十一行本、孔天胤本皆作“王”，张敦仁《通鉴刊本识误》同，今据改。［19］置：据章钰校，甲十六行本、乙十一行本皆作“致”。

【语译】

五年（甲子，公元二四四年）

春，正月，吴主任命上大将军陆逊为丞相，他担任的荆州刺史、右都护及兼任武昌长官等职务仍照旧不变。

征西将军、都督雍、凉诸军事夏侯玄，大将军爽之姑子也。玄辟李胜为长史，胜及尚书邓飏欲令爽立威名于天下，劝使伐蜀，太傅懿止之，不能得。

三月，爽西至长安，发卒十余万人，与玄自骆口㉚[20]入汉中。

汉中守兵不满三万，诸将皆恐，欲守城不出，以待涪兵㉛。王平曰："汉中去涪垂㉜千里，贼若得关㉝，便为深祸。今宜先遣刘护军㉞据兴势㉟，平为后拒。若贼分向黄金㊱，平帅千人下自临之，比尔间㊲涪军亦至，此计之上也。"诸将皆疑，惟护军刘敏与平意同，遂帅所领据兴势，多张旗帜，弥亘㊳百余里。

闰月，汉主遣大将军费祎督诸军救汉中。将行，光禄大夫来敏㊴诣祎别，求共围棋。于时羽檄交至，人马擐甲，严驾已讫，祎与敏对戏，色无厌倦。敏曰："向㊵聊㊶观试君耳。君信可人㊷，必能辨㊸[21]贼者也。"

夏，四月丙辰朔，日有食之。

大将军爽兵距兴势不得进，关中及氐、羌转输不能供，牛马骡驴多死，民夷号泣道路，涪军及费祎兵继至。参军杨伟为爽陈形势，宜急还，不然，将败。邓飏、李胜与伟争于爽前。伟曰："飏、胜将败国家事，可斩也！"爽不悦。

太傅懿与夏侯玄书曰："《春秋》责大德重。昔武皇帝再入汉中，几至大败，君所知也。今兴势至险，蜀已先据，若进不获战，退见邀绝㊹，覆军必矣，将何以任其责！"玄惧，言于爽。五月，引军还。费祎进据三岭㊺以截爽。爽争险苦战，仅乃得过，失亡甚众，关中为之虚耗。

秋，八月，秦王询卒。

冬，十二月，安阳孝侯崔林卒。

是岁，汉大司马琬以病固让州职于大将军祎，汉主乃以祎为益州刺史，以侍中董允守尚书令，为祎之副。

时战[22]国㊻多事，公务烦猥㊼。祎为尚书令，识悟过人，每省读文书，举目暂视，已究其意旨，其速数倍于人，终亦不忘。常以朝

魏国征西将军、都督雍州、凉州诸军事夏侯玄，是大将军曹爽姑姑的儿子。夏侯玄征召李胜为长史，李胜和尚书邓飏想让曹爽在天下树立威名，于是鼓动曹爽伐蜀，太傅司马懿阻止，但没有成功。

三月，曹爽西到长安，发兵十余万人，与夏侯玄一起从骆口进入汉中。

汉中守兵不足三万，各位将领都十分恐惧，只想守城不出，以等待涪县的救兵。王平说："汉中距涪县将近一千里，贼军如果占领了关城，就会成为大祸。现在应该先派刘护军占据兴势山，我做他的后援。如果贼军分兵向黄金戍进发，我率一千人下山亲自去迎战，等到那时，涪县的援军也就赶到了，这是最好的策略。"各位将领都表示怀疑，只有护军刘敏和王平意见相同，于是率领自己的部队进驻兴势山，广竖旗帜，绵延一百多里。

闰三月，汉后主派大将军费祎统率各军救援汉中。临出发时，光禄大夫来敏前来为费祎送别，要求一同下盘围棋。此时加急文书接连送到，军人穿上铠甲，战马备好雕鞍，整装待发，费祎却与来敏对弈，脸上毫无厌倦之意。来敏说："前面只不过是试试你罢了。你确实是让人满意合适的人选，此去必定能打败贼军。"

夏，四月初一日丙辰，发生日食。

大将军曹爽的部众被兴势山阻隔不能前进，关中和氐族、羌族转运的军粮供应不上，牛马驴骡多被累死，汉人和氐人、羌人在路上哭泣，涪县的蜀军和费祎的救兵相继赶到。参军杨伟为曹爽分析形势，认为应该马上撤军，不然的话，将要失败。邓飏、李胜与杨伟在曹爽面前争论，杨伟说："邓飏、李胜将要败坏国家的大事，应该斩首！"曹爽听了很不高兴。

太傅司马懿给夏侯玄写信说："《春秋》认为，所负责任大则所受的恩德也重。当年武皇帝两次进入汉中，几乎大败，这是你所知道的。现在兴势山至为险要，蜀兵已抢先占守，如果我军前进蜀军不出来交战，退路又被截断，定会全军覆没，你将如何负这个责任！"夏侯玄很害怕，告诉了曹爽。五月，曹爽率军退还。费祎前进占领三岭拦截曹爽。曹爽争夺险要，经过苦战，仅仅能够通过，但散失死亡的士兵很多，关中地区因此被削弱。

秋，八月，魏国秦王曹询去世。

冬，十二月，魏国的安阳孝侯崔林去世。

这一年，蜀汉的大司马蒋琬因病坚持要把益州刺史的职务让给大将军费祎，汉后主于是任命费祎为益州刺史，任命侍中董允代理尚书令，作为费祎的副手。

此时国家正因战争陷入多事之秋，公务烦琐杂乱。费祎担任尚书令时，记忆力和理解力都超过常人，每次阅读文书，抬眼瞟一下，就已明白主要的意思，速度比别人快好多倍，而且始终不会忘记。每天常常从早饭到晚饭时处理政务，其间还接

哺[308]听事[309]，其间接纳宾客，饮食嬉戏，加之博弈[310]，每尽人之欢，事亦不废。及董允代祎，欲敩[311]祎之所行，旬日之中，事多愆滞[312]。允乃叹曰："人才力相远若此，非吾之所及也！"乃听事终日而犹有不暇焉。

【段旨】

以上为第十段，写曹爽伐蜀遭败绩。

【注释】

㉘⑧州牧：陆逊以前为荆州牧。㉘⑨都护：官名，统内外军事。吴置左、右都护，陆逊以前为右都护。㉙⓪骆口：即骆谷口。骆谷为秦岭的一条谷道，全长四百多里，北口在陕西周至西南，南口在洋县北，此处指北口。㉙①涪兵：自蒋琬驻屯涪县后，蜀汉之重兵即在涪县。㉙②垂：将近。㉙③关：指关城，又名张鲁城，亦即阳平关，在今陕西勉县西北白马城。㉙④刘护军：即刘敏，当时为左护军。㉙⑤兴势：山名，在今陕西洋县北。㉙⑥黄金：即黄金戍，在今陕西洋县东北。㉙⑦比尔间：等到那时。㉙⑧弥亘：连绵不断。㉙⑨来敏：字

【原文】

六年（乙丑，公元二四五年）

春，正月，以票骑将军赵俨为司空。

吴太子和与鲁王同宫，礼秩[313]如一，群臣多以为言。吴主乃命分宫别僚[314]，二子由是有隙。

卫将军全琮遣其子寄事鲁王，以书告丞相陆逊，逊报曰："子弟苟有才，不忧不用，不宜私出[315]以要荣利；若其不佳，终为取祸。且闻二宫势敌，必有彼此，此古人之厚忌也。"寄果阿附鲁王，轻为交构[316]。逊书与琮曰："卿不师日磾[317]而宿留[318]阿寄，终为足下家门[23]致祸矣。"琮既不纳[24]逊言，更以致隙。

鲁王曲意交结当时名士。偏将军朱绩以胆力称，王自至其廨[319]，就

待宾客，饮食游戏，加上下棋，能使每人尽欢，公事也没有荒废。等到董允代替费祎，想效法费祎的做法，只有十来天的时间，很多公事积压耽误。董允于是感叹说："人的才能相差如此之远，并非我所能赶得上的！"于是整日处理公务还觉得时间不够用。

敬达，义阳新野人，汉末入蜀，刘备得益州后，为典学校尉。后主刘禅时，因言语不慎，数次被贬削，后为执慎将军，意思是使他慎言。传见《三国志》卷四十二。㉚向：先前。㉛聊：只不过。㉜可人：让人满意的人。㉝辨：通"办"，战胜。㉞邀绝：阻截隔绝；切断。㉟三岭：指秦岭骆谷道中的三岭，即沉岭、衙岭、分水岭。㊱战国：谓国家常有战争。㊲烦猥：繁杂。㊳晡：申时，即下午三点至五点。㊴听事：处理政事。㊵博弈：玩六博，下围棋。㊶斅：学；效法。㊷愆滞：积压被耽误。

【校记】

［20］骆口：据章钰校，甲十六行本、乙十一行本皆作"骆谷"。［21］辨：据章钰校，甲十六行本、乙十一行本、孔天胤本皆作"办"。［22］战：严衍《通鉴补》改作"军"，当是。

【语译】

六年（乙丑，公元二四五年）

春，正月，魏国任命骠骑将军赵俨为司空。

吴国太子孙和与鲁王孙霸同住一处宫殿，礼仪等级相同，群臣对此多有议论。吴主于是命令二人分住二宫，也分别设立各自的官属，孙和与孙霸由此产生隔阂。

卫将军全琮派他儿子全寄侍奉鲁王孙霸，写信向丞相陆逊通告这件事。陆逊回信说："子弟如果有才能，不必担心不被任用，不宜出任私门幕职以求名利；如果他表现不好，最终会招灾惹祸。况且听说太子与鲁王已成敌对之势，你儿子不为此即为彼，这样做是古人最为忌讳的。"全寄果然依附鲁王，轻率地使鲁王与太子交相构陷。陆逊又写信对全琮说："你不学金日磾而包容庇护阿寄，最终会给你家门招祸的。"全琮不但不接受，反而因此产生矛盾。

鲁王孙霸用尽心机来结交当时的知名人士。偏将军朱绩以胆力著称，鲁王亲自

之坐，欲与结好。绩下地住立，辞而不当。绩，然之子也。

于是自侍御、宾客，造为二端，仇党疑贰，滋延大臣，举国中分。吴主闻之，假⑳以精学，禁断宾客往来。督军使者羊衜上疏曰："闻明诏省夺二宫备卫，抑绝宾客，使四方礼敬不复得通，远近悚然㉑，大小失望。或谓二宫不遵典式㉒，就如所嫌，犹宜[25]补察，密加斟酌，不使远近得容异言。臣惧积疑成谤，久将宣流。而西北二隅㉓，去国不远，将谓二宫有不顺之愆，不审陛下何以解之！"

吴主长女鲁班㉔适左护军全琮，少女小虎适骠骑将军朱据。全公主与太子母王夫人有隙，吴主欲立王夫人为后，公主阻之。恐太子立怨己，心不自安，数谮毁太子。吴主寝疾，遣太子祷于长沙桓王㉕庙。太子妃叔父张休居近庙，邀太子过所居。全公主使人觇视㉖，因言"太子不在庙中，专就妃家计议"；又言"王夫人见上寝疾，有喜色"。吴主由是发怒，夫人以忧死，太子宠益衰。

鲁王之党杨竺、全寄、吴安、孙奇等共谮毁太子，吴主惑焉。陆逊上疏谏曰："太子正统，宜有盘[26]石之固，鲁王藩臣，当使宠秩有差，彼此得所，上下获安。"书三四上，辞情危切㉗，又欲诣都，口陈嫡庶之义。吴主不悦。

太常顾谭，逊之甥也，亦上疏曰："臣闻有国有家者，必明嫡庶之端，异尊卑之礼，使高下有差，等级逾邈㉘。如此，则骨肉之恩全，觊觎㉙之望绝。昔贾谊陈治安之计㉚，论诸侯之势，以为势重虽亲，必有逆节之累㉛；势轻虽疏，必有保全之祚[27]。故淮南㉜亲弟，不终飨国㉝，失之于势重也；吴芮㉞疏臣，传祚长沙，得之于势轻也。昔汉文帝使慎夫人与皇后同席，袁盎退夫人之位，帝有怒色。及盎辨上下之义㉟，陈人彘㊱之戒，帝既悦怿㊲，夫人亦悟。今臣所陈，非有所偏，诚欲以安太子而便鲁王也。"由是鲁王与谭有隙。

芍陂之役㊳，谭弟承及张休皆有功，全琮子端、绪与之争功，谮承、休于吴主，吴主徙谭、承、休于交州，又追赐休死。

太子太傅吾粲㊴请使鲁王出镇夏口，出杨竺等不得令在京师；又数

到他的官署，凑近他坐下，想与他结交。朱绩从座位上下来站立在一旁，推辞不敢当。朱绩，是朱然的儿子。

于是太子与鲁王手下的侍从和宾客，分为两大派，各自结成敌对的党羽相互猜疑，蔓延到大臣中间，全国分为两大派。吴主得知此事，借口太子和鲁王要精心学习，禁止宾客来往。督军使者羊衜上疏说："臣得知英明的诏书命令削夺太子和鲁王二宫的警卫士兵，禁绝宾客，使得各地人士对太子和鲁王的敬意不再畅通，使远近的人们恐惧，老少都为之失望。有人说太子和鲁王不守规矩，就算是怀疑的那样，也应采取补救措施，严密斟酌，不应当让远近的人士有异常言论。臣担心积疑成谤，时间长了也一定会流传出去。而西边蜀国、北边魏国，距离我国不远，它们会认为太子与鲁王有不顺从的过错，不知陛下对此如何解释！"

吴主的长女孙鲁班嫁给左护军全琮，小女孙小虎嫁给骠骑将军朱据。全公主与太子的生母王夫人有矛盾，吴主打算将王夫人立为皇后，全公主竭力阻止。她又担心太子即位后忌恨自己，内心不能自安，屡次在吴主面前诋毁太子。吴主因病卧床，派太子到长沙桓王庙祈祷，太子妃的叔父张休家在桓王庙附近，于是邀太子到家做客。全公主派人偷偷察看，趁机对吴主说"太子不在庙里，专门到妃子家议事"；又说"王夫人看到皇上卧病，面有喜色"。吴主为此发怒，王夫人忧惧而死，对太子的宠爱日益减弱。

鲁王的党羽杨竺、全寄、吴安、孙奇等人共同诋毁太子，吴主受到迷惑。陆逊上疏劝谏说："太子是嫡系正统，应当有磐石之固的地位，鲁王是藩国臣子，宠爱和礼遇应当有所差别，使其各得其所，上下才能安定。"疏奏上了三四次，情辞切直，又打算亲往京都，当面口述关于嫡子、庶子的道理。吴主很不高兴。

太常顾谭，是陆逊的外甥，也上疏说："臣听说有国有家的人，必须明确嫡子与庶子的界限，尊卑的礼制要有不同，让高低有差别，等级要拉开距离。只有这样才能保全骨肉之间的恩情，断绝非分的希望。从前贾谊陈述《治安策》，讨论诸侯国的形势，他认为诸侯的权势如果太重，尽管血缘再亲，也一定会发生叛逆的忧患；权势较轻，关系虽然疏远，也一定能使封国保全。所以淮南王刘长虽是汉文帝的亲弟弟，也最终不能享有封国，这是失之于权势太重。长沙王吴芮是关系疏远的臣子，却能将长沙王位一代代地承传下去，这是得益于权势太轻。从前汉文帝让慎夫人与皇后坐在一张席子上，袁盎则将慎夫人的位置撤了下来，文帝面有怒色。等到袁盎辨明了上下尊卑的道理，陈述人彘的历史教训，文帝也就转怒为喜了，慎夫人也省悟了。如今臣的上奏，并非有所偏心，实在是想安稳太子之位而使鲁王也得到保全。"从此鲁王与顾谭有了矛盾。

芍陂之战，顾谭的弟弟顾承和张休都有功劳；全琮的儿子全端、全绪与顾承、张休争功，因此全端、全绪在吴主前诋毁顾承、张休，吴主就把顾谭、顾承、张休流放到交州，又半路追赐张休自杀。

太子太傅吾粲请求派鲁王出京镇守夏口，调出杨竺等人，不许他们在京师；又

以消息语陆逊。鲁王与杨竺共谮之。吴主怒，收粲下狱，诛。数遣中使责问陆逊，逊愤恚㊵而卒。其子抗㊶为建武校尉，代领逊众，送葬东还㊷。吴主以杨竺所白逊二十事问抗，抗事事条答，吴主意乃稍解。

【段旨】

以上为第十一段，写吴主孙权不听大臣劝谏，偏爱鲁王，嫡庶平礼，导致举国中分，渐成祸端。

【注释】

⑬礼秩：礼仪等级。⑭别僚：分别置官属。⑮私出：私自派出。⑯交构：相互构陷，指全寄为鲁王孙霸虚造事态与太子孙和互相构陷。⑰日磾：即西汉时的金日磾，本匈奴休屠王之子。昆邪王杀休屠王降汉后，日磾被没入宫养马，受到汉武帝的赏识，被任命为侍中、驸马都尉、光禄大夫。日磾之子为汉武帝弄儿，常在汉武帝左右。弄儿长大后，行为不检点，曾在殿下与宫女戏玩，日磾看见后，认为弄儿淫乱，便杀了弄儿。事见《汉书·金日磾传》。⑱宿留：包容庇护。⑲廨：官署。⑳假：假托；借口。㉑悚然：恐惧的样子。㉒典式：准则。㉓西北二隅：指蜀、魏二国。㉔鲁班：即全公主，与小虎皆步夫人所生。㉕长沙桓王：即孙策。孙权称帝后追谥孙策为长沙桓王，并立庙于建业。㉖觇视：偷偷察看。㉗辞情危切：谓上书之言辞切直而不讳。㉘逾邈：拉开距离。邈，遥远。㉙觊觎：非分的希望。㉚贾谊陈治安之计：指西汉文帝时贾谊上奏《治安策》，其中指出诸侯势力过大，如同大腿膨胀得像腰一样粗，身体无法动弹，这种情况叫尾大不掉。事见《汉书·贾谊传》。㉛累：忧患。㉜淮南：指汉高帝少子刘长。汉高帝时刘长封为淮南王，至汉文帝即位后，刘长以为自与文帝同为高帝子，最亲密，便傲慢放纵，不遵法制，甚至不用汉法，自作法令。当时薄太后、太子及诸大臣都畏惧他，后刘长又指使人谋反，并与闽越、匈奴联络，事情暴露后，被削王爵，流放蜀郡严道，途中自杀。事见《汉书·淮南厉王传》。㉝不终飨国：不能最终享有封国。㉞吴芮：秦末

【原文】

夏，六月，都乡穆侯赵俨卒。

秋，七月，吴将军马茂谋杀吴主及大臣以应魏，事泄，并党与皆族[28]诛。

多次将消息报告陆逊。鲁王和杨竺共同诋毁吾粲。吴主发怒，逮捕吾粲入狱，处死。多次派宫廷使者责问陆逊，陆逊愤懑而死。他儿子陆抗任建武校尉，代陆逊掌管陆逊的部众，送陆逊的灵柩东归故乡。吴主用杨竺所揭发陆逊的二十件事责问陆抗，陆抗事事逐条回答，吴主这才稍稍消了点儿气。

起兵反秦，项羽势盛时，立为衡山王。后吴芮追随刘邦，刘邦称帝后即封他为长沙王。后又以吴芮忠心，特著于令，其子孙皆累世相传为长沙王。事见《汉书·吴芮传》。㉟盎辨上下之义：袁盎对汉文帝说："臣闻尊卑有序则上下和，今陛下既已立后，慎夫人乃妾，妾主岂可以同坐哉！适所以失尊卑矣。且陛下幸之，即厚赐之。陛下所以为慎夫人，适所以祸之也。独不见'人彘'乎？"事见《汉书·爰盎传》。㊱人彘：指西汉吕太后残害戚夫人事件。汉高帝时宠爱戚夫人及其子赵王如意，至惠帝即位后，吕后遂毒死赵王如意，又囚戚夫人，并砍去其手脚，称为"人彘"。事见《汉书·外戚吕后传》。㊲怿：欢喜。㊳芍陂之役：指魏正始二年、吴赤乌四年（公元二四一年），孙权四路北伐。卫将军全琮略淮南，与魏将王凌、孙礼战于芍陂；威北将军诸葛恪攻六安，车骑将军朱然围樊，大将军诸葛瑾攻柤中。此役是孙权在位最后一次大举北伐，诸路皆无功而还。㊴吾粲：字孔休，吴郡乌程（今浙江湖州市吴兴区南）人，初为山阴令、会稽太守，后官至太子太傅。传见《三国志》卷五十七。㊵恚：怨恨。㊶抗：陆抗，字幼节，孙策之外孙。孙权时官至征北将军，孙晧即位后，为镇军大将军、都护等，后官至大司马。传见《三国志》卷五十八。㊷东还：陆逊卒于荆州，从荆州还吴安葬，故称东还。

【校记】

［23］家门：据章钰校，甲十六行本、乙十一行本、孔天胤本皆作"门户"。［24］纳：原作"答"。据章钰校，甲十六行本、乙十一行本、孔天胤本皆作"纳"，张瑛《通鉴校勘记》同，今据改。［25］宜：原作"且"。据章钰校，甲十六行本、乙十一行本、孔天胤本皆作"宜"，今据改。［26］盘：据章钰校，甲十六行本作"磐"，二字同。［27］祚：据章钰校，甲十六行本作"福"。

【语译】

夏，六月，魏国都乡穆侯赵俨去世。

秋，七月，吴国将军马茂谋划杀害吴主孙权和大臣，响应魏国，事情败露，马茂和他的同党都遭诛灭。

八月，以太常高柔为司空。

汉甘太后[343]殂。

吴主遣校尉陈勋将屯田及作士[344]三万人凿句容[345]中道，自小其[346]至云阳[347]西城，通会市[348]，作邸阁[349]。

冬，十一月，汉大司马琬卒。

十二月，汉费祎至汉中，行围守[350]。

汉尚书令董允卒，以尚书吕乂[351]为尚书令。

董允秉心公亮[352]，献可替否[353]，备尽忠益，汉主甚严惮之。宦人黄皓便僻佞慧[354]，汉主爱之。允上则正色规主，下则数责于皓。皓畏允，不敢为非，终允之世，皓位不过黄门丞[355]。

费祎以选曹郎汝南陈祗[356]代允为侍中。祗矜厉有威容，多技艺，挟智数，故祎以为贤，越次[357]而用之。祗与皓相表里，皓始预政，累迁至中常侍[358]，操弄威柄[359]，终以覆国。自陈祗有宠，而汉主追怨董允日深，谓为自轻[360]，由祗阿意迎合而皓浸润构间[361]故也。

【段旨】

以上为第十二段，写吴国大规模修建交通。蜀后主昏庸，宦官黄皓专权。

【注释】

㉝甘太后：甘太后为后主刘禅之母，据《三国志·蜀书·甘皇后传》，甘氏在荆州时已卒，葬于南郡，“章武二年（公元二二二年）追谥皇思夫人，迁葬于蜀”。此“甘太后”当作“吴太后”，《三国志》正谓吴太后卒于此年。㉞作士：即修建工程的士兵。㉟句容：县名，县治在今江苏句容。㊱小其：地名，在句容县。㊲云阳：县名，县治在今江苏丹阳。〖按〗陈勋所凿句容中道，即后来所称的破岗渎，为六朝时期的重要运河。㊳会市：商贸市场。㊴邸阁：囤积粮食、物资的仓库。㊵围守：魏延镇汉中时，派兵加强诸围的防御守卫能力，称为围守，即亭障哨所。㊶吕乂：字季阳，初为新都、绵竹令，又为巴西、汉中、广汉、蜀郡太守，最后为尚书、尚书令。传见《三国志》卷三十九。㊷公亮：公正光明。㊸献可替否：进献可行者，除去不可行者。㊹便僻佞慧：逢迎谄媚，奸诈机巧。㊺黄门丞：官名，黄门令之佐，以宦官担任，侍从皇帝。㊻陈祗：

八月，魏国任命太常高柔为司空。

蜀汉甘太后逝世。

吴主孙权派校尉陈勋率领屯田士兵和工程兵三万人开凿句容山路，从小其直通到云阳西城，连通商贸市场，修建储粮仓库。

冬，十一月，蜀汉大司马蒋琬去世。

十二月，蜀汉费祎到汉中，巡视亭障哨所。

蜀汉尚书令董允去世，任命尚书吕乂为尚书令。

董允心地公正光明，进献可行之计，摒除不可行之事，都极尽忠诚，蜀汉后主刘禅很敬畏他。宦官黄皓逢迎献媚，奸诈机巧，刘禅非常喜欢他。董允上对后主严肃规劝，下对黄皓多次责备。黄皓惧怕董允，不敢为非作歹，直到董允去世，黄皓的官位没超过黄门丞。

费祎任命选曹郎汝南人陈祗接替董允为侍中。陈祗为人庄严有威容，多才多艺，颇有智谋，所以费祎认为陈祗是贤才，越级提拔任用他。陈祗与黄皓内外勾结，黄皓开始干预政事，多次升迁直到中常侍，操弄权柄，终于使蜀国灭亡。从陈祗受宠以后，后主刘禅对董允追恨日益加深，认为董允轻视自己，这都是陈祗曲意迎合，黄皓从中挑拨离间造成的。

字奉宗，官至侍中、守尚书令。传见《三国志》卷三十九。㉟⑦越次：破格提升；超越等级晋职。㉟⑧中常侍：东汉以宦官为之，隶少府，掌侍奉天子左右，从入内宫，顾问应对。原秩千石，后增秩比二千石。㉟⑨操弄威柄：操弄权柄。㊱⓪自轻：谓董允轻视自己。㊱①浸润构间：渐进谗言，制造嫌隙。

【校记】

［28］族：原作“伏”。据章钰校，甲十六行本、乙十一行本、孔天胤本皆作“族”，今据改。〖按〗《三国志·吴书·吴主传》云：“秋七月，将军马茂等图逆，夷三族。”裴松之注引《吴历》亦云马茂等“皆族之”。

【研析】

本卷研析，评述两个问题，一是如何评价魏明帝，二是后期孙权昏聩，如何评价他的一生。

先说魏明帝曹叡。

明帝外御吴、蜀，内修政治，发展和巩固了北方的优势。明帝优礼已废君主汉

献帝。青龙二年（公元二三四年），故汉献帝山阳公薨，明帝素服举哀，遣特使持节典护丧事。又约法省禁，减轻肉刑，下诏主管部门修改法律，减少死罪的条目。

明帝不是完人，他生活奢侈，爱好华丽，大修宫殿，妨害农时，但明帝能宽待谏臣，不妄诛一人。因此，他的过失也能得到及时的改正。

明帝曹叡即位，时年二十三岁，是一个涉世不深的青年。他的两位对手，一是蜀相诸葛亮，四十一岁；二是吴主孙权，四十岁。诸葛亮和孙权，起于乱世，身经百战，而且又是三国时期最顶尖的政治家，又是曹叡的前辈，阅历丰富，他们联手攻魏，携手北进，给了魏明帝很大的压力。由于曹叡把握住了魏国的优势，坚持了“防御拒敌，西守东攻”的正确战略，加上个人的英明果决，挫败了吴蜀的进攻，说他是一代明主，一点也不过分。

再看孙权后期的昏聩糊涂，如何评价他的一生。

孙权后期和他的前期相比，判若两人，可以说历史上有两个孙权。孙权于公元二〇〇年承父兄之业，至公元二五二年病逝，在位五十三年，在中国历史上是历位长久的君主之一。公元二二九年孙权称帝，孙权的前期与后期，大体以此年为分界，称帝前积极进取，志在靖难一统中国，称帝后志意已满，立足于偏安自保，日渐昏聩，吴国就开始逐渐走下坡。本卷记载的吕壹事件与鲁王争太子事件，以及上卷孙权封王公孙渊事件，是晚年昏聩的典型事件。

孙权即位，好大喜功，封王公孙渊就是这一心理的反映。吕壹事件，是孙权宠信奸佞，猜疑心理的反映。孙权即位后，设立校事、察战两个职位，用来监视文武百官。吕壹为中书校事时，滥相纠举，使“无罪无辜，横受大刑”，而孙权却十分宠信他。丞相顾雍无故被举罪，遭到软禁；江夏太守刁嘉被诬陷，几乎受诛。太子孙登屡次劝谏，孙权不听。大将军陆逊见吕壹“窃弄权柄，擅作威福”，无人可禁止，与太常潘濬“同心忧之，言至流涕”（《陆逊传》）。骠骑将军步骘多次上书，揭露吕壹罪行，希望孙权改变“虽有大臣，复不信任”的状况，信用顾雍、陆逊、潘濬等忠贞股肱之臣（《步骘传》）。而孙权置若罔闻。潘濬见孙权如此不听忠言，意想借宴会袭杀吕壹。孙权宠信奸人吕壹的程度，致使东吴群臣无法忍受。后来吕壹虽因陷害左将军朱据，事情败露被杀，但校事之官仍然不废。

吕壹被处死后，孙权也引咎自责，承认过失，还派中书郎袁礼去向大臣们征求对时政的意见，但大臣们不再畅所欲言了。诸葛瑾、步骘、朱然、吕岱推说不掌民事，缄口不言。而陆逊、潘濬“怀执危怖，有不自安之心”，也不愿说什么。孙权得知，下诏责备他们，替自己辩护。孙权后期的刚愎自用和日益发展的猜忌心，使东吴前期那种君臣和睦、上下同心的局面一去不复返了。

孙权宠鲁王孙霸，废立太子，造成举国中分。公元二二一年，孙权为吴王，即立长子孙登为王太子。称帝后，又以登为皇太子。孙登不幸于赤乌五年（公元

二四二年）夭亡。其时次子孙虑早亡，便立第三子孙和为皇太子，以第四子孙霸为鲁王。孙权偏宠鲁王，使他与太子同居一宫，享受同等礼遇。后因大臣上言，“以为太子、国王上下有序，礼秩宜异”(《孙和传》裴注引殷基《通语》)。于是，孙权使二子分宫，各置僚属。

孙霸觊觎太子之位，便拉帮结党，发展势力。骠骑将军步骘、镇南将军吕岱、大司马全琮、左将军吕据、中书令孙弘等阴附鲁王，谮毁太子。丞相陆逊、大将军诸葛恪、太常顾谭、骠骑将军朱据、会稽太守滕胤、大都督施绩、尚书丁密等奉礼而行，尊事太子。中朝外朝官僚将军大臣举国中分，形成拥嫡和拥庶两派。孙霸谋夺太子位的野心日益暴露，陆逊、顾谭及太子太傅吾粲等拥嫡派数陈嫡庶之义，理不可夺。而孙权听信拥庶派全寄、杨竺的谗言，流放顾谭，诛杀吾粲。

庆父不死，鲁难未已。太子之事伴随孙权整个后期政治。由于太子之事愈演愈烈，孙权看到“子弟不睦，臣子分部，将有袁氏之败”，十分担心。赤乌九年（公元二四六年)，他不分是非曲直，幽闭太子孙和。拥嫡派朱据、屈晃、陈正、陈象等人上书固谏不止，孙权大怒，“族诛正、象、据，晃牵入殿，杖一百”(《孙和传》)。陆逊上书陈述嫡庶之分，孙权也派宦官去指责，致使陆逊忧愤成疾而死。赤乌十三年，孙权废除太子孙和，群臣纷纷劝谏。孙权又诛杀或流放进谏的朝臣大将数十人，“众咸冤之”。同时，他又下令孙霸自杀，并且以结党诬陷孙和的罪名，诛杀了拥庶的全寄、吴安、孙奇、杨竺等人。这一事件，使得吴国一大批文臣武将先后遭到贬官、流放或诛杀。从此，国势衰微，一蹶不振。

废除孙和后，孙权立少子孙亮为太子。不到两年，孙权就患病死了，孙亮即位，年仅十岁。

回头看，前期的孙权，毫无疑问是三国时期屈指可数的英杰人物之一。孙权十九岁就继承父兄之业，在艰难环境中成长为一名卓越而老练的政治家、杰出而能干的外交谋略家，在内政、外交、军事、经济各个方面都有卓越的建树，不仅是三国时期第一流的政治家，而且在中国历史发展的长河中，也是屈指可数有作为的帝王之一。推进三国鼎立，孙权是至关重要的人物，起了主要作用。孙权聪明仁智，冠盖当世；举贤任能，胜于曹刘；雄略征伐，稍逊魏武；立国江南，功著千秋。汉末群雄纷争，只有曹操、刘备、孙权三人建成了功业，说明他们三人都是那个时代的一流英雄。如将三人作比较，恰如他们建国的区域大小一样，孙权应是居于第二位的人物，他的功绩逊于曹操，大于刘备。

但是，思想界历来认为孙权是一个“保江东，观成败”，满足于“限江自保”的偏安之主，是一个次等的英雄，这是不符合历史实际的。三国鼎立，南北对峙的主线是魏吴而不是魏蜀。旧时史家，以及《三国演义》历史小说，受正统思想局限，突出魏蜀对峙，把吴国放在配角地位，把孙权放在刘备之后，这个案应按历史本来

面目把它翻过来。孙权之所以不能统一天下，并非“保江东，观成败”，而是“保江东，图王业”，但未达目的，诸葛亮就说，孙权不是一个“志望已满”“利在鼎足”的人，而是“智力不侔，故限江自保”。又说：“权之不能越江，犹魏贼之不能渡汉，非力有余而利不取也。”诸葛亮的分析是很有道理的，下面再作具体阐述。孙权不能统一天下，举其大端，有以下六个方面的原因。第一，孙权所处天时、地利、人和均为劣势，不足以灭蜀并魏。第二，东吴名将过早凋零。东吴开国的文臣武将，约四十人全部在孙权生前早早谢世。周瑜、鲁肃、吕蒙三位大将，文武兼备，他们制定了东吴政权的立国方针，偏偏最早辞世。东吴十二员虎将程普、黄盖、韩当、蒋钦、周泰、陈武、董袭、甘宁、凌统、徐盛、潘璋、丁奉，有十人凋落在孙权称帝之前。孙策的突然早夭，几乎使孙氏集团瓦解。孙权的大批谋臣骁将的过早谢世，使得东吴争雄天下的实力大大衰落。第三，争夺荆州，吴虽得实利，但也削弱了同盟，增强了曹魏，从逐鹿中原角度看，可以说是战略失策。第四，孙权短于临阵突敌，战功不著，直接影响他争天下的进程。第五，孙权称帝骄逸，晚年昏聩。孙权称帝后，从明智走向昏聩，甚至暴虐。孙权称帝前建都武昌，是一种前进的姿态；称帝后建都建业，实际意味着限江自保。晚年的孙权更是忠奸不分，逼死陆逊，杀害吾粲、朱据等股肱大臣，使吴国政治出现了空前的危机，朝臣人人自危，边将外叛，种下了亡国之祸，何谈统一。第六，曹魏重点防吴，孙权无隙可乘，不能建立奇功。魏文帝曹丕三次大举伐吴，两次临江，虽无功而还，其战略计划先吴后蜀，十分明显。公元二三四年，吴蜀联合北伐，魏明帝西守东进，他亲自出征孙权，孙权闻风而退。在曹魏严密设防下，无论孙权，还是陆逊，出师皆无功，更不用说其他诸将。

综上所述，孙权不能统一天下，因受历史条件局限，有着多种原因，并非志存偏安。曹操、刘备、孙权都没能完成统一大业，而是各自创立了鼎足三分的国家。三国时期的开国之主，功业如此，评价人物要按实际的功业做比较，不能苛之于彼，宽之于此，按功业的实际比较，三国的一流英雄，一曹操、二孙权、三刘备，三人并列及其顺序，是不可移易的。

卷第七十五　魏纪七

起柔兆摄提格（丙寅，公元二四六年），尽玄黓涒滩（壬申，公元二五二年），凡七年。

【题解】

本卷写了魏邵陵厉公正始七年（公元二四六年）至嘉平四年（公元二五二年）共七年间的魏、蜀、吴等三国的大事。主要写了魏将毌丘俭平定高句丽叛乱。写了费祎、蒋琬之治蜀不及诸葛亮，与蜀后主之耽于游乐。写了魏国权臣曹爽之把持朝政，志满才疏，与司马懿之装病韬晦，蓄谋待时。写了曹爽、曹羲等人陪皇帝出都城谒陵，司马懿闭城门发动政变，桓范劝曹爽拥皇帝据许昌以讨司马氏，曹爽不听，遂使司马懿轻易地诛灭曹党，置皇帝于掌握之中。写了征东将军王凌与令狐愚等图谋废掉曹芳、拥立楚王曹彪，结果因部下告密，王凌被司马懿所杀害。写了司马懿病死，其子司马师继续掌握魏国政权。写了魏国诸将议论伐吴，傅嘏进言，司马师不听，结果三路出击，被吴将大破于淮南的情景。写了蜀将姜维进攻魏国雍州不胜而还。写了吴主孙权废掉太子孙和，改立幼子孙亮，以诸葛恪、孙峻为顾命大臣，以及孙权死后诸葛恪辅幼主、执吴政的若干表现。

【原文】

邵陵厉公中

正始七年（丙寅，公元二四六年）

春，二月，吴车骑将军朱然寇柤中①，杀略②数千人而去。

幽州③刺史毌丘俭④以高句骊王位宫⑤数为侵叛，督诸军讨之。位宫败走，俭遂屠丸都⑥，斩获首虏以千数。句骊之臣得来数谏位宫，位宫不从，得来叹曰："立见此地将生蓬蒿。"遂不食而死。俭令诸军不坏其墓，不伐其树，得其妻子，皆放遣之。位宫单将妻子逃窜，俭引军还。未几，复击之，位宫遂奔买沟⑦。俭遣玄菟⑧太守王颀追之，过沃沮⑨千有余里，至肃慎氏⑩南界，刻石纪功而还，所诛纳⑪八千余口。论功受赏，侯者百余人。

【语译】

邵陵厉公中

正始七年（丙寅，公元二四六年）

春季，二月，东吴车骑将军朱然率领吴军进犯魏国的柤中，斩杀与俘虏了魏国几千人而后退去。

魏国幽州刺史毌丘俭因为高句丽国王位宫屡次侵扰和背叛魏国，于是就率领诸军征讨高句丽。高句丽王位宫兵败逃走，于是毌丘俭进入高句丽的都城丸都，对高句丽人进行了一场大屠杀，杀死和俘获的高句丽人将近一千。高句丽一位名叫得来的大臣曾经屡次劝说高句丽王位宫，但位宫就是不肯听从得来的意见，得来叹息着说："我马上就要看到这个地方长满蓬蒿了。"于是绝食而死。毌丘俭进入高句丽的都城后，下令军队不许破坏得来的坟墓，不许砍伐得来墓地上的树木，得来的妻儿虽然都被捕获，但毌丘俭立即下令释放他们回家。位宫独自一人带着他的妻儿仓皇逃窜了，毌丘俭于是率领魏军凯旋。过了不久，毌丘俭再次出兵攻打高句丽，位宫这次逃到了买沟。毌丘俭派遣玄菟太守王颀率军前去追杀位宫，王颀率领军队越过沃沮一千多里，到达肃慎国的南部边界，在那里把战功镌刻在岩石上而后班师，所诛杀与纳降的敌人总计八千多人。魏国论功行赏，被封为侯爵的多达一百多人。

秋，九月，吴主以骠骑将军步骘⑫为丞相，车骑将军朱然⑬为左大司马⑭，卫将军全琮⑮为右大司马。分荆州⑯为二部：以镇南将军吕岱⑰为上大将军，督右部，自武昌⑱以西至蒲圻⑲；以威北将军诸葛恪为大将军，督左部，代陆逊镇武昌。

汉大赦。大司农⑳河南孟光㉑于众中责费祎㉒曰："夫赦者，偏枯㉓之物，非明世所宜有也。衰敝穷极，必不得已，然后乃可权㉔而行之耳。今主上仁贤，百僚称职，何有旦夕之急而数施非常之恩，以惠奸宄之恶㉕乎！"祎但顾谢踧踖㉖而已。

初，丞相亮时，有言公㉗惜赦㉘者，亮答曰："治世以大德，不以小惠，故匡衡、吴汉不愿为赦㉙。先帝㉚亦言：'吾周旋陈元方、郑康成间㉛，每见启告治乱之道悉矣，曾不语赦也。若刘景升㉜、季玉㉝父子，岁岁赦宥，何益于治！'"由是蜀人称亮之贤，知祎不及焉。

陈寿㉞评曰："诸葛亮为政，军旅数兴而赦不妄下，不亦卓乎？"

吴人不便大钱㉟，乃罢之。

汉主以凉州刺史姜维为卫将军㊱，与大将军费祎并录尚书事㊲。汶山平康夷㊳反，维讨平之。

汉主数出游观，增广声乐。太子家令㊴巴西谯周上疏谏曰："昔王莽之败，豪桀并起，以争神器㊵。才智之士思望所归，未必以其势之广狭，惟其德之厚薄[1]也。于时更始㊶、公孙述㊷等多已广大，然莫不快情恣欲，怠于为善。世祖㊸初入河北，冯异㊹等劝之曰：'当行人所不能为者。'遂务理冤狱，崇节俭，北州歌叹㊺，声布四远。于是邓禹㊻自南阳㊼追㊽之，吴汉、寇恂㊾素未之识，举兵助之。其余望风慕

秋季，九月，吴主孙权任命骠骑将军步骘为丞相，任命车骑将军朱然为左大司马，任命卫将军全琮为右大司马。将荆州划分为东西两部分：任命镇南将军吕岱为上大将军，统领右部地区，统辖范围从武昌往西一直到达蒲圻；任命威北将军诸葛恪为大将军，督率左部，代替陆逊镇守武昌。

蜀汉颁布大赦令。担任大司农的河南人孟光在大庭广众之下责备大将军费祎说："大赦，本身就是一件不公正的事情，就好比是一棵树，一边繁茂一边枯萎，这不是圣明之世所应该施行的。大赦必须是国力衰微、国家政权已经到了无法维持的情况下，迫不得已才采用的权宜之计而已。如今主上仁慈贤明，左右的辅弼大臣全都恪尽职守，有什么紧急情况旦夕之间就要发生而需要国家屡次地施与非常之恩典，而使作恶多端的坏人得到好处呢！"费祎只是表示出一些歉意与惶恐不安而已，但公布的命令照行。

当初，诸葛亮担任丞相的时候，有人指责他不愿意实行大赦，诸葛亮回答说："治理国家靠的是大恩大德，而不是小恩小惠，所以西汉的匡衡、东汉的吴汉都反对施行大赦。先帝也说过：'我在与陈元方、郑康成打交道的时候，他们告诉我很多国家治乱的道理，却从来没有听到他们谈论过大赦的事情。像刘表和他的儿子刘琮，年年赦免宽恕罪犯，而对治理国家、稳定社会秩序又起了什么作用呢！'"因为这个缘故，蜀国的百姓都称赞诸葛亮贤明，而知道费祎与诸葛亮比起来就相差得太远了。

陈寿评论说："诸葛亮执政时期，不断有军事行动，却从不随意赦免罪犯，他的见解难道不是很深远、卓越吗？"

东吴所颁行的大面额铜钱在现实生活中很不方便使用，于是停止使用大钱。

蜀汉后主刘禅任命凉州刺史姜维为卫将军，与大将军费祎共同管理朝廷机要大权。汶山郡平康地区的少数民族造反，姜维亲自率军前去讨伐，很快就平定了叛乱。

蜀汉后主多次离开皇宫四处游逛，又不断扩大轻歌曼舞的演员和乐队。担任太子家令的巴西人谯周上疏给后主，劝谏他说："过去王莽灭亡之后，四方豪杰蜂拥而起，争夺帝位。那些有才能、有智谋、有远见的人士都盼望能够有所归属，但他们所看重的人选并不是他的地盘有多大、势力有多强，而唯一看中的是他所施与百姓的恩德是厚是薄。在那个时候，更始皇帝刘玄、公孙述等人的势力大多都已经具有相当的规模，然而他们每个人都是恣情纵欲、行为放荡，而懒于将精力放在治理国家、施恩德于百姓方面。世祖刘秀刚刚进入黄河以北地区，冯异等人就建议世祖说：'应当做别人所不能做的事。'于是世祖便把昭雪冤狱、提倡节俭作为首要任务，因此北方的人民都歌颂、赞扬他，他的声威很快就传播到遥远的四面八方。于是邓禹从河南南阳跑来追随他，吴汉、寇恂与世祖素不相识，也发兵帮助世祖。此外还有

德，邳彤[50]、耿纯[51]、刘植[52]之徒，至于舆病赍棺，襁负而至[53]，不可胜数，故能以弱为强而成帝业。及在洛阳，尝欲小出[54]，铫期进谏，即时还车[55]。及颍川[56]盗起，寇恂请世祖身往临贼[57]，闻言即行。故非急务，欲小出不敢；至于急务，欲自安不为，帝者之欲善也[2]如此！故《传》[58]曰：'百姓不徒附[59]'，诚以德先之也。今汉遭厄运，天下三分，雄哲之士思望[60]之时也。臣愿陛下复行人所不能为者，以副人望[61]。且承事[62]宗庙，所以率民[63]尊上也；今四时之祀或有不临[64]，而池苑之观或有仍出[65]，臣之愚滞，私不自安。夫忧责在身者，不暇尽乐。先帝之志，堂构[66]未成，诚非尽乐之时。愿省减乐官、后宫，凡所增造，但奉修先帝所施[67]，下为子孙节俭之教。"汉主不听。

八年（丁卯，公元二四七年）

春，正月，吴全琮卒。

二月，日有食之。

时尚书[68]何晏[69]等朋附[70]曹爽，好变改法度。太尉[71]蒋济[72]上疏曰："昔大舜佐治，戒在比周[73]；周公辅政，慎[74]于其朋[75]。夫为国法度，惟命世大才[76]，乃能张其纲维[77]，以垂于后，岂中下之吏所宜改易哉！终无益于治，适足伤民。宜使文武之臣，各守其职，率以清平，则和气祥瑞[78]可感而致也。"

吴主诏徙[79]武昌宫[80]材瓦缮修建业宫。有司奏言："武昌宫已二十八岁，恐不堪用，宜下所在[81]，通更伐致[82]。"吴主曰："大禹以

因为想望他的风采、仰慕他的道德风范而来投奔的邳肜、耿纯、刘植之辈，甚至那些身患重病，躺在车上，带着棺材以及背着婴儿前来追随世祖的更是多得不可胜数，所以世祖的势力才能由弱转强，最后成就帝王之业。后来世祖在洛阳的时候，有一次想出去随便走走，铫期进行劝阻，世祖立即掉转车头而回。当颍川乱民起兵造反的时候，寇恂请世祖亲临前线讨贼，世祖听到请求后立刻动身前往。所以，如果不是面临特别紧急事务的情况下，即使出去随便走走也不敢；至于遇到紧急情况，想让他躲起来偷会儿安闲他也不肯答应，身为帝王想把国家治理好必须像世祖那样做！所以古代典籍上说：'百姓不会平白无故地归附谁'，确实需要先施予百姓恩德。如今汉朝遭逢厄运，天下被分裂成三部分，这正是英雄豪杰、聪明有识之士热切盼望天下统一的时候。我希望陛下也像世祖那样做别人所不能做的事情，以满足黎民百姓的愿望。再说，侍奉、祭祀宗庙，是引导人民尊敬君主，并为百姓做出榜样；如今，一年四季的祭祀大典，陛下有时都不去参加，却频频外出游赏池塘苑囿，我这人生性愚钝，私下里经常为此事而感到心里不安。忧国忧民、重任在身的人是没有工夫尽情享乐的。先帝复兴汉室的大业，就好像是建造房舍，刚刚打下一个基础，墙壁和屋顶还远未建成，现在确实还不是陛下尽情享乐的时候。希望陛下减少音乐官员以及后宫美女的数量，宫里增加建造的一切工程，只限于对先帝所延续、保留下来的宫殿的保护和维修，为子孙后代在勤俭节约方面做出榜样。"可惜后主根本听不进去。

八年（丁卯，公元二四七年）

春季，正月，东吴右大司马、卫将军全琮逝世。

二月，发生日食。

当时，魏国尚书何晏等人依附于大将军曹爽，喜好变更修改国家的法令和制度。太尉蒋济上书给魏帝曹芳说："古代的大舜在辅佐尧帝治理国家的时候，就特别戒备有些人的互相勾结、狼狈为奸；周公姬旦在辅佐周成王的时候，更是告诫成王要警惕有人结党营私、朋比为奸。作为国家的法律制度，只有世上那些具有卓绝才能的人，才可以创建国家的各种法度，并使之永垂后世，哪里是才能平庸、职务中下的普通官吏所应该修订改变的呢！让这样的人来修订国家的法律制度，最终不仅对治理国家毫无益处，恰恰足以给人民造成伤害。我认为，应该使文武大臣各负其责，恪尽职守，以清正公平为百姓作出表率，那时，祥和之气、吉祥之兆才能够受到感动而降临人世。"

吴主孙权下诏将武昌宫殿的木材、砖瓦拆下来运到建业修缮皇宫。有关部门的官员上疏说："武昌的宫殿已经建成二十八年了，恐怕有些材料已经不能使用，应该下令盛产木材的郡县，一律重新砍伐木材运送到京都。"吴主说："大禹认为宫室低矮简朴是一种美。如今军事行动仍然没有停止，处处都要向人民征收赋税，如果再要

卑宫为美。今军事未已，所在赋敛，若更通伐，妨损农桑。徙武昌材瓦，自可用也。”乃徙居南宫。三月，改作太初宫，令诸将及州郡皆义作[83]。

大将军爽用何晏、邓飏[84]、丁谧[85]之谋，迁太后于永宁宫[86]，专擅朝政，多树亲党，屡改制度。太傅懿不能禁，与爽有隙[87]。五月，懿始称疾，不与[88]政事。

吴丞相步骘卒。

帝[89]好亵近[90]群小，游宴后园。秋，七月，尚书何晏上言：“自今御幸式乾殿[91]及游豫后园，宜皆从大臣[92]，询谋政事，讲论经义，为万世法[93]。”冬，十二月，散骑常侍[94]、谏议大夫[95]孔乂上言：“今天下已平，陛下可绝后园习骑乘马[96]，出必御辇乘车，天下之福，臣子之愿也。”帝皆不听。

吴主大发众集建业，扬声欲入寇[97]。扬州刺史诸葛诞[98]使安丰太守王基[99]策[100]之，基曰：“今陆逊[101]等已死，孙权年老，内无贤嗣，中无谋主。权自出[102]则惧内衅卒起[103]，痈疽发溃[104]；遣将则旧将已尽，新将未信[105]。此不过欲补综支党[106]，还自保护耳。”已而吴果不出。

是岁，雍、凉羌胡[107]叛降汉，汉姜维将兵出陇右[108]以应之[109]，与雍州刺史郭淮[110]、讨蜀护军夏侯霸[111]战于洮西[112]。胡王白虎文、治无戴[113]等率部落降维，维徙之入蜀[114]。淮进击羌胡余党，皆平之。

九年（戊辰，公元二四八年）

春，二月，中书令[115]孙资[116]，癸巳[117]，中书监[118]刘放[119]，三月甲午[120]，司徒[121]卫臻[122]各逊位，以侯就第[123]，位特进[124]。

夏，四月，以司空[125]高柔[126]为司徒，光禄大夫[127]徐邈[128]为司空。邈叹曰：“三公论道[129]之官，无其人则缺，岂可以老病忝之[130]哉！”遂固辞不受。

重新砍伐木材运送到都城，必定会耽误农时，妨碍、损害人民种田养蚕。把武昌宫殿的木材砖瓦拆下来运到建业，就足够使用了。”于是暂时搬到南宫居住。三月，开始改建太初宫，命令诸位将领和各州各郡的官员都要义务出工参与修建。

魏国大将军曹爽听从了何晏、邓飏、丁谧的建议，将皇太后迁移到永宁宫居住，自己则完全把持了朝政，独断专行，他在朝中培植亲信、树立党羽，对国家的法律制度屡次进行更改。担任太傅的司马懿不能禁止曹爽的胡作非为，因此与曹爽之间产生了矛盾。五月，太傅司马懿开始假称有病，不再参与、过问朝中的事务。

东吴丞相步骘逝世。

魏国皇帝曹芳专好亲昵那些品行卑劣的小人物，在这些人的引诱之下经常到深宫后园游乐。秋季，七月，担任尚书的何晏上疏说："从今以后，如果陛下前往式乾殿或是御花园中游玩，都应该有大臣陪同，一方面可以回答陛下有关国家大事的垂询，一方面可以随时为陛下讲解儒家学派的经典，为后代作出典范。"冬季，十二月，担任散骑常侍、谏议大夫的孔乂上疏说："如今天下已经太平，陛下应该取消后宫原有的供皇帝骑乘的马匹，出宫时一定要乘坐辇车，这是天下人的福分，也是我们做臣子的愿望。"曹芳都听不进去。

吴主孙权征调大量民众集结到都城建业，对外扬言要前去讨伐魏国。魏国的扬州刺史诸葛诞让安丰郡太守王基对孙权的举动做出判断，王基分析说："如今东吴大将陆逊等人已经去世，孙权年纪已老，皇宫之内没有贤能的继承人，朝中又没有得力的智谋大臣。如果孙权亲自率军出征，他要担心内部突然发生变乱，政权瓦解；派遣将领率军攻打我国，则原来有名的老将已经死光了，新将领又没有取得军中上下的信任。孙权此举只不过是为了弥合国家内部各派力量之间的裂痕，保护自己罢了。"后来，东吴果然没有采取进一步的军事行动。

这一年，雍州、凉州的羌人、胡人部落背叛魏国投降了蜀汉，蜀汉卫将军姜维率领军队出陇右与叛魏降汉的雍、凉羌胡互相呼应，在洮水之西与曹魏的雍州刺史郭淮、讨蜀护军夏侯霸展开激战。胡人首领白虎文、治无戴等率领自己的部落向姜维投降，姜维把他们全部迁入蜀国，安置在新繁县。郭淮向其他羌人、胡人部落发动进攻，将叛乱全部平定。

九年（戊辰，公元二四八年）

春季，二月，在魏国担任中书令的孙资被免职，二月三十日癸巳，中书监刘放被免职，三月初一日甲午，司徒卫臻被免职，三人都以侯爵的身份回家静养，并享受"特进"的待遇。

夏季，四月，任命司空高柔为司徒，光禄大夫徐邈为司空。徐邈叹息着说："三公是在皇帝身边讲论治国大道的高官，如果没有合适的人选就应该暂时空缺，怎么能让我这个又老又病的人滥竽充数呢！"于是坚决推辞不肯接受任命。

五月，汉费祎出屯汉中⑬¹。自蒋琬及祎，虽身居于外，庆赏刑威[3]，皆遥先谘断⑬²，然后乃行。祎雅性谦素，当国功名⑬³，略与琬比。

秋，九月，以车骑将军⑬⁴王凌⑬⁵为司空。

涪陵夷⑬⁶反，汉车骑将军邓芝⑬⁷讨平之。

大将军爽骄奢无度，饮食衣服拟⑬⁸于乘舆⑬⁹，尚方⑭⁰珍玩充牣⑭¹其家，又私取先帝才人以为伎乐⑭²。作窟室⑭³，绮疏⑭⁴四周，数与其党何晏等纵酒其中。弟羲深以为忧，数涕泣谏止之，爽不听。爽兄弟数俱出游，司农沛国桓范⑭⁵谓曰："总万机⑭⁶，典禁兵⑭⁷，不宜并出，若有闭城门⑭⁸，谁复内入者⑭⁹？"爽曰："谁敢尔邪⑮⁰？"

初，清河、平原⑮¹争界，八年不能决。冀州⑮²刺史孙礼请天府所藏烈祖封平原时图⑮³以决之。爽信清河之诉⑮⁴，云图不可用。礼上疏自辨，辞颇刚切。爽大怒，劾礼怨望，结刑五岁⑮⁵。久之[4]复为并州⑮⁶刺史，往见太傅懿，有忿色而无言。懿曰："卿得并州少邪⑮⁷？恚理分界失分乎⑮⁸？"礼曰："何明公言之乖也⑮⁹！礼虽不德，岂以官位往事为意邪！本谓明公齐踪伊、吕⑯⁰，匡辅魏室，上报明帝之托，下建万世之勋。今社稷将危，天下凶凶⑯¹，此礼之所以不悦也。"因涕泣横流。懿曰："且止，忍不可忍⑯²！"

冬，河南尹李胜⑯³出为荆州刺史⑯⁴，过辞太傅懿⑯⁵。懿令两婢侍。持衣，衣落。指口言渴，婢进粥，懿不持杯而饮，粥皆流出沾胸。胜曰："众情⑯⁶谓明公旧风发动⑯⁷，何意尊体乃尔⑯⁸！"懿使声气才属⑯⁹，说："年老枕疾，死在旦夕。君当屈并州，并州近胡，好为之备。恐不

五月，蜀汉大将军费祎率领军队屯于汉中。从蒋琬开始一直到费祎，他们虽然身居朝廷之外，但每次朝中举行庆典、奖赏、惩处、诛戮等重大事情，后主刘禅都事先向在遥远地方的他们进行咨询，由他们做出决断，而后再施行。费祎平素为人谦逊质朴，在蜀国中的权力和声望，与蒋琬约略相等。

秋季，九月，魏国任命车骑将军王凌为司空。

蜀汉涪陵郡的少数民族造反，车骑将军邓芝率军前去讨伐，不久就平息了叛乱。

魏国大将军曹爽骄横奢侈，毫无节制，饮食的排场、穿戴的衣服与皇帝相比几乎没有什么区别，在他的家中充满了皇家府库中的各种珍宝、器物，又私下将当初老皇帝的歌儿舞女弄去充当自己家中的乐队。又建造了地下室，在四周的门窗上雕刻各种花纹，多次与党羽何晏等人在里面纵情饮酒玩乐。曹爽的弟弟曹羲对此深感忧虑，多次痛哭流涕地规谏他、劝阻他，曹爽就是不肯听从。曹爽弟兄们曾经多次全体一起出去巡游，担任司农的沛国人桓范提醒曹爽说："大将军执掌朝政一切大权，你的兄弟又主管守卫宫廷的武装，所以不应该同时外出，万一朝廷之内发生变故，有人关闭了城门，有谁来为你打开城门放你们入城呢？"曹爽说："谁敢这样做？"

当初，清河郡与平原郡因为边界问题而发生纠纷，八年都没有得到解决。担任冀州刺史的孙礼将收藏在宫廷府库中的、当年魏明帝曹叡被封为平原王时的疆域图，请出来作为依据以解决两郡的纠纷。曹爽支持清河郡王一方的言辞，认为这张疆域图不能用。孙礼上书力争，言辞刚直激切。曹爽为此而大怒，于是弹劾孙礼心怀怨望，判处他五年徒刑，但缓期执行。过了很久之后，孙礼又被任命为并州刺史，孙礼前去与太傅司马懿告辞，他满面怒容，却不说话。司马懿说："你现在被任命为并州刺史是嫌地盘小呢？还是生气曹爽在处理平原郡王与清河郡王争执的问题上不公平呢？"孙礼说："您说话怎么这样荒谬呢！我孙礼虽然品德不那么高尚，难道还会因为职位的高低和以前的事情而心存芥蒂吗！我原本认为明公您能够和商朝的伊尹、周朝的吕尚并驾齐驱，匡辅魏室，对上报答明帝的托孤之重，对下建立万世不朽的勋业。如今国家危在旦夕，人心惊惧不安，这才是我孙礼不高兴的原因啊。"说完不禁涕泪满面，呜咽不止。司马懿劝解他说："不要再伤心了，我们要忍耐别人所不能忍耐的事情！"

冬季，河南尹李胜被外放为荆州刺史，临行前到司马懿家中来向司马懿辞行。司马懿只留下两个婢女在旁边侍候。当李胜进入室内时，婢女拿衣服给司马懿，司马懿双手颤抖，连衣服也接不住，竟然使衣服滑落到地上。又指着自己的口说口渴，婢女给他递上一碗粥，司马懿似乎连碗也不知道接，就伸过嘴去喝，结果粥都洒在了司马懿的前胸上。李胜说："众人传说您的中风病又发作了，谁想到贵体竟病成了这个样子！"司马懿假装气喘吁吁、上气不接下气地说："我岁数大了又有病在身，看来死是早晚的事情了。这次委屈先生到并州去做刺史，并州靠近胡人，你到了那里，

复相见，以子师、昭[170]兄弟为托。”胜曰：“当还忝本州[171]，非并州。”懿乃错乱其辞曰：“君方到并州？”胜复曰：“当忝荆州。”懿曰：“年老意荒[172]，不解君言。今还为本州，盛德壮烈，好建功勋。”胜退，告爽曰：“司马公尸居余气[173]，形神已离[174]，不足虑矣。”他日，又向爽等垂泣曰：“太傅病不可复济，令人怆然。”故爽等不复设备。

何晏闻平原管辂[175]明于术数[176]，请与相见。十二月丙戌[177]，辂往诣晏，晏与之论《易》。时邓飏在坐，谓辂曰：“君自谓善《易》，而语初不及《易》中辞义[178]，何也？”辂曰：“夫善《易》者不言《易》也。”晏含笑赞之曰：“可谓要言不烦[179]也！”因谓辂曰：“试为作一卦，知位当至三公不？”又问：“连梦见青蝇数十，来集鼻上，驱之不去，何也？”辂曰：“昔元、凯辅舜[180]，周公佐周，皆以和惠谦恭，享有多福，此非卜筮所能明也。今君侯位尊势重，而怀德[181]者鲜[182]，畏威者众，殆非小心求福之道也。又，鼻者天中之山[183]，高而不危，所以长守贵。今青蝇臭恶而集之，位峻者颠[184]，轻豪者亡[185]，不可不深思也。愿君侯裒多益寡[186]，非礼勿履，然后三公可至，青蝇可驱也。”飏曰：“此老生之常谭。”辂曰：“夫老生者见不生，常谭者见不谭。”辂还邑舍[187]，具以语其舅，舅责辂言太切至[188]。辂曰：“与死人语，何所畏邪？”舅大怒，以辂为狂。

吴交趾、九真夷贼[189]攻没城邑，交部[190]骚动。吴主以衡阳[191]督军都尉[192]陆胤[193]为交州刺史、安南校尉。胤入境，喻以恩信，降者五万余家，州境复清。

太傅懿阴与其子中护军师[194]、散骑常侍昭[195]谋诛曹爽。

要好好戒备。我恐怕再也不能见到你了，我就把我的两个儿子司马师、司马昭托付给你了。”李胜纠正司马懿说：“我是回到故乡荆州去当刺史，不是去并州。”司马懿故意胡言乱语地说：“你才到并州？”李胜又重复一遍说：“我是回到故乡荆州去当刺史。”司马懿说：“我年纪大了，神志混乱不清，没有听懂先生说的话。现在先生回到本州，凭借先生的声望和才能，一定能为国家建立功勋。”李胜告辞之后，径直来向曹爽报告说：“司马懿已经是苟延残喘，所剩下的活气已经不多了，看样子神魂已经离开了躯体，不值得我们忧虑了。”过了几天，李胜又向曹爽等人泪流满面地说：“太傅的病看来是再也治不好了，想起来也很让人伤心。”所以曹爽等人对司马懿不再加以防备。

何晏听说平原人管辂精通占卜之术，就请求与管辂相见。十二月二十八日丙戌，管辂应约前往何晏府上拜见何晏，何晏就与管辂谈论起《易经》来。当时邓飏也在座，邓飏对管辂说：“先生自认为精通《易经》，而你的言谈中从来不谈论占卜的事情，请问这是为什么呢？”管辂说：“真的精通《易经》的人是不会轻易地谈论《易经》的。”何晏含笑称赞管辂说：“你的话真可称得上是扼要，不烦琐啊！”并趁机对管辂说：“请你试着为我算一卦，看我的官运能不能做到三公？”接着又问：“我接连梦见数十只苍蝇落在我的鼻子上，轰也轰不去，这是什么征兆呢？”管辂说：“过去八元与八凯辅佐大舜，周公辅佐周成王，他们都是以执政温和、广施恩惠，为人谦逊、待人恭敬，因而福寿绵长，这不是从卦象上所能看得出来的。如今您地位很高，权势很重，然而感念您的恩德的人很少，而畏惧您的威势的人却很多，这恐怕不是小心求得多福的做法。还有，鼻子所在的位置叫作天中，鼻子就像是天中的一座山，俗话说居于高位而没有危险，才能长久地保有富贵。而现在一群肮脏的苍蝇竟然落在鼻子上，预示着居高位的要跌下来，做事轻率的要灭亡，不能不深思。希望您取出多余的去弥补不足的，不符合礼仪的事情不要去做，然后才能够位至三公，鼻子上的苍蝇才能够驱逐。”邓飏不屑地说：“这不过是老生常谈，不足信。”管辂说：“老生看见了不能生的人，常谈的人看见了不能谈的人。”管辂回到自己家中，将经过情形详细地跟舅父说了一遍，管辂的舅父责备他的话说得太直切、太透彻。管辂说：“我是在跟快死的人说话，惧怕他什么呢？”管辂的舅父非常生气，认为管辂简直是个疯子。

东吴交趾、九真二郡的少数民族攻陷了城池村落，引起整个交州刺史部很大的骚动。吴主孙权任命衡阳督军都尉陆胤为交州刺史、安南校尉。陆胤来到交州后，向当地百姓大力宣扬朝廷的恩德和诚信，于是那些参与谋乱的五万多户少数民族又重新归顺了吴国，交州境内很快又恢复了安定。

魏国太傅司马懿暗中与他的儿子中护军司马师、散骑常侍司马昭密谋除掉大将军曹爽。

【段旨】

以上为第一段，写正始七年（公元二四六年）至正始九年共三年间的大事。主要写了魏将毌丘俭平定高句丽叛乱。写了费祎、蒋琬之治蜀不及诸葛亮，与蜀后主之耽于游乐。写了魏国权臣曹爽之把持朝政，志满才疏，与司马懿之装病韬晦、蓄谋待时形成对比，政变即将来临。

【注释】

①柤中：一作“沮中”，古地区名，属襄阳郡，在今湖北襄阳西南、南漳东，当时属魏。②杀略：斩杀与俘虏。③幽州：魏国州名，治所在今北京。④毌丘俭：字仲恭，河东闻喜（今山西闻喜）人，魏明帝时，历任羽林监、荆州刺史、幽州刺史，封安邑侯，因屠高句丽丸都有功，为镇南将军，不久转为镇东将军。传见《三国志》卷二十八。⑤位宫：人名，高句丽的第十一任国王。⑥丸都：高句丽的都城，在今吉林集安，当地尚有毌丘俭破高句丽的勒功碑。⑦买沟：或曰买沟娄、帻沟娄。查《后汉书·东夷传》：“买沟娄，北沃沮之地，去南沃沮八百余里。”杜佑曰：“北沃沮一名买沟娄，去南沃沮八百余里，与挹娄（古肃慎国）接。”南北沃沮以长白山为界，南沃沮在今朝鲜咸镜道。据此，买沟当在今朝鲜咸北会宁一带。⑧玄菟：魏郡名，郡治所在今辽宁沈阳东。⑨沃沮：古地区名，在今吉林延吉东南。⑩肃慎氏：古国名，周时称肃慎，两汉及三国时称挹娄，在今吉林、黑龙江东北，其南境约当今吉林敦化一带。⑪诛纳：诛杀与纳降。⑫步骘：字子山，临淮淮阴（今江苏淮安市淮阴区）人，吴主孙权时，任平戎将军、骠骑将军，后代陆逊为丞相，封广信侯。传见《三国志》卷五十二。⑬朱然：东吴毗陵侯朱治姐子，原姓施，过继给朱治，故从朱姓。传见《三国志》卷五十六。⑭左大司马：大司马为三公之一，掌全国军事。东吴置左、右大司马，以左大司马为尊。⑮全琮：字子璜，吴郡钱唐人，吴主孙权时，历任卫将军、徐州牧、右大司马、左军师等，封钱唐侯，尚公主。传见《三国志》卷六十。⑯荆州：吴国州名，州治在今湖北江陵。⑰吕岱：字定公，广陵海陵（今江苏泰州北）人，吴主孙权时，为安南将军、镇南将军、交州牧等官。孙亮即位，拜大司马。传见《三国志》卷六十。⑱武昌：吴国江夏郡的首府，即今湖北鄂州市鄂城区。⑲蒲圻：吴县名，县治在今湖北嘉鱼西南，境内赤壁山为东汉末赤壁之古战场。⑳大司农：官名，九卿之一，掌管全国的农业及钱谷诸事。㉑孟光：字孝裕，河南洛阳人，汉灵帝末为讲部吏。先主刘备时，拜为议郎，后主时任长乐少府、大司农等官。传见《三国志》卷四十二。㉒费祎：字文伟，江夏鄳县（今河南信阳东北）人，初任蜀汉太子舍人、庶子。后主即位，任黄门侍郎，为诸葛亮器重。诸葛亮死后，为后军师，继蒋琬执政，任大将军，录尚书事。㉓偏枯：树木一边繁茂，一边焦枯，这里比喻大赦的不公正。㉔权：临时置宜。㉕惠奸宄之恶：使

坏人得到好处。奸宄，泛指坏人。㉖顾谢踧踖：表示歉意与惶恐不安，但公布的命令照行。踧踖，进退无措的样子。㉗公：敬指诸葛亮。㉘惜赦：不愿意施行大赦。㉙匡衡、吴汉不愿为赦：匡衡，西汉东海承（今山东兰陵县兰陵镇）人，元帝时，任光禄勋、御史大夫、丞相等官，封乐安侯。传见《汉书》卷八十一。吴汉，东汉开国功臣之一，曾任大司马，封广平侯。传见《后汉书》卷十八。匡衡不愿为赦疏见本书卷三十八汉元帝永光二年（公元前四二年）。吴汉不愿赦事见本书卷四十三汉光武帝建武二年（公元二六年）。㉚先帝：此称刘备。㉛周旋陈元方、郑康成间：意思是在陈元方与郑康成之间取折中态度。陈元方即陈纪，字符方。传见《后汉书》卷六十二。郑康成即郑玄，字康成，东汉北海高密（今山东高密）人，汉代经学的集大成者。㉜刘景升：即刘表，字景升，东汉末山阳高平（今山东鱼台东北）人，东汉远支皇族，曾为荆州牧。传见《后汉书》卷七十四。㉝季玉：即刘琮，字季玉，刘表之子。㉞陈寿：字承祚，西晋史学家。巴西安汉（今四川南充东北）人，历仕巴西郡中正、平阳侯相、著作郎、治书侍御史。有良史之才，撰有《三国志》，另撰《古国志》《益部耆旧传》。传见《晋书》卷八十二。㉟不便大钱：对吴国颁行的大面额铜钱不满意。青龙四年（公元二三六年），吴国铸大钱，一钱当五百钱。景初二年（公元二三八年），吴又铸大钱，一钱当一千钱。㊱姜维为卫将军：姜维字伯约，是蜀汉继诸葛亮之后的掌权人物，封平襄侯。传见《三国志》卷四十四。㊲并录尚书事：共同管理朝廷机要大权。录，管理。㊳汶山平康夷：汶山郡平康地区的少数民族。汶山，蜀郡名，郡治在绵虒（今四川汶川西南）。平康，地区名，在今四川松潘西南。㊴太子家令：官名，列卿之一，主管太子家的仓谷饮食。㊵神器：帝位。㊶更始：指刘玄，字圣公，西汉远支皇族。公元二三年被绿林军拥立为帝，年号更始；更始三年，赤眉军攻入长安，降；不久被绞死。传见《后汉书》卷十一。㊷公孙述：字子阳，东汉末据益州称帝，国号成家（取起于成都之意）。建武十二年（公元三六年），被汉军所破，战死。传见《后汉书》卷十三。㊸世祖：即东汉光武帝刘秀，东汉王朝的建立者，公元二五至五七年在位。传见《后汉书》卷一。㊹冯异：刘秀的开国元勋，封阳夏侯。传见《后汉书》卷十七。㊺歌叹：歌颂；赞扬。㊻邓禹：字仲华，南阳新野人，刘秀的开国元勋。传见《后汉书》卷十六。㊼南阳：郡名，郡治宛县（今河南南阳）。㊽追：追随。㊾寇恂：字子翼，上谷昌平（今属北京市）人，刘秀的开国元勋，曾任颍川、汝南太守。传见《后汉书》卷十六。㊿邳彤：字伟君，信都（今河北衡水市冀州区）人，刘秀的开国元勋。历任太常、少府、左曹侍中等官，封灵寿侯。传见《后汉书》卷二十一。51耿纯：字伯山，巨鹿宋子（今河北赵县东北）人，刘秀的开国元勋，曾任东郡太守。传见《后汉书》卷二十一。52刘植：字伯先，刘秀的开国元勋，封昌城侯。传见《后汉书》卷二十一。53至于舆病赍棺二句：有的身患重病，躺在车上，带着棺材；有的背着婴儿，都来相随。事见本书卷三十九更始二年（公元二四年）。54小出：随便出去走走。55铫期进谏二句：事见《后汉书·铫期传》。铫期字次况，颍川郏县（今

属河南）人，刘秀的开国元勋。曾任虎牙大将军、卫尉等官，封安成侯。传见《后汉书》卷二十。⑯ 颍川：汉郡名，郡治阳翟（今河南禹州）。⑰ 临贼：亲临前线讨贼。事见本书卷四十二汉光武帝建武八年。⑱《传》：泛指古代典籍。⑲ 不徒附：不是平白无故地归附。⑳ 思望：指盼望天下一统。㉑ 副人望：满足黎民百姓的愿望。副，称，这里意即满足。㉒ 承事：侍奉；祭祀。㉓ 率民：为百姓做榜样。㉔ 不临：不出席；不参加。㉕ 仍出：频频外出。㉖ 堂构：以盖房子比喻江山大业。堂，殿阁下面的台基。构，台基上面的墙壁与屋顶。㉗ 先帝所施：先帝所延续、保留下来的。㉘ 尚书：尚书令的属官，负责选拔人才，向皇帝转呈下面的奏章等事。㉙ 何晏：字平叔，三国魏宛县（今河南南阳）人，何进之孙，曾随母被曹操收养，后娶魏公主，累官尚书，主管选举。好言老庄，倡导玄学。传见《三国志》卷九。㉚ 朋附：依附；投靠。㉛ 太尉：官名，三公之一，掌全国军事。㉜ 蒋济：历任魏护军将军、领军将军、太尉等官，封昌陵亭侯。传见《三国志》卷十四。㉝ 比周：犹言“朋比”，狼狈为奸。㉞ 慎：警惕。㉟ 朋：朋比为奸。周公告诫成王警惕有人朋比为奸的事见《书·洛诰》。㊱ 命世大才：世上具有最卓越才能的人。㊲ 张其纲维：比喻创建国家的各种法度。㊳ 祥瑞：阴阳五行家所谓的吉祥征兆，如凤凰生、麒麟降等。㊴ 徙：拆运。㊵ 武昌宫：三国时的武昌即今湖北鄂州市鄂城区，孙权曾一度建都于此，此指故有宫殿。《方舆胜览》：“孙权都鄂，欲武而昌，故名。”建业宫，孙权黄龙元年（公元二二九年）自武昌迁都建业（今江苏南京），故又在建业兴筑宫殿。㊶ 所在：指产木材的郡县。㊷ 通更伐致：一律重新砍伐木材送到京都。㊸ 义作：义务出工修建。㊹ 邓飏：字玄茂，邓禹之后。魏明帝时历任尚书郎、洛阳令、中书郎等官。传见《三国志》卷九。㊺ 丁谧：字彦靖，魏明帝时为度支中郎。曹爽辅政，拔为散骑常侍、尚书。传见《三国志》卷九。㊻ 迁太后于永宁宫：永宁宫是魏宫名，在洛阳铜驼街西。胡三省曰：“据陈寿《志》，太后称永宁宫，非徙也。意者晋诸臣欲增曹爽之恶，以‘迁’字加之耳。”㊼ 有隙：有矛盾；有过节。㊽ 不与：不干预；不过问。〖按〗此司马懿欲进故退之法也。㊾ 帝：指魏王曹芳。㊿ 亵近：亲近的贬义。91 式乾殿：魏宫殿名，参考魏、晋所记，式乾殿当在皇后宫。92 皆从大臣：都应让大臣跟从。从，使之跟从。93 为万世法：为后代作典范。94 散骑常侍：官名，皇帝的随从人员。95 谏议大夫：官名，主管参谋论议、拾遗补阙。96 绝后园习骑乘马：取消后宫原有的供皇帝骑乘的马匹。97 入寇：指讨伐曹魏。98 扬州刺史诸葛诞：此扬州是魏州名，州治寿春，即今安徽寿州。诸葛诞字公休，琅邪阳都（今山东沂南）人，曾历任御史中丞、尚书、镇东将军、都督扬州等，封山阳亭侯。传见《三国志》卷二十八。99 安丰太守王基：安丰是魏郡名，郡治在今安徽霍邱西南。王基字伯舆，东莱曲城（今属山东）人。传见《三国志》卷二十七。100 策：估计；判断。101 陆逊：东吴名将，曾大破刘备于猇亭。传见《三国志》卷五十八。102 权自出：孙权自己统兵出征。103 内衅卒起：内部变乱突然发生。卒，同“猝”，突然。104 痈疽发溃：脓疮溃烂，比喻政权瓦解。105 未信：没有取得军中上下的信任。106 补绽支党：

弥合内部各派力量之间的裂痕。补袿，缝合、弥合。袿，通“绽”，破裂。支党，新旧各派力量。⑩⑦雍、凉羌胡：雍州、凉州的羌人、胡人。雍即雍州，郡治长安（今陕西西安西北）。凉即凉州，郡治姑臧（今甘肃武威）。⑩⑧陇右：古泛指陇山之西，今甘肃东部一带地区。⑩⑨以应之：与叛魏降汉的雍、凉羌胡相呼应。⑪⓪郭淮：魏国名将，字伯济，太原阳曲人，此时任雍州刺史。传见《三国志》卷二十六。⑪①夏侯霸：魏国名将夏侯渊之子，封博昌亭侯。传见《三国志》卷九。⑪②洮西：洮水之西，在今甘肃康乐、临潭一带。⑪③白虎文、治无戴：都是人名，匈奴部落的头领。⑪④徙之入蜀：指安置在今四川新繁。⑪⑤中书令：中书省的长官。⑪⑥孙资：字彦龙，太原人，封左乡侯、中都侯。事见《三国志·刘放传》。⑪⑦癸巳：二月三十日。⑪⑧中书监：中书省的副长官。⑪⑨刘放：封西乡侯、方城侯。传见《三国志》卷十四。⑫⓪三月甲午：三月初一日。⑫①司徒：三公之一，掌民政。⑫②卫臻：封长垣侯。传见《三国志》卷二十二。⑫③以侯就第：指免去行政职务回家净享侯爵待遇。⑫④特进：汉代以来，凡功德隆盛、威望很高的官僚贵族在免去行政职务时，往往赐位“特进”。朝会时，位仅在三公之下。⑫⑤司空：国家的三公之一，主管刑法。⑫⑥高柔：魏国重臣，字文惠，陈留圉（今河南杞县）人，曾任司空、司徒等职，封万岁乡侯。传见《三国志》卷二十四。⑫⑦光禄大夫：官名，光禄勋的下属，随皇帝顾问应对。⑫⑧徐邈（公元一七七至二四九年）：字景山，历任尚书郎、凉州刺史、光禄大夫等职，赐关内侯。传见《三国志》卷二十七。⑫⑨论道：讲论治国大道。⑬⓪以老病忝之：用一些年老多病的人来充数。忝，谦辞，辱没，这里指不当居而居之。⑬①出屯汉中：统兵出屯于汉中。汉中是蜀郡名，郡治南郑（今陕西汉中）。⑬②遥先谘断：皇帝总是先征求他们的意见，而后再做决定。⑬③当国功名：在国中的权力和声望。⑬④车骑将军：将军的名号，位在大将军之下，其他名号的将军之上。⑬⑤王凌：魏国重臣，字彦云，太原祁（今山西祁县）人。传见《三国志》卷二十八。⑬⑥涪陵夷：涪陵郡的少数民族。涪陵郡的郡治在今重庆市彭水苗族土家族自治县，当时属汉。⑬⑦邓芝：字伯苗，义阳新野（今河南新野）人，在蜀曾任前将军、督江州、车骑将军等职。传见《三国志》卷四十五。⑬⑧拟：相当；相等。⑬⑨乘舆：皇帝所乘的车，这里代指皇帝。⑭⓪尚方：皇家御库。⑭①充牣：充满。⑭②取先帝才人以为伎乐：将当初老皇帝的歌儿舞女弄去充当自己家中的乐队。才人，宫中的歌女、舞女。⑭③窟室：地下室。⑭④绮疏：在门窗上雕刻着各种花纹。⑭⑤桓范：魏国老臣，字符则，沛国（都城即今安徽濉溪）人。事见《三国志》卷九。⑭⑥总万机：执掌朝廷一切大权，指曹爽。⑭⑦典禁兵：指曹羲，曹羲当时为中领军，主管守卫宫廷的武装。⑭⑧闭城门：指关闭城门，发动朝廷政变。⑭⑨谁复内入者：谁还能放你们进来。内，通“纳”。⑮⓪谁敢尔邪：谁敢这么做。⑮①清河、平原：魏之二诸侯国名，当时都上属于冀州。清河国的都城在今山东临清东北，平原国的都城在今山东平原县西南。⑮②冀州：魏州名，州治信都，即今河北衡水市冀州区。⑮③请天府所藏烈祖封平原时图：冀州刺史请出了皇家府库所藏的、当年魏明帝曹叡被封为平原王时的疆域

图。⑭信清河之诉：支持清河王一方的言辞。诉，颂词。⑮结刑五岁：判处五年徒刑，但缓期执行。⑯并州：魏州名，州治晋阳，在今山西太原西南。⑰卿得并州少邪：你现在被任为并州刺史是嫌地盘小了吗。少，小。⑱恚理分界失分乎：是生气曹爽在处理平原与清河争执的问题上不公平吗。恚，怨恨。理，处置。失分，不公平。⑲何明公言之乖也：您说话怎么这样荒谬。明公，尊称司马懿。⑳齐踪伊、吕：能和当年商朝的伊尹、周朝的吕尚并驾齐驱。⑯凶凶：惊惧不安的样子。⑯忍不可忍：要能忍不能忍的事情。⑯河南尹李胜：河南尹是当时魏国京都及其郊区的行政长官，首府在洛阳。李胜是曹爽一党，故下文司马懿极力装病，以麻痹之。⑯出为荆州刺史：被外放为荆州刺史。荆州的州治在今河南新野。⑯过辞太傅懿：到司马懿家向司马懿辞行，实则是为曹爽探看司马懿的病情。⑯众情：众人传说。⑯旧风发动：中风病又发作了。当年曹操呼司马懿，司马懿就装过一次中风，故此处言“旧风发动”。⑯何意尊体乃尔：谁想到贵体竟成了这个样子。⑯声气才属：下气勉强地接上上气。属，连续。⑰师、昭：即司马师、司马昭，司马懿的两个儿子。⑰还忝本州：我是回到故乡荆州去当刺史。李胜的老家南阳属荆州，故称荆州曰“本州”。忝，辱，谦辞。⑰意荒：神志混乱不清。⑰尸居余气：苟延残喘，所剩下的活气已经不多了。⑰形神已离：神魂业已离体。⑰管辂：字公明，三国魏平原（今山东平原县）人，精通《周易》和风角占相之道。传见《三国志》卷二十九。⑰术数：指卜筮、占候等，用阴阳五行、相生相克的道理来推测人事凶吉。⑰十二月丙戌：十二月二十八日。⑰初不及《易》中辞义：从来不谈要占卜的事情。初，根本；从来。⑰要言不烦：扼

【原文】

嘉平元年（己巳，公元二四九年）

春，正月甲午[196]，帝谒高平陵[197]，大将军爽与弟中领军羲、武卫将军训、散骑常侍彦皆从。太傅懿以皇太后令，闭诸城门，勒兵据武库[198]，授兵出屯洛水浮桥[199]。召司徒高柔假节行大将军事[200]，据爽营[201]；太仆王观[202]行中领军事[203]，据羲营。因奏爽罪恶[204]于帝曰：“臣昔从辽东还[205]，先帝[206]诏陛下、秦王及臣升御床[207]，把臣臂，深以后事为念[208]。臣言‘太祖、高祖亦属臣以后事[209]，此自陛下所见[210]，无所忧苦[211]。万一有不如意，臣当以死奉明诏。’今大将军爽背弃顾命[212]，败乱国典，内

要；不烦琐。⑱元、凯辅舜：元、凯即八元、八凯，都是虞舜时的贤臣。八元指伯奋、仲堪、叔献、季仲、伯虎、仲熊、叔豹、季狸。八凯指苍舒、隤敳、梼戴、大临、龙降、庭坚、仲容、叔达。⑱怀德：感念你的恩德。⑱鲜：少。⑱鼻者天中之山：裴松之曰，"相书谓鼻之所在为天中，鼻有山象，故曰天中之山"。⑱位峻者颠：居高位的要跌下。⑱轻豪者亡：做事轻率的要灭亡。⑱裒多益寡：取出多余的去弥补不足。裒，取出。⑱邑舍：管辂家乡平原县的屋舍。⑱切至：严厉；透彻。⑱交趾、九真夷贼：交趾、九真二郡的少数民族。交趾郡的郡治在龙编，今越南河内东北方，九真郡的郡治在胥浦，今越南清化西北。当时都属于吴国。⑲交部：整个交州刺史部，交州的州治番禺，即今广州。⑲衡阳：吴郡名，郡治湘南，今湖南湘潭西南。⑲督军都尉：掌管一郡的军事防卫。⑲陆胤：东吴名将陆凯之弟。传见《三国志》卷六十一。⑲中护军师：司马师，当时任中护军之职，监督中央军事。⑲散骑常侍昭：司马昭，当时任散骑常侍之职，是皇帝的侍从人员。

【校记】

［1］厚薄：据章钰校，甲十六行本、乙十一行本二字皆互乙。［2］也：原无此字。据章钰校，甲十六行本、乙十一行本、孔天胤本皆有此字，张敦仁《通鉴刊本识误》同，今据补。［3］刑威：据章钰校，此二字甲十六行本、乙十一行本、孔天胤本皆互乙。［4］之：原作"而"。据章钰校，甲十六行本、乙十一行本、孔天胤本皆作"之"，张敦仁《通鉴刊本识误》、张瑛《通鉴校勘记》同，今据改。

【语译】

嘉平元年（己巳，公元二四九年）

春季，正月初六日甲午，魏国皇帝曹芳到洛阳城南的高平陵祭拜自己的父亲曹叡，大将军曹爽与弟弟中领军曹羲、武卫将军曹训、散骑常侍曹彦全都随从曹芳前往。太傅司马懿假传皇太后的命令，将洛阳各城门全部关闭，调兵占据了武器库，将武器分发给士兵，然后出城据守洛水浮桥。又授予司徒高柔旌节让他代行大将军职务，占据了曹爽的大将军军营；任命太仆王观代为行使中领军职务，占据了曹羲的中领军军营。部署已定，然后向皇帝曹芳上书启奏曹爽的罪恶说："过去，我从辽东班师回朝，先帝让陛下、秦王和我来到他的御座旁，先帝拉着我的胳膊，对自己身后之事深感忧虑。我说，'太祖、高祖也将后事托付给我，这都是陛下您所亲见，请不必担心。以后万一发生什么不如意的事情，我会拼着一死来执行陛下英明的诏命'。如今大将军曹爽背弃明帝临终前的嘱托，败坏了国家的典章制度，在朝廷之

则僭拟[213]，外则专权，破坏诸营，尽据禁兵，群官要职，皆置所亲，殿中宿卫，易以私人，根据盘互[214]，纵恣日甚。又以黄门张当为都监[215]，伺察至尊，离间二宫[216]，伤害骨肉，天下汹汹，人怀危惧。陛下便为寄坐[217]，岂得久安！此非先帝诏陛下及臣升御床之本意也。臣虽朽迈[218]，敢忘往言[219]？太尉臣济等皆以爽为有无君之心，兄弟不宜典兵宿卫，奏永宁宫[220]，皇太后令敕臣如奏施行。臣辄敕主者及黄门令[221]罢爽、羲、训吏兵，以侯就第[222]，不得逗留，以稽车驾[223]。敢有稽留，便以军法从事！臣辄力疾[224]将兵屯洛水浮桥，伺察非常。"爽得懿奏事，不通[225]，迫窘不知所为，留车驾宿伊水[226]南，伐木为鹿角[227]，发屯田兵[228]数千人以为卫。

懿使侍中[229]高阳许允及尚书陈泰[230]说爽，宜早自归罪[231]。又使爽所信殿中校尉尹大目[232]谓爽，唯免官而已，以洛水为誓。泰，群之子也。

初，爽以桓范乡里老宿[233]，于九卿中特礼之，然不甚亲也。及懿起兵，以太后令召范，欲使行中领军。范欲应命，其子止之曰："车驾在外，不如南出[234]。"范乃出。至平昌城门[235]，城门已闭。门候司蕃[236]，故范举吏也。范举手中版[237]以[5]示之，矫曰："有诏召我，卿促开门！"蕃欲求见诏书，范呵之曰："卿非我故吏邪，何以敢尔？"乃开之。范出城，顾谓蕃曰："太傅图逆，卿从我去！"蕃徒行不能及，遂避侧[238]。懿谓蒋济曰："智囊往矣！"济曰："范则智矣，然驽马恋栈豆[239]，爽必不能用也。"

范至，劝爽兄弟以天子诣许昌[240]，发四方兵以自辅。爽疑未决。范谓羲曰："此事昭然，卿用读书何为邪！于今日卿等门户，求贫贱复可

内，他的作为超越本分，一切排场都比照皇帝。在朝廷之外，曹爽则大权独揽、独断专行，既破坏了国家的军事体制，又全部控制了禁卫部队，文武官员中的重要职务，都安插上了他的亲信，就连宫中的卫士，也都换上了他自己的人，他所编织的关系网就像丛林一样盘根错节，他的骄纵恣肆一天比一天过分。他还让宦官张当担任宫廷诸事的总管，暗中监视陛下的一举一动，挑拨离间陛下与皇太后母子之间的感情，伤害了至亲骨肉，导致天下动荡不安，人人心怀恐惧。陛下即使想当一个不管事的傀儡，又怎么能够保持长久安稳！这可不是先帝将陛下和我召至御座之前接受遗诏的本意啊。我虽然年老衰朽，又怎么敢忘记当年说过的话呢？担任太尉的蒋济等人都认为曹爽的心目中已经没有了皇帝的存在，曹爽兄弟不应该再统领禁卫军队，奏请过永宁宫的皇太后，皇太后下诏准许我按照所奏请的执行。所以我已经打发主管该事务的太监罢免了曹爽、曹羲、曹训的职务，解除了他们的兵权，让他们各以侯爵的身份回家闲居，不得在外逗留，阻挠皇帝车驾返回宫中。如果胆敢阻挠皇帝车驾返宫，就要按照军法处治他们！我勉强支撑着病体率领军队据守住洛水浮桥，伺机察看他们的一举一动，以免发生意外。”曹爽看到司马懿的奏章后，没有马上转交给皇帝曹芳，但惊慌失措不知道该怎么办才好，只是将皇帝曹芳的车驾留住在伊水南岸，又令人砍伐树木构筑“鹿角”寨，调动洛阳周围几千名屯田的士兵负责担任守卫。

司马懿派担任侍中的高阳人许允和担任尚书的陈泰前往劝说曹爽，要曹爽赶紧自首，到朝廷认罪伏法。又派遣曹爽所信任的殿中校尉尹大目去告诉曹爽，只是免掉他的官职而已，并指着洛水发誓。陈泰是陈群的儿子。

当初，曹爽因为桓范是同乡中德高望重的老人，所以在九卿当中，对桓范特别礼敬，但关系并不亲近。司马懿发动政变，假传皇太后的命令征召桓范，让他接手曹羲的中领军职务。桓范想接受这个任命，他的儿子阻止他说：“皇帝在洛阳城外，不如出南门去投奔皇帝。”于是桓范决定出城去追随皇帝。当他来到平昌门的时候，城门已经关闭。负责守卫平昌门的司蕃，是桓范过去提拔起来的属吏。桓范举起手中所拿的像是写有诏令的版牒让司蕃看，假传皇帝的圣旨说：“皇帝有诏书征召我，你快点打开城门！”司蕃想要查验诏书，桓范大声呵斥他说：“你难道不是我过去的属吏吗，怎么敢对我如此无礼？”于是司蕃为他打开了城门。桓范出城后，回过头来对司蕃说：“太傅司马懿企图谋反，你还不赶紧跟我离开这里！”司蕃步行，无法追赶，只得避让到路旁。太傅司马懿对蒋济说：“智囊去了！”蒋济说：“桓范是智囊不假，但劣马必定贪恋马槽里的那点豆子，曹爽一定不会采纳桓范的计谋。”

桓范来到曹爽的大营，劝说曹爽兄弟护卫着皇帝曹芳前往许昌，然后以皇帝的名义征调四方兵马前来勤王。曹爽犹豫不决。桓范又对曹羲说：“这件事情的利害关系是明摆着的，你们读了那么多书是干什么用的！就凭你们现在的这种门户地位，

得乎[241]！且匹夫质一人[242]，尚欲望活；卿与天子相随，令于天下，谁敢不应也！”俱不言。范又谓羲曰：“卿别营[243]近在阙南[244]，洛阳典农治在城外[245]，呼召如意[246]。今诣许昌，不过中宿[247]，许昌别库[248]，足相被假[249]，所忧当在谷食，而大司农印章在我身。”羲兄弟默然不从。自甲夜[250]至五鼓[251]，爽乃投刀于地曰：“我亦不失作富家翁！”范哭曰：“曹子丹[252]佳人[253]，生汝兄弟，豘犊[254]耳！何图今日坐汝等族灭[255]也！”

爽乃通懿奏事，白帝[256]下诏免己官，奉帝还宫。爽兄弟归家，懿发洛阳吏卒围守之。四角作高楼，令人在楼上察视爽兄弟举动。爽挟弹[257]到后园中，楼上人[6]便唱言：“故大将军东南行！”爽愁闷不知为计。

戊戌[258]，有司奏黄门张当私以所择才人与爽，疑有奸。收当付廷尉[259]考实，辞云“爽与尚书何晏、邓飏、丁谧、司隶校尉[260]毕轨、荆州刺史李胜等阴谋反逆，须[261]三月中发。”于是收爽、羲、训、晏、飏、谧、轨、胜并桓范皆下狱，劾以大逆不道，与张当俱夷三族[262]。

初，爽之出也，司马[263]鲁芝留在府[264]，闻有变，将营骑斫津门出赴爽[265]。及爽解印绶将出[266]，主簿[267]杨综止之曰：“公挟主握权，舍此以至东市[268]乎？”有司奏收芝、综治罪，太傅懿曰：“彼各为其主也，宥之。”顷之，以芝为御史中丞，综为尚书郎。

鲁芝将出，呼参军[269]辛敞欲与俱去。敞，毗之子也，其姊宪英为太常[270]羊耽妻，敞与之谋曰：“天子在外，太傅闭城门，人云将不利国家，于事可得尔乎[271]？”宪英曰：“以吾度之，太傅此举，不过以[7]诛曹爽耳。”敞曰：“然则事就乎[272]？”宪英曰：“得无殆就[273]，爽之才非太傅之偶[274]也。”敞曰：“然则敞可以无出乎？”宪英曰：“安可以不出！

倘若失败，必定被满门抄斩，即使想要回家过贫民的生活也是不可能的了！况且，就是一个小民百姓，为了求生还要劫持一个人做人质；而你们现在还有天子跟你们在一起，用天子的名义号令天下，谁敢不响应！”曹爽兄弟都沉默不语。桓范又对曹羲说：“你的另一支部队就在洛阳城南，洛阳的典农中郎将与典农都尉的办事机构都在洛阳城外，只要你呼喊他们，他们都会应声而到。现在前往许昌，只不过隔两个夜晚就可以到达，国家在许昌设置有贮藏铠甲军械的仓库，足够将一支庞大的军队武装起来，值得忧虑的应该是粮食，而大司农的印章就带在我的身边。”曹羲兄弟依然沉默着拿不定主意。从一更考虑到五更，曹爽终于下定决心，他把刀往地上一扔说：“我仍然可以做一个富家翁！”桓范放声大哭，说：“曹真一代英雄，竟然会生出你们这样一些连笨猪蠢牛都不如的兄弟！没想到我今天将跟着你们一道被灭族！”

曹爽于是把司马懿的奏章呈送给皇帝曹芳，并奏请皇帝曹芳下诏罢免自己的官职，然后护拥着皇帝曹芳回到洛阳皇宫。曹爽兄弟刚回到自己的家中，司马懿立即调动洛阳的军队将曹爽兄弟围困起来。又在曹爽家的四角建造了高楼，派人在楼上居高临下地监视着曹爽兄弟的一举一动。曹爽拿着弹弓到后面的花园中，高楼上负责监视的人就大声传递消息说：“故大将军向东南方向行走！”曹爽胸中很是愁闷，却又无计可施。

正月初十日戊戌，有关部门奏报担任宫廷总监的张当私自挑选宫中美女送给曹爽，恐怕会有奸情。于是将张当逮捕起来交付给廷尉审问取证，张当在供词中说“曹爽与尚书何晏、邓飏、丁谧、司隶校尉毕轨、荆州刺史李胜等人阴谋叛乱，准备在三月中旬起事。”于是将曹爽、曹羲、曹训、何晏、邓飏、丁谧、毕轨、李胜以及桓范等全部逮捕下狱，然后上疏给皇帝曹芳，弹劾他们犯了大逆不道罪，将他们与张当一起，全部灭掉三族。

当初，曹爽与皇帝曹芳出城后，担任司马的鲁芝在大将军府留守，他听到司马懿政变的消息后，立即率领大将军府的骑兵营，砍开洛阳城的津门冲出城去投奔曹爽。等到曹爽解下大将军印绶，准备离开军队回家的时候，担任主簿的杨综阻止他说：“大将军挟持着天子、手中握有兵权，现在你把大将军印绶解下来，是准备到东市去送死吗？”有关部门奏请将鲁芝和杨综逮捕治罪，太傅司马懿说：“他们也是各为其主，就赦免了他们吧。”不久，任命鲁芝为御史中丞，任命杨综为尚书郎。

鲁芝在出城之前，招呼担任参军的辛敞和他一起去投奔曹爽。辛敞是辛毗的儿子，他的姐姐辛宪英是太常羊耽的妻子，辛敞和他的姐姐辛宪英商量说：“现在天子在洛阳城外，太傅司马懿关闭了城门，人们都说他将对国家不利，从对事情的分析上看，会是这样的吗？”辛宪英说：“据我估计，太傅司马懿这么做的目的，不过是为了消灭曹爽罢了。”辛敞又问：“太傅能够成功吗？”辛宪英说：“看来是可以成功的，因为曹爽根本不是太傅司马懿的对手。”辛敞说：“如此的话，我是不是可以不用出城呢？”

职守，人之大义也。凡人在难，犹或恤[275]之；为人执鞭[276]而弃其事，不祥莫大焉。且为人任，为人死，亲昵之职也[277]，从众而已。”敞遂出。事定之后，敞叹曰：“吾不谋于姊，几不获于义[278]！”

先是，爽辟王沈及太山羊祜[279]，沈劝祜应命。祜曰：“委质事人，复何容易[280]！”沈遂行。及爽败，沈以故吏免，乃谓祜曰：“吾不忘卿前语。”祜曰：“此非始虑所及也。”

爽从弟文叔妻夏侯令女[281]早寡而无子，其父文宁欲嫁之。令女刀截两耳以自誓，居常依爽。爽诛，其家上书绝昏[282]，强迎以归，复将嫁之。令女窃入寝室，引刀自断其鼻，其家惊惋，谓之曰：“人生世间，如轻尘栖弱草耳，何至自苦乃尔！且夫家夷灭已尽，守此欲谁为哉！”令女曰：“吾闻仁者不以盛衰改节，义者不以存亡易心。曹氏前盛之时，尚欲保终[283]；况今衰亡，何忍弃之！此禽兽之[8]行，吾岂为乎！”司马懿闻而贤之，听使乞子字养[284]为曹氏后。

何晏等方用事，自以为一时才杰，人莫能及。晏尝为名士品目[285]曰：“‘唯深也故能通天下之志[286]’，夏侯泰初[287]是也。‘唯几也故能成天下之务[288]’，司马子元[289]是也。‘唯神也不疾而速，不行而至[290]’，吾闻其语，未见其人。”盖欲以神况诸己[291]也。

选部郎[292]刘陶，晔之子也，少有口辩，邓飏之徒称之以为伊、吕。陶尝谓傅玄[293]曰：“仲尼不圣[294]。何以知之？智者于群愚，如弄一丸于掌中，而不能得天下，何以为圣？”玄不复难[295]，但语之曰：“天下之变无常也，今见卿穷[296]。”及曹爽败，陶退居里舍，乃谢其言之过。

辛宪英说："怎么可以不出城！忠于职守，这是人生最大的道义。就是一般的人落了难，我们还要伸出手去援助他；充当人家的僚属，而在关键时刻抛弃他不管，没有比这样做更不祥了。受人信任，随之同死，那是他们亲信者的义务，你不必如此，只要跟大多数人一样就可以了。"辛敞于是出奔城外。等到事情平息下来后，辛敞感慨地说："如果我不跟姐姐商量，差点使自己的行为不合于道义！"

早先，曹爽曾经聘请王沈和太山人羊祜为其僚佐，王沈劝说羊祜接受曹爽的聘任。羊祜说："委身去给某家权贵当僚属，是一件需要三思而行的事，哪能轻易就答应！"于是王沈前去应聘而羊祜留了下来。等到曹爽败亡，王沈因为曾经是司马懿的属吏而免于一死，王沈对羊祜说："我没有忘记先生先前对我说的话。"羊祜说："这也是当初所料想不到的。"

曹爽的堂弟曹文叔娶夏侯令女为妻，夏侯令女很早就守了寡，又没有儿女，她父亲夏侯文宁想让她改嫁。夏侯令女用刀子割掉了自己的两个耳朵，以表示绝不再嫁的决心，她的日常生活全部依靠曹爽的资助。曹爽被诛杀后，夏侯令女的娘家递交了一份诉讼书，断绝与曹家的婚姻关系，并强行将夏侯令女接回娘家，又要将她嫁出去。夏侯令女就偷偷地进入寝室，用刀子割掉了自己的鼻子，家里人一见，又惊骇又怜悯地对她说："人生在世，就像是一粒小小的尘埃栖息在一棵微弱的小草上，何必这样自己害苦自己呢！再说，你丈夫的家族已经全被杀光了，你还为谁守这份贞节呢！"夏侯令女说："我听说有仁爱之心的人，不会因为对方的兴盛和衰微而改变自己的操守，有义行的人也不会因为对方的生死存亡而改变心志。在曹氏家族兴盛的时候，我就想要依之以终老；更何况现在曹氏已经衰亡，我怎么忍心抛弃他呢！这种野兽一样的行径，我难道会去做吗！"司马懿听说后，认为夏侯令女非常贤德，就听任她领养了一个孩子作为曹氏的后代。

在何晏等人当权的时候，自以为是当代最杰出的人才，谁也赶不上他。何晏曾经为天下的名人作品题评语说："'由于能够深下功夫，所以才能了解天下的大势'，夏侯玄就是这样的人。'由于能够见机而行，所以能成就天下的大业'，司马师就是这样的人。'因为能出神入化，所以虽然不花费力气却可以疾如闪电，不用走路却可以悠然到达'，我听说过这样的话，却没有见过这样的人。"这是何晏想把出神入化用来比喻自己罢了。

担任选部郎的刘陶，是刘晔的儿子，他在很小的时候，就以能言善辩闻名，邓飏这类人把他比作伊尹、吕尚。刘陶曾经对傅玄说："孔子算不上圣人。凭什么这样说呢？有智慧的人面对一群愚昧的人，就像把一团泥拿在掌心里一样，想把它弄成什么样子就可以弄成什么样子，而孔子却没有得到天下，凭什么称他为圣人？"傅玄并没有责难他，只是告诉他说："天下的事情是变化无常的，我很快就能看到你的狼狈相。"等到曹爽败亡，刘陶被免官后退居家中的时候，才认识到自己以前说过的话是多么的错误。

管辂之舅谓辂曰："尔前何以知何、邓之败？"辂曰："邓之行步，筋不束骨，脉不制肉，起立倾倚，若无手足，此为鬼躁[297]。何之视候则魂不守宅，血不华色，精爽烟浮[298]，容若槁木，此为鬼幽[299]。二者皆非遐福之象[300]也。"

何晏性自喜[301]，粉白不去手，行步顾影。尤好老、庄之书，与夏侯玄、荀粲及山阳王弼[302]之徒，竞为清谈，祖尚虚无，谓《六经》为圣人糟粕[303]。由是天下士大夫争慕效之，遂成风流，不可复制焉。粲，彧之子也。

丙午[304]，大赦。

丁未[305]，以太傅懿为丞相，加九锡[306]。懿固辞不受。

初，右将军夏侯霸为曹爽所厚，以其父渊死于蜀[307]，常切齿有报仇之志，为讨蜀护军，屯于陇西[308]，统属征西[309]。征西将军夏侯玄，霸之从子，爽之外弟也。爽既诛，司马懿召玄诣京师，以雍州刺史郭淮代之。霸素与淮不叶[310]，以为祸必相及，大惧，遂奔汉。汉主谓曰："卿父自遇害于行间[311]耳，非我先人之手刃也。"遇之甚厚。姜维问于霸曰："司马懿既得彼政，当复有征伐之志不？"霸曰："彼方营立家门[312]，未遑外事。有锺士季[313]者，其人虽少，若管朝政，吴、蜀之忧也。"士季者，锺繇之子尚书郎会也。

三月，吴左大司马朱然卒。然长不盈七尺，气候分明[314]，内行修洁。终日钦钦[315]，常[9]若在战场[316]，临急胆定，过绝于人。虽世无事，每朝夕严鼓[317]，兵在营者，咸行装就队[318]。以此玩敌[319]，使不知所备，故出辄有功。然寝疾增笃[320]，吴主昼为减膳，夜为不寐，中使医药口食之物[321]，相望于道。然每遣使表疾病消息，吴主辄召见，口自问讯，入赐酒食，出赐布帛。及卒，吴主为之哀恸。

夏，四月乙丑[322]，改元[323]。

管辂的舅父对管辂说："你以前怎么知道何晏、邓飏一定会败亡呢?"管辂解释说："邓飏走路时的姿势，肌肉松弛得包不住骨头，筋脉暴露于外，不论是站立还是斜靠着，仿佛没有手脚，就像是一摊软泥，相书上把这种形态叫作'鬼躁'。何晏在看人的时候，眼球乱动，眼睛不敢正视，面无血色，精气上飘如烟，形容就如同一棵枯树，相书上管这形态叫作'鬼幽'。这两种形态都不是长久享有洪福的面相。"

何晏一向自我欣赏，好搽胭脂抹粉，胭脂脂粉从不离手，走起路来顾影自怜。尤其喜爱老子、庄周的著作，与夏侯玄、荀粲以及山阳人王弼之辈，竞相谈论一些不切实际的问题，他们还崇尚虚无，认为《六经》只不过是圣人留下来的垃圾。因此，天下士大夫都很羡慕他们、争相仿效他们，竟然成为一种风气而无法制止了。荀粲是荀彧的儿子。

正月十八日丙午，魏国大赦天下。

十九日丁未，魏国皇帝曹芳任命太傅司马懿为丞相，加"九锡"。司马懿坚决推辞不肯接受。

当初，右将军夏侯霸特别得到曹爽的厚爱，夏侯霸因为自己的父亲夏侯渊被西蜀人所杀，因此一提起蜀国，就恨得咬牙切齿，立志要为父亲报仇，他担任讨蜀护军，驻扎在陇西郡，受征西将军统领。征西将军夏侯玄，是夏侯霸的侄子，又是曹爽的表弟。曹爽被诛灭以后，司马懿将夏侯玄召回京师洛阳，而任命雍州刺史郭淮接替夏侯玄为征西将军。夏侯霸一向与郭淮不和，认为大祸即将临头，非常恐惧，于是就投降了蜀汉。蜀汉后主刘禅对夏侯霸说："你父亲是在战场上被杀死的，并不是我父亲亲手所杀。"后主对他很是厚爱。姜维向夏侯霸询问说："司马懿已经控制了魏国的政权，他还有没有征讨蜀国、吴国的志向呢?"夏侯霸说："他刚刚建立起司马氏家族的权力，一时之间恐怕还没有余力对外用兵。但魏国有一个人叫锺士季，虽然他还很年轻，如果有朝一日他掌握了国家权力，那可是东吴与蜀汉的心腹大患。"锺士季，就是锺繇的儿子、担任尚书郎的锺会。

三月，东吴左大司马朱然去世。朱然身高不足七尺，却容光焕发，他的品行端正、操守高洁。整天忧思国事，常常像是在战场上一样，面对危急情况，沉着镇定，胆识过人。虽然国家太平无事，但每天早晚照常擂鼓聚众，凡是在军营中的士兵，都要盔甲整齐，站好队列。以此迷惑敌人，使敌人无法知道他什么时候会采取行动，因而无法防备，所以朱然每次出征都能取得胜利。朱然卧病在床，病势一天比一天加重，吴主孙权为此愁得白天吃不好饭，夜里睡不稳觉，从宫中派出馈送药品及食物的宦官使者络绎不绝。朱然每次派人入宫报告病情，孙权都立刻召见，亲自询问病情，并赏赐给朱然使者酒食，使者离开的时候又赏赐他们布匹绸缎。等到朱然逝世，吴主孙权非常哀恸。

夏季，四月初八日乙丑，魏国改年号为"嘉平"。

曹爽之在伊南也，昌陵景侯蒋济[324]与之书，言太傅之旨，不过免官[325]而已。爽诛，济进封都乡侯[326]。上疏固辞，不许。济病其言之失[327]，遂发病，丙子[328]，卒。

秋，汉卫将军[329]姜维寇雍州，依麹山[330]筑二城，使牙门将句安、李歆[331]等守之，聚羌胡质任[332]，侵逼诸郡。征西将军郭淮与雍州刺史陈泰御之。泰曰："麹城虽固，去蜀险远，当须运粮，羌夷患维劳役，必未肯附。今围而取之，可不血刃而拔其城。虽其有救，山道阻险，非行兵之地也。"淮乃使泰率讨蜀护军徐质[333]、南安太守邓艾[334]进兵围麹城，断其运道及城外流水。安等挑战，不许，将士困窘，分粮聚雪以引日月[335]。维引兵救之，出自牛头山[336]，与泰相对。泰曰："兵法贵在不战而屈人[337]。今绝牛头[338]，维无反道，则我之禽也。"敕诸军各坚垒[339]勿与战，遣使白淮，使淮趣[340]牛头截其还路。淮从之，进军洮水[341]。维惧，遁走，安等孤绝，遂降。淮因西击诸羌。

邓艾曰："贼去未远，或能复还，宜分诸军以备不虞。"于是留艾屯白水[342]北。三日，维遣其将廖化[343]自白水南向艾结营[344]。艾谓诸将曰[10]："维今卒还[345]，吾军人少，法当来渡[346]。而不作桥，此维使化持吾[347]令不得还，维必自东袭取洮城[348]。"洮城在水北，去艾屯六十里，艾即夜潜军径到。维果来渡，而艾先至据城，得以不败。汉军遂还。

兖州刺史令狐愚[349]，司空王凌之甥也，屯于平阿[350]，甥舅并典重兵，专淮南之任[351]。凌与愚阴谋，以帝暗弱，制于强臣，闻楚王彪[352]有智勇，欲共立之，迎都许昌。九月，愚遣其将张式至白马[353]，与楚王[11]相闻[354]。凌又遣舍人劳精[355]诣洛阳，语其子广，广曰："凡举大

当司马懿发动政变，曹爽挟持魏帝曹芳驻扎在伊水南岸的时候，昌陵景侯蒋济上书给曹爽，传达太傅司马懿的旨意，说对曹爽的处置不过罢免他的官职而已。等到曹爽被诛，蒋济被封为都乡侯。蒋济上书坚决推辞，但得不到批准。蒋济对自己当初误信司马懿的保证，欺骗曹爽交出兵权之事感到非常悔恨，并因此引发疾病，于四月十九日丙子含恨去世。

秋季，蜀汉卫将军姜维率军攻打魏国的雍州，姜维在紧靠麴山的地方修筑了两座城池，派负责守卫营门的牙门将句安、李歆等人分别据守，胁迫扣有人质的羌、胡诸少数民族一起向魏国各郡侵略逼近。魏国征西将军郭淮与雍州刺史陈泰共同抵御蜀军的入侵。陈泰说："麴城虽然修筑得很坚固，但距离蜀国路途遥远又道路艰险难行，必须依靠长途运送粮食，而那些羌人、胡人厌恨姜维胁迫他们服劳役，因此必定不是心甘情愿归附蜀国。如果我们将麴城包围起来进行攻取，可以兵不血刃将其攻克。即使他们有援军，因为山路崎岖险阻，不适合大部队行动。"郭淮于是派陈泰率领讨蜀护军徐质、南安太守邓艾进兵包围麴城，切断了蜀军的运粮通道和城外水源。句安等率军向魏军挑战，而魏军紧闭营门，就是不出来交战，守卫麴城的蜀军将士陷入困境，只好分配粮秣、聚集雪水勉强坚持。姜维亲自率领军队前来救援，军队出了牛头山，就与雍州刺史陈泰所率魏军对峙起来。陈泰说："兵法把不用经过战斗就能使敌人屈服看作是军事行动中的最好办法。现在我们断绝牛头山蜀军的退路，姜维没有了退路，必定被我军擒获。"于是陈泰下令各军固守营垒，不得与蜀军交战，又派遣使者去禀报郭淮，请郭淮火速率军奔赴牛头山截断姜维的退路。郭淮听从了陈泰的建议，率军向洮水进军。姜维心中恐惧，率军逃走，句安等孤军无援，于是投降了魏国。郭淮乘胜向西进军攻打各羌人部落。

邓艾说："蜀国姜维的军队走得并不太远，有可能再回来，应该留下一部分军队以防出现意外。"于是将邓艾留下来驻守在白水北岸。三天后，姜维派遣手下将领廖化在白水南岸面对邓艾的军队扎下营寨。邓艾对诸将说："姜维现在派遣廖化突然回军白水，现在我军人少，按照常规，蜀军应该渡过白水河前来攻打。而现在蜀军并不架桥，而是在对面扎下营寨，这一定是姜维想让廖化拖住我们，使我们不能回军，而姜维必定亲率大军向东去攻取洮城。"洮城在洮水北岸，距离邓艾屯军之处只有六十里，邓艾在当天夜里悄悄地率军径直奔向洮城。姜维果然渡过洮水来攻取洮城，而邓艾已经抢先占据了洮城，所以洮城没有被姜维攻破。姜维只得撤军而回。

魏国兖州刺史令狐愚，是司空王凌的外甥，他率军屯驻在平阿县，外甥与舅父全都统领重兵，独当淮南地区与吴国的战事。王凌与外甥令狐愚密谋，认为皇帝曹芳愚昧软弱，受制于强权大臣司马懿，他们闻听楚王曹彪有勇有谋，就想共同拥戴楚王为魏国皇帝，将他迎接到许昌另立朝廷。九月，令狐愚派遣属下将领张式前往白马县，向楚王通报消息。王凌又派遣一个叫劳精的亲信门客到洛阳去告诉自己的儿子王广，

事，应本人情。曹爽以骄奢失民，何平叔[356]虚华不治[357]，丁、毕、桓、邓虽并有宿望[358]，皆专竞于世[359]。加变易朝典，政令数改，所存[360]虽高而事不下接[361]，民习于旧，众莫之从。故虽势倾四海，声震天下，同日斩戮，名士减半；而百姓安之，莫之或哀，失民故也。今司马懿情虽难量，事未有逆，而擢用贤能，广树胜己，修先朝之政令，副众心之所求。爽之所以为恶者，彼莫不必改[362]，夙夜匪懈[363]，以恤民为先，父子兄弟，并握兵要，未易亡也。”凌不从。

冬，十一月，令狐愚复遣张式诣楚王，未还，会愚病卒。

十二月辛卯[364]，即拜王凌为太尉[365]。

庚子[366]，以司隶校尉孙礼[367]为司空。

光禄大夫徐邈卒。邈以清节[368]著名，卢钦[369]尝著书称邈曰：“徐公志高行洁，才博气猛[370]，其施之也，高而不狷[371]，洁而不介[372]，博而守约[373]，猛而能宽。圣人以清[374]为难，而徐公之所易也。”或问钦：“徐公当武帝[375]之时，人以为通[376]；自为凉州[377]刺史，及还京师，人以为介[378]，何也？”钦答曰：“往者毛孝先、崔季珪用事[379]，贵清素之士，于时皆变易车服[380]，以求名高，而徐公不改其常，故人以为通。比来天下奢靡，转相仿效，而徐公雅尚自若[381]，不与俗同。故前日之通，乃今日之介也。是世人之无常，而徐公之有常也。”钦，毓[382]之子也。

二年（庚午，公元二五〇年）

夏，五月，以征西将军郭淮为车骑将军。

初，会稽[383]潘夫人有宠于吴主，生少子亮，吴主爱之。全公主[384]既与太子和[385]有隙[386]，欲豫自结[387]，数称亮美，以其夫之兄子尚[388]女妻之。吴主以鲁王霸[389]结朋党以害其兄，心亦恶之，谓侍中孙峻[390]曰：“子弟不睦，臣下分部[391]，将有袁氏之败[392]，为天下笑。若使

王广说："凡是要办成功一件大事，必须要顺应民情。曹爽因为骄奢淫逸而失掉了民心，何晏只会做表面文章而没有治世能力，丁谧、毕轨、桓范、邓飏等人虽然一向以老成望重著称，然而都专门追逐名利。再加上他们变更国家制度，屡次修改法规律令，主观愿望虽好，但脱离实际、脱离群众，百姓习惯于旧有的社会秩序，对他们的朝令夕改感到无所适从。所以他们虽然势力充塞于四海之内，声威震动了全国，却在一天之内全部被杀戮，使一时的名士一下子减少了一半；然而百姓依然安居，甚至没有人为他们的死感到悲哀，这就是他们失掉民心的缘故。如今司马懿内心怎么想虽然还难以预料，但毕竟还没有出现谋逆的迹象，而且他注意提拔选用贤能之士，广泛地培养能力比自己更强的官员，修订先朝旧有的政治律令，他的所作所为完全符合人民的心愿。凡是曹爽所推行的弊政，司马懿全部加以革除，他从早到晚丝毫不敢懈怠，诸事无不把体恤百姓放在首位，而且父子兄弟，都手握兵权，不容易灭亡。"王凌不肯听从王广的规劝。

冬季，十一月，令狐愚再次派遣张式到楚王曹彪那里，张式还没有回来复命，令狐愚却因病离开了人世。

十二月初九日辛卯，魏国皇帝曹芳就派人携带官印到王凌任所任命王凌为太尉。

十八日庚子，任命司隶校尉孙礼为司空。

魏国光禄大夫徐邈去世。徐邈以清廉有节操而闻名于世，卢钦曾经在自己所著的书中称赞徐邈说："徐先生志向高远行为廉洁，博学多才、气宇轩昂，处理事务有高节而不褊急、不苛刻，行为廉洁而不固执，心志广大而行事谨慎，要求严格而又宽宏大量。圣人都认为清廉最难做到，而在徐先生这里却显得很容易。"有人问卢钦说："徐先生在魏武帝曹操时期，人们都认为他为人通达；自从他担任了凉州刺史，后来又回到京师，人们又认为徐先生为人耿介、清廉，这是为什么呢？"卢钦回答说："以前是毛玠、崔琰当政，那时推重清廉质朴之士，当时的人都故意乘坐简陋的车子、穿破旧的衣服，以博取俭朴的名声，而徐先生却不改变常态，所以人们认为他通达。近来天下崇尚奢侈豪华，人们转过来又纷纷仿效，而徐先生清雅高尚像往常一样，而不肯迎合世俗风尚。所以从前的通达，就变成了今天的耿介了。这是世人的风习在改变，而徐先生的行为本身并没有变。"卢钦，是卢毓的儿子。

二年（庚午，公元二五〇年）

夏季，五月，魏国任命征西将军郭淮为车骑将军。

当初，会稽郡的潘夫人很受吴主孙权的宠爱，她为孙权生了儿子孙亮，孙权对这位最小的儿子孙亮非常怜爱。孙权的长女全公主已经和太子孙和有了矛盾，就想要及早投靠孙亮，于是便多次在孙权面前称赞孙亮如何如何好，又把丈夫哥哥的儿子全尚的女儿嫁给孙亮为妻。孙权因为鲁王孙霸交结朋党陷害自己哥哥的事情，心里对孙霸也很厌恶，他对担任侍中的孙峻说："子弟不和睦，臣下又分成派系，恐怕将来袁氏家族败亡的命运会降落在我们孙氏头上，而遭到天下人的耻笑。如果让一

一人[393]立者，安得不乱乎？”遂有废和立亮之意，然犹沉吟[394]者历年。峻，静[395]之曾孙也。

秋，吴主遂幽[396]太子和。骠骑将军朱据[397]谏曰：“太子，国之本根；加以雅性[398]仁孝，天下归心。昔晋献用骊姬而申生不存[399]，汉武信江充而戾太子冤死[400]。臣窃惧太子不堪其忧[401]，虽立思子之宫[402]，无所复及矣！”吴主不听。据与尚书仆射[403]屈晃率诸将吏泥头自缚[404]，连日诣阙请和[405]。吴主登白爵观[406]，见甚恶之，敕据、晃等“无事匆匆[407]！”无难督陈正、五营督陈象[408]各上书切谏，据、晃亦固谏不已。吴主大怒，族诛正、象。牵据、晃入殿，据、晃犹口谏，叩头流血，辞气不挠。吴主杖之各一百，左迁据为新都郡丞[409]，晃斥归田里，群司[410]坐谏诛放者以十数。遂废太子和为庶人，徙故鄣[411]，赐鲁王霸死。杀杨竺，流其尸于江，又诛全寄、吴安、孙奇，皆以其党霸[412]谮和[413]故也。初，杨竺少获声名，而陆逊[414]谓之终败，劝竺兄穆令与之别族[415]。及竺败，穆以数谏戒竺得免死。朱据未至官，中书令孙弘[416]以诏书追赐死。

冬，十月，庐江[417]太守谯郡[12]文钦[418]伪叛，以诱吴偏将军朱异[419]，欲使异自将兵迎己。异知其诈，表吴主，以为钦不可迎。吴主曰：“方今北土未一，钦欲归命[420]，宜且迎之。若嫌其有谲[421]者，但当设计网以罗之，盛重兵以防之耳。”乃遣偏将军吕据[422]督二万人与异并力至北界，钦果不降。异，桓之子。据，范之子也。

十一月，大利景侯孙礼[423]卒。

吴主立子亮为太子。

吴主遣军十万作堂邑、涂塘[424]以淹北道[425]。

十二月甲辰[426]，东海定王霖[427]卒。

征南将军[428]王昶[429]上言：“孙权流放良臣[430]，嫡庶分争[431]，可乘

个独断专行、孤立无援的人为太子，天下怎么能不乱呢?”于是产生了废掉孙和改立孙亮为太子的想法，但还是犹豫不决了好久。孙峻，是孙静的曾孙。

秋季，吴主孙权软禁了太子孙和。骠骑将军朱据劝谏孙权说:“太子，是国家的根本；更何况太子秉性仁厚、孝敬，天下人已经从心里归顺于他。春秋时期的晋献公因为听信骊姬的谗言而害死太子申生，汉武帝相信江充而使戾太子刘据蒙冤而死。我很担心太子忍受不了被废抑郁而死亡，到那时即使像汉武帝那样建造起思子宫，也无济于事了!”孙权根本听不进去。朱据于是与尚书仆射屈晃率领诸多官吏把泥涂抹在头上，自己捆绑着双手，一连几天到皇宫门前请求宽恕太子孙和。吴主孙权登上白爵观，看见朱据等大臣如此行为，非常厌恶，就告诫朱据、屈晃等大臣说:“不要干这种添乱的事!”此时，担任无难督的陈正、五营督的陈象也分别上疏恳切规劝，朱据、屈晃也坚持劝谏不止。吴主孙权大怒之下，将陈正、陈象灭了族。将朱据、屈晃捆绑起来让人牵入宫殿，朱据、屈晃仍然口头劝谏不止，以至用头碰地，鲜血直流，依然据理力争，不屈不挠。孙权于是下令将两人各打一百棍，然后将朱据贬为新都郡丞，将屈晃贬为平民，逐回乡里，各部门的官员受此事牵连被诛杀、流放的有好几十人。于是孙权废黜太子孙和，将他贬为平民，并流放到故鄣县，又赐鲁王孙霸自杀。而后杀死了杨竺，还把杨竺的尸体抛进了长江，又诛杀了全寄、吴安、孙奇等人，因为他们是孙霸的党羽，参与了谗毁、陷害太子孙和的缘故。当初，杨竺在少年时期就享有很高的声誉，而陆逊却说他终将败亡，并劝说杨竺的哥哥杨穆与他断绝关系，另立门户，成为两个互不相干的家族。等到杨竺败亡，杨穆因为曾经屡次规劝杨竺而免遭杀害。朱据在前往新都郡的途中，被中书令孙弘追上，孙弘传达吴主孙权的命令赐朱据自杀了。

冬季，十月，魏国庐江太守谯郡文钦假装背叛魏国，企图引诱吴国偏将军朱异上当，让朱异亲自率军前来迎接自己。朱异看出这是一个骗局，就上表奏报给吴主孙权，认为不能前往迎接文钦。孙权说:“如今北方领土尚未统一，文钦既然表示愿意投降东吴，就应该前去迎接。如果担心他心怀欺诈，只需预先设计，布下罗网逮捕他，安排重兵做好防备不就可以了吗。”于是派偏将军吕据率领二万人与朱异会师后前往北部边界接应文钦，文钦果然拒绝投降。朱异，是朱桓的儿子。吕据，是吕范的儿子。

十一月，魏国大利景侯孙礼去世。

吴主孙权立幼子孙亮为太子。

吴主孙权调遣了十万军队在堂邑、涂塘一带修坝蓄水，以淹没北方通往建业的道路。

十二月二十七日甲辰，魏国东海定王曹霖去世。

魏国征南将军王昶上疏说:“孙权放逐忠良大臣，嫡子与庶子之间又互相争斗，

衅[432]击吴。”朝廷从之，遣新城[433]太守南阳州泰[434]袭巫、秭归[435]，荆州刺史王基向夷陵[436]。昶向江陵[437]，引竹絙[438]为桥，渡水击之。吴大将施绩[439]夜遁入江陵，昶欲引致平地与战，乃先遣五军按大道发还[440]，使吴望见而喜；又以所获铠马甲首环城[441]以怒之，设伏兵以待之。绩果来追，昶与战，大破之，斩其将锺离茂、许旻。

汉姜维复寇西平[442]，不克。

【段旨】

以上为第二段，写邵陵厉公嘉平元年（公元二四九年）至嘉平二年共两年间的大事。主要写了魏曹爽、曹羲等人陪皇帝出都城谒陵，司马懿闭城门发动政变；桓范劝曹爽拥皇帝据许昌以讨司马氏，曹爽不听，遂使司马懿轻易地诛灭曹党，置皇帝于掌握之中。写了王凌、令狐愚等图谋拥立楚王曹彪的一些活动。写了蜀将姜维进攻魏国雍州不胜而还。写了吴主孙权废掉太子孙和，改立幼子孙亮，群臣劝谏而遭杀戮的荒悖情景。写了魏将王昶等进击吴国，大破吴军于长江中游的一些事。

【注释】

⑲⑥正月甲午：正月初六日。⑲⑦高平陵：魏明帝曹叡的陵墓，在洛阳城南的太石山上，距洛阳城九十里。⑲⑧勒兵据武库：调兵占领了武库。勒，控制、调集。武库，国家的武器仓库。⑲⑨洛水浮桥：洛阳城宣阳门南洛水上的浮桥。⑳⓪假节行大将军事：授予旌节使其代行大将军的职务，意即已将曹爽免职。魏晋时期，朝廷派人出任某要职，总要授予旌节，分三级：最高者称“使持节”，其次称“持节”，再其次称“假节”，不同级别的使者有不同的生杀权力。行，临时代理。[201]据爽营：占据了曹爽的大将军军营。[202]太仆王观：太仆是九卿之一，为皇帝掌管车马，出门时为皇帝赶车。王观，传见《三国志》卷二十四，与高柔等都是司马懿的亲信。[203]行中领军事：代理中领军的职务，意即已将曹羲罢职。[204]奏爽罪恶：上书启奏曹爽的“罪恶”。当时的皇帝曹芳正与曹爽在一起。[205]昔从辽东还：魏明帝景初二年（公元二三八年），司马懿曾率兵到辽东讨伐公孙渊。辽东是魏郡名，郡治襄平，即今辽宁辽阳。[206]先帝：指明帝曹叡。[207]诏陛下、秦王及臣升御床：秦王，指曹询。御床，御座。[208]深以后事为念：曹叡与司马懿、曹芳、曹

可趁此机会攻打吴国。”朝廷采纳了王昶的建议，于是派遣新城太守南阳人州泰袭击吴国的巫县、秭归县，派遣荆州刺史王基率军攻打夷陵。王昶率军攻打江陵，他命军士将竹子拧成绳索搭建成桥梁，而后渡水攻打吴军。吴国大将施绩连夜逃入江陵城内，王昶想将施绩引诱到平地交战，于是就先派遣五支部队沿着大道向后撤退，故意让吴国军队看见，使吴军以为有机可乘而心喜；又将所缴获的铠甲、战马等战利品围绕着江陵城四周向吴军展示，以此来激怒吴军，然后在预期会战的地方设下埋伏等待吴军进入圈套。施绩果然率军追赶，王昶率军迎战，大破东吴军，杀死了吴军将领锺离茂、许旻。

蜀国姜维再次率军进犯魏国的西平郡，没有取胜。

洵等之忧虑后事，见本书卷七十四魏明帝景初二年。⑳⑨ 太祖、高祖亦属臣以后事：太祖指曹操。高祖指曹丕。属，同“嘱”，托付。〖按〗司马懿曾被文帝曹丕所信任、器重，而曹操并未以后事嘱托司马懿，此司马懿连蒙带骗，借以自重。㉑⓪ 此自陛下所见：这都是陛下您所见过的。此陛下指明帝曹叡。㉑① 无所忧苦：意即不必担心。㉑② 背弃顾命：背弃明帝曹叡临死前的嘱托。㉑③ 僭拟：行动作为超越本分，和皇帝的排场相同。㉑④ 根据盘互：犹言盘根错节。㉑⑤ 都监：宫廷诸事的总管。㉑⑥ 离间二宫：挑拨皇帝曹芳和郭太后的关系。㉑⑦ 便为寄坐：即使想当一个不管事的傀儡。便，即使。寄坐，借个地方坐坐。㉑⑧ 朽迈：年老衰朽。㉑⑨ 敢忘往言：我能够忘了当年说过的话吗。㉒⓪ 永宁宫：此处借指郭太后。㉒① 臣辄敕主者及黄门令：我已经打发主管该事务的太监。辄，立即。主者，主管该项事务的人。黄门令，太监头领，主管宫中诸宦官。㉒② 以侯就第：以侯爵的身份回家闲居。㉒③ 以稽车驾：指扣留皇帝，令其不得回宫廷。稽，滞留。㉒④ 力疾：勉强支撑着病体。㉒⑤ 不通：不上呈皇帝曹芳。㉒⑥ 伊水：发源于河南卢氏熊耳山东北，流经嵩阳、伊阳，经洛阳南入洛水。㉒⑦ 鹿角：把树枝削尖，立着埋在地上，用以阻止敌人前进。因为它的形状像鹿头上的角，故称其为鹿角。㉒⑧ 屯田兵：时各地都有士兵屯田，洛阳附近也有。㉒⑨ 侍中：皇帝身边的侍从人员，以备参谋、顾问。㉓⓪ 尚书陈泰：尚书是为皇帝主管文书档案的官员，级别不高，但权力很大。陈泰是陈群之子。事迹见《三国志》卷二十二。㉓① 归罪：意同自首，到朝廷认罪伏法。㉓② 殿中校尉尹大目：殿中校尉掌管宫廷中的卫兵，上属光禄勋。尹大目的事迹详见《三国志》卷九及卷二十八。㉓③ 乡里老宿：同乡的德高望重的老人。桓范是沛国人，曹氏是谯郡人。谯、沛两郡相连，故称“乡里”。㉓④ 南出：投奔皇帝曹芳。㉓⑤ 平昌城门：洛阳城南面的西数第三门。㉓⑥ 门候司蕃：守城门的官员姓司名蕃。㉓⑦ 手中版：手里所拿的像是写有诏令的版牒。㉓⑧ 避侧：躲避在道路旁。㉓⑨ 驽马恋栈豆：劣马贪恋食槽里的豆子，比喻曹爽舍不得家室、财物。

栈，牲口棚。㉔许昌：颍川郡的郡治所在地，在今河南许昌东。㉔求贫贱复可得乎：意谓倘若斗争失败，必当灭门，想回家过贫民生活也是不可能的。㉔质一人：劫持一个人做人质。㉔别营：指中领军部下的另一支军队。当时司马懿已派王观行中领军事，掌握了城里的军队，而城外的一部分还在曹羲手中。㉔阙南：宫门之南，这里即指洛阳城南。㉔洛阳典农治在城外：洛阳的典农中郎将与典农都尉的办事机构都在城外。治，治所；办事机构。㉔呼召如意：只要您喊他们，他们都会应声而到。㉔中宿：隔两个夜晚就能到达。㉔许昌别库：国家设置在许昌的贮藏铠甲军械的仓库，与京城的武库相对而言，故称“别库”。㉔足相被假：足够把一支庞大军队装备起来。被假，犹言“装备”。㉕甲夜：夜有五更，一更叫甲夜。㉕五鼓：即五更，天已亮。㉕曹子丹：即曹真，字子丹，曹爽等人之父。㉕佳人：一代英雄。㉕豘犊：豘，同“豚”，小猪。犊，小牛。㉕坐汝等族灭：将跟着你们一道被灭族。㉕白帝：向皇帝禀请。㉕挟弹：带着弹弓。㉕戊戌：正月初十日。㉕廷尉：九卿之一，主管全国刑狱。㉖司隶校尉：官名，负责察举百官并兼任首都所在州（称司隶）的长官。㉖须：等待。㉖夷三族：灭掉三族。三族指父族、母族、妻族。或曰指父族、己族、子族。㉖司马：大将军属下的司马官，在军中主管司法。㉖留在府：留守在大将军府。㉖斫津门出赴爽：砍开津门逃奔曹爽。津门是洛阳南出的西头第一门。㉖将出：离开军队回家。㉖主簿：大将军属下主管文书事务的长官。㉖东市：汉代名臣晁错被斩于东市，后人遂常用“东市”代指斩人的刑场。㉖参军：大将军属下的参谋人员。㉗太常：九卿之一，掌礼仪祭祀。㉗可得尔乎：能够这样办事吗。㉗事就乎：事情能够成功吗。㉗得无殆就：看来是可以成功的。得无，当时口语，表示推测。㉗非太傅之偶：不是司马懿的对手。㉗恤：忧虑；援助。㉗为人执鞭：执鞭意即驾马，此处指“当人家的僚属”。㉗为人任三句：典出《左传》，“晏子曰：‘君为社稷死则死之……若为己死，而为己亡，非其私昵，谁敢任之’”！这里的意思是：受人信任，随之同死，那是他们亲信者的义务，你不必如此。㉗几不获于义：差点使自己的行为不合于道义。㉗辟王沈及太山羊祜：聘请王沈与羊祜为其僚佐。王沈，字处道，号文籍先生，曾任侍中。事见《三国志》卷四及卷二十八。羊祜字叔子，泰山南城（今山东费县西南）人。太山，即“泰山”。羊祜为名士蔡邕的外甥，司马师的妻弟，魏末任相国从事中郎，入晋后历任显职。传见《晋书》卷三十四。㉘委质事人二句：委身给某家权贵当僚属，是一件应三思而行的大事。㉘夏侯令女：姓夏侯，名令女。㉘绝昏：断绝婚姻关系。昏，通“婚”。㉘保终：依之以终老。㉘乞子字养：跟别人要个小孩来加以抚养。字，养育。㉘品目：品题评语。㉘唯深也故能通天下之志：语出《易·大传》，意思是由于能深下功夫所以才了解天下大势。㉘夏侯泰初：即夏侯玄，字泰初，当时名士。传见《三国志》卷九。㉘唯几也故能成天下之务：语出《易·大传》，意思是由于能见机而行所以才完成了天下大业。几，微、苗头。㉘司马子元：即司马师，字子元，司马懿之子。传见《三国志》卷四。㉙唯神也不疾而速二

句：语出《易·大传》。㉑以神况诸己：以“神”比喻自己。况，比喻。㉒选部郎：官名，主管考选官员。㉓傅玄：字休奕，北地泥阳（今陕西铜川市耀州区东南）人，魏末为著作郎，撰集《魏书》、著《傅子》，今有辑本。传见《晋书》卷四十七。㉔仲尼不圣：孔子算不上圣人。㉕难：辩驳；责问。㉖今见卿穷：很快就要看到你的狼狈相。今，即将。㉗鬼躁：相书上的术语，指筋骨轻浮软弱。㉘精爽烟浮：精气上飘如烟。㉙鬼幽：相书上的术语，指容颜枯槁无神。㉚皆非遐福之象：遐福，洪福。胡三省曰：“管辂之与何、邓言也，其陈义近于古人；至答其舅论何、邓之所以败，则相者之说耳，何前后之相戾也!”㉛自喜：自爱；好梳妆打扮。㉜王弼：字辅嗣，山阳（今河南焦作）人，曾任魏尚书郎。注《周易》时融进老庄，开后世玄学之风，另著有《周易略例》《老子注》《老子指略》。事见《三国志》卷二十八。㉝谓“六经”为圣人糟粕：语见《庄子·养生主》。㉞丙午：正月十八日。㉟丁未：正月十九日。㊱九锡：皇帝对特等大臣的九种赏赐，指车马、衣服、乐则、朱户、纳陛、虎贲、弓矢、斧钺、秬鬯。九锡的名目各项大同小异，排列次序不一。㊲其父渊死于蜀：夏侯渊被西蜀黄忠所斩事，见本书卷六十八汉献帝建安二十四年（公元二一九年）。㊳陇西：魏郡名，郡治襄武（今甘肃陇西）。㊴统属征西：受征西将军统领。㊵不叶：不和。㊶遇害于行间：死于两军交战之中。㊷营立家门：建立与巩固司马氏家族的权力。㊸锺士季：即锺会，字士季。传见《三国志》卷二十八。㊹气候分明：容光焕发。㊺钦钦：忧思难忘的样子。㊻常若在战场：常常像在战场上。㊼严鼓：擂鼓聚众。㊽行装就队：盔甲整齐，站好队列。㊾以此玩敌：以此迷惑敌人。㊿寝疾增笃：卧病在床，日益沉重。321中使医药口食之物：派太监为使者馈送药品及食物。322四月乙丑：四月初八日。323改元：曹爽被诛后，曹芳改年号为“嘉平”。324昌陵景侯蒋济：蒋济被封为昌陵侯，景字是其死后的谥。325不过免官：对曹爽的处置不过罢官而已，不至于死。326都乡侯：二等侯爵。蒋济原先封昌陵亭侯，是三等侯爵。327病其言之失：指误信司马懿的保证，骗曹爽交出兵权。328丙子：四月十九日。329卫将军：高级武官名，地位仅低于大将军、骠骑将军。330麹山：军事要地，位于雍州西南界，祁山的西面，约在今甘肃岷县东一百里处。331牙门将句安、李歆：牙门将是武官名，主管营门守卫。句安、李歆，二将之名。332聚羌胡质任：胁迫扣有人质的羌、胡诸少数民族。333讨蜀护军徐质：徐质时任讨蜀护军之职。334南安太守邓艾：南安是魏郡名，郡治獂道（今甘肃省陇西县东南）。邓艾字士载，魏国名将，义阳棘阳（今河南新野东北）人。传见《三国志》卷二十八。335分粮聚雪以引日月：分配粮秣、聚集雪水勉强坚持。引，延。336牛头山：约在今甘肃岷县南。337不战而屈人：《孙子兵法》，“百战百胜，非善之善者也；不战而屈人之兵，善之善者也”。338绝牛头：掐断牛头山蜀军的退路。339坚垒：固守城堡。340趣：同“趋”，奔赴。341洮水：源于西倾山北侧，东流至岷县，北折入湟水。342白水：即白龙江，也称白水江，发源于甘肃临潭西南的西倾山，东南流经岷县、武都、文县，入四川境内。白水北，指今文县一带。343廖化：西蜀

名将。传见《三国志》卷四十五。㉞向艾结营：面对邓艾的军队扎下营寨。㉟卒还：突然回军。卒，通“猝”，突然。㊱法当来渡：按常规应当渡河来攻。㊲持吾：拖住我们。㊳洮城：即今甘肃临洮。㊴兖州刺史令狐愚：兖州是魏州名，州治康丘，在今山东郓城东北。令狐愚，姓令狐名愚。事迹见《三国志》卷二十八。㊵平阿：魏县名，县治在今安徽怀远西南。㊶专淮南之任：意即独当淮南地区与吴国的战事。淮南指今安徽淮河以南、长江以北地区。㊷楚王彪：楚王曹彪，曹操的儿子。传见《三国志》卷二十。㊸白马：魏县名，县治在今河南滑县东二十里。曹彪先为楚王，后改白马王，都白马。㊹相闻：互通消息。㊺舍人劳精：王凌的亲信宾客姓劳名精。㊻何平叔：即何晏，字平叔。㊼虚华不治：只会表面功夫而没有治世能力。㊽并有宿望：都有长期以来的威望。㊾专竞于世：专门追逐名利。㊿所存：指主观愿望。㉛事不下接：指脱离实际，脱离群众。㊲莫不必改：必，当作“毕”，全都。㊳夙夜匪懈：从早到晚毫不懈怠。匪，通“非”。㊴十二月辛卯：十二月初九日。㊵即拜王凌为太尉：携带官印到王凌任所拜以为太尉。即，就。㊶庚子：十二月十八日。㊷孙礼：司马懿的亲信，前为荆州刺史，后为司隶校尉，今又为司空。㊸清节：清廉而有节操。㊹卢钦：任尚书仆射。事见《三国志》卷二十二。㊺才博气猛：博学多才，气宇轩昂。㊻高而不狷：有高节而不褊急、不苛刻。㊼洁而不介：廉洁而不固执。㊽博而守约：心志广大而行事谨慎。㊾清：清净；清通。㊿武帝：指魏武帝曹操。㊱通：通达；通脱。㊲凉州：魏州名，州治姑臧，即今甘肃武威。㊳介：耿直；廉洁。㊴毛孝先、崔季珪用事：意即毛玠、崔琰掌权。毛玠字孝先，曾任丞相东曹掾，魏国尚书仆射，曾谏阻曹操更改太子。传见《三国志》卷十二。崔琰字季珪。㊵变易车服：指故意乘陋车、穿旧衣，以博得俭朴名声。事见本书卷六十五汉献帝建安十三年。㊶雅尚自若：清雅高尚像往常一样。㊷毓：卢毓，字子家，魏国重臣，曾任吏部尚书、光禄勋、司空等职，封大梁乡侯、容城侯。传见《三国志》卷二十。㊸会稽：郡名，郡治山阴，今浙江绍兴。㊹全公主：孙权的长女，孙亮之姐，嫁与吴国官僚全琮为妻。事见《三国志》卷二十九、卷五十。㊺太子和：孙和。传见《三国志》卷五十九。㊻有隙：有矛盾。全公主与孙和有隙事见本书卷七十四正始六年。㊼欲豫自结：想要及早投靠孙亮。豫，通“预”，预先。㊽其夫之兄子尚：全尚，全琮之侄，封永平侯。传见《三国志》卷四十八。㊾鲁王霸：孙霸，孙权之子，被封为鲁王。㊿孙峻：字子远，吴郡富春（今浙江杭州市富阳区）人，孙权的族孙。传见《三国志》卷六十四。㊱分部：分成派系。㊲袁氏之败：汉末冀州军阀袁绍死后，其子袁尚、袁谭分立，结果被曹操分别消灭事，见本书卷六十四建安七年。㊳一人：指独断专行、孤立无援之人。㊴沉吟：犹豫不决的样子。㊵静：孙静，孙坚的亲兄弟，孙权之叔。㊶幽：软禁关闭，不准自由行动。㊷朱据：孙权幼女孙鲁育（孙小虎）的丈夫，封云阳侯。传见《三国志》卷五十七。㊸雅性：秉性；生来如此。㊹晋献用骊姬而申生不存：晋献公宠骊姬，骊姬为使自己的儿子为太子，挑动献公逼死太子申生事，见《左传》

僖公四年。⑩汉武信江充而戾太子冤死：事见本书卷二十二汉武帝征和二年（公元前九一年）。江充，汉武帝时期的阴谋家。传见《汉书》卷四十五。⑪不堪其忧：指自杀或因囚禁而死。⑫思子之宫：汉武帝受江充挑拨，逼死了太子，后来自己醒悟过来，后悔莫及，遂在宫中立了一个思子台，从上面眺望戾太子的坟墓。⑬尚书仆射：官名，尚书令的副手，主管文书众事，孙权的宠信之臣。⑭泥头自缚：把泥涂抹在头上，自己捆绑着双手。⑮诣阙请和：到皇宫去请求宽恕太子孙和。⑯白爵观：在建业宫内。⑰无事匆匆：不要干这种添乱的事。匆匆，急遽的样子。⑱无难督陈正、五营督陈象：孙权近卫军的两名军官。当时孙权曾置有左右"无难营"和"五营"。⑲左迁据为新都郡丞：将朱据贬为新都郡的郡丞。左迁，贬官。新都郡的郡治始新，在今浙江淳安西北。郡丞，郡太守的属官。⑳群司：各部门的官员。㉑故鄣：吴县名，县治在今浙江安吉西北。㉒党霸：与孙霸勾结。㉓谮和：说太子和的坏话。事见本书卷七十四正始六年（公元二四五年）。㉔陆逊：字伯言，东吴名将，封江陵侯。传见《三国志》卷五十八。㉕与之别族：断绝关系，成为两个不相干的家族。㉖中书令孙弘：中书令是为皇帝起草文件的官。孙弘的事迹见《三国志》卷十四。㉗庐江：魏郡名，郡治六安，在今安徽六安东北。㉘文钦：字仲若，魏国大将，封谯侯、山桑侯。传见《三国志》卷二十八。㉙朱异：字季文，东吴将领。传见《三国志》卷五十六。㉚归命：指投降。㉛谲：欺诈。㉜吕据：东吴将领。传见《三国志》卷五十六。㉝大利景侯孙礼：大利侯是孙礼的封号，景字是谥。孙礼字德达，司马懿的亲信，死前任司空。传见《三国志》卷二十四。㉞作堂邑、涂塘：在堂邑、涂塘一带筑坝蓄水。堂邑县的县治在今江苏六合北。涂塘，即滁水的堤坝。涂，同"滁"。滁水源于安徽合肥东北，东北流至堂邑附近，南折入长江。㉟淹北道：淹没北方通往建业的道路。杜佑曰："淹北道以绝魏兵之窥建业，吴主老矣，良将多死，为自保之规摹而已。"㊱十二月甲辰：十二月二十七日。㊲东海定王霖：东海王曹霖，谥曰"定"。谥法，钝行不爽曰定；安民法古曰定。传见《三国志》卷二十。㊳征南将军：官名，当时魏国有"四征""四镇"八将军，位从公。征南将军掌南部之征伐事。㊴王昶：字文舒，魏国名将，封京陵侯。传见《三国志》卷二十七。㊵良臣：指朱据等人。据《晋书·五行志》记载，当时孙权意志满盈，愿德渐衰，听信谗言，喜好诛杀。太子孙和被废，鲁王孙霸被迫自杀，朱据被贬逐（事实上已被诛杀），陆逊忧恚而死。㊶嫡庶分争：指孙亮挤倒故太子孙和。㊷乘衅：趁机。衅，缝隙、机会。㊸新城：魏郡名，郡治房陵，今湖北房县。㊹州泰：姓州名泰，魏国名将，曾官至征虏将军，都督江南诸军事。事见《三国志》卷二十八。㊺巫、秭归：二县名，巫即巫县，县治在今重庆市巫山县北，秭归即今湖北秭归。当时都属吴国。㊻夷陵：吴县名，县治即今湖北宜昌。㊼江陵：当时吴国荆州的首府，在今湖北沙市西。㊽竹絙：用竹子拧成的绳索。㊾施绩：因过继给朱然为子，故亦称朱绩。传见《三国志》卷五十六。㊿发还：向回撤退。(441)环城：指绕着江陵城四周向吴人展示。(442)西平：魏郡名，郡治西都，今青海西宁。

【校记】

［5］以：原无此字。据章钰校，甲十六行本、乙十一行本、孔天胤本皆有此字，今据补。［6］人：原无此字。据章钰校，甲十六行本、乙十一行本、孔天胤本皆有此字，今据补。［7］以：据章钰校，甲十六行本无此字。［8］之：据章钰校，甲十六行本、乙十一行本、孔天胤本皆作“不”，熊罗宿《胡刻资治通鉴校字记》同。［9］常：原无此

【原文】

三年（辛未，公元二五一年）

春，正月，王基、州泰击吴兵，皆破之，降者数千口。

三月[13]，以尚书令司马孚[443]为司空。

夏，四月甲申[444]，以王昶为征南大将军。

壬辰[445]，大赦。

太尉王凌闻吴人塞涂水[446]，欲因此发兵，大严[447]诸军，表求讨贼，诏报不听。凌遣将军杨弘以废立事[448]告兖州[449]刺史黄华，华、弘连名以白司马懿。懿将中军[450]乘水道讨凌，先下赦赦凌罪，又为书谕[451]凌，已而大军掩至百尺[452]。凌自知势穷，乃乘船单出迎懿，遣掾王彧[453]谢罪，送印绶、节钺[454]。懿军到丘头[455]，凌面缚水次[456]，懿承诏遣主簿解其缚。

凌既蒙赦，加恃旧好，不复自疑，径乘小船欲趋懿。懿使人逆止之[457]，住船淮中[458]，相去十余丈。凌知见外[459]，乃遥谓懿曰：“卿直以折简召我[460]，我当敢不至邪？而乃引军来乎！”懿曰：“以卿非肯逐折简[461]者故也。”凌曰：“卿负[462]我！”懿曰：“我宁负卿，不负国家。”遂遣步骑六百送凌西诣京师。凌试索棺钉[463]以观懿意，懿命给之。五月甲寅[464]，凌行到项[465]，遂饮药死。

字。据章钰校，甲十六行本、乙十一行本皆有此字，今据补。[10] 曰：原无此字。据章钰校，甲十六行本、乙十一行本、孔天胤本皆有此字，张敦仁《通鉴刊本识误》同，今据补。[11] 楚王：此二字原作“彪”。据章钰校，甲十六行本、乙十一行本皆作“楚王”，今据改。[12] 谯郡：原无此二字。据章钰校，甲十六行本、乙十一行本、孔天胤本皆有此二字，张敦仁《通鉴刊本识误》同，今据补。

【语译】

三年（辛未，公元二五一年）

春季，正月，魏国的王基、州泰率军攻打吴国的军队，分别将吴军打败，向魏军投降的有数千人。

三月，魏国任命尚书令司马孚为司空。

夏季，四月初九日甲申，魏国任命王昶为征南大将军。

十七日壬辰，魏国实行大赦。

魏国太尉王凌听说吴国派人堵塞了滁水，就想以此为借口发兵攻打吴国，于是一面紧急动员，加紧备战，一面上表朝廷请求出兵讨贼，朝廷回复不准。王凌派遣将军杨弘将自己准备废黜皇帝曹芳，另立楚王曹彪为皇帝的想法告诉兖州刺史黄华，不料黄华、杨弘竟联名将此事报告给了司马懿。司马懿立即亲自率领主力大军乘船从水路前来讨伐王凌，他先以皇帝曹芳的名义下了一道赦免王凌罪行的赦令，又亲自写信宽慰王凌，然而不久，司马懿率领的大军突然出现在百尺堰。王凌知道靠自己的力量无法抵抗，于是就独自一人乘船出来迎接司马懿，又派僚属王彧到司马懿跟前替自己请罪，同时送出朝廷和皇帝授予自己的印绶、旌节和斧钺。司马懿率领军队到达丘头，王凌把自己捆绑起来在水边等候，司马懿秉承皇帝曹芳的旨意派遣主簿上前为王凌解开绳索。

王凌已经得到赦免，又仗着平日与司马懿关系友好，所以不再怀疑会有危险，就乘着小船径直向司马懿的大船靠拢。司马懿赶紧派人迎上前去将他拦住，让他把船停泊在淮河之中，与司马懿的船只相距十几丈远。王凌知道司马懿已不再信任自己，于是就远远地向着司马懿大声说道：“你只要写一封短信招呼我前来，我怎敢不来呢？而你竟然率领大军前来！”司马懿说：“因为你不会听一封短信的招呼。”王凌说：“你欺骗了我！”司马懿说：“我宁可辜负你，而不能辜负国家。”于是派遣六百名步兵、骑兵把王凌押往西边的京师洛阳。途中，王凌向司马懿索要钉棺材的铁钉，想以此来试探司马懿对自己的态度，司马懿命令将铁钉给他。五月初十日甲寅，王凌走到项县，便服毒自杀了。

懿进至寿春[466]，张式[467]等皆自首。懿穷治其事，诸相连者悉夷三族。发凌、愚冢，剖棺暴尸于所近市三日，烧其印绶、章[14]服[468]，亲土埋之[469]。

初，令狐愚为白衣时，常有高志，众人谓愚必兴令狐氏。族父弘农太守邵[470]独以为："愚性倜傥[471]，不修德而愿大，必灭我宗。"愚闻之，心甚不平。及邵为虎贲中郎将[472]，而愚仕进已多所更历，所在有名称[473]。愚从容[474]谓邵曰："先时闻大人谓愚为不继[475]，今竟云何邪？"邵熟视而不答，私谓妻子曰："公治性度[476]犹如故也。以吾观之，终当败灭，但不知我久当坐之不[477]邪，将逮汝曹[478]耳。"邵没后十余年而愚族灭。

愚在兖州，辟山阳单固为别驾[479]，与治中[480]杨康并为愚腹心。及愚卒，康应司徒辟[481]，至洛阳，露愚阴事[482]，愚由是败。懿至寿春，见单固，问曰："令狐反乎？"曰："无有。"杨康白事，事与固连，遂收捕固及家属皆系廷尉[483]，考实数十，固固云无有。懿录[484]杨康，与固对相诘[485]。固辞穷，乃骂康曰："老佣[486]！既负使君[487]，又灭我族，顾汝当活邪[488]！"康初自冀[489]封侯，后以辞颇参错[490]，亦并斩之。临刑，俱出狱，固又骂康曰："老奴！汝死自分[491]耳。若令死者有知，汝何面目以行地下乎！"

诏以扬州刺史诸葛诞为镇东将军，都督扬州诸军事。

吴主立潘夫人为皇后[492]，大赦，改元太元[493]。

六月，赐楚王彪死。尽录诸王公置邺[494]，使有司察之，不得与人交关[495]。

秋，七月壬戌[496]，皇后甄氏[497]殂。

辛未[498]，以司马孚为太尉。

八月戊寅[499]，舞阳宣文侯[500]司马懿卒。诏以其子卫将军师为抚军大将军，录尚书事[501]。

司马懿来到寿春，张式等人全都向司马懿自首。司马懿对此事穷究不舍，一查到底，凡是受到牵连的全部夷灭三族。又派人挖掘王凌、令狐愚的坟墓，剖开棺材，把尸体拖出来在附近街市示众三天，把他们的印绶、生前所穿的官服全部烧毁，而后把他们的尸体裸葬。

当初，令狐愚还是一介平民的时候，就曾经胸怀大志，人们都认为令狐愚一定能使令狐氏家族兴盛起来。只有他的堂叔、担任弘农郡太守的令狐邵认为："令狐愚性情卓尔不群，不拘礼法，他不知道修养自己的品德，却志向远大，必定会灭亡我们令狐氏。"令狐愚听到这个评价，心里很是愤愤不平。等到令狐邵做了虎贲中郎将，而令狐愚也早已步入仕途，历经了许多磨炼，而且不论做什么官，所到之处都很有声望，受人称道。于是，令狐愚便装作漫不经意似的对令狐邵说："早先听说大人认为我不才，不能继承祖宗大业，现在你究竟怎么说呢？"令狐邵凝视了他好久没有回答，私下里对自己的妻子说："我看令狐愚的性情气度还是过去的老样子。据我看来，令狐愚最终必会败亡，只是不知道将来我会不会受到他的牵连而已，恐怕灾难将要落到你们身上了。"令狐邵死后十几年，令狐愚被灭族。

令狐愚在兖州担任刺史的时候，聘请山阳人单固担任自己属下的别驾，单固与担任治中的杨康同为令狐愚的心腹。等到令狐愚死，杨康接受司徒高柔的聘请来到京师洛阳，他透露了令狐愚与王凌图谋废黜魏帝曹芳另立曹彪为帝的秘密，令狐愚因此而败露。司马懿来到寿春，看见单固，就询问单固说："令狐愚是不是准备谋反？"单固回答说："没有此事。"杨康在检举书中提到了单固曾经参与令狐愚谋反之事，司马懿于是将单固及其家属全部逮捕起来送到廷尉那里接受审讯，法官举出数十条证据进行核实，单固都坚决否认。司马懿也将杨康收审，让杨康与单固面对面进行对质。单固理屈词穷，于是大骂杨康说："你这个老奴才！既辜负了令狐愚太守，又使我遭受灭族之祸，你以为你就能活得了吗！"杨康当初以为自己检举令狐愚谋反有功，一定能封个侯爵，后来因为口供前后矛盾百出，于是与单固一同被判处死刑。行刑时，两人同时被带出监狱，单固又骂杨康说："老奴才！你的死是罪有应得。如果死后有知，到了阴曹地府，你有什么脸面再见人呢！"

魏帝曹芳下诏任命扬州刺史诸葛诞为镇东将军，统领扬州诸军事。

吴主孙权册封太子孙亮的母亲潘夫人为皇后，大赦天下，改年号为"太元"。

六月，魏帝曹芳下诏令楚王曹彪自杀。把曹氏诸王、诸公全部集中到邺城软禁起来，并派有关部门负责监视，不许他们与外人有任何交往。

秋季，七月十九日壬戌，魏国曹丕的甄皇后去世。

二十八日辛未，魏国任命司马孚为太尉。

八月初五日戊寅，舞阳宣文侯司马懿去世。魏帝曹芳下诏任命司马懿的儿子、卫将军司马师为抚军大将军，总理全部朝政。

初，南匈奴[502]自谓其先本汉室之甥[503]，因冒姓刘氏。太祖留单于呼厨泉[504]于邺，分其众为五部，居并州境内。左贤王豹[505]，单于於扶罗之子也，为左部帅，部族最强。城阳[506]太守邓艾上言："单于在内[507]，羌、夷失统，合散无主。今单于之尊日疏而外土之威日重[508]，则胡虏不可不深备也。闻刘豹部有叛胡，可因叛割为二国[509]，以分其势。去卑功显前朝[510]而子不继业，宜加其子显号，使居雁门[511]。离国弱寇，追录旧勋[512]，此御边长计也。"又陈"羌、胡与民同处[513]者，宜以渐出之[514]，使居民表[515]，以崇廉耻之教，塞奸宄之路[516]"。司马师皆从之。

吴立节中郎将陆抗屯柴桑[517]，诣建业[518]治病。病差[519]，当还，吴主涕泣与别，谓曰："吾前听用谗言，与汝父大义不笃[520]，以此负汝。前后所问[521]，一焚灭之，莫令人见也。"

是时，吴主颇寤太子和之无罪。冬，十一月，吴主祀南郊[522]还，得风疾[523]，欲召和还。全公主及侍中孙峻、中书令孙弘固争之[524]，乃止。

吴主以太子亮幼少，议所付托，孙峻荐大将军诸葛恪[525]可付大事。吴主嫌恪刚很自用[526]，峻曰："当今朝臣之才，无及恪者。"乃召恪于武昌。恪将行，上大将军吕岱[527]戒之曰："世方多难，子每事必十思。"恪曰："昔季文子[528]三思而后行，夫子曰：'再思可矣[529]。'今君令恪十思，明恪之劣也。"岱无以答，时咸谓之失言。

虞喜[530]论曰："夫托以天下，至重也；以人臣行主威，至难也；兼二至而管万机，能胜之者鲜[531]矣。吕侯，国之元耆[532]，志度经远[533]，甫[534]以'十思'戒之，而便以'示劣'见拒，此元逊之

当初，南匈奴认为自己的先人原本是汉室的外甥，于是就冒充刘姓。魏太祖曹操将匈奴最后一任单于呼厨泉强行留在邺城，并把他的部众分作五部，分别居住在并州境内。左贤王刘豹是於扶罗单于的儿子，任匈奴左部统帅，他的部族势力最强大。担任城阳太守的邓艾上疏给朝廷说："匈奴单于住在内地，而羌、夷之人却没有人统领，无论他们是聚集还是分散，都没有人管理。如今住在内地的呼厨泉单于虽然地位尊贵，而与其部落的关系却日渐疏远，而在外土的左贤王刘豹的势力却越来越大、威望日益提高，对于匈奴人不能不深加警惕。听说刘豹的部族中有人叛变，可以抓住这个作为借口将南匈奴分为两个部分，以分散和削弱他们的势力。南匈奴右贤王去卑在前朝时曾经保护汉献帝由长安东还洛阳有功，而他的儿子却没有继承他的事业，应该赏赐给他儿子一个荣耀称号，让他到雁门郡居住。把匈奴分为两部分，可以削弱、分散他们的势力；因为匈奴右贤王去卑旧日的功劳而加封他的儿子，是对匈奴亲附朝廷行为的一种表彰，这是安定边境的长久之策。"又陈述说"那些羌人、胡人与汉民混杂居住的，应该逐渐地把他们分离出去，让他们到汉人居住区以外去居住，以此来显扬礼仪、廉耻的教化，预防少数民族煽动一个地区的不安"。这些建议都被司马师所采纳。

吴国立节中郎将陆抗率军屯驻在柴桑，他回到都城建业治病。他病愈之后，应当返回柴桑，临行前，吴主孙权与他道别时泪流满面，非常伤感地对他说："我以前听信谗言，对你父亲陆逊不够信任，情义不够深厚，因此很对不起你。我先前指责你父亲的所有书信，你就把它们都烧掉了吧，不要让别人看到。"

此时，孙权逐渐地醒悟到前太子孙和原本清白无罪。冬季，十一月，孙权前往南郊举行祭天仪式回来，便中风了，他想把孙和召回建业。全公主以及侍中孙峻、中书令孙弘都竭力劝阻，孙权只得作罢。

吴主孙权因为太子孙亮年纪幼小，就商议可以托付的人选，孙峻举荐大将军诸葛恪，认为此人可以托付大事。孙权嫌诸葛恪刚愎自用，孙峻说："如今在朝廷的大臣中，论才能，没有人能赶得上他。"于是将诸葛恪从武昌召回建业。诸葛恪在准备离开武昌的时候，身为上大将军的吕岱告诫他说："目前国家正是多事之秋，先生对每件事情都要反复思考十次再去实行。"诸葛恪说："过去季文子三思而后行，孔夫子说：'两思就可以了。'现在先生却让我十思而后行，这明明是在说我才智低劣。"吕岱一时无话可说，当时人们都认为吕岱有些失言。

虞喜评论说："被托付以整个天下，这是最重大的责任；以臣子的身份行使国君的权力，是最难办的事情；以一人之身而兼任最重大的责任和最难办的事情，而且要日理万机，能够胜任的人是很少的。吕侯岱，是吴国的元老，考虑事情既长且远，刚刚用'十思'来告诫诸葛恪，诸葛恪以为是轻视自己而严词

疏，机神不俱[535]者也。若因十思之义，广谘当世之务，闻善速于雷动[536]，从谏急于风移，岂得陨身[15]殿堂，死于凶竖之刃[537]！世人奇其英辩[538]，造次[539]可观，而哂[540]吕侯无对为陋，不思安危终始之虑[541]，是乐春藻之繁华，而[16]忘秋实之甘口也。昔魏人伐蜀，蜀人御之，精严垂发[542]，而费祎方与来敏[543]对棋，意无厌倦。敏以为必能办贼[544]，言其明略内定，貌无忧色也。况长宁以为君子临事而惧，好谋而成[545]，蜀为蕞尔之国[546]，而方向[547]大敌，所规所图，唯守与战，何可矜己有余，晏然无戚[548]？斯乃祎性之宽简，不防细微，卒为降人郭循[17]所害[549]，岂非兆见于彼而祸成于此[550]哉！往闻长宁之甄文伟[551]，今睹元逊之逆吕侯[552]，二事体同，皆足以为世鉴也。”

恪至建业，见吴主于卧内，受诏[553]床下，以大将军领太子太傅[554]，孙弘领少傅[555]。诏有司诸事一统于恪，惟杀生大事，然后以闻[556]。为制群官百司拜揖之仪[557]，各有品序[558]。又以会稽太守北海滕胤[559]为太常[560]。胤，吴主婿也。

十二月，以光禄勋[561]荥阳郑冲[562]为司空。

汉费祎还成都，望气者[563]云：“都邑无宰相位[564]。”乃复北屯汉寿[565]。

是岁，汉尚书令吕乂卒，以侍中[566]陈祗守尚书令。

四年（壬申，公元二五二年）

春，正月癸卯[567]，以司马师为大将军。

吴主立故太子和为南阳王，使居长沙[568]；仲姬子奋[569]为齐王，居武昌[570]；王夫人子休[571]为琅邪王，居虎林[572]。

二月，立皇后张氏，大赦。后，故凉州刺史既之孙，东莞太守缉[573]之女也。召缉拜光禄大夫。

吴[18]改元神凤[574]，大赦。

拒绝，这说明诸葛恪是一个志大才疏，既缺乏随机应变的能力，又缺乏聪明才智、远见卓识的人。如果他能体会到吕岱告诫他十思的原因，趁机广泛询问当世之务，采纳良好的建议，快得就像迅雷不及掩耳，接纳正直的劝谏，迅速得就像见风转舵，又怎么会在殿堂之上丧命，死在凶恶的小人之手呢！世上的人都惊叹于诸葛恪的英伟而有口才，一举一动都有可观之处，而讥笑吕岱当时的无言以对，认为他见识浅陋，却不懂得为国家社稷考虑长远，这就如同只知道喜欢春天花草的繁茂，而忘记了秋天果实的甜美。过去，魏国攻打蜀国，蜀国派军队前去抵御，军队已经整装以待，就要出发，而费祎却与来敏对弈，棋兴正浓，丝毫没有休止的意思。来敏以为此次一定能战胜来犯的敌人，认为费祎是胸有成竹，所以脸上才没有忧愁之色。反观长宁，却认为孔子说过君子每当遇到大事，必定心存忧惧，制定出周密的谋略而后才能取得成功，蜀国只是那么小的一个国家，而面对的却是十分强大的魏国，能够规划和考虑的，只有两条路：不是守就是战，怎么可以做出一种完全有把握对付敌人，一点都不担心的样子呢？这是因为费祎性情宽厚，思虑简单，不能防微杜渐，终于被降将郭循刺死，这难道不是在此等小事情上先有了预兆，而终于导致了后面惨祸的发生吗！过去听说长宁鉴别费祎，而今看见诸葛恪顶撞吕岱，这两件事情性质是一样的，都足以供世人借鉴。”

诸葛恪到达建业，在寝殿内拜见了吴主孙权，在孙权卧榻之下接受顾命以辅幼主孙亮，孙权任命诸葛恪以大将军的身份兼任太子太傅之职，孙弘兼任太子少傅。诏告各政府部门，一切事务统一由诸葛恪裁决，只有决定生死的大事才先由诸葛恪处置，然后再上奏皇帝。并特别制定了向诸葛恪行礼的规矩，依照官位高低，各有等级。又任命会稽郡太守北海人滕胤为太常。滕胤是吴主孙权的女婿。

十二月，魏国任命光禄勋荥阳人郑冲为司空。

蜀汉大将军费祎回到成都，以观望星象云气来卜测人间吉凶的人对他说：“京师成都没有宰相的职位让你当。”费祎于是原路返回，驻扎在汉寿县。

这一年，蜀国尚书令吕乂去世，任用侍中陈祗代理尚书令。

四年（壬申，公元二五二年）

春季，正月初二日癸卯，魏帝曹芳任命司马师为大将军。

吴主孙权封故太子孙和为南阳王，让他住在长沙郡；封仲姬所生的儿子孙奋为齐王，住在武昌郡；封王夫人所生的儿子孙休为琅邪王，住在虎林县。

二月，魏帝曹芳封张氏为皇后，大赦天下。张皇后，是已故凉州刺史张既的孙女，东莞太守张缉的女儿。于是召张缉回京师，任命他为光禄大夫。

吴国改年号为“神凤”，大赦天下。

吴潘后性刚戾[575]，吴主疾病，后使人问孙弘以吕后称制故事[576]。左右不胜其虐[577]，伺其昏睡，缢杀之，托言中恶[578]。后事泄，坐死者六七人。

吴主病困[579]，召诸葛恪、孙弘、滕胤及将军吕据、侍中孙峻入卧内，属[580]以后事。夏，四月，吴主殂[581]。孙弘素与诸葛恪不平[582]，惧为恪所治，秘不发丧，欲矫诏[583]诛恪。孙峻以告恪。恪请弘咨事[584]，于坐中杀之，乃发丧，谥吴主曰大皇帝。太子亮即位[585]，大赦，改元建兴。闰月[586]，以诸葛恪为太傅，滕胤为卫将军，吕岱为大司马。恪乃命罢视听，息校官[587]，原逋责[588]，除关税，崇恩泽，众莫不悦。恪每出入，百姓延颈思见其状。

恪不欲诸王处滨江兵马之地[589]，乃徙齐王奋于豫章[590]，琅邪王休于丹阳[591]。奋不肯徙，又数越法度[19]，恪为笺以遗奋曰："帝王之尊，与天同位，是以家天下，臣父兄[592]。仇雠有善，不得不举；亲戚有恶，不得不诛。所以承天理物[593]，先国后家[20]，盖圣人立制，百代不易之道也。昔汉初兴，多王子弟，至于大[21]强，辄为不轨，上则几危社稷，下则骨肉相残，其后惩戒[594]以为大讳。自光武以来，诸王有制，惟得自娱于宫内，不得临民[595]，干与政事，其与交通[596]，皆有重禁，遂以全安，各保福祚，此则前世得失之验也。大行皇帝[597]览古戒今，防牙遏萌[598]，虑于千载，是以寝疾之日，分遣诸王各早就国[599]，诏策勤渠[600]，科禁严峻，其所戒敕，无所不至。诚欲上安宗庙，下全诸王，各早就国，使百世相[22]承，无凶国害家之悔也[601]。大王宜上惟太伯顺父之志[602]，中念河间献王、东海王强恭顺之节[603]，下存[604]前世骄恣荒乱之王，以为警戒。而闻顷至武昌以来[605]，多违诏敕，不拘制度，擅发诸将兵治护宫

吴国潘皇后性情刚猛暴戾，吴主孙权病情日益加重，潘皇后派人去询问孙弘有关汉高祖刘邦死后吕后临朝称制的往事。潘皇后身边的人因为忍受不了她的残暴，就趁她熟睡的时候，将她勒死了，对外宣称是得了暴病而死。后来事情被泄露出去，有六七个人因为涉嫌被处死。

吴主孙权病危，他召集诸葛恪、孙弘、滕胤以及将军吕据、侍中孙峻进入寝殿，将后事托付给这几位大臣。夏季，四月，孙权病逝。孙弘一向与诸葛恪不和，担心受制于诸葛恪，就对孙权已死之事严加保密没有对外公布，想假传孙权诏命先除掉诸葛恪。孙峻将孙弘的阴谋暗中通知了诸葛恪。诸葛恪于是假借邀请孙弘商议公事，在座位上将孙弘杀死，而后发布孙权驾崩的消息，追谥孙权为大皇帝。太子孙亮即皇帝位，大赦天下，改年号为“建兴”。闰四月，任命诸葛恪为太傅，滕胤为卫将军，吕岱为大司马。诸葛恪于是下令撤销那些以监督伺察各级官府为目的的校官，免除百姓拖欠的田赋税收，解除关税，推行德政，人民无不欢欣鼓舞。每当诸葛恪出行，百姓们都伸长脖子等在路旁，希望能一睹他的风采。

诸葛恪不想让诸位亲王居住在沿长江边的军事要地，于是就将齐王孙奋迁移到豫章郡，把琅邪王孙休迁移到丹阳县。孙奋不肯迁移，又一再超越法度，诸葛恪就写信给他说：“帝王的尊贵，就如同上天一样，所以帝王把天下作为自己的家，把父亲、兄弟也当作自己的臣民。即使是与自己有深仇大恨的人，如果他有善行，也不能不褒奖他；即使是自己的亲属，如果他有了恶行，也不能不诛杀他。这是在秉承上天的旨意以治理万民，所以遇到事情必须把国事放在第一位，而后才考虑自己的家事，这是圣人立下的制度，即使再过一百代也不能改变。过去汉朝刚刚建立的时候，许多刘姓子弟被封为诸侯王，后来这些诸侯王中势力特别强大的就图谋不轨，对上几乎颠覆了国家社稷，对下则导致骨肉之间互相残杀，后人从这里吸取教训，诸侯王势力太强已经成了禁忌。从汉朝光武帝以来，对于诸侯王都有一定的限制，只许他们在自己的王宫之内自娱自乐，不能担任任何行政职务，不能干预朝廷政事，就连他们的互相往来都要受到严格的限制。正因为如此，所以诸侯王都得以保全，能够福寿绵长，这些都是前代得失的例证。刚去世的大皇帝以古代为镜子，惩戒于今世，防止坏现象的滋生发展，考虑千载之后的忧患，所以在病重期间，分别遣送诸王都早早回到自己的封地上去，诏书屡下，规定至为严格，他谆谆叮咛、告诫，无所不至。大皇帝的目的就是为了对上安定国家社稷，对下保全诸侯王，让诸侯王尽早回到自己的封国，要让子孙后代永远不做危害国家的事情，以免日后悔恨不及。大王向上应该效法吴太伯顺从父亲的意愿，中间应该想到西汉时期的河间献王刘德、东汉时期的东海王刘强对待皇帝那种恭敬顺从的品行，最下也应该思考前代那些骄横恣肆、荒淫昏乱的诸侯王的下场，以此作为自己的警戒。而我最近听说大王自到武昌以来，许多行为违背了大皇帝的诏命，不遵守制度的约束，擅自征调各将领的

室。又左右常从有罪过者，当以表闻，公付有司[606]，而擅私杀，事不明白[607]。中书杨融亲受诏敕[608]，所当恭肃，乃云‘正自不听禁[609]，当如我何？’闻此之日，小大惊怪，莫不寒心。里语[610]曰：‘明鉴所以照形，古事所以知今。’大王宜深以鲁王[611]为戒，改易其行，战战兢兢，尽礼朝廷。如此，则无求不得。若弃忘先帝法教，怀轻慢之心，臣下宁负大王，不敢负先帝遗诏；宁为大王所怨疾，岂敢忘尊主之威而令诏敕不行于藩臣邪！向使[612]鲁王早纳忠直之言，怀惊惧之虑，则享祚无穷，岂有灭亡之祸哉！夫良药苦口，唯病者能甘之；忠言逆耳，唯达者能受之。今者恪等偻偻[613]，欲为大王除危殆于萌牙，广福庆之基原，是以不自知言至[614]，愿蒙三思。”王得笺，惧，遂移南昌。

初，吴大帝[615]筑东兴堤[616]以遏巢湖[617]，其后入寇淮南[618]，败，以内船，遂废不复治[619]。冬，十月，太傅恪会众于东兴[620]，更作大堤，左右结山，侠筑两城[621]，各留千人，使将军全端守西城，都尉留略[622]守东城，引军而还。

镇东将军诸葛诞言于大将军师曰：“今因吴内侵，使文舒[623]逼江陵，仲恭[624]向武昌，以羁吴之上流[625]；然后简精卒攻其两城[626]，比救至，可大获也。”是时征南大将军王昶、征东将军胡遵、镇南将军毌丘俭等各献征吴之计。朝廷以三征[627]计异，诏问尚书傅嘏[628]。嘏对曰：“议者或欲泛舟径济，横行江表[629]，或欲四道并进，攻其城垒，或欲大佃疆埸[630]，观衅而动，诚皆取贼之常计也。然自治兵以来，出入三载，非掩袭[631]之军也。贼之为寇，几六十年[632]矣。君臣相保，吉凶共患；又丧其元帅[633]，上下忧危。设令列船津要[634]，坚城据险，横行之计，其殆难捷。

军队修缮、装饰自己的宫室。还有，大王左右的侍从有人犯了过失，就应该奏明朝廷，公开地将他们交付有关部门处理，而大王竟然私下擅自将其诛杀，也不向朝廷奏明原委。中书杨融是奉了皇帝的诏命前来武昌郡办事的，大王理应恭敬严肃地予以接待，而大王竟然说‘即使我不听皇帝的约束，你能把我怎么样’？听到大王说这话的那天，满朝文武不论官职大小，全被惊得目瞪口呆，无不感到寒心。俗话说：‘明亮的镜子能够照出人的形象，从古代的事情中能够知道现在。’大王应该把鲁王孙霸作为借鉴，改变自己的操行，诚惶诚恐地尊敬朝廷。能够如此的话，大王有什么要求不能得到呢。如果大王违背甚至抛弃了先帝的法度、教训，对朝廷怀有轻慢之心，那我宁可辜负了大王，而不敢辜负先帝的遗诏；宁可遭受大王的怨恨，哪敢忘记维护皇帝的权威而使皇帝的诏令不能在诸侯王中得到执行呢！如果当初鲁王孙霸能够早点接纳忠诚正直之人的劝告，对皇帝怀有一种诚恐畏惧之心，则能享尽无穷的荣华富贵，怎么会遭受灭亡之祸呢！有功效的药往往吃起来很苦涩，只有想治好病的人才认为它甘甜；忠诚正直的话听起来很不顺耳，而通达事理的人却能坦然接受。如今，我等怀着一种对大王十分恭敬虔诚之心，想要为大王铲除危机，使它无法萌生，想为大王广开幸福、吉庆的根基，因此不知不觉中未免言辞激切，希望大王三思。”齐王孙奋收到此信，非常恐惧，于是赶紧移居南昌。

当初，东吴大帝孙权在安徽修筑东兴堤以阻遏巢湖湖水，以利于自己水师行船方便，后来派全琮攻打魏国的淮南郡，却被魏军利用巢湖将吴军打败，遂将东兴堤废弃，不再修整治理。冬季，十月，太傅诸葛恪在东兴召集众人，另外修筑一条东兴大堤，使大堤左右与山相连接，夹堤修建了两座城关，每座城关留一千人防守，派将军全端守卫西城，都尉留略守卫东城，自己则率领大军返回京师建业。

魏国镇东将军诸葛诞向大将军司马师建议说：“现在应该趁吴国内部不稳定的机会，派王昶进攻吴国的江陵郡，派毌丘俭进攻武昌郡，以牵制住吴国长江上游的军队；然后挑选精锐士卒去攻打东兴堤的东关、西关，等到吴国派援军来救援的时候，我们已可以大获全胜。”当时，征南大将军王昶、征东将军胡遵、镇南将军毌丘俭等分别向朝廷进献征讨吴国的计策。朝廷认为三位将军所献计策各不相同，就下诏征询担任尚书的傅嘏的意见。傅嘏回答说：“在所进献的计策中，有人主张以舰船直渡长江，横扫江东，有人主张分兵四路，同时并进，去攻取东吴的城垒，有人主张在魏、吴两国边境进行大规模的武装屯田，等待时机而后采取行动，这些都是战胜敌人的常用计策。然而，自从我们开战以来，前后已经三年，不可能再对东吴采取突然袭击的办法。东吴作为强盗，差不多有六十年了。他们君臣之间互相保护，患难与共；现在他们的国君刚刚去世，正在上下一心，都在为国家的安危而忧虑。假如他们在重要渡口摆开战舰应敌，或是坚守城池占据险要，我们采用纵横驰骋于长江

今边壤之守，与贼相远，贼设罗落[635]，又特重密[636]，间谍不行[637]，耳目无闻。夫军无耳目，校察[638]未详，而举大众以临巨险，此为希幸徼功[639]，先战而后求胜，非全军之长策也。唯有进军大佃，最差完牢[640]。可诏昶、遵等择地居险，审所错置[641]，及令三方一时前守[642]。夺其肥壤，使还堉土[643]，一也；兵出民表，寇钞不犯[644]，二也；招怀近路，降附日至[645]，三也；罗落远设，间构不来[646]，四也；贼退其守，罗落必浅[647]，佃作易立，五也；坐食积谷，士不运输，六也；衅隙时闻，讨袭速决[648]，七也。凡此七者，军事之急务也。不据则贼擅便资[649]，据之则利归于国，不可不察也。夫屯垒相逼，形势已交[650]，智勇得陈，巧拙得用，策之而知得失之计，角之[651]而知有余不足，虏之情伪，将焉所逃[652]？夫以小敌大，则役烦力竭；以贫敌富，则敛重财匮。故曰：'敌逸能劳之，饱能饥之[653]'，此之谓也。"司马师不从。

十一月，诏王昶等三道[654]击吴。

十二月，王昶攻南郡[655]，毌丘俭向武昌，胡遵、诸葛诞率众七万攻东兴。甲寅[656]，吴太傅恪将兵四万，晨夜兼行，救东兴。胡遵等敕诸军作浮桥以渡，陈于堤[23]上，分兵攻两城，城在高峻，不可卒拔[657]。诸葛恪使冠军将军丁奉[658]与吕据、留赞、唐咨为前部，从山西上。奉谓诸将曰："今诸军行缓，若贼据便地，则难以争锋，我请趋之。"乃辟诸军使下道[659]，奉自率麾下三千人径进。时北风，奉举帆二日，即至东关，遂据徐塘[660]。时天雪，寒，胡遵等方置酒高会。奉见其前部兵少，

以东的计策，恐怕很难取得胜利。如今我国边境上的守卫部队，与东吴相距很远，东吴早已布设了烽燧以互相联络，而且岗哨密布，我们的情报人员很难开展工作，这就等于我们的耳朵无所闻，眼睛无所见。作为军队没有耳目，敌人的情况侦察不清楚，却要贸然率领大军去面对不可预测的巨大危险，这只能是希望凭借运气侥幸成功，先交战，然后再考虑如何取胜，这不是保全军队实力的最好办法。只有扩大边界武装屯田，比较起来还算是最为牢靠的办法。可以下诏令王昶、胡遵等人选择险要之地，每一个举动安排都要审慎仔细，再下令征南大将军王昶、征东将军胡遵、镇南将军毌丘俭率领大军同时进驻边境屯田的位置。这样做的好处是：夺取东吴的肥沃土地，逼迫他们退到贫瘠的土地上去，这是其一；军队驻扎在居民的外围，敌人的抄掠抢不到我方的百姓，这是其二；招引附近的敌方军民，使其不断来降，这是其三；把游兵哨探远远地放出去，使敌方的间谍无法进来，这是其四；敌兵一旦后撤，所设烽燧通报军情的防线定会缩短，军队进行屯田才能更加容易成功，这是其五；我们的军队原地驻扎，吃自己生产出来的粮食，不需另外征调百姓从后方运输给养，这是其六；敌人有什么漏洞我们都能及时掌握，可以立即发起攻击，这是其七。总的来说这七个方面，是军事行动中最关紧要的地方。这些有利条件如果我们把握不住，敌人就会掌握这些有利条件，谁占据了这些有利条件，就对谁的国家有利，因此不能不考察清楚。我方如果屯垦的营垒连绵交错，克敌制胜的形势等于已经形成，到那时，智慧、勇敢都可以得到施展，无论是灵巧还是笨拙都可以因人而用，谋划起来就可以知道自己的得失，与敌军交手就能知道自己哪方面强大哪方面薄弱，敌人的真实情况还有什么不被我们掌握的？以弱小的吴国来对抗强大的魏国，他们的劳役一定很繁重，他们的精力将会面临枯竭的危险；以一个贫穷的吴国来对抗富强的魏国，那么他们一定会加重赋税而导致财物匮乏。所以说：‘要让闲暇的敌人变得疲惫不堪；要让温饱的敌人饱尝饥肠辘辘的痛苦’，说的就是这个道理。”但司马师没有采纳傅嘏的意见。

十一月，魏帝下诏令王昶等人分成三路出兵攻打吴国。

十二月，王昶开始攻打南郡，毌丘俭率军攻打武昌郡，胡遵、诸葛诞率领主力部队的七万大军攻打东兴关。十九日甲寅，吴国太傅诸葛恪率领四万军队日夜兼程，赴援东兴关。胡遵等人下令军队架设浮桥渡过长江，在东兴堤上扎营布阵，分兵攻打左右两城，两城都修建在高峻之处，不能很快攻下。诸葛恪派冠军将军丁奉与吕据、留赞、唐咨为前部先锋，沿着山的西部前进。丁奉对诸将说：“如今大军行进缓慢，如果让魏军抢占了有利地形，我们就很难与他们一争高下，请允许我快速前去。”于是让其他军队给自己的人马让开一条道路，丁奉亲自率领属下的三千人快速向前行进。当时正刮着北风，丁奉扬帆破浪，仅用了两天时间就赶到了东关，随即占据了徐塘。当时正值冬季，大雪纷飞，天气严寒，魏国征东将军胡遵等人正在

谓其下曰:“取封侯爵赏,正在今日!”乃使兵皆解铠去矛戟,但兜鍪刀楯⑥⑥①,倮身缘堨⑥⑥②。魏人望见,大笑之,不即严兵⑥⑥③。吴兵得上,便鼓噪,斫破魏前屯⑥⑥④。吕据等继至,魏军惊扰散走,争渡浮桥,桥坏绝,自投于水,更相蹈藉⑥⑥⑤。前部督韩综⑥⑥⑥、乐安⑥⑥⑦太守桓嘉等皆没,死者数万。综故吴叛将⑥⑥⑧,数为吴害,吴大帝常切齿恨之,诸葛恪命送其首以白大帝庙。获车乘、牛马、骡驴[24]各以千数,资器山积,振旅⑥⑥⑨而归。

初,汉姜维寇西平,获中郎将郭循⑥⑦⓪,汉人以为左将军。循欲刺汉主⑥⑦①,不得亲近,每因上寿,且拜且前,为左右所遏⑥⑦②,事辄不果⑥⑦③。

【段旨】

以上为第三段,写了邵陵厉公嘉平三年(公元二五一年)、嘉平四年共两年间的大事。主要写了魏国元老王凌欲废曹芳、改立曹彪事被部下告密,被司马懿所杀害。写了司马懿病死,其子司马师继续掌握魏国政权。写了吴主孙权受全公主、孙峻等人怂恿,以幼子孙亮为后,以诸葛恪、孙峻为顾命大臣,以及孙权死后诸葛恪辅幼主、执吴政的若干表现。写了魏国诸将议论伐吴,傅嘏进言,司马师不听,结果三路出击,被吴将大破于淮南的情景。

【注释】

㊸司马孚:司马懿的三弟。传见《晋书》卷三十七。㊹四月甲申:四月初九日。㊺壬辰:四月十七日。㊻塞涂水:堵塞滁水,即前文所说的“作堂邑、涂塘以淹北道”。㊼严:紧急动员,加紧备战。㊽废立事:指欲废掉曹芳,拥立楚王曹彪为帝的计划。㊾兖州:魏州名,州治在今山东鄄城东北。㊿中军:主力大军。451谕:告;宽慰。452掩至百尺:突然出现在百尺堰。百尺堰在今河南沈丘北,距寿春约四百六十里。453掾王彧:僚属王彧。掾是群僚的总称。454节钺:旌节与斧钺。旌节是皇帝授予外出大臣或使者的信物,以证明其身份。斧钺是大将出征所秉持的信物,是权力的象征。455丘头:地名,在今河南沈丘东南。456面缚水次:自己捆绑起自己在水边等候。水次,水边。457逆止之:迎着让他停下来。458住船淮中:把船停在淮河之上。459见外:不被信任。460直以折简召

营帐之中摆设酒宴、高谈阔论。丁奉发现面前的敌人较少，就激励自己的属下说："争取封侯、获取奖赏，就在今天了！"于是让士兵将身上的铠甲全部解去，又扔掉矛戟，他们只是头上戴着铁盔，手持大刀、盾牌，赤身露体，沿着堤坝的缝隙而上。魏国的军队看见后，忍不住大笑起来，却不知道马上加强戒备。吴国军队因此得以顺利攀上堤岸，于是喊杀震天，冲破了魏军的第一道防线。吕据所率领的人马也相继赶到，魏军惊慌失措，四处逃散，争先恐后地逃上浮桥，浮桥承受不住，忽然中断，魏军纷纷落入水中，自相践踏。担任前部督的韩综、乐安郡太守桓嘉等都被淹死，魏军死者有好几万。韩综原本是吴国的叛将，他屡次率军侵害吴国，吴国大帝孙权对他恨得咬牙切齿，诸葛恪派人将韩综的首级送到大帝孙权的祭庙进行祭祀。缴获的车辆、牛马、骡驴等各以千计算，辎重器械堆积如山，吴军列队奏凯而归。

当初，蜀汉卫将军姜维率军入侵魏国的西平郡，俘获了魏国的中郎将郭循，后来蜀汉任命郭循为左将军。郭循想要刺杀蜀后主刘禅，但没有机会靠近刘禅身边，他每次利用庆典向刘禅敬酒的时候，都是一面跪拜，一面向前挪动，但每次都遭到刘禅左右侍卫的拦阻，事情总是办不成。

我：只消用一封短信就可以召我前来，意思是何必统兵前来。直，只。折简，古代书札简长二尺，折一半的竹简，上面只能写几个字，表示不用多说。㊶非肯逐折简：不会听一封短信的招呼。逐，随。㊷负：骗；对不起。㊸索棺钉：要钉棺木的铁钉，表示要自杀。㊹五月甲寅：五月初十日。㊺项：魏县名，县治即今河南沈丘。㊻寿春：魏县名，县治即今安徽寿县，当时是魏国扬州的州治所在地。㊼张式：令狐愚的部下，王凌的同盟者。㊽章服：此指王凌等人生前的官服。㊾亲土埋之：肌肤直接贴着土埋葬，即裸葬。㊿族父弘农太守邵：同族的父辈任弘农太守的令狐邵。471倜傥：卓然不群，不拘礼法。472虎贲中郎将：皇帝的侍卫长官，上属光禄勋。473所在有名称：不论做什么官，都有声望，被称道。474从容：故作漫不经心的样子。475不继：犹言"不肖"，不能继承祖宗大业，即不成才。今河北地区犹有此语，写作"不济"，意即差劲。476公治性度：令狐愚的性情。令狐愚字公治。477久当坐之不：日后是否会被牵连受罪。478将逮汝曹：恐怕灾难将要落到你们身上。479辟山阳单固为别驾：辟，聘任。单固，字恭夏，山阳郡人。事见《三国志》卷二十八《王凌传》。别驾，刺史属下的大吏。因出门单乘一辆车，故称别驾。480治中：即治中从事史，州里的大吏，主管人事选拔等事。481应司徒辟：接受司徒高柔的聘请。482阴事：机密之事。指令狐愚与王凌要废曹芳立曹彪的密谋（杨康泄露了密谋，这正是前文王凌要求攻打东吴而诏不准的原因）。483廷尉：九卿之一，执掌全国刑狱。484录：收审。485对相诘：面对面相对质。486老佣：犹言"老奴"。佣，奴仆。487使

君：对太守、刺史的敬称，这里指令狐愚。⑱顾汝当活邪：像你这种人还配活着吗。⑲自冀：自己希望。⑳辞颇参错：口供前后很矛盾。㉑自分：自己应得。㉒立潘夫人为皇后：孙权做皇帝至此已有二十三年，尚未立过皇后，潘夫人是第一位。㉓改元太元：在此之前孙权的年号是“赤乌”。㉔尽录诸王公置邺：把曹氏诸王、诸公全部集中到邺城，加以软禁。邺，当时魏郡的首府，在今河北临漳西南。曹操为魏王时，建都于此。曹丕代汉后定都洛阳，邺仍为魏国的五都之一。㉕交关：交接；来往。㉖七月壬戌：七月十九日。㉗皇后甄氏：曹丕的皇后，明帝曹叡之母。传见《三国志》卷五。㉘辛未：七月二十八日。㉙戊寅：八月初五日。㉚舞阳宣文侯：司马懿被封为舞阳侯，宣文是其谥号。㉛录尚书事：实即总理全部朝政。㉜南匈奴：匈奴自西汉宣帝时已有“南匈奴”之称；从东汉光武二十四年（公元四八年），匈奴正式分为南北二部，南匈奴归附汉朝，居住在今内蒙古河套一带。㉝汉室之甥：汉朝自刘邦时起，多次与匈奴和亲，派刘氏宗室女嫁匈奴单于，故后世单于称自己是汉室之甥。㉞呼厨泉：南匈奴单于之号。㉟左贤王豹：左贤王刘豹。匈奴语称“贤王”曰“屠耆王”。“屠耆”即“贤”的意思。匈奴尚左，单于以下诸王，以左贤王最尊，统众驻扎于单于的东部。㊱城阳：魏郡名，郡治东武，即今山东诸城。㊲在内：住在内地，指呼厨泉被留在邺。㊳外土之威日重：指左贤王刘豹的势力越来越大。㊴割为二国：将南匈奴分为左右两部分。㊵去卑功显前朝：南匈奴右贤王名叫去卑，曾保护了汉献帝由长安东还许昌。事见本书卷六十一兴平元年（公元一九四年）。㊶雁门：魏郡名，郡治广武，在今山西代县西南。㊷离国弱寇二句：把匈奴分为两部，使其势力削弱；加封右贤王之子，是对其先人的表彰。㊸与民同处：指与汉人混杂居住。㊹以渐出之：逐步地把他们分离出去。㊺使居民表：让他们居住在汉族人的地区之外。㊻塞奸宄之路：预防少数民族煽动一个地区的不安。㊼立节中郎将陆抗屯柴桑：中郎将是皇帝卫队的长官，秩千石，上属光禄勋。“立节”是该中郎将的称号。陆抗是东吴名臣，名将陆逊之子。传见《三国志》卷五十八。柴桑是吴县名，县治在今江西九江西南。㊽建业：即今南京，当时称建业。㊾病差：病愈。㊿大义不笃：指后来对这位大功臣缺乏关心信任。不笃，感情不深厚。㉑前后所问：指孙权责问陆逊的书信，见本书卷七十四正始六年（公元二四五年）。㉒祀南郊：到南郊举行祭天仪式，封建王朝的大典之一。㉓风疾：中风。㉔固争之：竭力劝阻。㉕诸葛恪：字符逊，吴国名臣，诸葛瑾之子。传见《三国志》卷十九。㉖刚很自用：刚愎自用。很，同“狠”，固执己见。㉗吕岱：字定公，东吴名将，曾任督军校尉、安南将军、上大将军，封吕侯、番禺侯。传见《三国志》卷六十。㉘季文子：即季孙行父，春秋时鲁国名臣，历仕文公、宣公、成公、襄公。㉙再思可矣：《论语·公冶长》：“季文子三思而后行。子闻之曰：‘再，斯可矣。’”㉚虞喜：字仲宁，东晋会稽余姚（今浙江余姚）人，世为江左世族。精通经传与天文学，著有《志林》《安天论》。传见《晋书》卷九十一。㉛能胜之者鲜：能够胜任的人不多。鲜，少、少有。㉜吕侯二句：吕岱是国家元老。耆，旧人、老

人。⑤33志度经远：考虑问题既长且远。⑤34甫：刚刚。⑤35机神不俱：没有同时具备“机”与“神”两种素质。机指随机应变。神指聪明智慧。⑤36闻善速于雷动：闻善言立即采纳，其快速胜于雷电。⑤37陨身殿堂二句：指诸葛恪后来被孙峻所杀的结局。凶竖，凶恶的小人。⑤38英辩：英伟而又有口才。⑤39造次：这里指一举一动。⑤40哂：讥笑。⑤41安危终始之虑：指为国家社稷考虑长远。⑤42精严垂发：军队严阵以待，准备出发。⑤43来敏：字敬达。事见《三国志》卷四十二。⑤44办贼：打败敌人。事见本书卷七十四正始五年。⑤45况长宁以为君子临事而惧二句：况，比拟、比较。长宁，不知何许人，临事而惧二句是孔子的话，见《论语·述而》。⑤46蕞尔之国：小国。蕞尔，小的样子。⑤47方向：面对。⑤48矜己有余二句：做出一种有把握对付敌人，一点都不担心的样子。矜，炫夸。晏然，安然。戚，忧虑。⑤49卒为降人郭循所害：郭循，当为“郭脩”之误。郭脩原为魏将，被蜀国所俘，乃诈降，费祎待之不疑，被郭脩所害。事见后文。⑤50兆见于彼而祸成于此：前面有小事上的自满粗心，后面乃有生死关头的惨祸。⑤51甄文伟：鉴别费祎，费祎字文伟。甄，鉴别。⑤52逆吕侯：顶撞吕岱，不接受吕岱的提醒。⑤53受诏：受顾命以辅幼主。⑤54领太子太傅：兼任太子太傅之职，主管辅导未来的小皇帝。⑤55少傅：即太子少傅，太子太傅的副职。⑤56然后以闻：先处置，过后再向皇帝说明，即通常所谓“先斩后奏”。⑤57拜揖之仪：向诸葛恪行礼的规矩。⑤58品序：等级。⑤59北海滕胤：北海是汉郡名，郡治平寿，在今山东潍坊西南。滕胤是孙权的女婿，封高密侯。传见《三国志》卷六十四。⑤60太常：官名，九卿之一，掌朝廷礼仪、祭祀等事。⑤61光禄勋：官名，九卿之一，也称郎中令，掌宿卫宫殿门户及统领皇帝侍从等。⑤62郑冲：字文和，荥阳开封（今河南开封南）人，好经史，博究儒术与诸子百家，曾选编诸家《论语》训注为《论语集解》，此时任魏司空。⑤63望气者：观望星象云气以测卜人间凶吉的迷信职业者。⑤64无宰相位：没有宰相的职位让你当。⑤65汉寿：蜀县名，县治在今四川广元西南。⑤66侍中：皇帝的侍从官名，品级很低，但因接近国家机密，故而权力甚大，升迁极快。⑤67癸卯：正月初二日。⑤68长沙：吴郡名，郡治临湘，即今湖南长沙。⑤69仲姬子奋：仲姬生的儿子孙奋。⑤70武昌：当时吴国江夏郡的郡治所在地，即今湖北鄂州市鄂城区。⑤71王夫人子休：王夫人生的儿子孙休。⑤72虎林：吴县名，在今安徽池州市贵池区西。⑤73东莞太守绰：张绰，张既之子。事见《三国志》卷九。东莞郡的郡治即今山东沂水县。⑤74改元神凤：神凤是吴主孙权的最后一个年号，在此之前孙权的年号是“太元”。⑤75刚戾：刚猛暴戾。⑤76吕后称制故事：刘邦死后吕后临朝执政的往事，见《史记·吕太后本纪》。〖按〗潘氏打听当年吕后如何行事，盖亦欲取效之也。⑤77不胜其虐：忍受不了她的残暴。⑤78托言中恶：假说是暴病而死。⑤79病困：病危。⑤80属：通“嘱”，托付。⑤81吴主殂：孙权死时年七十一。⑤82不平：不和睦。⑤83矫诏：假传皇帝的命令。⑤84咨事：询问、商量公事。⑤85太子亮即位：孙亮即位时，年仅十岁。⑤86闰月：闰四月。⑤87罢视听二句：即撤销那些以监督伺察各官府为目的的校官。孙权为维护独裁统治，曾广设校官以督察诸官府及州郡文书。⑤88原逋责：免

除百姓拖欠的田赋税收。原，恕免。逋，拖欠。责，通“债”。589处滨江兵马之地：占据着长江沿岸的军事要塞。590豫章：吴郡名，郡治所即今江西南昌。591丹阳：吴县名，县治在今安徽当涂东北小丹阳镇。592家天下二句：把天下当作家，把父兄当作臣民。593承天理物：秉承上天的旨意以治理万民。594惩戒：吸取教训。595临民：治民，担任行政职务。596交通：互相往来。汉光武帝曾设科禁，规定藩王不得交通宾客。597大行皇帝：刚去世的皇帝，指孙权。598防牙遏萌：防止坏现象的滋生发展。牙，通“芽”。599各早就国：都早早地回到自己的封地上去。600诏策勤渠：诏书屡下。601使百世相承二句：要让子孙后代永远不做危害国家的事情，以免日后悔恨无及。602上惟太伯顺父之志：向上要效法吴太伯顺从父亲的思想。吴太伯是周文王的大伯父，他看到父亲（太王）喜欢老三季历家的儿子（即后来的周文王），想把国家传给他。于是吴太伯为了成全父亲顺理成章地传位给周文王的想法，就及早拉着他的二弟一道离开周国，到吴国去创业了。详情见《史记·吴太伯世家》。603河间献王、东海王强恭顺之节：西汉河间献王刘德，是汉武帝刘彻的兄长，东海王刘强是汉明帝刘庄的异母兄弟。二人侍奉汉武帝与汉明帝都极为恭顺。事情并见于《汉纪》。604下存：与“上惟”“中念”相对成文，“存”也是“思考”的意思。605顷至武昌以来：指孙奋自为齐王到武昌以后。606当以表闻二句：应奏明皇帝，公开地交付有关部门处理。607事不明白：不向朝廷奏明原委。608亲受诏敕：是奉皇帝的诏命来武昌办事。609正自不听禁：即使我不听皇帝的约束。610里语：俗话。里，通“俚”。611鲁王：指鲁王孙霸，二年前被赐死。612向使：当初倘若。613偻偻：恭谨的样子。614言至：言语激切。615吴大帝：即孙权。孙权谥“大”。616东兴堤：在今安徽含山县西南，与巢湖相接。吴主孙权于黄龙二年（公元二三〇年）兴筑。617遏巢湖：阻遏巢湖的湖水。618入寇淮南：指吴赤乌四年，吴将全琮攻打曹魏的芍陂之役。事见本书卷七十四正始二年。619遂废不复治：当年吴国阻遏巢湖是为了便于水师船只的行驶，结果反被湖内的曹魏水师打败，所以便不再修东兴堤。620东兴：地名，在今安徽巢湖东南。621侠筑两城：夹堤兴筑了两座城关。东关在安徽含山南的濡须山上，西关在七宝山上，两关隔濡须水相对峙，中间是石梁，凿石通水。622都尉留略：都尉职同校尉。留略，姓留名略。623文舒：即王昶，字文舒。624仲恭：即毌丘俭，字仲恭。625羁吴之上流：牵制住吴国长江上游的军队。羁，牵制。626攻其两城：即指攻其东关、西关。627三征：指征南大将军王昶、征东大将军胡遵和镇南大将军毌丘俭。毌丘俭此时为镇南将军，说“三征”，是史书概略的说法。628傅嘏：字兰石，属司马氏一党，被封为阳乡侯。事见《三国志》卷二十一。629泛舟径济二句：直渡长江，横扫江东。630大佃疆埸：在魏、吴边境进行大规模的武装屯田。佃，屯垦。631掩袭：突然袭击。632几六十年：从建安十三年（公元二〇八年）的赤壁之战，吴与魏为敌，到嘉平四年（公元二五二年）共四十五年。几，近、几乎。633丧其元帅：指孙权刚去世。元帅，大头领。634列船津要：在重要渡口摆开战船迎战。635罗落：布设烽燧以联络。落，通“络”。636重密：指

岗哨密布。㊲不行：不能进入；不能施展。㊳校察：侦察；调查。㊴希幸徼功：希望靠着运气侥幸成功。㊵最差完牢：比较而言最为牢靠。㊶审所错置：每一个举动安排都要仔细。㊷令三方一时前守：指让征南、征东和镇南三方大将军一齐前进至屯田位置。㊸使还瘠土：让敌军退到贫瘠的地盘上去。㊹兵出民表二句：军队驻扎在居民的外围，敌人的抄掠抢不到我方的百姓。㊺招怀近路二句：招引附近的敌方军民，使其不断来降。㊻罗落远设二句：把游兵哨探远远地放出去，使敌方的间谍无法进来。㊼贼退其守二句：敌兵一旦后撤，其设烽燧通报军情的防线定会缩短。㊽衅隙时闻二句：敌人有什么漏洞我们能及时掌握，可以立即发起攻击。衅隙，缝隙、漏洞。㊾不据则贼擅便资：如果我们把握不住，敌人就会掌握这些有利条件。㊿屯垒相逼二句：我方屯垦的堡垒连绵交错，克敌的形势已经形成。651角之：与敌军交手。652虏之情伪二句：敌人的真实情况，还有什么不被我们掌握的。653敌逸能劳之二句：闲暇的敌人要让他们变得劳乏，温饱的敌人要让他们变成挨饿。二句出自《孙子兵法》。654三道：即征南、征东和镇南将军的三路大军。655南郡：吴郡名，郡治江陵，今湖北江陵西北。656甲寅：十二月十九日。657不可卒拔：不能很快攻下。卒，通“猝”，突然。658丁奉：吴国老将，封安丰侯。传见《三国志》卷五十五。659辟诸军使下道：使其他军队给自己的人马让开道路。下道，让开道路。660徐塘：地名，在东关附近。661但兜鍪刀楯：只是头戴铁盔，手持大刀、盾牌。662倮身缘堨：赤身裸体，缘着堤坝的缝隙而上。堨，壁间的缝隙。663不即严兵：没有立刻加强戒备。664斫破魏前屯：冲破了魏军的第一道防线。前屯，前沿阵地。665更相蹈藉：互相践踏。666韩综：东吴老将韩当之子。降魏后为将军，封广阳侯。事见《三国志》卷五十五。667乐安：魏郡名，郡治临济，在今山东高青高苑镇西北。668综故吴叛将：韩综背叛东吴事见本书卷七十明帝太和元年（公元二二七年）。669振旅：列队奏凯。670汉姜维寇西平二句：事见本书卷七十四嘉平二年。西平是魏郡名，郡治西都，即今青海西宁。671汉主：指后主刘禅。672遏：拦阻。673事辄不果：事情总是办不成。

【校记】

［13］三月：原作“二月”。据章钰校，乙十一行本作“三月”，张敦仁《通鉴刊本识误》、张瑛《通鉴校勘记》同，今据改。〖按〗《三国志·魏书·三少帝纪》作“三月”。［14］章：据章钰校，甲十六行本、乙十一行本、孔天胤本皆作“朝”。［15］身：据章钰校，甲十六行本、乙十一行本、孔天胤本皆作“首”，张敦仁《通鉴刊本识误》同。［16］而：原无此字。据章钰校，甲十六行本、乙十一行本皆有此字，今据补。［17］偱：据章钰校，甲十六行本、乙十一行本皆作“循”。《三国志》或作“脩”，或作“循”。胡三省注云：“‘偱’，当作‘脩’。”［18］吴：据章钰校，此字下甲十六行本、乙十一行本皆有“人”字。［19］又数越法度：原无此五字。据章钰校，甲十六行本、乙十一行本皆有此五字，张敦仁《通鉴刊本识误》、张瑛《通鉴校勘记》同，今据

补。[20] 家：据章钰校，甲十六行本、乙十一行本、孔天胤本皆作“身”。[21] 大：据章钰校，甲十六行本、乙十一行本皆作“太”，二字同。[22] 使百世相：此四字原脱。据章钰校，甲十六行本、乙十一行本、孔天胤本皆有此四字，熊罗宿《胡刻资治通鉴校字记》同，今据补。[23] 堤：据章钰校，乙十一行本、孔天胤本皆作“坻”。[24] 骡驴：据章钰校，甲十六行本二字互乙。

【研析】

本卷写了魏邵陵厉公正始七年（公元二四六年）至嘉平四年（公元二五二年）共七年间的魏、蜀、吴三国的大事，值得注意的事情有以下几点。

第一是有关曹爽与司马懿两派势力相互较量的描写。司马懿是老谋深算、以退为进、韬晦待时。其中写了并州刺史孙礼与荆州刺史李胜离京赴任前分别往见司马懿的情景，前者是司马懿的一党，是来向其主子表忠心、披肝胆，而司马懿则是既深藏不露，又关心告诫；后者是曹爽一党，是为曹爽来打探司马懿的病情的，司马懿为麻痹李胜，他“持衣，衣落”，“不持杯而饮，粥皆流出沾胸”；他故意装成一种“声气才属”“尸居余气，形神已离”的行将就木的样子，一切都像是《三国演义》所写的周瑜之玩弄蒋幹于掌股之上，骗得曹爽等“不复设备”。而曹爽本人则是“骄奢无度”，全无半点心机。桓范曾告诫他们兄弟二人不要同时离开宫廷、离开兵营，这是当年吕产、吕禄之所以被灭的覆辙，而曹爽竟说“谁敢尔邪!”最后果然如此，当曹爽、曹羲等陪同皇帝出城谒陵时，司马懿正如桓范所估计的那样，关闭城门，假传太后之命，发动了政变。但整体形势并不表明曹爽一定失败，因为皇帝曹芳就在他身边。他完全可以按照桓范的建议，带着皇帝一道迁往许昌，他可以挟天子以令诸侯，揭露司马懿的谋反罪行，号召全国共讨之。结果这个扶不上台面的家伙竟一筹莫展，居然自动缴械，希望能保其首领回家做个“富家翁”，结果一大批人士被夷三族，并由此为司马氏篡魏创造了条件。桓范骂他说：“曹子丹佳人，生汝兄弟，犹犊耳!”历史上有许多事情令人感慨无限，这也是其中重要的一件。陈寿是晋朝人，写司马懿家族的发达史不能不有所回护，但将《三国志》全书细读，其中对司马氏诸人也还是写出了许多细节，见得他对这些晋朝的“创业”帝王也并不由衷钦敬。

第二是对被司马氏所诛灭的众多反对势力的描写。何晏是曹爽一党，梦见青蝇数十，来集鼻上，请管辂为之占卜吉凶。管辂说他：“鼻者天中之山，今青蝇臭恶而集之，位峻者颠，轻豪者亡，不可不深思也。愿君侯裒多益寡。”当有人说他这是“老生之常谭”时，管辂说：“夫老生者见不生，常谭者见不谭。”并说：“与死人语，何所畏邪?”这些话显然是曹爽一党失败后才被张扬出来的，其中明显带着一种依附新贵，对失败者加以诋毁的味道。与王凌勾结意欲废曹芳、另立楚王曹彪的令狐愚，

作品写他:“常有高志，众人谓愚必兴令狐氏。族父弘农太守卲独以为‘愚性倜傥，不修德而愿大，必灭我宗。’……卲没后十余年而愚族灭。”这话显然是出于令狐卲的后人之口，是在王凌、令狐愚被灭之后传播出来的，给人一种自我标榜、“事后诸葛亮”的感觉。相反再如本卷所写的辛敞在乱中向其姐宪英问计一节，辛敞问:“天子在外，太傅闭城门，人云将不利国家，于事可得尔乎?”宪英说:“以吾度之，太傅此举，不过以诛曹爽耳。”敞曰:“然则事就乎?”宪英曰:“得无殆就，爽之才非太傅之偶也。”这段话又见潘岳的《外祖母宪英传》。类似这样的故事，自然是司马懿家族所喜闻乐见的。《资治通鉴》所用的这些资料大致来自《世说新语》一类的时人小说，其中究竟有多少真实性是令人怀疑的。尤其那种趋炎附势、为当权者捧臭脚的内容，使人读之生厌。

第三是关于孙权的一些问题。辛弃疾《南乡子》词有所谓，“年少万兜鍪，坐断东南战未休。天下英雄谁敌手? 曹刘。生子当如孙仲谋”。这是称道孙权不遗余力。但孙权终了也未能摆脱晋献公、汉武帝老来昏瞀，不辨贤愚、不识忠奸的老套。孙权就因为宠爱潘夫人，于是就废掉了太子孙和。后来有所醒悟时，又被全公主、孙峻等人所阻止。结果立了一个残暴不仁的孙亮，使吴国从此陷于衰亡。当骠骑将军朱据、尚书仆射屈晃等坚决谏阻时，孙权竟然杀了无难督陈正、五营督陈象，朱据、屈晃都被杖之一百，朱据贬为新都丞，屈晃斥归田里，群司坐谏诛放者以十数，“朱据未至官，中书令孙弘以诏书追赐死”。这就是晚年的孙权，与老年的汉武帝的昏悖嗜杀如出一辙，可哀也哉!

卷第七十六　魏纪八

起昭阳作噩（癸酉，公元二五三年），尽旃蒙大渊献（乙亥，公元二五五年），凡三年。

【题解】

本卷写了邵陵厉公曹芳嘉平五年（公元二五三年）至高贵乡公曹髦正元二年（公元二五五年）共三年间的魏、蜀、吴等三国的大事，主要写了蜀国大将军费祎被魏之诈降者郭循所杀。写了蜀将姜维两次攻魏陇西，第一次被魏将郭淮所败，第二次被魏将陈泰所败。写了诸葛恪好大喜功，发动吴军攻魏淮南，被魏将毌丘俭等所败，诸葛恪因专权于内，兵败于外，被孙峻发动政变所杀。写了司马师为打击曹氏势力，罗织罪名，将李丰、夏侯玄、张缉、许允等许多家族诛灭。写了司马师、司马昭强加罪名，废掉了魏帝曹芳，另立了高贵乡公曹髦。写了毌丘俭、文钦起兵于寿春讨伐司马师，由于孤立无援，被司马师击败，毌丘俭被杀，文钦父子投降东吴；是年司马师病卒，锺会、傅嘏等协助司马昭夺得权力，继续操纵魏国政权等等。

【原文】

邵陵厉公下

嘉平五年（癸酉，公元二五三年）

春，正月朔[①]，蜀大将军费祎与诸将大会于汉寿[②]，郭循[③]在坐。祎欢饮沈醉[④]，循起刺祎，杀之。祎资性泛爱[⑤]，不疑于人。越嶲[⑥]太守张嶷[⑦]尝以书戒之曰："昔岑彭率师[⑧]，来歙杖节[⑨]，咸见害于刺客[⑩]。今明将军位尊权重，待信新附[⑪]太过，宜鉴前事，少以为警。"祎不从，故及祸。

诏追封郭循为长乐乡侯[⑫]，使其子袭爵。

王昶、毌丘俭闻东军败[⑬]，各烧屯[⑭]走。朝议[⑮]欲贬黜诸将，大将军师曰："我不听公休[⑯]，以至于此。此我过也，诸将何罪？"悉宥之。

【语译】

邵陵厉公下

嘉平五年（癸酉，公元二五三年）

春季，正月初一日，蜀国大将军费祎与诸将在汉寿县举行新年聚会，当时魏国降将郭循也在座。费祎因为高兴而喝得酩酊大醉，郭循突然站起身来拔剑刺向费祎，费祎当场被刺死。费祎秉性仁慈，对任何人都存有爱心，从来就不懂得怀疑人。担任越巂郡太守的张嶷曾经写信告诫费祎说："东汉的开国元勋岑彭统领军队讨伐公孙述，来歙手持皇帝符节率军平蜀，都是死于刺客之手。如今将军您位高权重，对待新投降归附的人过于信任，应该将前人的事情引为教训，多少得提高一些警觉。"而费祎却没有把他的提醒当作一回事，终于被害。

魏国得知消息后，追封郭循为长乐乡侯，让他的儿子继承了他的爵位。

魏国的王昶、毌丘俭探听到攻打东兴关的魏军已经被吴军打败的消息后，他们立即焚烧了自己在前方构筑的营垒而后撤军。朝中诸臣的意见是将攻打吴国的诸位将军全部贬黜，大将军司马师说："是我没有听从诸葛诞的意见，以至导致军事失利。这是我的过错，诸位将领有什么罪呢？"于是全部宽宥了他们。当时司马师的弟弟安

师弟安东将军昭⑰时为监军，唯削昭爵而已。以诸葛诞为镇南将军，都督豫州；毌丘俭为镇东将军，都督扬州⑱。

是岁，雍州刺史陈泰求敕并州并力讨胡⑲，师从之。未集⑳，而新兴、雁门[1]二郡胡以远役㉑，遂惊反，师又谢朝士曰："此我过也，非陈雍州㉒之责。"是以人皆愧悦。

> 习凿齿论曰㉓："司马大将军引二败以为己过，过消而业隆㉔，可谓智矣。若乃讳败推过，归咎万物㉕，常执其功而隐其丧㉖，上下离心，贤愚解体，谬之甚矣！君人者，苟统斯理[2]以御国㉗，行失而名扬㉘，兵挫而战胜㉙，虽百败可也，况于再乎㉚？"

光禄大夫张缉言于师曰："恪虽克捷，见诛不久㉛。"师曰："何故？"缉曰："威震其主，功盖一国，求不死得乎？"

二月，吴军还自东兴㉜。进封太傅恪阳都侯，加荆、扬州牧㉝，督中外诸军事。恪遂有轻敌之心，复欲出军。诸大臣以为数出罢劳，同辞谏恪，恪不听。中散大夫㉞蒋延固争，恪命扶出。因著论以谕众曰："凡敌国欲相吞，即仇雠㉟欲相除也。有雠而长㊱之，祸不在己，则在后人，不可不为远虑也。昔秦但得关西㊲耳，尚以并吞六国。今以魏比古之秦，土地数倍；以吴与蜀比古六国，不能半也。然今所以能敌之者，但以操时兵众，于今适尽㊳，而后生者未及[3]长大，

东将军司马昭担任监军，大将军司马师只削去了司马昭一人的爵位。司马师任命诸葛诞为镇南将军，统领豫州军事；毌丘俭为镇东将军，统领扬州军事。

这一年，魏国雍州刺史陈泰请求朝廷命令并州刺史与自己一道讨伐北方的匈奴人，司马师同意了他的请求。事情还未就绪，而居住在新兴、雁门两郡的匈奴人听说要远征服役，因此受惊而谋反，司马师又在朝廷上向文武大臣检讨说："这是我的过错，而不是雍州刺史陈泰的责任。"群臣见司马师如此谦逊、勇于承担责任，都感到很惭愧，因而对司马师也更加心悦诚服。

> 习凿齿评论说："司马师大将军将两次失败的责任都揽到自己的头上，认错的事情过去之后反而事业兴隆，可以称得上是有高度智慧的人了。如果他忌讳失败而推诿过错，总是千方百计把失败的责任推给别人，经常夸耀自己的功劳而隐匿自己的过失，就会使上下之间离心离德，贤能的人远走高飞，而愚钝的人围绕在自己的左右，那样的错误可是再严重不过的了！作为一个统治者，如果能从总体上把握这一原则而用之于治理国家，即使行动上有些过失，也会名扬天下，就是军事上遭受了失败，最终也会获得胜利，即使是失败过一百次也没有关系，何况只是两次的失败呢？"

担任光禄大夫的张缉向司马师进言说："吴国的诸葛恪虽然取得了东兴关战役的胜利，但我料定他过不了多久就会被诛杀。"司马师问："那是为什么呢？"张缉说："他的权势威望使君主感到震惊恐慌，他的功劳超过了全国所有的人，在这种情况下，他还想不死，怎么可能呢？"

二月，吴国的军队从东兴堤返回京师建业。吴主孙亮晋封诸葛恪为阳都侯，兼任荆州、扬州两州刺史统领朝廷与地方的各种军事。诸葛恪因为东兴关战役的胜利而逐渐产生了轻敌思想，于是又想出兵作战。朝中大臣都认为国家屡次兴兵，军队和百姓都已经疲惫不堪，于是众口一词都来劝阻诸葛恪不要再有军事行动，诸葛恪不肯听从。担任中散大夫的蒋延坚决劝阻诸葛恪，诸葛恪竟然命人强行将蒋延搀扶了出去。诸葛恪因为众人劝阻出兵，就写了一篇论文向众人解释说："凡是相互敌对的国家之间都企图吞并对方，就跟相互作对的两个人一样都会千方百计想要将对方铲除是一样的道理。面对仇敌而助长他，灾祸可能一时轮不到自己，却一定会落到子孙后代的头上，所以不能不为子孙后代作长远考虑。战国初期的秦国只占有函谷关以西的一隅之地，尚且吞并了东方六国。如果把今天的魏国和过去的秦国相比，魏国所占有的国土面积是秦国的好几倍；把现在的吴国、蜀国与当年的东方六国相比，面积却不及六国的一半大。然而现在之所以还能与魏国抗衡，只是因为曹操时代的将领和士兵，到现在已经差不多死光了，而新生代的将领还没有成熟起来，

正是贼衰少未盛㊴之时。加司马懿先诛王凌，续自陨毙，其子幼弱而专彼大任，虽有智计之士，未得施用㊵。当今伐之，是其厄会㊶。圣人急于趋时㊷，诚谓今日。若顺众人㊸之情，怀偷安之计，以为长江之险可以传世，不论魏之终始，而以今日遂轻其后㊹，此吾所以长叹息者也。今闻众人或以百姓尚贫，欲务闲息㊺，此不知虑其大危而爱其小勤㊻者也。昔汉祖幸已自有三秦之地㊼，何不闭关守险以自娱乐，空出攻楚㊽，身被创痍㊾，介胄㊿生虮虱，将士厌困苦(51)，岂甘锋刃而忘安宁哉？虑于[4]长久不得两存(52)者耳。每鉴荆邯说公孙述以进取(53)之图，近见家叔父表陈与贼争竞之计(54)，未尝不喟然叹息也。夙夜反侧(55)，所虑如此。故聊疏愚言，以达一二[5]君子之末(56)。若一朝陨没，志画不立(57)，贵令来世知我所忧(58)，可思于后耳(59)。”众人虽皆心以为不可，然莫敢复难(60)。

丹阳太守聂友(61)素与恪善，以书谏恪曰：“大行皇帝(62)本有遏东关之计，计未施行。今公辅赞大业，承先帝之志[6]，寇远自送，将士凭赖威德，出身用命(63)，一旦有非常之功，岂非宗庙神灵社稷之福邪？宜且按兵养锐，观衅而动。今乘此势欲复大出，天时未可而苟任盛意(64)，私心以为不安。”恪题论(65)后，为书答友曰：“足下虽有自然之理，然未见大数(66)，熟省(67)此论，可以开悟矣。”

滕胤谓恪曰：“君受伊、霍之托(68)，入安本朝，出摧强敌，名声振于海内，天下莫不震动，万姓之心，冀得蒙君而息(69)。今猥以劳役之后(70)，兴师出征，民疲力屈，远主有备。若攻城不克，野略(71)无获，是丧前劳而招后责(72)也。不如按甲息师，观隙而动。且兵者大事，事以

现在正是魏国势力衰微，老的老，小的小，兵力不强的时代。再加上司马懿先杀死了王凌，紧接着自己又死去，他的儿子们年轻力弱却专擅魏国的大权，魏国虽然也有智谋之士，却还没有被他所任用。趁现在讨伐魏国，正是魏国困顿倒霉的时候。圣明的人能抓住时机赶紧动手，今天可以说是时机已经成熟。如果顺从一般人的心愿，怀有一种苟且偷安的心理，认为可以世世代代把长江作为我国的天险，而不考虑魏国形势的发展变化，仅根据魏国今日势力之弱于是就轻视它的日后发展，这就是我为之叹息的原因啊。现在我听很多人说我国的百姓仍然很贫穷，想使百姓获得休息，这是不知道从大的危险处考虑问题而只知道怜惜百姓小的勤劳辛苦。过去汉高祖刘邦已经占有了三秦之地，可他为什么不关闭关隘、守住险要而自寻快乐，却要抽空所有的兵力去攻打西楚霸王项羽，以使自己身受多处创伤，甲胄上也生满了虮虱，将士们饱尝了艰难困苦，难道说他们是以战争为快乐而忘记了享受安宁的生活了吗？这是因为汉高祖懂得从长远考虑，知道既不吃苦又能长治久安是不可能同时存在的。我每每借鉴于荆邯向公孙述提出的要努力进取，不要凭巴蜀之险消极固守的建议，最近我又拜读了叔父诸葛亮的《出师表》，他在《出师表》中所分析的蜀汉与魏国势不两立的局势，每次都使我感慨万千喟然长叹。我白天黑夜翻来覆去，考虑的就是这个问题。所以在此我将想法写出来，让各位都能了解。如果有一天我突然死了，而计划未能实现，也借此使后世之人知道我曾经忧虑过什么问题，可以让后人记着我的这些话。”众人心里虽然都认为诸葛恪的意见不可行，但没有人敢再提出异议。

丹阳郡太守聂友一向与诸葛恪关系良好，他写信劝谏诸葛恪说：“已经过世的大皇帝本来有切断东关的计划，但还没有来得及施行便晏驾了。现在你辅佐大业，继承了先帝的遗志，魏国的军队从远方前来送死，全军将士凭借着你的威望和恩德，舍身拼命，一天之内就打败了敌人，建立了不朽的功勋，这难道不是吴国祖宗神灵的保佑、国家社稷的福分吗？现在应该按兵不动、养精蓄锐，等待时机而后再采取行动。如果仅凭今天胜利的有利形势就想再次出动大军，恐怕天时未必对我们有利，而如果一定要按照您的意思办，我很为您感到不安。”诸葛恪写了这篇论文后，又回信答复聂友说：“先生所说虽然有一定的道理，然而却还不了解国家胜负存亡的大道理，建议您反复阅读我这篇文章，您就可以得到启发了。”

滕胤对诸葛恪说：“先生所接受于先帝的是伊尹、霍光那样的重托，先生在朝廷之上使国家获得了安定，率军在外打败了强大的敌人，您的声望传播于四海之内，天下无不为之震动，全国百姓的心里，都希望蒙受您的恩惠而获得生存。如果勉强地在种种劳役之后，再度兴师出征，就会导致民力疲劳、国家财力衰竭，远处的敌人已经有了防备。如果攻不下敌人的城池，在敌人的郊外又掠夺不到任何东西，这就使您既丢弃了东关之胜的功劳，又招来后人的指责。不如暂且按兵不动、休整士卒，等待时机，然后再采取行动。况且军事行动是非常重大的事情，要想打败敌人

众济[73]，众苟不悦，君独安之[74]？”恪曰：“诸云不可，皆不见计算[75]，怀居苟安[76]者也。而子复以为然，吾何望乎？夫以曹芳暗劣[77]，而政在私门[78]，彼之民臣，固有离心。今吾因国家之资，藉战胜之威，则何往而不克哉！”

三月，恪大发州郡二十万众复入寇，以滕胤为都下督[79]，掌统留事[80]。

夏，四月，大赦。

汉姜维自以练西方风俗[81]，兼负其才武，欲诱诸羌、胡以为羽翼，谓自陇以西，可断而有[82]。每欲兴军大举，费祎常裁制不从，与其兵不过万人，曰：“吾等不如丞相[83]亦已远矣，丞相犹不能定中夏[84]，况吾等乎！不如且保国治民，谨守社稷，如其功业[85]，以俟能者，无为希冀徼幸，决成败于一举，若不如志，悔之无及。”及祎死，维得行其志，乃将数万人出石营[86]，围狄道[87]。

吴诸葛恪入寇淮南[88]，驱略[89]民人。诸将或谓恪曰：“今引军深入，疆埸之民[90]必相率远遁[91]，恐兵劳而功少。不如止围新城[92]，新城困，救必至，至而图之，乃可大获。”恪从其计，五月，还军围新城。

诏太尉司马孚督军二十万往赴[93]之。大将军师问于虞松[94]曰：“今东西有事[95]，二方皆急，而诸将意沮[96]，若之何？”松曰：“昔周亚夫坚壁昌邑而吴、楚自败[97]，事有似弱而强，不可不察也。今恪悉其锐众[98]，足以肆暴[99]，而坐守[100]新城，欲以致一战[101]耳。若攻城不拔，请战不可，师老众疲[102]，势将自走，诸将之不径进[103]，乃公之利也。姜维有重兵而县军应恪[104]，投食我麦[105]，非深根[106]之寇也。且谓我并力于

必须依靠众人的努力，如果众人都不高兴出兵，就凭您一个人又能干成什么事情呢?”诸葛恪回复说:“众人都认为不可以，却又看不见他们有什么计划打算，只不过是怀着一种贪图平稳地过日子的心态罢了。而现在先生您也这样认为，我还寄希望于谁呢？魏国皇帝曹芳昏庸低能，政权操纵在司马氏的手中，魏国的百姓和大臣，早就有离异之心。如今我凭借着国家的力量，乘着刚刚打了胜仗的余威，大军所指何往而不胜呢!”

三月，诸葛恪从各州、各郡征调了二十万大军再次进犯魏国，他任命滕胤为掌管京师建业军事的都下督，留守京师，统管后方留守诸事。

夏季，四月，魏国实行大赦。

蜀汉卫将军姜维自认为很熟悉西部地区的民间习俗，又自负有文才武略，于是就想诱使西方各羌人部落、胡人部落归附蜀汉，成为一支辅助力量，如此的话，从陇山以西，就可以归蜀汉所有。所以他几次想要采取大的军事行动，都因为受到大将军费祎的节制而没有付诸实施，即使勉从其意，拨给他的兵力也不超过一万人，大将军费祎对姜维说:“我们跟诸葛亮丞相比起来相差太远了，诸葛丞相尚且不能平定中原，更何况是我们这些人呢！不如暂且保存国家实力、安抚人民，稳定社稷，把开拓地盘，为国立功的事业，留给以后有能力的人，我们不要抱着侥幸心理，更不能企图通过一次战役来决定胜负，万一不能成功，后悔可就来不及了。”等到费祎死后，姜维得以按照自己的意愿行事，于是便亲自率领着几万人马攻打魏国的石营，进而包围了魏国的狄道县。

吴国大将军诸葛恪率领大军进攻魏国的淮南郡，将不少魏国人挟持到吴国。诸将领中有人对诸葛恪建议说:“如果我们率军深入魏国，魏国边境上的居民听到消息必定互相携从向远处逃走，那样的话恐怕我们的军队付出了很大辛劳却收获很小。不如只围攻魏国的新城，新城遭受围困，魏国必定派军队赶来救援，等魏国的救兵一到再想办法与他们决战，一定可以大获全胜。”诸葛恪听从了他的建议，五月，诸葛恪从淮南撤回军队全力围困新城。

魏帝曹芳下诏命太尉司马孚统率二十万大军赶赴新城增援。大将军司马师向虞松请教说:“如今蜀国从西方进犯，吴国从东方进犯，两个方向都很紧急，而诸位将军却都情绪沮丧，该怎么办才好呢?”虞松说:“过去周亚夫固守昌邑不战，而吴国与楚国的军队自行败退，有些事情表面看起来好像很弱小而实际却很强大，对于这一点不能不清楚。如今诸葛恪率领吴国的全部精锐部队来进犯，他们完全有能力肆意逞强施暴，然而却把所有军队仅仅用来围困一个新城，想吸引我军过来作一次决定性的会战。如果吴军攻打新城攻打不下来，想与我军决战却又不可得，时间一久，军士疲惫不堪，势必自行退走，诸将领目前不愿意径直进攻，这对您来说却是有利的。而蜀国的姜维率领大军深入我国境内，与东吴的诸葛恪遥相呼应，却以我国境内的麦子为食，这不是有根基能持久的贼寇。而且他认为我国必定会竭尽全力

东，西方必虚，是以径进。今若使关中[107]诸军倍道急赴[108]，出其不意，殆将走矣。”师曰：“善。”乃使郭淮、陈泰悉关中之众，解狄道之围。敕毌丘俭等[7]按兵自守，以新城委吴[109]。陈泰进至洛门[110]，姜维粮尽，退还。

扬州牙门将[111]涿郡张特[112]守新城，吴人攻之连月，城中兵合三千人，疾病战死者过半，而恪起土山[113]急攻，城将陷，不可护。特乃谓吴人曰：“今我无心复战也。然魏法，被攻过百日而救不至者，虽降，家不坐[114]。自受敌以来，已九十余日矣。此城中本有四千余人，战死者已过半，城虽陷，尚有半人不欲降，我当还为相语，条别善恶[115]，明日早送名[116]，且以我印绶去为信。”乃投其印绶与之。吴人听其辞而不取印绶。特乃投夜彻诸屋材栅[117]，补其缺为二重[118]。明日，谓吴人曰：“我但有斗死耳！”吴人大怒，进攻之，不能拔。

会大暑，吴士疲劳，饮水，泄下、流肿[119]，病者大半，死伤涂地[120]。诸营吏日白[121]病者多，恪以为诈，欲斩之，自是莫敢言。恪内惟失计[122]，而耻城不下，忿形于色[123]。将军朱异以军事迕[124]恪，恪立夺其兵，斥还建业。都尉蔡林[125]数陈军计，恪不能用，策马来奔[126]。诸将伺知吴兵已疲，乃进救兵。

秋，七月，恪引军去，士卒伤病，流曳[127]道路，或顿仆[128]坑壑，或见略获[129]，存亡哀痛，大小嗟呼。而恪晏然自若[130]，出住江渚[131]一月，图起田于浔阳[132]。诏召相衔[133]，徐乃旋师[134]。由是众庶失望，怨讟[135]兴矣。

汝南太守邓艾[136]言于司马师曰：“孙权已没，大臣未附，吴名宗大族皆有部曲[137]，阻兵[138]仗势，足以违命。诸葛恪新秉国政，而内无其

对付东方的吴国，西方必定兵力空虚，所以才敢长驱直入。如果我们调动关中的军队，让他们日夜兼程赶赴狄道，出其不意，姜维必定退走。”司马师一听，说：“好。”于是派郭淮、陈泰率领关中的全部兵力，赶赴狄道救援。又命令毌丘俭等按兵不动，只管守护好自己的地盘，把新城暂且丢给吴国，任其攻打。陈泰率军进抵洛门，姜维由于军中粮尽而退回蜀国境内。

魏国担任扬州牙门将的涿郡人张特负责守卫新城，吴国的军队攻打新城，一连攻打了好几个月，城中兵力总共三千人，连疾病再加上战斗死伤，人员损失已经超过了一半，而诸葛恪在城外筑起土山，攻打得越加紧急，眼看新城就要陷落，无法守住。张特于是站在城墙上对吴国人说：“现在我已经没有心思再打下去了。但魏国有一条法律规定，在被攻打超过一百天而救兵不到的情况下，即使投降，家属也不受牵连被惩处。新城自从被围攻以来，已经九十多天了。这座城中原本只有四千多人，战死的已经超过了一半，即使城池陷落，还是有一半人不愿意投降，我回去一定给他们分析战与降的利弊，明天一早，将签过字的投降书送过来，现在就把我的印绶给你们拿去作为凭证。”于是从城上把自己的印绶扔给吴国的军队。吴国人相信了张特的话，停止了攻城，却没有拾取张特的印绶。张特于是连夜组织人员拆下房屋的木头和围栏，将被攻破的城墙缺口加固成双重防护。第二天，张特又站在城墙上对吴国人说：“我只有战斗到死了！”吴国人这才知道自己上了张特的当，因而大怒，加紧攻城，然而却攻打不下。

当时正是暑热季节，吴国的军队由于长期征战，都很疲劳，喝水后，腹泻、浮肿，病倒了一大半，死伤遍地。诸营的军吏每天都来向诸葛恪报告军士生病的很多，诸葛恪认为是在欺骗自己，就要将他们斩首，从此以后没有人敢再来向他报告。诸葛恪已经意识到自己决策的失误，而新城又攻打不下，觉得很丢面子，于是愤恨恼怒之情全部流露于脸上。将军朱异由于军事上的见解与诸葛恪发生分歧而冒犯了诸葛恪，诸葛恪立即剥夺了他的军权，将他赶回京师建业。担任都尉的蔡林屡次向诸葛恪进献军事计策，诸葛恪拒绝采纳，于是蔡林飞马投奔了魏国。魏国诸将知道吴国的军队已经相当疲惫，各路援军这才赶赴新城救援。

秋季，七月，诸葛恪率军撤退，军士连伤带病，一路之上军容不整，许多人都是互相搀扶着行走，有的扑倒掉进了沟壑，有的被魏军俘虏，死的死、伤的伤，一片痛苦哀号之声。而诸葛恪却泰然自若，他抛下军队在江中小岛住了一个月，企图在浔阳建立武装屯垦。朝廷令其回师的诏书一道接一道地下达，诸葛恪这才缓缓班师。从此全国上下都对诸葛恪感到失望，对他一片怨恨和诅咒。

魏国汝南太守邓艾对司马师说：“吴主孙权已死，新皇帝孙亮刚刚即位，大臣们还没有完全归附于他，吴国有名望的大族都有自己的私家军队，他们仗恃自己的兵力和在社会上的影响，完全敢于违抗朝廷的命令。诸葛恪刚刚掌管朝政，在朝廷之

主[139]，不念抚恤上下以立根基，竞于外事[140]，虐[8]用其民[141]，悉国之众，顿于坚城[142]，死者万数，载祸而归，此恪获罪之日也。昔子胥[143]、吴起[144]、商鞅[145]、乐毅[146]皆见任时君，主没犹败，况恪才非四贤，而不虑大患，其亡可待也。"

八月，吴军还建业，诸葛恪陈兵导从[147]，归入府馆[148]，即召中书令孙嘿[149]，厉声谓曰："卿等何敢数妄作诏[150]！"嘿惶惧辞出，因病还家。

恪征行之后，曹[151]所奏署[152]令长职司[153]，一更罢[9]选[154]，愈治威严[155]，多所罪责，当进见者无不竦息[156]。又改易宿卫[157]，用其亲近。复敕兵严[158]，欲向青、徐[159]。

孙峻因民之多怨，众之所嫌，构恪于吴主[160]，云欲为变。冬，十月，孙峻与吴主谋置酒请恪。恪将入之夜[161]，精爽扰动[162]，通夕不寐，又家数有妖怪[163]，恪疑之。旦日，驻车宫门，峻已伏兵于帷中，恐恪不时入[164]事泄，乃自出见恪曰："使君若尊体不安，自可须后[165]，峻当具白主上。"欲以尝[166]知恪意，恪曰："当自力入[167]。"散骑常侍[168]张约、朱恩等密书与恪曰："今日张设[169]非常，疑有他故。"恪以书示滕胤，胤劝恪还。恪曰："儿辈何能为！正恐因酒食中人[170]耳。"恪入，剑履上殿[171]，进谢还坐[172]。设酒，恪疑未饮。孙峻曰："使君病未善平[173]，有常服药酒，可取之。"恪意乃安，别饮所赍酒[174]，数行[175]，吴主还内。峻起如厕，解长衣，著短服，出曰："有诏收诸葛恪。"恪惊起，拔剑未得，而峻刀交下[176]。张约从旁斫[177]峻，裁伤左手；峻应手斫约，断右臂。武

内没有明君的支持，又不知道体恤部下以建立根基，而是一味地对外用兵，残暴地役使国内百姓，出动了全国的部队，受挫于不可攻克的城池之下，死亡上万人，他此次回师，就等于是满载着一车的灾祸，目前正是诸葛恪获罪之日。过去的伍子胥、吴起、商鞅、乐毅，他们当时都很受国君的信任，即使如此，一旦国君去世，这些人还仍然逃脱不了败亡的命运，何况诸葛恪的才能远比不上伍子胥、吴起、商鞅、乐毅这四位贤者，却不懂得忧虑后患，他的灭亡是指日可待的。"

八月，吴国的军队回到京师建业，大将军诸葛恪戒备森严，前面有军队引导，后面有士兵跟随，回到他的大将军府邸后，立即将中书令孙嘿找来，他严厉地责问孙嘿说："你们这些人怎么竟然敢随便下发那么多诏书召我回师！"孙嘿惊惶失措，从大将军府邸出来后，就声称有病回家休养去了。

诸葛恪出征回来后，凡是由选曹奏明皇帝孙亮所任用的各部门官员，一律罢免，而由诸葛恪另行选任，对文武百官的约束管制也越来越严厉，许多人都受到他的惩罚和责难，凡是进见他的人没有一个不是心惊胆战，紧张得连大气也不敢出。诸葛恪又撤换了宫中的侍卫，全部换上他自己的亲信。又下令调兵戒严，准备去攻打魏国的青州、徐州。

吴国孙峻利用朝廷上下对诸葛恪的众多嫌隙怨恨，在吴主孙亮面前给诸葛恪编造罪名，指控诸葛恪想要发动政变。冬季，十月，孙峻与吴主孙亮密谋摆设酒席宴请诸葛恪，在宴席上派人除掉他。诸葛恪在将要入朝的头天夜里，精神躁动不安，整晚都没有入睡，家中又屡次出现怪异之事，所以诸葛恪心里很疑惑。第二天早上，诸葛恪坐车来到皇宫门口便停了下来，此时孙峻早已在帏帐后面埋下了伏兵，他担心诸葛恪不按时入内而走漏了消息，就亲自出来迎接诸葛恪，他对诸葛恪说："如果您身体不大舒服，可以等以后再说，我当替您禀告皇帝。"想以此来试探诸葛恪有什么反应，诸葛恪说："我当强打精神进宫朝见皇帝。"担任散骑常侍的张约和朱恩等人都悄悄地把密函送给诸葛恪，提醒他说："今天宴会的布置有些异常，恐怕会有意外变故发生。"诸葛恪把这些密函拿给滕胤看，滕胤劝诸葛恪返回府邸。诸葛恪说："这些小娃娃能有什么作为！只是担心他们在酒饭里下毒罢了。"诸葛恪进入皇宫，他身带佩剑、脚穿朝靴登上了宝殿，他先向皇帝孙亮表示感谢，而后回到自己的座位上。酒端上来之后，诸葛恪担心酒中下毒，所以没有喝。孙峻对他说："您的病还没有全好，如果有经常服用的药酒，可以拿来饮用。"诸葛恪这才放下心来，将自己带来的酒喝了几杯，酒过几巡之后，吴主孙亮就回后宫去了。孙峻也站起身来到洗手间，他脱去长大的外衣，只穿短装，走出来说："皇上有诏书在此，命令拿下诸葛恪。"诸葛恪大吃一惊，急忙站起，准备拔身上的佩剑，佩剑还没有拔出，而孙峻跟他的助手们已经举刀一齐砍下。散骑常侍张约从旁边冲上来砍孙峻，只砍伤了孙峻的左手；孙峻回手一刀砍杀张约，砍下了右臂。担任皇宫守卫的军士此时也都小步跑上殿来，

卫之士皆趋上殿⑱，峻曰："所取者恪也，今已死！"悉令复刃⑲，乃除地更饮⑱。恪二子竦、建闻难，载其母欲来奔⑱，峻使人追杀之。以苇席裹恪尸，篾[10]束腰⑱，投之石子冈⑱。又遣无难督施宽⑱就将军施绩、孙壹军⑱，杀恪弟奋威将军融⑱于公安⑱，及其三子。恪外甥都乡侯张震⑱、常侍⑱朱恩，皆夷三族。

临淮臧均⑲表乞收葬恪，曰："震雷电激，不崇一朝⑲，大风冲发，希有极日⑲。然犹继之以云雨⑲，因以润物。是则天地之威，不可经日浃辰⑲；帝王之怒，不宜讫情尽意⑲。臣以狂愚，不知忌讳，敢冒破灭之罪⑲，以邀风雨之会⑲。伏念故太傅诸葛恪，罪积恶盈，自致夷灭⑲，父子三首，枭市积日⑲，观者数万，詈声成风⑳。国之大刑，无所不震，长老孩幼，无不毕见⑳。人情之于品物⑳，乐极则哀生，见恪贵盛，世莫与贰⑳，身处台辅⑳，中间历年，今之诛夷，无异禽兽，观讫情反⑳，能不憯然⑳？且已死之人，与土壤同域，凿掘斫刺⑳，无所复加。愿圣朝稽则乾坤⑳，怒不极旬⑳，使其乡邑⑳若故吏民⑳收以士伍之服⑳，惠以三寸之棺⑳。昔项籍受殡葬之施⑳，韩信获收敛之恩⑳，斯则汉高发神明之誉也⑳。惟陛下敦三皇之仁⑳，垂哀矜之心，使国泽加于辜戮之骸⑳，复受不已之恩⑳，于以扬声遐方，沮劝⑳天下，岂不大哉！昔栾布矫命彭越⑳，臣窃恨之，不先请主上而专名以肆情⑳，其得不诛，实为幸耳。今臣不敢章宣愚情以露天恩⑳，谨伏手书，冒昧陈闻⑳，乞圣明哀察。"于是吴主及孙峻听恪故吏敛葬。

初，恪少有盛名，大帝⑳深器重之，而恪父瑾常以为戚⑳，曰："非保家之主也。"父友奋威将军张承⑳亦以为恪必败诸葛氏。陆逊尝

孙峻宣布说:“今天所要解决的只是诸葛恪一人而已，现在诸葛恪已死!”下令侍卫全部将刀收回刀鞘，又派人打扫完场地，重新开饮。诸葛恪的两个儿子诸葛竦与诸葛建听到父亲遇难的消息，慌忙用车载着自己的母亲想投奔魏国，被孙峻派来的追兵赶上全部杀死。孙峻派人用苇席将诸葛恪的尸体裹起来，外面用竹篾在中间拦腰捆住，扔到建业南郊的乱葬岗上。而后派遣无难督施宽前往将军施绩、孙壹的军中，令他们到公安县将诸葛恪的弟弟奋威将军诸葛融以及他的三个儿子全部杀死。诸葛恪的外甥都乡侯张震、常侍朱恩都被夷灭三族。

临淮人臧均上表给吴主孙亮，请求收葬诸葛恪，他说:“电闪雷鸣，时间不会长过一个早晨，狂风大作，也很少有一天都不停歇的时候。然而雷电、狂风之后，往往接着转为和风细雨以润泽万物。所以说，天地发威不能连日累月；帝王震怒，也不应该竭情尽意地发泄。我性情狂放而愚钝，不懂得什么是忌讳，所以我冒着被破家灭门的惩罚，请求暴雷狂风之后和风细雨的降临。念及已故太傅诸葛恪，罪恶堆积、恶贯满盈，导致诸葛家族被夷灭，父子三人的首级已经在街市上悬挂了好几日，观看的人有好几万，诟骂的声音如风四起。国家的重刑，使每一个角落都受到了震动，全国无论男女老幼，全都看在眼里、记在心头。人情对于万物，莫不乐极生悲，当初看见诸葛恪位高权重之时，世上没有人能与他相比，诸葛恪身居三公宰相之位，已将近两年，如今遭受杀戮，与禽兽没有什么两样，看过之后反过来一想，怎能不让人心怀凄惨?而且已经死了的人，就如土壤一样，即使再用斧子凿、刀子剜、把尸体剁成几段，也起不了任何作用。惩罚之后，希望圣明的朝廷能够效法天地的宽厚，愤怒不超过十天，让他的同乡之人或是老部下、旧子民给他穿上普通士卒或是普通百姓的衣服将他收殓，再赏给他一口哪怕只有三寸厚的薄棺材，将他埋葬。过去项籍兵败自杀，汉高祖刘邦还以鲁公之礼将他安葬，淮阴侯韩信被杀后也蒙受了被收殓埋葬的恩典，这些就是刘邦所以享有神明一样声誉的原因。希望陛下发扬像三皇那样的仁爱，将哀怜之心赐予诸葛氏，使国家的恩典施加在因罪伏诛的骸骨上，使他们身死之后还能享受到朝廷无穷尽的恩德，这对于将陛下美好的声誉传播到遥远的地方，劝勉天下之人，其影响难道不是很广大吗!过去栾布违反汉高祖刘邦不准哭祭彭越的命令，对着彭越的人头禀告自己出使的情况，我内心总是感到很遗憾，认为栾布不先向汉高祖请示，只为自己扬名而任意行事，这样的人竟然没有遭到杀戮，真是万幸。现在我不敢公开显露我的感情以祈请朝廷降恩，只是小心翼翼地写这份奏章，冒着死罪把我的意见陈述给陛下，恳请陛下哀怜体察。”于是，吴主孙亮和孙峻这才听任诸葛恪的老部下将诸葛恪的尸体收殓安葬。

当初，诸葛恪在很小的时候就负有盛名，吴国大帝孙权对他很是器重，而诸葛恪的父亲诸葛谨却经常为此感到忧虑，他说:“诸葛恪不是能够保全诸葛家族的人。”诸葛谨的好友奋威将军张承也认为诸葛恪必将灭亡诸葛氏家族。陆逊曾经对诸葛恪

谓恪曰："在我前者吾必奉之同升[228]，在我下者则扶接之[229]。今观君气陵其上[230]，意蔑乎下[231]，非安德之基也。"汉侍中诸葛瞻[232]，亮之子也。恪再攻淮南，越嶲[233]太守张嶷与瞻书曰："东主[234]初崩，帝[235]实幼弱，太傅[236]受寄托之重，亦何容易！亲有周公之才[237]，犹有管、蔡流言[238]之变；霍光受任[239]，亦有燕、盖、上官逆乱[240]之谋，赖成、昭之明以免斯难[241]耳。昔每闻东主杀生赏罚不任下人[242]，又今以垂没之命，卒召太傅，属以后事，诚实可虑[243]。加吴、楚剽急，乃昔所记[244]，而太傅离少主，履敌庭[245]，恐非良计长算也。虽云东家[246]纲纪肃然，上下辑睦[247]，百有一失，非明者之虑也。取古则今，今则古也[248]。自非郎君进忠言于太傅[249]，谁复有尽言者邪？旋军广农[250]，务行德惠，数年之中[251]，东西并举[252]，实为不晚，愿深采察。"恪果以此败。

吴群臣共议上奏，推孙峻为太尉，滕胤为司徒。有媚峻者[253]言曰："万机宜在公族[254]，若承嗣为亚公[255]，声名素重，众心所附，不可量[256]也。"乃表[257]峻为丞相、大将军，督中外诸军事，又不置御史大夫[258]，由是士人[259]失望。滕胤女为恪子竦妻，胤以此辞位。孙峻曰："鲧、禹罪不相及[260]，滕侯何为[261]？"峻与胤虽内不沾洽[262]，而外相苞容[263]，进胤爵高密侯，共事如前。

齐王奋[264]闻诸葛恪诛，下住芜湖[265]，欲至建业观变[266]。傅相谢慈等[267]谏，奋杀之。坐废为庶人[268]，徙章安[269]。

南阳王和[270]妃张氏，诸葛恪之甥[271]也。先是恪有迁[11]都之意，使治武昌宫[272]，民间或言恪欲迎和立之[273]。及恪被诛，丞相峻因此夺和玺

说："在我上位的人，我一定推崇他使他与自己一同升迁，在我下位的人，我一定会帮扶他、拉他一把。现在我看你对上级盛气凌人，对下级态度傲慢，这可不是保全自己施惠于人的做法。"在蜀汉担任侍中的诸葛瞻，是诸葛亮的儿子。在诸葛恪第二次攻打淮南的时候，蜀国越嶲郡太守张嶷写信给诸葛瞻说："吴主孙权刚刚去世，新皇帝孙亮年纪实在太小，太傅诸葛恪受孙权托孤重任，该是多么不容易的事情啊！像周公这样与周成王既有叔父之亲又有治国才干的人，尚且还要遭受管叔、蔡叔的猜疑，受到流言蜚语的诽谤；汉朝霍光受汉武帝的托孤之命，也发生了燕王刘旦、盖长公主与上官桀阴谋叛乱的事情，幸亏他们所遇到的是周成王与汉昭帝这样贤明的君主才得以幸免于难罢了。过去每每听说吴主孙权让谁死、让谁活，奖赏谁、惩罚谁，都是他自己说了算，从不委托给别人，而今在他即将离开人世的时候，却突然征召太傅诸葛恪，将后事托付给他，这实在是令人忧虑。再加上吴、楚地区的人生性凶狠好杀，早就见之于历史记载，而太傅诸葛恪却远离年幼的皇帝，亲自率军深入敌国境内，这恐怕不是考虑长远的好计策。虽然说东吴目前国家纲纪严肃，上下和睦，但即使是一百回中有一回的失误，也可能会发生让明智的人所料想不到的事情。用古代的事情来衡量今天的事情，今天的事情就和古代的事情一样。现在除了你能向诸葛恪太傅进献忠言以外，还有谁能向他进献忠言呢？如果能够在班师回军以后，大力发展农业，努力推行德政、施恩惠于百姓，几年之后，东吴与西蜀同时对魏国发动攻击，实在不算晚，希望你认真采纳体察我的意见。"而诸葛恪果然因此而败亡。

吴国群臣经过共同商议后上奏皇帝孙亮，推举孙峻为太尉，滕胤为司徒。有人向孙峻讨好说："国家大权应该掌握在孙氏皇族的手中，如果让滕胤担任地位仅次于太尉的司徒，他平时就拥有很高的声望，众人都会归附于他，日后的发展将无法估量。"于是群臣又上表奏请任命孙峻为丞相、大将军，总督全国诸军事，也不再设置御史大夫，因为这个原因，东吴的士大夫对孙峻都感到很失望。滕胤的女儿是诸葛恪儿子诸葛竦的妻子，滕胤因为这个原因请求辞职。孙峻说："古代鲧犯了罪，而禹并没有受到牵连，滕先生何必如此？"孙峻与滕胤虽然内心不太融洽，但在表面上还能相互合作，于是晋封滕胤为高密侯，相互共事与从前一样。

齐王孙奋听说太傅诸葛恪被杀戮的消息后，立即从武昌顺流而下，把军队驻扎在芜湖，想亲自到京城建业看看究竟是发生了什么变故。兼任齐王太傅与齐国之相的谢慈等人极力劝阻，孙奋便将他们杀死。孙奋因此犯罪，被贬为平民，发配到章安县。

南阳王孙和的王妃张氏，是诸葛恪的外甥女。早先，诸葛恪曾经有将都城迁到武昌的打算，他派人到武昌修建宫室，所以民间都传说诸葛恪要迎立孙和为皇帝。等到诸葛恪被杀，丞相孙峻便因此事废除了孙和南阳王封爵，夺去了他的印绶，

绶[274]，徙新都[275]，又遣使者追[12]赐死。初，和妾何氏生子皓[276]，诸姬子德、谦、俊。和将死，与张妃别，妃曰："吉凶当相随，终不独生。"亦自杀。何姬曰："若皆从死，谁当字孤[277]？"遂抚育皓及其三弟，皆赖以获全。

【段旨】

以上为第一段，写邵陵厉公嘉平五年（公元二五三年）一年间的大事，主要写了蜀国大将军费祎被魏之诈降者所杀。写了司马师为群臣的两次失败承担过责，捞得声誉。写了诸葛恪好大喜功，发动吴军攻魏淮南新城，蜀将姜维发兵攻魏陇西，结果蜀军被魏将郭淮、陈泰所败，吴军亦被魏将毌丘俭等所败。写了诸葛恪因专权于内，兵败于外，被孙峻发动政变所杀等。

【注释】

①正月朔：正月初一。②汉寿：蜀县名，原称葭萌，在今四川剑阁县东北，旧时的剑阁东南。时费祎统军驻此。③郭循：原为魏将，被蜀将姜维所俘，诈降于蜀。《三国志》作"脩"，亦作"循"，上卷胡三省注云当作"脩"。④沈醉：大醉。沈，同"沉"。⑤资性泛爱：秉性仁慈，待人厚道。泛爱，对任何人都存爱心。⑥越巂：蜀郡名，郡治邛都，在今四川西昌东南。⑦张嶷：蜀将名，字伯岐，曾任抚军将军、荡寇将军。传见《三国志》卷四十三。⑧岑彭率师：指东汉的开国元勋岑彭率军伐公孙述。传见《后汉书》卷十七。⑨来歙杖节：指东汉的开国元勋来歙持节率军平蜀。传见《后汉书》卷十五。⑩咸见害于刺客：岑彭、来歙被刺客杀害。事见本书卷四十二建武十一年（公元三五年）。⑪新附：新归降的人，指郭循。⑫追封郭循为长乐乡侯：主语指魏国皇帝。因郭循行刺后即被蜀国所杀，故魏国只有追封而已。⑬王昶、毌丘俭闻东军败：时王昶率军攻吴江陵，毌丘俭率军攻吴武昌。东军败，指胡遵、诸葛诞所率领的攻吴淮南东兴的魏军，于上年十二月被吴将诸葛恪、丁奉等打败。⑭烧屯：烧掉在前方构筑的营垒。⑮朝议：朝廷群臣的意见。⑯不听公休：不采纳诸葛诞的建议。诸葛诞字公休。⑰安东将军昭：司马昭。安东将军与安南、安北、安西将军合称四安将军。⑱毌丘俭为镇东将军二句：将毌丘俭与诸葛诞的职务做了对调。⑲求敕并州并力讨胡：请求朝廷命令并州刺史和陈泰一道讨伐北部的匈奴人。并力，合力。⑳未集：事情还未就绪。㉑新兴、雁门二郡胡以远役：居住在新兴、雁门二郡的匈奴人听说要远征服役，即陈泰建议的二州并力北伐。新兴郡的郡治九原，即今山西忻州，雁门郡的郡治在今山西

并将他放逐到新都县，随后又派使者追上孙和逼他自杀了。当初，孙和的小妾何氏为孙和生了一个儿子叫作孙晧，其他姬妾还为孙和生了孙德、孙谦、孙俊。孙和在临死的时候与张妃诀别，张妃说："无论是福是祸，我都跟你在一起，绝不独自生存在这个世界上。"说完也要自杀。何姬说："如果都跟着去死，还有谁来把孩子抚养成人呢？"于是便担负起抚养孙晧以及孙晧三个弟弟的责任，这四个孩子都倚赖何氏的抚养而得以长大成人。

代县西南。二郡皆属并州。㉒陈雍州：即雍州刺史陈泰。㉓习凿齿论曰：习凿齿字彦威，东晋时期的史学家，著《汉晋春秋》，以蜀为正统。另著《襄阳耆旧记》《逸人高士传》，今皆不存。以下所引文字即见《汉晋春秋》。㉔过消而业隆：认错的事情过去之后，篡位的基业就更加兴隆。㉕归咎万物：把失败的责任推给别人。物，即指人。㉖执其功而隐其丧：有了功劳就到处张扬，有了失败就隐瞒不讲。丧，损失，消耗。㉗苟统斯理以御国：只要把握住这个道理来治理国家。㉘行失而名扬：承认一点行为上的过失，结果威望更高。㉙兵挫而战胜：这次承认失败，以后获胜更多。㉚况于再乎：何况也只是败了两次。㉛见诛不久：很快就要死到临头。㉜吴军还自东兴：东吴大军从东兴堤返回京师。东兴，即东兴堤，在今安徽含山西南，与巢湖相接。㉝荆、扬州牧：荆州、扬州两州的刺史。吴国荆州的州治江陵，在今湖北江陵城西北，扬州的州治建业，即今南京。㉞中散大夫：皇帝的侍从官员，位在谏议大夫之上，掌顾问应对。㉟仇雠：相互作对。雠，对。㊱长：助长。㊲昔秦但得关西：战国初期的秦国，只占有函谷关以西地区。关西，函谷关以西。㊳操时兵众二句：曹操时代的将领士兵，到现在已快死光了。㊴衰少未盛：老的老、小的小，兵力不强。〖按〗此诸葛恪过分轻敌之言。㊵未得施用：谓司马师、司马昭为"幼弱"，谓魏国才智之士为"未得施用"，亦非知己知彼之言。㊶是其厄会：正是其困顿倒霉的时候。㊷急于趋时：意即抓紧时机动手。㊸众人：一般人；普通人。㊹而以今日遂轻其后：从魏国的今日之弱遂轻视他的日后发展。㊺欲务闲息：想使百姓获得休息。㊻爱其小勤：同情百姓小的勤苦。爱，怜惜。㊼昔汉祖幸已自有三秦之地：当年刘邦收复三秦后如果以此为满足。三秦之地，泛指关中地区。因为刘邦灭秦后，项羽曾三分关中，封秦朝的三个降将章邯为雍王、司马欣为塞王、董翳为翟王，故称三秦。㊽攻楚：指出关东击项羽。㊾身被创痍：指刘邦被项羽的伏兵所射伤。㊿介胄：甲胄。51厌困苦：吃尽了一切苦头。52两存：指既不吃苦又能长治久安。53荆邯说公孙述以进取：公孙述是东汉初期盘踞于巴蜀地区的大军阀，荆邯是公孙述的部下。荆邯劝公孙述要努力进取，不要凭巴蜀之险消极固守。事见本书卷四十二建武六年。54家叔父表陈与贼争竞之计：家叔父，指诸葛亮。诸葛亮曾作《出师表》，论

述西蜀与魏国不两立的局势。见本书卷七十一太和二年（公元二二八年）。55 反侧：翻来覆去，难以入睡的样子。56 以达一二君子之末：上达给诸位的左右人员知晓。谦辞，意即让诸位知道我的想法。57 若一朝陨没二句：如果我哪一天突然死了，计划未能实现。58 贵令来世知我所忧：也可以让后来人知道我曾经忧虑过什么问题。59 可思于后耳：可以让后代人记着我的这些话。〖按〗以上文字见诸葛恪所写的《谕众》。60 莫敢复难：没有人敢再提出异议。61 丹阳太守聂友：丹阳是吴郡名，郡治建业，即今南京。聂友字文悌。传见《三国志》卷六十四。62 大行皇帝：刚死不久的皇帝，吴臣以称孙权。此时孙权之丧尚未逾年，故称之为“大行皇帝”。63 出身用命：舍身拼命。64 苟任盛意：全凭你的意思办。65 题论：即写作《谕众》这篇文章。66 大数：国家胜负存亡的大道理。67 熟省：反复阅读。68 伊、霍之托：像伊尹、霍光辅佐幼主那样的重托。伊尹是商朝人，曾在商汤死后辅佐四代君主，霍光是西汉人，曾受武帝之托以辅昭帝。69 蒙君而息：仰仗你获得生存。70 猥以劳役之后：勉强地在种种劳役之后。猥，曲，勉强。劳役，指内有兴筑孙权陵墓的差役，外有东关之战。71 野略：指掠夺城外的人口与财货庄稼。72 丧前劳而招后责：既丢弃了东关之胜的功劳，又招来后人的指责。73 事以众济：要想打败敌人必须依靠众人的努力。济，完成。74 君独安之：就凭你一个人又能干成什么呢。75 不见计算：未见有什么计划打算。76 怀居苟安：贪图平稳地过日子。77 暗劣：昏庸低能。78 政在私门：指朝廷大权操纵在司马氏手中。79 都下督：京师建业的军事长官。80 掌统留事：统管后方留守诸事。81 自以练西方风俗：自己认为熟悉西部地区的民间习俗。姜维本是天水冀县人，故有此自信。82 自陇以西二句：自陇山以西可归蜀汉所有。陇，陇山，盘踞在今陕西、甘肃、宁夏三省交界的大山。断，截取，指攻占。83 丞相：指诸葛亮。84 中夏：中原，指曹魏统治的地区。85 功业：指进一步开拓地盘，为国立功。86 石营：在今甘肃西和西北约八十里处，在董亭西南，当时属曹魏南安郡。87 狄道：魏县名，县治即今甘肃临洮。88 淮南：魏郡名，郡治合肥，今安徽合肥西北。89 驱略：驱赶；俘虏。都指将其挟持而归。90 疆埸之民：国境沿线的居民。91 相率远遁：互相携从远逃。92 新城：即当时魏国的淮南郡治合肥，也称新城。93 往赴：指奔援新城。94 虞松：字子茂，陈留（今河南开封东南）人，任中书郎、中书令等职。事见《三国志》卷四。95 东西有事：指东吴诸葛恪攻淮南，西蜀姜维攻陇西。96 意沮：犹今之所谓“丧气”“灰心”。97 周亚夫坚壁昌邑句：事见本书卷十六景帝三年（公元前一五四年）。周亚夫，周勃之子，景帝时为太尉，是平“吴楚七国之乱”的军事统帅。事见《史记·绛侯世家》。昌邑，汉县名，县治在今山东巨野东南。98 悉其锐众：出动全部精锐部队。99 肆暴：肆意逞强施暴。100 坐守：单单地困守。101 致一战：想招引我军与之决战。102 师老众疲：意即全军疲惫不堪。老，也是“疲惫”的意思。103 不径进：不愿径直进击，即司马师之所谓“诸将意沮”。104 县军应恪：遥远地与诸葛恪相呼应。县，同“悬”。105 投食我麦：进驻我们地区，以我境内的麦子为食。106 深根：指有根基，能

持久。⑩⑦关中：指今陕西中部。其地东有函谷，南有武关，西有散关，北有萧关，故云。⑩⑧倍道急赴：日夜兼程地扑向敌人。⑩⑨委吴：丢给吴国，任其攻打。⑪⓪洛门：约在今甘肃甘谷县西四十里处。⑪①牙门将：常简称牙门。因地区不同，又有西戎牙门将、淮南牙门将等名号。⑪②涿郡张特：涿郡是汉郡名，三国时称范阳郡，郡治即今河北涿州。张特，字子产。事见《三国志》卷四。⑪③起土山：堆起土山以求上城。⑪④不坐：不受牵连被惩处。⑪⑤条别善恶：分析战与降的利弊。⑪⑥送名：指签字的投降书。⑪⑦投夜彻诸屋材栅：趁夜间拆掉房子上的木材、围栏。投，及；到。⑪⑧补其缺为二重：把城墙的缺口加固为双层防护。⑪⑨泄下、流肿：腹泻、浮肿。⑫⓪涂地：遍地。⑫①日白：每天向上报告。⑫②内惟失计：心里已经明白这次出兵的失误。惟，思；发觉。⑫③忿形于色：愤恨恼怒之情流露在脸上。⑫④迕：冒犯。⑫⑤都尉蔡林：都尉相当于校尉，级别在将军之下。蔡林，事见《三国志》卷六十四。⑫⑥来奔：来投奔魏国。⑫⑦流曳：拉扯而行，多有流散。⑫⑧顿仆：跌倒；落入。⑫⑨见略获：指被魏兵俘虏。略，同“掠”。⑬⓪晏然自若：神态安宁，跟平常一样。⑬①江渚：江中小岛。⑬②起田于浔阳：在浔阳建立武装屯垦。浔阳在今江西九江西北。⑬③诏召相衔：皇帝连连下诏书令其回京。⑬④旋师：回师。⑬⑤怨讟：即怨恨、诅咒。⑬⑥汝南太守邓艾：汝南是魏郡名，郡治平舆，在今河南平舆北。邓艾，字士载，传见《三国志》卷七十五。⑬⑦部曲：指私人军队。古代一位将军下属若干部，部的长官称校尉；一个校尉下属若干曲，曲的长官称军候。⑬⑧阻兵：依仗兵力。⑬⑨内无其主：朝内没有明君。⑭⓪竞于外事：一心只想挑起对外战争。⑭①虐用其民：残暴地役使国内百姓。⑭②顿于坚城：被严重的损失消耗于不可攻克的城池之下。⑭③子胥：伍子胥，春秋时期的吴国元勋，曾佐阖闾破楚，又佐夫差破越，最后被夫差所杀。事见《史记·吴世家》。⑭④吴起：战国时的军事家，任楚令尹，为楚悼王主持变法。楚悼王死后，被楚国贵族杀害。事见《史记·孙子吴起列传》。⑭⑤商鞅：战国时政治家，佐秦孝公实行变法，奠定了秦国富强的基础。秦孝公死，被车裂而死。事见《史记·商君列传》。⑭⑥乐毅：战国时名将，被燕昭王任为上将军，率军几乎灭掉了齐国，后燕惠王即位，听信挑拨将其免职，乐毅逃到了赵国。事见《史记·乐毅列传》。⑭⑦陈兵导从：沿路列队守卫，前有引导，后有随从。⑭⑧府馆：即统帅府邸。⑭⑨孙嘿：时为吴国中书令。事见《三国志》卷六十四。嘿，通“默”。中书令是当时皇帝的亲信，掌管机要的官员。⑮⓪数妄作诏：责怪他们连续下诏书召之回师。中书令负责为帝王起草诏书，故诸葛恪责备孙嘿。⑮①曹：指选曹，主管选考官员的机构。⑮②奏署：启奏任命。⑮③令长职司：指被选任的各部门官吏。⑮④一更罢选：一律罢免，另外选任。⑮⑤愈治威严：对下属的约束管制越发严厉。⑮⑥竦息：恐惧紧张得不敢喘气。⑮⑦改易宿卫：撤换皇帝身边的侍卫官兵。⑮⑧复敕兵严：又下令调兵戒严。⑮⑨欲向青、徐：准备进攻魏国的青、徐二州。魏国青州的州治临淄，即今山东淄博市临淄区，徐州的州治彭城，即今江苏徐州。⑯⓪构恪于吴主：在吴主孙亮面前给诸葛恪编造罪名。构，罗造罪名以害人。⑯①将入之夜：将要入朝的头天

夜里。⑯精爽扰动：精神躁动不安。⑯数有妖怪：多次出现怪异之事。据《三国志·诸葛恪传》："明将盥漱，闻水腥臭。侍更授衣，衣服亦臭。恪怪其故，易衣易水，其臭如初，意惆怅不悦。严毕趋出，犬衔引其衣，恪曰：'犬不欲我行乎？'还坐顷刻，乃复起，犬又衔其衣。"⑯不时入：不及时入内。⑯须后：等以后再说。⑯尝：试探。⑯当自力入：我当强打精神进去见吴主。⑯散骑常侍：官名，掌宿卫侍从，多为加官。⑯张设：安排；布置。⑰正恐因酒食中人：所怕的也就是在酒饭中下毒害人。⑰剑履上殿：身带佩剑，脚穿朝靴。这是当时诸葛恪享有的特殊礼遇，一般人上殿不准带剑，要脱掉鞋子。⑰进谢还坐：进前见过吴主，回来坐下。⑰病未善平：病情没有全好。⑰所赍酒：自己带来的酒。⑰数行：酒过几巡。⑰峻刀交下：指孙峻跟他助手的刀一齐砍下。⑰斫：砍。⑰皆趋上殿：都小步跑上殿来。〖按〗孙峻时任武卫将军，故"武卫之士"都属孙峻统领。⑰复刃：收刀回鞘。⑱除地更饮：打扫场地，重新开饮。⑱欲来奔：想来投奔魏国。⑱以苇席裹恪尸二句：用芦席卷起诸葛恪尸体，用竹篾捆住尸体的腰部。⑱石子冈：当时建业南郊的乱葬岗。⑱无难督施宽：吴国设有无难兵营，其长官即称无难督。施宽的事迹见《三国志》卷二十五。⑱就将军施绩、孙壹军：前往施绩、孙壹两位将军的军中。施绩是朱然之子，本姓朱。传见《三国志》卷五十六。孙壹是孙霸之子，封宛陵侯。事迹见《三国志》卷五十九。当时施绩驻兵江陵，孙壹驻兵夏口。⑱奋威将军融：诸葛融，诸葛瑾之子，诸葛恪之弟。事迹见《三国志》卷五十二。⑱公安：吴县名，县治在今湖北公安城北。⑱张震：张昭之孙，张承之子。嗣都乡侯。事迹见《三国志》卷五十二。⑱常侍：即散骑常侍。⑲临淮臧均：臧均是吴国官吏。事迹见《三国志》卷六十四。其故乡是临淮，在今江苏盱眙城东北。⑲不崇一朝：时间不会长过一个早晨，崇，终。⑲希有极日：很少有能刮上一整天。希，同"稀"。极，尽头。⑲继之以云雨：还是接着转为和风细雨。⑲经日浃辰：犹言"连日累月"。一昼夜分为十二辰，十二日辰一周，谓之"浃辰"。⑲讫情尽意：犹言竭情尽意，指毫无约束地尽情发泄。讫，尽。⑲破灭之罪：指破家灭身的惩罚。⑲邀风雨之会：召唤"暴雷狂风"之后的"和风细雨"的降临。⑲自致夷灭：自己招来了灭门之祸。⑲枭市积日：人头已在街市上悬挂了好几天。⑳詈声成风：诟骂的声音如风四起。⑳无不毕见：全都看在眼里。⑳品物：众庶；万物。⑳世莫与贰：世上没有人可以跟他相比。⑳台辅：三公宰相之位。⑳观讫情反：看过之后让人一想。⑳能不憯然：能不感到伤心吗。⑳凿掘斫刺：指对尸体的种种施暴。⑳稽则乾坤：效法天地的宽厚。稽，考。则，效法。⑳怒不极旬：愤怒不超过十天。极，终。⑳乡邑：指同乡的人。⑳若故吏民：或者是老部下、旧子民。若，或。⑳收以士伍之服：以普通士卒、百姓的衣服加以收殓。⑳惠以三寸之棺：赏给他们一口三寸厚的棺材。⑳项籍受殡葬之施：项羽（字籍）被刘邦破败自杀后还被刘邦以鲁公之礼安葬。事见本书卷十一汉高帝五年（公元前二〇二年），参见《史记·项羽本纪》。⑳韩信获收敛之恩：刘邦收殓韩信之事，史书无考。⑳斯则汉高发神

明之誉也：这些就是刘邦所以享有神明一样声誉的原因。㉑⑦敦三皇之仁：发扬像三皇那样的仁爱。敦，厚，发扬。三皇指天皇、地皇、人皇。也有说指燧人氏、伏羲氏、神农氏。㉑⑧辜戮之骸：因罪伏诛的尸骨。㉑⑨复受不已之恩：让他们身死之后还无穷尽地沐浴着朝廷的恩德。㉒⓪沮劝：劝勉。㉒①栾布矫命彭越：栾布是彭越的老部下，奉命出使回来时，彭越已被朝廷杀害，于是栾布便去对着彭越的人头禀告了出使的情况。事见本书卷十二汉高帝十一年。矫命，违背刘邦宣布的不准哭彭越的命令。㉒②专名以肆情：只为自己扬名而任意行事。㉒③章宣愚情以露天恩：公开显露我的感情以祈请朝廷降恩。㉒④冒昧陈闻：冒昧以死陈述。古代人臣进言于君，首先说"冒死""昧死"，意思是人君之威难犯，故冒着死罪以进言。㉒⑤大帝：指吴大帝孙权。㉒⑥常以为戚：常为此感到忧虑。㉒⑦张承：辅吴将军张昭之子。事迹见《三国志》卷五十二。㉒⑧奉之同升：推崇之使其与己一同升迁。㉒⑨扶接之：扶助之令其接己之位。㉓⓪气陵其上：对上级盛气凌人。㉓①意蔑乎下：对下级态度傲慢。㉓②诸葛瞻：字思远，诸葛亮子，曾任骑都尉、护卫将军平尚书事。传见《三国志》卷三十五。㉓③越嶲：蜀郡名，郡治邛崃，即今四川西昌。㉓④东主：指孙权。㉓⑤帝：指吴主孙亮。㉓⑥太傅：指诸葛恪，时为吴国太傅。㉓⑦亲有周公之才：有叔父之亲的周公这样的人才。㉓⑧管、蔡流言：管、蔡指周公之兄管国的君主姬鲜与周公之弟蔡国的君主姬度。武王死后，成王年幼，国家大权由周公代为执掌，管、蔡二人猜疑周公，散布流言，勾结纣王之子共同发动叛乱。㉓⑨霍光受任：霍光是霍去病的异母弟，汉武帝临终，将年幼的昭帝托付给霍光等人，于是霍光任大司马大将军，封博陆侯，权震朝野。事见《汉书·霍光传》。㉔⓪燕、盖、上官逆乱：指武帝之子燕王刘旦、武帝之女盖长公主与上官桀等阴谋废昭帝的叛乱。事见本书卷二十三元凤元年（公元前八〇年）。㉔①赖成、昭之明以免斯难：多亏了周成王与汉昭帝的英明，坚信周公与霍光的忠贞不贰，他们才没有落到诸葛恪这样的下场。㉔②杀生赏罚不任下人：让谁死、让谁活，赏谁、罚谁，都是他孙权一个人说了算。㉔③诚实可虑：实在是值得忧虑。㉔④吴、楚剽急二句：吴、楚地区的人凶狠好杀，早就见之于历史。〖按〗《史记·吴王濞列传》分析刘濞造反的原因时就提到"吴楚剽急"的影响。㉔⑤离少主二句：指离开朝廷，亲自率军往攻敌城。㉔⑥东家：指东吴。㉔⑦辑睦：和睦。辑，和。㉔⑧取古则今二句：用古代的事情来衡量今天，今天的事情也就和古代的事情一样。则今，衡量今天。㉔⑨自非郎君进忠言于太傅：除了你还能向诸葛恪进忠言而外。郎君，以称诸葛瞻。自汉以来，门生故吏，都称恩师的子弟为郎君。张嶷曾是诸葛亮的故吏，故如此相称。㉕⓪旋军广农：班师回军，大力发展农业。㉕①数年之中：犹言"数年之后"。㉕②东西并举：指东吴与西蜀同时对魏发起进攻。㉕③媚峻者：向孙峻讨好的人。㉕④万机宜在公族：国家大权应掌握在孙氏皇族人的手里。㉕⑤若承嗣为亚公：如果让滕胤任司徒。滕胤字承嗣，司徒位亚太尉，故称"亚公"。㉕⑥不可量：言其日后的发展不可估量。㉕⑦表：上表推荐。㉕⑧不置御史大夫：御史大夫与丞相、太尉合称三公，今孙峻既任太尉，又任丞相，又不设御史大夫，于是国家的

三公只有孙峻一个人。㉕⑨士人：有地位、有身份的人物们。㉖⑩鲧、禹罪不相及：鲧治水失败被舜所杀，禹又被任命治水，不受其父被杀的影响。事见《史记·五帝本纪》。这里泛指一人有罪，家人不受牵连。㉖①何为：何必这样。㉖②不沾洽：不和睦；不融洽。㉖③外相苞容：表面上看起来还能彼此认可，相互合作。㉖④齐王奋：孙奋，孙权之子，孙霸之弟，被封为齐王，镇守武昌。传见《三国志》卷五十九。㉖⑤下住芜湖：从武昌顺流而下，驻兵于芜湖。芜湖是吴县名，即今安徽芜湖。㉖⑥观变：看看究竟发生了什么变化。㉖⑦傅相谢慈等：傅相指齐王太傅与齐国之相。太傅是诸侯王的辅导官，国相职同郡守。谢慈字孝宗，彭城人。事见《三国志》卷五十九。㉖⑧坐废为庶人：齐王孙奋因此犯罪被废为平民。㉖⑨徙章安：被发配到章安县，县治即今浙江临海市东南的章安镇。㉗⑩南阳王和：孙和，孙权之子。传见《三国志》卷五十九。㉗①甥：外甥女。㉗②武昌宫：吴国的武昌即今湖北鄂州市鄂城区。㉗③迎和立之：迎请孙和立以为帝。㉗④夺和玺绶：剥夺了孙和印绶，亦即废除了孙和的南阳王封爵。㉗⑤新都：吴郡名，郡治在今浙江淳安西。㉗⑥晧：孙晧，即日后的吴末帝。传见《三国志》卷四十八。㉗⑦谁当字孤：谁来抚养孤儿。字，喂奶，养育。

【原文】

高贵乡公㉗⑧上

正元㉗⑨元年（甲戌，公元二五四年）

春，二月，杀中书令李丰。初，丰年十七八，已有清名，海内翕然称之㉘⑩。其父太仆恢㉘①不愿其然㉘②，敕使闭门断客㉘③。曹爽专政，司马懿称疾不出，丰为尚书仆射㉘④，依违二公间㉘⑤，故不与爽同诛。丰子韬，以选尚齐长公主㉘⑥。司马师秉政，以丰为中书令。是时，太常夏侯玄㉘⑦有天下重名，以曹爽亲故[13]不得在势任㉘⑧，居常怏怏㉘⑨；张缉以后父去郡家居㉙⑩，亦不得意，丰皆与之亲善。师虽擢用㉙①丰，丰私心常在玄㉙②。丰在中书㉙③二岁，帝数独[14]召丰与语，不知所说㉙④。师知其议己，请丰相见以诘㉙⑤丰，丰不以实告。师怒，以刀镮筑杀之㉙⑥，

【校记】

［1］新兴、雁门：据章钰校，甲十一行本、乙十一行本皆作“雁门新兴”。［2］理：据章钰校，此下甲十一行本、乙十一行本皆有“而”字。［3］及：据章钰校，甲十一行本、乙十一行本皆作“悉”。［4］于：据章钰校，孔天胤本作“其”。［5］一二：据章钰校，甲十一行本、乙十一行本、孔天胤本皆作“二三”。［6］今公辅赞大业，承先帝之志：原无此十一字。据章钰校，甲十一行本、乙十一行本、孔天胤本皆有此十一字，张敦仁《通鉴刊本识误》、张瑛《通鉴校勘记》同，今据补。“承”字甲十一行本等均作“成”，惟孔天胤本作“承”，今取孔本。［7］等：原无此字。据章钰校，甲十一行本、乙十一行本、孔天胤本皆有此字，张敦仁《通鉴刊本识误》同，今据补。［8］虐：原误作“虚”。据章钰校，甲十一行本、乙十一行本皆作“虐”，今据校正。《三国志·魏书·邓艾传》作“虐”。［9］更罢：据章钰校，乙十一行本二字互乙。［10］篾：原作“蔑”。据章钰校，甲十一行本、乙十一行本皆作“篾”，今据改。［11］迁：据章钰校，甲十一行本、乙十一行本、孔天胤本皆作“徙”。［12］追：据章钰校，甲十一行本、乙十一行本皆无此字。

【语译】

高贵乡公上

正元元年（甲戌，公元二五四年）

春季，二月，魏国诛杀了中书令李丰。当初，李丰在十七八岁的时候，就已经有了清雅的名声，全国之内众口一词地称道他。他担任太仆的父亲李恢不希望他这个样子，便打发人关上门不让他与宾客来往。后来曹爽专权，司马懿于是假称有病隐居家中，李丰被任命为尚书仆射，在曹爽与司马懿之间两面讨好，都不得罪，所以没有和曹爽一起被诛杀。李丰的儿子李韬，以人才出众被皇家选中而娶了魏明帝曹叡的女儿、皇帝曹芳的姐姐齐长公主为妻。等到司马师掌权，任命李丰为中书令。那时候，担任太常的夏侯玄在全国之内很有声望，因为与曹爽关系亲密的缘故不被任以有权势的职位，因而平时总是闷闷不乐的样子；张缉因为是皇后的父亲而被调离郡守的岗位回到家中闲居，心里也感到很失意，而李丰与夏侯玄、张缉的关系都很亲近友好。司马师虽然提拔重用了李丰，而李丰内心却经常偏向夏侯玄。李丰在担任中书令的两年时间内，皇帝曹芳几次单独召见和他谈话，具体谈了些什么内容，外界却一无所知。司马师猜测肯定是在议论自己，于是就邀请李丰相见，追问他与皇帝所谈的内容，李丰却不肯将实话告诉他。司马师于是大怒，就用刀柄将李丰捣死了，

送尸付廷尉[297]，遂收丰子韬及夏侯玄、张缉等皆下廷尉。锺毓按治[298]，云："丰与黄门监[299]苏铄、永宁署令[300]乐敦，冗从仆射[301]刘贤等谋曰：'拜贵人日[302]，诸营兵皆屯门[303]，陛下临轩[304]，因此[305]同奉陛下[306]，将群僚人兵[307]，就诛大将军[308]。陛下傥不从人[309]，便当劫将去[310]耳。'"又云："谋以玄为大将军[311]，缉为骠[15]骑将军[312]，玄、缉[16]皆知其谋[313]。"庚戌[314]，诛韬、玄、缉、铄、敦、贤，皆夷三族。

夏侯霸之入蜀[315]也，邀玄欲与之俱，玄不从。及司马懿薨，中领军[316]高阳许允[317]谓玄曰："无复忧矣。"玄叹曰："士宗，卿何不见事乎？此人[318]犹能以通家年少遇我[319]，子元、子上不吾容[320]也。"及下狱，玄不肯下辞[321]，锺毓自临治之。玄正色责毓曰："吾当何罪？卿为令史责人[322]也，卿便为吾作[323]！"毓以玄名士，节高不可屈，而狱当竟[324]，夜为作辞[325]，令与事相附[326]，流涕以示玄。玄视，颔之[327]而已。及就东市[328]，颜色不变，举动自若[329]。

李丰弟翼为兖州[330]刺史，司马师遣使收[331]之。翼妻荀氏谓翼曰："中书[332]事发，可及诏书未至赴吴[333]，何为坐取死亡！左右可[17]同赴水火者为谁[334]？"翼思未答。妻曰："君在大州[335]，不知可与同死生者，虽去亦不免[336]。"翼曰："二儿小，吾不去，今但从坐身死耳，二儿必免。"乃止，死。

初，李恢[337]与尚书仆射杜畿[338]及东安[339]太守郭智[340]善，智子冲有内实而无外观[341]，州里弗称[342]也。冲尝与李丰俱见畿，既退，畿叹曰："孝懿无子[343]，非徒无子[344]，殆将无家[345]。君谋[346]为不死[347]也，其子足继其业。"时人皆以畿为误[348]。及丰死，冲为代郡太守[349]，卒继父业。

正始中[350]，夏侯玄、何晏、邓飏俱有盛名，欲交尚书郎傅嘏[351]，嘏不受。嘏友人荀粲[352]怪而问之，嘏曰："太初志大其量[353]，能合虚声[354]而

然后将尸体交付给廷尉处理，又将李丰的儿子李韬以及夏侯玄、张缉等全部拿下交给廷尉锺毓审理。锺毓向皇帝曹芳奏报说："李丰与担任黄门监的苏铄、永宁署令乐敦，以及担任冗从仆射的刘贤等人一起密谋说：'在皇帝册封贵妃的那天，命令诸营的兵士把守住宫门，等陛下登上前廊的时候，趁机一起上前簇拥着皇帝，带领着各大臣的亲兵冲入殿中，当场把大将军司马师杀死。陛下如果不肯听从，就劫持皇帝一起走。'"又说："他们经过密谋，准备由夏侯玄担任大将军，张缉任骠骑将军，夏侯玄、张缉都知道他们的阴谋。"二十二日庚戌，将李韬、夏侯玄、张缉、苏铄、乐敦、刘贤全部处死，并诛灭了他们的三族。

夏侯霸在逃往蜀国之前，曾经邀请夏侯玄一同投奔蜀国，夏侯玄没有同意。等到司马懿去世，担任中领军的高阳人许允对夏侯玄说："从今以后可以不必担忧了。"夏侯玄叹息了一声，叫着许允的字说："士宗，你怎么那么不明白事理呢？司马懿还能把我当作老朋友家的年轻晚辈看待，而他的儿子司马师、司马昭恐怕就容不得我了。"等到夏侯玄被捕入狱，他坚决拒绝承认有罪，锺毓亲自来审问他。夏侯玄非常严肃地责备锺毓说："我应当被判什么罪呢？你锺毓身为九卿，却像一个小官吏一样到监狱中来逼我认罪，你就替我编造一个罪名得了！"锺毓心里清楚夏侯玄乃是一代名士，节操高尚，不可能使他屈服，而案子又非了结不可，就连夜代替夏侯玄写好供词，并让供词与所指控的罪名相符合，然后流着眼泪拿给夏侯玄看。夏侯玄看过之后，点头而已。等到夏侯玄被绑缚到东市行刑的时候，他面不改色，举动如同平时一样自然。

李丰的弟弟李翼当时正担任兖州刺史，司马师派人前去逮捕他。李翼的妻子荀氏对李翼说："中书令的事情必然牵连到我们，我们何不趁着皇帝逮捕的诏书还没有送达赶紧投奔吴国，为什么要在这里坐以待毙呢！你身边有谁是可以随同赴汤蹈火、同生共死的人呢？"李翼沉思着没有回答。他的妻子又说："你担任一个大州府的刺史，却不知道谁是可以同生共死的人，即使逃离兖州也难逃一死。"李翼说："两个儿子还小，我如果不逃走，那就只有我一个人受牵连而死，两个孩子必定能免于一死。"于是坐等逮捕，被杀而死。

当初，李恢与尚书仆射杜畿以及东安太守郭智相友善，郭智的儿子郭冲品行好有才干，却其貌不扬，所以在州里没有什么声誉。郭冲曾经与李丰一起拜访杜畿，两人走后，杜畿长叹了一声说："李恢恐怕要失去他的儿子，不仅失去儿子，恐怕连家族也要灭绝了。郭智可以传血统于后世，他的儿子郭冲完全可以继承他的事业。"当时的人都认为杜畿说错了。后来李丰被杀，郭冲被任命为代郡太守，终于继承了他父亲的事业。

正始年间，夏侯玄、何晏、邓飏全都负有盛名，他们想与尚书郎傅嘏结交，却遭到傅嘏的拒绝。傅嘏的朋友荀粲感到很奇怪，就询问他原因，傅嘏说："夏侯玄

无实才。何平叔言远而情近[355]，好辩而无诚，所谓‘利口覆邦国[356]’之人也。邓玄茂有为而无终[357]，外要名利，内无关钥[358]，贵同恶异[359]，多言而妒前[360]。多言多衅，妒前无亲[361]。以吾观此三人者，皆将败家，远之犹恐祸及，况昵之[362]乎？”嘏又与李丰不善，谓同志曰：“丰饰伪[363]而多疑，矜小智[364]而昧于权利[365]，若任机事[366]，其死必矣。”

辛亥[367]，大赦。

三月，废皇后张氏[368]。夏，四月，立皇后王氏，奉车都尉[369]夔之[370]之女也。

狄道长[371]李简密书请降于汉。六月，姜维寇陇西[372]。

中领军许允素与李丰、夏侯玄善。秋，允为镇北将军[373]、假节、都督河北诸军事。帝以允当出[374]，诏会群臣，帝特引允以自近。允当与帝别，涕泣歔欷。允未发，有司奏允前放散官物[375]，收付廷尉，徙乐浪[376]，未至，道死[377]。

吴孙峻骄矜淫暴，国人侧目[378]。司马桓虑谋杀峻，立太子登之子吴侯英[379]，不克，皆死。

帝以李丰之死，意殊不平[380]。安东将军司马昭镇许昌[381]，诏召之使击姜维。九月，昭领兵入见，帝幸平乐观[382]以临军过[383]。左右劝帝因昭辞，杀之，勒兵[384]以退大将军[385]。已书诏[386]于前，帝惧，不敢发[387]。

昭引兵入城，大将军师乃谋废帝。甲戌[388]，师以皇太后令[389]召群臣会议，以帝荒淫无度，亵近倡优[390]，不可以承天绪[391]，群臣皆莫敢违。乃奏收帝玺绶，归藩于齐[392]。使郭芝[393]入白太后，太后方与帝对坐，芝谓帝曰：“大将军欲废陛下，立彭城王据[394]。”帝乃起去，

的志向超过了他的实际能力，表面上看来好像和人们传扬得差不多，而实际上却缺少真才实学。何晏言谈高远而真情低下，喜好辩论却没有真东西，这就是人们常说的‘油嘴滑舌害得国家跟着覆亡’的那种人。邓飏虽然能有所作为，却不会有好的结局，因为他做事既要名又要利，内心又无节制，喜欢与自己观点相同的而厌恶与自己观点不同的人，话说得很多，却又妒忌比自己强的人。话太多就容易招惹麻烦，妒忌别人就没有人与他亲近。根据我对这三个人的观察，他们都将败灭家族，疏远他们还担心受到连累而给自己招来灾祸，哪里还敢亲近他们呢？”傅嘏又与李丰不和，他与自己志同道合的人说：“李丰为人虚伪而又多疑，喜欢炫耀自己的小聪明，为了谋取权力而不顾其他，一旦让他掌握了权柄，那他就死定了。”

二月二十三日辛亥，魏国施行大赦。

三月，魏国皇帝曹芳废黜了张皇后。夏季，四月，册封王氏为皇后，王皇后是奉车都尉王夔之的女儿。

担任魏国狄道县县长的李简写密信给蜀汉，请求投降。六月，卫将军姜维率军攻打魏国的陇西郡。

魏国担任中领军的许允一向与李丰、夏侯玄友善。秋季，许允被任命为镇北将军、持节、统领河北诸军事。魏帝曹芳因为许允即将离京赴任，便下诏召集群臣为他饯行，曹芳特意把许允拉到自己近前。许允在与魏帝曹芳道别时，竟然忍不住伤感而唏嘘流涕。许允还没有出发，有关官员就递上奏章检举许允以前曾经随便散发官用物品，于是将许允逮捕起来交付廷尉审理，被判处流放乐浪郡，许允还没有到达目的地，就不明不白地死在了路上。

吴国太尉孙峻骄横荒淫、凶残暴戾，人们都非常惧怕他，连正眼看他一眼都不敢。担任司马的桓虑阴谋除掉孙峻，立太子孙登的儿子吴侯孙英为帝，结果没有成功，参与的人全部遇害。

魏帝曹芳因为李丰被杀一事而心中愤懑不平。安东将军司马昭坐镇许昌，魏帝曹芳下诏命令司马昭率军去攻打姜维。九月，司马昭领兵入朝晋见魏帝曹芳，魏帝曹芳亲自到洛阳城西的平乐观检阅西征大军。曹芳身边的人劝说他借司马昭上前辞行的机会除掉司马昭，然后掌握军队逼迫大将军司马师辞职。下令诛杀司马昭的诏书已经写好，就放在曹芳的面前，但曹芳由于心里害怕，不敢动手。

司马昭率军进入洛阳城，大将军司马师密谋废黜魏帝曹芳。九月十九日甲戌，司马师假传郭太后的命令召集群臣开会，宣布魏帝曹芳荒淫无道，迷恋宫中的歌舞艺人，不能继承帝王事业等罪状而将曹芳废黜，满朝文武大臣没有人敢违背司马师的意愿。于是奏请郭太后收回曹芳的皇帝玺绶，让曹芳仍旧回到他原来的封地齐国去。司马师派郭芝入宫禀报郭太后，当时郭太后正与魏帝曹芳一起对坐闲聊，郭芝对魏帝曹芳说：“大将军准备废黜陛下，另立彭城王曹据为皇帝。”曹芳于是站起身走了出去，

太后不悦。芝曰："太后有子不能教，今大将军意已成[395]，又勒兵于外以备非常，但当顺旨，将复何言？"太后曰："我欲见大将军，口有所说。"芝曰："何可见邪？但当速取玺绶！"太后意折[396]，乃遣傍侍御[397]取玺绶著坐侧[398]。芝出报师，师甚喜。又遣使者授帝齐王印绶，使[18]出就西宫。帝与太后垂涕而别，遂[19]乘王车[399]，从太极殿南出。群臣送者数十人，司马孚悲不自胜[400]，余多流涕[401]。

师又使使者请玺绶于太后[402]。太后曰："彭城王，我之季叔[403]也，今来立，我当何之[404]？且明皇帝当永绝嗣乎[405]？高贵乡公，文皇[20]帝之长孙[406]，明皇帝之弟子[407]，于礼，小宗有后大宗之义[408]，其详议之。"丁丑[409]，师更召群臣，以太后令示之，乃定迎高贵乡公髦于元城[410]。髦者，东海定王霖[411]之子也，时年十四，使太常王肃[412]持节[413]迎之。师又使请玺绶，太后曰："我见高贵乡公，小时识之，我自欲以玺绶手授之。"

冬，十月己丑[414][21]，高贵乡公至玄武馆[415]，群臣奏请舍前殿[416]，公以先帝旧处，避止西厢[417]。群臣又请以法驾[418]迎，公不听。庚寅[419]，公入于洛阳，群臣迎拜西掖门南，公下舆答拜，傧者[420]请曰："仪不拜[421]。"公曰："吾人臣也。"遂答拜。至止车门[422]下舆，左右曰："旧乘舆入[423]。"公曰："吾被皇太后征[424]，未知所为。"遂步至太极东堂[425]，见太后。其日[426]，即皇帝位于太极前殿，百僚陪位者皆欣欣[427]焉。大赦，改元[428]。为齐王筑宫于河内[429]。

汉姜维自狄道进拔河间[430]、临洮[431]。将军徐质[432]与战，杀其荡寇将军张嶷[433]，汉兵乃还。

初，扬州刺史文钦[434]骁果[435]绝人，曹爽以其乡里故爱之。钦恃爽势，多所陵傲。及爽诛，钦已内惧[22]，又好增虏级[436]以邀功赏，司马师常抑之，由是怨望。镇东将军毌丘俭[437]素与夏侯玄、李丰善，玄等

郭太后非常不高兴。郭芝说:“皇太后有儿子而不能很好地教导，如今大将军主意已定，又在外掌握着军队以防发生不测，现在只有顺从他的旨意，你还能说什么呢?”郭太后说:“我想见见大将军，有话要对他说。”郭芝说:“你怎么可能见到他呢? 只能赶快把皇帝的玺绶拿来!”郭太后被迫屈服，只得派左右侍御从曹芳身上取下玺绶放在座侧。郭芝赶快出来向司马师报告，司马师非常高兴。司马师又派使者将齐王印绶授予曹芳，让曹芳暂且前往西宫居住。曹芳与郭太后洒泪告别，于是乘上诸侯王所乘坐的青盖车，出了太极殿南门。群臣为他送行的有几十个人，司马孚悲痛得无法克制自己，其他人也都流下了眼泪。

司马师又派使者请郭太后交出皇帝玺绶。郭太后说:“彭城王是我的小叔父，如果让他来京当皇帝，我该到哪里去呢? 再说明皇帝难道就永远地断绝了后嗣吗? 高贵乡公曹髦，是文皇帝的长孙，是明皇帝弟弟东海王曹霖的儿子，按照礼法，小宗的后代有接续大宗的做法，你们再去详细地商议吧。”九月二十二日丁丑，司马师再次召集群臣，把郭太后的懿旨昭示给群臣看，于是决定到元城迎接高贵乡公曹髦回京师继承帝位。曹髦是东海定王曹霖的儿子，当时年仅十四岁，司马师派担任太常的王肃手持符节前往迎接曹髦。司马师又派人向郭太后索取玺绶，郭太后说:“我要先见见高贵乡公，我只在他小的时候见过他，我想亲自把玺绶授予他。”

冬季，十月初四日己丑，高贵乡公曹髦来到洛阳城北的玄武馆，群臣奏请高贵乡公下榻于玄武馆的前殿，高贵乡公认为先帝曾经住过正殿，为了表示对先帝的尊敬，高贵乡公避开正殿，退居在西厢房。群臣又奏请用皇帝最隆重的车驾迎接高贵乡公，高贵乡公也没有同意。初五日庚寅，高贵乡公进入洛阳城，群臣都到西掖门南面跪拜迎接，高贵乡公赶紧下车还礼，主管仪式的官员对高贵乡公说:“按照礼仪皇帝不应该答拜。”高贵乡公说:“我现在仍然是人臣。”于是向群臣还了礼。来到止车门，高贵乡公下了车，左右的人说:“依照旧制，天子可以乘车进宫。”高贵乡公说:“我被皇太后征召，还不知道是为了什么事情。”于是步行进入太极东堂，拜见了皇太后。当天，高贵乡公曹髦在太极正殿即位皇帝，文武百官以及参加典礼的人看到小皇帝少年有为都感到很高兴。于是大赦天下，改年号为“正元”。在河内郡为齐王曹芳建造齐王宫。

蜀汉卫将军姜维亲自统领大军从狄道出击，攻占了魏国的河间、临洮。魏国将军徐质率军抵抗，将蜀汉的荡寇将军张嶷杀死，姜维这才率军撤回。

当初，魏国扬州刺史文钦骁勇果敢远远超过一般人，曹爽因为文钦是自己的同乡，对他特别敬爱。文钦依仗曹爽的势力，常常欺压凌辱同僚。曹爽被杀，文钦内心已感到害怕，作战又爱虚报俘虏及杀敌数目来邀功请赏，常常遭到司马师的抑制，于是逐渐对司马师心生不满和怨恨。镇东将军毌丘俭平时与夏侯玄及李丰关系友善，

死，俭亦不自安，乃以计厚待钦。俭子治书侍御史甸[438]谓俭曰："大人居方岳重任[439]，国家倾覆[440]而晏然自守[441]，将受四海之责矣。"俭然之。

【段旨】

以上为第二段，写高贵乡公正元元年（公元二五四年）的大事。主要写了魏中书令李丰忠于曹氏，暗中结交夏侯玄、张缉等对司马师专权不满者，司马师指使锺毓罗织罪名，将李丰、夏侯玄、张缉等许多家族诛灭，镇北将军许允因与魏帝曹芳亲近，遂被司马师所杀。写了司马师、司马昭强加罪名，废掉了魏帝曹芳，另立了高贵乡公曹髦，以及曹髦所表现出的某些知书守礼的行为等。

【注释】

㉗⑧高贵乡公：即曹髦，明帝之弟东海定王曹霖的庶子。传见《三国志》卷四。当时曹魏制度规定，诸侯王的庶子只能封为乡公。高贵乡上属郯县（今山东郯城）。㉗⑨正元：高贵乡公曹髦的年号，共二年（公元二五四至二五五年）。㉘⓪翕然称之：众口一词地称道他。㉘①太仆恢：李恢，字德昂，时为太仆之职，为皇帝赶车，为九卿之一。事见《三国志》卷四十三。㉘②不愿其然：不希望他这个样子。㉘③敕使闭门断客：打发人关上门不让他与宾客来往。敕使，打发人。㉘④尚书仆射：尚书令的属官，令不在，则代理尚书省众事。㉘⑤依违二公间：在曹爽与司马懿之间两面讨好，都不得罪。依违，若依若违，即今之所谓"模棱两可"。㉘⑥以选尚齐长公主：以人才出众娶明帝曹叡之女曹芳的姐姐为妻。选，因出众而被选中。尚，娶帝王之女的敬称。齐长公主，齐是封地名，皇帝的姐妹称长公主。㉘⑦太常夏侯玄：太常是九卿之一，主管朝廷礼仪。夏侯玄，字太初，曾任魏征西将军，都督雍、凉州诸军事。他是早期玄学领袖，主张"自然"，有《夏侯玄集》，今佚。传见《三国志》卷九。㉘⑧不得在势任：不被任以有权势的职位。㉘⑨怏怏：闷闷不乐的样子。㉙⓪去郡家居：离开郡守，闲居在家。张缉本是东莞郡长，嘉平四年（公元二五二年）召回京师，任光禄大夫。事见本书卷七十五嘉平四年。光禄大夫是个闲散职务，故称"家居"。〖按〗由于张缉是皇后之父，便被夺去有权之职，可见司马氏孤立曹氏皇帝之情事。㉙①擢用：提拔任用。㉙②常在玄：不忘与夏侯玄相结。㉙③中书：中书省，为帝王起草诏令、制定文件的机关。㉙④不知所说：指外人不知他们说了些什么。㉙⑤诘：问。㉙⑥以刀镮筑杀之：用刀柄把李丰捣死了。镮，刀把上的金属环。筑，捣。㉙⑦廷尉：九卿之一，主管全国刑狱。㉙⑧锺毓按治：锺毓是锺繇之子，时任廷尉，主管审理这件事情。锺毓传见《魏书》卷十三。㉙⑨黄门监：皇宫太监的头领。㉚⓪永宁署令：主管永

后来夏侯玄等人被杀，毌丘俭心里总有一种危机感，于是千方百计厚待文钦。毌丘俭的儿子、担任治书侍御史的毌丘甸对他的父亲毌丘俭说："父亲大人现在掌管着国家一方面的军政大权，国家政权已经被司马氏所控制，亡国在即，而您只顾安然无事地守住自己的高位，恐怕将要受到天下人的责备。"毌丘俭觉得儿子说得很有道理。

宁宫事务的长官。当时魏太后居住在永宁宫。㉛冗从仆射：帝王的侍卫长官，由宦者担任，居则宿卫，出则骑从。㉜拜贵人日：指曹芳封某女为贵妃的那一天。㉝屯门：驻扎在宫门。㉞陛下临轩：当皇帝曹芳登上前廊的时候。㉟因此：趁此时。㊱同奉陛下：指苏铄、乐敦等人一起簇拥着皇帝。㊲将群僚人兵：带领着各个大臣的亲兵。㊳就诛大将军：当场将司马师杀死。㊴陛下傥不从人：假如皇帝不跟着一起干。傥，通"倘"。㊵使当劫将去：那就把他劫持着一起走。㊶以玄为大将军：让夏侯玄为政变后的第一执政者。㊷缉为骠骑将军：张缉为第二号人物。骠骑将军仅低于大将军。㊸玄、缉皆知其谋：以上纯属锺毓按司马师的意图为诸人所编造、所强加的罪名。㊹庚戌：二月二十二日。㊺夏侯霸之入蜀：夏侯霸逃亡入蜀。事见本书卷七十五嘉平四年。㊻中领军：与中护军皆典禁兵，属丞相府，为禁卫军最高统帅，权任极重。㊼许允：字士宗，曾任尚书选曹郎、侍中、中领军等职。事见《三国志》卷九。㊽此人：指司马懿。㊾以通家年少遇我：还能把我看作是一个老朋友家的晚辈。通家，即"世交"。㊿子元、子上不吾容：他的儿子司马师、司马昭绝对不会放过我。司马师字子元，司马昭字子上。㉑不肯下辞：不说任何乞求的话。㉒卿为令史责人：你锺毓身为九卿，竟像一个小吏似的亲自到狱里来逼我认"罪"。令史，小吏的名称。㉓卿便为吾作：意思是"你就替我编造吧"。㉔狱当竟：案子非结不可。竟，完结。㉕为作辞：代替夏侯玄写供词。㉖令与事相附：使供状与所指控的罪名相符合。㉗颔之：点头。㉘东市：当时处决犯人的地方。杀人于市场，以示与市人共弃之。㉙举动自若：举动如同平时一样自然。㉚兖州：魏州名，州治昌邑，在今山东金乡东北。㉛收：逮捕。㉜中书：指李丰。李丰生前任中书令。㉝赴吴：向东吴逃亡。㉞可同赴水火者为谁：能随同你赴汤蹈火、同生共死的都有谁。㉟君在大州：意即身为大州刺史。㊱虽去亦不免：即使逃离兖州，也难免一死。㊲李恢：又名李义，字孝懿，李丰之父。事见《三国志》卷二十三。㊳杜畿：封丰乐亭侯。传见《三国志》卷十六。㊴东安：魏郡名，郡治在今山东沂水东北。㊵郭智：字君谋。事见《三国志》卷十六。㊶有内实而无外观：有品德才干而无外貌。㊷州里弗称：本乡本土的各级官府都没有人称道他。㊸孝懿无子：李恢将没有儿子。李恢字孝懿。㊹非徒无子：意谓李丰定将惹祸早死。㊺殆将无家：恐怕连整个家族都得灭绝。㊻君谋：指郭

智。㉞为不死：指可以传血统于后世。㉞时人皆以畿为误：开始人们都认为杜畿说得不对。㉞冲为代郡太守：郭冲当上了代郡太守。魏国代都的郡治即今河北蔚县东北的代王城。㉟正始中：魏帝曹芳的正始年间，公元二四〇至二四八年。㉟傅嘏：字兰石，北地泥阳（今陕西铜川市耀州区东南）人，曾任河南尹、尚书等职，以功封阳乡侯。传见《三国志》卷二十一。㉟荀粲：字奉倩，颍川颍阴县（今河南许昌）人，荀彧之子。善言明理，提出“言不尽意”说，认为“象外之意，系表之言”，理之奥妙，非图像及词语所能表达。㉟太初志大其量：夏侯玄（字太初）的志向超过了他的实际能力。㉟能合虚声：表面看来似乎和人们所传扬的差不多。㉟何平叔言远而情近：何晏言谈高远而真情低下。㉟利口覆邦国：油嘴滑舌，害得国家跟着灭亡。语出《论语·阳货》：“恶利口之覆邦家者。”㉟邓玄茂有为而无终：邓飏（字玄茂）有作为但不会有好结局。㉟内无关钥：指内心无节制。关，门闩。钥，锁。㉟贵同恶异：喜爱观点相同，厌恶不同意见。㊱妒前：妒忌比自己强的人。㊱多言多衅二句：话多就惹麻烦，妒忌人就没有人与他亲近。㊱昵之：与之亲近。㊱饰伪：装假。㊱矜小智：炫耀小聪明，自以为是。㊱昧于权利：为了谋取权利而不顾其他。㊱若任机事：指一旦掌握权柄。㊱辛亥：二月二十三日。㊱废皇后张氏：因张氏是张缉之女。㊱奉车都尉：原是为皇帝掌管车马的官员，后来作为加官，与驸马都尉、骑都尉并称三都尉。㊲夔之：王夔之，封广明乡侯。事见《三国志》卷四。㊲狄道长：狄道县的县长。狄道县治即今甘肃临洮，当时属魏。㊲陇西：魏郡名，因在陇山之西得名，郡治即在狄道。㊲镇北将军：与镇东、镇西、镇南将军合称四镇将军。多为持节都督，出镇一方，权势很重。㊲出：出任。指许允将离开京都出任河北军务。㊲放散官物：随便散发官用物品。显然是司马师捏造罪名。㊲乐浪：魏郡名，郡治即今朝鲜平壤。㊲道死：显然是被司马师派人杀害。㊲侧目：不敢正眼相看，极言其畏惧之情。㊲吴侯英：孙英，孙登次子。事见《三国志》卷五十九。㊳意殊不平：恨司马师之剪除帝党。㊳许昌：魏县名，县治在今河南许昌东。㊳平乐观：宫馆名，在洛阳城西。㊳临军过：检阅西上大军通过。㊳勒兵：掌握军队。㊳以退大将军：逼着司马师辞职。㊳书诏：写好诏书。㊳不敢发：不敢动手。㊳甲戌：九月十九日。㊳以皇太后令：假传郭太后的命令。㊴亵近倡优：亲近宫中的歌舞艺人。㊴承天绪：继承帝王的事业。㊴归藩于齐：回到原来的齐国封地上去（曹芳原封齐王）。㊴郭芝：郭太后叔父，任虎贲中郎将。事见《三国志》卷四。㊴彭城王据：曹据，曹操之子。传见《三国志》卷二十。㊴意已成：主意已定。㊴意折：屈服。㊴傍侍御：太后身边侍奉的人。㊴著坐侧：指把印绶从皇帝曹芳身上夺来放在太后座侧。㊴遂乘王车：于是乘着诸侯王所乘的青盖车。㊵司马孚悲不自胜：司马孚是司马懿之弟，司马师与司马昭之叔。悲不自胜，悲痛得不能克制。㊵余多流涕：其他人多有哭者。〖按〗曹芳被废时年二十一岁。㊵请玺绶于太后：向太后讨要放在她身边的皇帝印绶。㊵季叔：小叔父。㊵我当何之：我该到哪里去。因为一旦彭城王得立，她这个“太后”只能下台。㊵明皇帝

当永绝嗣乎：郭太后的意思是希望仍立比明帝辈分低的子孙。这样就可以使明帝“不绝嗣”，她也可以继续当太后。㊻文皇帝之长孙：魏文帝曹丕的长孙。㊼明皇帝之弟子：魏明帝曹叡之弟东海王曹霖的儿子。㊽小宗有后大宗之义：小宗的后代有入继大宗的做法。大宗，指嫡长子系统。小宗，指其他支子、庶子系统。曹髦是明帝之弟东海王曹霖的庶子，立他为帝就是小宗为大宗之后。㊾丁丑：九月二十二日。㊿元城：魏县名，县治在今河北大名东。王凌兵变失败后，所有魏国王公都集中居住邺城（今河北临漳西南）。现立曹髦为傀儡，故将其分出先送到元城，群臣再去元城迎接。⑪东海定王霖：曹霖，东海王是其封号，定字是谥。⑫王肃：字子雍，王朗之子。传见《三国志》卷十三。⑬持节：手执旌节，旌节是大臣奉朝廷旨意外出办事时所持的信物。⑭十月己丑：十月初四日。⑮玄武馆：在洛阳城北。⑯请舍前殿：请他住在玄武馆的前殿。舍，住，下榻。⑰避止西厢：自己避开正殿，退居在西厢房。止，住宿。⑱法驾：皇帝使用的最隆重的车驾。京兆尹、执金吾等在前引路，侍中做骖乘，卫士车队三十六辆。⑲庚寅：十月初五日。⑳傧者：主管仪式的人。㉑仪不拜：按礼仪皇帝不应答拜。㉒止车门：皇宫前面的门，文武百官，至此下马下轿。㉓旧乘舆入：依照旧制，天子可以乘车进去。㉔征：召；呼我来京。㉕步至太极东堂：以上文字写高贵乡公的少年聪敏。太极东堂，太极殿东侧的殿堂。㉖其日：这一天；当天。㉗欣欣：高兴的样子。高兴这位小皇帝少年有为。㉘改元：在此之前是嘉平六年，自此起为正元元年。㉙河内：魏郡名，郡治怀县，在今河南武陟西南。㉚进拔河间：进军攻取了河间。〖按〗“河间”当作“河关”，魏县名，在今青海同仁北。㉛临洮：魏县名，县治即今甘肃岷县。㉜徐质：魏将。事见《三国志》卷二十二。㉝张嶷：西蜀名将。传见《三国志》卷四十三。㉞文钦：字仲若，谯郡（安徽亳州）人，封山桑侯。传见《三国志》卷二十八。㉟骁果：骁勇果决。㊱增虏级：虚报俘虏及杀敌数目。㊲毌丘俭：字仲恭，魏国忠于曹氏的将领。传见《三国志》卷二十八。㊳治书侍御史甸：毌丘甸。治书侍御史是御史大夫的属官，主管监察。㊴方岳重任：主管国家一个方面的军政大权。远古尧舜时代有所谓“四岳”，即四方的诸侯之长。魏晋时的四征、四镇、四安、四平，总督诸军，任专方面，故亦谓之“方岳重任”。㊵国家倾覆：指曹氏政权已被司马氏所控制，亡国在即。㊶晏然自守：只顾安然无事地守住自己的高位。晏，安。

【校记】

［13］故：原无此字。据章钰校，甲十一行本、乙十一行本、孔天胤本皆有此字，张敦仁《通鉴刊本识误》同，今据补。［14］独：原无此字。据章钰校，甲十一行本、乙十一行本皆有此字，今据补。［15］骠：原作“车”。据章钰校，甲十一行本、乙十一行本皆作“骠”，张敦仁《通鉴刊本识误》同，今据改。孔天胤本作“票”，与“骠”同。《三国志·魏书·夏侯玄传》亦作“骠”。［16］缉：原误刻作“辑”。据章钰校，甲十一行本、

乙十一行本皆不误，今据改。[17] 可：据章钰校，此字下甲十一行本、乙十一行本皆有“共”字。[18] 使：原无此字。据章钰校，甲十一行本、乙十一行本、孔天胤本皆有此字，张敦仁《通鉴刊本识误》同，今据补。[19] 遂：原无此字，作空格。据章钰校，甲十一行本、乙十一行本、孔天胤本皆有“遂”字，熊罗宿《胡刻资治通鉴校字记》同，今据

【原文】

二年（乙亥，公元二五五年）

春，正月，俭、钦矫太后诏[442]，起兵于寿春，移檄州郡[443]，以讨司马师，乃[23]表言：“相国懿忠正，有大勋于社稷，宜宥及后世[444]，请废师，以侯就第，以弟昭代之。太尉孚忠孝小心，护军望[445]忠公亲事[446]，皆宜亲宠，授以要任。”望，孚之子也。俭又遣使邀镇南将军诸葛诞[447]，诞斩其使。俭、钦将五六万众渡淮[448]，西至项[449]。俭坚守，使钦在外为游兵[450]。

司马师问计于河南尹王肃[451]，肃曰：“昔关羽虏于禁于汉滨[452]，有北向争天下[453]之志。后孙权袭取其将士家属[454]，羽士众一旦瓦解[455]。今淮南将士[456]父母妻子皆在内州，但急往御卫[457]，使不得前，必有关羽土崩之势矣。”时师新割目瘤，创甚[458]，或以为大将军不宜自行，不如遣太尉孚拒之。唯王肃与尚书傅嘏、中书侍郎[459]锺会劝师自行，师疑未决。嘏曰：“淮楚[460]兵劲[461]，而俭等负力远斗[462]，其锋未易当[463]也。若诸将战有利钝[464]，大势一失，则公事败矣。”师蹶然起[465]曰：“我请舆疾而东[466]。”

戊午[467]，师率中外诸军[468]以讨俭、钦，以弟昭兼中领军[469]，留镇洛阳，召三方兵[470]会于陈[471]、许[472]。

师问计于光禄勋郑袤[473]，袤曰：“毌丘俭好谋而不达事情[474]，文钦

补。[20]皇：原无此字。据章钰校，甲十一行本、乙十一行本皆有此字，今据补。[21]己丑：原作"癸丑"。据章钰校，甲十一行本、乙十一行本皆作"己丑"，张敦仁《通鉴刊本识误》同，今据改。[22]钦已内惧：原无此四字。据章钰校，甲十一行本、乙十一行本、孔天胤本皆有此四字，张敦仁《通鉴刊本识误》、张瑛《通鉴校勘记》同，今据补。

【语译】

二年（乙亥，公元二五五年）

春季，正月，毌丘俭、文钦假传郭太后的诏命，在寿春起兵造反，他们发送檄文号召各州郡起兵讨伐司马师，并上疏给新皇帝曹髦说："相国司马懿对国家忠诚、处事公正，为国家建立了很大的功勋，所以他的后代有罪应该得到宽宥，请求罢免司马师的官职，让他以侯爵的身份回到他的宅第，由他的弟弟司马昭来接替他的职务。太尉司马孚为人忠诚孝敬，处世小心谨慎，担任护军之职的司马望忠贞公正、恪尽职守，陛下应该亲近他们、宠信他们，把治理国家的重要职务授予他们。"司马望是司马孚的儿子。毌丘俭又派使者前去邀请镇南将军诸葛诞起兵，诸葛诞将他的使者斩首。毌丘俭、文钦率领五六万军队渡过淮河，向西进抵项县城。毌丘俭负责坚守县城，派文钦在外作为游动部队，负责侦查、作战。

司马师向河南尹王肃求教破毌丘俭之计，王肃分析说："过去关羽在汉水边上俘虏了魏国的大将于禁，有向北与魏国争夺天下的志向。后来孙权派人发动偷袭，俘虏了关羽将士的家属，关羽的军队立即土崩瓦解。如今淮南将士的父母妻子都在内地诸州郡，只要派军队赶紧前去加强防卫，阻止他们前进，必然会出现像关羽那样土崩瓦解的局势。"当时司马师的眼睛刚刚做完目瘤手术，创口疼痛得很厉害，有人建议大将军司马师不要亲自率军前往，不如派遣太尉司马孚率军前去拒敌。只有河南尹王肃和尚书傅嘏、中书侍郎锺会劝司马师率军亲征，司马师犹豫不决。傅嘏规劝司马师说："淮楚地区军队的势力很强大，而毌丘俭等依仗兵力强大，长驱直入，从寿春一直打到项县，其锋锐之势很难抵挡。如果派其他将领前去平定叛乱，倘有失败，主动的形势就可能消失，您的大业就会一败涂地。"司马师听到这里，便一跃而起，说："我就带病躺在车子里随军东征。"

正月初五日戊午，司马师亲自率领都城以内的军队和城外各营的军队征讨毌丘俭、文钦，任命自己的弟弟司马昭兼任中领军，留下镇守京师洛阳，征调西、南、北三方各州的军队到陈县、许昌会师。

司马师向担任光禄勋的郑袤请教，郑袤说："毌丘俭虽然有智谋，却不明白事理，

勇而无算[475]。今大军出其不意，江、淮之卒，锐而不能固[476]，宜深沟高垒[477]以挫其气，此亚夫之长策[478]也。”师称善。

师以荆州刺史王基[479]为行监军[480]，假节，统许昌军[481]。基言于师曰：“淮南之逆，非吏民思乱也，俭等诳诱迫胁，畏目下之戮，是以尚屯聚耳。若大兵一临，必土崩瓦解，俭、钦之首不终朝[482]而致于军门[483]矣。”师从之。以基为前军，既而复敕基停驻。基以为：“俭等举军足以深入，而久不进者，是其诈伪[484]已露，众心疑沮[485]也。今不张示威形[486]以副民望，而停军高垒，有似畏懦，非用兵之势也。若俭、钦虏略民人以自益，又州郡兵家[487]为贼所得[488]者，更怀离心。俭等所迫胁者，自顾罪重，不敢复还[489]，此为错兵无用之地[490]而成奸宄之源[491]。吴寇因之[492]，则淮南非国家之有，谯、沛、汝、豫[493]危而不安，此计之大失也。军宜速进据南顿[494]，南顿有大邸阁[495]，计足军人四十日粮。保坚城，因积谷，先人[496]有夺人之心[497]，此平贼之要也。”基屡请，乃听，进据濦水[498]。

闰月甲申[499]，师次于濦桥[500]，俭将史招、李续相次[501]来降。王基复言于师曰：“兵闻拙速，未睹为巧之久也[502]。方今外有强寇[503]，内有叛臣[504]，若不时决[505]，则事之深浅未可测也。议者多言将军持重[506]。将军持重，是也；停军不进，非也。持重，非不行之谓也，进而不可犯[507]耳。今保壁垒，以积实资虏[508]，而远运军粮，甚非计也。”师犹未许。基曰：“将在军，君令有所不受[509]。彼得亦[24]利，我得亦利，是谓争地[510]，南顿是也。”遂辄进据南顿[511]。俭等从项亦欲往争[512]，发十余里[513]，闻基先到，乃复还保项[514]。

文钦更是有勇无谋。现在你率领大军出其不意，毌丘俭、文钦所率领的江、淮之兵虽然锐不可当，却不能持久，你应该深挖沟、高筑城，不急于与他们交战，先消磨掉他们的锐气，这就是当年周亚夫对付七国之乱时采用的策略。”司马师认为郑袤分析得很对。

司马师任命荆州刺史王基为代理监军之职，并授予他旌节，让他统领许昌方面的军队。王基向司马师建议说：“这次淮南军叛乱，不是那里的官吏、百姓想要谋乱，而是受毌丘俭等人的威逼、利诱，被胁迫而来，他们担心如果不服从，眼下就要遭到杀身之祸，所以才勉强地聚集在一起。如果朝廷的大军一到，必然土崩瓦解，毌丘俭、文钦的人头用不了一个早晨就送到营门口了。”司马师听从了王基的建议。于是任命王基为前部先锋，随后又下令王基停止进军。王基认为：“毌丘俭等人率领江、淮之兵完全可以向纵深发展，但很久没有前进，这说明毌丘俭、文钦等人假传皇太后诏令的事情已经败露，众人之心因疑惑而涣散。现在如果不抓住这个机会向他们展示朝廷军队的强大威势，以符合民意，而是停止进军、修筑防御工事，看起来就像是畏惧怯懦，这不符合用兵之道。如果毌丘俭、文钦裹胁百姓以扩充自己的军事实力，再加上朝廷所控制的各州、郡军士的家属如果被毌丘俭等所俘虏，军心就会离散。被毌丘俭等人胁迫而参加谋乱的人惧怕自己罪孽深重，因而不敢回归朝廷，这就等于把军队安置在毫无取胜希望的地方而使那里成为其他叛乱分子的滋生地。如果吴国趁机入侵，淮南地方将不再属于魏国所有，谯郡、沛郡、汝南郡、颍川郡都将陷入混乱而不得安宁，这是最大的失策。军队应该快速前进占据南顿县，南顿县有巨大的大邸阁粮仓，那里的粮食估计足够全军食用四十天。据守坚固的南顿县城，利用现成的粮食，采取先发制人，首先打掉敌人的信心，这是平定叛乱最为重要的一步。”王基屡次向司马师陈请，司马师才听从了王基的建议，于是军队进抵濦水。

闰正月初一日甲申，司马师率军进驻濦水桥头，毌丘俭属下的将领史招、李续先后前来向司马师投降。王基又向司马师建议说：“按照兵法，军事行动宁可以拙而求得速胜，不能旷日持久以求巧。如今的形势是：外部有强大的敌国吴国、蜀国，内部有叛乱的大臣，如若不能快速解决，随着事态的发展，谁胜谁负恐怕就很难预测了。参与决策的人都建议将军稳扎稳打。将军采取稳扎稳打的策略是对的，但目前命令军队停止不前是错误的。稳扎稳打，说的可不是停止不前，而是说既要前进，又保持一种让敌人不敢进攻的姿态。而如今却是自己在城堡里困守，把临淮各郡的粮食储备都丢给了敌人，自己还要另外派大批人力物力从遥远的后方为部队运送粮食，这样的决策非常不好。”司马师还是没有同意王基的建议。王基又说：“将军在战场上，君王的命令可以不接受。敌人得到这个地方对敌人有利，我们得到这个地方就对我们有利，这样的地方就叫作双方必争之地，南顿县就是这样的地方。”于是王基便快速前进占据了南顿县。毌丘俭等也从项县赶来准备抢占南顿县，军队出发前进了十多里，听到王基已经抢先占据了南顿县，于是又撤回项县据守。

癸未[515]，征西将军郭淮[516]卒，以雍州刺史陈泰代之[517]。

吴丞相峻率骠骑将军吕据、左将军会稽留赞[518]袭寿春[519]，司马师命诸军皆深壁高垒，以待东军之集[520]。诸将请进军攻项，师曰："诸军知其一，未知其二。淮南将士本无反志，俭、钦说诱[521]与之举事，谓远近必应；而事起之日，淮北不从[522]，史招、李续前后瓦解，内乖外叛[523]，自知必败。困兽思斗[524]，速战更合其志[525]，虽云必克，伤人亦多。且俭等欺诳将士，诡变万端，小与持久[526]，诈情自露，此不战而克之术也。"乃遣诸葛诞督豫州诸军自安风[527]向寿春，征东将军胡遵督青、徐诸军出谯、宋之间[528]，绝其归路[529]，师屯汝阳[530]。毌丘俭、文钦进不得斗[531]，退恐寿春见袭[532]，计穷不知所为。淮南将士家皆在北，众心沮散，降者相属[533]，惟淮南新附农民[534]为之用。

俭之初起，遣健步[535]赍书[536]至兖州[537]，兖州刺史邓艾斩之，将兵万余人，兼道前进，先趋乐嘉城[538]，作浮桥以待师。俭使文钦将兵袭之。师自汝阳潜兵就艾[539]于乐嘉。钦猝见大军[540]，惊愕未知所为。钦子鸯[541]，年十八，勇力绝人，谓钦曰："及其未定，击之可破也。"于是分为二队，夜夹攻军。鸯帅壮士先至鼓噪[542]，军中震扰[543]。师惊骇，所病目突出[544]，恐众知之，啮被皆破[545]。钦失期不应[546]，会明，鸯见兵盛，乃引还[547]。师与诸将曰："贼走[548]矣，可追之！"诸将曰："钦父子骁猛，未有所屈[549]，何苦而走？"师曰："夫一鼓作气，再而衰[550]。鸯鼓噪失应，其势已屈，不走何待？"钦将引而东，鸯曰："不先折其势，不得

癸未日这天，魏国征西将军郭淮去世，魏国任命雍州刺史陈泰接替郭淮为征西将军。

吴国丞相孙峻率领骠骑将军吕据、左将军会稽人留赞袭击魏国的寿春，司马师命令诸军加强修筑防御工事，深挖沟，高筑垒，等待青州、徐州、兖州等东部军队的到来。诸将请求司马师下令进兵攻打项县，司马师说："诸位将军只知道其中的一个方面，而不知道另一个方面。淮南将士本来没有谋反之心，毌丘俭、文钦说服劝诱他们参与起兵谋反，说是一旦起兵，远近州县的军队必定闻风响应；然而起兵之后，淮河以北邻近的豫、兖等州并未跟从响应，就连他手下的将领史招、李续的军队也先后瓦解，投降了朝廷，目前，叛臣内部离心、外部背叛，他们自己已经料到了必定失败的命运。野兽被围困急了还要反扑，迅速决战反而更符合他们的愿望，虽说我们必定能获得最后的胜利，但人员伤亡也一定会很多。再说毌丘俭等人欺骗他们的将士，诡计变化多端，稍微与他们多对峙一些时日，他们欺骗属下将领、阴谋叛变的真相就会暴露出来，这是不用经过战斗就能战胜他们的办法。"于是司马师派遣诸葛诞统领豫州的军队从安风县向寿春进发，派征东将军胡遵统领青州、徐州各军进入谯、宋一带地区，截断毌丘俭撤回寿春的道路，司马师的大军则屯驻在汝阳县。毌丘俭、文钦想进攻而无人与之开战，撤退又担心寿春被东吴的军队所袭击，此时真是黔驴技穷不知该如何是好。淮南将士的家属都在北方，众人心情沮丧、离散，前来向朝廷投降的人接连不断，只有新近从东吴归顺过来的那些农民还可以用来一战。

毌丘俭开始起兵的时候，曾经派走路飞快的人前往兖州送信，兖州刺史邓艾将送信人斩首，然后率领一万多人日夜兼程，首先奔赴乐嘉城，架设好了浮桥等待司马师的到来。毌丘俭派文钦率军袭击邓艾。司马师秘密带兵来到乐嘉城与邓艾会师。文钦看到乐嘉城突然有这么多朝廷的主力大军，不禁大惊失色，不知如何是好。文钦的儿子文鸯，虽然才十八岁，却勇力过人，他对父亲文钦说："趁着朝廷的军队还没有安定下来，立即攻打，必能将其打败。"于是把带来的军队分成两队，准备趁黑夜对司马师的军队进行前后夹击。文鸯亲自率领一支敢死队擂鼓呐喊，率先杀入司马师的大营，司马师的军队立即惊恐混乱起来。司马师惊骇之下，病眼的眼球也凸了出来，疼痛难忍，又怕被众人知道引起军心不稳，于是就用牙狠命地咬住被子，被子都被咬破了。而文钦却耽误了约定的时间，没能及时赶来与文鸯夹击司马师，此时天已大亮，文鸯看见朝廷的军队人数众多，这才带兵撤回。司马师对众将说："贼人文鸯已经败逃，可以马上派人追击！"诸将都说："文钦父子骁勇，来势凶猛，此次前来并没有受到挫折，怎么会是败走呢？"司马师说："第一次击鼓时士气振奋，再次击鼓的时候，士气就减退了。文鸯鼓噪而进却失去接应，声势已经受挫，不赶紧败逃还等待什么呢？"文钦准备率军向东撤退，文鸯说："如果不先给他们一次沉重

去也。”乃与骁骑[551]十余摧锋陷陈[552]，所向皆披靡，遂引去。师使左长史司马班率骁骑八千翼而追之[553]，鸯以匹马[554]入数千骑中，辄杀伤百余人，乃出，如此者六七，追骑莫敢逼。

殿中人[555]尹大目小为曹氏家奴[556]，常在天子左右。师将与俱行[557]，大目知师一目已出，启云：“文钦本是明公腹心，但为人所误耳。又天子乡里[558]，素与大目相信[559]，乞为公追解语之[560]，令还与公复好。”师许之。大目单身乘大马，被铠胄，追钦，遥相与语。大目心实欲为曹氏，谬言：“君侯何苦不可复忍数日中也[561]？”欲使钦解其旨。钦殊不悟[562]，乃更厉声骂大目曰：“汝先帝[563]家人，不念报恩，反与司马师作逆，不顾上天，天不祐汝！”张弓傅矢[564]欲射大目。大目涕泣曰：“世事败矣[565]，善自努力！”

是日，毌丘俭闻钦退，恐惧夜走，众遂大溃。钦还至项，以孤军无继，不能自立，欲还寿春，寿春已溃，遂奔吴。吴孙峻至东兴，闻俭等败，壬寅[566]，进至橐皋[567]，文钦父子诣军降[568]。毌丘俭走，比[25]至慎县[569]，左右人兵稍弃俭去[570]，俭藏水边草中。甲辰[571]，安风津民[572]张属就杀俭，传首京师，封属为侯。诸葛诞至寿春，寿春城中十余万口，惧诛[573]，或流迸山泽[574]，或散走入吴。诏以诞为镇东大将军、仪同三司，都督扬州诸军事。

夷毌丘俭三族。俭党七百余人系狱，侍御史杜友[575]治之[576]，惟诛首事者十余[26]人，余皆奏免之。俭孙女适刘氏[577]，当死[578]，以孕系廷尉[579]。司隶主簿[580]程咸议曰：“女适人者，若已产育，则成他家之母，于防[581]则[27]不足以惩奸乱之源[582]，于情[583]则伤孝子之恩[584]。男不遇罪于他族[585]，而女独婴戮于二门[586]，非所以哀矜女弱[587]，均法制之大分[588]也。

的打击，挫败他们的锐气，想撤退也撤退不成。”于是，文鸯率领十多名英勇的骑兵摧垮了司马师的先锋部队，攻入朝廷军的阵地，所到之处，敌军就像被狂风刮倒的草一样纷纷向后倒退，无人敢挡，文鸯这才引军而去。司马师派左长史司马班率领八千名英勇的骑兵从两翼随后追杀文鸯，文鸯单枪匹马，返身冲入敌人数千名骑兵队中，立马杀死杀伤一百多人，然后扬长而出，如此反复了六七次，追赶的骑兵没有人敢逼近他。

在宫殿中担任侍卫的尹大目自幼为曹氏皇室当家奴，经常在皇帝身边。司马师此次带着他随大军一道出征，尹大目知道司马师的一只眼球已经凸了出来，就向司马师请示说：“文钦本来是您的心腹之将，只是被人误导才参与谋反的。他又是皇帝的同乡，平时与我相互都很信任，请准许我追上前去劝说他反正，让他回来与您重归于好。”司马师答应了尹大目的请求。于是尹大目单人独骑，身上披着铠甲，纵马向前追赶文钦，距离老远地就向文钦高声喊话。尹大目心里其实是忠于曹家，又不能明说，就暗示他说：“君侯为什么不能再多忍耐几天呢？”他想让文钦明白自己的意思。而文钦却根本不能领悟，反而对尹大目厉声大骂说：“你是先皇帝的家人，不想怎样去报答主人的恩德，反而与司马师一同谋逆，不顾天地良心，上天一定不会保佑你！”说完拉开弓搭上箭就要射尹大目。尹大目痛哭流涕地说：“大势已去，你好自为之吧！”

当天，毌丘俭听说文钦败退，心中十分恐惧，便连夜逃走，全军立时溃不成军。文钦回到项城，看见只剩下一座空城，自己孤军无援，很难独立存在，就想退回寿春，而寿春已经被诸葛诞攻占，于是投奔吴国而去。吴国丞相孙峻率军走到东兴关的时候，传来毌丘俭等人已经失败的消息，闰正月十九日壬寅，孙峻等率军来到橐皋，文钦父子来到孙峻的军前投降。毌丘俭逃走，等到达慎县的时候，身边的亲信、卫兵都渐渐地离开毌丘俭而去，毌丘俭孤身一人躲藏在水边的杂草丛中。二十一日甲辰，安风津渡口的百姓张属发现了毌丘俭，于是将他杀死，其首级被割下来送到了京师洛阳，张属因此被封为侯爵。诸葛诞进入寿春，寿春城中的十多万百姓害怕遭到朝廷诛杀，十分恐惧，有的逃到山林草泽之中，有的逃往吴国。魏帝曹髦下诏任命诸葛诞为镇东大将军、仪同三司，统领扬州各方面军事。

诛灭毌丘俭三族。毌丘俭的党羽中有七百多人被逮捕入狱，由侍御史杜友负责审理这个案件，杜友只将为首的十多人处决，其余的都奏明朝廷予以赦免。毌丘俭的孙女嫁给刘姓人为妻，按照当时的法律应当被判处死罪，由于正在怀孕期间，所以暂时还关押在廷尉下属的监狱里。担任司隶主簿的程咸向朝廷建议说：“女儿已经嫁人的，如果已经生儿育女，那么就成了别人的母亲，嫁到夫家的女子无法过问其父母家的事情，完全是无辜的；从情理上说已嫁从夫的女子孝敬公婆而无辜被杀，是伤害了孝子的恩情。男人不因为他的岳父家犯罪而受到牵连，而做女儿的偏偏两家犯罪都要受到牵连而被杀戮，这可不是同情怜悯弱势女子、真正体现法律的公平。

臣以为在室之女[589]，可从父母之刑，既醮之妇[590]，使从夫家之戮。”朝廷从之，仍著于律令[591]。

舞阳忠武侯司马师[592]疾笃，还许昌，留中郎将参军事贾充[593]监诸军事。充，逵之子也。卫将军昭[594]自洛阳往省师[595]，师令昭总统诸军。辛亥[596]，师卒于许昌。中书侍郎锺会从师典知密事[597]，中诏敕尚书傅嘏[598]，以东南新定，权留卫将军昭屯许昌[599]为内外之援，令嘏率诸军还。会与嘏谋[600]，使嘏表上，辄与昭俱发[601]，还到洛水南屯住[602]。

二月丁巳[603]，诏以司马昭为大将军、录尚书事。会由是常有自矜之色，嘏戒之曰："子志大其量[604]，而勋业难为也，可不慎哉!"

吴孙峻闻诸葛诞已据寿春，乃引兵还。以文钦为都护[605]、镇北大将军、幽州牧[606]。

三月，立皇后卞氏，大赦。后，武宣皇后弟秉之曾孙女[607]也。

秋，七月，吴将军孙仪[608]、张怡、林恂谋杀孙峻，不克，死者数十人。全公主谮[609]朱公主[610]于峻，曰“与仪同谋”，峻遂杀朱公主。

峻使卫尉[611]冯朝城广陵[612]，功费甚众，举朝莫敢言，唯滕胤谏止之，峻不从，功卒不成。

汉姜维复议出军，征西大将军张翼[613]廷争[614]，以为国小民劳，不宜黩武。维不听，率车骑将军夏侯霸及翼同进。

八月，维将数万人至枹罕[615]，趋狄道。征西将军陈泰敕雍州[616]刺史王经进屯狄道，须[617]泰军到，东西合势[618]乃进。泰军陈仓[619]，经所统诸军于故关[620]与汉人战不利，经辄渡洮水。泰以经不坚据狄道，必

我认为，没有出嫁的女儿，要随父母一起遭受刑戮，而已经结婚成了人家媳妇的女儿，应该让她只随夫家接受刑戮。”朝廷听从了他的建议，并把它写进法律条文之中。

魏国大将军、舞阳忠武侯司马师病情加重，回到许昌，留下以中郎将的身份为司马师当参谋的贾充暂时统领许昌各方面军务。贾充是贾逵的儿子。卫将军司马昭从洛阳赶往许昌看望兄长司马师，司马师让司马昭掌管全国军事。闰正月二十八日辛亥，司马师在许昌去世。担任中书侍郎的锺会一直跟随司马师负责掌管、过问机密大事。宫廷里发出诏书给尚书傅嘏，认为东南毌丘俭等人的叛乱刚刚平定，命令卫将军司马昭暂时留在许昌作为内外的援军，命令傅嘏率领诸军返回京师洛阳。锺会与傅嘏商议，决定由傅嘏上奏章给魏帝曹髦陈述司马昭必须回京师的理由，而傅嘏与司马昭则同时由许昌出发进京，不给皇帝驳回的机会，他们一直把军队带到了洛水南岸才扎下营寨。

二月初五日丁巳，魏帝曹髦下诏任命司马昭为大将军，同时兼管尚书事务。锺会认为自己的建议帮了司马昭的大忙，便经常流露出自我夸耀、沾沾自喜的神色，傅嘏告诫他说:“你的志向大于你的能力，勋业将很难获得成功，你怎能不谨慎行事啊!”

吴国丞相孙峻探听到魏国的诸葛诞已经占据了寿春，于是便率军而回。东吴任命降将文钦为都护、镇北大将军、幽州牧。

三月，魏帝曹髦封卞氏为皇后，大赦天下。卞皇后是魏武帝曹操卞皇后弟弟卞秉的曾孙女。

秋季，七月，吴国将军孙仪、张怡、林恂等密谋除掉孙峻，没有成功，不仅他们自己被杀，受牵连而被处死的还有好几十人。全公主孙鲁班在孙峻面前说她妹妹朱公主孙鲁育的坏话，说“朱公主参与了孙仪等人的阴谋”，孙峻于是杀死了朱公主孙鲁育。

吴国丞相孙峻派担任卫尉的冯朝修筑广陵城，花费了巨大的人力、物力，但满朝文武百官没有人敢提出异议，只有滕胤一人进行劝阻，孙峻根本不予采纳，而广陵城最终也没有建成。

蜀汉卫将军姜维又提议出兵北伐，征西大将军张翼在朝廷之上就公开提出了反对意见，张翼认为蜀国国土面积很小，连年北伐已经使百姓疲惫不堪，不应该再主动挑起战争。姜维不听，率领车骑将军夏侯霸与张翼一同出征北伐。

八月，姜维率领几万人马抵达魏国的枹罕县，然后径直向狄道进发。魏国征西将军陈泰下令雍州刺史王经率军进驻狄道，等待陈泰率领人马到来，东西两军会合后再同时出击。陈泰率领的军队驻扎在陈仓，王经率领属下的诸路人马在故关与蜀军交战失利后，竟然擅自渡过洮水。陈泰因为王经没有坚持据守狄道，断定必然会

有他变，率诸军以继之。经已与维战于洮西㉑，大败，以万余人还保狄道城，余皆奔散，死者万计。张翼谓维曰："可以止矣，不宜复进，进[28]或㉒毁此大功，为蛇画足。"维大怒，遂进围狄道。

辛未㉓，诏长水校尉㉔邓艾行安西将军㉕，与陈泰并力拒维。戊辰㉖，复以太尉孚为后继。泰进军陇西㉗，诸将皆曰："王经新败，贼[29]众大盛，将军以乌合之众㉘，继败军之后，当乘胜之锋㉙，殆必不可。古人有言：'蝮蛇螫手，壮士解腕㉚。'《孙子》曰：'兵有所不击，地有所不守。'盖小有所失，而大有所全故也。不如据险自保，观衅待敝㉛，然后进救，此计之得者也。"泰曰："姜维提轻兵深入，正欲与我争锋原野㉜，求一战之利。王经当高壁深垒，挫其锐气，今乃与战，使贼得计。经既破走，维若以战克之威，进兵东向，据栎阳积谷之实㉝，放兵收降㉞，招纳羌、胡，东争关、陇㉟，传檄四郡㊱，此我之所恶也。而乃以乘胜之兵，挫峻城之下㊲，锐气之卒㊳，屈力致命㊴，攻守势殊，客主不同㊵。兵书曰：'修橹轒辒，三月乃成，拒堙三月而后已㊶。'诚非轻军远入之利也。今维孤军远侨㊷，粮谷不继，是我速进破贼之时，所谓疾雷不及掩耳，自然之势也。洮水带其表㊸，维等在其内，今乘高据势，临其项领㊹，不战必走。寇不可纵，围不可久，君等何言如是！"遂进军度高城岭㊺，潜行，夜至狄道东南高山上，多举烽火，鸣鼓角。狄道城中将士见救至，皆愤踊㊻。维不意救兵卒至，缘山急来攻之。泰与交战，维退。泰引兵扬言欲向其还路㊼，维惧。

发生其他变故，于是立即率领大军赶来赴援。王经已经在洮水西岸与姜维的军队展开激战，结果被姜维打得大败，仅剩下一万多人，退回狄道城据守，其余的军士都已经四散逃走，战死的也有上万人。张翼向姜维建议说："这次的北伐可以到此为止了，不适宜继续深入，再前进倘若失利就会使前功尽弃，岂不是画蛇添足。"姜维对张翼屡次阻挠感到非常生气，于是下令全军围攻狄道城。

八月二十二日辛未，魏帝曹髦下诏任命担任长水校尉的邓艾为代理安西将军，与陈泰同心协力抵御蜀汉姜维的进攻。戊辰日，魏帝曹髦又诏令太尉司马孚率领大军作为后续部队。陈泰率军向陇西进发，属下诸将都说："王经刚刚被蜀军打败，蜀军正是气势旺盛之时，将军您率领这支刚刚从四面八方临时拼凑起来的军队，在我军刚刚打完败仗之时，迎战刚刚打了胜仗而士气正盛的蜀军，恐怕非失利不可。古人有句话说得好：'被毒蛇咬了手，行事果断的人立即就把手腕砍掉，以免蛇毒扩散危及生命。'孙子说：'对待敌人的军队，在有些情况下可以不去攻打，对于土地，在有些情况下也可以不必固守。'这是因为虽然在小的方面遭受了损失，而在大的方面却得到了保全。目前不如据守险要，保存实力，严密观察敌人的失误，等待敌方出现漏洞，然后再进兵救援，这才是万全之计。"陈泰说："蜀国姜维率领轻装部队深入我国境内，正希望我们与他在空旷的大平原上进行决战，企图以一次决战而获取最大的胜利。王经本来应该深沟高垒，不与交战，先挫败蜀军的锐气，而他竟然与蜀军开战，使姜维的计谋得逞。王经已经失败逃走，姜维如果凭借战斗胜利的余威，率军向东挺进，攻占略阳，夺取栎阳粮仓储存的粮食，然后派兵四出，收纳降者，再招纳羌人、胡人向东来夺取关中和陇西，向四郡发布檄文，使其来降，这是我最不愿意看到的。然而姜维却率领有战胜余威的蜀军包围狄道城，使将士受挫于易守难攻的坚城之下，让士气高昂、乘胜前进的士兵消耗了力量、送掉了性命，以致进攻与防守的形势变得不一样，进攻者与防守者在心理气势上也完全不同。兵法上说：'制造大盾牌和攻城的战车，需要三个月才能够完成，构筑土山攻城，也得三个月才能完成。'这种形势对轻装深入的蜀军是非常不利的。如今姜维孤军深入，远离本土作战，军队粮秣接济不上，正是我军快速进军击败敌人的好时机，此即所谓的迅雷不及掩耳，取得胜利是必然的。洮水就像带子一样围绕在姜维军队的外围，姜维等处在其中，如今我们登上高处占据有利地势，居高临下地扼住他们的脖子，用不着作战，姜维就得败走。对待蜀寇不能放纵，不能让他们将狄道城包围得很久，你们怎么会这样分析问题呢！"于是陈泰率领魏军越过高城岭，悄悄行进，在夜间到达狄道城东南的高山上，然后点燃许多火把，擂起了战鼓、吹响了号角。狄道城中王经的部队看见陈泰的救兵已到，立时精神大振，欢腾跳跃起来。姜维没有料到魏国的救兵会突然而至，于是急忙沿着山麓前来攻打陈泰。陈泰率军迎战，姜维无法取胜，只好退去。陈泰扬言要引兵截断姜维的退路，姜维为此深感忧虑。

九月甲辰[648]，维遁走，城中将士乃得出。王经叹曰：“粮不至旬[649]，向非救兵速至，举城屠裂，覆丧一州[650]矣！”泰慰劳将士，前后遣还[651]，更差军守[652]，并治城垒，还屯上邽[653]。

泰每以一方有事，辄以虚声[654]扰动天下，故希简上事[655]，驿书[656]不过六百里[657]。大将军昭曰：“陈征西[658]沉勇能断[659]，荷方伯之重[660]，救将陷之城，而不求益兵，又希简上事，必能办贼[661]者[30]也。都督大将不当尔邪[662]？”

姜维退驻钟提[663]。

初，吴大帝不立太庙[664]，以武烈[665]尝为长沙[666]太守，立庙于临湘，使太守奉祠[667]而已。冬，十二月[31]，始作太庙于建业，尊大帝为太祖[668]。

【段旨】

以上为第三段，写高贵乡公曹髦正元二年（公元二五五年）一年间的大事，主要写了毌丘俭、文钦起兵于寿春讨司马师，由于孤立无援，被司马师击败，毌丘俭被杀，文钦父子投降东吴；是年司马师病卒，锺会、傅嘏等协助司马昭夺得权力；蜀将姜维攻魏陇西，围困狄道，魏将陈泰救陇西，破走姜维等。

【注释】

[442]矫太后诏：假说是奉了郭太后的旨意。[443]移檄州郡：发檄文通告各州郡。[444]宥及后世：因司马懿对魏室有大功，故其后代有罪时可蒙宽赦。[445]护军望：任护军之职的司马望，司马孚之子。事迹见《三国志》卷四。护军，也叫中护军，主管各将领的选拔使用，也统领卫护中央政权的部队。[446]忠公亲事：忠贞公正，恪尽职守。[447]镇南将军诸葛诞：当时都督豫州（今河南东南部和安徽北部一带地区）。[448]渡淮：渡淮河西进。[449]项：魏县名，县治在今河南沈丘南。[450]游兵：在游动中侦察、作战。[451]河南尹王肃：河南尹是当时魏国首都洛阳所在郡的行政长官。王肃是曹操部将王朗之子，当时有名的经学家。[452]关羽虏于禁于汉滨：于禁字文则，是曹操部下的名将，建安二十四年（公元二一九年）在汉水之滨被蜀将关羽所俘。传见《三国志》卷十七。汉滨，汉水之滨，指魏

九月二十五日甲辰，姜维拔营遁走，被围困在狄道城中的魏军才解围而出。王经感慨地说：“城中的粮食已经支持不了十天，如果不是救兵迅速赶到，全城的人都将被屠杀，一个州就全部消失了！”陈泰慰劳全军将士，然后让王经的军队分批返回雍州，另外选派军队驻守狄道城，同时修筑城池加固营垒，而后回到上邽县驻守。

陈泰认为每当某一地区有战事，将领往往虚张声势，夸大敌情，而使全国都受到震动，所以他上疏言事既稀少又简略，通过驿马传递军情，每天只跑六百里。大将军司马昭说：“征西将军陈泰遇事沉着勇敢，能当机立断，担负镇守一方的重任，救援即将陷落的城池而不向朝廷请求增加军队，又很少上疏言事，必定是一个能够打败敌人的人。总理一方的大将难道不正应该是这个样子吗？”

蜀国卫将军姜维率军退回钟提驻守。

当初，吴国大帝孙权没有在京城建立皇家宗庙，作为祭祀列祖列宗之所，因为武烈皇帝孙坚曾经任长沙郡太守，所以仅在临湘为武烈皇帝孙坚建立了一座祭庙，但也只是派太守负责按时祭祀而已。冬季，十二月，吴国开始在京师建业修建太庙，尊奉孙权为吴国太祖。

军占领的襄阳附近。㊺③北向争天下：关羽大破魏军后，洛阳为之震动。㊺④孙权袭取其将士家属：孙权趁势袭取了荆州，俘获了关羽部下的家属。㊺⑤羽士众一旦瓦解：关羽遂败走麦城，被吴军所杀。事见本书卷六十八建安二十四年。㊺⑥淮南将士：指毌丘俭的部下。当时毌丘俭任镇南将军，大本营即在寿春（今安徽寿县）。㊺⑦御卫：防卫；阻止其前进。㊺⑧创甚：受伤很严重。㊺⑨中书侍郎：中书令的副手，为帝王起草诏令、签署意见。㊻⓪淮楚：即指淮南，因其地旧属楚国，故称“淮楚”。㊻①劲：强大。㊻②负力远斗：依仗兵力强大而远途进攻，指从寿春前进到项城。㊻③其锋未易当：不要和他们正面相拼。㊻④战有利钝：含蓄说“倘有失败”。㊻⑤蹶然起：犹今之所谓“一跳而起”。㊻⑥舆疾而东：带病躺到车上随军东征。㊻⑦戊午：正月初五日。㊻⑧中外诸军：都城以内的军队和城外各营的军队。㊻⑨中领军：也叫领军将军，统领护卫宫廷的军队。㊼⓪三方兵：指西、南、北三方各州的军队。㊼①陈：魏县名，即今河南淮阳。㊼②许：即许昌，在今河南许昌东。㊼③光禄勋郑袤：光禄勋是九卿之一，掌管宫廷门户与统领皇帝的侍从警卫。郑袤，字林叔。事迹见《三国志》卷四。㊼④不达事情：不明白事理。㊼⑤无算：没有心计。㊼⑥锐而不能固：有士气但不能持久。㊼⑦深沟高垒：深挖沟，高筑城。㊼⑧亚夫之长策：指汉太尉周亚夫坚壁以破吴、楚的战略。事见本书卷十六景帝三年（公元前一五四年）。㊼⑨王基：字伯舆，司马氏的得力将领。传见《三国志》卷二十七。㊽⓪行监军：代理监军之职。㊽①假节二句：授予旌节，统领许昌方面的军队。魏晋之制，使持节都督诸军为上，

持节都督次之，假节监诸军又次之，假节行监军又次之。魏定都洛阳后，把东汉故都许县改名许昌，仍保留宫殿，作为陪都，驻屯重兵，是东方及南方的重要军事基地。㊽不终朝：用不了一个早晨。㊾致于军门：送到营门。致，送到。㊿诈伪：指假传太后诏书之事。485疑沮：疑惑涣散。486张示威形：展现朝廷军队的强大。487州郡兵家：指司马氏所控制的各州郡士兵的家属。488为贼所得：被毋丘俭、文钦的军队所俘获。489复还：指回归朝廷。490错兵无用之地：驻兵于不可能取胜之地。错，置，投放。491成奸宄之源：将成为其他叛变分子的滋生地。492因之：乘机进犯。493谯、沛、汝、豫：魏之四郡名，即谯郡（郡治即今安徽亳州）、沛郡（郡治即今安徽怀远）、汝南郡（郡治即今河南平舆）、颍川郡（郡治即今河南禹州）。四郡都紧靠淮南。494南顿：魏县名，县治在今河南项城西。495大邸阁：粮仓名。496先人：先发制人，抢在敌人前面。497夺人之心：打掉了敌人的信心。498㶏水：古水名，流经当时的南顿县北。499闰月甲申：闰正月初一日。500师次于㶏桥：司马师的军队进驻至㶏水桥头。501相次：相继。502兵闻拙速二句：意谓宁可以拙而求速胜，不能旷日持久以求巧。以上二语见《孙子·作战》。503外有强寇：指东吴与西蜀。504叛臣：指毋丘俭、文钦。505不时决：不很快解决。506多言将军持重：大多劝您稳扎稳打。507进而不可犯：既前进，又保持一种让敌人不敢攻击的姿态。508以积实资虏：把临淮各郡的粮库都给了敌人。509将在军二句：语出《孙子·九变》。510争地：双方必争之地。511遂辄进据南顿：于是便快速前进占领了南顿县。辄，径。512亦欲往争：也想去争夺南顿。513发十余里：军队出发十多里地后。514保项：凭借项县的工事以据守。515癸未：闰正月无“癸未”日，此处记载有误。516郭淮：字伯济，曹魏的名将，长期镇守今陕西、甘肃一带。传见《三国志》卷二十六。517陈泰代之：陈泰继郭淮为征西将军。陈泰字玄伯，陈群之子，魏国名将。传见《三国志》卷二十二。518会稽留赞：会稽人姓留名赞。519寿春：魏国淮南郡的郡治，也是魏国扬州刺史、镇东将军毋丘俭的驻地，即今安徽寿县。520待东军之集：等候魏国青州、徐州、兖州等东方军队的到来。521说诱：说服劝诱。522淮北不从：淮河以北临近的豫、兖等州并未跟从响应。523内乖外叛：内部离心，外部背叛。524困兽思斗：野兽被围困急了就要反扑。525速战更合其志：迅速决战反而更符合他们的愿望。526小与持久：稍微多与敌方对峙一些时日。小，稍。527安风：魏县名，也是魏国安丰郡的郡治所在地，在今安徽霍邱西南，地处寿春之西。528出谯、宋之间：谯是魏郡名，郡治即今安徽亳州，宋是古国名，都城即今河南商丘。胡遵前进至今安徽亳州与今河南商丘一带地区。529绝其归路：使毋丘俭欲撤回寿春而不可能。530师屯汝阳：司马师的大军屯驻在汝阳县。汝阳县的县治在今河南商水西北。531进不得斗：想进攻而无人与之开战。532见袭：指被东吴军队所袭。533相属：接连不断。534新附农民：新从东吴归顺过来的农民。535健步：走路飞快的人。536赍书：送信。537兖州：州治廪丘，今山东郓城西北。538乐嘉城：在南顿县（今河南项城）北四十里。539潜兵就艾：秘密带兵来与邓艾会师。就，凑近。540大军：朝廷

的主力大军。541钦子鸯：即文俶，小名鸯。事见《三国志》卷二十八。542鼓噪：擂鼓呐喊。543震扰：惊恐；混乱。544病目突出：病眼眼球凸了出来。545啮被皆破：牙咬被子以忍疼痛，被子都被咬破了。546失期不应：耽误了约定的时间，没能及时与文鸯夹击司马师。547引还：带兵撤回。548走：败逃。549未有所屈：没有受到挫折。550一鼓作气二句：语出《左传》庄公十年曹刿之言。551骁骑：勇猛的骑兵。552摧锋陷陈：摧垮敌军的先锋，攻入敌军的阵地。553翼而追之：从两翼侧面追击。554匹马：单枪匹马。555殿中人：宫殿中的侍卫人员。556小为曹氏家奴：自幼为曹氏皇室当家奴。小，自幼。557将与俱行：带着他随大军一道出征。558天子乡里：天子的同乡，文钦是谯郡人，与曹氏同乡。559相信：互相信任。560追解语之：追上去劝解他反正回来。561何苦不可复忍数日中也：为什么不可以再多忍耐几天呢。意谓司马师不久即将病故，朝中必当有变。562殊不悟：根本不能领悟。563先帝：指已去世的曹氏历任皇帝。564傅矢：搭上箭。565世事败矣：犹言大势已去。566壬寅：闰正月十九日。567橐皋：即今安徽巢湖西北的柘皋镇。568诣军降：到孙峻的军前投降。569慎县：今安徽颍上。570稍弃俭去：渐渐地离开毌丘俭而去。571甲辰：闰正月二十一日。572安风津民：安风津渡口的农民。安风津是淮河上的渡口名，在当时安风西北的淮河上。573惧诛：嘉平三年（公元二五一年），王凌兵变未遂，司马懿曾在寿春大肆屠杀，很多人被屠灭三族。此时寿春人惊魂未定，十分恐惧。574流迸山泽：逃奔到山林荒泽。575侍御史杜友：侍御史即治书侍御史，上属御史大夫，主管监察群臣。杜友字季子，曾任晋、冀等州刺史，河南尹。事见《三国志》卷二十八。576治之：审理这些人的罪行。577适刘氏：嫁与刘氏为妇。578当死：被判为死罪。当，判处。579以孕系廷尉：由于怀孕暂时还关在廷尉下属的监狱里。580司隶主簿：司隶即司隶校尉的简称，是首都所在州即“司州”的行政长官，位同刺史。司隶主簿是司隶校尉属下掌管文书、起草文件的官员。581于防：对于防止犯罪来说。582不足以惩奸乱之源：因为嫁到夫家的女子无法过问其父母家的事情，完全是无辜的。583于情：从情理上说。584伤孝子之恩：已嫁从夫的女子孝敬公婆而无辜被杀，是伤孝子之恩也。585男不遇罪于他族：男人不因为他的岳父家犯罪而受牵连。586女独婴戮于二门：做女儿的偏偏两家犯罪都要受牵连被杀戮。587哀矜女弱：同情怜悯弱势女子。588均法制之大分：意即真正实现法律的公平。589在室之女：未出嫁的女子。590既醮之妇：已经结婚成了人家的媳妇。醮，古代结婚用酒祭神的一种仪式。591仍著于律令：于是把这一条写在法律条文之中。仍，意思同“乃”。592舞阳忠武侯司马师：舞阳侯是司马师的封号，舞阳是封地名，忠武是死后的谥号。593中郎将参军事贾充：以中郎将的身份为司马师当参谋。中郎将是皇帝的卫队长官，上属光禄勋。贾充是经学家贾逵之子，司马师的亲信。传见《晋书》卷四十。594卫将军昭：司马昭，司马师之弟。595往省师：去许昌看望司马师。596辛亥：闰正月二十八日。597典知密事：掌管、过问机密大事。598中诏敕尚书傅嘏：宫廷里发出诏书给尚书傅嘏。此“中诏”以别于通常打着朝廷旗号的司马氏的意旨。敕，命

令。599权留卫将军昭屯许昌：暂时让司马昭率军屯驻在许昌。权，暂时。600会与嘏谋：锺会与傅嘏商量好。601使嘏表上二句：让傅嘏一面给皇帝上表陈述应让司马昭回京的理由，同时又让傅嘏与司马昭同时出发进京，不给皇帝驳回的机会。602还到洛水南屯住：一直把军队带到洛水南岸才扎营下寨。当时的洛河流经洛阳城东南，东北流入黄河。司马昭的兵营与皇帝所在的洛阳城隔洛水相对。603二月丁巳：二月初五日。604志大其量：志向大于能力。605都护：汉代官名。汉置西域都护，但未加将军号。至光武遂有都护将军之官，位从公。吴置左、右都护，也不加将军号。今以文钦为都护，官位在左、右都护之上。606幽州牧：即幽州刺史，这里是遥领之意。607武宣皇后弟秉之曾孙女：武宣皇后是曹操之妻卞氏，卞氏之弟名卞秉。卞秉之曾孙女即卞隆之女。608孙仪：征虏将军孙皎的幼子。事见《三国志》卷四十八。609谮：在上司跟前说人坏话。610朱公主：孙鲁育，字小虎，吴主孙权之幼女，因嫁朱据故称"朱公主"。611卫尉：九卿之一，主管守卫宫廷。612城广陵：修筑广陵城。广陵在今江苏扬州西北。613张翼：字伯恭，任前领军、征西大将军，封都亭侯。传见《三国志》卷四十五。614廷争：在朝廷上公开提出不同意见。615枹罕：魏县名，县治在今甘肃临夏东北。616雍州：魏州名，州治长安。617须：等候。618东西合势：指陈泰军与王经军会合。619泰军陈仓：陈泰的军队驻扎在陈仓。陈仓是魏县名，县治在今陕西宝鸡东。620故关：汉时的旧关，在当时的狄道（今甘肃临洮）西北，洮水西岸。621洮西：洮水西岸，即故关一带地区。622或：倘若。623辛未：八月二十二日。624长水校尉：统领少数民族骑兵的军官名。625行安西将军：代行安西将军之职权。626戊辰：此年的八月无"戊辰"日，疑记事有误。627陇西：魏郡名，郡治襄武，在今甘肃陇西东南。628乌合之众：指陈泰的军队是从四面八方临时凑集起来的。629当乘胜之锋：迎战乘胜前进的敌人。630蝮蛇螫手二句：毒蛇咬了手，果断的人立即就把手腕砍掉，以免毒性扩散危及生命。《汉书·田荣传》有所谓："蝮蠚则斩手，蠚足则斩足。"人之引此语与下文《孙子兵法》语都是劝陈泰放弃狄道不救。631观衅待敝：观察敌人的失误，等待敌方出现漏洞。632争锋原野：在大平原上决战。633据栎阳积谷之实：攻占栎阳，夺取栎阳仓库储存的粮食。〖按〗"栎阳"，据胡三省注当作"略阳"。栎阳在长安东北，姜维军队刚到狄道，不可能东据栎阳，陈泰所言，应是略阳。"栎""略"二字声相近，因语讹而致传写字讹。略阳是魏县名，在今张家川回族自治县西。634放兵收降：派军四出，收纳降者。635关、陇：指关中（今陕西中部）、陇西（今甘肃东部）。636传檄四郡：向四郡发布檄文，招之来降。四郡指陇西郡（郡治襄武，今甘肃陇西东南）、南安郡（郡治獂道，今甘肃陇西东南）、天水郡（郡治冀县，今甘肃甘谷东）、广魏郡（郡治临渭，今甘肃天水东北）。637挫峻城之下：受挫于易守难攻的坚城之下，指姜维攻狄道而言。638锐气之卒：意谓姜维的军队本来是乘胜前进的。639屈力致命：结果被消耗了力量，送掉了性命。640客主不同：进攻者（蜀）与防守者（魏）在心理气势上是完全不同的。641修橹轒辒三句：语出《孙子·谋攻》。意谓制造大盾牌和攻城的战车，要三个

月才能造成，构筑土山攻城，也得花上三个月的工夫。极言攻城之不易。橹，攻城用的大盾牌。轒辒，也叫轒床，下有四轮，上蒙以生牛皮，中间可以坐人，也可用以运土填沟。拒堙，堆筑土山，使与城平。㊷孤军远侨：孤军深入，远离本土。侨，指寄居外地。㊸洮水带其表：洮水像带子一样围在姜维军队的外面。㊹临其项领：俯看着他们的头顶脖子。临，俯瞰。㊺高城岭：在今甘肃陇西西南。㊻愤踊：慷慨振作，欢腾跳跃。㊼向其还路：意即想截断他们的退路。㊽九月甲辰：九月二十五日。㊾粮不至旬：粮食已不够再用十天。㊿覆丧一州：整个州将全部丧失。〖按〗陇西、南安、天水、广魏四郡，旧属秦州。651前后遣还：意即分批让王经的军队返回雍州。652更差军守：另选派军队守卫狄道。差，选派。653上邽：魏县名，县治即今甘肃天水。654虚声：虚张声势，夸大敌情。655希简上事：上书言事既稀少又简略。希，通"稀"。656驿书：用驿马传递军情。657不过六百里：每天不过跑六百里，以示并不特别紧急。658陈征西：敬称陈泰，因其任征西将军。659沉勇能断：沉着勇敢，能当机立断。660荷方伯之重：身负镇守一方的重任。方伯，一方的诸侯之长。661能办贼：能打败敌人。662都督大将不当尔邪：总理一方的大将不正应该是这种样子吗。663钟提：蜀邑名，即今甘肃成县北的栗亭城。664不立太庙：不在京城建立皇家的宗庙，祭祀列祖列宗。665武烈：指孙权之父孙坚。孙坚被谥为武烈皇帝。666长沙：汉郡名，郡治临湘，即今湖南长沙。667奉祠：主管祭祀。668尊大帝为太祖：尊奉孙权为吴国的太祖。

【校记】

［23］乃：据章钰校，甲十一行本、乙十一行本皆作"又"，张瑛《通鉴校勘记》同。［24］亦：据章钰校，甲十一行本、乙十一行本皆作"则"。［25］比：原误作"北"。据章钰校，乙十一行本作"比"，今据校正。胡三省注云："俭自项走至慎，慎在项南，非北也，'北'乃'比'字之误。"［26］余：据章钰校，甲十一行本、乙十一行本皆无此字。［27］则：原无此字。据章钰校，甲十一行本、乙十一行本皆有此字，今据补。［28］进：原无此字。据章钰校，甲十一行本、乙十一行本皆有此字，张敦仁《通鉴刊本识误》同，今据补。［29］贼：据章钰校，甲十一行本、乙十一行本皆作"蜀"。［30］者：据章钰校，甲十一行本、乙十一行本、孔天胤本皆作"故"。［31］十二月：原作"十月"。据章钰校，甲十一行本、乙十一行本皆作"十二月"，张瑛《通鉴校勘记》、熊罗宿《胡刻资治通鉴校字记》同，今据改。

【研析】

本卷写了邵陵厉公曹芳嘉平五年（公元二五三年）至高贵乡公曹髦正元二年（公元二五五年）共三年间魏、蜀、吴三国的大事。这个时期魏、蜀、吴三国之间虽然也有战争，但疆域已经大体确定；虽互有胜败，但基本格局不致突然改变。这时期

的主要问题表现在各国的统治集团内部：

蜀国的内部较平稳，但国小势弱，后主又昏聩无能；费祎待人无备，被魏之诈降者所杀；姜维连攻魏之陇西，也不过是支撑残局而已。

东吴的问题是权臣执政，诸葛恪独断专行，内外挑起祸端。本卷详细描写了诸葛恪在淮南对魏军发动战争与其惨遭失败的情景。诸葛恪对魏战争失败招来群怨沸腾，形势本已非常严重，而诸葛恪偏偏又像魏国的曹爽一样极端藐视反对派势力，于是被孙峻发动宫廷政变所杀。孙峻为达到自己大权独揽的目的，连杀孙权数子，吴国政局蕴含着严重危机。

相比之下问题更多，暴露也最突出的是魏国，其主要问题是司马氏篡权专政，残酷迫害拥戴曹氏皇室的势力，制造了一桩桩祸灭三族的大案。本卷详细地描写了司马师随意杀害不附自己的尚书令李丰，而后指使锺毓编造罪名杀害了夏侯玄、张缉、苏铄、乐敦、刘贤等，都是夷其三族。接着又杀了镇北将军、假节、都督河北诸军事的许允。身为魏帝的曹芳对此稍有不满，于是司马昭率军进京，曹芳遂被司马师所废，另立了高贵乡公曹髦。不久，镇东将军毌丘俭与扬州刺史文钦起兵于寿春，讨伐司马师。毌丘俭荏弱无能，又孤立无援，其失败是必然的，但文钦之子文鸯不失为一员虎将，面对司马师的大军毫无惧色，几次匹马单枪的挑战，颇有西楚霸王的风神。作者对于此战的描写，恰如《史记》之描写汉景帝平“吴楚七国之乱”。朝廷军获胜是当然的，但“叛军”的失败中又明显地有其偶然因素，吴楚军中的田禄伯、桓将军，尤其是周丘其人，都和本卷所写的敢于藐视司马师大军的文鸯小将一样可爱。

本卷又大篇幅地记录了许多“事后诸葛亮”般地对诸葛恪、李丰、夏侯玄等的嘲讽、诬蔑性质的人物品评。这些“高明的”、具有“预见”的品评，或者是出自被品评者反对派之口，或者是出自依附新贵，为新贵吹喇叭、抬轿子的人之口。他们只图博得主子的欢心，而从来不分辨那些被屠杀者的立场是否合乎正义、他们所坚持的原则是否合乎传统的道德。让司马氏的亲信杜畿、傅嘏出面指责李丰、夏侯玄，这能够令人心服吗?

本卷写高贵乡公出面亮相的几个情节是令人欣赏的：群臣请他住宿在玄武馆前殿，他推辞住在西厢；群臣向他迎拜，他自称“吾人臣也”，下舆答拜；群臣请他乘舆入见太后，他推辞，“遂步至太极东堂”。群臣见到他的这种表现“皆欣欣焉”。胡三省对此议论说：“以余观高贵乡公，盖小慧而知书，故能为此。”又说：“余观汉文帝入立之后，夜拜宋昌为卫将军，领南北军；张武为郎中令，行殿中。周勃、陈平、朱虚、东牟虽有大功，其权去矣。夫然后能自固。魏朝百官‘皆欣欣’者，果何所见邪?”这可以说是不看对象。高贵乡公之“入立”，能和代王刘恒之入立相提并论吗？高贵乡公即使被立为帝，他的手中何时曾经有过权？群臣之“欣欣”，毕竟是看

到了一位有种的曹氏后代！这里的“欣欣”二字，是高贵乡公用日后为维护自己的皇帝尊严而执戈冲向仇人换来的。

毌丘俭因“谋反”被夷三族，其孙女嫁刘氏，时正怀孕，按律产后当斩。司隶主簿程咸为此上议于朝廷，提出：“女适人者，若已产育，则成他家之母，于防则不足以惩奸乱之源，于情则伤孝子之恩。男不遇罪于他族，而女独婴戮于二门，非所以哀矜女弱，均法制之大分也。臣以为在室之女，可从父母之刑，既醮之妇，使从夫家之戮。”从司法之公正而言，此论可纠历代三族罪之偏颇；从关心女弱而言，程咸可以称作古代的女权主义者。

卷第七十七　魏纪九

起柔兆困敦（丙子，公元二五六年），尽重光大荒落（辛巳，公元二六一年），凡六年。

【题解】

本卷写魏帝曹髦甘露元年（公元二五六年）至魏帝曹奂景元二年（公元二六一年）共六年中的魏、蜀、吴等三国的大事，主要写了魏将诸葛诞见王凌、毌丘俭被司马昭诛灭而心不自安，又因不赞成司马昭篡魏而被司马昭嫉恨，因而率众降吴，为吴国守寿春。写了司马昭奉魏帝曹髦、太后郭氏率大军讨诸葛诞，司马昭趁守寿春诸将不合，施反间计，分化瓦解，最后破杀诸葛诞，平定寿春叛乱的过程。写了魏帝曹髦因无法忍受司马昭的控制，率禁兵讨司马昭，被司马昭的亲信贾充、成济等所杀，司马昭遂又改立常道乡公曹奂作为傀儡。写了吴国专权者孙峻病死，其堂弟孙綝继续把持朝政，吴将吕据与吴臣滕胤联合谋废孙綝，被孙綝分别击破、灭族。写了吴主孙亮与近臣谋诛孙綝，因事泄而被孙綝所废。写了孙綝改立孙休为吴主，吴主依靠张布、丁奉之力杀孙綝，诛灭其党。写了蜀将姜维多次出兵伐魏，被魏将击退。写了蜀国政权被宦官黄皓把持，朝纲混乱，蜀国君臣不以为忧，尚怡然自乐。写了鲜卑拓跋氏部落逐渐在北方兴起，并已南进至定襄之盛乐，为后文北魏王朝之崛起做伏笔。

【原文】

高贵乡公下

甘露元年（丙子，公元二五六年）

春正月，汉姜维进位大将军①。

二月丙辰②，帝③宴群臣于太极东堂④，与诸儒论夏少康⑤、汉高祖优劣，以少康为优⑥。

夏四月庚戌⑦[1]，赐大将军昭⑧衮冕之服⑨，赤舄副焉⑩。

丙辰⑪，帝幸太学⑫，与诸儒论书、易及礼，诸儒莫能及。帝尝与中护军司马望⑬、侍中王沈⑭、散骑常侍裴秀⑮、黄门侍郎锺会⑯等讲宴⑰于东堂，并属文论⑱，特加礼异⑲，谓秀为儒林丈人⑳，沈为文籍先生㉑。

【语译】

高贵乡公下

甘露元年（丙子，公元二五六年）

春季，正月，蜀汉卫将军姜维被提升为大将军。

二月初九日丙辰，魏帝曹髦在太极殿的东堂设宴款待文武百官，并与诸位儒生评论起夏朝的少康与汉高祖刘邦谁优谁劣，曹髦认为少康比汉高祖刘邦更为优秀。

夏季，四月初四日庚戌，魏帝曹髦将龙袍、皇冠一类的礼服礼帽赏赐给大将军司马昭，又赐予赤色靴子一双以与礼服礼帽相称。

四月初十日丙辰，魏帝曹髦到当时的最高学府太学视察，并与那里的诸位儒家学者一起探讨《书》《易》以及《礼》的深刻内涵，那些儒家学者没有谁能比得上皇帝曹髦。曹髦还曾经在东堂与中护军司马望、侍中王沈、散骑常侍裴秀以及黄门侍郎锺会等人一边饮酒一边研讨学问，让司马望、王沈等人每人撰写一篇议论性的文章，曹髦对这几位臣属都给予超常的礼节待遇，曹髦称裴秀为“儒林丈人”，称王沈是“文籍先生”。曹髦性情急躁，招呼谁谁就得很快地赶到，因为司马望的任职机关是在皇宫之外，

帝性急，请召欲速㉒，以望职在外㉓，特给追锋车㉔、虎贲㉕五人，每有集会，辄奔驰而至。秀，潜㉖之子也。

六月丙午㉗，改元㉘。

姜维在钟提㉙，议者多以为维力已竭，未能更出㉚。安西将军邓艾㉛曰："洮西之败㉜，非小失也，士卒凋残，仓廪空虚，百姓流离。今以策言之㉝，彼有乘胜之势，我有虚弱之实，一也。彼上下相习㉞，五兵犀利㉟，我将易㊱兵新㊲，器仗未复㊳，二也。彼以船行㊴，吾以陆军，劳逸不同，三也。狄道㊵、陇西㊶、南安㊷、祁山㊸各当有守，彼专为一，我分为四，四也。从南安、陇西因食羌谷㊹，若趣祁山㊺，熟麦千顷，为之外仓㊻，五也[2]。贼有黠计㊼，其来必矣。"

秋，七月，姜维复率众出祁山㊽，闻邓艾已有备，乃回，从董亭㊾趣南安，艾据武城山㊿以拒之。维与艾争险不克，其夜，渡渭(51)东行，缘山趣上邽(52)。艾与战于段谷(53)，大破之。以艾为镇西将军、都督陇右(54)诸军事。维与其镇西大将军胡济(55)期会上邽(56)，济失期不至，故败，士卒星散，死者甚众，蜀人由是怨维。维上书谢(57)，求自贬黜，乃以卫将军(58)行大将军事(59)。

八月庚午(60)，诏司马昭加号大都督(61)，奏事不名(62)，假黄钺(63)。

癸酉(64)，以太尉司马孚为太傅(65)。

九月，以司徒高柔(66)为太尉。

文钦(67)说吴人以伐魏之利，孙峻(68)使钦与骠骑将军吕据(69)及车骑将军刘纂(70)、镇南将军朱异(71)、前将军唐咨(72)自江都(73)入淮、泗(74)，以图青、徐(75)。峻饯之于石头(76)，遇暴疾，以后事付从父弟(77)偏将军綝(78)。丁亥(79)，峻卒。吴人以綝为侍中、武卫将军、都督中外诸军事，召吕据等还。

己丑(80)，吴大司马吕岱(81)卒，年九十六。始，岱亲近吴郡徐原(82)，

所以特别赏赐给他一辆既轻便又快捷的追锋车和勇猛迅捷的卫士五名，每逢遇到集会，司马望就乘坐着追锋车飞奔而至。裴秀，是裴潜的儿子。

六月初一日丙午，魏国将年号“正元”改为“甘露”。

蜀国大将军姜维驻扎在钟提，魏国大臣中有许多人认为姜维军力已经衰竭，不可能再出兵攻打魏国。只有安西将军邓艾表示不同意见，他说：“我军在洮水西岸被姜维打败，所遭受的损失可不小，士卒伤残、军队溃败，仓库空虚，百姓流离失所。如果从谋略方面来分析，蜀国有乘胜进击的斗志，而我们有因为失败而导致兵力虚弱的事实，这是其一。蜀国军队中将领和士兵互相熟悉了解，各种兵器都很锋利，而我国的将领是新任命的将领，士兵是新征集的士兵，各种兵器装备还未能恢复如初，这是其二。蜀国行军、运输可以依靠船只，而我们只能靠陆路，双方的劳逸程度不同，这是其三。我们在狄道、陇西、南安、祁山等处都要部署军队防御，蜀国可以集中兵力攻打一处，而我们需兵分四处，这是其四。如果蜀军出南安、陇西，沿途可以征收羌人的粮食，如若出兵祁山，那里的千顷小麦已经成熟，这就如同蜀国外部的大粮仓，这是其五。姜维有狡猾的计谋，他一定会再来进犯我国。”

秋季，七月，姜维再次率领大军准备从祁山方向攻打魏国，听到魏国邓艾已有准备，于是撤离祁山，改从董亭急速赶往南安，又被邓艾预先占据了武城山的险要地势以抵御蜀军的进攻。姜维与邓艾争夺险要没有成功，当天夜间，姜维又渡过渭水，沿着山脚转向东方去进攻上邽。邓艾追击姜维，在段谷一带与蜀军展开激战，将姜维打得大败。魏国任命邓艾为镇西将军、统管陇山以西地区诸方面军事。姜维原本与蜀国镇西大将军胡济约定好了到上邽会合的时间，胡济没有按照约定的时间到达，所以导致姜维兵败，士兵四处逃散，伤亡的人员很多，蜀国人因此怨恨姜维。姜维上疏给后主刘禅请罪，并主动请求降级处分，于是免去自己的大将军职务，仍然以卫将军的身份代行大将军的职权。

八月二十六日庚午，魏帝曹髦下诏加封司马昭为大都督，向皇帝奏事时可以不自报姓名，并授予他象征权威的铜斧。

二十九日癸酉，任命太尉司马孚为太傅。

九月，任命司徒高柔为太尉。

魏国降将现任吴国镇北大将军的文钦向吴国君臣陈说讨伐魏国的诸多好处，于是丞相孙峻便派文钦与骠骑将军吕据以及车骑将军刘纂、镇南将军朱异、前将军唐咨从江都乘船进入淮水、泗水，准备攻取魏国的青州、徐州。孙峻在石头城为即将出征的将领摆宴饯行，突然得了急病，将后事托付给堂弟偏将军孙綝。九月十四日丁亥，孙峻去世。吴国任命孙綝为侍中、武卫将军、统领中外诸军事，而后将准备出征的吕据等人召回京师。

九月十六日己丑，吴国大司马吕岱去世，享年九十六岁。最初，吕岱与吴郡的

慷慨有才志。岱知其可成，赐巾褠⑧³，与共言论，后遂荐拔，官至侍御史⑧⁴。原性忠壮，好直言，岱时有得失，原辄谏争，又公论⑧⁵之。人或以告岱，岱叹曰："是我所以贵⑧⁶德渊者也！"及原死，岱哭之甚哀，曰："徐德渊，吕岱之益友⑧⁷，今不幸⑧⁸，岱复于何闻过⑧⁹！"谈者美之。

吕据闻孙𬘭代孙峻辅政⑨⁰，大怒，与诸督将⑨¹连名共表荐滕胤⑨²为丞相。𬘭更⑨³以胤为大司马⑨⁴，代吕岱驻武昌。据引兵还，使人报胤，欲共废𬘭。

冬，十月丁未⑨⁵[3]，𬘭遣从兄宪⑨⁶将兵逆据⑨⁷于江都，使中使⑨⁸敕⑨⁹文钦、刘纂、唐咨等共击取据，又遣侍中左将军华融、中书丞丁晏告喻胤宜速去⑩⁰意。胤自以祸及，因留融、晏⑩¹勒兵⑩²自卫，召典军⑩³杨崇、将军孙咨告以𬘭为乱，迫融等使有[4]书难𬘭⑩⁴。𬘭不听，表言胤反，许⑩⁵将军刘丞以封爵，使率兵骑攻围胤。胤又劫融等使诈为诏发兵⑩⁶，融等不从，皆杀之。或劝胤引兵至苍龙门⑩⁷，将士见公⑩⁸出，必委𬘭就公⑩⁹。时夜已半，胤恃与据期⑪⁰，又难举兵向宫⑪¹，乃约令部曲⑪²，说吕侯⑪³兵[5]已在近道，故皆为胤尽死⑪⁴，无离散者。胤颜色不变，谈笑如常。时大风，比晓，据不至，𬘭兵大会⑪⁵，遂杀胤及将士数十人，夷胤三族。己酉⑪⁶，大赦，改元太平。或劝吕据奔魏者，据曰："吾耻为叛臣。"遂自杀。

以司空郑冲⑪⁷为司徒⑪⁸，左仆射卢毓⑪⁹为司空⑫⁰。毓固让骠骑将军王昶⑫¹、光禄大夫王观、司隶校尉⑫²琅邪王祥⑫³，诏不许。

祥性至孝，继母朱氏遇之无道，祥愈恭谨。朱氏子览年数岁，每见祥被楚挞⑫⁴，辄涕泣抱持母；母以非理使祥⑫⁵，览辄与祥俱往。及长，娶妻，母虐使⑫⁶祥妻，览妻亦趋而共之，母患之，为之少止⑫⁷。祥渐有

徐原关系密切，徐原为人慷慨豪迈，很有才气。吕岱知道徐原一定能够成就一番事业，所以就将头巾、单衣赠送给徐原，经常与徐原一起谈论，后来逐渐举荐、提拔，使徐原很快升迁至侍御史的职位。徐原性情忠正刚烈，说话喜欢直来直去，有时吕岱偶尔有点过失，徐原就会极力劝谏，还在大庭广众之中公开评论吕岱的得失。有人将此事告诉吕岱，吕岱叹息着说："这就是我所以尊崇徐原的原因啊！"等到徐原去世，吕岱心情悲痛，哭得特别伤心，他说："徐德渊，你是我最有益的朋友，如今不幸去世，我还能到哪里去听到对我过失的批评呢！"评论的人每当提起此事，无不交口称赞。

吕据听说孙綝接替孙峻把持了朝政，不禁勃然大怒，于是与诸位统兵出征的将领联名上疏推举滕胤为丞相。而孙綝却改任滕胤为大司马，让他接替吕岱驻守武昌。吕据率领北征大军回师，派人联络滕胤，想与滕胤共同废黜孙綝。

冬季，十月初四日丁未，孙綝派遣自己的堂兄孙宪率领军队前往江都拦截吕据，又从宫中派出使者前去传达皇帝的诏命给文钦、刘纂、唐咨等人，命令他们共同讨伐吕据，又派侍中左将军华融、中书丞丁晏去告诉滕胤速往武昌上任，不要干预朝廷的事务。滕胤以为自己已经大祸临头，于是扣留了华融、丁晏，然后调集军队以自卫，并将典军杨崇、将军孙咨招来，告诉他们孙綝已经谋反，同时逼迫华融作书谴责孙綝。孙綝不肯听从，反而上表给皇帝说滕胤谋反，又向将军刘丞许愿，让刘丞率领步兵、骑兵围攻滕胤，事情成功之后为他加功晋爵。滕胤又劫持华融等，让他假作皇帝诏书调动军队，华融等人不肯，于是滕胤就将华融、丁晏全都杀死。有人劝滕胤率军前往苍龙门，说其他将士一看见您出来，必定会抛弃孙綝而归附于您。当时已经半夜时分，滕胤依仗与吕据已有约定，又不愿率军围向苍龙门，于是劝说自己的部下，说是吕据的援军马上就要来到，因此众人都愿意为滕胤效死，没有一个人离开。滕胤镇定自若，脸色不改，言谈说笑与平日一样。当时正在刮大风，等到天亮，吕据援军不到，而孙綝却率领大批人马围攻上来，遂将滕胤及其属下将士数十人杀死，并将滕胤三族灭掉。初六日己酉，大赦天下，更改年号为"太平"。有人劝说吕据投奔魏国，吕据说："我认为叛国投敌是可耻的。"于是自杀。

魏国任命司空郑冲为司徒，任命左仆射卢毓为司空。卢毓坚决要求将这个职位让给骠骑将军王昶，或是光禄大夫王观，或是司隶校尉琅邪人王祥，但魏帝曹髦都不予批准。

王祥生性至孝，他的继母朱氏对他非常不好，而王祥侍奉继母却越加恭敬谨慎。继母朱氏所生的儿子王览才几岁，每当看见母亲用荆条抽打王祥的时候，就痛哭流涕地抱住母亲不让母亲责打王祥；每当继母支使王祥去做那些非常危险，或是非常艰难的事情的时候，王览就与哥哥王祥一起去做。等到王祥长大后娶了妻子，继母对这个儿媳同样以暴虐的态度进行支使，而王览的妻子也马上与嫂嫂一同去承受痛苦，继母因为心疼自己的亲儿子、亲儿媳，所以施暴的行为稍微有所收敛。王祥渐

时誉[128]，母深疾之，密使酖[129]祥。览知之，径起取酒，祥争而不与，母遽夺反之[130]。自后，母赐祥馔[131]，览辄先尝，母惧览致毙，遂止。汉末遭乱，祥隐居三十余年，不应州郡之命[132]。母终，毁瘁[133]，杖而后起。徐州刺史吕虔檄为别驾[134]，委以州事，州界清静，政化大行[135]。时人歌之曰："海沂[136]之康，实赖王祥；邦国不空[137]，别驾之功。"

十一月，吴孙綝迁大将军。綝负贵[138]倨傲，多行无礼。峻从弟宪尝与诛诸葛恪[139]，峻厚遇之，官至右将军、无难督[140]，平九官事[141]。綝遇宪薄于峻时，宪怒，与将军王惇谋杀綝。事泄，綝杀惇，宪服药死。

二年（丁丑，公元二五七年）

春，三月，大梁成侯卢毓[142]卒。

夏，四月，吴主临正殿，大赦，始亲政事[143]。孙綝表奏，多见难问[144]。又科兵子弟[145]十八已下、十五以上三千余人，选大将子弟年少有勇力者，使将之，日于苑中教习[146]，曰："吾立此军，欲与之俱长[147]。"又数出中书[148]视大帝时旧事[149]，问左右侍臣曰："先帝数有特制[150]，今大将军问事[151]，但令我书可邪[152]？"尝食生梅，使黄门[153]至中藏[154]取蜜，蜜中有鼠矢[155]。召问藏吏[156]，藏吏叩头。吴主曰："黄门从尔求蜜邪[157]？"吏曰："向求[158]，实不敢与。"黄门不服[159]。吴主令破鼠矢，矢中燥，因大笑谓左右曰："若矢先在蜜中，中外当俱湿，今外湿里燥，此必黄门所为也。"诘之，果服，左右莫不惊悚[160]。

渐地有了一些名望，继母又开始嫉妒起来，就偷偷地将毒药放到王祥饮的酒里，企图将王祥毒死。王览得知后，就径直去拿那个放了毒药的酒喝，王祥去跟王览争夺，王览死也不肯放手，他的母亲赶紧过来将酒夺过去倒掉。从那以后，凡是母亲给王祥吃的饭食，王览都要自己先尝过之后再送给哥哥吃，他的母亲怕毒死亲儿子王览，这才打消了毒死王祥的念头。汉朝末年，天下大乱，王祥隐居了三十多年，即使州郡聘请他出去做官他也不肯。继母去世，王祥因为哀伤过度而形容憔悴，需要扶着手杖才能站立起来。徐州刺史吕虔征召他做了别驾，将州里的事务全都托付给他处理，徐州境内于是呈现出一派清平景象，政令和教化都能很顺利地得到推行。当时人们歌颂他说："徐州境内政治清平、人民生活稳定安康，全靠有一个王祥；徐州国库储满了粮食，那是别驾王祥的功劳。"

十一月，吴国提升孙綝为大将军。孙綝依仗自己出身高贵，因而态度傲慢，盛气凌人，对人没有礼貌。孙峻的堂弟孙宪曾经参与了诛杀诸葛恪之事，因而孙峻对孙宪以优礼相待，提拔他做了右将军以及统领禁军的长官无难督，同时负责协调九卿之间的事务。孙綝掌权之后，对待孙宪比起孙峻之时大为不如，因而孙宪非常愤怒，就与将军王惇密谋诛杀孙綝。不料阴谋泄露，孙綝杀死了王惇，而孙宪喝毒药自杀了。

二年（丁丑，公元二五七年）

春季，三月，魏国的司空、大梁成侯卢毓逝世。

夏季，四月，吴主孙亮正式坐上金銮殿的宝座，大赦天下，开始亲自处理国家政事。孙綝所上的奏章，屡屡被吴主孙亮挑出毛病、遭到责问。孙亮又从十八岁以下、十五岁以上的青少年中挑选出三千多人为士兵，又从大将的子弟中挑选出年轻、有勇力的人作为将领，让他们统领这三千士兵，每天在宫廷里进行军事训练，孙亮说："我设立这支军队，就是想让他们和我一起成长。"他多次走出皇宫来到大臣为皇帝起草诏令的中书省，亲自翻看过去吴大帝孙权处理问题的章程、条例，他向身边的侍从询问说："先帝经常不通过中书省的官员，而是亲自下发诏令，现在大将军向我请示处理意见，只是让我画圈表示同意，这样行吗？"孙亮曾经生吃梅子，他派侍从宦官到宫廷的仓库里取来蜂蜜，发现蜂蜜中有一粒老鼠屎。孙亮立即把负责看管仓库的官吏找来询问，那个看管仓库的官吏只是一个劲地磕头，却什么话也不说。孙亮就问他说："侍从宦官向你索取过蜂蜜吗？"看管仓库的官吏说："从前向我要过，但我确实没敢给他。"侍从宦官拒不承认老鼠屎是自己放进去的。吴主孙亮让人把那粒老鼠屎剖开，老鼠屎的中间是干燥的，于是孙亮大笑着对左右的人说："如果这粒老鼠屎原先就在蜂蜜中，那么它的里外就应该都是潮湿的，如今这粒老鼠屎外面虽然潮湿而里面却是干燥的，所以这必定是侍从宦官搞的鬼。"再一详细询问，侍从宦官这才承认是自己为报复而故意把老鼠屎放进去的，孙亮身边的人无不为小皇帝的聪慧、明察感到震惊和畏惧。

征东大将军诸葛诞素与夏侯玄、邓飏等友善，玄等死[161]，王凌、毌丘俭相继诛灭[162]，诞内不自安，乃倾帑藏[163]振施[164]，曲赦有罪[165]，以收众心，畜养扬州轻侠[166]数千人以为死士[167]。因吴人欲向徐堨[168]，请十万众以守寿春，又求临淮[169]筑城以备吴寇。司马昭初秉政，长史贾充[170]请遣参佐[171]慰劳四征[172]，且观其志。昭遣充至淮南，充见诞，论说时事，因曰："洛中诸贤[173]，皆愿禅代[174]，君以为如何?"诞厉声曰："卿非贾豫州[175]子乎？世受魏恩，岂可欲以社稷输人[176]乎！若洛中有难[177]，吾当死之。"充默然，还，言于昭曰："诸葛诞再在扬州[178]，得士众心。今召之，必不来，然反疾[179]而祸小；不召，则反迟而祸大，不如召之。"昭从之。

甲子[180]，诏以诞为司空，召赴京师。诞得诏书，愈恐，疑扬州刺史乐綝[181]间己[182]，遂杀綝，敛[183]淮南及淮北郡县屯田口[184]十余万官兵，扬州新附胜兵者[185]四五万人，聚谷足一年食，为闭门自守之计。遣长史吴纲将少子靓[186]至吴，称臣请救，并请以牙门子弟[187]为质。

吴滕胤、吕据之妻，皆夏口督孙壹[188]之妹也。六月，孙𬘭使镇南将军朱异自虎林[189]将兵袭壹。异至武昌，壹将部曲来奔[190]。乙巳[191]，诏拜壹车骑将军、交州牧[192]，封吴侯，开府辟召[193]，仪同三司[194]，衮冕赤舄，事从丰厚[195]。

司马昭奉帝及太后[196]讨诸葛诞。

吴纲至吴，吴人大喜，使将军全怿、全端、唐咨、王祚将三万众，与文钦同救诞；以诞为左都护[197]、假节[198]、大司徒、骠骑将军、青州牧，

魏国征东大将军诸葛诞一向与夏侯玄、邓飏等人关系亲近、友好，当他看到夏侯玄等人被杀死后，王凌、毌丘俭等也都相继被诛灭，因此心中就常有一种危机感，于是就拿出自己仓库里的全部金帛财物用来赈济施舍给那些生活贫困的人，又放宽法令赦免那些有罪的人，希望以此来收买民心，还供养着数千名从自己的辖区扬州挑选出来的轻生敢为的人士，使他们成为在关键时刻能为自己拼命效死之人。又以吴国要进犯徐堨为借口，请求朝廷增派十万军队帮助自己防守寿春，又请求沿着淮河修筑城垒，以防备吴国的入侵。司马昭刚刚执政，担任长史的贾充建议司马昭先派自己的高级僚属去慰问驻守在寿春的征东将军、驻守襄阳的征南将军、驻守长安的征西将军、驻守蓟县的征北将军，趁机观察他们的动向。于是司马昭派遣贾充前往淮南，贾充见到诸葛诞，便与诸葛诞一起谈论起时局政事，趁机试探诸葛诞说："洛阳城中的诸位贤士都希望魏帝将皇位禅让给司马昭，你认为怎么样呢?"诸葛诞厉声斥责他说："你难道不是贾豫州的儿子吗？你们世代都享受着魏国的恩典，怎么竟然想把国家送给别人呢！如果朝廷发生篡位政变，我将以死抗争。"贾充什么话也没有说，他回到洛阳，对司马昭说："诸葛诞两次镇守扬州，深受那里人民的爱戴。如果现在将他召回京师，我料他一定不肯前来，必然因此而发动叛乱，然而反叛得越快，造成的灾祸就越小；如果不召他回京师，他起兵叛乱的时间就会推迟，而时间拖得越久，所造成的灾祸就越大，不如现在就召他回京师。"司马昭听从了贾充的意见。

四月二十四日甲子，魏帝曹髦下诏，任命诸葛诞为司空，要他立即回京师洛阳任职。诸葛诞接到皇帝的诏书，心中愈加恐慌，怀疑是扬州刺史乐綝在司马昭那里说自己的坏话，于是便将乐綝杀死，然后将淮南、淮北各郡县从事屯垦的十多万官兵调集到一起，再加上扬州管辖之内新近叛吴归魏的士民中已经够当兵年龄的四五万人，储存了足够食用一年的粮食，准备关闭城门长期坚守。然后派遣自己属下担任长史的吴纲带领自己的小儿子诸葛靓去吴国作人质，向吴国称臣，请求吴国派兵前来援救，并请求吴王允许自己手下诸将的子弟也去吴国作人质。

吴国已故丞相滕胤的妻子和骠骑将军吕据的妻子，都是夏口驻军长官孙壹的妹妹。六月，孙綝派镇南将军朱异从虎林出发率军攻打孙壹。朱异到达武昌，孙壹放弃抵抗，率领部众前来投奔魏国。初六日乙巳，魏帝曹髦下诏任命孙壹为车骑将军、交州牧，并封他为吴侯，还特别恩准他开建府衙、自行招聘僚属，享受司徒、司马、司空那样排场的待遇，又赏赐给他龙袍皇冠、朱色靴子，各种待遇都格外从优，想借此吸引更多的人前来投奔。

魏国大将军司马昭挟持着魏帝曹髦和郭太后一起率军征讨诸葛诞。

诸葛诞所派使者吴纲带领诸葛诞的小儿子诸葛靓来到吴国，吴国人喜出望外，于是吴王派遣将军全怿、全端、唐咨、王祚率领着三万军队，与文钦一同前往救援诸葛诞；同时还任命诸葛诞为吴国的左都护，并授予他旌节，封他为大司徒、骠骑

封寿春侯。怿，琮[199]之子。端，其从子也。

六月甲子[200]，车驾次项[201]，司马昭督诸军二十六万进屯丘头[202]，以镇南将军王基[203]行[204]镇东将军、都督扬豫诸军事，与安东将军陈骞[205]等围寿春。基始至，围城未合[206]，文钦、全怿等从城东北，因山乘险[207]，得将其众突入城。昭敕基敛军坚壁[208]。基累求[209]进讨，会[210]吴朱异率三万人进屯安丰[211]，为文钦外势，诏基引诸军转据北山[212]。基谓诸将曰：“今围垒转固，兵马向集[213]，但当精修守备，以待越逸[214]，而更移兵守险，使得放纵，虽有智者，不能善其后矣。”遂守便宜[215]，上疏[216]曰：“今与贼家对敌，当不动[217]如山，若迁移依险，人心摇荡，于势大损。诸军并据深沟高垒，众心皆定，不可倾动[218]，此御兵之要也。”书奏，报听[219]。于是基等四面合围，表里再重[220]，堑垒甚峻[221]。文钦等数出犯围[222]，逆击[223]，走之。司马昭又使奋武将军监青州诸军事石苞[224]督兖州刺史州泰[225]、徐州刺史胡质[226]等[6]简锐卒[227]为游军[228]，以备外寇[229]。泰击破朱异于阳渊[230]，异走，泰追之，杀伤二千人。

秋，七月，吴大将军綝大发兵[7]出屯镬里[231]，复遣朱异帅将军丁奉、黎斐[232]等五人前解寿春之围。异留辎重于都陆[233]，进屯黎浆[234]，石苞、州泰又击破之。太山太守胡烈[235]以奇兵五千袭都陆，尽焚异资粮，异将余兵食葛叶[236]，走归孙綝。綝使异更死战[237]，异以士卒乏食，不从綝命。綝怒，九月己巳[238]，綝斩异于镬里。辛未[239]，引兵还建业。綝既不能拔出[240]诸葛诞，而丧败士众，自戮名将，由是吴人莫不怨之。

司马昭曰：“异不得至寿春[8]，非其罪也，而吴人杀之[9]，欲以谢寿春[241]而坚诞意[242]，使其犹望救耳。今当坚围[243]，备其越逸，而多方[244]以误之[245]。”乃纵反间[246]，扬言吴救方至[247]，大军[248]乏食，分遣羸

将军、青州牧，封为寿春侯。全怿，是全琮的儿子。全端，是全琮的侄子。

六月二十五日甲子，魏帝曹髦与郭太后的车驾驻扎在项县，司马昭督率二十六万大军抵达丘头，委任镇南将军王基为代理镇东将军，统率扬州、豫州诸军事，与安东将军陈骞等共同围攻寿春。王基所率部队刚刚赶到，对寿春的包围圈尚未形成的时候，吴国派来援救诸葛诞的文钦、全怿等人已经从寿春城的东北，凭借着山势的险要，得以率领吴国的军队冲破包围进入寿春城内。司马昭下令王基集结军队固守壁垒。王基屡次请求出兵攻打寿春城，此时吴国的朱异已经率领三万援军到达安丰扎下营寨，与寿春城里的文钦等人形成互为声援之势，司马昭于是下令王基率领军队去占据寿春城北面的八公山。王基对诸将说："如今对寿春的包围圈越来越严密，兵马逐渐汇拢，应当严加防守，等待敌人突围逃逸之时将其消灭，现在却反而命令我们转移阵地，另寻险要据守，如果让他们逃跑了，即使是再有智慧的人也无法收拾局面了。"于是一面扼守有利地段，一面上疏向司马昭进言说："现在我们正处于与敌人对峙的阶段，我们应该像座山那样不可撼动，如果在此时迁移到险要处据守，必然会使军心动摇，在声势上就等于输给了敌人。诸路军队全都进入深沟高垒之中，军心必然稳固，不可动摇，这是战胜敌人的关键。"奏章递上去后，答复说采纳他的意见。于是王基等率军将寿春城从四面八方团团围住，里里外外包围了好几重，壕沟深堑、壁垒高耸。文钦等几次出兵突围，王基等都给以迎头痛击，将他们赶回寿春城内。司马昭又派奋武将军、代理青州诸军事的石苞率领着从兖州刺史州泰、徐州刺史胡质等的军队中挑选出来的精锐士兵组成游击部队，防范吴国其他军队的入侵。州泰在阳渊将吴国的朱异打败，朱异逃走，州泰率军追赶，杀死、杀伤了吴国二千多人。

秋季，七月，吴国大将军孙綝亲自统率大军屯扎在镬里，又派朱异率领将军丁奉、黎斐等五位将领前来为寿春解围。朱异将辎重留在都陆，轻装挺进，把军队驻扎在黎浆，魏国的石苞、州泰再次将朱异打得大败。魏国的太山郡太守胡烈率领五千精锐军队奇袭了都陆，将朱异存放在那里的辎重粮草全部烧毁，朱异率领残余部队，一路靠摘食葛叶才得以逃归孙綝大营。孙綝命朱异再次率军去拼死作战，朱异强调士兵饥饿没有粮食，拒绝服从孙綝的命令。孙綝大怒，九月初一日己巳，孙綝将朱异杀死在镬里。初三日辛未，孙綝率军回到吴国京师建业。孙綝此行既没有将诸葛诞从重围中救出，又丧师辱国，擅自杀戮有名的将领，从此吴国上下无不对孙綝心怀怨恨。

魏国大将军司马昭说："朱异没有能够率军抵达寿春，这不是朱异的过错，而吴国人将他杀死，是孙綝为了向诸葛诞有个交代，以坚定诸葛诞的信心，使他对吴国派人来救抱有一线希望。现在应该加强对寿春的包围，防备诸葛诞突围逃跑，还要多方面迷惑他，让他作出错误的判断。"于是使人四处散布反间流言说吴国的救兵就

疾[249]就谷淮北[250]，势不能久[251]。诞等益宽[252]恣食[253]，俄[254]而城中乏粮，外救不至。将军蒋班、焦彝，皆诞腹心谋主[255]也，言于诞曰："朱异等以大众来而不能进，孙綝杀异而归江东，外以发兵为名，内实坐须成败[256]。今宜及众心尚固，士卒思用[257]，并力决死，攻其一面，虽不能尽克[258]，犹有可全[259]者。空坐守死，无为也。"文钦曰："公今举十余万之众归命于吴，而钦与全端等皆同居死地[260]，父兄子弟尽在江表[261]，就[262]孙綝不欲来[263]，主上及其亲戚[264]岂肯听乎[265]？且中国[266]无岁无事，军民并疲，今守我一年[267]，内变将起。奈何舍此[268]，欲乘危徼幸[269]乎？"班、彝固劝[270]之，钦怒。诞欲杀班、彝，二人惧。十一月，弃诞逾城[271]来降[272]。全怿兄子辉、仪在建业，与其家内争讼[273]，携其母将部曲[274]数十家来奔。于是[275]怿与兄子靖及全端弟翩、缉皆将兵在寿春城中，司马昭用黄门侍郎锺会策，密为辉、仪作书[276]，使辉、仪所亲信赍入城[277]告怿等，说吴中[278]怒怿等不能拔寿春[279]，欲尽诛诸将家[280]，故逃来归命[281]。十二月，怿等帅其众数千人开门出降，城中震惧，不知所为。诏拜怿平东将军，封临湘侯，端等封拜各有差[282]。

汉姜维闻魏分关中兵[283]以赴淮南，欲乘虚向秦川[284]，率数万人出骆谷[285]，至沈岭[286]。时长城[287]积谷甚多，而守兵少，征西将军都督雍、凉诸军事司马望及安西将军邓艾进兵据之，以拒维。维壁于芒水[288]，数挑战，望、艾不应。

是时，维数出兵，蜀人愁苦，中散大夫谯周[289]作《仇国论》以讽之曰："或问往古能以弱胜强者，其术如何[10]？曰：吾闻之，处大无

要到来，司马昭因为军队缺乏粮食，已经把队伍中的老弱分别送往淮北去找粮食吃，看来不可能再长时间地围攻寿春了。诸葛诞听到这个消息，心里愈加放心，因为相信不用坚持多久，所以就没有考虑节省粮食，不久，寿春城里的粮食开始短缺，而外部的救兵却迟迟不见到来。将军蒋班、焦彝，都是诸葛诞的心腹谋臣，他们向诸葛诞献计说："吴国朱异等人率领大军远道而来，却不能向寿春挺进，孙綝杀死朱异后，也率军退回长江以东，他们对外宣称发兵来救援，而实际上是坐观成败，听任我们自生自灭。现在应该趁军心尚且稳固、士卒还都愿意为您效死一战的时机，竭尽全力与司马昭决一死战，集中兵力从一个方面突围，虽然没有全胜的把握，但总会有一部分人能够突围出去。如果只是坐在这里等死，没有任何意义。"文钦说："阁下如今率领十多万军队归附吴国，而我文钦与全端等人也同时陷在这个必死之地，我们的父母兄弟都在江东，即使孙綝不想来救援，难道吴国皇帝和将士们的亲属会听任孙綝而坐视不管吗？而且魏国境内没有一年不发生变故，军队与百姓都已疲惫不堪，如果将我们围困在这里一年，魏国内部必将发生变乱。你们为什么要放弃坚守寿春，甘冒突围的危险而希望侥幸取得成功呢？"蒋班、焦彝仍然坚持劝说诸葛诞突围，文钦大为愤怒。诸葛诞于是就想杀掉蒋班、焦彝，蒋班、焦彝二人很害怕。十一月，蒋班、焦彝抛弃诸葛诞翻墙出城向司马昭投降。全怿哥哥的两个儿子全辉、全仪都在吴国京师建业，因为家庭内部闹纠纷、打官司，便携带着自己的母亲和属下的人丁与依托的农户共有几十家投奔了魏国。这时全怿与自己哥哥的儿子全靖以及全端的弟弟全翩、全缉都率军被围困在寿春城中，司马昭采用黄门侍郎锺会的计策，暗中模仿全辉、全仪的笔迹写了一封书信，派全辉、全仪所亲信的人带着书信进入寿春城内告诉全怿等人说吴国京城的人对全怿等人没能将被围困在寿春城内的诸葛诞救出感到很愤怒，想把各将领的家属全部杀掉，所以全辉、全仪才携带家属逃出吴国投奔魏国。十二月，全怿等人率领属下的几千名将士打开城门向围城的魏军投降，寿春城内人人震惊恐慌，不知该怎么办才好。魏帝曹髦下诏任命全怿为平东将军，封他为临湘侯，全端等人分别被授予各种不同的官职。

蜀汉代理大将军姜维打听到魏国已经将驻扎在陕甘地区的军队抽调出一部分前往淮南围攻寿春，就想趁魏国防守空虚的机会率军攻打魏国的秦川，他率领几万人马从骆谷出兵，抵达沈岭。当时魏国的边关要塞囤积的粮食很多，但守军很少，担任征西将军、统领雍州、凉州诸军事的司马望与安西将军邓艾率军进驻各边关要塞，以抵御姜维的进犯。姜维将军队驻扎在芒水岸边，屡次向魏军挑战，而司马望、邓艾只是坚守而不出兵应战。

当时姜维不断出兵攻打魏国，蜀国人为此都很忧愁痛苦，担任中散大夫的谯周写了一篇《仇国论》对此提出警告说："有人问古代曾经有过以小弱之国战胜强大国家的事情，原因是什么呢？回答说：我听说，处在大国的地位而又没有内忧外患的

患[290]者常多慢[291]，处小有忧者常思善。多慢则生乱，思善则生治，理之常也[292]。故周文养民[293]，以少取多[294]；句践恤众[295]，以弱毙强[296]，此其术也。或曰：曩者[297]项强汉弱，相与战争，项羽与汉约分鸿沟[298]，各归息民。张良以为民志已[11]定[299]，则难动[300]也，率兵追羽，终毙项氏[301]，岂必由文王之事乎[302]？曰：当商、周之际[303]，王侯世尊[304]，君臣久固[305]，民习所专[306]。深根者难拔，据固[307]者难迁。当此之时，虽汉祖[308]安能杖剑鞭马而取天下乎！及秦罢侯置守[309]之后，民疲秦役[310]，天下土崩[311]，或岁改[12]主，或月易公[312]，鸟惊兽骇，莫知所从。于是豪强并争，虎裂狼分，疾搏[313]者获多，迟后者见吞[314]。今我与彼[315]皆传国易世[316]矣，既非秦末鼎沸之时，实有六国并据[317]之势，故可为文王[318]，难为汉祖[319]。夫民之疲劳，则骚扰之兆[320]生，上慢下暴[321]，则瓦解之形起。谚曰：'射幸数跌[322]，不如审发[323]。'是故智者不为小利移目[324]，不为意似[325]改步[326]，时可而后动，数合[327]而后举，故汤、武之师不再战而克[328]，诚重民劳[329]而度时审[330]也。如遂极武黩征[331]，土崩势生，不幸遇难，虽有智者，将不能谋之矣。"

【段旨】

以上为第一段，写魏帝曹髦甘露元年（公元二五六年）、二年两年间的大事，主要写了蜀将姜维出祁山伐魏，被魏将邓艾击退；吴国专权者孙峻病死，其堂弟孙綝继续把持朝政，吴将吕据与吴臣滕胤联合谋废孙綝，被孙綝分别击破、灭族。写了魏将诸葛诞见王凌、毌丘俭被司马昭诛灭而不自安，又因不赞成司马昭篡魏而被司马昭嫉恨，因而率众降吴，为吴国守寿春。写了司马昭奉魏帝曹髦、太后郭氏率大军讨诸葛诞，孙綝遣朱异率众救寿春，朱异不胜，被孙綝所杀。写了寿春围城内诸将的意见不合，司马昭施反间计，诱使吴将全怿率众降魏。此外还有吴将孙壹因与吕据、滕胤是亲戚，被孙綝所图，致使孙壹率部降魏，以及蜀将姜维乘魏国用兵淮南之机，又出骆谷伐魏，蜀臣谯周著文以讽等。

国家往往容易松懈麻痹，相反的，处在弱小的地位而又有内忧外患的小国却经常能够发愤图强，一心希望治理好自己的国家。松懈麻痹的国家就要发生动乱，而发愤图强、一心想治理好的国家必定能使国家政治清明、政权稳固，这是一种规律。所以周文王姬昌能够爱惜民力，使人民休养生息，终于使这个面积狭小地处偏僻的西方小国发展强大起来，最后灭掉了商朝；越王勾践因为能够卧薪尝胆、体恤其部下的子民，所以才能率领已经被灭亡了的弱小越国灭掉了强大的吴国，这就是以弱胜强的原因所在。有人说：从前，楚霸王项羽势力强大而汉高祖刘邦势力弱小，楚汉相争，项羽曾向刘邦请求讲和，双方以鸿沟为界，东面归项羽，西面归刘邦，各自回师休养士民。张良认为民心一旦安定下来，就难以再发动他们从军入伍，进行战斗，刘邦听从了张良的建议，撕毁鸿沟协定，带兵追赶项羽，终于消灭了项羽，建立了汉朝，哪里需要像周文王那么做呢？回答说：在商王朝与周王朝交替之际，那些称王、称侯者都是世代相传，长久居于尊位，君与臣的关系早已固定下来，人们都习惯于忠于他们的主子。根部太深，就很难将它拔掉，坐得稳的，就很难让他们移动。在那个时候，即使出一个像刘邦式的造反人物，又怎么能够骑马仗剑夺取天下呢？等到秦朝废除分封、开始设置郡县之后，天下百姓被秦王朝的徭役弄得筋疲力尽，天下已经是分崩离析、土崩瓦解，有时一年换一个主人，有时一个月换一个主人，人们就像鸟兽一样被吓破了胆，不知道该听从谁为好。于是天下豪杰纷纷崛起，凶狠得就如同虎狼一样，动手早、抓得快的就获得很多，动手晚、行动迟缓的就被别人所吞并。而现在我们蜀国和他们魏国的帝位都已经传了两代以至好几代了，已经不再是秦朝末年那种群雄逐鹿的局势，倒有些像战国时期六国并峙的局面，所以我们只可以效法周文王以爱民用德取胜，而难以像刘邦那样靠着抓壮丁、拼武力以取天下。人民负担太重、太疲惫，暴动、造反的苗头就会出现，掌权者松懈麻痹，对百姓又残酷暴虐，则国家土崩瓦解的形势就要形成。俗话说：‘想侥幸射中而屡屡射偏，就不如慎重瞄准了再射。’所以智谋高深的人绝不为一点小的利益而动心，也不会因为似是而非的说法而改变行动纲领，时机合适、机遇适宜就赶紧采取行动，所以商汤讨伐夏桀，鸣条一战而灭夏，武王伐纣，牧野一战而灭商，都不用二次用兵，就是因为他们爱护百姓，不叫百姓过分劳累而又判断时机准确才取得的胜利。如果无限度地动用军队发动对外战争，土崩瓦解的局面一旦出现，不幸遇到危难，即使是具有再大智谋的人，也无法为他想出好计谋了。”

【注释】

①大将军：大将军自西汉武帝以来是最高职位的权臣，位在丞相之上。②二月丙辰：二月初九日。③帝：指魏帝曹髦。④太极东堂：太极殿的东堂。⑤夏少康：夏朝的第六任帝王，曾使夏朝从灭亡中复兴起来。事见《左传》哀公六年。⑥以少康为优：曹髦认为少康比汉高祖刘邦更为优秀，此处有以少康自喻之志。⑦庚戌：四月初四日。⑧大将军昭：司马昭，时为大将军之职。⑨衮冕之服：龙袍、皇冠一类的礼服礼帽。⑩赤舄副焉：又赐予赤色靴子一双与礼服礼帽相称。副，相称，与之配套。“衮冕”“赤舄”都是古代帝王才能穿戴的东西。⑪丙辰：四月初十日。⑫太学：当时朝廷所立的最高学府。⑬中护军司马望：司马望是司马孚的长子，字子初。事迹见《三国志》卷四、卷十五，时任中护军之职。中护军是朝廷派往军中的监察官员。⑭侍中王沈：王沈字处道，先曾为曹爽属吏，爽后被罢职。曹髦为帝，召以为侍中，甚亲信之。后因出卖曹髦成为司马氏的新贵。事见《晋书》本传。侍中是皇帝的侍从官员。⑮散骑常侍裴秀：字季彦，历任散骑常侍、尚书仆射、光禄大夫等职。著《易》及《乐》论，又画地域图十八篇，传行于世。传见《三国志》卷二十三。散骑常侍是皇帝的侍从官员。⑯黄门侍郎钟会：钟会字士季，司马氏的亲信，此时任黄门侍郎。黄门侍郎是皇帝的侍从官员。⑰讲宴：一边吃酒一边研讨学问。⑱并属文论：让司马望、王沈等每人写一篇议论性文章。⑲礼异：超常的礼节待遇。⑳儒林丈人：儒林中的老人，言其德高望重。㉑文籍先生：文墨领域的先辈。言其年长才高。㉒请召欲速：招呼谁谁就得赶快到。㉓望职在外：司马望的任职机关在皇宫之外。㉔追锋车：曰“追锋”，取其迅速之意，是一种只有两个车轮，驾两匹马，拆除篷盖的轻便小车。㉕虎贲：卫士的称号名，言其勇猛迅捷如虎。㉖潜：裴潜，曹操时人，曾为魏尚书令。㉗丙午：六月初一日。㉘改元：由“正元”改为“甘露”。㉙钟提：即今甘肃成县北的栗亭城。㉚更出：再出击。㉛安西将军邓艾：邓艾字士载，时为安西将军，主管对西蜀方面的征讨。事迹详见《三国志》卷二十八本传。㉜洮西之败：魏军被西蜀败于洮西事，见本书卷七十六正元二年（公元二五五年）。㉝以策言之：从谋略方面说。㉞上下相习：将领和士兵互相熟悉了解。㉟五兵犀利：各种兵器锐利。五兵，五种兵器，说法不一。孔颖达认为指步卒所用的弓、矢、殳、戈、戟。郑玄认为是指战车的戈、矛、戟、酋矛、夷矛。㊱将易：指邓艾刚接替王经任安西将军。㊲兵新：洮西之役失败后，魏国的士兵是新征集来的。㊳器仗未复：各种武器装备还未恢复如初。㊴船行：姜维驻防的钟提附近有白水江、沮水，可以用船运输。㊵狄道：魏郡名，郡治即今甘肃临洮。㊶陇西：魏郡名，郡治即今甘肃陇西。㊷南安：魏郡名，郡治獂道（今甘肃陇西渭水东岸）。㊸祁山：山名，在今甘肃礼县东北。㊹因食羌谷：可以通过羌人居住的地区就地取粮。㊺若趣祁山：如果蜀军直奔祁山。趣，通“趋”，直奔。㊻为之外仓：可以成为蜀军的外部粮仓，指不必再运粮

饷。㊼黠计：狡猾的计谋。㊽出祁山：准备向祁山方向发动攻击。㊾董亭：地名，在今甘肃武山县南。㊿武城山：在今甘肃武山县境内，在董亭北约二十五里处。(51)渡渭：渡过渭河。(52)上邽：即今甘肃天水市。(53)段谷：在今甘肃天水市东南。(54)陇右：陇山以西，泛指今甘肃东部。(55)胡济：蜀将名。事迹见《三国志》卷四十四。(56)期会上邽：约好日期在上邽会师。(57)谢：请罪。(58)卫将军：高级武官名，在大将军、骠骑将军下。(59)行大将军事：代行大将军的职权，意即降位不减权。(60)八月庚午：八月二十六日。(61)大都督：统管全国军事的官名。其实司马昭早已把持魏国的一切。(62)奏事不名：向皇帝奏事时不用自报姓名。(63)假黄钺：授予黄钺。黄钺是帝王诛杀大臣专用的铜斧，是一种权威的象征。(64)癸酉：八月二十九日。(65)太傅：荣誉职衔，没有实际权力。(66)高柔：字文德，曹魏的名臣，司马昭为拉拢此人故任以为太尉。事迹见《三国志》卷二十四。(67)文钦：原魏将，前在淮南率军降吴。(68)孙峻：吴国的权臣，此时独专吴政。事见《三国志》卷六十四本传。(69)吕据：吴国老臣吕范之子，此时为骠骑将军。(70)刘纂：吴国将领，此时为车骑将军。事迹见《三国志》卷四十八。(71)朱异：朱桓之子，东吴名将。传见《三国志》卷五十六。(72)唐咨：吴国将领，此时任前将军。传见《三国志》卷二十八。(73)江都：吴县名，县治在今江苏扬州南。(74)入淮、泗：进入淮河、泗水。春秋时吴国曾挖凿运河，连接淮河、长江，称邗沟。此时东吴战船可以由邗沟进入淮河，再转入泗水。(75)青、徐：魏之二州名，青州的州治在今山东淄博之临淄区，徐州的州治下邳，在今江苏邳州市南。(76)石头：即石头城，在今南京市区的西北部。(77)从父弟：堂弟。从父，指叔、伯。(78)偏将军綝：孙綝，孙绰之子。传见《三国志》卷六十四。(79)丁亥：九月十四日。(80)己丑：九月十六日。(81)吕岱：字定公，东吴名臣。传见《三国志》卷六十。(82)吴郡徐原：徐原字德渊，吴郡人。吴郡是吴国的郡名，郡治即今苏州。(83)巾褠：头巾与单衣。(84)侍御史：官名，主管监察、弹劾。(85)公论：在大庭广众中评论。(86)贵：看重；尊敬。(87)益友：有益的朋友。《论语·季氏》："孔子曰：益者三友：友直、友谅、友多闻。"(88)不幸：婉指其死。(89)复于何闻过：还能到哪里听到批评。(90)辅政：辅助帝王行政，实即把持政权。(91)督将：统兵出征的将领。(92)滕胤：吴国的忠正之臣。事迹见《三国志》卷六十四本传。(93)更：改任。(94)大司马：最高武官名，后来也多用于荣誉职衔。(95)丁未：十月初四日。(96)从兄宪：孙宪。(97)逆据：迎击吕据。(98)中使：宫中派出的使者，一般由宦官担任，传达皇帝的诏令。(99)敕：命令。(100)宜速去：要速往武昌上任，不要干预朝廷的事务。(101)留融、晏：扣留华融、丁晏。(102)勒兵：调集军队。(103)典军：此指大司马帐下的护卫头领。(104)有书难綝：作书以谴责孙綝。有书，作书，写信。难，责备。(105)许：许愿。(106)诈为诏发兵：假作诏书，调动军队。因华融、丁晏都是为皇帝起草诏令的官员，如做此事，可以令人相信。(107)苍龙门：东吴建业宫的东门。(108)公：僚属称其主官滕胤。(109)委綝就公：舍弃孙綝前来投奔你。(110)恃与据期：仗恃着有与吕据的约定，指共同罢免孙綝。(111)难举兵向宫：不愿率军围向苍龙门。难，不愿，不好下

手。⑫约令部曲：劝说自己的部下。⑬吕侯：尊称吕据。⑭尽死：效死。⑮大会：大量到来。⑯己酉：十月初六日。⑰郑冲：字文和，司马氏的党羽、元勋。传见《晋书》卷三十三。⑱司徒：职务略同于丞相，但此时朝廷大权都在司马昭之手，司徒等形同虚设。⑲卢毓：汉末大臣卢植之子，后依附司马氏。传见《三国志》卷二十二。⑳司空：古官名，与司徒、司马合称三公，但此时形同虚设。㉑王昶：王浑之父，魏臣之依附司马氏者。事迹见《三国志》卷二十七本传。㉒司隶校尉：首都与其临近郡县的监察长官，略同于其他州的刺史。㉓琅邪王祥：琅邪是魏诸侯国名，都城在今山东临沂北。王祥，魏晋之际的显要官僚，以孝闻名。事见《晋书》本传。㉔被楚挞：被用荆条抽打。㉕使祥：支使王祥干某事。㉖虐使：暴虐地支使。㉗少止：稍微有所收敛。㉘时誉：名望。㉙酖：用毒酒杀人。㉚遽夺反之：赶紧夺过来将其倒掉。遽，立即。㉛馔：饭食。㉜不应州郡之命：不出去做官。㉝毁瘁：因哀伤而形容憔悴。㉞檄为别驾：征召之使为别驾之职。别驾是州刺史的高级僚属，每出行，自乘一车，故称"别驾"。㉟政化大行：政令和教化都能很顺利地推行。㊱海沂：指徐州，因徐州东面临海，西北方又靠近泗水、沂水，故称。㊲邦国不空：指徐州的粮仓不空。㊳负贵：依仗出身高贵。负，仗恃。㊴与诛诸葛恪：参与了诛灭诸葛恪的过程。㊵无难督：统领禁兵的长官。㊶平九官事：协调九卿间的有关事务，即位在九卿之上。㊷大梁成侯卢毓：卢毓被封为大梁侯，成字是其死后的谥。㊸始亲政事：开始亲自处理国事。本年，孙亮十五岁。㊹多见难问：屡屡被孙亮提出问题。难，也是"问"的意思。㊺科兵子弟：挑选青少年子弟为兵。㊻日于苑中教习：每天在宫廷里对其进行训练。苑，这里即指宫廷。㊼与之俱长：和他们一起长大，使之成为自己的忠实卫士。㊽数出中书：屡屡到中书省。中书省是大臣为帝王起草诏令的地方。㊾视大帝时旧事：翻看过去孙权处理问题的章程、条例。㊿特制：指皇上不通过中书，亲自下诏令办事。(151)问事：请示处理意见。(152)但令我书可邪：只是让我画圈表示同意，行吗。(153)黄门：指太监。(154)中藏：宫廷里的仓库。(155)鼠矢：老鼠屎。(156)藏吏：看管仓库的官员。(157)从尔求蜜邪：向你要蜜了吗。(158)向求：从前要过。(159)不服：不承认是自己放进去的鼠屎。(160)惊悚：震惊恐惧。(161)玄等死：夏侯玄死见本书卷七十六正元元年；邓飏死见本书卷七十五嘉平元年（公元二四九年）。(162)王凌、毌丘俭相继诛灭：王凌被杀见本书卷七十五嘉平三年；毌丘俭死见本书卷七十六正元二年。(163)帑藏：指仓库里的金帛财物。(164)振施：赈济施舍。(165)曲赦有罪：放宽法令赦免有罪的人。(166)扬州轻侠：扬州地区的轻生敢为之士。此扬州是指魏国的扬州，州治即诸葛诞所在的寿春（今属安徽）。(167)以为死士：使之成为到时能为自己拼命的人。(168)徐堨：即徐塘，在东关的东面（今巢湖之东）。(169)临淮：沿着淮河。(170)长史贾充：贾充是司马昭的骨干分子，时任大将军长史之职。长史是诸史之长，握有重权。(171)参佐：此指司马昭的高级僚属。贾充为长史，也是"参佐"之一。(172)四征：即驻兵寿春的征东将军、驻兵襄阳的征南将军、驻兵长安的征西将军、驻兵蓟县的征北将军。(173)洛中诸贤：

洛阳城中诸位贤士。⑰④皆愿禅代：都希望让魏帝曹髦禅让帝位于司马昭。⑰⑤贾豫州：指贾充之父贾逵，曾为豫州刺史，是魏国的良臣。⑰⑥输人：送给别人。⑰⑦洛中有难：指朝廷发生篡位政变。⑰⑧再在扬州：两度镇守扬州（州治安徽寿春）。诸葛诞为镇东将军，曾督扬州；东关之败后，改督豫州；毌丘俭死，再度督扬州。⑰⑨反疾：反叛得快。⑱⓪甲子：四月二十四日。⑱①乐綝：曹操时的名将乐进之子。事迹见《三国志》卷十七。⑱②间己：向司马昭说自己的坏话。⑱③敛：聚集。⑱④屯田口：从事屯垦的官兵。⑱⑤新附胜兵者：新近叛吴归魏的士民中已够当兵年龄的人。⑱⑥将少子靓：带着诸葛诞的小儿子诸葛靓去吴国作人质。⑱⑦牙门子弟：指诸葛诞手下诸将的子弟。⑱⑧夏口督孙壹：孙壹是孙坚之弟孙静的孙子，此时为夏口（今汉口）驻军的长官。⑱⑨虎林：城邑名。旧址在今安徽贵池西的长江南岸。⑲⓪壹将部曲来奔：孙壹率部前来投降魏国。⑲①乙巳：六月初六日。⑲②交州牧：职同交州刺史。交州是吴国的领地名，其首府即今广州。⑲③开府辟召：开建府衙，自己征聘僚属。辟，征聘。⑲④仪同三司：享有司徒、司马、司空那样排场的待遇。⑲⑤事从丰厚：各种待遇都格外从优，以借此招募他人。⑲⑥奉帝及太后：挟持着皇帝曹髦与郭太后一起出征，其目的一是“挟天子以令诸侯”，师出有名；二是不让帝、后落入他人之手，使之与己为难。⑲⑦左都护：犹言“左都统”“左总指挥”。⑲⑧假节：授予旌节。节是帝王授予大将，使之具有特别权力的一种待遇。⑲⑨琮：全琮，字子璜，东吴的名臣。事迹见《三国志》卷六十。⑳⓪六月甲子：六月二十五日。⑳①车驾次项：皇帝曹髦和郭太后的车驾驻扎在项县（今河南沈丘）。⑳②丘头：在今河南沈丘境。⑳③王基：魏国名将。事迹详见《三国志》卷二十七本传。⑳④行：代理。⑳⑤陈骞：字休渊，曹操时功臣陈矫的次子，曾为车骑将军，后为司马氏佐命功臣。⑳⑥未合：还未形成包围圈。⑳⑦因山乘险：凭借山的险要形势。⑳⑧敛军坚壁：集结军队固守壁垒。⑳⑨累求：屡次请求。㉑⓪会：恰值；正赶上。㉑①安丰：在今安徽霍邱西南。㉑②北山：即寿春北面的八公山。㉑③向集：逐渐汇拢。㉑④越逸：突围逃跑。㉑⑤守便宜：扼守有利的地段。㉑⑥上疏：实指给司马昭上言。㉑⑦不动：不可撼动。㉑⑧倾动：动摇。㉑⑨报听：回示采纳他的意见。㉒⓪表里再重：里里外外围了好几层。㉒①堑垒甚峻：深沟与长墙都修得直上直下，不可爬越。峻，高而直。㉒②犯围：突围。㉒③逆击：魏军迎击之。逆，迎。㉒④石苞：曹魏名将。后事晋。㉒⑤州泰：南阳人，曹魏名将。事见《三国志》卷二十八本传。㉒⑥胡质：字文德，寿春人，曹魏名将。事见《三国志》卷二十七本传。㉒⑦简锐卒：挑选精兵。简，选。㉒⑧游军：游击部队。㉒⑨外寇：从外部来攻之敌。㉓⓪阳渊：即阳泉县故城，在今安徽霍邱东北。㉓①镬里：在今安徽巢县西北。㉓②丁奉、黎斐：皆吴将名，丁奉是吴国老将。事见《三国志》卷五十五本传。㉓③都陆：魏邑名，在今安徽寿县南二十里。㉓④黎浆：魏地名，也是河水名，在当时的都陆以北。㉓⑤胡烈：魏将名，时为魏之太山郡守。㉓⑥葛叶：一种蔓生植物的叶子。㉓⑦更死战：再次出军拼死作战。㉓⑧九月己巳：九月初一日。㉓⑨辛未：九月初三日。㉔⓪拔出：从重围中救出。㉔①谢寿春：向被围困在寿春的诸葛诞等有个交代。㉔②坚

诞意：稳定诸葛诞继续守城的心思。㉓坚围：加强包围。㉔多方：从各个不同的方面。㉕误之：欺骗他们，使他们做出错误判断。㉖纵反间：散布反间谣言。㉗吴救方至：吴国的救兵就要到来。㉘大军：指司马昭的军队。㉙羸疾：老弱残兵。㉚就谷淮北：到淮河以北去找食物吃。㉛势不能久：不可能再长时间地围攻寿春。㉜益宽：越发放心。㉝恣食：指不做节粮打算。㉞俄：不多久。㉟腹心谋主：心腹的参谋人员。㊱坐须成败：坐视不救，任其自生自灭。须，等待。㊲思用：指愿意为诸葛诞一战。㊳尽克：大获全胜。㊴犹有可全：指还能突围出去保全一部分。㊵同居死地：同时陷在这必死之地（指寿春）。㊶江表：即江东，指东吴地区。㊷就：即使。㊸不欲来：不想发兵救寿春。㊹亲戚：指文钦和全端等将士们的亲戚。㊺岂肯听乎：怎能任凭孙綝坐视不管呢。㊻中国：指曹魏地区。㊼今守我一年：如果再围困我们一年。今，如果。守，围困。㊽舍此：指坚守寿春。㊾乘危徼幸：指冒险出击突围。㊿固劝：坚持劝说诸葛诞突围。㉑逾城：翻过城墙。㉒来降：指来降司马昭。㉓争讼：闹纠纷、打官司。㉔部曲：属下的人丁与依托的农户。㉕于是：这时。㉖密为辉、仪作书：暗中模仿全辉、全仪的笔迹写了一封信。㉗赍入城：带进寿春城。㉘吴中：指吴国的京城内。㉙不能拔寿春：没能将被围在寿春的诸葛诞等救出。㉚尽诛诸将家：全部杀掉各将领们的家属。㉛逃来归命：逃到魏国投降。㉜各有差：根据情况不同授予不同的官职。㉝关中兵：指驻扎在陕甘地区防卫西蜀入侵的军队。㉞秦川：指今陕西渭河两岸的平川地区。㉟骆谷：山路名，在今陕西周至西南，沿骆谷水、傥水河谷南至洋县，为关中与汉中之间的交通要道。㊱沈岭：在今陕西周至南。㊲长城：曹魏沿边关所筑的御敌工事，此指周至一带的魏国要塞。㊳芒水：陕西周至东南的小河。㊴中散大夫谯周：谯周字允南，是蜀国的谋臣。传见《三国志》卷四十二。中散大夫是帝王的侍从官员，在帝王身边备参谋顾问之用。㊵处大无患：处于大国地位，没有别国入侵的威胁。㊶多慢：容易松懈麻痹。㊷理之常也：规律就是这样的。㊸周文养民：周文王姬昌能爱惜民力，使民休养生息。㊹以少取多：指由西方的狭小偏僻之地发展起来，灭掉商朝，见《史记·周本纪》。㊺句践恤众：越王勾践能体怜其部下子民。恤，体怜。㊻以弱毙强：勾践卧薪尝胆，灭掉吴王夫差事，见《史记·越世家》。㊼曩者：从前。㊽约分鸿沟：楚汉战争后期，项羽曾向刘邦请求议和，双方以鸿沟为界，东面归项羽，西面归刘邦。事情详见《史记·项羽本纪》。鸿沟是古运河名，自今河南荥阳北引黄河水，东流经今中牟北，又东经开封北，南折入颍水。㊾民志已定：民心一旦安定下来。㊿难动：难以再发动他们从军入伍，进行战斗。㉛终毙项氏：刘邦听从张良建议，撕毁鸿沟协定，乘机消灭项羽事，见《史记·项羽本纪》，亦见本书卷十高帝四年至五年（公元前二〇三至前二〇二年）。㉜岂必由文王之事乎：哪里非得像周文王那么做呢。㉝商、周之际：指商王朝与周王朝的交替

之际。㉚④王侯世尊：称王称侯者都是世代相传，各自居于尊位的。㉚⑤君臣久固：言君与臣的关系早已固定下来。㉚⑥民习所专：人们都习惯忠于他们的主子。㉚⑦据固：犹今之所谓“坐得稳”。㉚⑧虽汉祖：即使出一个刘邦式的造反人物。㉚⑨罢侯置守：指废弃分封，设置郡县。㉛⓪民疲秦役：天下百姓被秦王朝的徭役弄得筋疲力尽。㉛①天下土崩：指陈涉发动了反秦起义，到处诸侯蜂起。㉛②或岁改主二句：指陈涉、项梁、楚怀王、武臣、田荣等忽起忽灭之势。㉛③疾搏：指动手早，抓得快。㉛④见吞：被吞并。㉛⑤我与彼：我们蜀国与他们魏国。㉛⑥传国易世：指帝位已传了两代以至好几代。㉛⑦六国并据：指战国时代的七雄并立。七国而称“六国”，是沿用司马迁写战国时事而用“六国年表”的说法。㉛⑧可为文王：可以效法周文王靠爱民用德取胜。㉛⑨难为汉祖：难以像刘邦那样靠着抓壮丁、拼武力以取天下。㉜⓪骚扰之兆：暴动、造反的苗头。㉜①上慢下暴：掌权者松懈麻痹，对百姓又残酷暴虐。㉜②射幸数跌：想侥幸射中而屡屡射偏。㉜③审发：慎重瞄准了再射。㉜④移目：指动心。㉜⑤意似：似是而非。㉜⑥改步：改变行动纲领。㉜⑦数合：机会适宜。㉜⑧汤、武之师不再战而克：汤伐桀，鸣条一战而灭夏，武王伐纣，牧野一战而灭商，都不用再二次起兵。㉜⑨重民劳：爱护百姓，不叫百姓过分劳累。㉝⓪度时审：判断时机准确。㉝①极武黩征：无限制地动用军队发动战争，即俗所谓“穷兵黩武”。

【校记】

［1］庚戌：原无此二字。据章钰校，甲十一行本、乙十一行本、孔天胤本皆有此二字，张敦仁《通鉴刊本识误》同，今据补。［2］五也：原无此二字。据章钰校，甲十一行本、乙十一行本、孔天胤本皆有此二字，张敦仁《通鉴刊本识误》、张瑛《通鉴校勘记》同，今据补。［3］丁未：原无此二字。据章钰校，甲十一行本、乙十一行本、孔天胤本皆有此二字，张瑛《通鉴校勘记》同，今据补。［4］有：据章钰校，乙十一行本作“作”。［5］兵：据章钰校，甲十一行本、乙十一行本皆无此字。［6］等：原无此字。据章钰校，甲十一行本、乙十一行本、孔天胤本皆有此字，张敦仁《通鉴刊本识误》同，今据补。［7］兵：据章钰校，甲十一行本、乙十一行本皆作“卒”。［8］寿春：此下原有四字空格。据章钰校，甲十一行本、乙十一行本、孔天胤本皆无空格，张敦仁《通鉴刊本识误》、张瑛《通鉴校勘记》同，今据删。［9］非其罪也，而吴人杀之：原作“而吴人杀之非其罪也”。据章钰校，甲十一行本、乙十一行本皆作“非其罪也而吴人杀之”，张敦仁《通鉴刊本识误》、张瑛《通鉴校勘记》同，今从改。［10］如何：据章钰校，乙十一行本二字互乙。［11］已：据章钰校，甲十一行本、乙十一行本皆作“既”。［12］改：原作“易”。据章钰校，甲十一行本、乙十一行本、孔天胤本皆作“改”，张敦仁《通鉴刊本识误》同，今从改。

【原文】

三年（戊寅，公元二五八年）

春，正月，文钦谓诸葛诞曰："蒋班、焦彝谓我不能出而走[332]，全端、全怿又率众逆降[333]，此敌无备之时也，可以战矣。"诞及唐咨等皆以为然，遂大为攻具，昼夜五六日攻南围[334]，欲决围[335]而出。围上诸军临高发石车火箭[336]，逆烧破其攻具，矢石雨下，死伤蔽地[337]，血流盈堑[338]，复还城。城内食转竭，出降者数万口。钦欲尽出北方人[339]省食，与吴人坚守，诞不听，由是争恨[340]。钦素与诞有隙，徒以计合[341]，事急愈相疑。钦见诞计事，诞遂杀钦。钦子鸯、虎[342]将兵在小城[343]中，闻钦死，勒兵赴之，众不为用[344]，遂单走逾城出，自归于司马昭。军吏请诛之，昭曰："钦之罪不容诛[345]，其子固应就戮，然鸯、虎以穷归命[346]，且城未拔，杀之是坚其心[347]也。"乃赦鸯、虎，使将数百骑巡城呼[348]曰："文钦之子犹不见杀[349]，其余何惧？"又表鸯、虎皆为将军，赐爵关内侯[350]。城内皆喜，且日益饥困。

司马昭身自临围[351]，见城上持弓者不发[352]，曰："可攻矣！"乃四面进军，同时鼓噪登城。二月乙酉[353]，克之。诞窘急，单马将其麾下突小城欲出，司马胡奋[354]部兵[355]击斩之，夷其三族。诞麾下数百人，皆拱手为列不降[356]，每斩一人，辄降之[357]，卒不变，以至于尽。吴将于诠曰："大丈夫受命其主[358]，以兵救人，既不能克，又束手于敌[359]，吾弗取也。"乃免胄冒陈[360]而死。唐咨[361]、王祚等皆降。吴兵万众，器仗[362]山积。

【语译】

三年（戊寅，公元二五八年）

春季，正月，文钦对诸葛诞说：“蒋班、焦彝会认为我们只想守城制胜，不想弃城突围，而全端、全怿又率领众人迎着魏军投降，这正是敌军不加防备的时候，可以拼死一战了。”诸葛诞和唐咨等人都认为文钦分析得有道理，于是集中精力准备攻击器械，然后不分白天黑夜地攻打南面围城的魏军，想要突破重围，一连攻打了五六天。而围城的魏军站在高高的壁垒上居高临下对着突围的军队用石车抛打石头、用弓箭发射带火的箭，火箭烧毁了诸葛诞军队的攻击器械，射过来的箭和石头就像雨点一样落下来，寿春城内死伤累累，尸横满地，鲜血横流，连防御的壕沟都流满了战士的鲜血，突围的部队只好又退回城内坚守。寿春城内的粮食此时已经枯竭，出城投降的已经有好几万人。文钦想把魏国归降的北方籍士兵统统逐出城外以节省粮食，只留下从吴国带来的军队在此坚守，诸葛诞不同意，因此双方相互怨恨，文钦一向与诸葛诞不合，只有在反对司马昭这一点上意见一致，事情到了紧急关头，互相猜忌得也就越发厉害。文钦去会见诸葛诞商议军事，诸葛诞趁机杀死了文钦。文钦的儿子文鸯、文虎当时正率领军队驻扎在寿春城内的一个小城中，他们听说父亲文钦被诸葛诞杀死，立即调动军队准备去消灭诸葛诞为父亲报仇，然而军队不听他们的命令，于是二人翻越城墙单身逃出寿春城，向司马昭投降。魏军官吏请求司马昭杀掉他们，司马昭说：“文钦之罪罪不容诛，他的儿子本来也应当杀掉，然而文鸯、文虎是在走投无路的情况下前来投降，再说寿春城还没有攻打下来，如果现在杀了文鸯、文虎，守城的军队就会更加坚定守城的决心。”于是赦免了文鸯、文虎的罪过，让他们带领几百名骑兵围绕着寿春城呼叫：“文钦的儿子都没有被杀，你们其他人还怕什么呢？”司马昭又上表请求魏帝曹髦封文鸯、文虎为将军、关内侯。寿春城内的士兵听了这个消息都很高兴，再加上城内食物紧缺，军士们一天一天地在忍受着饥饿、困乏的折磨。

司马昭亲自到围城工事的前沿，看见城上守卫的士兵虽然手持弓箭却不向自己发射，就说：“现在攻城的时机已到！”于是司马昭下令从四面开始攻城，军士们一边擂鼓呐喊一边攻上城去。二月二十日乙酉，魏军攻下了寿春城。诸葛诞一见情况紧急，便一个人骑着马率领他手下的亲兵想从小城里突围出去，被司马昭的司马胡奋部下的士兵杀死，司马昭下令诛灭了诸葛诞的三族。诸葛诞手下的几百名士兵全都拱手站立，排成一队，声明誓死不投降，司马昭每杀掉一个人，就问下一个人投降不投降，却从始至终没有一个人投降，直到最后一人被杀死为止。吴国将领于诠说：“大丈夫奉国君的命令，率领军队前来解救别人，既然不能战胜敌人，又自缚己手，向敌人投降，我不采取这种做法。”于是脱掉盔甲冲入敌阵，最后英勇战死。唐咨、王祚等人都投降了魏国。投降的吴国士兵有一万多人，缴获的各种武器堆积如山。

司马昭初围寿春，王基、石苞等皆欲急攻之。昭以为："寿春城固而众多[363]，攻之必力屈[364]。若有外寇[365]，表里受敌，此危道也。今三叛[366]相聚于孤城之中，天其或者使同就戮，吾当以全策[367]縻之[368]。但[369]坚守三面，若吴贼陆道而来，军粮必少，吾以游兵轻骑绝其转输[370]，可不战而破也。吴贼[371]破，钦等必成禽[372]矣。"乃命诸军按甲[373]而[13]守之，卒[374]不烦攻[375]而破。议者又以为"淮南仍为叛逆[376]，吴兵室家[377]在江南，不可纵[378]，宜悉坑之。"昭曰："古之用兵，全国[379]为上，戮其元恶[380]而已。吴兵就得亡还[381]，适[382]可以示中国[383]之大度耳。"一无所杀，分布三河近郡[384]以安处之[385]。拜唐咨安远将军，其余裨将[386]，咸假位号[387]，众皆悦服。其淮南将士吏民为诞所胁略[388]者，皆赦之。听[389]文鸯兄弟收敛父丧，给其车牛，致葬旧墓[390]。

昭遗[391]王基书曰："初议者云云，求移[392]者甚众，时未临履[393]，亦谓宜然[394]。将军深利害，独秉固志[395]，上违诏命，下拒众议，终至制敌禽贼，虽古人所述[396]，不是过[397]也。"昭欲遣诸军轻兵深入，招迎唐咨等子弟，因衅[398]有灭吴之势。王基谏曰："昔诸葛恪乘东关之胜[399]，竭江表之兵[400]以围新城[401]，城既不拔[402]，而众死者大半[403]。姜维因洮西之利[404]，轻兵深入，粮饷不继，军覆上邽[405]。夫大捷之后，上下轻敌，轻敌则虑难不深。今贼新败于外，又内患未弭[406]，是其修备设虑[407]之[14]时也。且兵出逾年，人有归志。今俘馘[408]十万，罪人斯得[409]，自历代征伐，未有全兵独克如今之盛者也。武皇帝[410]克袁绍于官渡[411]，自以所获已多，不复追奔[412]，惧挫威[413]也。"昭乃止。以基为征东将军、都督扬州诸军事，进封东武侯。

司马昭最初围困寿春的时候，王基、石苞等人都主张加紧攻城。司马昭认为："寿春不仅城墙坚固而且城内坚守的人马数量很多，攻城必然使兵力受损。如果再有吴国救兵前来增援，就会里外受敌，这是很危险的策略。如今司马诞、文钦、唐咨三个背叛魏国的将领全都聚集在这座孤立无援的城池当中，也许这是上天有意安排他们同时受到杀戮，我们应该想一个万全之策将他们一网打尽。我们只要将寿春牢牢地三面围住，如果吴国的援兵从陆路而来，军中粮草必然很少，我们用游兵轻骑切断他们运粮的道路，就可以不战而挫败吴国的援军。吴国援军不来，文钦等人就必定被我们擒获了。"于是命令各军按兵不动，对寿春围而不攻，最终果然用不着发动进攻就取得了胜利。参与决策的人又认为"淮南屡屡举兵造反，吴军的家属又都在江南，不应该释放他们回去，应该把他们全部活埋。"司马昭说："古代用兵打仗，以保全他们的国家为上策，只是杀掉他们的暴君罢了。吴兵即使有一部分逃回吴国，这正好显示出中原地区国家的大度。"因此对吴兵一个也没有杀，而是把他们分别安置在靠近都城洛阳的河南郡、河东郡、河内郡，让他们安安定定地住下来。任命唐咨为安远将军，其余副将也都授予他们相应的职位和封号，众人都心悦诚服。那些被诸葛诞所挟持、所强制而一道参与叛变的淮南将士也都得到赦免。而且听任文鸯兄弟收殓埋葬他们的父亲文钦，又给他们提供了牛车，让他们把文钦的灵柩运送到原籍祖坟中安葬。

司马昭在写给王基的书信中说："当初对作战计划议论纷纷，请求把大军移屯到北面八公山的人很多，当时我未能亲临前线勘察地形，也认为应当如此。而将军经过深思熟虑，权衡利害，独自一人坚持己见，对上敢于违抗诏命，对下力排众议，终于战胜了敌人、擒获了贼寇，即使古人所称道的坚持真理的佳话，也不能超过你。"司马昭想派遣诸军轻装深入吴国，去迎接唐咨等人的子弟，趁机灭掉吴国。王基劝阻说："过去诸葛恪乘着东关的胜利，出动整个吴国的军队来围困我国的新城，结果新城没有攻克，士兵反而死伤一大半。姜维凭借洮西胜利的余威，轻兵深入我国，后来因为粮饷接济不上，终于在上邽遭到惨败。一般来说，打了大胜仗之后，全军上下都很容易产生骄傲轻敌的思想，思想上轻视敌人就会对作战的困难估计不足。如今吴军在外边新打了败仗，内部君臣又互相猜忌，这正是他们加强防备、周密计划，精神极度警惕的时候。再说我军外出作战已经一年多了，人人都在盼望着早日回家团聚。如今俘虏敌兵与割来所杀敌军的耳朵总计有十多万人，诸葛诞等犯有叛国之罪的要犯也无不或被杀或投降，纵观历代出兵征伐，从来没有像今天这样既保全了自己又取得了全面胜利的盛况。魏武帝曹操在官渡之战中打败了袁绍，自认为获得的战利品已经足够，于是不再追击败逃之敌，就是担心部队万一受到挫折，会有损军威。"司马昭接受了王基的建议，不再坚持进一步出兵作战。任命王基为征东将军、都督扬州诸军事，特加封他为东武侯。

习凿齿曰⑭:“君子谓司马大将军于是役也，可谓能以德攻⑮矣。夫建业⑯者异道⑰，各有所尚⑱而不能兼并⑲也。故穷武之雄⑳，毙于不仁㉑；存义㉒之国，丧于懦退㉓。今一征而禽三叛，大虏吴众，席卷淮浦㉔，俘馘十万，可谓壮矣。而未及安坐，赏王基之功；种惠㉕吴人，结异类㉖之情；宠鸯葬钦㉗，忘畴昔之隙㉘；不咎诞众㉙，使扬土怀愧㉚。功高而人乐其成㉛，业广而敌怀其德㉜。武昭既敷㉝，文算又洽㉞，推是[15]道也，天下其孰能当㉟之哉!”

司马昭之克寿春，锺会谋画居多，昭亲待日隆，委以腹心之任，时人比之子房㊱。

汉姜维闻诸葛诞死，退[16]还成都，复拜大将军㊲。

夏，五月，诏以司马昭为相国㊳，封晋公㊴，食邑八郡㊵，加九锡㊶。昭前后九让㊷，乃止㊸。

秋，七月，吴主封故齐王奋为章安侯㊹。

八月，以骠骑将军王昶为司空。

诏以关内侯王祥为三老㊺，郑小同为五更。帝率群臣诣㊻[17]太学，行养老乞言㊼之礼。小同，玄之孙㊽也。

吴孙綝以吴主亲览政事，多所难问，甚惧，返自镬里㊾，遂称疾不朝，使弟威远将军据㊿入仓龙门⑤¹宿卫，武卫将军恩⑤²、偏将军幹⑤³、长水校尉闿⑤⁴分屯诸营，欲以自固。吴主恶之，乃推朱公主死意⑤⁵。全公主⑤⁶惧，曰:“我实不知，皆朱据二子熊、损所白⑤⁷。”是时熊为虎林督⑤⁸，损为外部督⑤⁹，吴主皆杀之。损妻，即孙峻妹也。綝谏，不从，由是益惧。

习凿齿说：“品行高尚的人认为司马昭大将军在这次战役中，可以算得上是用仁德战胜敌人了。能够创立基业的人各自采取的手段不同，各有所长，各有各的偏重与爱好，却不能兼有诸家之所长。所以那些穷兵黩武的英雄豪杰，最终会因为不行仁义而被人推翻；而一心想实行仁义的国君，往往会失败在软弱怯懦上。如今寿春一战就擒获了诸葛诞、文钦、唐咨三个叛臣，还俘获了大批吴国的军队，把淮河两岸就像卷席子一样一卷而起，所俘虏的敌兵与杀死的敌军总计有十万之众，真可称得上巍巍壮观了。然而还没有坐稳，就开始赏赐王基的功劳；对吴国的降卒广施惠政，与异国人联络感情；封赏文鸯、埋葬文钦，不计旧仇、抛弃前嫌；赦免被诸葛诞诖误的部众士民，让扬州一带的百姓对魏国感到愧疚。司马昭建立了如此大功，魏国人都赞美他的成功，事业扩张而使敌国的百姓也感怀他的恩德。武功既已布满天下，政治措施又极其周密妥帖，推广这种建功立业的方法，天下又有谁能够抵抗他呢！”

司马昭在攻克寿春的战役中，锺会出谋划策最多，司马昭对他越来越亲近，越来越重视，把他当作自己的心腹，委托他担任重要职务，当时的人都把他比作辅佐汉高祖的张良。

蜀汉卫将军姜维听说诸葛诞已经兵败被杀，就退回成都，重又官复原职。

夏季，五月，魏帝曹髦下诏任命司马昭为相国，封他为晋公，封地包括并州的太原、上党、西河、乐平、新兴、雁门，司州的河东、平阳总计八个郡；又赏赐给司马昭车马、衣服、乐则、朱户、纳陛、虎贲、弓矢、鈇钺、秬鬯九种物品。司马昭前后谦让了九次，曹髦才不再坚持。

秋季，七月，吴主孙亮封已被废为庶人、迁居章安的故齐王孙奋为章安侯。

八月，魏国任命骠骑将军王昶为司空。

魏帝曹髦封关内侯王祥为三老，封郑小同为五更。魏帝亲自率领满朝文武大臣前往太学，向三老王祥和五更郑小同行尊养老人之礼，并向他们询问政事。郑小同，是郑玄的孙子。

吴国丞相孙綝因为皇帝孙亮已经亲自阅读奏章，处理政务，而且经常对自己进行诘责和查问，因此感到十分恐惧，自镬里退兵回朝后，就托词有病而不到朝廷朝见皇帝，他派自己的弟弟威远将军孙据进入仓龙门担任宫廷警卫，派武卫将军孙恩、偏将军孙幹、长水校尉孙闿分别进驻各军营基地，想以此稳固自己的地位。吴主孙亮对此非常反感，于是下诏追查朱公主孙鲁育的死因。全公主孙鲁班非常恐惧，说：“我确实不知道实情，都是朱据的两个儿子朱熊、朱损告发的。”当时朱熊担任虎林驻军的统领，朱损掌管建业城外的兵营，孙亮把这两个人全都杀死了。朱损的妻子是孙峻的妹妹。孙綝虽然极力劝阻，孙亮都不肯听从，孙綝也因此而更加恐惧。

吴主阴与全公主及将军刘丞谋诛綝。全后父尚[460]为太常、卫将军，吴主谓尚子黄门侍郎纪[461]曰："孙綝专势，轻小[462]于孤。孤前敕之使速上岸[463]，为唐咨等作援，而留湖中不上岸一步。又委罪于朱异，擅杀功臣，不先表闻；筑第桥南[464]，不复朝见。此为自在[465]，无所复畏，不可久忍，今规[466]取之。卿父作中军都督[467]，使密严整士马，孤当自出临桥[468]，率宿卫虎骑、左右无难[469]一时[470]围之，作版诏[471]敕綝所领皆解散，不得举手[472]。正尔[473]，自当得之[474]。卿去，但当使密[475]耳。卿宣诏卿父，勿令卿母知之。女人既不晓大事，且綝同堂姊[476]，邂逅漏泄[477]，误孤非小也！"纪承诏以告尚。尚无远虑，以语纪母，母使人密语綝。

九月戊午[478]，綝夜以兵袭尚，执之，遣弟恩杀刘承于苍龙门外。比明[479]，遂围宫。吴主大怒，上马带鞬[480]执弓欲出，曰："孤大皇帝适子[481]，在位已五年，谁敢不从者！"侍中近臣及乳母共牵攀[482]止之，不得出，叹咤[483]不食，骂全后曰："尔父愦愦[484]，败我大事！"又遣呼纪，纪曰："臣父奉诏不谨，负上[485]，无面目复见。"因自杀。綝使光禄勋[486]孟宗告太庙，废吴主为会稽王[487]。召群臣议曰："少帝[488]荒病昏乱，不可以处大位，承宗庙[489]，已告先帝废之。诸君若有不同者，下异议[490]。"皆震怖，曰："唯将军令！"綝遣中书郎[491]李崇夺吴主玺绶，以吴主罪班告[492]远近。尚书桓彝[493]不肯署名，綝怒，杀之。典军[494]施正劝綝迎立琅邪王休[495]，綝从之。己未[496]，綝使宗正楷[497]与中书郎董朝迎琅邪王于会稽[498]。遣将军孙耽送会稽王亮之国[499]，亮时年十六。徙全尚于零陵[500]，寻[501]追杀之。迁全公主于豫章[502]。

吴主孙亮暗中与全公主孙鲁班以及将军刘丞密谋除掉孙綝。全皇后的父亲全尚当时担任太常、卫将军，吴主孙亮对全尚的儿子、担任黄门侍郎的全纪说："孙綝专权弄势，从不把我放在眼里。以前寿春之役的时候我下诏让他赶快上岸迅速统兵进击，去接应唐咨等人，而他却把舰队停留在巢湖之中不肯上岸一步。最后又将罪责推到朱异身上，擅自将有功之臣杀死，事先也不上奏朝廷；他在朱雀桥南修筑自己的府第，也不再到朝廷来朝见。他胆大妄为，想怎么样就怎么样，毫无顾忌，我不能再这样长久地忍受下去了，现在就打算除掉他。你的父亲全尚现在担任宫廷禁卫部队的统帅，你回去告诉他，让他秘密整顿军队，我将亲自率领宫廷兵侍卫以及左、右两支无难禁军前往朱雀桥，共同去包围他的住宅，我还要将诏命写在木板上，亲自发下手令，命令孙綝所统领的部属放下武器全部解散，不得动手反抗。只要这样一做，必然能达到目的。你赶紧去通知你的父亲，但必须严守秘密。你传话给你的父亲，千万不要让你的母亲知道。女人没有见识，而且又是孙綝的堂姐，万一泄露了消息，那可就把我的大事给耽误了！"全纪秉承吴主孙亮的旨意返回家中，悄悄地告诉了父亲全尚。然而全尚做事从来不懂得考虑长远，竟然全部告诉了全纪的母亲，全纪的母亲又秘密地派人告诉了孙綝。

九月二十六日戊午，孙綝趁黑夜率军袭击全尚，把全尚活捉，又派自己的弟弟孙恩到苍龙门外杀死了刘承。等到天亮时，孙綝的军队已经将皇宫团团围住。吴主孙亮怒不可遏，他跨上战马佩戴上箭袋手持着弓就要出战，他说："我是大皇帝孙权的合法继承人，做皇帝已经五年了，谁敢不听从我的命令！"宫廷中的侍从官、吴主的左右亲信以及他的乳母等全都上前连拉带扯地阻止他，因此孙亮无法出宫，他在宫中又是叹息，又是发脾气，连饭也不吃了，大骂全皇后说："你的父亲昏聩无能，坏了我的大事！"又派人去找全纪，全纪说："我父亲执行皇帝的密诏不慎走漏了消息，辜负了圣上对我的信任，我没有脸面再去见皇帝了。"因此自杀而死。孙綝派担任光禄勋的孟宗前往皇家太庙祭告先皇，废吴主孙亮为会稽王。孙綝又召集群臣商议说："年轻的皇帝孙亮因为精神错乱，不能做皇帝，无法担负起祭祀宗庙的重任，我已经禀告过先帝的在天之灵，将孙亮废黜。诸位如果有什么不同意见，就请当面说出来。"众臣感到既震惊又恐惧，都说："一切听从大将军的命令！"于是孙綝一面派担任中书郎的李崇进宫去夺取吴主孙亮身上佩戴着的皇帝玺绶，一面将吴主孙亮的罪行布告天下。只有担任尚书的桓彝不肯署名，孙綝大怒之下，立即将桓彝杀死。担任典军校尉的施正劝说孙綝迎立琅邪王孙休，孙綝同意了他的意见。二十七日己未，孙綝派当时担任宗正的孙楷与中书郎董朝到会稽迎接琅邪王孙休回京师继位。又派遣将军孙耽护送会稽王孙亮到会稽郡他的封国去，孙亮当时年仅十六岁。孙綝把全尚贬逐到零陵，随后又派人追上前去将全尚杀死。将全公主孙鲁班放逐到了豫章郡。

冬，十月戊午[503]，琅邪王行至曲阿[504]，有老公遮王[505]叩头曰：“事久变生[506]，天下喁喁[507]，愿陛下速行。”王善之[18]。是日，进及布塞亭[508]。孙綝以琅邪王未至，欲入居宫中，召百官会议，皆惶怖失色，徒唯唯[509]而已。选曹郎虞汜[510]曰：“明公为国伊、周[511]，处将相之任，擅[512]废立之威，将上安宗庙，下惠百姓，大小踊跃[513]，自以伊、霍复见[514]。今迎王未至而欲入宫，如是，群下摇荡，众听疑惑，非所以永终忠孝[515]，扬名后世也。”綝不怿[516]而止。汜，翻之子也。

綝命弟恩行丞相事[517]，率百僚以乘舆法驾[518]迎琅邪王于永昌亭[519]。筑宫，以武帐[520]为便殿，设御坐。己卯[521]，王至便殿，止东厢[19]，孙恩奉上玺符，王三让，乃受。群臣以次奉引[522]，王就乘舆，百官陪位[523]。綝以兵千人迎于半野[524]，拜于道侧，王下车答拜。即日，御正殿[525]，大赦，改元永安。孙綝称“草莽臣[526]诣阙上书，上印绶、节钺[527]，求避贤路[528]。”吴主引见慰谕[529]，下诏以綝为丞相、荆州牧，增邑五县[530]；以恩为御史大夫、卫将军、中军督，封县侯[531]。孙据、幹、闿皆拜将军，封侯[532]。又以长水校尉张布为辅义将军，封永康侯。

先是，丹阳太守李衡数以事侵琅邪王[533]，其妻习氏谏之，衡不听。琅邪王上书乞徙他郡，诏徙会稽。及琅邪王即位，李衡忧惧，谓妻曰：“不用卿言，以至于此。吾欲奔魏，何如？”妻曰：“不可。君本庶民耳，先帝[534]相拔过重[535]，既数作无礼，而复逆自猜嫌[536]，逃叛求活，以此北归，何面目见中国人[537]乎！”衡曰：“计何所出？”妻曰[20]：“琅邪

冬季，十月戊午日，琅邪王孙休一行抵达曲阿，有一位老翁拦住琅邪王孙休的马头，一边磕头一边说："您在路上如果时间耽搁得太久恐怕情况就要发生变化，全国的人都在翘首仰望着您呢，希望陛下能赶快启程。"琅邪王觉得很有道理。当天，孙休等人赶到了布塞亭。孙綝因为琅邪王孙休还没有到达京师，就想自己入住皇宫，他召集文武百官开会宣布他的决定，与会的所有官员无不惊慌失措，脸色大变，却没有人敢提反对意见，只是连声附和而已。担任选曹郎的虞汜站出来说："明公作为国家的伊尹、周公一样的总掌朝权者，又处于将相那样的高位，手中握有专擅废立的权威，就应该对上使国家获得安定、皇家宗庙长久享受祭祀，对下使全国的百姓都能享受到您的恩惠，全国上下必定一片欢腾跳跃，认为伊尹、霍光一样的人物今天又重新出现了。现在迎立琅邪王的车驾还没有到京，而您自己却想入居皇宫，如果真要如此的话，恐怕会引起天下动荡不安，产生各种各样的猜测，这将使您的忠孝不能贯彻始终，您的美名也将无法传扬于后世。"孙綝虽然很不高兴，最终还是打消了入住皇宫的念头。虞汜，是虞翻的儿子。

孙綝让自己的弟弟孙恩代理丞相职权，率领文武百官，用帝王所用的最隆重的车驾到永昌亭去迎接琅邪王孙休。修建了宫室，用武帐作为临时宫殿，设置御座。十月十八日己卯，琅邪王到了临时宫殿，停留在东厢，孙恩向琅邪王孙休献上皇帝的玺绶、符节，琅邪王孙休反复推让了三次才接受下来。群臣按照官位品级在前面拉着车驾，琅邪王孙休登上乘舆，文武百官按照各自的位置站好。孙綝率领一千名禁卫军在半途迎接，当他看见琅邪王的车驾后，立即在路旁下跪拜见，琅邪王孙休也赶紧下车还礼。当天，琅邪王孙休登上东吴皇帝宝座，大赦天下，改年号为"永安"。孙綝上奏章给新皇帝孙休，他在奏章中说"草莽臣孙綝来到皇宫门口，呈递奏章给陛下，一并缴还朝廷所发给的相国、大将军的印绶与旌节斧钺，请求准许辞去国相、大将军职务，为贤才让位。"吴主孙休亲自接见孙綝，对他大加抚慰、劝勉，同时下诏任命孙綝为丞相、荆州牧，又在原有封地的基础上为他再增加五个县的封地；任命孙恩为御史大夫、卫将军、中军督，封为县侯。孙据、孙幹、孙闿都被任命为将军，封为侯爵。又任命长水校尉张布为辅义将军，封为永康侯。

先前，丹阳太守李衡曾经多次因事伤害过琅邪王孙休，他妻子习氏劝阻他，他也不听。琅邪王因此上书乞求迁移到其他郡，当时的吴主孙亮下诏将他迁移到会稽郡。等到琅邪王孙休做了皇帝，李衡因此感到非常的忧虑和恐惧，对他的妻子说："当初我没有听从你的劝告，以至于落到今天这个地步。我想逃往魏国避难，你认为怎么样?"他的妻子说："不可以。你原本就是一个普通百姓，是先帝孙权把你提拔到如此高的职位，你已经多次对琅邪王孙休做出了无礼的事情，而现在又预先怀疑他会对你进行报复，因而想背叛自己的国家逃奔到魏国去，目的只为求得活命，以你这样的身份、背景，就是逃到魏国，又有什么脸面去面对那里的人呢！"李衡说："那

王素好善慕名[538]，方欲自显于天下，终不以私嫌杀君明矣。可自囚诣狱，表列前失[539]，显求受罪[540]。如此，乃当逆见优饶[541]，非但直活[542]而已。”衡从之。吴主诏曰：“丹阳太守李衡，以往事之嫌，自拘司败[543]。夫射钩斩袪[544]，在君为君[545]，其遣衡还郡，勿令自疑。”又加威远将军，授以棨戟[546]。

己丑[547]，吴主封故南阳王和子皓[548]为乌程侯。

群臣奏立皇后、太子，吴主曰：“朕以寡德，奉承洪业[549]，涖事日浅[550]，恩泽未敷[551]，后妃之号，嗣子之位，非所急也。”有司固请，吴主不许。

孙綝奉牛酒诣吴主[552]，吴主不受，赍诣左将军张布。酒酣，出怨言曰：“初废少主时，多劝吾自为之[553]者。吾以陛下贤明，故迎之。帝非我不立，今上礼见拒[554]，是与凡臣无异[555]，当复改图[556]耳。”布以告吴主，吴主衔之[557]。恐其有变，数加赏赐。戊戌[558]，吴主诏曰：“大将军掌中外诸军事，事统烦多，其加卫将军、御史大夫恩侍中，与大将军分省[559]诸事。”或有告綝怀怨侮上，欲图反者，吴主执以付綝，綝杀之，由是益惧，因孟宗[560]求出屯武昌，吴主许之。綝尽敕所督中营精兵[561]万余人，皆令装载[562]；又取武库兵器，吴主咸令给与。綝求中书两郎[563]典知[564]荆州诸军事，主者[565]奏中书不应外出，吴主特听之[566]。其所请求，一无违者。

将军魏邈说吴主曰：“綝居外，必有变。”武卫士施朔又告綝谋反。吴主将讨綝，密问辅义将军张布，布曰：“左将军丁奉虽不能吏书[567]，

有什么计策?”他的妻子说:“琅邪王一向喜欢做善事，追慕好名声，目前正是他想向天下人显示自己的时候，肯定不会因为个人私怨而把你杀掉，这是很明显的了。你可以主动到监狱去把自己囚禁起来，然后上表陈述自己以前的过失，公开请求皇帝对你进行惩罚。如此的话，我现在就敢肯定，你一定会受到优待得到宽恕，而不只是讨得活命而已。”李衡这次听从了妻子的话。吴主孙休下诏说:“丹阳太守李衡，因为以往与寡人有嫌隙，就自己主动入狱受审。战国时期，管仲曾经为了公子纠而射杀齐桓公，箭射中了齐桓公的带钩;寺人披也曾经为晋献公追杀重耳，并斩断了重耳的衣袖，他们都是在哪个君主的指使下就为哪个君主办事，让李衡仍旧回到他的太守岗位，不要再有任何疑虑。”又加封李衡为威远将军，并授予他象征着权威的棨戟仪仗。

十月二十八日己丑，吴主孙休封已故南阳王孙和的儿子孙皓为乌程侯。

群臣上奏章请求册封皇后、太子，吴主孙休说:“我认为自己的品德修养还很不够，却有幸继承了祖宗大业，临朝执政的时间又很短，还没有普遍地给全国的百姓施过什么恩德，皇后、妃子的封号以及确立太子人选，都不是当务之急。”有关部门的官员虽然再三请求，吴主孙休都没有答应。

孙綝亲自带着牛肉、美酒想与吴主孙休共饮，孙休不肯接受，于是孙綝就带着这些酒、肉来到左将军张布的家里。他与张布喝到酒兴正浓的时候，忍不住口出怨言说:“当初废黜少帝孙亮的时候，有许多人劝我自己做皇帝。我认为当今皇帝贤能聪明，所以将他迎接回来立为皇帝。当今皇帝如果没有我就当不了皇帝，现在我送给他礼物反而遭到拒绝，这说明他待我与待其他臣子没有什么两样，我得考虑再改立别人做皇帝了。”张布将孙綝的话告诉了吴主孙休，孙休因此对孙綝怀恨在心。又恐怕孙綝再次发动政变，于是就多次地赏赐他。十一月初七日戊戌，吴主孙休下诏说:“大将军孙綝统管全国军政大事，事务繁多，加封卫将军、御史大夫孙恩为侍中，与大将军孙綝分头管理各种军政大事。”有人揭发孙綝心怀怨望、侮辱皇上，企图谋反，孙休就将此人绑缚起来送交孙綝处置，孙綝虽然处死了那个人，而心里却越加恐惧，于是就通过孟宗向孙休提出想离开京师到武昌驻守，孙休答应了孙綝的请求。孙綝命令由他统领的中央禁卫部队的精锐一万多人全部登上舰船;又提取国家武库中的兵器，孙休下令全部给他。孙綝又请求派中书省的两位郎官跟随他去荆州负责掌管诸军事，主管中书省的官员上奏章给吴主孙休，认为中书省的官员不能兼任地方官职，孙休就特别允许了孙綝的请求。凡是孙綝所请求的，孙休没有一样驳回，全部答应。

将军魏邈提醒吴主孙休说:“孙綝到外地驻守，必定发动叛乱。”武卫士施朔又告发孙綝要谋反。吴主孙休准备讨伐孙綝，就秘密地向辅义将军张布询问对策，张布说:“左将军丁奉虽然不能撰写官府日常往来的文书案牍，但其计策谋略却超过常

而计略过人，能断大事。”吴主召奉告之，且问以计划。奉曰：“丞相兄弟支党甚盛，恐人心不同，不可卒制[568]，可因腊会[569]有陛兵[570]以诛之。”吴主从之。

十二月丁卯[571]，建业中谣言明会[572]有变。綝闻之，不悦。夜，大风发屋[573]扬沙，綝益惧。戊辰[574]，腊会，綝称疾不至。吴主强起之[575]，使者十余辈[576]。綝不得已，将入，众止焉。綝曰：“国家[577]屡有命，不可辞。可豫整兵[578]，令府内起火，因是可得速还。”遂入，寻[579]而火起，綝求出，吴主曰：“外兵自多，不足烦丞相也。”綝起离席，奉、布目左右[580]缚之。綝叩头曰：“愿徙交州[581]。”吴主曰：“卿何以[21]不徙滕胤、吕据于交州乎！”綝复曰：“愿没为官奴[582]。”吴主曰：“卿何不以胤、据为奴乎！”遂斩之。以綝首令其众曰：“诸与綝同谋者，皆赦之。”放仗[583]者五千人。孙闿乘船欲降北，追杀之。夷綝三族，发孙峻棺，取其印绶[584]，斫其木[585]而埋之。

己巳[586]，吴主以张布为中军督。改葬诸葛恪、滕胤、吕据等，其罹恪等事[587]远徙[22]者，一切[588]召还。朝臣有乞为诸葛恪立碑者，吴主诏曰：“盛夏出军，士卒伤损，无尺寸之功，不可谓能；受托孤之任[589]，死于竖子[590]之手，不可谓智。”遂寝[591]。

初，汉昭烈[592]留魏延镇汉中[593]，皆实兵诸围[594]以御外敌，敌若来攻，使不得入。及兴势[595]之役，王平捍拒曹爽[596]，皆承此制。及姜维用事，建议以为：“错守诸围[597]，适可御敌，不获大利。不若使闻[23]敌至，诸围皆敛兵聚谷，退就汉、乐二城[598]，听敌入平[599]，重关头镇守[600]以捍之，令游军旁出以伺其虚。敌攻关不克，野无散谷[601]，千里运粮，自然疲乏；引退之日，然后诸城并出，与游军并力搏之，此殄

人，是个能决断大事的人。”孙休于是召见丁奉，将自己的想法告诉他，并向他询问计策。丁奉说：“丞相孙綝与他的兄弟们党羽甚多，恐怕人心不同，这件事不可能仓促之间就能办好，可以等到腊月朝廷祭祀时集会的机会，利用宫殿台阶两旁侍立的卫兵除掉他。”孙休决定采纳丁奉的意见。

十二月初七日丁卯，京师建业中有谣言说，明天的腊祭大会将有变乱发生。孙綝听到谣言后，心里很不高兴。当天夜里，又刮起了大风，飞沙走石掀掉了屋顶，孙綝更加恐惧。初八日戊辰，是举行腊祭的日子，孙綝称病没有进宫。吴主孙休叫他一定起身前来，先后派去敦请的使者有十多批。孙綝迫不得已，只得动身入宫，在他将要动身的时候，身边的亲信劝阻他不要去。孙綝说：“皇帝已经多次命令我前去参加腊祭，不可能再推辞。可以预先把军队布置好，让他们在府里放一把火，我就可以找个借口快速返回。”交代完毕后便入宫去了，不久府中果然起火，孙綝请求出宫，吴主孙休说：“外面的军队自然很多，就不必烦劳丞相了。”孙綝站起身准备离开座席，丁奉、张布使个眼色让左右的人将孙綝绑缚起来。孙綝一边磕头一边哀求说：“希望陛下把我发配到交州。”吴主孙休驳斥他说：“你当初怎么不把滕胤、吕据发配到交州去呢！”孙綝又哀求说：“希望将我收编入官府做官奴。”孙休又反驳说：“你当初怎么不叫滕胤、吕据做官奴呢！”于是将孙綝斩首。而后将孙綝的首级拿出去命令他的手下人说：“所有参与孙綝同谋的人，全部赦免。”立时放下兵器的就有五千人。孙綝的弟弟孙闿乘上船准备向北去投降魏国，被追兵赶上杀死。诛灭孙綝三族，又挖开孙綝哥哥孙峻的坟墓，打开棺材，取出孙峻生前所佩戴的印章与绶带，削薄了他的棺木后才将他埋葬。

十二月初九日己巳，吴主孙休任命张布为中军督。改葬了诸葛恪、滕胤、吕据等人，那些受诸葛恪一案牵连而被流放到远方的人，一律召回。朝中大臣有人请求为诸葛恪竖立纪念碑，吴主孙休下诏说：“在酷暑炎炎的盛夏出兵，造成士卒伤亡，使国家蒙受重大损失，没有建立一点功劳，称不上有才能；接受了先帝的托孤重任，最终却死在小人之手，算不上有智谋。”竖立纪念碑的提议于是被中止。

当初，蜀汉昭烈皇帝刘备留魏延镇守汉中时，都是在外围防线加强兵力防守，如果敌人来进攻，保证使敌人不得进入。就连兴势战役，蜀汉名将王平抵御魏将曹爽，也是沿用了这种做法。等到姜维执掌蜀国军政大权后，建议说：“在各防线屯兵驻守，只适合消极防御，不能获得较大胜利。不如让他们听到敌人到来，将各外围营地的守军主力全部聚集起来，储存足够的粮秣，退守汉城和乐城，听任敌人进入平原地区，我们一面加强敌兵所攻城关的防守力量以抵御敌人的进攻，一面派出游击部队从侧面伺机寻找敌人的虚弱部位出击。敌人攻打城关不能取胜，旷野之中连零散的粮食也找不到，只能靠从国内长途运输补给，如此的话敌军必然疲惫不堪，因而无法持久作战；等到敌人撤退之时，屯驻在各城中的守军同时出击，再加上游

敌[602]之术也。”于是汉主令督汉中胡济[603]却住汉寿[604]，监军王含守乐城，护军蒋斌守汉城。

四年（己卯，公元二五九年）

春，正月，黄龙二见宁陵[605]井中。先是，顿丘[606]、冠军[607]、阳夏[608]井中屡有龙见，群臣以为吉祥。帝曰：“龙者，君德[609]也。上不在天，下不在田，而数屈于井，非嘉兆也。”作潜龙诗以自讽[610]。司马昭见而恶之。

夏，六月，京陵穆侯王昶[611]卒。

汉主封其子谌[612]为北地王[613]，询为新兴王[614]，虔为上党王[615]。尚书令陈祗[616]以巧佞[617]有宠于汉主，姜维虽位在祗上，而多率众在外，希亲朝政，权任[618]不及祗。秋，八月丙子[619]，祗卒。汉主以仆射[620]义阳董厥[621]为尚书令，尚书诸葛瞻[622]为仆射。

冬，十一月，车骑将军孙壹为婢所杀[623]。

是岁，以王基为征南将军，都督荆州诸军事。

【段旨】

以上为第二段，写魏帝曹髦甘露三年（公元二五八年）、四年两年间的大事。主要写了魏司马昭破杀诸葛诞，平定寿春叛乱，又欲进兵灭吴，因魏将王基谏阻而止。写了司马昭受封为晋公，虽拒绝了“加九锡”，事实上进一步向篡位靠近。写了吴主孙亮与近臣谋诛孙綝，因事泄而孙亮被孙綝所废，诸臣被杀。写了孙綝改立孙休为吴主，孙休依靠张布、丁奉之力杀孙綝，灭其党。写了魏帝曹髦写《潜龙诗》流露不甘受屈之意，为其次年讨司马昭被杀做铺垫。

【注释】

㉜谓我不能出而走：指投降魏军的蒋班、焦彝会认为我们只想守城，不能突围而去。㉝逆降：迎魏军而降。逆，迎。㉞南围：南面的包围圈。㉟决围：突破重围。㊱石车火箭：石车即炮车，一种可以打出石块的车。火箭，箭上带火，可以燃烧的箭。㊲蔽地：遍地；满地。㊳盈堑：防御壕沟里流满了血。㊴尽出北方人：把由魏国归降来的北方籍的士兵通通逐出城外。㊵争恨：相互怨恨。㊶徒以计合：只在反对司马昭这一

击队配合作战，与敌军展开一场决战，这是歼灭敌人最有效的战术。”于是蜀汉后主刘禅下诏命令统领汉中军事的胡济退往汉寿镇守，命令监军王含退守乐城，担任护军的蒋斌退守汉城。

四年（己卯，公元二五九年）

春季，正月，有两条黄龙出现在魏国宁陵县的水井中。早先，在顿丘县、冠军县、阳夏县等地的水井中已经屡次有黄龙出现，魏国群臣都认为这是吉祥的兆头。魏帝曹髦说：“龙，表现着一种君主的性质。现在它上不在天，下不在田，却屡次委屈地出现在水井之中，这不是什么好预兆。”于是便写了一篇《潜龙诗》来嘲讽自己身为皇帝的处境。司马昭看见了这首诗，非常反感。

夏季，六月，魏国京陵穆侯王昶去世。

蜀汉后主刘禅封自己的儿子刘谌为北地王，封刘恂为新兴王，封刘虔为上党王。担任尚书令的陈祗因为花言巧语、善于谄媚而深受蜀汉后主刘禅的宠爱，姜维虽然职位在陈祗之上，然而大多数时间都是率军驻守在外，很少亲自处理朝政，因此实际权力和受信任的程度都比不上陈祗。秋季，八月二十日丙子，陈祗去世。蜀汉后主刘禅任命担任仆射的义阳人董厥为尚书令，任命尚书诸葛瞻为仆射。

冬季，十一月，魏国车骑将军孙壹被自己的婢女杀死。

这一年，魏国任命王基为征南将军，统领荆州诸军事。

条上意见一致。㉜鸯、虎：文钦的儿子文鸯、文虎。㉝小城：当时寿春城内还有一小城。㉞不为用：不听使唤；不听他的命令。㉟罪不容诛：死有余辜。㊱以穷归命：在走投无路的情况下前来投降。㊲坚其心：坚定守城者的决心。㊳巡城呼：绕着寿春城呼叫。㊴见杀：被杀。㊵关内侯：没有封地，只在京城附近享有一块采邑的侯爵。㊶临围：到达围城工事的前沿。㊷不发：不向司马昭射箭。㊸二月乙酉：二月二十日。㊹司马胡奋：司马昭部下的司马官姓胡名奋。司马是军中的司法官，胡奋是魏国车骑将军胡遵之子。㊺部兵：部下的士兵。㊻拱手为列不降：都拱手站立，排成一队，而声明不向司马昭投降。㊼辄降之：就问下一个人投降不投降。㊽受命其主：奉国君的命令。㊾束手于敌：自缚己手，向敌投降。㊿免胄冒陈：摘下头盔向敌人冲锋。胄，头盔。冒，冲锋。(361)唐咨：本是魏国人，从海道投奔东吴，至此已三十四年，事见本书卷七十黄初六年（公元二二五年）。(362)器仗：泛指各种武器。(363)众多：守城的人马数量多。(364)力屈：使兵力受损。屈，损耗。(365)外寇：外面来的救援寿春之兵。(366)三叛：三个叛将，指诸葛诞、文钦、唐咨。(367)全策：万全之策。(368)縻之：将其一网打尽。縻，束缚，收拾。(369)但：只。(370)绝其转输：斩断其运粮道路。转输，运送粮草。(371)吴贼：指外

面来的接应寿春之敌。㊲ 成禽：已经成了被擒之人。㊳ 按甲：按兵不动，只坚持包围，而不发动攻击。㊴ 卒：最终；结果。㊵ 不烦攻：用不着发动进攻。㊶ 仍为叛逆：屡屡举兵造反。仍，其义同“频”，屡屡。㊷ 室家：家属。㊸ 不可纵：不能放他们回去。㊹ 全国：保全他们的国家。㊺ 元恶：首恶，即诛其暴君，吊其百姓。㊻ 就得亡还：即使有一部分逃回吴国。㊼ 适：正好。㊽ 中国：中原地区的国家，自指魏国。㊾ 三河近郡：指河南郡（郡治洛阳）、河东郡（郡治安邑，今山西夏县西南）、河内郡（郡治怀县，今河南武陟西南），三郡的地盘都在魏国都城洛阳的周围。㊿ 安处之：让他们都安安定定地住下来。(386) 裨将：副将。(387) 咸假位号：都授予他们相应的职位和封号。(388) 胁略：被挟持、被强制一道叛变魏国。(389) 听：听任；准许。(390) 旧墓：祖坟。文钦家的祖坟在原籍谯郡（安徽亳州）。(391) 遗：给；致。(392) 求移：要求把大军移屯到北面的八公山上。(393) 临履：亲临勘察。(394) 宜然：应当如此。(395) 独秉固志：独自一人坚持固有的意见。秉，持。(396) 虽古人所述：即使古人所称道的坚持真理的佳话。(397) 不是过：即“不过是”，不能超过你。(398) 因衅：犹言“趁机”。(399) 东关之胜：指魏帝曹芳嘉平四年（公元二五二年），魏将胡遵、诸葛诞攻吴东兴（在今安徽巢湖市南），被吴将诸葛恪、丁奉等大破于东关（在今安徽巢湖市东南）事，见本书《魏纪七》。(400) 竭江表之兵：出动整个吴国的军队。竭，尽，全部出动。江表，江东，这里即指吴国。(401) 新城：指当时的合肥新城，在今合肥西北，当时属魏。(402) 城既不拔：当时魏将张特坚守新城，吴兵久攻不能下。(403) 众死者大半：时吴兵疲劳，饮水泄下，死伤涂地事，见本书《魏纪八》嘉平五年。(404) 洮西之利：魏帝曹髦正元二年（公元二五五年），蜀将姜维出兵攻魏狄道（今甘肃临洮），魏将王经迎战，被姜维大败于洮水之西事，见本书《魏纪八》。(405) 军覆上邽：姜维破王经于洮西后，进兵围魏狄道，被魏将陈泰大破于上邽事，见本书《魏纪八》。(406) 内患未弭：指孙綝君臣相猜。未弭，未平息。(407) 修备设虑：加强防备，周密计划。(408) 俘馘：俘虏敌兵与割来所杀敌军的耳朵，古代用以计功。(409) 罪人斯得：指诸葛诞等被杀、投降。(410) 武皇帝：指曹操，被谥为魏武帝。(411) 克袁绍于官渡：曹操破袁绍于官渡事见本书卷六十三建安五年（公元二〇〇年）。官渡，在今河南中牟东，临近官渡水。(412) 追奔：追击败逃之敌。(413) 惧挫威：怕受到挫折，有损军威。(414) 习凿齿曰：以下评论文字，引自习凿齿的《汉晋春秋》。(415) 以德攻：用仁德战胜敌人。习凿齿此处乃学习《左传》僖公二十八年称晋文公之语。(416) 建业：创立基业，即打天下。(417) 异道：各自采取的手段不同。(418) 各有所尚：各有所长；各有所偏重、爱好。(419) 不能兼并：不可能兼有诸家之长。(420) 穷武之雄：穷兵黩武的雄杰，如楚灵王、齐愍王、秦始皇。(421) 毙于不仁：以不行仁义被人推翻。(422) 存义：一心想实行仁义。(423) 丧于懦退：结果失败在软弱怯懦上，如宋襄公。(424) 淮浦：淮河两岸。(425) 种惠：播种恩惠，广施惠政。(426) 异类：即指异国。(427) 宠鸯葬钦：封赏文鸯、埋葬文钦。(428) 忘畴昔之隙：意即不计旧仇、抛弃前嫌。畴昔，往日。隙，仇恨。(429) 不咎诞众：赦免被诸葛诞诖误的部众士民。(430) 使扬土怀愧：让扬州（寿春）一带的百姓对魏国感到愧疚。(431) 人

乐其成：本国人赞美这样的成功。㊿432敌怀其德：让敌国的百姓也感怀这样的恩德。433武昭既敷：武功既已满布天下。敷，布。434文算又洽：政治措施又极周密妥帖。435孰能当：谁能抵抗。436子房：即张良，刘邦的谋士。事迹见《史记·留侯世家》。437复拜大将军：重又官复原职。438相国：职务同于丞相，但地位之高与权力之专与丞相有别，是执掌国家行政的首辅大臣。439晋公：爵位为“公”，封地在晋。440食邑八郡：即并州之太原、上党、西河、乐平、新兴、雁门，司州之河东、平阳。441九锡：帝王给大臣的九种特殊待遇，即特殊的车马、衣服、乐则、朱户、纳陛、虎贲、弓矢、铁钺、秬鬯。得此待遇者其地位已与帝王相差无几。442昭前后九让：司马昭的表演与当年曹丕的表演完全相同。443乃止：指曹髦不再坚持。444封故齐王奋为章安侯：孙奋是孙权之子，先被封为齐王，因杀害齐国傅相，被废为庶人，迁居章安，见本书卷七十六。今又封之为侯。445三老：古代帝王选两个“德高望重”的退了休的老官僚，称一个为“三老”，另一个为“五更”，对他们行见父兄之礼。而后问以政事，以此来表示国家尊重老人。446诣：到；前往。447养老乞言：尊养老人，请求给予教导。448玄之孙：郑小同是郑玄的孙子。郑玄是东汉后期的著名经学家，著有《毛诗郑笺》等多种。449返自镬里：自镬里退兵回朝后。450威远将军据：孙据。451仓龙门：吴国的皇宫之门。452武卫将军恩：孙恩。453偏将军幹：孙幹。454长水校尉闿：孙闿。以上四人皆孙綝之弟。455推朱公主死意：追查朱公主是怎么死的。推，追查。朱公主是孙权之女，因嫁朱据为妻，故称朱公主。朱公主被孙峻等所杀，见本书卷七十六正元二年。456全公主：孙权之女，名鲁班，因嫁全琮，故称全公主。朱公主之死乃全公主向孙峻进谗所致。457所白：所进言；所告发。458虎林督：虎林驻军的统领。459外部督：掌管建业城外的兵营。460全后父尚：全皇后的父亲全尚。461黄门侍郎纪：全纪。黄门侍郎是帝王的侍从官员。462轻小：轻视；小看。463敕之使速上岸：指寿春之役时，孙亮曾下令让孙綝迅速统兵进击，以救寿春。464筑第桥南：在朱雀桥南建筑府第。465自在：意即胆大妄为，想怎么着就怎么着。466规：打算；计划。467中军都督：宫廷禁卫部队的统帅。当时全尚为卫将军，掌管宫廷卫戍部队。468临桥：到达朱雀桥。469左右无难：即左、右两支无难禁军。无难，意即“无敌”，是当时禁兵编制的名称。470一时：同时；共同。471作版诏：亲自下手令，写在木板上。472举手：指动手反抗。473正尔：只要这样一做。474自当得之：必然能达到目的。475但当使密：但必须严守秘密。476綝同堂姊：全尚之妻是孙綝的堂姐。477邂逅漏泄：万一走漏消息。邂逅，这里是“万一”“偶然”的意思。478九月戊午：九月二十六日。479比明：等到天亮。480带鞬：挎上箭袋。481大皇帝适子：大帝孙权的正根。适，同“嫡”。482牵攀：拉扯。483叹咤：叹气，发怒。484愦愦：昏庸无能的样子。485负上：辜负了圣上。486光禄勋：官名，原称郎中令，是掌管宫廷门户、统领帝王侍从的官员。487废吴主为会稽王：时孙亮年十六岁。488少帝：以称吴主孙亮。489承宗庙：主持宗庙的祭祀，即为皇帝。490下异议：请说出不同意见。491中书郎：帝王身边的文秘官员，为帝王起草诏

令。㊾班告：即布告。班，此处意思同“颁”。下发。㊿尚书桓彝：桓彝是魏尚书令桓阶之弟。事见《三国志》卷六十四。尚书是为帝王保管文件、档案的机要官员。494典军：即典军校尉，卫将军的属官，统领禁军守卫宫廷。495琅邪王休：孙休，字子烈，孙权的第六子。传见《三国志》卷四十八。496己未：九月二十七日。497宗正楷：孙楷，时任宗正之职。宗正是主管皇族事务的官员。498迎琅邪王于会稽：孙休原为琅邪王，后被徙于丹阳，不久又徙会稽（今浙江绍兴）。499送会稽王亮之国：意即将吴主孙亮贬为会稽王，强制他到会稽郡的封地去。500零陵：即今湖南永州市零陵区。501寻：不久。502豫章：吴郡名，郡治即今江西南昌。503十月戊午：此年十月无“戊午”日，疑有讹误。504曲阿：吴县名，县治即今江苏丹阳。505遮王：拦住孙休的马头。506事久变生：意即劝他加快前进速度。507喁喁：众人仰望的样子。508布塞亭：今地不详。509唯唯：连声答应的样子。510选曹郎虞汜：虞汜字世洪，虞翻之子。传见《三国志》卷五十七。选曹郎是尚书令的属官，相当于后来的吏部尚书。511为国伊、周：作为国家的伊尹、周公一样的总掌朝权者。伊尹是商朝的大臣，周公是西周初期的大臣，都曾握有至高无上的大权。512擅：专有。513大小踊跃：全国上下一片欢腾跳跃。514伊、霍复见：伊尹、霍光一样的人物又出现了。霍光是西汉人，昭、宣时代的权臣，曾废掉昌邑王，另立了汉宣帝。事见本书《汉纪十六》。515永终忠孝：将忠孝之行贯彻始终。516不怿：不高兴但又无可奈何的样子。517行丞相事：代理丞相职权。行，代理。518乘舆法驾：帝王所用的最隆重的车驾。519永昌亭：应在建康城东南。520武帐：设有五兵之帐。521己卯：十月十八日。522以次奉引：按照官位品级在前拉着车驾。引，'此处同“靷”，拉车的绳索。523陪位：各自站在自己应站的位置。524半野：半道。525御正殿：登上皇帝宝座。这年孙休二十五岁。526草莽臣：孙綝自称。527上印绶、节钺：交还朝廷所发给的相国、大将军的印绶与旌节斧钺。528求避贤路：即请求辞职，为贤才让位。529慰谕：安慰、劝勉。530增邑五县：孙綝原封永宁侯，此时又在原封地的基础上增加五个县。531县侯：一等侯爵。532孙据、幹、闿皆拜将军二句：孙据拜为右将军，封县侯。孙幹拜杂号将军，封亭侯。孙闿也封亭侯。533侵琅邪王：伤害当时为琅邪王的孙休。当时孙休曾一度住在丹阳。丹阳是吴郡名，郡治即今南京。侵，伤害。534先帝：指孙权。535相拔过重：提拔到很高的职位。536逆自猜嫌：预先怀疑孙休要报复。逆，预先。537中国人：中原地区的人，指魏国人。538慕名：追慕好名声。539表列前失：上表陈述以前的过失。540显求受罪：公开请求给予惩罚。541逆见优饶：会及早地受到优待宽恕。542非但直活：不只是讨得活命。直，只、仅仅。543自拘司败：自己主动入狱受审。司败是古代的司法长官，这里即指监狱、法官。544射钩斩祛：射钩指管仲为公子纠射齐桓公，箭中带钩事。斩祛指寺人披为晋献公追杀重耳斩断重耳衣袖事。齐桓公、晋文公即位后并未报复他们，相反更给予重用，前者见《史记·齐世家》，后者见《左传》僖公五年。545在君为君：在哪个君主的指使下，就为哪个君主办事，犹言“各为其主”。546棨戟：木制的戟，是朝廷授予地方官的

一种象征权威的仪仗。㊼己丑：十月二十八日。548和子晧：孙和之子孙晧。孙和是孙权之子，一度被立为太子，因全公主进谗被废，后被孙峻所杀。其子孙晧被何姬抚养成人。事见本书卷七十六。549奉承洪业：犹言继承祖宗大业。550涖事日浅：言临朝执政的时间还不长。涖，通“莅”。551恩泽未敷：意即自己还没有给吴国百姓施过何种恩泽。未敷，未布，尚未普遍。552诣吴主：请与吴主共饮。553自为之：自己即位为吴王。554上礼见拒：指送牛酒，孙休拒绝事。555与凡臣无异：待我与待其他群臣没有差别。556改图：改变主意，即再改立别人。557衔之：内心记恨。558戊戌：十一月初七日。559分省：分头管理。省，视，过问。560因孟宗：通过孟宗向吴主提出。孟宗，字恭武，曾先后为光禄勋、右御史大夫、司空等职。561中营精兵：中央禁卫部队的精锐。562装载：装上舰船。563中书两郎：中书省的两位郎官。564典知：主管；负责。565主者：主管中书省的官员，即中书令。566特听之：特别允许了孙𬘭的请求。567不能吏书：不能撰写官府日常往来的文书案牍，犹今所谓“大老粗”。568不可卒制：不可能仓促之间就能办好。569腊会：腊月朝廷祭祀的集会。570有陛兵：利用宫殿台阶两侧侍立的卫兵。571十二月丁卯：十二月初七日。572明会：明天的腊祭大会。573发屋：掀翻屋顶。574戊辰：十二月初八日。575强起之：一定叫他起身前来。576十余辈：十来起；十来批。577国家：此指君主、皇帝。578豫整兵：事先把军队布置好。579寻：随即；不久。580目左右：向左右使眼色。581愿徙交州：请求免死，发配交州。交州是吴国州名，州治龙编，在今越南河内东北。582没为官奴：收编入官府当奴隶。583放仗：放下武器。584取其印绶：从棺木中取出其生前所佩的印章与绶带。585斫其木：削薄了他的棺木。古代棺木的厚薄是根据死者的官位等级来定的，把棺木削薄，表示贬黜。586己巳：十二月初九日。587罹恪等事：受诸葛恪等人牵连。罹，遭难，指受牵连。588一切：一律。589受托孤之任：指接受孙权托付，辅佐幼主孙亮。590竖子：指孙峻。591寝：放下；中止。592汉昭烈：指刘备。昭烈是其死后的谥号。593留魏延镇汉中：事见本书卷六十八建安二十四年。594实兵诸围：在外围防线加强兵力。595兴势：蜀地名，在今陕西洋县东北。596王平捍拒曹爽：王平是蜀将名，曹爽是魏将名，王平抵抗曹爽进犯事见本书卷七十四正始五年。597错守诸围：在各防线屯兵驻守。错，置，设。598汉、乐二城：汉城在陕西勉县东，乐城在今陕西城固东。599听敌入平：让敌兵进入平原地带。600重关头镇守：加强敌兵所攻之城关的防守力量。601散谷：散落的粮食。602殄敌：歼灭敌人。603胡济：字伟度，先任诸葛亮主簿，此时任汉中一带驻军的统领。604却住汉寿：退守汉寿。汉寿是蜀县名，在今四川广元西南。605宁陵：魏县名，县治即今河南宁陵。606顿丘：魏县名，县治在今河南清丰西南。607冠军：魏县名，县治在今河南邓州西北。608阳夏：魏县名，县治即今河南太康。609君德：表现着一种君主的性质。610自讽：自比受制于司马氏之意。611京陵穆侯王昶：王昶被封为京陵侯，穆字是其死后的谥。612其子谌：刘谌，后主刘禅之子。613北地王：封地北地郡。614新兴王：封地新兴郡。615上党王：封地上党郡。〖按〗以上所说北地（郡治即今

陕西铜川市耀州区)、新兴(郡治即今山西忻州)、上党(郡治壶关,在今山西潞城西)皆魏郡名,用敌方地盘以封某人,表示"待取"之意。⑯陈祗:后主的宠臣,继董允为侍中。事见《三国志》卷三十九。⑰巧佞:花言巧语,善于谄媚。⑱权任:权力和被信任的程度。⑲八月丙子:八月二十日。⑳仆射:此指尚书仆射,尚书令的属官,帝王的机要官员。㉑董厥:字龚袭,诸葛亮时曾为府令史,后任尚书仆射等职。传见《三国志》卷三十五。㉒诸葛瞻:诸葛亮之子。事迹见《三国志·诸葛亮传》。㉓孙壹为婢所杀:据《三国志集解》,甘露二年(公元二五七年)孙壹率部降魏,魏任孙壹为车骑将军,把前任皇帝曹芳的贵人邢氏赏赐孙壹为妻。邢氏美艳夺人,但十分善妒,婢女们不堪忍受,遂联合一致,杀了孙壹及邢氏。

【校记】

[13]而:据章钰校,甲十一行本、乙十一行本皆作"以",张敦仁《通鉴刊本识误》同。[14]之:此下原有一空格。据章钰校,甲十一行本、乙十一行本皆无空格,今据

【原文】

元皇帝[624]上

景元[625]元年(庚辰,公元二六〇年)

春,正月朔[626],日有食之。

夏,四月,诏有司率遵前命[627],复进[628]大将军昭位相国,封晋公,加九锡。

帝[629]见威权日去,不胜其忿[630]。五月己丑[631],召侍中王沈、尚书王经、散骑常侍王业,谓曰:"司马昭之心,路人所知[632]也。吾不能坐受废辱,今日当与卿自出讨之。"王经曰:"昔鲁昭公[633]不忍季氏[634],败走失国[635],为天下笑。今权在其门[636],为日久矣,朝廷四方皆为之致死,不顾逆顺之理,非一日也。且宿卫空阙[637],兵甲寡弱,陛下何所资用[638]?而一旦如此[639],无乃欲除疾而更深之邪?祸殆不测[640],宜见重详[641]。"帝乃出怀中黄素诏[642]投地,曰:"行之决矣!正使[643]死何惧,况不必[644]死邪!"于是入白太后。沈、业奔走告昭,呼经欲与俱,经不

删。[15]是：据章钰校，甲十一行本、乙十一行本皆作“此”。[16]退：原作“复”。据章钰校，甲十一行本、乙十一行本皆作“退”，今据改。[17]诣：据章钰校，甲十一行本、乙十一行本、孔天胤本皆作“幸”。[18]愿陛下速行。王善之：原无此八字。据章钰校，甲十一行本、乙十一行本、孔天胤本皆有此八字，张敦仁《通鉴刊本识误》、张瑛《通鉴校勘记》同，今据补。[19]筑宫，以武帐为便殿，设御坐。己卯，王至便殿，止东厢：原无此二十字。据章钰校，甲十一行本、乙十一行本皆有此二十字，张敦仁《通鉴刊本识误》、张瑛《通鉴校勘记》同，今据补。[20]衡曰：“计何所出？”妻曰：原无此八字。据章钰校，甲十一行本、乙十一行本皆有此八字，张敦仁《通鉴刊本识误》、张瑛《通鉴校勘记》同，今据补。[21]以：原无此字。据章钰校，甲十一行本、乙十一行本、孔天胤本皆有此字，今据补。[22]徙：原误作“徒”。据章钰校，甲十一行本、乙十一行本皆作“徙”，张敦仁《通鉴刊本识误》同，今据校正。[23]闻：原无此字。据章钰校，甲十一行本、乙十一行本皆有此字，张敦仁《通鉴刊本识误》、张瑛《通鉴校勘记》同，今据补。

【语译】

元皇帝上

景元元年（庚辰，公元二六〇年）

春季，正月初一日，发生日食。

夏季，四月，魏帝曹髦下诏继续按照前年所下的诏命，再次为大将军司马昭加官晋爵，任命他为相国，封晋公，加九锡。

魏帝曹髦看到皇家权势和威望一天一天地丧失，再也无法克制自己的愤怒。五月初七日己丑，他召集侍中王沈、尚书王经、散骑常侍王业，对他们说：“司马昭篡位的野心，就连路上的行人都很清楚。我不能坐在这里等待被废黜的耻辱，今天我就亲自带领诸位出去讨伐他。”王经说：“春秋时期的鲁昭公因为忍受不了季氏对他的控制就想起兵攻灭季氏，结果却被季孙氏、叔孙氏、孟孙氏三家联合逐出鲁国，并一直在外流亡到死，而遭到天下人的耻笑。如今大权掌握在司马氏手中已经很久了，朝廷上下都愿意为司马氏效死，不再顾忌自己的行为是不是违背天理，这也不是一天两天的事了。再说，皇宫中的禁卫军能够接受陛下指挥的又寥寥无几，武器装备也很少很差，陛下依靠什么去讨伐司马氏呢？而且一旦这样做了，恐怕是想除掉疾患而使疾患更加深重吧？灾祸恐怕很难预测，应该重新考虑对策。”曹髦从怀中取出一道写在黄素缯上的诏书，扔在地上，说：“我主意已定！即使战死又有什么可怕，何况也不一定会死呢！”于是曹髦进入后宫禀报过郭太后。王沈、王业急忙跑出

从。帝遂拔剑升辇[645]，率殿中宿卫苍头[646]官僮[647]鼓噪而出。昭弟屯骑校尉伷[648]遇帝于东止车门[649]，左右[650]呵之，伷众奔走。中护军贾充[651]自外入[652]，逆[653]与帝战于南阙[654]下，帝自用剑。众欲退，骑督成倅弟[655]太子舍人济[656]问充曰："事急矣，当云何[657]？"充曰："司马公畜养汝等，正为今日。今日之事，无所问[658]也！"济即抽戈前刺帝，殒于车下[659]。昭闻之，大惊，自投于地[660]。太傅孚[661]奔往，枕帝股[662]而哭甚哀，曰："杀陛下者，臣之罪也[663]！"

昭入殿中，召群臣会议。尚书左仆射陈泰[664]不至，昭使其舅尚书荀顗[665]召之，泰曰："世之论者以泰方于舅[666]，今舅不如泰[667]也。"子弟内外咸共逼之，乃入。见昭，悲恸，昭亦对之泣曰："玄伯，卿何以处我[668]？"泰曰："独有斩贾充，少可以谢天下[669]耳。"昭久之曰："卿更思其次[670]。"泰曰："泰言惟有进于此[671]，不知其次。"昭乃不复更言。顗，彧[672]之子也。

太后下令，罪状高贵乡公[673]，废为庶人，葬以民礼。收王经及其家属付廷尉[674]。经谢其母[675]，母颜色不变，笑而应曰："人谁不死，正恐不得其所。以此并命[676]，何恨之有[677]！"及就诛，故吏向雄[678]哭之，哀动一市[679]。王沈以功[680]封安平侯。

庚寅[681]，太傅孚等上言，请以王礼葬高贵乡公，太后许之。

使中护军司马炎[682]迎燕王宇之子常道乡公璜[683]于邺[684]，以为明帝嗣[685]。炎，昭之子也。

辛卯[686]，群公[687]奏太后自今令书[688]皆称诏制。

癸卯[689]，司马昭固让相国、晋公、九锡之命，太后诏许之。

官去给司马昭通风报信，同时招呼王经一起走，王经拒绝了他们。曹髦于是拔出宝剑登上车辇，率领着皇宫中的奴仆、仆役擂鼓呐喊走出皇宫。司马昭的弟弟担任屯骑校尉的司马伷在皇宫东面的止车门与曹髦相遇，曹髦左右的人对其大声呵责，司马伷的部众立时四散逃走。担任中护军的贾充率领军队从外面攻入宫廷，在宫殿南门迎面来战魏帝曹髦，曹髦亲自挥剑前进。贾充所率众人不敢冒犯魏帝，想要退却，担任骑兵统领的成倅的弟弟、太子舍人成济请示贾充说："情势已经很紧急了，该怎么办?"贾充说："司马公平日厚待你等，就是为了今日。今天的事情没有什么可请示的，你应该知道怎么办!"成济于是抽出戈矛冲上前去，一下子刺中魏帝曹髦，曹髦当场就从车上跌落下来气绝身亡。司马昭听到皇帝曹髦被刺死的消息，故意装作大吃一惊的样子，自己跌倒在地上。太傅司马孚飞快地赶往出事地点，他把魏帝曹髦的头枕到自己的大腿上，哭得非常悲痛，他边哭边说："使陛下遭到刺杀，这是我的罪过啊!"

司马昭进入宫殿，召集满朝的文武官员开会。只有尚书左仆射陈泰没到场，司马昭就派陈泰的舅舅、担任尚书的荀顗去叫他，陈泰对他的舅舅荀顗说："当今之世评论的人都拿我和舅舅相比，认为我与舅舅的人品不相上下，从今天的事情来看，舅舅的人品不如我。"陈泰的子弟和家人、宾客全都逼迫他，让他赶紧进宫，陈泰无奈之下只得上殿。陈泰见到司马昭，悲痛不已，司马昭也流着眼泪叫着陈泰的字对他说："玄伯，你帮我拿个主意，现在我该怎么办呢?"陈泰说："只有先杀了贾充，才算勉强对天下人有个交代。"司马昭沉吟了很久，说："你看能不能再想一个退一步的办法。"陈泰说："按照我的意见，只有比这更进一步的办法，而不知道退一步的办法是什么。"司马昭于是不再说话。荀顗，是荀彧的儿子。

郭太后下诏谴责高贵乡公曹髦，将他贬为平民，将曹髦以一般平民的身份安葬。同时将王经及其家属交付给廷尉审理。王经向他的母亲告别，并深表不能再奉养老母的歉意，王经的母亲神色自若，她笑着回答王经说："人活在世上有谁能长生不死呢，所惧怕的是死得不是地方。如今陪着皇帝一起死，还有什么可遗憾的呢!"等到王经被押赴刑场的时候，他旧时的僚属向雄亲自到刑场上哭祭他，哀痛之情使整个市场的人都为之伤心落泪。而王沈则因为向司马昭告密有功，被封为安平侯。

五月初八日庚寅，太傅司马孚等人上书，请求用王爵的礼仪埋葬高贵乡公曹髦，得到了郭太后的批准。

司马昭派遣担任中护军的司马炎前往邺城迎接燕王曹宇的儿子常道乡公曹璜回京师，作为魏明帝曹叡的继承人。司马炎，是司马昭的儿子。

五月初九日辛卯，各位公爵奏请郭太后从今以后，凡是皇太后所下达的各种命令、文件都要称"诏制"。

二十一日癸卯，司马昭上疏给郭太后，坚决辞让曹髦加封给他的相国、晋公的职位和封号，除去九锡的赏赐，郭太后下诏批准。

戊申[690]，昭上言："成济兄弟大逆不道，夷其族。"

六月癸丑[691]，太后诏常道乡公更名奂。

甲寅[692]，常道乡公入洛阳。是日，即皇帝位，年十五，大赦，改元[693]。

丙辰[694]，诏进司马昭爵位九锡如前，昭固让，乃止。

癸亥[695]，以尚书右仆射王观[696]为司空。

吴都尉严密[697]建议作浦里塘[698]，群臣皆以为难，唯卫将军陈留濮阳兴[699]以为可成，遂会[700]诸军民就作[701]，功费不可胜数，士卒多死亡，民大愁怨。

会稽郡谣言王亮[702]当还为天子，而亮宫人[703]告亮使巫祷祠[704]，有恶言[705]，有司以闻。吴主黜亮为候官侯[706]，遣之国[707]。亮自杀，卫送者皆伏罪[708]。

冬，十月，阳乡肃侯[709]王观卒。

十一月，诏尊燕王[710]，待以殊礼。

十二月甲午[711]，以司隶校尉王祥为司空。

尚书王沈为豫州刺史。初到，下教[712]敕属城[713]及士民曰："若有能陈长吏可否[714]，说百姓所患[715]者，给谷五百斛[716]。若说刺史得失，朝政宽猛[717]者，给谷千斛。"主簿[718]陈廞、褚䂮入白曰："教旨[719]思闻苦言[720]，示以劝赏[721]。窃恐拘介之士[722]或惮赏[723]而不言，贪昧[724]之人将慕利而妄举[725]。苟不合宜[726]，赏不虚行[727]，则远听者未知当否之所在[728]，徒见言之不用，因谓设而不行[729]。愚以为告下之事[730]，可少须后[731]。"沈又教[732]曰："夫兴益于上[733]，受分于下[734]，斯乃君子之操，何不言之有[735]！"褚䂮复白曰："尧、舜、周公所以能致忠谏[736]者，以其款诚[737]之心著[738]也。冰炭不言而冷热之质自明[739]者，以其有实也。若好忠直[740]，如冰炭之自然，则谔谔[741]之言将不求而自至。若德不足以配唐、虞，明

二十六日戊申，司马昭上疏说：“成济兄弟犯了大逆不道之罪，应该夷灭其族。”

六月初一日癸丑，郭太后下诏令常道乡公曹璜改名为曹奂。

初二日甲寅，常道乡公曹奂进入京师洛阳。当天，便即位为魏国皇帝，当时他只有十五岁，大赦天下，改年号为景元元年。

初四日丙辰，魏帝曹奂下诏恢复司马昭的相国职位，晋公爵位、九锡也一如既往，司马昭坚决辞让，只得暂时作罢。

十一日癸亥，魏国任命尚书右仆射王观为司空。

东吴都尉严密向朝廷建议修建浦里塘，群臣都认为有困难，只有担任卫将军的陈留人濮阳兴认为可行，于是召集了大量的军队、民工前往建造，花费的人力物力不计其数，士卒中许多人死在了工地上，因此引发了全国上下极大的不满和怨恨。

会稽郡有谣言说会稽王孙亮应当回到京师做皇帝，而孙亮王宫中的官女又告发孙亮派巫师向鬼神祈祷时，对执政者有诽谤的言论，有关官员把这件事情上奏给吴主孙休。孙休于是贬孙亮为候官侯，并打发他前往侯国。孙亮自杀，孙休对负责护送孙亮赴任的人员都给予不同的惩处。

冬季，十月，魏国的阳乡肃侯王观去世。

十一月，魏元帝曹奂下诏，以特殊的礼仪尊崇生父燕王曹宇。

十二月二十六日甲午，任命司隶校尉王祥为司空。

尚书王沈担任豫州刺史。一到任，就向管辖区域内的各城邑及百姓颁发自己的命令，他告谕属下说：“如果有人能够陈述各郡县官员为官任职的德能好坏，能提出百姓最感到头疼的事情，就奖励他米谷五百斛。有能指出刺史的优劣得失，朝廷政策的宽严以及不当之处，就奖励他一千斛谷子。”在王沈属下担任主簿的陈廞、褚䂮一同进见王沈说：“您发布通告的目的是想听人们的由衷之言，了解民间疾苦，用勉励与赏赐的办法鼓励百姓踊跃提建议。我担心那些清正耿介的人士会因为怕被人说是为了获得奖赏而不肯发表意见，而那些贪婪而不顾礼仪的人因为贪图奖赏而胡乱抨击朝政。一旦遇到建言者说得不合实际，不能采用，因此没有按照公告中所说的给他们奖赏，被远方不了解情况的人听到，他们不清楚不被您采纳的真正原因，只是知道他们提的建议不被采纳，于是便认为您是虚设赏格而不予兑现。我认为鼓励下属发表意见的教令可以稍微往后拖一拖再发布。”王沈没有听从他们的劝告，又发布教令说：“在上者想做对国家、对黎民有益的事情，在下者因响应号召而受到赏赐，这是品行高尚的君子的节操，怎么会没有人说话！”褚䂮又去向王沈建议说：“尧、舜、周公之所以能招来忠正之士提意见，是因为他们的诚恳真挚之心表现得明明白白。冰炭不用说自己是冷是热，其本身的冷热就表现得很清楚，是因为它们有那样的实质。如果真正想听到发自内心的忠直言论，就像冰炭的冷热一样明显，那么忠直的言论用不着征求就会自动送上门来。假如其德行根本无法与唐尧、虞舜相

不足以并周公[742]，实[743]不可以同冰炭，虽悬重赏，忠谏之言未可致也。”沈乃止。

二年（辛巳，公元二六一年）

春，三月，襄阳太守胡烈[744]表言：“吴将邓由、李光等十八屯[745]同谋归化[746]，遣使送质任[747]，欲令郡兵临江迎拔[748]。”诏王基部分[749]诸军径造沮水[750]以迎之。“若由等如期到者，便当因此震荡江表[751]。”基驰驿[752]遗司马昭书，说由等可疑之状，且当清澄[753]，未宜便举重兵深入应之。又曰：“夷陵[754]东西道[24]皆险狭[755]，竹木丛蔚[756]，卒有要害[757]，弩马不陈[758]。今者筋角濡弱[759]，水潦[760]方降，废盛农之务[761]，要[762][25]难必之利[763]，此事之危者也。姜维之趣上邽[764]，文钦之据寿春[765]，皆深入求利，以取覆没，此近事之鉴戒[766]也。嘉平[767]已来，累有内难[768]，当今之宜，当务镇安社稷，抚宁[769]上下，力农务本，怀柔百姓，未宜动众以求外利也。”昭累得基书，意狐疑，敕诸军已上道者，且权停住所在[770]，须候节度[771]。基复遗昭书曰：“昔汉祖纳郦生之说[772]，欲封六国，寤张良之谋[773]而趣销印[774]。基谋虑浅短，诚不及留侯[775]，亦惧襄阳[776]有食其之谬。”昭于是罢兵，报基书曰：“凡处事[777]者多曲相从顺[778]，鲜[779]能确然[780]共尽理实[781]。诚感忠爱，每见规示[782]。辄依来旨[783]，已罢军严[784]。”既而由等果不降。烈，奋之弟也。

秋，八月甲寅[785]，复命司马昭进爵位如前，不受。

冬，十月，汉主[786]以董厥[787]为辅国大将军，诸葛瞻[788]为都护、卫将军，共平尚书事[789]，以侍中樊建[790]为尚书令。时中常侍黄皓[791]用事，厥、瞻皆不能矫正[792]，士大夫多附之[793]，唯建不与皓往来。秘书令郤正[794]久在内职，与皓比屋[795]，周旋三十余年，澹然自守[796]，以书自娱，既不为皓所爱，亦不为皓所憎，故官不过六百石，而亦不罹其祸[797]。汉主弟甘陵王

配，其开明程度又无法与周公相比，其内心实际又不像冰冷炭热那样表现得很明显，就是悬了重赏，也不会听到忠直的言论。”王沈这才停止发布征求意见的教令。

二年（辛巳，公元二六一年）

春季，三月，魏国襄阳太守胡烈上表说：“吴国将领邓由、李光等十八个军事据点的人共同谋划准备归降我国，而且已经派使者送来人质，希望襄阳郡派士兵到长江边去接应他们。”魏元帝曹奂下诏命令王基负责部署军队径直到沮水边去迎接他们。“如果邓由等率军如期到达沮水边，就趁势把长江以南吴国的地盘狠狠地折腾一下子。”王基派驿使火速进京给司马昭送信，陈述邓由等人投降的可疑情况，并且应当弄清真实情况以后再采取行动，不应该轻易地就派重兵深入敌国境内去接应他们。王基在信中又说：“夷陵县东西道都非常险要、狭窄，竹林树木茂密，如果突然发生紧急情况，兵力无法施展。如今天气潮湿，弓弩柔软无力，又刚下过大雨，如果大军出动，农忙季节不让农民干农活，就会耽误农时，谋求没有确实把握的利益，这是件很危险的事情。姜维攻击上邽，文钦占据寿春，都是深入腹地求取利益，才导致全军覆没，这是最近发生的应该引以为训的事情。自从嘉平以来，我国内乱不断，当务之急，首先在于使国家政局稳定，安抚之使上下相安无事，以农为本、努力耕作，关心百姓疾苦，而不宜兴师动众去求取国外的利益。”司马昭连续接到王基的书信，寻机攻打东吴的决心开始动摇，于是命令已经出发在道上的军队，暂且停止前进，就地驻扎，等待新的命令。王基又给司马昭写信说：“过去汉高祖刘邦采纳谋士郦食其的建议，想要分封六国之后，后来听了谋士张良的劝告才忽然醒悟，急忙下令把原本就要造好的官印迅速销毁。我谋虑不深远、见识短浅，确实赶不上留侯张良，但也担心襄阳太守胡烈会犯郦食其那样的错误。”司马昭于是停止了军事行动，他给王基写信说：“大凡奉命办事的人一般都是委曲己意以顺从发号施令者，很少有人能够明确而无保留地一起把道理讨论清楚。我确实感受到了你的忠心和爱戴，屡屡地对我进行规劝、晓谕。我现在就依从你的意见，撤销这次军事行动的计划。”后来，邓由等人果然不肯归降。胡烈，是胡奋的弟弟。

秋季，八月甲寅日这一天，魏元帝曹奂又重提任命司马昭为相国、晋爵为晋公以及加九锡之事，司马昭仍旧拒绝接受封赏。

冬季，十月，蜀汉后主刘禅任命董厥为辅国大将军，任命诸葛瞻为都护、卫将军，共同处理尚书省的各项事务，任命侍中樊建担任尚书令。当时中常侍黄皓操纵着蜀国的权柄，董厥、诸葛瞻都不能纠正黄皓制定的错误方针政策，士大夫中也有很多人依附于黄皓，只有樊建不与黄皓往来。秘书令郤正一直在内廷供职，住所和黄皓的住所相邻，他和黄皓打交道三十多年，由于他性情淡泊，安于其位，以读书自娱，既不被黄皓所喜爱，也不被黄皓所憎恨，所以他的官俸不过六百石，然而也没有遭到黄皓的陷害。蜀汉后主刘禅的弟弟甘陵王刘永非常憎恨黄皓，黄皓就在后

永[798]憎皓，皓谮之，使十年不得朝见。

吴主使五官中郎将[799]薛珝聘于汉[800]，及还，吴主问汉政得失，对曰："主暗[801]而不知其过，臣下容身[802]以求免罪，入其朝不闻直言，经其野民皆菜色[803]。臣闻燕雀处堂[804]，子母相乐[805]，自[26]以为至安也，突决栋焚[806]，而燕雀怡然不知祸之将及，其是之谓乎[807]？"珝，综之子也。

是岁，鲜卑索头部[808]大人拓跋力微[809]始遣其子沙漠汗入贡[810]，因留为质。力微之先，世居北荒，不交南夏[811]。至可汗毛[812]，始彊大，统国三十六，大姓[813]九十九。后五世至可汗推寅[814]，南迁大泽。又七世至可汗邻[815]，使其兄弟七人及族人乙旃氏、车焜氏[816]分统部众为十族。邻老以位授其子诘汾，使南迁，遂居匈奴故地[817]。诘汾卒，力微立，复徙居定襄之盛乐[818]，部众浸盛[819]，诸部皆畏服之。

【段旨】

以上为第三段，写魏帝曹奂景元元年（公元二六〇年）、二年共两年中的大事，主要写了魏帝曹髦因无法忍受司马昭的钳制，率禁兵出讨司马昭，司马昭的亲信贾充率成济等与曹髦战于南阙下，贾充令成济弑魏帝曹髦，司马昭为平息众怒而将成济灭族。写了司马昭改立常道乡公曹奂为帝，改此年为景元元年。写了被废之吴主孙亮被迫自杀。写了司马昭的亲信王沈为豫州刺史，欲下教征求善言以邀名誉，被人劝止事。写了司马昭听信襄阳太守胡烈所报消息遂欲出兵至江以迎东吴叛将，并欲乘机进讨江南，被魏国名将王基劝止事。写了蜀国政权被宦官黄皓所把持，朝纲混乱，东吴薛珝以堂室将焚，燕雀尚以太平而自乐为喻。写了鲜卑拓跋氏部落逐渐在北方兴起，并已南进至定襄之盛乐，为后文北魏王朝之崛起做伏笔。

主刘禅面前诋毁他，致使刘永十年不能入朝晋见后主刘禅。

吴主孙休派遣五官中郎将薛珝到蜀国作了礼节性的访问，薛珝回到东吴后，孙休向他询问蜀汉的政治得失，薛珝回答说："蜀国国君昏庸而不知道自己的过错，大臣们只求保住官位以免惹祸上身，到了他们的朝廷之上听不到大臣的正直言论，经过他们的田野，看到那里的百姓由于饥饿脸上都呈现出青黄色。我听说燕雀在人家的屋梁上做窝，小鸟大鸟都生活得很快乐，自认为那里是最安全的地方，一旦烟囱破裂，栋梁烧起大火，而燕雀怡然自得而不知道灾祸就要降临到它们头上，刘禅君臣现在就是这种样子吧？"薛珝，是薛综的儿子。

这一年，鲜卑族中的索头部落大头领拓跋力微开始派遣他的儿子拓跋沙漠汗到魏国朝廷进奉贡品，魏国便趁机将他扣留作为人质。拓跋力微的祖先，世代居住在浩瀚的大沙漠以北的蛮荒地带，不与中原地区的华夏人相往来。到了鲜卑可汗拓跋毛时期，鲜卑族的索头部落开始强大起来，他统治下的小国就有三十六个，大的部落有九十九个。此后历经五世就到了可汗拓跋推寅，拓跋推寅逐渐向南迁徙到大泽一带。又经过七世，到了可汗拓跋邻统治时期，拓跋邻把他的部众分为十个部族，让他的七个兄弟以及族人乙旃氏、车惃氏分别统领，拓跋邻可汗老了后就把他的汗位传给了他的儿子拓跋诘汾，他让拓跋诘汾率领他的部族继续向南迁徙，于是便到了匈奴瓦解后留下的真空地带定居下来。拓跋诘汾死后，拓跋力微继承了汗位，他又率领部族继续向南迁徙，最后定居在定襄郡的盛乐县，部众越来越兴盛，渐渐强大起来，鲜卑族的其他部族因为惧怕他，所以全都听命于他。

【注释】

㉔元皇帝：曹操之孙，燕王曹宇之子，原名曹璜，被立为帝后改名曹奂。元是其死后的谥。㉕景元：元帝曹奂的第一个年号。㉖正月朔：正月初一日。㉗率遵前命：继续按照前年（公元二五八年）所下的诏命。率，循，按着。㉘复进：再次加官晋爵。因上次封司马昭为晋公、加九锡，被司马昭假惺惺地推辞了。㉙帝：此时的皇帝仍是曹髦。㉚不胜其忿：无法克制自己的愤怒。不胜，不能克制。㉛五月己丑：五月初七日。㉜路人所知：路人都知道他将篡位。㉝鲁昭公：姬裯，春秋时鲁国的第二十六任国君，公元前五四一至前五一〇年在位。㉞不忍季氏：忍受不了季孙氏对他的控制，起兵欲攻杀之。㉟败走失国：结果鲁昭公被季孙氏、叔孙氏、孟孙氏三家联合逐出鲁国，并一直在外流亡到死。事见《左传》与《史记·鲁周公世家》。㊱权在其门：权在司马昭之门。㊲宿卫空阙：没有多少受皇帝指挥的护卫部队。㊳何所资用：犹言"您将依靠什么

呢”。⑥㊴ 一旦如此：指起兵讨伐司马昭。⑥㊵ 祸殆不测：灾祸恐难以预测。殆，将会，推测之辞。⑥㊶ 宜见重详：应该重新考虑。详，思考，研究。⑥㊷ 黄素诏：以染黄的白缯写的诏书。⑥㊸ 正使：即使。⑥㊹ 不必：不一定。⑥㊺ 升辇：登上车子。⑥㊻ 苍头：奴仆。⑥㊼ 官僮：仆役。⑥㊽ 屯骑校尉伷：司马伷，司马昭之弟。事迹见《三国志》卷四十八。屯骑校尉是统领驻守宫门骑兵的中级长官。⑥㊾ 东止车门：皇宫东面的止车门，是群臣进宫到此下车的地方。⑥㊿ 左右：指曹髦的左右人等。651 中护军贾充：贾充字公闾，司马昭的亲信。事迹详见《晋书》本传。中护军是宫廷警卫部队的统领。652 自外入：率兵从外面攻入宫廷。653 逆：迎；迎面。654 南阙：宫殿的正南门。655 骑督成倅弟：骑兵统领成倅之弟。成倅是贾充的部下，司马昭的亲信。656 太子舍人济：成济，现任太子舍人之职。太子舍人是皇太子的侍从人员。当时的魏帝曹髦并未立太子，因成济是司马昭的亲信，故授以此官。657 当云何：该怎么办。658 无所问：没有什么可请示的。意思是你自己知道应该怎么办。659 殒于车下：被刺死的魏帝曹髦从车上跌落下来。〖按〗时曹髦年二十岁。殒，跌落。660 自投于地：吓得跌倒在地。投，跌倒。〖按〗司马昭故作姿态，欲以掩人耳目。661 太傅孚：司马孚，司马懿之弟，司马昭之叔，时任太傅之职。662 枕帝股：即“枕帝于股”，把曹髦的头枕在自己腿上。663 臣之罪也：意思是我没有尽到侍候皇帝的责任。664 陈泰：字玄伯，陈群之子，魏国名将，正元二年（公元二五五年）曾破蜀将姜维于狄道城下。时任尚书左仆射之职。传见《三国志》卷二十二。尚书左仆射是帝王身边的机要文秘官员。665 尚书荀顗：荀顗字景倩，曹操谋士荀彧之子，陈泰之舅，时任尚书，是陈泰的属官。666 以泰方于舅：拿我和您相比，意即人品差不多。方，相比，不相上下。667 不如泰：言荀顗趋附司马氏，而自己忠于魏室。668 何以处我：意即你出个主意，看我该怎么做。669 少可以谢天下：勉强对天下人有个交代。少，略，稍微。670 更思其次：再想个退一步的办法。意思是舍不得杀贾充这个大亲信。671 泰言惟有进于此：意谓按我的想法只有比这个更严厉的，指惩治司马昭本人。672 彧：曹操的谋士、元勋，因不满曹操篡权，被曹操所杀。传见《三国志》卷十。673 罪状高贵乡公：谴责魏帝曹髦。罪状，用如动词，意即“谴责”。高贵乡公是曹髦未为魏帝前的封号名。674 付廷尉：交由司法部门处置。廷尉是全国最高的司法官。675 谢其母：向其母告别，并深表不能再奉养老母的歉意。676 以此并命：如今陪着皇帝一起死。677 何恨之有：还有什么可遗憾的。恨，遗憾。678 故吏向雄：王经的老部下姓向名雄。679 哀动一市：使整个市场的人都为之伤心。古时处决罪犯都在市场上进行，市人同情敬佩王经，故称“哀动一市”。680 以功：以向司马昭告密之功。681 庚寅：五月初八。682 司马炎：司马昭之子，即日后所谓的“晋武帝”，此时任中护军之职。683 常道乡公璜：曹璜，后更名曹奂，字景明，魏明帝曹叡的堂弟，原封常道乡公。传见《三国志》卷四。684 邺：魏国的陪都，在今河北临漳西南的古邺城东。685 以为明帝嗣：以接续魏明帝的香烟。言外之意是此前被废的曹芳与被杀的曹髦两代帝王，都不在魏国皇帝的正常序列之内。686 辛卯：五月初九日。687 群公：各位

公爵。当时的“公爵”有“上公”“三公”及各位“从公”。⑥⑧⑧令书：指太后下达的各种命令、文件。⑥⑧⑨癸卯：五月二十一日。⑥⑨⓪戊申：五月二十六日。⑥⑨①六月癸丑：六月初一日。⑥⑨②甲寅：六月初二日。⑥⑨③改元：在此以前是甘露五年，从此以后为景元元年。⑥⑨④丙辰：六月初四日。⑥⑨⑤癸亥：六月十一日。⑥⑨⑥王观：字伟台，魏国名臣。事迹详见《三国志》卷二十四。⑥⑨⑦都尉严密：严密是吴国军官，任都尉之职。事迹见《三国志》卷六十四。都尉是中级军官名，级别同于校尉。⑥⑨⑧浦里塘：堤坝名，在今安徽当涂境内。⑥⑨⑨陈留濮阳兴：陈留郡人姓濮阳，名兴。传见《三国志》卷六十四。陈留郡的郡治在今河南开封东南。⑦⓪⓪会：召集；集合。⑦⓪①就作：前往建造。⑦⓪②王亮：会稽王孙亮。孙亮于公元二五二年至二五七年继孙权为吴主，因谋杀权臣孙綝，被孙綝所废，贬为会稽王。事见《三国志》卷四十八。⑦⓪③宫人：宫女。⑦⓪④使巫祷祠：派巫祝向鬼神祈祷。⑦⓪⑤有恶言：对现时执政者有诽谤之言。⑦⓪⑥候官侯：封地在候官县的列侯，比会稽王降了一等。候官是吴县名，县治即今福建福州。⑦⓪⑦遣之国：打发他前往候官县上任。⑦⓪⑧皆伏罪：都给予不同的惩处，因为他们没有监督、保护好孙亮。⑦⓪⑨阳乡肃侯：阳乡侯是王观的封号，肃字是其死后的谥。⑦①⓪燕王：曹宇，字彭祖，曹操之子，曹奂之父。传见《三国志》卷二十。因他是魏主曹奂之父，故特别尊异之。⑦①①十二月甲午：十二月二十六日。⑦①②下教：颁布自己的命令。“教”是当时朝廷大臣与方面大员给属下官员所下命令的一种文体名。⑦①③敕属城：告谕属下各城邑，即豫州所辖各郡县的官员。⑦①④陈长吏可否：陈述各郡县官员为官任职的德能好坏。⑦①⑤说百姓所患：能提出百姓最头痛的事情。⑦①⑥斛：当时的容量单位，一斛等于六石四斗。⑦①⑦朝政宽猛：朝廷政策的宽严。⑦①⑧主簿：刺史手下的属官，约当今秘书长。⑦①⑨教旨：所下命令的基本精神。⑦②⓪思闻苦言：是想听人们的由衷之言。苦言，良言，让人听了不舒服的言论。⑦②①劝赏：勉励与赏赐。⑦②②狷介之士：清正耿介之士。⑦②③或惮赏：怕被人说是为了获得奖赏。⑦②④贪昧：贪婪而不顾礼义。⑦②⑤妄举：胡乱表扬与抨击。⑦②⑥苟不合宜：一旦遇到建言者说话不合实际，不能采用。⑦②⑦赏不虚行：指没有对之行赏。⑦②⑧当否之所在：即其不被采用的真正原因。⑦②⑨设而不行：虚设赏格而不予兑现。⑦③⓪告下之事：指前述鼓励属下发表意见的教令。⑦③①少须后：稍微向后拖一拖。须，等。⑦③②教：发布教令。⑦③③兴益于上：在上者想做对国家、对黎民有益的事情。⑦③④受分于下：在下者因响应号召而受到赏赐。分，指奖赏。⑦③⑤何不言之有：怎么会没有人说话。⑦③⑥致忠谏：招来忠正之士提意见。⑦③⑦款诚：诚恳真挚。⑦③⑧著：表现得明明白白。⑦③⑨冰炭不言而冷热之质自明：冰炭不用说自己是冷是热，其本身的冷热就表现得很清楚。⑦④⓪好忠直：真的想听发自内心的忠直言论。⑦④①谔谔：正直陈述的样子。⑦④②并周公：与周公相比。并，比，相当。⑦④③实：指王沈其人的内心实际。⑦④④胡烈：字玄武，胡奋之弟。事见《三国志》卷二十八。⑦④⑤十八屯：十八个军事据点。⑦④⑥同谋归化：一同商量归降曹魏。归化，归附中央王朝。⑦④⑦质任：即人质。⑦④⑧临江迎拔：到长江边上去迎接。拔，援救。⑦④⑨部分：部署派遣。⑦⑤⓪径造沮水：一直到沮水边上。造，到达。沮

水在今湖北中部偏西，发源于保康西南，东南流到当阳河溶镇附近与漳水汇合为沮漳河，南流到江陵西入长江。⑺51 因此震荡江表：趁势把长江以南的吴国地盘狠狠地折腾一下。⑺52 驰驿：派驿使火速进京。驿，驿车，驿使。⑺53 清澄：弄清真实情况。⑺54 夷陵：吴县名，县治在今湖北宜昌东南。⑺55 险狭：险要、狭窄。⑺56 丛蔚：茂密。⑺57 卒有要害：突然发生紧急情况。⑺58 弩马不陈：意指兵力无法施展。⑺59 筋角濡弱：因天气潮湿弓弩柔弱无力。⑺60 水潦：雨水。⑺61 废盛农之务：农忙季节不让农民干农活。⑺62 要：邀取；谋求。⑺63 难必之利：没有确实把握的利益。⑺64 姜维之趣上邽：事见前文甘露元年（公元二五六年）。⑺65 文钦之据寿春：事见前文甘露二年。⑺66 鉴戒：教训。⑺67 嘉平：魏帝曹芳的年号（公元二四九至二五三年）。⑺68 累有内难：指曹爽、王凌、毌丘俭、诸葛诞等之反司马氏，以及司马氏废黜魏帝曹芳，杀害魏帝曹髦等事。⑺69 抚宁：安抚之使之平静。⑺70 权停住所在：暂时停止前进，驻扎在所到之处。⑺71 须候节度：等待新的命令。⑺72 汉祖纳郦生之说：汉高祖刘邦采纳谋士郦食其分封六国之后的建议。⑺73 寤张良之谋：后来听到谋士张良的劝阻而忽然省悟。⑺74 趣销印：下令把原来已经造好的印章迅速销毁。趣，通"促"，催促。以上故事见《史记·郦生陆贾列传》。⑺75 留侯：即张良，刘邦的谋士。事迹详见《史记·留侯世家》。⑺76 襄阳：指襄阳太守胡烈。⑺77 处事：奉命办事。⑺78 曲相从顺：委曲己意以顺从发号施令者。⑺79 鲜：少；少有。⑺80 确然：明确而无保留的。⑺81 共尽理实：一起把道理讨论清楚。⑺82 每见规示：屡屡地对我进行规劝、晓谕。⑺83 辄依来旨：我现在就听从你的意思。辄，即，就。⑺84 已罢军严：已撤销了这次军事行动的计划。⑺85 甲寅：八月丙子朔，没有"甲寅"日，此处记载有误。⑺86 汉主：指蜀后主刘禅。⑺87 董厥：蜀国的庸臣。事见《三国志·诸葛亮传》后附。⑺88 诸葛瞻：诸葛亮之子。事见《三国志·诸葛亮传》后附。⑺89 共平尚书事：共同处理尚书省的各项事务，意即掌管国家各种政事。⑺90 樊建：字长元。事见《三国志·诸葛亮传》后附。⑺91 中常侍黄皓：黄皓是蜀国的宦官，受后主刘禅宠爱，参与政事，从黄门令升为中常侍、奉军都尉，操弄威柄。传见《三国志》卷三十九。⑺92 不能矫正：不能纠正黄皓制定的错误方针政策。⑺93 附之：依附黄皓。⑺94 郤正：本名郤纂，字令先。河南偃师（今河南洛阳市偃师区）人。传见《三国志》卷四十二。⑺95 比屋：房屋相邻。⑺96 澹然自守：性情淡泊，安于其位。⑺97 不罹其祸：没有遭受黄皓的陷害。⑺98 甘陵王永：刘永，字公孝，刘备之子，刘禅的庶弟。传见《三国志》卷三十四。⑺99 五官中郎将：帝王的侍卫长官，上属郎中令。⑻00 聘于汉：到蜀国作礼节性的访问。聘，国家之间的友好拜访。⑻01 暗：昏庸。⑻02 容身：只求保官保命。⑻03 菜色：由于饥饿脸上呈现青黄色。⑻04 燕雀处堂：燕雀在人家的屋梁上做窝。⑻05 子母相乐：小鸟大鸟都生活得很快乐。⑻06 突决栋焚：一旦烟囱破裂、栋梁烧起大火。突，烟囱。⑻07 其是之谓乎：刘禅君臣现在就是这种样子吧。⑻08 鲜卑索头部：鲜卑族中的索头部落。索头是当时鲜卑族里的最大部落。⑻09 大人拓跋力微：大头领姓拓跋名力微，北魏的始祖，兼并没鹿回族，诸部慑服，成为部落联盟大首长。拓跋珪称帝时，追尊为

始祖神元皇帝。⑧⑩入贡：到曹魏朝廷进贡。⑧⑪不交南夏：不与中原地区的华夏人相来往。⑧⑫可汗毛：鲜卑可汗拓跋毛。可汗，北方民族对其头领的敬称，犹如中原地区的帝王、皇帝。⑧⑬大姓：大族；大部落。⑧⑭后五世至可汗推寅：从拓跋毛起，经拓跋贷、拓跋观、拓跋楼、拓跋越，至拓跋推寅，共五世。拓跋推寅也称“拓跋推演”。⑧⑮又七世至可汗邻：此七世指拓跋利、拓跋俟、拓跋肆、拓跋机、拓跋盖、拓跋侩、拓跋邻。⑧⑯乙旃氏、车焜氏：与拓跋氏同族的其他部落。⑧⑰匈奴故地：指匈奴瓦解后留下的真空地带，在今中国内蒙古与蒙古国一带。⑧⑱定襄之盛乐：定襄郡的盛乐县。定襄郡的郡治善无，在今山西右玉南。盛乐，也称“成乐”，县治在今内蒙古和林格尔西北的土城子。⑧⑲浸盛：越来越兴盛、强大。浸，逐渐。

【校记】

［24］道：原无此字。据章钰校，甲十一行本、乙十一行本皆有此字，今据补。［25］要：据章钰校，甲十一行本、乙十一行本皆作“徼”，与“要”义同。［26］自：原无此字。据章钰校，甲十一行本、乙十一行本皆有此字，今据补。

【研析】

本卷写了魏帝曹髦甘露元年（公元二五六年）至魏帝曹奂景元二年（公元二六一年）共六年中的魏、蜀、吴三国的大事，其中可议论的主要有以下四点：

第一，司马氏把持魏国朝政，企图篡夺曹氏政权的心思是早已被人看清了的。早在魏明帝在位时，曹植就向魏国皇帝提出了种种警告。到曹爽执掌魏政时，与司马懿的矛盾尖锐，当时这两股势力的斗争决定着曹氏政权的兴亡。就当时的情况而言，曹氏一方如果运筹得当，就不会让司马氏的阴谋得逞，至少是不可能让他们得逞得如此简便省事。曹爽失败后，为讨伐司马氏而起兵的魏国大将先后有王凌、文钦、诸葛诞等，令人奇怪的是这些为拥曹而讨伐司马氏的势力竟彼此不相连属，甚至是后起的在他自己起兵前还去参加镇压之前反抗司马氏的起兵者，结果就这样轻而易举地被司马师、司马昭逐个消灭了。

第二，在魏国被司马氏所立的三个小傀儡皇帝中，数曹髦最为人所同情。曹髦显然不是个成大气候的人，他有一些小聪明，但却不懂得要办大事就得隐忍韬晦。他与群臣讨论学术，而评价中兴夏朝的少康比平地打出江山的刘邦地位本领为优；又写作《潜龙诗》，以抒发“龙者，君德也。上不在天，下不在田，而数屈于井”的艰难处境。他不知吸取当年秦王子婴如何凭借身边的几个人就杀了大奸臣赵高的历史经验，竟在忍无可忍的情况下鲁莽地亲身扑向仇人。但他的死虽不能说有什么结果，却表现出了尊严不可侮、人格不能被践踏的一种精神气节。曹髦至少要比司马氏的后人如晋安帝被篡权者刘裕用绳子勒死、晋恭帝被刘裕用被子闷死要可爱、可

敬得多。

第三，孙权年轻时被人称为英雄，做吴国皇帝三十年，越老越昏悖，临死前废长立幼。孙亮即位时，年仅十岁，由名不副实的诸葛恪为辅政大臣。第二年阴谋家孙峻发动政变，杀诸葛恪，操纵吴国政权。三年后，孙峻死，其弟孙綝继孙峻之位，继续把持吴国政权。孙綝掌权后，首先诛灭了国内的反对派吕据、滕胤，以及王惇、孙宪等吴国的重臣与皇亲国戚，不久，又杀了吴国的大将朱异，并造成一批吴国的世族大臣投降曹魏。这时年已十六岁的孙亮不甘心再忍受孙綝控制，于是与身边大臣全尚、刘丞等谋诛孙綝，结果消息走漏，情况与《左传》所写的郑厉公与雍纠谋杀祭仲的失败相同，孙亮被孙綝所废，孙亮之兄孙休被迎立为帝。当时孙綝一家五人为侯，全部都掌管禁兵，其控制之严可谓无以复加了，结果孙休与将军张布、老将丁奉三人定谋，在一个腊月祭祀的典礼上突然将孙綝逮捕，夷其三族。其干脆、利落的程度与秦王子婴之诛灭赵高正同。看起来，还是事在人为。

第四，自从诸葛亮死后，蜀国的内政又由蒋琬、费祎维持了几年，总形势是越来越坏。后来轮到蜀主刘禅任命董厥与诸葛瞻对掌朝廷政务，而实际上许多大权落在了刘禅宠信的太监黄皓之手。董厥、诸葛瞻对黄皓的倒行逆施“皆不能矫正，士大夫多附之”；还有一个身任秘书令的郤正，他“久在内职，与皓比屋，周旋三十余年，澹然自守，以书自娱，既不为皓所爱，亦不为皓所憎”。对此，我们在批评这些人是“软骨头”“没有丝毫政治责任感”的同时，应该深刻认识帝王身边这些城狐社鼠的厉害，古往今来许多将相名臣就毫无奈何地断送在这些人之手。王夫之《读通鉴论》对此说：“诸葛公出师北伐，表上后主，以‘亲贤人，远小人’为戒，一篇之中，三致意焉。……何者为小人，不能如郭、费、董、向之历指其人而无讳也。指其名而不得，而况能制之使勿亲哉？”“后主失国之由，早见于数十年之前。公于此无可如何，而唯以死谢寸心耳。”诸葛亮对刘禅、黄皓尚且如此，姜维、诸葛瞻之辈又能奈黄皓何？蜀之亡，真不可救药。

卷第七十八　魏纪十

起玄黓敦牂（壬午，公元二六二年），尽阏逢涒滩（甲申，公元二六四年），凡三年。

【题解】

本卷写了魏帝曹奂景元三年（公元二六二年）至曹奂咸熙元年（公元二六四年）共三年间的魏、蜀、吴三国的大事。主要写了魏司马昭派邓艾、锺会两路大军伐蜀，姜维等抵抗失败，退守剑阁；邓艾经阴平，翻越崇山至江油县，诸葛瞻拦截不住，邓艾等遂长驱扑向成都；蜀主刘禅听从谯周之议，向邓艾投降，并宣谕剑阁守军姜维等向锺会缴械。写了锺会为独揽灭蜀军权、叛魏自立而陷害、袭捕邓艾；与其亲近蜀将姜维，听姜维怂恿囚禁部下诸将欲尽杀之，结果因消息走漏，锺会、姜维被乱军所杀。写了司马昭早对锺会有防范，在朝里朝外预做了种种准备。写了卫瓘于锺会死后仍将被囚的邓艾杀死，以掩盖其与锺会一道陷害邓艾的罪行。写了蜀将罗宪降魏后，在永安抵抗东吴入侵，立功封侯，与南中蜀将霍弋率六郡降魏，司马昭令其遥领交州刺史，经营交州诸郡事。此外还写了嵇康、阮籍等竹林七贤的生活习性，以及嵇康亢直愤世被司马昭所杀，以及司马炎耍手段，依靠亲信改变司马昭的意旨，夺取了继承人的位置。写了吴主孙休病死，孙晧被立，以及孙晧听谗言杀死权臣濮阳兴、张布等等。

【原文】

元皇帝下

景元三年（壬午，公元二六二年）

秋，八月乙酉[①]，吴主立皇后朱氏，朱公主[②]之女也。戊子[③]，立子𩅦[④]为太子。

汉大将军姜维将出军[⑤]，右车骑将军廖化[⑥]曰："兵不戢[⑦]，必自焚，伯约[⑧]之谓也。智不出敌[⑨]而力小于寇，用之无厌[⑩]，将何以存？"冬十月，维入寇洮阳[⑪]，邓艾与战于侯和[⑫]，破之，维退住沓中[⑬]。

初，维以羁旅依汉[⑭]，身受重任，兴兵累年，功绩不立。黄皓用事于中，与右大将军阎宇[⑮]亲善，阴欲废维树宇。维知之，言于汉主曰：

【语译】

元皇帝下

景元三年（壬午，公元二六二年）

秋季，八月十六日乙酉，吴主孙休册封朱氏为皇后，朱皇后，是朱公主孙鲁育的女儿。十九日戊子，封皇子孙𩅦为皇太子。

蜀汉大将军姜维准备率领军队攻打魏国，担任右车骑将军的廖化说："对外不停地发动战争，必定会像放火的人那样最终烧到自己，说的就是像姜维这样的人。在自己的智谋不高于敌人、军事实力又比敌人弱小的情况下，却永无休止地发动战争，将依靠什么来保证自己的生存呢?"冬季十月，姜维率军侵犯魏国的洮阳县，魏国征西将军邓艾在侯和县境内与姜维展开激战，将姜维打败，姜维只得退回沓中。

当初，姜维虽然是从魏国投奔蜀汉的将领，却身负蜀汉的重任，然而他连年对魏国用兵，却没有建立起什么大的功勋。宦官黄皓在朝中掌握着大权，与担任右大将军的阎宇关系密切，两人阴谋废逐姜维而树立阎宇的权威。姜维得知这个消息，

"皓奸巧专恣⑯，将败国家，请杀之！"汉主曰："皓趋走小臣⑰耳，往董允每切齿⑱，吾常恨之⑲，君何足介意！"维见皓枝附叶连⑳，惧于失言，逊辞㉑而出。汉主敕皓诣维陈谢。维由是自疑惧，返自洮阳㉒，因求种麦沓中，不敢归成都。

吴主以濮阳兴㉓为丞相，廷尉丁密、光禄勋孟宗为左右御史大夫㉔。初，兴为会稽太守，吴主在会稽，兴遇之厚㉕；左将军张布尝为会稽王㉖左右督将，故吴主即位，二人皆贵宠用事，布典宫省㉗，兴关军国㉘，以佞巧㉙更相表里㉚，吴人失望。

吴主喜读书，欲与博士祭酒韦昭㉛、博士盛冲讲论㉜。张布以昭、冲切直，恐其入侍言己阴过，固谏止之。吴主曰："孤之涉学，群书略遍，但欲与昭等讲习旧闻，亦何所损㉝？君特当㉞恐昭等道臣下奸慝㉟，故不欲令入耳。如此之事，孤已自备㊱之，不须昭等然后乃解㊲也。"布惶[1]恐陈谢，且言惧妨政事。吴主曰："王务㊳、学业，其流各异㊴，不相妨也，此无所为非㊵，而君以为不宜，是以孤有所及㊶耳。不图君今日在事㊷更行此于孤㊸也，良甚㊹不取！"布拜表叩头㊺。吴主曰："聊相开悟耳㊻，何至叩头乎？如君之忠诚，远近所知，吾今日之巍巍㊼，皆君之功也。《诗》云：'靡不有初，鲜克有终㊽。'终之实难，君其终之㊾。"然吴主恐布疑惧，卒如布意㊿，废其讲业(51)，不复使昭等入。

谯郡嵇康(52)文辞壮丽，好言老、庄而尚奇任侠(53)，与陈留阮籍(54)、籍兄子咸、河内山涛(55)、河南向秀(56)、琅邪王戎(57)、沛国刘伶(58)特相友善，号"竹林七贤"。皆崇尚虚无，轻蔑礼法，纵酒昏酣(59)，遗落世事(60)。

就对汉后主刘禅说："黄皓奸诈巧佞，恣意专断，将来必定败坏国家，贻害百姓，请把他除掉，以绝后患！"后主刘禅却说："黄皓只是一个听候差遣的小宦官，过去董允常常对黄皓恨得咬牙切齿，我常为董允的表现而感到遗憾，先生又何必把黄皓放在心上呢！"姜维见黄皓深得后主宠信，在朝中党羽众多，他的关系网就像丛林一样盘根错节、枝附叶连而难以动摇，因而对自己的出言不逊感到有些恐惧，于是便向后主婉言道歉后退出。汉后主刘禅命令黄皓到姜维那里陈情谢罪。姜维因此心中更加疑虑，担心大祸临头，洮阳之战失利返回后，就向后主刘禅请求到沓中屯田，种植小麦，不敢再返回成都。

吴主孙休任命濮阳兴为丞相，任命廷尉丁密、光禄勋孟宗为左右御史大夫。当初，濮阳兴担任会稽太守的时候，孙休也住在会稽，濮阳兴对当时的会稽王孙休有恩；左将军张布曾经担任孙休的左右督将，所以孙休即皇帝位后，二人都得到恩宠，掌握了朝廷大权，张布主管宫廷与朝廷的警卫，濮阳兴掌管国家的政权与军权，两人都善于卖乖讨好，内外勾结，吴国人因此而大失所望。

吴主孙休喜好读书，他想让博士祭酒韦昭、博士盛冲到宫中和自己讨论学术。张布认为韦昭、盛冲二人为人正直，敢于放胆直言，恐怕他们入侍吴主孙休会揭发自己所干的那些见不得人的罪恶勾当，所以坚决劝阻孙休。吴主孙休说："我涉猎学问，遍观群书，只是想与韦昭等人谈论一些遗闻旧事，这对你来说有什么害处？你大概是担心韦昭等人在我面前说朝廷大臣的坏话，所以不愿意让他们进来吧。像这样的事情，其实我自己已经心里有数、有所防备，用不着等韦昭他们揭发然后才能明白。"张布心中惶恐，只得向孙休谢罪，并解释说这样做的目的是怕研讨学问妨碍了处理国家政事。孙休说："朝廷政事和研究学业，是性质完全不同的两种事物，相互之间并无妨碍。讨论学术没有什么不对，而你却认为不合适，恐怕是认为我们会把学术与政治牵连到一起吧。没想到你居官任职，又把当初孙綝干涉我的那种样子用到了我的头上，这种做法是很不可取的！"张布听了孙休的这番话之后，心中十分惶恐，于是连连磕头，请求宽恕。吴主孙休说："你只要明白就行啦，哪里就至于这样惊恐磕头呢？像你这样对我忠心耿耿，是远近都知道的，我能够坐在高高的皇帝宝座上，都是你的功劳啊。《诗经》上有这样的诗句：'刚开始的时候都很好，但很少有人能够善始善终。'做到善始善终确实很难，但我希望你能够善始善终。"然而，吴主孙休担心张布猜疑恐惧，最终还是顺从了张布的意思，取消了与韦昭等人讨论学问的活动，没有再派人召韦昭等人入宫。

谯郡人嵇康，写的文章气势雄壮、辞藻华丽，他喜好讲论《老子》《庄子》的学说，而且行为奇特、豪爽，爱打抱不平，他与陈留人阮籍、阮籍哥哥的儿子阮咸、河内人山涛、河南人向秀、琅邪人王戎、沛国人刘伶关系特别亲密，号称"竹林七贤"。他们全都崇尚虚无，轻蔑礼法，整日喝酒喝得昏醉不醒，而不关心现实政事。

阮籍为步兵校尉，其母卒，籍方与人围棋，对者求止，籍留与决赌[61]。既[62]而饮酒二斗，举声一号，吐血数升，毁瘠骨立[63]。居丧，饮酒无异平日。司隶校尉何曾[64]恶之，面质[65]籍于司马昭座曰："卿，纵情、背礼、败俗之人，今忠贤执政，综核名实[66]，若卿之曹[67]，不可长[68]也。"因谓昭曰："公方以孝治天下，而听[69]阮籍以重哀[70]饮酒食肉于公座，何以训人！宜摈之四裔[71]，无令污染华夏。"昭爱籍才，常拥护[72]之。曾，夔[73]之子也。

阮咸素幸姑婢[74]，姑将婢去[75]，咸方对客[76]，遽[77]借客马而[2]追之，累骑[78]而还。

刘伶嗜酒，常乘鹿车[79]，携一壶酒，使人荷锸[80]随之，曰："死便埋我。"当时士大夫皆以为贤，争慕效之，谓之放达。

锺会方有宠于司马昭，闻嵇康名而造之[81]。康箕踞[82]而锻[83]，不为之礼。会将去，康曰："何所闻而来，何所见而去？"会曰："闻所闻而来，见所见而去。"遂深衔[84]之。

山涛为吏部郎，举康自代[85]。康与涛书[86]，自说不堪流俗[87]，而非薄汤、武[88]。昭闻而怒之。康与东平吕安[89]亲善，安兄巽[90]诬安不孝[91]，康为证其不然。会因谮康[92]尝欲助毌丘俭[93]，且安、康有盛名于世，而言论放荡，害时乱教，宜因此除之。昭遂杀安及康。康尝诣隐者汲郡孙登[94]，登曰："子才多识寡，难乎免于今之世矣！"

司马昭患姜维数为寇，官骑路遗[95]求为刺客入蜀，从事中郎荀勖[96]曰："明公为天下宰[97]，宜杖正义以伐违贰[98]，而以刺客除贼，非所以刑于四海[99]也。"昭善之。勖，爽[100]之曾孙也。

阮籍担任步兵校尉，他母亲去世的时候，阮籍正与朋友下围棋，朋友听到阮籍母亲去世的消息，要求阮籍停止下棋，阮籍却要他接着下，一定要与他决出这一盘棋的胜负。下完棋后，阮籍一口气喝下了两斗酒，然后放开喉咙长号一声，口中吐出了几升的鲜血，立时因痛苦悲伤而形容改变、消瘦得骨瘦如柴。阮籍在居丧期间，和平常一样照常饮酒。担任司隶校尉的何曾非常厌恶阮籍的行为，有一次在司马昭座前，何曾当面质问阮籍说："你是一个纵情任性、违背礼仪、伤风败俗之人，如今是忠贞贤良的人执掌朝政，对官员要考察他的名声是否与实际相符合，像你这种人，是不能助长的。"并趁机对司马昭说："您正在提倡用孝道治理国家，竟然听任阮籍在为母居丧期间公开地在您的座前饮酒吃肉，您还怎么去训诫别人！应该把他流放到边远的蛮荒之地，不要让他玷污了华夏文明。"司马昭因为爱惜阮籍的才能，因此经常保护他。何曾，是何夔的儿子。

阮咸一向喜欢其姑母身边的婢女，他姑母出嫁的时候带着这个婢女一道走了，阮咸当时正跟客人在一起，他听到姑母带走婢女的消息后，立即向客人借了马而后飞奔追赶，夺下了婢女，然后两人骑着同一匹马返回。

刘伶嗜酒如命，他经常乘坐着一辆仅能让一只小鹿拉的小车，携带着一壶酒，让一个家人扛着铁锹在后面跟随，他对那个家人说："我死在哪里就把我埋在哪里。"当时的士大夫们都认为他很贤能，因而都很仰慕他、争相效法他的行为，认为那是一种豁达、清高的表现。

锺会刚刚得到司马昭的宠爱与信任，他因为听到嵇康的美名而专程登门拜访。进门的时候，嵇康正两腿伸直，像个簸箕似的坐在那里打铁，对锺会的来访丝毫不予理睬。锺会即将离去的时候，嵇康问他说："你听见了什么而来到这里，你又看见了什么而要离开这里？"锺会回答说："我听见了我所听见的才来到这里，看见了我所看见的所以离开这里。"于是把嵇康狠狠地记恨在心里。

山涛担任吏部郎官时，另有高就，他举荐嵇康接替自己原来的职位。于是嵇康就写了一封《与山巨源绝交书》送给山涛，说自己不能忍受世俗的人与事，而且流露出了批评、看不起商汤王、周武王的意思。司马昭听说之后对嵇康非常愤怒。嵇康与东平人吕安关系亲密友善，吕安的哥哥吕巽诬告吕安不孝顺父母，嵇康出面为吕安作证认为他哥哥所说的不是事实。锺会趁机诬陷嵇康曾经想要帮助起兵讨伐司马氏的魏将毌丘俭，而且吕安、嵇康在社会上都享有很高的声望，然而他们言行放荡，抨击朝政，败坏礼教，应该趁此机会把他们除掉。司马昭于是杀了吕安和嵇康。嵇康曾经到汲郡拜访隐士孙登，孙登说："你才华很高而见识太少，在当今之世恐怕很难免除灾祸！"

司马昭对姜维屡次侵犯边境感到十分忧虑，他的侍从人员路遗请求到蜀国刺杀姜维，担任司马昭从事中郎的荀勖对司马昭说："明公是天下的主宰，应该秉持正义去讨伐天下不服管辖、不奉王命之人，如果派刺客去铲除自己的敌人，这不是为天下人做榜样的好办法。"司马昭认为荀勖说得有道理。荀勖，是荀爽的曾孙。

昭欲大举伐汉，朝臣多以为不可，独司隶校尉锺会劝[101]之。昭谕众曰："自定寿春[102]以来，息役六年，治兵缮甲，以拟二虏[103]。今吴地广大而下湿，攻之用功差难[104]，不如先定巴蜀。三年之后，因顺流之势，水陆并进，此灭虢取虞[105]之势也。计蜀战士九万，居守成都及备他境不下四万，然则余众不过五万。今绊[106]姜维于沓中，使不得东顾[107]，直指骆谷[108]，出其空虚之地以袭汉中[109]，以刘禅之暗[110]，而边城外破，士女内震[111]，其亡可知也。"乃以锺会为镇西将军，都督关中。征西将军邓艾以为蜀未有衅[112]，屡陈异议。昭使主簿师纂[113]为艾司马[114]以谕之，艾乃奉命。

姜维表汉主："闻锺会治兵关中，欲规[115]进取，宜并遣左右车骑[116]张翼、廖化，督诸军分护[117]阳安关口[118]及阴平[119]之桥头，以防未然。"黄皓信巫鬼，谓敌终不自致[120]，启汉主寝其事[121]，群臣莫知。

【段旨】

以上为第一段，写魏帝曹奂景元三年（公元二六二年）一年间的大事，主要写了蜀将姜维屡屡出兵伐魏，徒劳无功，国人怨谤，黄皓专权，后主昏聩，灭亡之形势昭然。写了嵇康、阮籍等竹林七贤的生活习性，以及嵇康亢直愤世被司马昭所杀。写了司马昭调集兵马，准备伐蜀，而黄皓不奉行姜维的军事调度，为下年魏兵乘虚灭蜀做伏笔。

【注释】

①八月乙酉：八月十六日。②朱公主：孙权之女，朱据之妻，随其夫姓，称为"朱公主"。③戊子：八月十九日。④子𩅦：孙𩅦。吴主孙休的长子。孙休有四子，为易于让人避讳，特创造出四个很怪的字来给四子命名。其次子孙𩃎、三子孙壾、四子孙𠅨。读音是吴主自己定的。《吴录》载孙休诏书，特别解释，"𩅦，音湾"。⑤出军：指出兵伐魏。⑥廖化：西蜀名将。传见《三国志》卷四十五。⑦兵不戢：指不停地发动战争。⑧伯约：姜维的字。⑨不出敌：不高于敌人。⑩无厌：没个满足；没个停止。⑪洮阳：魏县名，在洮水

司马昭想要大规模地讨伐蜀汉，朝中大臣中有多数人都认为时机未到，唯独担任司隶校尉的锺会对此表示支持。司马昭对众人说："自从平定寿春毌丘俭的反叛以来，已经六年没有进行战争，我们训练军队，补充装备，为的就是消灭蜀汉和东吴这两个盗匪。如今东吴幅员辽阔却地势低洼潮湿，攻打他们较为困难，不容易取得成功，不如先平定巴蜀。三年之后，再顺长江而下，水路、陆路齐头并进扫平东吴，这是春秋时期晋献公所采用的灭掉虢国后，回军时乘势消灭虞国的办法。估计蜀国的军士有九万人，守卫成都以及驻扎在其他地方的士兵不少于四万人，而剩下的军队不会超过五万人。如果派军队将姜维牵制在沓中，使他无暇顾及东面，我们的大军直取骆谷，从他们防守空虚的地方进兵，偷袭汉中郡，像刘禅那样昏庸的皇帝，一旦边城陷落，必定造成其国内人心惶恐不安，蜀国的灭亡是在预料之中的事情。"于是司马昭任命锺会为镇西将军，统领关中军事。而征西将军邓艾认为蜀国并没有可乘之机，因此对攻打蜀国屡次提出不同意见。司马昭于是派主簿师纂去充当邓艾帐下的司马官，对邓艾进行劝说，邓艾这才接受了命令。

姜维上表给后主刘禅说："听说锺会在关中训练军队，正在谋划攻打我们，陛下应该同时派遣左车骑将军张翼、右车骑将军廖化，让他们率军分别驻守阳安关口及阴平桥头，在魏军没有到来之前做好准备。"而黄皓迷信鬼神，认为敌兵无论如何不会自己前来送死，便劝说后主刘禅将姜维的奏章压下来，置之不理，因此满朝文武大臣对这样重大的事情竟然毫不知情。

之北，即今甘肃临潭。⑫侯和：魏县名，在今甘肃临潭东五十里。⑬沓中：地区名，在今甘肃临潭西南，当时为羌人所居地。⑭以羁旅依汉：姜维原是魏国人，后来被诸葛亮收服，归为汉将，见本书卷七十一太和二年（公元二二七年）。羁旅，作客在外，此指由他国归顺而来，犹如旅客。⑮阎宇：字文平，时为右大将军，居姜维之次。⑯奸巧专恣：奸诈巧伪，恣意专断。⑰趋走小臣：听候差遣的小宦官。⑱董允每切齿：董允常常对他切齿痛恨。事见本书卷七十四正始六年（公元二四五年）。⑲恨之：对董允的表现感到遗憾。恨，遗憾。⑳枝附叶连：指党羽众多。㉑逊辞：婉言道歉。㉒返自洮阳：自洮阳失利回师后。〖按〗以上言姜维与黄皓的矛盾乃补叙出兵洮阳以前事。㉓濮阳兴：姓濮阳，名兴。㉔左右御史大夫：御史大夫职同副丞相，主管监察、弹劾。㉕兴遇之厚：濮阳兴对当时为琅邪王的孙休有恩。㉖会稽王：据胡三省注，此处当作"琅邪王"。吴主孙休先封为琅邪王，徙居会稽。后来从会稽入京为帝，从未封会稽王。㉗典宫省：主管宫廷与朝廷的警卫，指为中军督。㉘关军国：指主管国家的政权与军事而言。㉙佞巧：善于卖乖讨好。㉚相表里：内外勾结。㉛博士祭酒韦昭：韦昭也称"韦曜"，字弘嗣。传见《三国志》卷六十

五。博士祭酒是帝王的咨询顾问人员，为诸博士的头领。㉜讲论：讨论学术。㉝亦何所损：对你有什么害处。㉞特当：大概是由于。㉟道臣下奸慝：说朝廷大臣的坏话。奸慝，邪恶。㊱自备：自己心里有数、有防备。㊲乃解：才能明白。㊳王务：即朝廷政事。㊴其流各异：它们的性质各不相同。㊵此无所为非：讨论学术本没有什么不对。㊶有所及：把学术与政治牵连到一起。㊷在事：居官任职。㊸更行此于孤：又把当初孙綝干涉我的那种样子用到了我的头上。更，又。㊹良甚：很是。㊺布拜表叩头：此句《通鉴》沿用《三国志》旧文。《通鉴》在这里已改为当面说话，不应再出“表”字，胡三省认为“表”字衍。㊻聊相开悟耳：你只要明白就行啦。㊼巍巍：指居于帝王之位。㊽靡不有初二句：语出《诗经·荡》，意谓刚开始的时候都很好，但很少有人能善始善终。鲜，少。㊾君其终之：希望你能善始善终。㊿卒如布意：最终还是按照张布的意思。卒，终于。如，按照。(51)讲业：讨论学术的活动。(52)谯郡嵇康：谯郡是魏郡名，郡治即今安徽亳州。嵇康字叔夜，任中散大夫，崇尚老庄，为“竹林七贤”之一。有《嵇中散集》。传见《三国志》卷二十一。(53)尚奇任侠：行为奇特，豪爽而爱打抱不平。(54)阮籍：字嗣宗，官至步兵校尉。性好老庄，旷达不羁，蔑视礼教，常纵酒昏睡，以此保全自己。能诗善文，为“竹林七贤”之一。传见《三国志》卷二十一。(55)河内山涛：河内是魏郡名，郡治即今河南武涉。山涛字巨源。传见《晋书》卷四十三。(56)河南向秀：河南是魏郡名，郡治即今洛阳。向秀字子期，著有《思旧赋》。传见《晋书》卷四十九。〖按〗据《晋书》，向秀也是河内人，不是河南。(57)琅邪王戎：琅邪是曹魏的诸侯国名，都城开扬，在今山东临沂北。王戎字濬冲，王浑之子。传见《晋书》卷四十三。(58)沛国刘伶：沛国是曹魏的诸侯国名，都城即今江苏沛县。刘伶字伯伦，以饮酒闻名。传见《晋书》卷四十三。(59)昏酣：昏醉不醒。(60)遗落世事：不关心现实政事。(61)留与决赌：留他接着下，要与他决出这一盘的胜负。(62)既：过后，指下完棋。(63)毁瘠骨立：因痛苦悲伤而瘦得骨立如柴。(64)司隶校尉何曾：司隶校尉是首都所在地区的行政长官，如同其他州的刺史，并负责监察朝廷百官。何曾，字颖考，魏时任散骑常侍、司隶校尉、镇北将军等职。入晋，官至司徒、太宰，封郎陵县侯。传见《三国志》卷十二。(65)面质：当面质问。(66)综核名实：考察名声是否与实际符合的问题。(67)若卿之曹：像你这种人。曹，辈，类。(68)不可长：不能助长。(69)听：听任。(70)以重哀：在其为母居丧期间。(71)摈之四裔：流放到边远的蛮荒地区。(72)拥护：保护。据《晋书》载：司马昭曾替儿子司马炎向阮籍之女求婚，阮籍不愿意，又不敢公开拒绝，于是酩酊大醉六十日，使司马昭无法开口。后来阮籍又为群臣执笔，给司马昭写劝进笺，文情并茂，故司马昭爱其才，常“拥护”之。(73)夔：何夔，字叔龙，曹操时代的名臣。传见《三国志》卷十二。(74)素幸姑婢：一向喜欢其姑身边的婢女。幸，喜爱。(75)姑将婢去：其姑出嫁时带着这个婢女一道走了。将，携带。(76)方对客：正跟客人在一起。(77)遽：立刻；赶紧。(78)累骑：两人同骑一匹马。(79)鹿车：小车，其小仅可让一只小鹿拉着。(80)荷锸：扛着铁锹。(81)造之：上门拜访。(82)箕踞：两腿直伸，像个簸箕似的坐着。(83)锻：锻冶；打铁。(84)深衔：狠

狠地记恨在心里。⑮山涛为吏部郎二句：山涛原为吏部郎，现在又有高就，推荐嵇康接替自己原来的职位。吏部郎，犹如后代的吏部尚书，负责百官的选拔任用。⑯康与涛书：即通常所说的《与山巨源绝交书》，全文见《昭明文选》。⑰不堪流俗：不能忍受世俗的人与事。嵇康的《与山巨源绝交书》中有所谓“七不堪”，即一，“卧喜晚起，而当关呼之不置”；二，“抱琴行吟，弋钓草野，而吏卒守之，不得妄动”；三，“危坐一时，痹不得摇，性复多虱，把搔无已，而当裹以章服，揖拜上官”；四，“素不便书，不喜作书……欲自勉强，则不能久”；五，“不喜吊丧，而人道以此为重……”；六，“不喜俗人，而当与之共事……”；七，“心不耐烦，而官事鞅掌，机务缠其心，世故繁其虑”。⑱非薄汤、武：批评、看不起商汤、周武王。嵇康的《与山巨源绝交书》中又有所谓“二甚不可”，其一即“非汤、武而薄周、孔”；其二即“刚肠疾恶，轻肆直言，遇事便发”。所谓“非薄汤、武”的言外之意即鄙视司马昭的阴谋篡魏。⑲东平吕安：东平是曹魏的诸侯国名，都城寿张，在今山东东平南。吕安，字仲悌，吕昭的次子。事见《三国志》卷二十一。⑳安兄巽：吕巽，字长悌，为东平相国的属吏，有宠于司马昭。㉑诬安不孝：据《魏氏春秋》载，“巽淫安妻徐氏，而诬安不孝，囚之”。㉒谮康：诬陷嵇康。谮，在上司面前说人坏话。㉓尝欲助毌丘俭：曾想帮助起兵讨伐司马氏的魏将毌丘俭。毌丘俭起兵讨伐司马氏见本书前文《魏纪八》。㉔汲郡孙登：汲郡是魏郡名，郡治在今河南卫辉城西南。孙登，字公和，当时有名的隐士。事见《三国志》卷二十一。㉕官骑路遗：司马昭的侍从人员姓路名遗。官骑，也称“驺骑”，骑马的侍从人员。㉖从事中郎荀勖：司马昭的属官姓荀名勖。从事中郎略同于“长史”，位在主簿之上。荀勖字公会，貌似中正的司马氏的亲附者。传见《晋书》卷三十九。㉗为天下宰：为普天下的主宰，因其为魏国宰相而恭称之。㉘违贰：不服管辖、不奉王命者，此处以称西蜀、东吴。㉙刑于四海：为天下人做榜样。刑，这里同“型”，做榜样。㊿爽：荀爽，东汉时大臣，曾官至司空。101 劝：鼓励；怂恿。102 定寿春：指平定诸葛诞的“反叛”，见前文魏帝曹髦甘露三年。103 以拟二虏：以对付东吴和蜀汉。拟，对，对准。104 差难：较为困难。105 灭虢取虞：灭掉虢国后，回军时顺便灭了虞国。春秋时晋献公先灭了虢国，而后返回时乘势灭了虞国。事见《左传》僖公三年。当时的虢国在今河南三门峡市东南，当时的虞国在今山西平陆北，晋国的都城在今山西侯马东北。106 绊：牵制。107 东顾：顾及东面。108 骆谷：山道名，在今陕西周至西南，谷长四百余里，为关中与汉中的交通要道。109 汉中：蜀郡名，郡治即陕西汉中。110 暗：昏庸。111 内震：在其国内造成震恐不安。112 未有衅：没有可乘之机。衅，裂痕，空隙。113 师纂：姓师名纂。114 为艾司马：去充当邓艾帐下的司马官。司马是将军的僚属，主管军中司法。115 规：谋划。116 左右车骑：时张翼任左车骑将军，廖化任右车骑将军。117 分护：分别把守。118 阳安关口：蜀国军事要地名，即阳平关，在今陕西勉县西。119 阴平：蜀县名，在今甘肃文县西北。阳平关及阴平道的地势都十分险恶。120 谓敌终不自致：认为敌兵无论如何不会自己前来送死。谓，认为。自致，自己到险地送死。121 寝其事：将此事压下，置之不理。

【校记】

［1］惶：原作“皇”。据章钰校，甲十一行本、乙十一行本、孔天胤本皆作“惶”，张敦仁《通鉴刊本识误》同，今从改。〖按〗二字同。［2］而：原无此字。据章钰校，甲十一行本、乙十一行本皆有此字，今据补。

【原文】

四年（癸未，公元二六三年）

春，二月[3]，复命司马昭进爵位如前⑫，又辞不受。

吴交趾⑬太守孙谞贪暴，为百姓所患。会⑭吴主遣察战邓荀⑮至交趾，荀擅调孔爵⑯三十头送建业⑰，民惮远役，因谋作乱⑱。夏，五月，郡吏吕兴等杀谞及荀，遣使来请太守及兵⑲，九真、日南⑳皆应之。

诏诸军大举伐汉，遣征西将军邓艾督三万余人自狄道⑬¹趣甘松⑬²、沓中⑬³，以连缀⑬⁴姜维。雍州刺史诸葛绪督三万余人自祁山⑬⁵趣武街⑬⁶、桥头，绝维归路。锺会统十余万众分从斜谷⑬⁷、骆谷、子午谷⑬⁸趣汉中⑬⁹。以廷尉卫瓘⑭⁰持节⑭¹监艾、会军事，行镇西军司⑭²。瓘，觊⑭³之子也。

会过幽州刺史王雄⑭⁴之孙戎，问：“计将安出？”戎曰：“道家有言，‘为而不恃⑭⁵。’非成功难，保之难也。”或以问参相国军事⑭⁶平原刘寔⑭⁷曰：“锺、邓其平蜀乎？”寔曰：“破蜀必矣，而皆不还⑭⁸。”客问其故，寔笑而不答。

秋，八月，军发洛阳，大赉⑭⁹将士，陈师誓众。将军邓敦谓蜀未可讨，司马昭斩以徇⑮⁰。

汉人闻魏兵且至，乃遣廖化将兵诣沓中为姜维继援，张翼、董厥等诣阳安关口为诸围⑮¹外助。大赦，改元炎兴⑮²。敕诸围皆不得战，退保汉、乐二城⑮³，城中各有兵五千人。翼、厥北至阴平⑮⁴，闻诸葛绪将

【语译】

四年（癸未，公元二六三年）

春季，二月，魏元帝曹奂重申景元元年诏书所说，封司马昭为晋公，并加九锡等事，司马昭又推辞而没有接受封赏的诏命。

吴国的交趾太守孙谞贪婪残暴，百姓对他深恶痛绝。碰巧吴主派遣的察战官邓荀来到交趾，邓荀擅自向交趾郡征调三十只孔雀，准备送往都城建业，当地人害怕长途服役，于是阴谋叛变。夏季，五月，交趾郡的官吏吕兴等人杀死了交趾太守孙谞以及察战官邓荀，然后派使者到魏国请求为交趾派遣太守及守军，九真郡、日南郡都起兵响应吕兴。

魏元帝曹奂下诏，命令各路大军大举讨伐蜀国，派遣征西将军邓艾统率三万多军队从狄道县进兵去夺取蜀国的甘松县、沓中地区，用来牵制姜维。派雍州刺史诸葛绪统率三万多军队从祁山县直扑武街、桥头，截断姜维的退路。锺会则统领十多万大军分别从斜谷、骆谷、子午谷出兵去夺取蜀国的汉中郡。任命廷尉卫瓘手执旌节，作为朝廷的特派使者监督邓艾、锺会的军事行动，临时充任镇西将军锺会的监军。卫瓘，是卫觊的儿子。

锺会到幽州刺史王雄的孙子王戎那里拜访，他问王戎："你有什么好的计策吗?"王戎说："道家曾经有这样的话，'事情可以做，但不能居功自傲。'是说并不是取得成功困难，而是保有功劳不容易。"有人问司马昭的参谋人员平原人刘寔，说："锺会、邓艾最终能平定蜀国吗?"刘寔回答说："平定蜀国是一定的，然而他们两人却都不能活着回来。"客人询问原因，刘寔只是微笑而不予回答。

秋季，八月，伐蜀大军在洛阳整装待发，朝廷大肆赏赐将士，而后誓师出发。将军邓敦认为不应该讨伐蜀国，司马昭当即把他斩首示众。

蜀汉听说魏军即将来犯的消息后，就派廖化带领军队前往沓中援助姜维作战，张翼、董厥等人率兵前往阳安关口作为各战略要塞守军的外援。大赦天下，改年号为炎兴。汉主刘禅命令各个要塞的守军不准出战，要全部退入汉城、乐城坚守，两座城中各有守军五千人。张翼、董厥率军向北抵达阴平县，听说魏将诸葛绪率军将

向建威[155]，留住月余待之。锺会率诸军平行[156]至汉中。

九月，锺会使前将军李辅统万人围王含[157]于乐城，护军荀恺围蒋斌[158]于汉城。会径过[159]西趣阳安口，遣人祭诸葛亮墓[160]。

初，汉武兴督[161]蒋舒在事无称[162]，汉朝令人代之，使助将军傅佥守关口[163]，舒由是恨。锺会使护军胡烈[164]为前锋，攻关口。舒诡[165]谓佥曰："今贼至不击[166]而闭城自守，非良图也。"佥曰："受命保城，惟全为功。今违命出战，若丧师负国，死无益矣。"舒曰："子以保城获全为功，我以出战克敌为功，请各行其志。"遂率其众出。佥谓其战也，不设备。舒率其众迎降胡烈，烈乘虚袭城，佥格斗而死。佥，肜[167]之子也。锺会闻关口已下，长驱而前，大得库藏积谷。

邓艾遣天水太守王颀直攻姜维营，陇西太守牵弘邀[168]其前，金城太守杨欣趣甘松。维闻锺会诸军已入汉中，引兵还。欣等追蹑于强川口[169]，大战，维败走。闻诸葛绪已塞道屯桥头[170]，乃从孔函谷[171]入北道，欲出绪后[172]。绪闻之，却还[173]三十里。维入北道三十余里，闻绪军却，寻还[174]，从桥头过。绪趣截维，较一日不及[175]。维遂还至阴平，合集士众，欲赴关城[176]。未到[4]，闻其已破，退趣白水[177]，遇廖化、张翼、董厥等，合兵守剑阁[178]以拒会。

安国元侯高柔[179]卒。

冬，十月，汉人告急于吴。甲申[180]，吴主使大将军丁奉督诸军向寿春；将军留平[181]就施绩于南郡[182]，议兵所向；将军丁封、孙异[183]如沔中[184]以救汉。

诏以征蜀诸将献捷交至[185]，复命大将军昭进位、爵赐[186]一如前诏，昭乃受命。

昭辟[187]任城魏舒为相国参军。初，舒少时迟钝质朴[5]，不为乡亲所重，从叔父[188]吏部郎衡，有名当世，亦不知之，使守水碓[189]，

要攻打建威县，于是就在阴平县驻扎下来等待与魏兵交战，在此等待了一月有余。锺会率领各路大军齐头并进直奔汉中。

九月，锺会派遣前将军李辅带领一万多名士兵把蜀汉将领王含围困在乐城，派护军荀恺率军把蒋斌围困在汉城。锺会则率领大军越过蜀军尚在坚守的汉城、乐城径直向西去夺取阳安关口，派人到定军山诸葛亮墓前祭祀诸葛亮。

当初，蜀汉武兴县城的防守将官蒋舒因为能力平庸，没有什么建树可以值得称道，蜀汉派人替代他守卫武兴县城，让他去帮助将军傅佥防守阳安关口，蒋舒因此怀恨在心。锺会命令护军胡烈为先锋攻打阳安关口。蒋舒欺骗傅佥说："如果敌人来了，我们不出城攻击敌人而只是闭门固守，这不是好办法。"傅佥说："接受命令坚守城池，只要能保全此城就是功劳。如果违反军令出城作战，万一丧师辱国，纵然一死，也无济于事了。"蒋舒说："你以保全城池作为功劳，我把出城作战战胜敌人当作功劳，就让我们各自按照各自的意愿去做吧。"于是率领自己的部下出了城。傅佥以为他是出城作战，因此毫无防范。蒋舒却率领他的部下向胡烈投降，胡烈趁城内没有防备袭击了阳安关口，傅佥战死。傅佥，是傅肜的儿子。锺会听说已经攻克了阳安关口，于是率军长驱而入，缴获了蜀军大量的库藏粮秣。

邓艾派遣天水太守王颀直接攻打姜维的大营，陇西太守牵弘袭击姜维大营前方，金城太守杨欣直扑甘松。姜维听说锺会的各路大军已经进入汉中，急忙率军向成都方向撤退。杨欣等率军跟踪追击，一直追到强川口，与姜维的军队展开激烈战斗，姜维败走。姜维听说魏将诸葛绪已经扼守住了武街、桥头，堵死了南退之路，于是就从孔函谷进入北道，想绕到诸葛绪驻军的背后穿过。诸葛绪得到消息后，就向北撤退了三十里。姜维已经进入北道三十多里，听说诸葛绪已经从武街、桥头撤退，便赶紧从北道折回来，迅速通过武街、桥头，诸葛绪闻讯后赶紧率军赶来拦截，因为比姜维晚了一天，所以没有赶上。姜维于是得以退回阴平县，他重新聚集兵力，准备开赴关城。还没有到达，就听说关城已经被魏军占领，于是姜维又率军撤往白水，在这里遇到廖化、张翼、董厥等人，数人合兵一处坚守剑阁以抵抗锺会。

魏国安国侯高柔去世，谥号为"元"。

冬季，十月，蜀汉向东吴紧急求救。甲申日，吴主孙休派遣大将军丁奉统率大军去攻打魏国的寿春；派将军留平前往南郡去找施绩，与他共同商量军队应该从哪个方向进攻魏军；将军丁封、孙异前往沔中支援蜀汉作战。

因为呈送给朝廷的捷报纷纷而至，魏元帝曹奂再次下诏，给大将军司马昭加封晋爵为晋公，加九锡等，与以前颁布的诏书内容一样，这次司马昭接受了封赏。

司马昭聘请任城人魏舒为相国参军。当初，魏舒小时候思维迟钝质朴，亲友乡邻都不看重他，他的堂叔父魏衡担任吏部郎，在当时很有声望，但他也不了解魏舒，

每叹曰："舒堪数百户长[190]，我愿毕矣[191]！"舒亦不以介意，不为皎厉[192]之事。唯太原王乂谓舒曰："卿终当为台辅[193]。"常振其匮乏[194]，舒受而不辞。年四十余，郡举上计掾[195]，察孝廉[196]。宗党[197]以舒无学业，劝令不就[198]，可以为高[199]。舒曰："若试而不中，其负在我，安可虚窃不就之高以为己荣乎？"于是自课[200]，百日习一经[201]，因而对策升第[202]，累迁后将军锺毓[203]长史。毓每与参佐射[204]，舒常为画筹[205]而已。后遇朋人不足[206]，以舒满数。舒容范闲雅[207]，发无不中。举坐愕然，莫有敌者。毓叹而谢曰："吾之不足以尽卿才[208]，有如此射矣，岂一事哉！"及为相国参军，府朝碎务[209]，未尝见是非[210]。至于废兴大事[211]，众人莫能断者，舒徐为筹之[212]，多出众议之表[213]。昭深器重之。

癸卯[214]，立皇后卞氏[215]，昭烈将军秉之孙[216]也。

邓艾进至阴平，简选精锐，欲与诸葛绪自江油[217]趣成都。绪以本受节度邀姜维[218]，西行非本诏[219]，遂引军向白水[220]，与锺会合。会欲专军势[221]，密白[222]绪畏懦不进，槛车征还[223]，军悉属会。

姜维列营守险，会攻之不能克，粮道险远，军食乏，欲引还。邓艾上言："贼已摧折，宜遂乘之[224]，若从阴平由邪径[225]经汉德阳亭[226]趣涪[227]，出[228]剑阁西百里，去[229]成都三百余里，奇兵冲其腹心[230]，出其不意，剑阁之守必还赴涪，则会方轨而进[231]；剑阁之军不还，则应涪之兵[232]寡矣。"遂自阴平行无人之地七百余里，凿山通道，造作桥阁[233]。山谷高〔6〕深，至为艰险，又粮运将匮，濒于危殆。艾以毡自裹，

就派魏舒去看守水磨，魏衡曾经叹息着说：“魏舒要是能够胜任一个只有几百户的亭长、乡长之类的小官，我也就心满意足了！”魏舒听了既不往心里去，也不故意去做那些能够显示自己才能的事情。只有太原人王乂对魏舒另眼相看，他对魏舒说：“你将来一定能够当上宰相一类的大官。”王乂在魏舒经济匮乏时，时常给予周济，魏舒接受他的周济也从不推辞。魏舒四十多岁的时候，郡太守派人进京去向朝廷缴纳税赋、结算钱粮等，将魏舒推荐为本郡孝悌清廉的人物。魏氏家族的人们认为魏舒没有什么学识，就劝说他不要应举去干这种差事，可以借此显示自己的清高。魏舒却说：“假如考试没有考中，那是我自己没有能力，哪能假冒不愿做官的虚名而使自己获取清高的声誉呢？”于是给自己制定出出发前的这段时间里的预习项目，发奋苦读，每一百天读好一部儒家经典，因为在回答皇帝的考问时成绩好而获得升级，从此在仕途上步步高升，一直做到后将军锺毓的长史。每当锺毓跟僚属们比赛射箭时，魏舒只是负责为比赛计数而已。后来有一次因为参加比赛的人手不够，就让魏舒凑数。魏舒仪容举止悠闲高雅，箭不虚发，百发百中。在座的人全都为此而惊愕不已，没有人能比得过他的射箭技术。锺毓非常感慨地向魏舒道歉说：“我没有能够充分发挥你的聪明才干，就跟这次的射箭一样，恐怕不仅仅是在这一件事情上吧！”等到魏舒担任了相国参军，他在处理相府的各种日常事务中，也没有显出他比别人有什么特别高明之处。到了有关国家兴衰成败的重大事情，大家都不能决断时，他却能从容地为之筹划，他的意见往往都比众人的见解高出一筹。因此司马昭非常地器重他。

十月十一日癸卯，曹奂册封卞氏女为皇后，卞氏女是昭烈将军卞秉的孙女。

邓艾率领魏军来到蜀国的阴平县，他挑选出精锐的士兵，准备与诸葛绪合兵一路从江油直奔成都。诸葛绪因为自己接受的任务是袭击姜维，向西进兵不符合司马昭下达给自己的命令，于是率领自己的本部人马向白水关进发，与锺会会合。锺会想独揽伐蜀的全部军权，便暗中向司马昭密报说诸葛绪临阵怯懦，不敢向敌人进攻，司马昭命令把诸葛绪关入囚车，押回京师，诸葛绪所率领的军队就全部归锺会所统领。

姜维在剑阁安营扎寨，据守险要，锺会连续攻打不能取胜，由于魏军运输粮秣的路途既遥远又艰险，因而军中粮食缺乏，锺会就想撤军。邓艾上疏说：“贼军的势力已经受到重创，我们就应该趁其军心不稳而袭击他们，如果从阴平县抄偏僻小路穿过汉中郡的德阳亭直扑涪县，再从剑阁往西前进一百多里，距离蜀国的都城成都就只有三百多里的路程了，如此出其不意去攻打他们的腹地涪县，剑阁的守军一定会回过头来救援涪县，那时锺会就可以大军平铺向前，无人可挡了；如果剑阁的守军不回军救援涪县，那么能够救援涪县的军队就寥寥无几了。”于是邓艾亲自率领部分军队从阴平县出发穿过七百多里的无人区，他们在崇山峻岭之间凿山开道、架设桥梁、修筑栈道。山高谷深，非常艰险，加上运输的粮食供应不上，情况万分危急。

推转而下[234]。将士皆攀木缘崖，鱼贯[235]而进。先登[236]至江油，蜀守将马邈降。诸葛瞻督诸军拒艾，至涪，停住不进。尚书郎黄崇，权[237]之子也，屡劝瞻宜速行据险，无令敌得入平地，瞻犹豫未纳。崇再三言之，至于流涕，瞻不能从。艾遂长驱而前，击破瞻前锋，瞻退住绵竹[238]。艾以书诱瞻曰："若降者，必表为琅邪王[239]。"瞻怒，斩艾使，列陈以待艾。艾遣子惠唐亭侯忠[240]等[7]出其右[241]，司马师纂[242]等出其左。忠、纂战不利，并引还，曰："贼未可击。"艾怒曰："存亡之分，在此一举，何不可之有！"叱忠、纂等，将斩之。忠、纂驰还更战，大破，斩瞻及黄崇。瞻子尚叹曰："父子荷国重恩[243]，不早斩黄皓，使败国殄民[244]，用生何为[245]！"策马冒陈[246]而死。

汉人不意魏兵卒至[247]，不为城守调度[248]；闻艾已入平土[249]，百姓扰扰[250]，皆迸山泽[251][8]，不可禁制。汉主使群臣会议，或以为[9]蜀之与吴，本为与国[252]，宜可奔吴；或以为南中七郡[253]，阻险斗绝[254]，易以自守，宜可奔南。光禄大夫谯周[255]以为："自古以来，无寄他国为天子者。今[10]若入吴国，亦当臣服。且治政不殊[256]，则大能吞小，此数[257]之自然也。由此言之，则魏能并吴，吴不能并魏明矣。等为称臣，为小孰与为大[258]，再辱之耻何与一辱[259]？且若欲奔南，则当早为之计，然后可果[260]。今大敌已近，祸败将及，群小之心，无一可保[261]，恐发足[262]之日，其变不测[263]，何至南之有乎[264]！"或曰："今艾已不远，恐不受降，如之何？"周曰："方今东吴未宾[265]，事势不得不受，受之不得不礼[266]。若陛下降魏，魏不裂土以封陛下者，周请身诣京都[267]，以古义争之[268]。"众人皆从周议。汉主犹欲入南，狐疑未决。周上疏曰：

在此危难之时，邓艾就用毡子将自己的身体裹起来，从山上翻滚而下。将士们也都攀缘着树木，沿着山崖一个挨一个地鱼贯前进。邓艾的先头部队率先到达江油城，蜀国的江油守将马邈向邓艾投降。诸葛瞻率领诸军前往江油抵抗邓艾，到达涪县后，便停止不前。担任尚书郎的黄崇，是黄权的儿子，屡次劝说诸葛瞻应该加速前进，迅速占据险要地势，不要让敌人进入平原地区，诸葛瞻犹豫不决，没有采纳黄崇的建议。黄崇再三劝说，以至于痛哭流涕，诸葛瞻却始终没有采纳他的建议。这才使邓艾得以长驱而进，打败了诸葛瞻的先锋部队，诸葛瞻退守绵竹县。邓艾写信劝诱诸葛瞻投降，他说："如果你投降魏国，我一定上表推举你为琅邪王。"诸葛瞻大怒，斩杀了邓艾的来使，然后摆开阵势等待邓艾前来攻打。邓艾派他的儿子惠唐亭侯邓忠等攻打诸葛瞻的右翼，派行军司马师纂等率军攻打诸葛瞻的左翼。邓忠、师纂出战失利，返回后向邓艾报告说："贼寇防守严密，无法攻击。"邓艾怒气冲冲地说："生死存亡，在此一举，什么叫无法攻击！"他大声呵斥邓忠、师纂等人，要把他们斩首示众。邓忠、师纂受到呵斥，回军再战，这次大败蜀军，杀死了诸葛瞻和黄崇。诸葛瞻的儿子诸葛尚叹息着说："我们父子蒙受国家的深厚恩惠，却没有能力及早铲除黄皓这个乱臣贼子，使他败坏国家，残害黎民，我活着还有什么用！"于是纵马冲入魏军阵地，奋力拼杀而死。

蜀汉没有估计到魏军会突然到来，所以根本就没有做调兵守城的准备；听说邓艾的军队已经进入平原地区，百姓惊惶失措，都纷纷扶老携幼逃入山林湖泽之中躲藏了起来，根本无法禁止。汉主刘禅让文武百官商议应敌的对策，有人认为，蜀国和吴国是同盟国，现在应该去投奔吴国；有人认为蜀国南部的七个郡，地势险峻，四面都是悬崖绝壁，易守难攻，可以逃到南部去。担任光禄大夫的谯周认为："自古以来，从来没有寄居在别人的国家里还能称天子的事情。现在如果投奔吴国，就要向吴国俯首称臣。如果国家的政治状况差不多，那么大国就能够吞并小国，这是自然规律。由此看来，魏国能够吞并吴国，而吴国不能吞并魏国是明摆着的事情。同样是向别人称臣，与其向吴国这样的小国称臣，还不如及早向魏国这样的大国称臣，与其先投降了吴国，等吴国被灭亡再投降魏国的两次投降的耻辱，还不如一次投降魏国以免除两次受辱吧？再说，如果想逃往南部，就应当提早做好准备，然后才有可能完成。如今敌人的大军已经逼近，国家败亡的灾祸就要降临，属下所有的臣民，没有一个人可以信赖，恐怕当你抬腿要走的时候，意想不到的事情就会发生，还哪里到得了南方呢！"有人说："如今邓艾的军队已经距离成都不远，恐怕他们不肯接受我们的投降，那该怎么办呢？"谯周说："如今东吴还没有臣服魏国，形势迫使他们不得不接受我们的投降。接受了我们的投降，就不可能不对我们以礼相待。如果陛下投降魏国，魏国不划分出土地来封赏陛下，我就亲自前往魏都洛阳，按照古代的章程道理去说服他们。"文武百官都同意谯周的建议。汉主刘禅还是希望迁往南中，因此对降魏之事犹豫不决。谯周又

"南方远夷之地，平常无所供为[269]，犹数反叛，自丞相亮以兵威逼之，穷乃率从[270]。今若至南，外当拒敌，内供服御[271]，费用张广[272]，他无所取[273]，耗损诸夷，其叛必矣。"汉主乃遣侍中张绍等奉玺绶以降于艾。北地王谌[274]怒曰："若理穷力屈[275]，祸败将及，便当父子君臣背城一战，同死社稷，以见先帝可也，奈何降乎！"汉主不听。是日，谌哭于昭烈之庙[276]，先杀妻子而后自杀。

张绍等见邓艾于雒[277]，艾大喜，报书褒纳[278]。汉主遣太仆[279]蒋显别敕姜维[280]使降锺会，又遣尚书郎李虎送士民簿于艾，户二十八万，口九十四万，甲士十万二千，吏四万人。艾至成都城北，汉主率太子、诸王及群臣六十余人，面缚舆榇[281]诣军门。艾持节[282]解缚焚榇[283]，延请相见。检御[284]将士，无得虏略[285]，绥纳降附[286]，使复旧业。辄依邓禹故事[287]，承制[288]拜汉王禅行骠骑将军[289]，太子奉车[290]，诸王驸马都尉[291]，汉群司[292]各随高下拜为王官[293]，或领艾官属[294]。以师纂领益州刺史[295]，陇西太守牵弘[296]等领蜀中诸郡。艾闻黄皓奸险，收闭[297]将杀之。皓赂艾左右，卒[298]以得免。

姜维等闻诸葛瞻败，未知汉主所向[299]，乃引军东入于巴[300]。锺会进军至涪，遣胡烈等追维。维至郪[301]，得汉主敕命，乃令兵悉放仗[302]，送节传[303]于胡烈，自从东道与廖化、张翼、董厥等同诣会降。将士咸怒，拔刀斫石。于是诸郡县围守[304]皆被汉主敕[305]罢兵降。锺会厚待姜维等，皆权[306]还其印绶节盖[307]。

吴人闻蜀已亡，乃罢丁奉等兵。吴中书丞[308]吴郡华覈[309]诣宫门上

上疏给后主刘禅说:“南中地区偏远荒僻，乃是夷人聚居的地方，承平时期既不向朝廷缴纳田赋捐税，又不供应民夫差役，即便如此，尚且多次反叛，当时诸葛丞相用武力震慑他们，他们是在走投无路的情况下才归顺了我们。如果我们迁往那里，对外要承担起抵御敌人的任务，对内要供奉朝廷及其官眷的日常生活需要，费用巨大，除了取之于当地的蛮夷之外，没有第二个供应来源，夷族人的利益受到损害，他们不堪承受这种重负必然叛变。”蜀汉后主刘禅无奈之下只得派遣侍中张绍等人捧着皇帝玺绶向邓艾投降。北地王刘谌得知后愤怒地说:“如果真的到了穷途末路，力气已经用尽，大祸临头的时候，就应当父子君臣背城一战，以死殉国，再到地下去见先帝也不晚，为什么现在就要投降呢!”后主刘禅不听北地王刘谌的劝告。当日，北地王刘谌就到昭烈皇帝刘备的祠庙大哭了一场，他先杀死了妻子儿女，而后自杀殉国。

张绍等人捧着后主刘禅的皇帝玺印到雒县拜见邓艾，邓艾喜出望外，回信对刘禅加以褒奖，表示接受他的投降。后主刘禅派担任太仆的蒋显到姜维那里传达自己的诏令，让姜维就近向锺会投降，又派担任尚书郎的李虎将蜀汉官民的户籍簿送交邓艾，当时蜀汉总计有二十八万户，人口九十四万，正规军队十万二千人，官吏四万人。邓艾来到成都城北接受后主刘禅的投降，后主刘禅率领着太子、诸王以及群臣六十多人，他们捆绑着双手，后面跟随的车上拉着棺材，来到邓艾军前投降。邓艾手持旌节走上前来，解开后主刘禅等人手上的绳索，烧毁了所带的棺材，将他们请到军营相见。又约束将士，不准抢男霸女、掠夺财物，安抚、招纳那些归附的军民，让他们恢复正常的生活秩序。然后依照当年邓禹接纳隗嚣投降的先例，秉承魏国皇帝的旨意任命蜀汉后主刘禅暂时担任魏国骠骑将军，任命刘禅的太子为魏国的奉车都尉，封刘禅的诸兄弟为魏国的驸马都尉，蜀汉的各部门官吏，邓艾都根据他们原来职位的高低重新任命为魏国朝廷的官员，或者暂时充任邓艾的僚属。邓艾任命师纂为益州刺史，任命陇西太守牵弘等人分别担任蜀中各郡官员。邓艾听说黄皓奸诈阴险，就把他逮捕羁押起来准备杀掉。黄皓用重金贿赂了邓艾身边的人，终于逃过一死。

姜维等人获悉诸葛瞻已经战败身亡，却不知道汉主刘禅身在何处，于是率领军队向东进入巴县，准备救援成都。锺会率军到达涪县，派遣胡烈等人率军追击姜维。姜维到达郪县的时候，接到后主刘禅要他投降锺会的敕命，于是命令所有的军队全部放下武器，把自己的旌节与符信也交给了胡烈，然后从东道与廖化、张翼、董厥等人一同前往锺会大营投降。将士们听到向敌人投降的消息后都义愤填膺，纷纷拔出佩刀，乱砍石头以发泄心中的愤怒。于是蜀汉所属的各个郡县以及汉中各据点的守军都按照刘禅的命令，全部向魏军缴械投降。锺会厚待姜维等蜀国降将，把他们交出的符节、印绶、车盖等又暂时交还给他们，让他们仍然官居原职。

东吴听到蜀国灭亡的消息，便命令声援蜀国的丁奉等人撤兵回国。吴国的中书

表曰:"伏闻成都不守，臣主播越[310]，社稷倾覆，失委附之土[311]，弃贡献之国[312]。臣以草芥[313]，窃怀不宁[314]。陛下[315]圣仁，恩泽远抚，卒闻如此，必垂哀悼[316]。臣不胜忡怅[317]之情，谨拜表以闻!"

魏之伐蜀也，吴人或谓襄阳张悌[318]曰:"司马氏得政以来，大难[319]屡作，百姓未服，今又劳力远征，败于不暇[320]，何以能克?"悌曰:"不然。曹操虽功盖中夏[321]，民畏其威而不怀其德也。丕、叡承之[322]，刑繁役重，东西驱驰[323]，无有宁岁。司马懿父子累有大功，除其烦苛而布其平惠[324]，为之谋主[325]而救其疾苦，民心归之亦已久矣。故淮南三叛[326]，而腹心不扰[327];曹髦之死[328]，四方不动。任贤使能，各尽其心，其本根固矣，奸计立[329]矣。今蜀阉宦专朝[330]，国无政令，而玩戎黩武[331]，民劳卒敝[332]，竞于外利[333]，不修守备。彼[334]强弱不同，智算亦胜，因危而伐[335]，殆[336]无不克。噫!彼之得志，我之忧也。"吴人笑其言，至是乃服。

吴人以武陵五溪夷[337]与蜀接界，蜀亡，惧其叛乱，乃以越骑校尉[338]锺离牧[339]领[340]武陵太守。魏已遣汉葭县长[341]郭纯试守[342]武陵太守，率涪陵民[343]入迁陵界[344]，屯于赤沙[345]，诱动诸夷进攻酉阳[346]，郡中震惧。牧问朝吏[347]曰:"西蜀倾覆，边境见侵[348]，何以御之?"皆对曰:"今二县[349]山险，诸夷阻兵[350]，不可以军惊扰，惊扰则诸夷盘结[351]。宜以渐安[352]，可遣恩信吏[353]宣教慰劳。"牧曰:"不然[11]。外境内侵，诳诱[354]人民，当及其根柢未深[355]而扑取之，此救火贵速之势也。"敕外趣严[356]。抚夷将军高尚谓牧曰:"昔潘太常[357]督兵五万，然后讨五溪夷[358]。

丞吴郡人华覈到皇宫门口进献表章说："我听说成都已经失守，蜀国君臣颠沛流离，国家灭亡，失掉了一块本来是依附于我们的疆土，丢失了一个向我们进贡的国家。我虽然是一介草民，因为蜀国的灭亡而为自己国家的前途深感不安。陛下圣明仁慈，恩德布于远方，突然听到这个噩耗，一定会深感哀悼。我无法克制自己忧虑与惆怅的心情，谨呈上我的表章使陛下得知！"

魏国大举进攻蜀国的时候，吴国有人对襄阳人张悌说："司马氏掌握魏国政权以来，大灾大难屡屡发生，民心未附，如今又劳师动众远征蜀国，挽救失败还来不及，又怎么会取胜呢？"张悌说："你的看法不对。曹操虽然功盖中原地区，但人们只是畏惧他的威严而不感怀他的恩德。曹丕、曹叡继承了曹操的事业并相继称帝，在他们统治时期，法网严密，徭役繁重，东征吴国，西征蜀国，没有一年得到安宁。司马懿父子屡次建立大功，他们废除了曹氏严密苛刻的法律而实行平和、有恩于百姓的政策，成了魏国的决策者，他们拯救了百姓的苦难，民心归向他们已经很久了。所以淮南的三次叛乱都没有造成中原地区军民的波动；魏帝曹髦被杀，魏国上下平静如常，没有发生任何骚动。司马氏任贤使能，官吏们都能为他尽心尽力，司马氏的根基已经巩固，篡夺曹氏政权的奸谋已经确立。如今蜀汉却是宦官黄皓专擅朝政，国家法令不修，掌握军权的姜维又不断地对魏国发动战争，人民劳顿，士卒疲惫，他们只想到疆域之外去争取胜利，却不知道在国境之内整修关隘，加强守备。魏、蜀两国不仅国力强弱不同，就是在谋略方面魏国也远胜蜀汉，趁着蜀汉危机四伏的机会出兵讨伐蜀国，可以说是战无不胜，攻无不克。唉！魏国得志之时，正是我们吴国感到忧虑之日啊。"吴国人都讥笑他，等到蜀汉灭亡之后，人们才佩服他有先见之明。

吴国因为武陵郡中的五溪少数民族居住的地方与蜀国接壤，蜀国灭亡后，吴国担心他们趁机叛乱，于是任命越骑校尉锺离牧兼任武陵郡太守。而此时魏国已经派遣汉葭县长郭纯为代理武陵太守，他带领着涪陵县的百姓已经进入了迁陵县的地界，就屯扎在赤沙，他们引诱五溪那些少数民族进攻吴国的酉阳县，引起全郡震动，百姓为此惊恐不安。锺离牧询问郡政府的官员说："西蜀已经灭亡，我国的边境又受到魏军的侵犯，应该用什么办法抵御他们呢？"众官员都回答说："如今迁陵、酉阳两县地处山区，地形复杂险恶，当地的各少数民族都能凭着自己的武装力量进行抵抗，我们不能依靠军队来控制他们，如果用军队去控制他们，那些少数民族就会互相联合起来结成同盟，形势将对我们更加不利。我们目前只宜采取慢慢安抚他们的政策，可以派遣一向对他们有恩德有信誉的官员到那里去宣传、教育他们，对他们进行慰劳。"锺离牧说："不对。敌人从境外入侵，诳骗、引诱我国人民叛乱，应当趁他们尚未打下牢固基础的时候一举摧毁他们，这就像救火贵在迅速一样。"于是命令全郡部队做好战斗准备。担任抚夷将军的高尚对锺离牧说："过去太常潘濬统领五万大军

是时刘氏连和[359]，诸夷率化[360]。今既无往日之援，而郭纯已据迁陵，而明府[361]欲以三千兵深入，尚未见其利也。”牧曰：“非常之事，何得循旧！”即帅所领，晨夜进道，缘山险行垂二千里[362]，斩恶民怀异心者魁帅[363]百余人，及其支党凡千余级[364]。纯等散走，五溪皆平。

十二月庚戌[365]，以司徒郑冲为太保。

壬子[366]，分益州为梁州[367]。

癸丑[368]，特赦益州士民，复除[369]租税之半五年。

乙卯[370]，以邓艾为太尉，增邑二万户；锺会为司徒，增邑万户[371]。

皇太后郭氏殂[372]。

邓艾在成都，颇自矜伐[373]，谓蜀士大夫曰[12]：“诸君赖遭艾[374]，故得有今日耳。如遇吴汉[375]之徒，已殄灭[376]矣。”艾以书言于晋公昭曰：“兵有先声而后实[377]者，今因平蜀之势以乘吴[378]，吴人震恐，席卷[379]之时也。然大举[380]之后，将士疲劳，不可便用[381]，且徐缓之。留陇右[382]兵二万人、蜀兵二万人，煮盐兴冶[383]，为军农要用[384]。并作舟船，豫为顺流之事[385]。然后发使告以利害，吴必归化[386]，可不征而定也。今宜厚刘禅以致孙休[387]，封禅为扶风王[388]，锡其资财[389]，供其左右。郡有董卓坞[390]，为之宫舍，爵[391]其子为公侯，食郡内县，以显归命[392]之宠；开广陵、城阳[393]以待吴人，则畏威怀德，望风而从矣。”昭使监军[394]卫瓘喻艾：“事当须报[395]，不宜辄行[396]。”艾重言[397]曰：“衔命[398]征行，奉指授[399]之策，元恶[400]既服，至于承制拜假[401]，以安初附，谓合权宜[402]。今蜀举众归命，地尽南海[403]，东接吴、会[404]，宜早镇定。若待国命[405]，往复道途，延引[406]日月。《春秋》之义[407]，‘大夫出疆，有可以安社稷，

才将五溪少数民族的叛乱讨平。当时吴、蜀两国处于联盟的状态，五溪的少数民族才相率归化于吴国。如今外部已经没有了蜀国的援助，而魏国的郭纯又已经占据了迁陵县，而您却想用三千士兵深入山区作战，我看不到有什么胜利的希望。”锺离牧说：“非常的举动，怎么能够依循以前的旧例！”锺离牧立即率领他属下的军队，日夜兼程，沿着山中险道急行军近二千里，一路斩杀那些居心险恶对吴国怀有二心带头叛乱的大首领一百多人以及他们的党羽，总计获得一千多个人头。魏国所委派的武陵太守郭纯及其属下人等全部溃散逃走，五溪的混乱局面被镇压下去。

十二月十九日庚戌，魏国任命司徒郑冲为太保。

二十一日壬子，将益州的部分土地划分出来，另设为梁州。

二十二日癸丑，对益州的百姓发布特赦令：在五年之内，每年免除一半租税。

二十四日乙卯，擢升邓艾为太尉，增加食邑二万户；任命锺会为司徒，增加食邑一万户。

魏国郭太后因病逝世。

邓艾进入成都后，便开始居功自夸起来，他对蜀国的士大夫们说：“你们幸亏是遇到了我邓艾，所以才能够有今天。假如遇到的是像吴汉那样的人，你们早就被消灭了。”邓艾写信给晋公司马昭说：“兵法有先造出声势，而后才开始真正出兵讨伐的，现在如果趁着平定蜀国的威势去攻打东吴，吴国人必定感到震惊、恐惧，目前正是以席卷一切之势灭掉他们的好时机。然而伐蜀之役结束之后，全军将士已经疲劳不堪，不能再把他们立即投入消灭东吴的战斗，应该使他们休整一段时间。可以留下陇右的二万士兵，再加上巴蜀的二万士兵，让他们煮盐、开矿冶炼，作为军队及屯垦的重要费用。同时建造战船，预先为顺江而下攻打东吴做好准备。然后派遣使者到东吴去陈述利害关系，东吴一定会归顺我们，这样就可以不必动用武力而平定东吴。如今应该厚待刘禅，作为招致孙休投降的样板，我建议封刘禅为扶风王，赏赐给他大量钱财，供给为他服役人员的生活费用。扶风郡的郿县有当年董卓建造的城堡，可以用来作为刘禅的宫舍，授予他的儿子们公侯的爵位，就把扶风郡内的县作为他们的食邑，以此来显示他们投降后所得到的恩宠；再把广陵郡、城阳郡改作封国，为将来分封吴国的君主孙休做准备，孙休既畏惧魏国的兵威又感怀魏国的恩德，一定会望风归顺。”司马昭派监军卫瓘晓谕邓艾说：“任何事情都应该先呈报，等待批示后再采取行动，不能自己擅自行动。”邓艾大声地对卫瓘说：“我奉命出征远行，一切遵奉晋王的指令行事，首恶刘禅已经服输归顺，至于以魏国朝廷的名义临时任命官员，用以安定刚归附的人心，我认为这符合临时制宜的做法。如今蜀国已经举国归顺，使国家的疆域向南一直延伸到南海边，使国家东方的边界与吴国接壤，所以就应该尽早使它获得安定。如果必须等待朝廷的命令，路途往返，势必拖延时间。按照《春秋》大义，‘大夫离开自己的国土出征远方，只要是有利于安定社稷，

利国家，专之可也。’今吴未宾[408]，势与蜀连，不可拘常[409]，以失事机。《兵法》：‘进不求名，退不避罪[410]。’艾虽无古人之节，终不自嫌[411]以损国家计也。”

钟会内有异志[412]，姜维知之，欲构成扰乱[413]，乃说会曰：“闻君自淮南已来[414]，算无遗策[415]，晋道克昌[416]，皆君之力。今复定蜀，威德振世，民高其功，主畏其谋，欲以此安归乎[417]？何不法陶朱公[418]泛舟绝迹[419]，全功保身邪？”会曰：“君言远矣，我不能行。且为今之道[420]，或未尽于此[421]也。”维曰：“其他[422]则君智力之所能，无烦于老夫[423]矣。”由是情好欢甚，出则同轝，坐则同席。会因邓艾承制专事，乃与卫瓘密白艾有反状。会善效人书[424]，于剑阁要艾章表白事[425]，皆易其言[426]，令辞指悖傲[427]，多自矜伐[428]。又毁晋公昭报书[429]，手作以疑之[430]。

【段旨】

以上为第二段，写魏帝曹奂景元四年（公元二六三年）一年间的大事，主要写了司马昭派邓艾、锺会两路大军伐蜀，姜维等抵抗失败，退守剑阁。写了邓艾经阴平，翻越崇山至蜀江油县，诸葛瞻拦截不住，邓艾等遂长驱扑向成都。写了蜀主刘禅听从谯周之议，向邓艾投降，并宣谕剑阁守军姜维等向锺会缴械事。写了邓艾谋略甚高，但矜伐骄纵，致被锺会所嫉恨陷害；此外也写了吴国交趾郡的官吏残暴，引起交州数郡反吴；与吴国武陵太守锺离牧成功地遏止了魏人欲乘伐蜀之胜进而占领东吴武陵郡的意图。

【注释】

⑫进爵位如前：指如景元元年的诏书所说，封司马昭为晋公，并加九锡等。⑬交趾：吴郡名，郡治龙编，在今越南河内东北。⑭会：适逢；正巧。⑮察战邓荀：察战是东吴官名，主管巡回督察各地战备事宜，邓荀时任此职。⑯擅调孔爵：擅自做主向交趾郡征调孔雀三十只。孔爵，即孔雀。⑰建业：吴国都城，即今江苏南京。⑱民惮远役二

稳固国家，独断专行也是可以的。’如今吴国还没有宾服，国土又与蜀地相连，不可以因为拘泥于常理，而失去有利时机。《孙子兵法》上说：‘进不求名，退不避罪。’我虽然没有古人的高尚节操，但我终究不会为了自己避免嫌疑而做有损于国家利益的事情。”

锺会有阴谋叛乱、自立为王的野心，姜维早已有所察觉，就想早日促成他的叛乱，给魏国政权造成动乱，于是煽动锺会说：“听说自从消灭淮南文钦、诸葛诞的叛乱以来，你的谋略和计策从未有过失误，司马氏的势力能够如此强盛，都是靠了你的功劳。如今你又平定了蜀国，声威震动了天下，人民歌颂你功高盖世，而主子却畏惧你的智谋，像你这种情况准备如何结局呢？你何不效法陶朱公离开官场泛游江湖、隐姓埋名，以保全自己的功劳和身家性命呢？”锺会说：“您说得太高远了，我不能按您说的去做。而且今天能够做的，也许还不仅是只有离开官场、泛游江湖、隐姓埋名，才能保全自己的功劳和身家性命这一条路可走。”姜维说：“至于其他的事情，凭你的智力完全可以做到，就用不着我再说什么了。”因为这个原因，二人情投意合，出去的时候同乘一辆车子，坐着的时候同坐一张席子。锺会因为邓艾以皇帝的名义任官封爵，专擅行事，于是便与卫瓘一道向司马昭密报邓艾有造反的迹象。锺会善于模仿别人的字体，便在剑阁中途拦截邓艾向朝廷禀告工作的文书，改换了其中说话的语句，言辞之中故意显示出邓艾的狂悖傲慢，自负夸耀的心迹。又拆毁晋公司马昭回复邓艾的书信，亲自动手改动书信的内容，使邓艾心生疑虑。

句：此处叙事不清，单征孔雀，何来“民惮远役”？据《三国志》卷四十八称，“谞先是科郡上手工千余人送建业，而察战至，恐复见取”，故郡人谋作乱。⑫⑨来请太守及兵：来向曹魏请求给交趾派太守及守军。⑬⓪九真、日南：皆吴郡名，九真郡的郡治胥浦，在今越南清化西北，日南郡的郡治朱吾，在今越南洞海南。⑬①狄道：魏县名，即今甘肃临洮。⑬②甘松：蜀县名，在今甘肃迭部东南。⑬③沓中：蜀国地区名，在今甘肃宕昌西，与甘松邻近。⑬④连缀：牵制。⑬⑤祁山：魏县名，在今甘肃礼县东北。⑬⑥趣武街：直扑武街。趣，同“趋”，扑向。武街，蜀县名，后来称同谷县，即今甘肃成县。⑬⑦斜谷：山道名，在今陕西五丈原西南，夹在武功水和褒水之间，是连接关中与汉中的交通要道。⑬⑧子午谷：从关中到汉中的南北通道。北口在今陕西长安西南，南口在今陕西汉阴西。⑬⑨汉中：蜀郡名，郡治南郑，即今陕西汉中。⑭⓪廷尉卫瓘：廷尉是全国最高的司法长官。卫瓘字伯玉，是魏晋之交的大权奸。传见《晋书》卷三十六。⑭①持节：手执旌节，作为朝廷特派的使者。⑭②行镇西军司：临时充任镇西将军锺会的监军。行，代理，暂时

充当。军司，后代所谓监军。⑭觊：卫觊，仕魏为尚书，封阌乡侯。⑭王雄：魏将，任幽州刺史时，曾派勇士刺死了鲜卑部落酋长轲比能，使鲜卑势力暂时衰退。事见本书卷七十三青龙三年（公元二三五年）。⑭为而不恃：语出《老子》，意思是，事情可以做，但不能居功自傲。⑭参相国军事：相国司马昭的参谋人员。⑭平原刘寔：平原郡人刘寔。刘寔，字子真，入晋后历仕晋武帝、惠帝、怀帝三朝，为西晋大臣。传见《晋书》卷四十一。平原是魏郡名，郡治在今山东平原县南。⑭皆不还：都不能活着回来。⑭赉：赏赐。⑮徇：示众。⑮诸围：各战略要塞。⑮改元炎兴：在此之前西蜀的年号是“景耀”。⑮退保汉、乐二城：这是采用姜维的战法，其说法见本书卷七十七甘露三年（公元二五八年）。汉城在今陕西勉县东，乐城在今城固东，都离汉中不远。⑮阴平：蜀县名，县治在今甘肃文县西北。⑮建威：蜀县名，即今甘肃西和。⑮平行：同时进军。⑮王含：蜀汉乐城守将。⑮蒋斌：蜀汉汉城守将。⑮径过：越过蜀军尚在坚守的汉、乐二城。⑯诸葛亮墓：诸葛亮死后葬在陕西勉县之定军山。⑯武兴督：武兴城的防守将官。武兴是蜀县名，即今陕西略阳。⑯在事无称：能力平庸，无建树可称道。⑯关口：指阳安关口，即今阳平关。⑯胡烈：魏将，曾为襄阳太守，秦州刺史。事见《三国志》卷二十八。⑯诡：故意说假话。⑯贼至不击：意即不击贼。⑯彤：傅彤，傅彤为魏而死，见本书卷六十九。⑯邀：袭击。⑯追蹑于强川口：指跟踪追击，一直追到强川口。强川口是强川的发源地，在今甘肃文县西北。⑰塞道屯桥头：扼守武街、桥头，堵死了姜维的南退之路。⑰孔函谷：在今甘肃舟曲与武都之间。⑰欲出绪后：想绕到诸葛绪驻军的背后。⑰却还：后撤；向北撤退。⑰寻还：很快地又折回来。⑰较一日不及：晚了一天没有赶上姜维。⑰关城：在今陕西略阳南，阳平关的西南。⑰白水：河水名，在关城西南，流经甘肃文县，至四川广元西南注入嘉陵江。⑰剑阁：关塞名，在今四川剑阁县东北大剑山、小剑山之间，地势险要，为川、陕间主要通道，自古戍守要地。⑰安国元侯高柔：安国侯是高柔的封号，元字是其死后的谥。高柔是魏国老臣。传见《三国志》卷二十四。⑱甲申：十月无“甲申”日，此处记载有误。⑱留平：东吴将领，留赞之子，曾为征西将军、左将军之职。⑱就施绩于南郡：到南郡与施绩共同商量。就，前往。施绩是吴将名。南郡是吴郡名，郡治即今湖北公安。⑱丁封、孙异：皆吴将名，孙异是东吴老将孙韶之子，官至领军将军。⑱如沔中：到在今陕西南部的汉水上游一带。沔水是汉水的上游，流经今陕西汉中一带地区。⑱献捷交至：呈献给朝廷的捷报纷纷而至。⑱进位、爵赐：指晋爵为“晋公”，赐“九锡”云云。⑱辟：聘任。⑱从叔父：堂叔父。⑱守水碓：看管一种利用水力舂米的机械。⑲舒堪数百户长：如果能让魏舒当上个亭长、乡长之类的小官。堪，能，担当。⑲我愿毕矣：我的愿望也就满足啦。⑲皎厉：指显摆、抬高自己。⑲台辅：即宰辅，指宰相一类的大官。⑲振其匮乏：周济他的穷困。⑲郡举上计掾：郡太守派他进京去向朝廷缴纳税赋、结算钱粮诸事由。⑲察孝廉：将他推荐为本郡孝悌清廉的人物。孝廉，是地方官向朝廷举荐人才的科目名。⑲宗

党：魏氏家族的人们。⑱ 劝令不就：劝告他不要应举去干这种差事。⑲ 可以为高：可以借此显示自己的清高。⑳ 自课：给自己订出发前做好准备的项目。㉑ 习一经：读好一门儒家经典，如《诗》《书》《礼》《乐》等。㉒ 对策升第：因回答皇帝的考问成绩好而获得升级。策，策问，皇帝出的考题。第，等级。㉓ 锺毓：曹魏的老臣锺繇之子，锺会之兄，曾为后将军之职。传见《三国志》卷十三。㉔ 与参佐射：跟僚属们比赛射箭。㉕ 画筹：计数。㉖ 朋人不足：参加比赛的人手不够。古代射礼，两人一组，故曰朋人。㉗ 容范闲雅：仪容举止悠闲高雅。㉘ 不足以尽卿才：没能充分发挥你的才干作用。㉙ 府朝碎务：指处理相国府衙的各种日常事务。㉚ 未尝见是非：意即看不出有何特别高明之处。㉛ 废兴大事：有关兴衰成败的大问题。㉜ 徐为筹之：从容地为之谋划。㉝ 多出众议之表：往往能比众人的见解高出一截。㉞ 癸卯：十月十一日。㉟ 立皇后卞氏：言魏帝曹奂立卞氏为皇后。㊱ 昭烈将军秉之孙：是昭烈将军卞秉的孙女。卞秉是曹操卞皇后之弟，曾被封为昭烈将军。事见《三国志》卷五。㊲ 江油：蜀邑名，在今四川平武东南，江油之正北方。㊳ 邀姜维：袭击姜维。㊴ 非本诏：不是司马昭下达给自己的命令。㊵ 白水：即白水关，在今四川广元西北，为蜀北边门户。㊶ 专军势：总揽伐蜀的全部军权。㊷ 密白：秘密向司马昭报告。㊸ 槛车征还：装入囚车，调回京师。㊹ 乘之：乘其军心不稳而袭击之。㊺ 邪径：偏僻小路。㊻ 德阳亭：蜀城名，故址在今四川梓潼北部。㊼ 涪：蜀县名，县治在今四川绵阳城东。㊽ 出：经由。㊾ 去：距离。㊿ 腹心：此处即指涪县。(231) 方轨而进：指大军平铺向前。方轨，并车。(232) 应涪之兵：蜀国救援涪县的部队。应，援助；救应。(233) 造作桥阁：在崇山峻岭之间架设桥梁、栈道。(234) 推转而下：从山上翻滚而下。(235) 鱼贯：一个挨一个的样子，像用绳子穿鱼一样。(236) 先登：先趋；先头部队。(237) 权：黄权，原是刘璋的部将，后归刘备。猇亭之败后，黄权隔在江北，投降曹操。事见本书卷六十九黄初三年（公元二二二年）。(238) 绵竹：蜀县名，县治在今四川绵竹城东南五十余里处。(239) 表为琅邪王：给魏帝上表，推举你为琅邪王。〖按〗因诸葛瞻的父亲诸葛亮本是琅邪（今山东沂南）人，故这里邓艾以“琅邪王”引诱诸葛瞻。(240) 惠唐亭侯忠：邓忠，以军功封惠唐亭侯。(241) 出其右：攻击诸葛瞻的右翼。(242) 司马师纂：邓艾的行军司马姓师名纂。(243) 荷国重恩：蒙受国家的深厚恩惠。(244) 败国殄民：败坏国家，残害黎民。殄，害。(245) 用生何为：还活着做什么。(246) 冒陈：冲向敌阵。(247) 卒至：突然来到。卒，同“猝”，突然。(248) 不为城守调度：从来没有调兵守城的准备。(249) 平土：平原地区，此指成都周围的平原地带。(250) 扰扰：惶恐混乱的样子。(251) 迸山泽：四散奔逃到深山大泽。(252) 与国：同盟国。(253) 南中七郡：指越嶲郡（郡治邛都，在今四川西昌东南）、朱提郡（郡治朱提，即今云南昭通）、牂柯郡（郡治且兰，在今贵州贵阳附近）、云南郡（郡治云南，即今云南祥云东南之云南驿）、兴古郡（郡治宛温，在今云南丘北县南）、建宁郡（郡治味县，即今云南曲靖）、永昌郡（郡治不韦，在今云南保山市东北）。七郡都处于蜀国的南部。(254) 斗绝：即“陡绝”，悬崖绝壁。(255) 光禄大夫谯周：光禄大夫是帝王的侍从官员，

备参谋顾问之用。谯周，字允南，蜀国的著名学者，著有《古史考》等。传见《三国志》卷四十二。㉖治政不殊：意谓若国家的政治状况差不多。㉗数：道理；规律。㉘为小孰与为大：与其向小国称臣，何如及早向大国称臣。㉙再辱之耻何与一辱：与其两次投降受辱，何如一次一劳永逸。㉚可果：可以做到；可以完成。㉛无一可保：没有一个人可以信赖。㉜发足：出发；起行。㉝其变不测：想象不到的事情就要发生。㉞何至南之有乎：还哪里到得了南方。㉟未宾：指没有臣服魏国。㊱不得不礼：不可能不对我们以礼相待。㊲身诣京都：亲自到魏都洛阳。㊳以古义争之：用古代的章程道理去说服他们。㊴无所供为：指既不向蜀国朝廷缴纳田赋捐税，又不供应民夫差役。㊵穷乃率从：走投无路了才顺服蜀国。诸葛亮威服南中事见本书卷七十一黄初六年。㊶供服御：供奉刘禅及其宫眷的日常生活需要。御，用。㊷张广：犹言“巨大”。㊸他无所取：除了当地的蛮夷之外，没有第二个供应来源。㊹北地王谌：即刘谌，刘禅之子，被封为北地王。事迹见《三国志》卷三十三。㊺力屈：力气用尽。屈，枯竭。㊻昭烈之庙：先主刘备的祠庙。㊼雒：蜀县名，县治在今四川广汉北。㊽报书褒纳：回信对刘禅加以褒奖、表示接受。㊾太仆：给帝王赶车的官，属于九卿一级。㊿别敕姜维：另外给姜维下令。㉁面缚舆榇：捆绑着双手，后面的车上拉着棺材。面缚，双手捆绑在背后，前头只见其面。舆榇，用车拉着棺材，表示接受诛杀。这是古代帝王向人投降的一种仪式。刘禅十七岁即位，五十七岁降魏，在位四十一年。蜀汉共传二世，四十三年而亡。㉂持节：手执旌节，这里是代表魏国皇帝处理此事的意思。㉃解缚焚榇：解开投降者的双手，把他所带的棺材烧掉，这也是古代接受帝王投降的一种仪式。㉄检御：约束。㉅无得虏略：不准抢男霸女，掠夺财物。㉆绥纳降附：安抚、招纳那些归附的军民。㉇辄依邓禹故事：随即依照当年邓禹接纳隗嚣投降的章程。邓禹是东汉刘秀的开国元勋，在他接纳大军阀隗嚣的投降时，曾以刘秀的名义任命隗嚣为西州大将军。事见本书卷四十建武元年（公元二五年）。㉈承制：按照魏国皇帝的旨意。㉉行骠骑将军：暂时担任魏国的骠骑将军之职。行，代理，暂时充当。㉊太子奉车：封刘禅的太子为魏国的奉车都尉。㉋诸王驸马都尉：封刘禅的诸兄弟为魏国的驸马都尉。㉌汉群司：蜀汉的各部门官吏。㉍王官：魏国朝廷的官员。㉎领艾官属：暂充邓艾的僚属。领，代理，充当。㉏益州刺史：益州地区，也就是原来蜀国所辖区域的地方长官。益州约当今之四川西部以及相邻的云南、贵州等部分地区。㉐牵弘：魏宿将牵招次子，曾为振威将军，扬州、凉州刺史等职。事见《三国志》卷二十八。㉑收闭：逮捕关押。㉒卒：终于。㉓所向：意向。㉔巴：蜀县名，即今四川阆中。㉕郪：蜀县名，县治在今四川中江县东南。㉖悉放仗：全部放下武器。㉗节传：旌节与符信。㉘郡县围守：即当年魏延所设置的汉中各据点的守兵。㉙被汉主敕：按照刘禅的命令。被，接受，奉行。㉚权：暂且；临时制宜。㉛还其印绶节盖：意即还让他们官居原来的职位。印绶、旌节、车盖，都是皇帝赐给大将的信物，以表示其地位与权威。㉜中书丞：魏置中书监、中书令，无中书丞。此官为东吴设置，掌机

要。㉚⑨华覈：字永先，始为上虞尉、典农都尉，后迁中书丞，善写表、疏。传见《三国志》卷六十五。⑳播越：犹今之所谓“颠沛”。㉛失委附之土：失掉了一块本来是依附我们的疆土。委附，归附，投靠。⑫弃贡献之国：丢失了一个向我们进贡的国家。⑬草芥：谦言自己的卑微。⑭窃怀不宁：因蜀之亡而感到自己国家的不安。⑮陛下：指孙休。⑯必垂哀悼：一定会深感哀悼，这里的意思是希望吴主为之表现一种哀悼之情。⑰忡怅：忧虑惆怅。胡三省曰：“蜀，吴之与国；蜀亡，岌岌乎为吴矣。吴之君不知惧，故华覈拜表以儆之。”⑱张悌：吴国将领。字巨先，时为屯骑校尉。传见《三国志》卷四十八。⑲大难：指王凌、毌丘俭、文钦、诸葛诞等起兵反对司马氏，以及夏侯玄被杀，曹芳、曹髦被废、被杀等。⑳败于不暇：挽救失败还来不及。㉑中夏：中原地区。㉒丕、叡承之：曹丕、曹叡继承了曹操的事业并相继为帝。曹丕是曹操之子，史称魏文帝，曹叡是曹丕之子，史称魏明帝。㉓东西驱驰：指东征吴国，西征蜀国。㉔布其平惠：实行平和、有恩于百姓的政策。㉕为之谋主：指司马氏成为魏国的决策者。㉖淮南三叛：指嘉平元年的王凌“叛变”，正元元年（公元二五四年）的毌丘俭“叛变”，甘露二年的诸葛诞“叛变”。㉗腹心不扰：指中原地区的魏国军民没有产生波动。腹心，指腹心地带，以魏都洛阳为中心的中原地区。㉘曹髦之死：事见本书卷七十七。㉙奸计立：篡夺曹氏政权的阴谋可以得逞。㉚阉官专朝：指宦官黄皓专擅朝政。㉛玩戎黩武：指姜维不断发动战争。㉜卒敝：士卒疲惫。㉝竞于外利：到疆域之外去谋取胜利。㉞彼：他们，指曹魏与蜀汉。㉟因危而伐：趁着蜀内部危机而对之讨伐。㊱殆：几乎；看来。表示推断的语气词。㊲武陵五溪夷：武陵是吴郡名，约当今之张家界一带，郡治在今湖南常德西。五溪夷是居住在武陵一带的少数民族。〖按〗武陵一带有五溪，即雄溪、樠溪、沅溪、酉溪、辰溪，都是少数民族所居地。㊳越骑校尉：汉武帝时所置京师屯兵的八校尉之一。越骑为骑兵之才力超越者，另一说为以内附的越人为骑兵。㊴锺离牧：姓锺离，名牧，字子干，吴国官僚，曾为南海太守，丞相长史，中书令等职。传见《三国志》卷六十。㊵领：兼理；暂时代理。以高职代理低职称“领”。㊶汉葭县长：汉葭县原是蜀国县名（县治在今重庆市彭水苗族土家族自治县东），此时已经降魏。〖按〗汉代大县的行政官称“县令”，小县的行政官称“县长”。㊷试守：代理。以低职代理高职称“守”。而且此时武陵郡尚属吴国。㊸涪陵民：涪陵县的百姓。涪陵县治即今重庆市彭水苗族土家族自治县，原属蜀国，今已降魏。㊹入迁陵界：进入迁陵县的地界。迁陵是吴县名，县治在今湖南保靖东北，四川涪陵的东南。㊺赤沙：古邑名，在当时迁陵县东北。㊻酉阳：吴县名，县治在今湖南永顺南。㊼朝吏：朝指郡朝，朝吏即郡政府的官员。㊽边境见侵：我们吴国的边境受到侵犯。㊾二县：指迁陵、酉阳二县。㊿诸夷阻兵：当地的少数民族都能凭着自己的武装力量进行抵抗。阻，倚仗。(351)盘结：互相联合结盟。(352)渐安：慢慢地安抚他们。(353)恩信吏：有恩德信誉的官员。(354)诳诱：诳骗引诱。(355)根柢未深：尚未打下牢固基础。(356)敕外趣严：命令全郡迅速做好战斗准备。(357)潘

太常：潘浚，字承明。先从刘表、刘备，后为孙权所用。任辅军中郎将，奋威将军，太常等官。传见《三国志》卷六十一。太常，是掌朝廷祭祀与礼乐的官员。㉟讨五溪夷：事见本书卷七十二太和五年（公元二三一年）。359刘氏连和：指吴与西蜀两国处联盟状态。360率化：相率归化于吴国。361明府：对刺史、太守的敬称。362垂二千里：将近二千里。363魁帅：首领；头目。364凡千余级：共获得一千多个人头。级，首级，人头。365庚戌：十二月十九日。366壬子：十二月二十一日。367分益州为梁州：分割益州部分土地，设立梁州。益州的州治即今成都，统蜀、犍为、汶山、汉嘉、江阳、朱提、越嶲、牂柯八郡，梁州的州治即今陕西汉中，统汉中、梓潼、广汉、涪陵、巴郡、巴西、巴东、新都（公元二六六年增设）共八郡。368癸丑：十二月二十二日。369复除：免除。370乙卯：十二月二十四日。371以邓艾为太尉四句：言司马昭赏二人平蜀之功。372殂：病死。373矜伐：居功自夸。374赖遭艾：幸亏是遇上了我邓艾。375吴汉：东汉刘秀的元勋，灭掉蜀地军阀公孙述后，曾屠杀成都。事见本书卷四十二建武十二年。376殄灭：被消灭。377先声而后实：先造出声势，而后真正出兵讨伐。378乘吴：乘势进攻东吴。379席卷：形容消灭敌方之轻而易举。380大举：指伐蜀之役。381便用：立即使用。382陇右：陇西，今之甘肃一带，当时的天水、南安、陇西诸郡。383煮盐兴冶：四川有盐井，可大量制盐；朱提县（治所在今云南昭通）有银矿；严道县（治所在今四川荥经）、邛都县（治所在今四川西昌东南）出铜；武阳县（治所在今四川眉山市彭山区）、沔阳县（治所在今陕西勉县东）出铁，都可以“兴冶”。384军农要用：军队和屯垦的重要费用。385豫为顺流之事：为顺江而下攻打东吴做好准备。386归化：投降魏国。387致孙休：引诱孙休来降。388扶风王：封地扶风郡，即今之陕西西部地区。郡治槐里，在今陕西兴平东南。389锡其资财：赏赐给他大量的钱财。390董卓坞：当年董卓在郿县建造的城堡。事见本书卷六十初平三年（公元一九二年）。391爵：用如动词，即授予爵位。392归命：投降的美称。393开广陵、城阳：把广陵郡、城阳郡改作封国，以准备分封吴国的君主孙休。魏国的广陵郡治即今江苏淮安市淮阴区，城阳郡治即今山东莒县。394监军：即前文所说的“军司”，最高统治者安插到军队中的特派员。395须报：等待朝廷回复。须，等候。396不宜辄行：不能自己立刻就做。397重言：大声地说，动气的样子。398衔命：奉命。399指授：指司马昭亲自指令。400元恶：首恶，指刘禅。401承制拜假：以魏国朝廷的名义临时任命官员。402谓合权宜：这符合临时置宜的做法。403地尽南海：领土一直到南海边。404东接吴会：东方挨着吴国。吴郡、会稽郡，是吴国的二郡名，这里用以代指吴国。405国命：朝廷的命令。406延引：拖延；耽误。407《春秋》之义：语见《春秋公羊传》。408未宾：未服。409不

可拘常：不能拘泥于常理。⑩进不求名二句：语出《孙子·地形》："将之至任，不可不察也……进不求名，退不避罪。唯人是保，而利于主，国之宝也。"⑪自嫌：自己避嫌，怕惹事。⑫异志：想自立为主。⑬构成扰乱：促使他造成这种对魏国政权的骚乱。⑭自淮南已来：指从消灭文钦、诸葛诞的"叛乱"以来。事见本书卷七十七甘露三年。⑮算无遗策：谋略和计策从未有过失误。⑯晋道克昌：司马氏的运气能够兴盛。⑰欲以此安归乎：像您这种情况准备如何结局呢。⑱法陶朱公：学习春秋末年的越国大夫范蠡。范蠡佐助越王勾践消灭吴国，洗雪会稽之耻后，遂辞官乘一叶扁舟，泛游江湖而去，最后在陶县（今山东菏泽市定陶区）经商，改名陶朱公。事见《史记·越王勾践世家》。⑲绝迹：离开官场。⑳为今之道：意即今天应该做的。㉑或未尽于此：也许还不仅获得这样的爵位。㉒其他：隐指自立为王。㉓无烦于老夫：不用我再说什么。㉔善效人书：善于模仿别人写字。㉕要艾章表白事：中途拦截邓艾向朝廷禀告工作的文书。要，拦截。章表，大臣给皇帝的上书。白，禀告。㉖易其言：改换了其中说话的语句。易，改换。㉗悖傲：狂悖傲慢。㉘矜伐：夸张、炫耀。㉙毁晋公昭报书：折毁司马昭给他的批复文件。㉚手作以疑之：亲自动手改动书信的内容，使邓艾心生疑虑。

【校记】

［3］二月：原作"正月"。据章钰校，甲十一行本、乙十一行本、孔天胤本皆作"二月"，张敦仁《通鉴刊本识误》、张瑛《通鉴校勘记》同，今据改。〖按〗《三国志·魏书·三少帝纪》亦作"二月"。［4］未到：原无此二字。据章钰校，甲十一行本、乙十一行本、孔天胤本皆有此二字，张敦仁《通鉴刊本识误》、张瑛《通鉴校勘记》同，今据补。［5］质朴：原无此二字。据章钰校，甲十一行本、乙十一行本、孔天胤本皆有此二字，张敦仁《通鉴刊本识误》同，今据补。［6］谷高：据章钰校，甲十一行本、乙十一行本二字皆互乙。［7］等：原无此字。据章钰校，甲十一行本、乙十一行本皆有此字，张敦仁《通鉴刊本识误》同，今据补。［8］泽：据章钰校，甲十一行本、乙十一行本、孔天胤本皆作"野"，张敦仁《通鉴刊本识误》同。［9］为：原无此字。据章钰校，甲十一行本、乙十一行本、孔天胤本皆有此字，今据补。［10］今：原无此字。据章钰校，甲十一行本、乙十一行本、孔天胤本皆有此字，张敦仁《通鉴刊本识误》同，今据补。［11］不然：原无此二字。据章钰校，甲十一行本、乙十一行本、孔天胤本皆有此二字，张敦仁《通鉴刊本识误》同，今据补。［12］曰：原无此字。据章钰校，甲十一行本、乙十一行本、孔天胤本皆有此字，张敦仁《通鉴刊本识误》同，今据补。

【原文】

咸熙元年[431]（甲申，公元二六四年）

春，正月壬辰[432]，诏以槛车征邓艾[433]。晋公昭恐艾不从命，敕锺会进军成都，又遣贾充将兵入斜谷[434]。昭自将大军从帝幸长安[435]，以诸王公[436]皆在邺[437]，乃以山涛[438]为行军司马[439]镇邺。

初，锺会以才能见任。昭夫人王氏[440]言于昭曰："会见利忘义，好为事端，宠过必乱，不可大任。"及会将伐汉，西曹属[441]邵悌[442]言于晋公曰："今遣锺会率十余万众伐蜀，愚谓会单身[443]无任[444]，不若使余人[445]行也。"晋公笑曰："我宁不知此邪？蜀数为边寇，师老[446]民疲。我今伐之，如指掌耳[447]，而众言蜀不可伐。夫人心豫怯[448]则智勇并竭，智勇并竭而强使之，适所以为敌禽耳。惟锺会与人意同[449]，今遣会伐蜀，蜀必可灭。灭蜀之后，就如卿虑[450]，何忧其不能办[451]邪？夫蜀已破亡，遗民震恐，不足与共图事[452]，中国将士[453]各自思归，不肯与同也。会若作恶，祇自灭族耳。卿不须忧此，慎勿使人闻也。"及晋公将之长安，悌复曰："锺会所统兵，五六倍于邓艾，但可敕会取艾，不须自行。"晋公曰："卿忘前言[454]邪，而云不须行乎？虽然，所言不可宣[455]也。我要自当以信意待人，但人不当负我耳，我岂可先人生心[456]哉？近日贾护军[457]问我'颇疑锺会不'，我答言：'如今遣卿行，宁可复疑卿邪？'贾亦无以易我语[458]也。我到长安，则自了[459]矣。"

锺会遣卫瓘先至成都收邓艾。会以瓘兵少，欲令艾杀瓘，因以为艾罪。瓘知其意，然不可得距[460]，乃夜至成都，檄艾所统诸将，称奉诏收艾，其余一无所问。若来赴官军[461]，爵赏如先[462]，敢有不出，诛及三族。比至[463]鸡鸣，悉来赴瓘，唯艾帐内在焉。平旦[464]，开门，瓘乘使者

【语译】

咸熙元年（甲申，公元二六四年）

春季，正月壬辰日，魏元帝曹奂下诏用囚车把邓艾押回京师接受审讯。晋公司马昭恐怕邓艾不服从命令，便下令锺会向成都进军，又派贾充率军进入斜谷。司马昭亲率大军跟随魏元帝曹奂进驻长安，因为曹氏宗室诸王、诸公都被集中在邺城统一监管，于是任命山涛为行军司马镇守邺城。

最初，锺会因为才能出众被委以重任。司马昭夫人王氏对司马昭说："锺会见利忘义，喜好制造事端，对他恩宠太过，必然会生出乱子，此人不可委以大任。"等到锺会即将率军讨伐蜀汉的时候，丞相府的西曹办事人员邵悌对晋公司马昭说："现在派遣锺会率领十多万大军讨伐西蜀，我认为他现在还是单身汉，没有家属留在京师做人质，不如另外派别的人去讨伐蜀国。"晋公司马昭笑着对邵悌说："我难道不知道这些吗？蜀国屡次侵犯边境，军队已经疲惫不堪，人民生活困苦。我现在去讨伐它，能成功的形势清楚得就如同指着自己手掌上的纹理让人看，然而众人却说伐蜀不可能成功。人一旦自己心里先胆怯，那么他的智慧和勇气就会同时丧失，在这种情况下如果强迫他们去作战，就等于是把他们送给敌人去当俘虏。只有锺会与我的意见相同，如今派遣锺会讨伐蜀国，蜀国一定会灭亡。灭掉蜀国之后，即使出现了像你担心的那种情况，又何必担忧不能解决？蜀国已经被灭亡，蜀国遗民必然惊恐不安，不会跟着他共同合谋作乱，锺会带去的魏国将士，都想早日回家团圆，也不会跟着他同心协力谋反。锺会如果作乱，只会自取灭族之祸。你不要忧虑这些，但千万不要让别人知道这件事。"等到晋公司马昭将往长安的时候，邵悌又对晋公司马昭说："锺会统领的军队，是邓艾所率军队的五六倍，只要命令锺会逮捕邓艾就可以了，您没有必要亲自率兵远行。"司马昭说："你忘记了以前说过的话了吗，为什么现在竟说用不着我亲自远行呢？虽然如此，以前所说的话仍然不可以对外宣扬。我只要秉着诚心诚意地待人，别人也不辜负我就可以了，我岂能在人家还没有表现出对我不利之前就先怀疑人家呢？最近护军贾充问我'很怀疑锺会吗'，我回答说：'如果我现在派你率军出征，难道我可以怀疑你吗？'贾充也没法不同意我的话。我到长安，问题自然就解决了。"

锺会派卫瓘先到成都去逮捕邓艾。锺会认为卫瓘的兵力少，想借助邓艾之手先杀死卫瓘，然后再利用这个罪名除掉邓艾。卫瓘看穿了锺会的借刀杀人之计，然而又不能拒绝执行命令，于是便连夜赶到成都，传檄给邓艾所统领的诸将，说奉了皇帝的命令，前来逮捕邓艾，与其他人没有任何关系。如果诸将领按照命令到官军这里来，官爵赏赐与先前平蜀时邓艾所赏赐的一样，胆敢抗拒命令，不肯前来，诛灭三族。等到鸡叫时分，邓艾属下的所有将领都到卫瓘这里报到，只有邓艾营帐里的

车[465]，径入至艾所居[13]。艾尚卧未起，遂执艾父子，置艾于槛车。诸将图欲劫艾，整仗[466]趣瓘营。瓘轻出迎之，伪作表草，将申明艾事[467]，诸将信之而止。

丙子[468]，会至成都，送艾赴京师。会所惮惟艾，艾父子既禽，会独统大众，威震西土，遂决意谋反。会欲使姜维将五万人出斜谷为前驱，会自将大众随其后。既至长安，令骑士从陆道，步兵从水道，顺流浮渭入河[469]，以为五日可到孟津[470]，与骑兵会洛阳，一旦天下可定也。会得晋公书云："恐邓艾或不就征[471]，今遣中护军贾充将步骑万人径入斜谷，屯乐城[472]，吾自将十万屯长安，相见在近。"会得书惊，呼所亲语之曰："但取邓艾，相国知我独办之[473]。今来大重[474]，必觉我异矣，便当速发。事成，可得天下；不成，退保蜀、汉[475]，不失作刘备也。"

丁丑[476]，会悉请护军、郡守、牙门骑督[477]以上及蜀之故官，为太后发哀[478]于蜀朝堂[479]，矫太后遗诏，使会起兵废司马昭，皆班示坐上人[480]，使下议讫[481]，书版署置[482]，更[483]使所亲信代领诸军。所请群官，悉闭着益州诸曹屋中[484]，城门宫门皆闭，严兵围守。卫瓘诈称疾笃[485]，出就外廨[486]。会信之，无所复惮。

姜维欲使会尽杀北来诸将[487]，己因杀会[488]，尽坑魏兵，复立汉主，密书与刘禅曰："愿陛下忍数日之辱，臣欲使社稷危而复安，日月幽而复明[489]。"会欲从维言诛诸将，犹豫未决。

会帐下督[490]丘建本属胡烈，会爱信之。建愍[491]烈独坐[492]，启会，使听[493]内[494]一亲兵出取饮食，诸牙门[495]随例[496]各内一人。烈绐[497]语亲兵及疏[498]与其[14]子渊曰："丘建密说消息，会已作大坑，白棓[499]数千，欲

人没有出来报到。等到天亮，营门一开，卫瓘就乘坐着使者的车子，径直进入邓艾的住所。邓艾还躺在床上没有起来，卫瓘于是顺利地逮捕了邓艾父子，把邓艾打入囚车。邓艾营帐之内的诸将企图以武力劫夺邓艾，就集结起军队、手持武器赶往卫瓘的营帐。卫瓘从容不迫地走出来接待他们，谎称自己正在给朝廷撰写奏章，以申明邓艾没有谋反之心，诸将领相信了卫瓘的话而停止了劫夺邓艾的行动。

正月十五日丙子，锺会到达成都，他派人把邓艾押赴京师。锺会所惧怕的只有邓艾，邓艾父子已经被擒，锺会独自统领大军，加上他的声威已经震动了西土，于是就下定决心要谋反了。锺会想让姜维做先锋，率领五万军队从斜谷出发，锺会亲自统领大军紧随其后。等到了长安，再命令骑兵从陆路，步兵从水路，乘船由渭水顺流进入黄河，估计五天之内就可以到达孟津，与骑兵会师于洛阳，一天之内可以夺取天下。就在这时收到了晋公司马昭的书信，司马昭在书信中说："我担心邓艾不肯束手就擒，如今已经派遣中护军贾充率领步兵、骑兵一万人径直进入斜谷，屯驻在乐城，我将亲自率领十万大军驻扎在长安，很快我们就会见面了。"锺会看过书信后大吃一惊，他把自己的亲信叫到跟前，对他们说："如果仅仅是为了逮捕邓艾，相国知道我一个人就可以办好。如今却率领这么多的军队前来，一定是觉察到了我有什么异常，我们应该马上起事。事情成功，可以得到天下；不成功，再退军保守蜀郡与汉中郡，仍然不失做个刘备第二。"

正月十六日丁丑，锺会把护军、郡守、牙门骑督以上的官员以及蜀汉时期的旧官吏全都请到原来蜀国的朝堂上，为郭太后发丧举哀，假传郭太后的遗诏，命令锺会起兵除掉司马昭，他把"遗诏"挨着座次拿给每一个人观看，让大家议论完毕，便填写委任状，任命各种官员，又让自己所信任的人接管了诸位将领的军队。又把所有请来的官员，都关押在益州刺史"各部""各局"的办公室里，城门、宫门全部关闭，派兵严加看守。卫瓘诈称病势沉重，要求出去住在外面的官舍。锺会相信了他的话，卫瓘出去后，锺会更加肆无忌惮。

姜维想让锺会把从中原带来的曹魏将领全部杀掉，自己再乘机诛杀锺会，然后把魏兵全部活埋，再让刘禅复辟，于是姜维秘密地写信给刘禅说："希望陛下暂且再忍耐几天耻辱，我会使国家转危为安，让已经落下去的太阳、月亮再升起来、亮起来。"锺会想听从姜维的劝告诛杀魏国诸将领，但一时又下不了决心。

担任锺会帐下督的丘建原本是胡烈的部下，锺会喜爱并且信任他。丘建看见自己的老上级胡烈即将与诸将一起被杀，深感同情，就请求锺会，准许胡烈叫进一个亲兵出去取些饮食，锺会同意了丘建的请求，各牙门骑督也都参照胡烈的做法各叫进一人出去取饮食。胡烈用假话欺骗那个亲兵并让亲兵把书信送给他的儿子胡渊，胡烈对那个亲兵说："丘建秘密地把消息透露给了我，说锺会已经挖好了大深坑，预

悉呼外兵入，人赐白帢[500]，拜散将[501]，以次棓杀，内坑中。”诸牙门亲兵亦咸说此语，一夜，转相告，皆遍。己卯日中[502]，胡渊率其父兵雷鼓出门，诸军不期[503]皆鼓噪而出，曾无督促之者，而争先赴城。时会方给姜维铠杖[504][15]，白[505]外有匈匈声[506]，似失火者。有顷，白兵走向城[507]。会惊，谓维曰：“兵来似欲作恶[508]，当云何？”维曰：“但当击之耳！”会遣兵悉杀所闭诸牙门、郡守，内人[509]共举机[510]以柱[16]门[511]。兵斫门，不能破。斯须[512]，城外倚梯[513]登城，或烧城屋，蚁附乱进[514]，矢下如雨。牙门、郡守各缘屋出，与其军士相得[515]。姜维率会左右战，手杀五六人，众格斩维，争前杀会。会将士死者数百人，杀汉太子璿[516]及姜维妻子，军众钞略，死丧狼藉。卫瓘部分[517]诸将，数日乃定。

邓艾本营将士追出艾[518]于槛车，迎还。卫瓘自以与会共陷艾，恐其为变，乃遣护军田续等将兵袭艾，遇于绵竹[519]西，斩艾父子。艾之入江油也，田续不进。艾欲斩续，既而舍之。及瓘遣续，谓曰：“可以报江油之辱矣。”镇西长史[520]杜预[521]言于众曰：“伯玉[522]其不免乎[523]？身为名士，位望已高，既无德音，又不御下以正[524]，将何以堪其责[525]乎！”瓘闻之，不俟[17]驾[526]而谢预。预，恕[527]之子也。邓艾余子在洛阳者悉伏诛，徙其妻及孙于西城[528]。

锺会兄毓尝密言于晋公曰：“会挟术[529]难保，不可专任。”及会反，毓已卒，晋公思锺繇[530]之勋与毓之贤，特原[531]毓子峻、辿，官爵如故。会功曹[532]向雄收葬会尸，晋公召而责之曰：“往者王经之死，卿哭于东市[533]而我不问。锺会躬为[534]叛逆，又辄收葬。若复相容，当[18]如王法何[535]？”雄曰：“昔先王掩骼埋胔[536]，仁流朽骨[537]，当时岂先卜其功

备了几千根白木棍，想把外面的士兵全部叫进去，每人发给一顶白色头巾，说是任命他们为将官，然后就趁他们进来时依次用木棍打死，扔到大坑中埋掉。”于是诸牙门骑督的亲兵众口一词传说此事，一夜之间，互相转告，全都传遍了。正月十八日己卯中午，胡渊率领着他父亲的部队擂着战鼓冲出营门，其他各个部队的士兵也都不约而同地擂鼓呐喊跑出营门，虽然没有人统领他们，却都争先恐后地向皇城进发。当时锺会正在发给姜维铠甲武器，有人来报告说外面有愤怒喧哗的声音，好像失了火一样。不一会儿，又有人来报告说有军队向城里跑来。锺会大惊，对姜维说：“士兵跑来好像要造反，应该怎么办呢？”姜维说：“只有迎头痛击了！”锺会派兵准备把关押在各办公室的所有牙门骑督、郡守杀死，而被关押在屋子里的人则同心协力用几案、桌子顶住屋门。锺会派去的士兵虽然用刀尽力砍门，但无法砍破。过了一会，城外的士兵已经爬着梯子登上城墙，有人放火焚烧城内的房屋，城外的士兵像蚂蚁群乱窜一样涌进城来，箭下如雨。被软禁的各牙门骑督、郡守趁机冲出屋子，沿着墙根逃出包围，他们与自己的部队彼此会合。姜维率领着锺会身边的卫士作战，亲手杀死了五六个人，众人一起杀死了姜维，又都争着冲上前来杀死了锺会。锺会手下的将士死了几百人，刘禅的太子刘璇以及姜维的妻子儿女全都被乱兵杀死，士兵趁机到处烧杀抢掠，死伤遍地，一片狼藉。卫瓘出来指挥、部署诸将，几天之后才使局面平息下来。

邓艾本营的将士追上押送邓艾的囚车，把邓艾父子解救出来准备迎回成都。卫瓘因为自己曾经与锺会合谋共同陷害邓艾，担心邓艾回成都后作乱，便派遣护军田续等人率兵去袭击邓艾，在绵竹县以西与邓艾相遇，于是杀死了邓艾父子。当初邓艾攻取江油的时候，田续迟迟不肯进兵。邓艾要将田续斩首，但后来还是把他赦免了。等到卫瓘派遣田续去袭击邓艾父子的时候，卫瓘对田续说：“这回你可以去报江油之战时所受的羞辱了。”镇西长史杜预对众人说：“卫伯玉将不会有好下场吧？身为知名人士，地位和声望虽然很高，却从没有听说他有什么美德，又不用正道驾驭下属，他将如何应付世人对他的指责呢！”卫瓘听到这样的话，不等套好车子就跑去向杜预承认自己的错误。杜预，是杜恕的儿子。邓艾在洛阳家中的几个儿子也都被诛杀了，只有邓艾的妻子和孙子保住了性命，被流放到了西城县。

锺会的哥哥锺毓曾经悄悄地对晋公司马昭说：“锺会善于玩弄权术，恐怕难以保全性命，不能让他独当一面。”等到锺会反叛的时候，锺毓已经去世，晋公司马昭回想起锺繇所建立的功勋和锺毓的贤明正直，特别宽恕了锺毓的儿子锺峻、锺辿，让他们保有原来的官职和爵位。在锺会属下担任功曹的向雄收殓埋葬了锺会的尸体，晋公司马昭召见向雄，责备他说：“以前王经被杀，你在东市刑场哭吊他我没有责备你。锺会亲自谋逆叛乱，你又来收葬他的尸体。如果再容忍你，怎么对得起王法呢？”向雄回答说：“古代圣明的君王把旷野上没人收葬的尸体掩埋起来，仁德施及朽骨，

罪[538]而后收葬哉？今王诛既加[539]，于法已备，雄感义[540]收葬，教亦无阙[541]。法立于上，教弘[542]于下，以此训物[543]，不亦可乎？何必使雄背死[544]违生[545]，以立于世？明公雠对[19]枯骨[546]，捐[547]之中野[548]，岂仁贤之度哉？”晋公悦，与宴谈而遣之。

二月丙辰[549]，车驾[550]还洛阳。

庚申[551]，葬明元皇后[552]。

初，刘禅使巴东太守襄阳罗宪[553]将兵二千人守永安[554]，闻成都败，吏民惊扰，宪斩称成都乱者一人，百姓乃定。及得禅手敕[555]，乃帅所统[556]临于都亭三日[557]。吴闻蜀败，起兵西上，外托救援，内欲袭宪。宪曰：“本朝倾覆，吴为唇齿[558]，不恤我难而背盟徼利[559]，不义甚矣。且汉已亡，吴何得久，我宁能为吴降虏乎！”保城缮甲[560]，告誓将士，厉[561]以节义，莫不愤激。吴人闻锺、邓败，百城无主，有兼蜀之志。而巴东固守，兵不得过，乃使抚军[562]步协[563]率众而西。宪力弱不能御，遣参军杨宗突围北出，告急于安东将军陈骞[564]，又送文武印绶[565]、任子[566]诣晋公。协攻永安，宪与战，大破之。吴主怒，复遣镇军陆抗[567]等帅众三万人增宪之围。

三月丁丑[568]，以司空王祥为太尉，征北将军何曾为司徒，左仆射荀觊为司空。

己卯[569]，进晋公爵为王[570]，增封十郡[571]。王祥、何曾、荀觊共诣晋王，觊谓祥曰：“相王尊重，何侯[572]与一朝之臣[573]皆已尽敬，今日便当相率而拜[574]，无所疑也。”祥曰：“相国虽尊，要是[575]魏之宰相。吾等魏之三公，王、公相去一阶[576]而已，安有天子三公可辄[577]拜人者！损魏朝之望，亏[578]晋王之德。君子爱人以礼，我不为也。”及入，觊觊遂

难道当时还要预先审查清楚这些尸骨生前是有功还是有罪之后再收葬他们吗？如今对锺会已经根据王法进行了处罚，从执行法律的程序上说已经完成，我有感于上级与下级、主人与随从之间所应当承担的义务而收葬他，这对于礼教并没有丝毫损害。朝廷制定刑法，下级将礼教弘扬光大，以此教育臣民，不是也可以吗？何必使向雄既背叛了死者又要违背人之常情，承受着这样沉重的心理负担活在这个世界上呢？明公与死人为敌，把他的尸体抛弃在旷野之中，这难道是大仁大贤者的胸襟吗？”晋公司马昭转怒为喜，与他闲谈了一阵之后就将他放回了。

二月二十六日丙辰，魏元帝曹奂回到洛阳。

三十日庚申，安葬了明元皇后。

当初，刘禅派遣巴东太守襄阳人罗宪率领二千士兵防守永安，当成都陷落的消息传来，永安城里的官民惊恐不安，罗宪立即把一个声称成都陷入混乱的人杀死，百姓才安定下来。等收到刘禅命令投降的手令后，罗宪率领自己的部下在白帝城的驿站中痛哭了三天。吴国听到蜀国失败的消息，立即发兵西进，表面上声称是救援蜀国，实际上却是准备袭击罗宪。罗宪说：“我们蜀国已经亡国，吴国和蜀国的关系就如同唇齿一样互相依存，如今唇已亡，吴国不仅不同情我们的苦难，反而背叛盟约趁机谋取利益，实在是最大的不仁不义。而且蜀国已经灭亡，吴国又怎么能够长久呢，我怎么能向吴国投降做吴国的俘虏呢！”于是坚守城池，修整铠甲，向将士宣誓，激励将士要坚守节操、坚持道义，手下将士无不群情激愤。吴国人听到锺会、邓艾被杀，蜀国境内百城无主的消息，于是萌生了兼并蜀国的念头。而巴东有罗宪率军固守，吴国的军队无法通过，就派遣抚军将军步协率领军队向西进攻罗宪。罗宪力量弱小，抵御不住步协的进攻，就派遣参军杨宗向北突围，到曹魏安东将军陈骞处告急求救，又把文武官员的印信绶带以及自己充作人质的儿子一同送交给魏国晋公司马昭。吴将步协攻打永安，罗宪率军迎战，把步协的军队打得大败。吴主孙休闻讯大怒，又派遣镇军将军陆抗等人率领三万人马增加对罗宪的包围。

三月十七日丁丑，魏国任命司空王祥为太尉，征北将军何曾为司徒，左仆射荀顗为司空。

三月十九日己卯，魏元帝曹奂晋封晋公司马昭为晋王，为他增加十个郡的封地。王祥、何曾、荀顗共同去拜见晋王，路上荀顗对王祥说：“司马昭既是相国又是晋王，位高权重，何曾与满朝文武大臣全都去参拜过了，今天我们两个人也应该像其他人那样向司马昭行跪拜之礼，你不会有什么顾虑吧。”王祥回答说：“相国虽然尊贵显赫，总还是魏国的宰相。我们都是魏国的三公，王和公之间只不过相差一个等级罢了，天子的三公怎么可以轻易地去跪拜别人呢！这样做有损于魏国朝廷的威望，有损于晋王的美德。君子即使爱戴别人，也要符合礼仪，我不做那种有损晋王美德的事情。”进去之后，荀顗向晋王司马昭行跪拜礼，只有王祥一个人向司马昭行了一个深深

拜，而祥独长揖。王谓祥曰：“今日然后知君见顾之重[579]也！”

刘禅举家东迁洛阳，时扰攘仓猝[580]，禅之大臣无从行者[581]，惟秘书令[582]郤正及殿中督[583]汝南张通舍妻子单身随禅，禅赖正相导宜适[584]，举动无阙[585]，乃慨然叹息，恨知正之晚。

初，汉建宁[586]太守霍弋[587]都督南中[588]，闻魏兵至，欲赴成都。刘禅以备敌既定[589]，不听。成都不守，弋素服大临三日。诸将咸劝弋宜速降，弋曰：“今道路隔塞，未详主之安危，去就大故[590]，不可苟也。若魏以礼遇主上，则保境而降不晚也。若万一危辱，吾将以死拒之，何论迟速邪！”得禅东迁之问[591]，始率六郡[592]将守[593]上表曰：“臣闻人生在[20]三[594]，事之如一，惟难所在[595]，则致其命[596]。今臣国败主附[597]，守死无所[598]，是以委质[599]，不敢有贰[600]。”晋王善之，拜南中都尉，委以本任[601]。

丁亥[602]，封刘禅为安乐公，子孙及群臣封侯者五十余人。晋王与禅宴，为之作故蜀技[603]，旁人皆为之感怆[604]，而禅喜笑自若。王谓贾充曰：“人之无情[605]，乃至于此。虽使诸葛亮在，不能辅之久全，况姜维邪！”他日，王问禅曰：“颇思蜀否？”禅曰：“此间乐，不思蜀也。”郤正闻之，谓禅曰：“若王后问[606]，宜泣而答曰：‘先人坟墓，远在岷、蜀，乃心西悲[607]，无日不思。’因闭其目。”会王复问，禅对如前。王曰：“何乃似郤正语邪？”禅惊视曰：“诚如尊命[608]。”左右皆笑。

夏，四月，新附督[609]王稚浮海入吴句章[610]，略[611]其长吏及男女二百余口而还。

五月庚申[612]，晋王奏复五等爵[613]，封骑督以上六百余人。

甲戌[614]，改元[615]。

的作揖礼。晋王司马昭对王祥说："我今天才知道你对我的爱护之情是多么深重！"

刘禅全家被迫迁往洛阳，由于当时蜀地秩序混乱，刘禅动身又很匆忙，所以刘禅的大臣已经没有什么人能够跟随他，只有担任秘书令的郤正以及曾经担任殿中督的汝南人张通抛下妻儿单身跟随刘禅来到洛阳，刘禅因为有了郤正的帮助引导，所以说话、举止都非常合宜、到位，没有什么失礼之处，刘禅这才感慨叹息，深恨了解郤正太晚了。

当初，蜀汉建宁郡太守霍弋兼管南中地区诸军事，他听到魏兵大举进攻蜀国的消息，就想率军奔赴成都增援。刘禅认为对敌作战的防御工事已经完备，就没有批准。成都陷落，霍弋身穿丧服面向成都哀悼三日。诸将都劝说霍弋应该赶快向魏国投降，霍弋说："如今道路隔绝，音信不通，皇上的安危尚不清楚，是投降是坚守关系重大，不能草率决定。如果弄清楚魏国确实以礼对待我们的君主，那时我们保护境内安定而后再投降也不算晚。如果万一我们的皇帝受到凌辱，处境危险，我将誓死抵抗，还提什么早晚呢！"霍弋得到刘禅东迁洛阳的确切消息后，这才率领六郡的将士和太守上表章给魏国皇帝说："我等听说人生在世有三个依靠，即父、母、君主，侍奉他们要始终如一，哪一个有了危难，都应该为他们献出性命。如今我的国家已经失败灭亡，国君已经投降，即使我想牺牲性命报效国家，然而已无报效的对象，所以才委身归顺，不敢再有别的想法。"晋王司马昭称赞他的高尚节操，任命他为南中都尉，让他仍然兼任建宁郡太守的职务。

三月二十七日丁亥，魏元帝曹奂封刘禅为安乐公，刘禅的子孙以及蜀国群臣中被封为侯爵的有五十多人。晋王司马昭设宴招待刘禅，为他表演巴蜀的歌舞，刘禅身边的人面对此情此景都感慨万千、心怀悲怆，而刘禅却嬉笑自若，一点伤感的表情都没有。晋王司马昭对贾充说："人的没心没肺，竟能到这样的程度。即使是诸葛亮在世，也不能辅佐他长治久安，何况是姜维呢！"有一天，晋王司马昭问刘禅说："你是不是很思念蜀地呀？"刘禅说："这里很快乐，我不思念蜀地。"郤正听到后，就对刘禅说："如果晋王日后再问你，你应该哭泣着回答说：'祖先的坟墓，都在远方的岷、蜀之地，每当西望巴蜀，内心就充满了悲痛，我没有一天不思念那里。'然后赶紧闭上双眼，表现出很思念的样子。"后来晋王果然又问刘禅，刘禅就照郤正教他的话和样子学说了一遍。晋王司马昭说："你的话怎么像郤正说的啊？"刘禅非常吃惊地睁开双眼说："的确和您说的一样。"左右的人都忍不住大笑起来。

夏季，四月，由东吴新近归降曹魏的人组成的部落群体长官王稚率人渡海进入东吴的句章县，抢掠了那里的官员以及男女二百多人而回。

五月初一日庚申，晋王司马昭奏请魏元帝曹奂恢复古代的公、侯、伯、子、男五等爵位制度，骑督以上有六百多人得到了封爵。

十五日甲戌，魏国改元为"咸熙元年"。

癸未[616]，追命舞阳文宣侯懿[617]为晋宣王，忠武侯师为景王。

罗宪被攻凡六月，救援不到，城中疾病太半[618]。或说宪弃城走，宪曰："吾为城主，百姓所仰，危不能安，急而弃之，君子不为也，毕命于此矣！"陈骞言于晋王，遣荆州刺史胡烈将步骑二万攻西陵以救宪。秋，七月，吴师退。晋王使宪因仍旧任[619]，加陵江将军[620]，封万年亭侯。

晋王奏使司空荀𫖮定礼仪，中护军贾充正[621]法律，尚书仆射裴秀议官制，太保郑冲总而裁[622]焉。

吴分交州置广州[623]。

吴主寝疾[624]，口不能言，乃手书呼丞相濮阳兴入，令子𩅦出拜之。休把兴臂，指𩅦以托之。癸未[625]，吴主殂，谥曰景帝。群臣尊朱皇[21]后为皇太后。

吴人以蜀初亡，交趾携叛[626]，国内恐惧，欲得长君。左典军[627]万彧尝为乌程令[628]，与乌程侯皓[629]相善，称皓之[22]才识明断，长沙桓王之俦[630]也；又加之好学，奉遵法度。屡言之于丞相兴、左将军布。兴、布说朱太后，欲以皓为嗣。朱后曰："我寡妇人，安知社稷之虑。苟吴国无陨[631]，宗庙有赖[632]，可矣。"于是遂迎立皓，改元元兴，大赦。

八月庚寅[633]，命中抚军司马炎副贰相国[634]事。

初，锺会之伐汉也，辛宪英[635]谓其夫之从子羊祜[636]曰："会在事[637]纵恣[638]，非持久处下之道[639]，吾畏其有他志也。"会请其子郎中琇[640]为参军，宪英忧曰："他日吾为国忧，今日难至吾家矣。"琇固请[641]于晋王，王不听。宪英谓琇曰："行矣，戒之[642]，军旅之间，可以济[643]者，其惟仁恕乎[644]！"琇竟以全归[645]。癸巳[646][23]，诏以琇尝谏会反，赐爵关内侯。

九月戊午[647]，以司马炎为抚军大将军。

二十四日癸未，魏帝曹奂追封舞阳文宣侯司马懿为晋宣王，忠武侯司马师为景王。

罗宪被东吴围攻前后长达六个月，救援一直不到，城中已经有一半以上的人身患疾病。有人劝说罗宪弃城逃走，罗宪说:“我是一城之主，百姓们全都仰仗着我，危险的时候我不能保护他们，情况紧急了我就抛弃他们自己逃走，这不是正人君子的所作所为，我死也要死在这里!”安东将军陈骞把罗宪的情况汇报给晋王司马昭，司马昭派遣荆州刺史胡烈率领步兵、骑兵总计二万人攻打西陵以救罗宪。秋季，七月，吴兵撤退。晋王司马昭让罗宪仍旧留在永安任巴东太守，加封罗宪为陵江将军，封为万年亭侯。

晋王司马昭奏请魏元帝曹奂，派司空荀𫖮负责制定礼仪，派中护军贾充负责修订法律，派尚书仆射裴秀议定官制，派太保郑冲总管其事，对有争议的问题做最终裁决。

吴国把交州划出一部分另外设置为广州。

吴主孙休病势沉重，口不能言语，于是就用手写字来招呼丞相濮阳兴进宫，命令儿子孙𩅦出来拜见丞相濮阳兴。孙休一手握着濮阳兴的手臂，另一只手指着孙𩅦，把孙𩅦托付给了濮阳兴。七月二十五日癸未，吴主孙休驾崩，谥号景帝。群臣尊朱皇后为皇太后。

吴国因为盟国蜀国刚被魏国灭亡，本国交趾郡又发生叛乱，因此国内人心恐慌，都希望能有一个年纪较大的皇帝来治理国家。担任左典军的万彧曾经担任乌程县的县令，与乌程侯孙晧关系很好，于是便称赞孙晧的才能、见识卓越，处事英明果断，是长沙桓王孙策一流的人物；再加上他爱好学习，遵纪守法。万彧屡次在丞相濮阳兴、左将军张布面前提起。于是濮阳兴、张布便劝说朱太后，希望能够让孙晧继承帝位。朱太后说:“我是一个守寡的妇道之人，哪里懂得如何考虑国家大事。只要吴国不至于衰亡、毁灭，宗庙有所依靠就可以了。”于是濮阳兴等人迎接孙晧入宫做了皇帝，改年号为“元兴”，并大赦天下。

八月初三日庚寅，魏国任命中抚军司马炎为副相国，协助司马昭处理政务。

当初，锺会讨伐蜀汉的时候，辛宪英对她丈夫羊耽的侄子羊祜说:“锺会不论办什么事情都为所欲为，他不是甘心永远做人臣子的样子，我担心他有政治野心。”锺会聘请辛宪英的儿子、担任郎中的羊琇做自己的参军，辛宪英感到十分忧虑，她说:“从前我是为国家担忧，如今灾难已经降临我家了。”羊琇坚决向晋王司马昭请求不愿担任此职，晋王司马昭都不允许。辛宪英嘱咐儿子羊琇说:“你去吧，凡事要警惕小心，在军旅之中，可以帮助你渡过危难救你一命的，只有你的仁爱与宽恕了!”羊琇遵从母亲的教诲，竟未卷入锺会的灾难，安全返回。八月初六日癸巳，魏元帝曹奂下诏:因为羊琇曾经劝阻锺会不要谋反，因此封羊琇为关内侯。

九月初一日戊午，任命司马炎为抚军大将军。

辛未[648]，诏以吕兴为安南将军，都督交州诸军事，以南中监军霍弋遥领交州刺史，得以便宜[649]选用长吏。弋表遣建宁爨谷[650]为交趾太守，率牙门董元、毛炅、孟幹、孟通、爨能、李松、王素等将兵助兴，未至，兴为其功曹李统[24]所杀。

吴主贬朱太后为景皇后，追谥父和曰文皇帝，尊母何氏为太后。

冬，十月丁亥[651]，诏以寿春所获吴相国参军事[652]徐绍为散骑常侍[653]，水曹掾[654]孙彧为给事黄门侍郎[655]，以使于吴，其家人在此者悉听自随，不必使还[656]，以开广大信[657]。晋王因致书吴主，谕以祸福[658]。

初，晋王娶王肃之女，生炎及攸，以攸继景王后[659]。攸性孝友[660]，多才艺，清和平允[661]，名闻[662]过于炎，晋王爱之，常曰："天下者，景王之天下也。吾摄居相位[663]，百年之后，大业宜归攸[664]。"炎立发委地[665]，手垂过膝，尝从容问裴秀[666]曰："人有相否[667]？"因以异相示之[668]，秀由是归心。羊琇与炎善，为炎画策，察时政所宜损益，皆令炎豫记之，以备晋王访问[669]。晋王欲以攸为世子[670]，山涛曰："废长立少，违礼不祥。"贾充曰："中抚军[671]有君人之德[672]，不可易[673]也。"何曾、裴秀曰："中抚军聪明神武，有超世之才，人望[674]既茂，天表[675]如此，固非人臣之相也。"晋王由是意定。丙午[676]，立炎为世子。

吴主封太子𩅦及其三弟皆为王[677]，立妃滕氏为皇后。

初，吴主之立，发优诏[678]，恤士民，开仓廪，振贫乏，科出[679]宫女以配无妻者，禽兽养于苑中者皆放之，当时翕然[680]称为明主。及既得志，粗暴骄盈，多忌讳，好酒色，大小失望，濮阳兴、张布窃悔之。或谮诸吴主[681]，十一月朔[682]，兴、布入朝，吴主执之，徙于广州，

九月十四日辛未，魏元帝曹奂下诏，任命吕兴为安南将军，统领交州的各种军务，任命南中监军霍弋遥领交州刺史，有权根据实际情况任命郡守及以下官吏。霍弋上疏举荐建宁人爨谷为交趾太守，让爨谷率领牙门董元、毛炅、孟幹、孟通、爨能、李松、王素等人率军去援助吕兴，爨谷等人还没有到达，吕兴已经被他属下的功曹李统杀害了。

吴主孙皓贬黜朱太后为景皇后，追谥自己的父亲孙和为文皇帝，尊奉自己的母亲何氏为太后。

冬季，十月初一日丁亥，魏元帝曹奂下诏，任命寿春之战中被俘获的东吴相国参军事徐绍为散骑常侍，水曹掾孙彧为给事黄门侍郎，派他们出使吴国，他们在洛阳的家属如果愿意跟随他们回吴国的悉听尊便，而且他们完成使命后，不想回魏国的可以不再回来，以此扩大魏国重视信义的影响。晋王司马昭趁机让他们给吴主孙皓带去书信，他在信中晓谕孙皓：抗拒魏国就会给吴国带来灾祸，而归降魏国就会给吴国带来幸福。

当初，晋王司马昭迎娶王肃之女为妻，王氏生司马炎和司马攸，司马昭把司马攸过继给景王司马师为子。司马攸生性对父母孝顺，对兄弟友善，又多才多艺，清静平和，为人正直，名望超过司马炎，晋王司马昭非常喜爱他，经常说："现在的天下，是景王打下的天下。我现在是代替他当这份丞相的差事，百年之后，国家权位要传给司马师的继承人司马攸。"司马炎的头发垂放下来可以拖到地面，双手垂直可以超过膝盖，司马炎曾经很随意地问裴秀说："究竟有没有决定人一生贵贱的相貌呢?"司马炎便把自己的长头发解开、把自己的双手垂直让裴秀看，裴秀认为这是大富大贵之相，从此衷心拥护司马炎。羊琇和司马炎关系密切，经常为司马炎出谋划策，观察时政的得失，提前提出处理意见，让司马炎预先熟记在心，以便应对晋王司马昭的询问。晋王司马昭准备立司马攸为接班人，山涛说："废长子而立少子，既违背了礼仪，也不吉祥。"贾充说："中抚军司马炎有驾驭臣民的素质，不能更换。"何曾、裴秀也说："中抚军司马炎聪明神武，有超过世人的才能，在臣民中已经有极高的威望，天生的帝王相貌，本来就不是做臣属的长相。"晋王司马昭由此下定了决心。十二月二十一日丙午，册立司马炎为继承人。

吴主孙皓封太子孙霬和他的三个弟弟都为王，册封妃子滕氏为皇后。

当初，吴主孙皓刚刚登基坐上皇帝宝座的时候，发布了优抚国人的诏书，抚恤士民，打开仓廪府库，赈济灾民，按照条例释放宫女，将她们配给那些单身汉，就连御花园中豢养的禽兽也都被他放回山野，当时众口一词称赞孙皓为一代明主。等到他真正掌握了政权，就原形毕露，粗暴骄横自满起来，他忌讳猜疑，贪酒好色，人民大失所望，濮阳兴、张布私下里后悔不已。于是有人在吴主孙皓面前说濮阳兴与张布的坏话，十一月初一日，当濮阳兴、张布入朝的时候，吴主孙皓便下令逮捕

道杀之，夷三族。以后父滕牧为卫将军，录尚书事[683]。牧，胤[684]之族人也。

是岁，罢屯田官[685]。

【段旨】

以上为第三段，写魏帝曹奂咸熙元年（公元二六四年）一年间的大事，主要写了锺会为独揽灭蜀军权，叛魏自立而陷害、袭捕邓艾，以及锺会亲近蜀将姜维，听姜维怂恿囚禁部下诸将欲尽杀之，结果因消息走漏，军中大乱，锺会、姜维被杀。写了司马昭早对锺会有防范，在朝里朝外预做了种种准备；写卫瓘于锺会死后仍将被囚的邓艾杀死，以掩盖其与锺会一道陷害邓艾的罪行，为日后司马炎为邓艾平反做伏笔。写了蜀将罗宪降魏后，在永安抵抗东吴入侵，立功封侯，与南中蜀将霍弋率六郡降魏，司马昭令其遥领交州刺史，经营交州诸郡事。写了司马炎耍手段，依靠亲信改变司马昭的意旨，获取了继承人的位置。写了吴主孙休病死，孙晧被立，以及孙晧听谗言杀死权臣濮阳兴、张布等等。

【注释】

㊶咸熙元年：这一年的五月，才改元咸熙，此时仍称景元五年。432 正月壬辰：这年的正月无壬辰日，此处疑误。433 以槛车征邓艾：用囚车将邓艾押解回京。槛车，囚车。征，调。434 入斜谷：经由斜谷逼近成都。斜谷是从关中通往汉中，进而入蜀的山路名，在今陕西眉县南。435 从帝幸长安：跟着魏帝曹奂来到长安。实际是司马昭"挟持"着魏帝，美其名曰"从"。幸，指皇帝到达某处。司马昭所以要到长安，是为了靠近成都一些，以便有问题及时解决。436 诸王公：指曹氏宗室的诸王、诸公。437 皆在邺：被司马昭集中到邺城统一监管。事见本书卷七十五嘉平三年（公元二五一年）。438 山涛：字巨源。与嵇康、阮籍交游，为"竹林七贤"之一，是投靠司马氏做官最大的一位。传见《晋书》卷四十三。439 行军司马：司马昭的行军司马，权任甚重。440 王氏：王元姬，王肃之女。生司马炎、司马牧，后谥文明皇后。441 西曹属：西曹的办事人员，自汉以来，丞相有东西两曹掾属（两个办事机构）。442 邵悌：字符伯，阳平（今山东莘县）人。事见《三国志》卷二十八。443 单身：指没有家眷。444 无任：没有家人留作人质。按魏制，凡派遣将帅，都留下家眷作为人质。445 余人：别人；其他人。446 师老：军队疲惫。447 如指掌耳：成功的形势清楚得如同指着自己手掌上的纹理让人看。448 豫怯：犹豫、怯懦。449 与

了他们，并把他们流放广州，又派人在前往广州的路上把濮阳兴和张布杀死，并诛灭了他们的三族。孙晧任命皇后的父亲滕牧为卫将军，主管尚书省的事务。滕牧，是滕胤的族人。

这一年，魏国撤销了屯田的官员。

人意同：跟我的意见相同。㊿就如卿虑：即使出了像你估计的那种情况。(451)不能办：不能解决。(452)与共图事：跟他共同合谋作乱。(453)中国将士：指锺会带去的魏国将士。(454)前言：指须防锺会之言。(455)不可宣：不要对他人言讲。(456)先人生心：意即人家还没有表现对我不利，我便先怀疑人家。(457)贾护军：即贾充，时为中护军，司马昭的死党。(458)无以易我语：没法不同意我们的话。易，改变，不同。(459)自了：自然就解决了。(460)不可得距：不能拒绝。距，同"拒"。卫瓘身为监军，派他收捕邓艾，是他职务分内之事。(461)来赴官军：指到自己这方面来。因为他这时代表"官方"，邓艾是"叛乱分子"。(462)爵赏如先：官爵赏赐都照先前平蜀时邓艾赏他们那样。(463)比至：等到。(464)平旦：天刚亮。(465)使者车：钦差乘坐的专车。《续汉志》载，有大使车、小使车、诸使车。此指一种小使车。蓝舆、赤毂、白盖、赤帷，从驺骑四十人。这是一种专门供收捕犯官的使者所乘的车子。(466)整仗：集结军队，手持武器。(467)伪作表草二句：诡言他正在撰写奏章，以申明邓艾没有谋反之心。(468)丙子：正月十五日。(469)浮渭入河：由渭水乘船进入黄河。(470)孟津：古黄河津渡名，在今河南洛阳市孟津区东北、孟州西南。(471)不就征：意即不服从调遣，不束手就擒。(472)乐城：原蜀县，在今陕西城固东。(473)独办之：一个人就可以办好。(474)大重：指这么多的军队。(475)蜀、汉：蜀郡与汉中郡。(476)丁丑：正月十六日。(477)护军、郡守、牙门骑督：皆官名，指跟随锺会驻守在成都的所有将领。(478)为太后发哀：郭太后于去年（公元二六三年）十二月去世。(479)朝堂：蜀国旧时的朝堂。(480)班示坐上人：把"遗诏"拿给座上的众人看。(481)议讫：议论完毕。(482)书版署置：填写委任状，任命各种官职。(483)更：又。(484)悉闭着益州诸曹屋中：全部把他们关押在益州刺史"各部""各局"的办公室里。(485)疾笃：病势沉重。(486)外廨：外面的官舍。(487)北来诸将：从中原地区带来的曹魏的将领。(488)已因杀会：自己再乘机杀掉锺会。(489)幽而复明：让已经落下去的太阳、月亮再升起来、亮起来。(490)帐下督：统帅身边的卫士长。(491)愍：同情；哀怜。(492)独坐：跟着诸将被杀。(493)听：准许。(494)内：同"纳"，准许进来。(495)诸牙门：即各牙门骑督。(496)随例：跟随胡烈的做法。(497)绐：欺骗。(498)疏：信札，这里即写信札。(499)白棓：白木棍。棓，同"棒"。(500)白帢：当时官僚所戴的一种头巾，形状如弁（冠），缺四角。(501)散将：没有名号的将官。(502)己卯日中：正月十八日的中午。(503)不期：不约而同地。(504)铠杖：铠甲武器。杖，同"仗"。(505)白：有人来报告说。(506)匈匈声：愤怒喧哗的

声音。⑤⓪⑦兵走向城：有军队往城里跑来。⑤⓪⑧似欲作恶：似乎是想来做坏事，造反。⑤⓪⑨内人：指被锺会禁闭在屋内的人。⑤①⓪机：几案；桌子。⑤①①柱门：顶住门。⑤①②斯须：过了一会儿。⑤①③倚梯：爬着梯子。⑤①④蚁附乱进：像一群蚂蚁似的涌进来。⑤①⑤相得：彼此找到。⑤①⑥汉太子璿：刘禅的太子刘璿。⑤①⑦部分：部署；分派。⑤①⑧追出艾：追上并释放出邓艾。⑤①⑨绵竹：原蜀县名，县治在今四川绵竹东南。⑤②⓪镇西长史：镇西将军锺会的长史。⑤②①杜预：字符凯，京兆杜陵（今陕西西安东南）人，司马昭的妹夫。博学而多谋略，时号“杜武库”。撰有《春秋左氏经传集解》《春秋释例》等。传见《晋书》卷三十四。⑤②②伯玉：即卫瓘，字伯玉。⑤②③其不免乎：将不会有好下场了吧，指将被杀。⑤②④不御下以正：不用正道驾驭下属。指卫瓘激田续杀邓艾以掩己罪。⑤②⑤何以堪其责：如何应付世人对自己的指责。⑤②⑥不俟驾：不等车套好就急忙地前行。⑤②⑦恕：字务伯，杜畿之子。为人洒脱任性，议论亢直。后为幽州刺史，遭同官奏劾，免官死于徙所。传见《三国志》卷十六。⑤②⑧西城：原蜀县名，县治在今陕西安康西北。⑤②⑨挟术：玩弄权术。⑤③⓪锺繇：曹魏的开国元勋，字符常，锺会与锺毓之父。曾为侍中守司隶校尉，持节督关中诸军守长安，又为廷尉、太傅等职。擅长书法，与晋王羲之并称为“钟王”。传见《三国志》卷十三。⑤③①原：宽恕。⑤③②功曹：将军的属吏，主管考核、选拔。⑤③③卿哭于东市：司马昭杀王经，向雄哭王经于东市事，见本书卷七十七景元元年。⑤③④躬为：亲自作为。⑤③⑤如王法何：怎么对得起王法。⑤③⑥先王掩骼埋胔：《礼记·月令》，“孟春之月掩骼埋胔。”即把旷野上没人收葬的尸骨掩埋起来。⑤③⑦仁流朽骨：仁德施于朽骨。⑤③⑧先卜其功罪：先考查清楚这副枯骨生前是功臣还是罪人。卜，占算，这里即指考查。⑤③⑨王诛既加：指锺会已被杀死。⑤④⓪感义：感于上下、主从之义。⑤④①教亦无阙：对于礼教并没有损害。⑤④②弘：弘扬。⑤④③训物：教育臣民。⑤④④背死：背叛死者，指锺会。⑤④⑤违生：违背生者，指人之常情。⑤④⑥雠对枯骨：即与死人为敌。⑤④⑦捐：抛弃。⑤④⑧中野：旷野。⑤④⑨丙辰：二月二十六日。⑤⑤⓪车驾：指魏帝曹奂，实际是指司马昭。⑤⑤①庚申：二月三十日。⑤⑤②明元皇后：即前文所称之郭太后，以其为魏明帝之妻，谥曰“元”，故称“明元皇后”。⑤⑤③罗宪：字令则，为蜀太子舍人、尚书吏部郎、巴东太守等官。归降魏后任陵江将军，又进位冠军将军、假节。传见《三国志》卷四十一。⑤⑤④永安：即白帝城，原名“鱼腹”，刘备于章武二年将其改曰“永安”。⑤⑤⑤手敕：即今之所谓“手令”。⑤⑤⑥帅所统：率领着自己的部下。⑤⑤⑦临于都亭三日：在白帝城的驿站哭了三天。都亭，驿站。⑤⑤⑧唇齿：唇齿相依之邦。⑤⑤⑨徼利：谋取利益。⑤⑥⓪保城缮甲：坚守城池，修整铠甲。⑤⑥①厉：激励。⑤⑥②抚军：即抚军将军。⑤⑥③步协：东吴名臣步骘之子。⑤⑥④陈骞：曹魏老臣陈矫之子，字休渊。曾为征南大将军、车骑将军等职，当时陈骞镇守荆州。传见《晋书》卷三十五。⑤⑥⑤文武印绶：文武官员的印信。⑤⑥⑥任子：以儿子做人质。⑤⑥⑦镇军陆抗：陆抗是吴国名将陆逊之子，时为镇军将军，驻防西陵（今湖北宜昌）。⑤⑥⑧丁丑：三月十七日。⑤⑥⑨己卯：三月十九日。⑤⑦⓪进晋公爵为王：升晋公司马昭为“晋王”。⑤⑦①增封十郡：司马昭为“晋公”时已享有封地十

个郡，今又增封十郡，共二十个郡。⑫何侯：敬称何曾。⑬一朝之臣：即满朝文武大臣。⑭相率而拜：彼此跟着向司马昭行跪拜之礼。⑮要是：总还是。⑯相去一阶：相差一级，司马昭的职务是宰相，有实权，但排在“三公”之下。司马昭又是“晋王”，按爵位说又比“三公”高一级。⑰辄：这里是“轻易”“随便”的意思。⑱亏：有损。⑲见顾之重：对我爱护之情是何等深重。⑳扰攘仓猝：混乱、匆忙。㉑禅之大臣无从行者：姜维已死，其余大臣张翼、廖化、董厥也死于战乱，故已无重臣。㉒秘书令：秘书省的长官，主管文书档案，是帝王的机要官员。㉓殿中督：防卫宫廷的卫士长。㉔相导宜适：帮助引导使刘禅的说话举动都非常合宜、到位。㉕无阙：无失礼之处。㉖建宁：原蜀郡名，郡治即今云南曲靖。㉗霍弋：蜀汉功臣霍峻之子，字绍先，先后任永昌太守、安南将军等。㉘南中：古地区名，相当今四川大渡河以南和云南、贵州两省。㉙备敌既定：对敌人的防御工作已经完备。㉚去就大故：“去”指降魏，“就”指坚守，都是大事情。㉛问：消息。㉜六郡：南中共七郡，此时越嶲郡已降魏，故言“六郡”。㉝将守：将军与太守。㉞人生在三：人生在世的三个依靠，即父、母、君主。㉟惟难所在：哪一个有了危难。㊱则致其命：就为他们献出性命。㊲主附：主子投降了人。㊳守死无所：再想牺牲性命，已无报效对象。㊴委质：委身归顺。㊵不敢有贰：不能再有别的想法。㊶本任：原来的任职，指仍为建宁郡太守。㊷丁亥：三月二十七日。㊸故蜀技：表演当初巴蜀的歌舞。技，同“伎”。㊹感怆：感慨悲怆。㊺无情：意如今之所谓“没有心肝”。㊻后问：日后再问你。㊼乃心西悲：西望巴蜀而内心悲痛。㊽诚如尊命：的确和您说的一样。㊾新附督：由东吴新近归降曹魏的人组成的部落群体长官，约住在淮南一带。⑩句章：吴县名，县治即今浙江余姚。⑪略：抢掠。⑫五月庚申：五月初一日。⑬奏复五等爵：建议恢复周朝公、侯、伯、子、男五等的分封制度。⑭甲戌：五月十五日。⑮改元：改元后为“咸熙元年”，此前尚一直称“景元五年”。⑯癸未：五月二十四日。⑰舞阳文宣侯懿：司马懿。舞阳侯是封号，文宣是谥。⑱太半：一半多，达三分之二。⑲因仍旧任：仍旧留在永安任原官，即任巴东太守。⑳陵江将军：为四十位杂号将军之首，意为陵驾江流，荡平东吴。㉑正：制定。㉒总而裁：总管其事，对有争议的问题做最终裁决。㉓分交州置广州：汉武帝元鼎六年（公元前一一一年）灭南越，在今广东、广西与越南一带地区设交州刺史，州治龙编（越南河内东北）。今将交州分为二州。交州仍治龙编，广州治番禺（今广州）。㉔寝疾：病重在床。㉕癸未：七月二十五日。㉖交趾携叛：指去年吕兴的起兵叛吴。携，叛离。㉗左典军：武官名，统领左翼朝廷禁卫。㉘乌程令：乌程县的县令。乌程县治即今浙江湖州。㉙乌程侯皓：孙皓，孙权的故太子孙和之子，字符宗，前此被封为乌程侯。传见《三国志》卷四十八。㉚长沙桓王之俦：像是孙权之兄孙策一流的人物。孙策年轻有为，是吴国的奠基者，因过早去世，故孙权才得为吴国皇帝。孙权即位后谥孙策为长沙王，桓字是谥。俦，同类，相比。㉛无陨：不至于衰亡、毁灭。㉜有赖：有依靠。㉝八月庚寅：八月初三日。㉞副

贰相国：即副相国，为司马昭当助手。⑮辛宪英：羊耽之妻。事迹见《晋书·列女传》。⑯羊祜：字叔子，晋初名将。传见《晋书》卷三十四。⑰在事：不论办什么事情。⑱纵恣：为所欲为。⑲非持久处下之道：不是长久为人做臣子的样子。⑳郎中琇：羊琇，羊耽与辛宪英之子，司马师夫人羊徽瑜的堂弟，此时为郎中之职。㉑固请：坚决推辞不任此职。㉒戒之：警惕小心。㉓济：指渡过危难。㉔其惟仁恕乎：只有仁爱和宽恕。㉕以全归：指未卷入锺会的灾难。㉖癸巳：八月初六日。㉗九月戊午：九月初一日。㉘辛未：九月十四日。㉙以便宜：根据实际情况。㉚爨谷：人名。姓爨名谷。爨氏为云南地区大姓。㉛十月丁亥：十月初一日。㉜相国参军事：官名，简称相国参军，为国相的重要幕僚。㉝散骑常侍：帝王的侍从官员，备参谋顾问之用。㉞水曹掾：官名，掌舟楫、津梁、漕运之事。㉟给事黄门侍郎：帝王身边的侍应人员。㊱不必使还：完成使命后，不想回魏就可以不回。㊲开广大信：扩大魏国重视信义的影响。㊳谕以祸福：晓谕抗拒之祸及归降之福。㊴以攸继景王后：把司马攸过继给司马师为子。景王，司马师的谥号。㊵孝友：对父母孝顺，对兄弟友善。㊶清和平允：清静和平，为人正直。㊷名闻：名望。㊸摄居相位：意思是我现在是代替他当这份丞相的差事。㊹大业宜归攸：国家权位要传给司马师的继承人。㊺立发委地：头发垂放下来可以拖到地面。㊻裴秀：字季彦，世称"裴子""儒林丈人"，曾为尚书仆射。精通舆地之学，作《禹贡地域图》十八篇，中国古代地图绘制学始于此。㊼人有相否：究竟有没有决定人一生贵贱的相貌。㊽以异相示之：把自己的长头发解开让裴秀看。㊾访问：询问。㊿世子：接班人；继承人。671中抚军：指司马炎。672君人之德：驾驭臣民的素质。673不可易：不能更换。674人望：在臣民中的威望。675天表：天生的相貌。676丙午：十二月二十一日。677封太子𩅦及其三弟皆为王：封孙𩅦为豫章王，孙𩃙为汝南王，孙𩇕为梁王，孙𩅶为陈王。678优诏：优抚国人的诏书。679科出：按条例放出。680翕然：众口一词的样子。681或谮诸吴主：有人在吴主跟前说濮阳兴与张布的坏话。682朔：十一月初一日。683录尚书事：主管尚书省的事务，即掌管国家大权。684胤：滕胤，吴国大臣，前被孙𬘭所杀。见本书卷七十七甘露元年（公元二五六年）。685罢屯田官：曹魏于建安元年（公元一九六年）设置屯田官，到本年已实行六十九年。

【校记】

［13］居：原无此字。据章钰校，甲十一行本、乙十一行本、孔天胤本皆有此字，张敦仁《通鉴刊本识误》同，今据补。［14］其：原无此字。据章钰校，甲十一行本、乙十一行本、孔天胤本皆有此字，张敦仁《通鉴刊本识误》同，今据补。［15］杖：据章钰校，甲十一行本、乙十一行本皆作"仗"。［16］柱：据章钰校，甲十一行本、乙十一行本皆作"拄"。［17］侯：原误作"候"。据章钰校，孔天胤本作"侯"，今据校正。［18］当：据章钰校，甲十一行本、乙十一行本皆作"其"。［19］对：据章钰校，乙十一行本作

“怼”。[20]在：据章钰校，甲十一行本、乙十一行本皆作“于”，张敦仁《通鉴刊本识误》、张瑛《通鉴校勘记》同。[21]皇：据章钰校，甲十一行本、乙十一行本、孔天胤本皆无此字。[22]之：据章钰校，甲十一行本、乙十一行本皆无此字。[23]癸巳：原无此二字。据章钰校，甲十一行本、乙十一行本、孔天胤本皆有此二字，张敦仁《通鉴刊本识误》、张瑛《通鉴校勘记》同，今据补。[24]李统：原作“王统”。据章钰校，甲十一行本、乙十一行本、孔天胤本皆作“李统”，张敦仁《通鉴刊本识误》同，今据改。〖按〗《晋书》卷五十七《陶璜传》亦作“李统”。

【研析】

本卷写了魏帝曹奂景元三年（公元二六二年）至咸熙元年（公元二六四年）共三年间的魏、蜀、吴三国的大事，其中最可议论的是蜀国的灭亡。蜀国地小人少，当年所以能够坚持与曹魏抗衡，是由于诸葛亮坚持实行与东吴联合的路线。自从关羽傲慢，丢掉荆州，蜀国的力量已经大减；接着刘备又大举伐吴，兵败猇亭，于是蜀国的力量遂一蹶不振，以后就只剩下勉强维持了。诸葛亮恢复了与东吴的联盟关系，在北线采取以攻为守。诸葛亮死后，军事方面依靠姜维，姜维没有诸葛亮的才干与威望，在朝中又没有任何后台。相反以黄皓为首的奸佞势力却篡取政权，深得刘禅的宠爱，以至于姜维也处于惶惶恐惧之中。魏国不兴心则已，只要兴心伐蜀，蜀国灭亡是不可避免的。但令人遗憾的是蜀国竟灭亡得如此之快。《中国战争史》对此说:“蜀汉所以多年能与魏军对峙，全凭山川江河之险。但姜维却尽撤汉中险关要隘之守，结果被锺会等轻兵直进，半月之内便占据了汉中。”接着当锺会与姜维在剑阁形成对峙之后，“将军邓艾却统率他的三万之众，以惊人胆略和才智，克服千难万险，偷越阴平，从而导致了刘禅的投降。”

其实，邓艾孤军深入，假如刘禅君臣父子动员蜀国上下，背城一战，邓艾也未必就能如此顺心获胜。杨一奇《史谈补》对此说:“是时艾孤军深入，使汉之君臣竟力死守，未必遽尔灭亡。后主庸才，既不知国君死社稷之义；谯周诸人又以国予贼，其视北地王谌曾犬彘之不若矣。呜呼，有子若此，不能听用其言，帝不上愧乃父、下愧乃子哉?”说得极是深刻。

邓艾是天才的军事家，有极其卓越的将略。其渡阴平的胆略自然值得称颂，其入蜀后的一切举措也都非常得蜀人之心，且为日后的东下灭吴做了准备。邓艾的缺点在于为人傲慢，有些专断，但没有任何图谋不轨的形迹。不知为何司马昭将邓艾与阴谋家锺会等量齐观，必欲将其置于杀身之地。锺会诬陷邓艾，只是将其囚禁，押赴京师；乱兵杀死锺会之后，邓艾本已获救，而卫瓘擅自杀之，司马昭最终不加过问，不知是何道理。是不是觉得邓艾不是他们篡夺魏国政权的死党呢？王志坚《读史商语》对此说:“人皆知平蜀之功出于邓艾，不知平吴亦其功也。艾尝请令淮南北

人屯田陈蔡之间，益开河渠以增灌溉，通漕运，计除众费，岁得五百万斛。嗣是每东南有事，大兴军众，泛舟而下达于江淮，资食有余而无水害。噫，以艾之功而不免于死，锺会之罪，可胜诛乎?”其实杀邓艾的不是锺会，而是司马昭与卫瓘。

司马师没有儿子，司马昭把他的小儿子司马攸过继给了司马师。司马昭深感其兄给他们打下了如此的基业，故而想要立司马攸为太子，以令其继承司马师的衣钵。司马炎身为老大，对此不服，下决心要把继承权夺过来，于是他纠集了一伙子党羽，“羊琇与炎善，为炎画策，察时政所宜损益，皆令炎豫记之，以备晋王访问。晋王欲以攸为世子，山涛曰:‘废长立少，违礼不祥。’贾充曰:‘中抚军有君人之德，不可易也。’何曾、裴秀曰:‘中抚军聪明神武，有超世之才，人望既茂，天表如此，固非人臣之相也。’晋王由是意定。”其手段与当年曹丕斗垮曹植、改变曹操主意的办法相同，详见《三国志》卷十九的正文与裴松之注。

卷第七十九　晋纪一

起旃蒙作噩（乙酉，公元二六五年），尽玄默执徐（壬辰，公元二七二年），凡八年。

【题解】

本卷写了晋武帝泰始元年（公元二六五年）至泰始八年（公元二七二年）共八年间的曹魏、孙吴和西晋等国的大事。主要写了司马昭死，司马炎轻而易举、顺理成章地篡取魏国政权，成为晋国皇帝的过程。写了司马炎扫除曹魏时期的许多弊政，使生民获得生机；同时也矫枉过正，分封司马氏的许多亲属为王，并给予极大权力，为日后晋朝的内乱埋下伏线。写了广汉太守王濬用主簿李毅之谋，平定益州之乱，而后为益州刺史，大造舰船为伐吴做准备。写了羊祜镇守襄阳，广行善政，招怀吴人。写了吴将步阐率西陵降晋，都督陆抗派军往讨，晋派荆州刺史杨肇率兵往救，结果陆抗既破杀步阐，讨平西陵，又大破杨肇、羊祜之兵的光辉胜利。写了吴将陶璜平定交趾诸郡，使之重归吴国。写了晋朝立司马衷为太子，贾充嫁女于太子，恶人盘结朝廷，为晋朝之内乱作伏线。写了吴主孙晧性情乖张、奢侈无度，丞相陆凯、都督陆抗皆劝谏无效，为吴亡作铺垫。写了鲜卑头领秃发树机能势力强大，先后击败晋将胡烈、石鉴，北地胡又破杀晋将牵弘，北方少数民族逐渐成为晋朝的威胁等。

【原文】

世祖武皇帝[①]上之上

泰始元年（乙酉，公元二六五年）

春，三月，吴主使光禄大夫纪陟[②]、五官中郎将[③]洪璆与徐绍、孙彧[④]偕来报聘[⑤]。绍行至濡须[⑥]，有言绍誉中国之美[⑦]者。吴主怒，追还，杀之。

夏，四月，吴改元甘露[⑧]。

五月，魏帝加文王殊礼[⑨]，进王妃曰后，世子曰太子。

癸未[⑩]，大赦。

秋，七月，吴主逼杀景皇后[⑪]，迁景帝四子于吴[⑫]。寻[⑬]又杀其长者二人[⑭]。

【语译】

世祖武皇帝上之上

泰始元年（乙酉，公元二六五年）

春季，三月，吴主孙皓派遣光禄大夫纪陟、五官中郎将洪璆跟随徐绍、孙彧一道前往魏国回访。徐绍到达濡须，有人说徐绍在吴国说了不少称扬曹魏好处的话。吴主孙皓听到后恼羞成怒，立即下令将访问团追回来，杀死了徐绍。

夏季，四月，吴国更改年号为“甘露”。

五月，魏帝曹奂给文王司马昭以人臣从未享有的品级与待遇，晋升司马昭的王妃为王后，司马昭的继承人称太子。

三十日癸未，魏国实行大赦。

秋季，七月，吴主孙皓逼迫景帝孙休的皇后自杀，又把景帝孙休的四个儿子全部迁徙到吴县居住。不久，又将孙休四个儿子当中年龄较大的两个杀死。

八月辛卯⑮，文王卒，太子⑯嗣为相国、晋王。

九月乙未⑰，大赦。

戊子⑱，以魏司徒何曾为晋丞相。

癸亥⑲，以骠骑将军司马望⑳为司徒。

乙亥㉑，葬文王于崇阳陵㉒。

冬，吴西陵督步阐㉓表请吴主徙都武昌㉔。吴主从之，使御史大夫丁固㉕、右将军诸葛靓㉖守建业。阐，骘之子也。

十二月壬戌㉗，魏帝禅位于晋㉘。甲子㉙，出舍于金墉城㉚。太傅司马孚拜辞，执帝手，流涕歔欷㉛不自胜㉜，曰："臣死之日，固㉝大魏之纯臣也。"丙寅㉞，王即皇帝位，大赦，改元㉟。丁卯㊱，奉魏帝为陈留王，即宫于邺㊲。优崇之礼，皆仿魏初故事㊳。魏氏诸王皆降为侯。追尊宣王㊴为宣皇帝，景王㊵为景皇帝，文王㊶为文皇帝。尊王太后㊷曰皇太后。封皇叔祖父[1]孚为安平王㊸，叔父幹为平原王㊹、亮为扶风王㊺、伷为东莞王㊻、骏为汝阴王㊼、肜为梁王㊽，伦为琅邪王㊾，弟攸为齐王㊿、鉴为乐安王(51)、机为燕王(52)。又封群从(53)司徒望(54)等十七人皆为王。以石苞为大司马，郑冲为太傅，王祥为太保，何曾为太尉，贾充为车骑将军，王沈为骠骑将军，其余文武增位进爵有差(55)。乙亥(56)，以安平王孚为太宰(57)，都督中外诸军事。未几(58)，又以车骑将军陈骞为大将军，与司徒义阳王望(59)、司空荀颛，凡八公(60)，同时并置。帝惩魏氏孤立之敝(61)，故大封宗室，授以职任。又诏诸王皆得自选国中长吏(62)，卫将军齐王攸独不敢，皆令上请(63)。

诏除魏宗室禁锢(64)，罢部曲将及长吏纳质任(65)。

帝承魏氏刻薄(66)奢侈之后，欲[2]矫(67)以仁俭。太常丞许奇(68)，允之子也。帝将有事于太庙(69)，朝议(70)以奇父受诛，不宜接近左右(71)，请出为外官。帝乃追述允之宿望(72)，称奇之才，擢为祠部郎(73)。

八月初九日辛卯，文王司马昭逝世，太子司马炎继任为魏国相国、晋王。

九月乙未日，魏国实行大赦。

戊子日，晋王司马炎任命魏国司徒何曾为晋丞相。

十二日癸亥，任命骠骑将军司马望为魏国司徒。

二十四日乙亥，晋王司马炎将晋文王司马昭安葬在崇阳陵。

冬季，吴国西陵守将步阐上表请求吴主孙皓把都城从建业迁往武昌。吴主孙皓同意步阐迁都的建议，便派遣御史大夫丁固、右将军诸葛靓留守建业。步阐，是步骘的儿子。

十二月十三日壬戌，魏国皇帝曹奂把皇位禅让给晋王司马炎。十五日甲子，曹奂搬出皇宫住进金墉城。太傅司马孚前往叩拜送别，他拉着曹奂的手，低声哭泣着，伤感之情难以克制，他对曹奂说："我一直到死，仍然是大魏忠贞不贰的臣子。"十七日，丙寅，晋王司马炎即皇帝位，就是晋武帝，随即大赦天下，改年号为泰始元年。十八日丁卯，晋武帝司马炎尊封魏帝曹奂为陈留王，让他回到邺城魏国旧宫居住。晋国对曹奂所给予的尊崇、优厚的礼遇，完全仿效当初魏国初年对待东汉末代皇帝汉献帝刘协的做法。魏国旧有的诸亲王都降级为侯。晋武帝追尊宣王司马懿为宣皇帝，景王司马师为景皇帝，文王司马昭为文皇帝。尊王太后为皇太后。封皇叔祖父司马孚为安平王，封叔父司马幹为平原王、司马亮为扶风王、司马伷为东莞王、司马骏为汝阴王、司马肜为梁王、司马伦为琅邪王，封自己的兄弟司马攸为齐王、司马鉴为乐安王、司马机为燕王。又封堂叔伯、堂兄弟司徒司马望等十七人都为王。任命石苞为晋国大司马，郑冲为晋国太傅，王祥为晋国太保，何曾为晋国太尉，贾充为车骑将军，王沈为骠骑将军，其余的文武大臣则根据他们原来的功劳、地位加官晋爵各有不同。二十六日乙亥，晋武帝任命安平王司马孚为太宰，掌管从朝廷到地方的各项军务。不久，又任命车骑将军陈骞为大将军，与担任司徒的义阳王司马望、担任司空的荀𫖮等，共计八人同时位列为公。晋武帝吸取魏国没有强大的同姓藩王作为外援而陷于孤立的教训，所以大量封赏宗室，让他们担任各种要职，掌握实权。晋武帝又下诏，允许诸王在自己的封国内有权自行选择任用各级官吏，只有卫将军齐王司马攸不敢擅作主张任命官吏，在他的封国内，各级官吏全部请求朝廷任命，以示自己不敢专断。

晋武帝下诏废除曹魏禁止宗室王公不准为官、不得互相往来等各种限制监管条例，废除军中将领以及州、郡长吏都得留人质于京城的做法。

晋武帝所接管的是一个建立在对宗室、大臣刻薄寡恩而生活上又极度奢侈浪费的基础之上的国家政权，想用提倡仁爱、节俭来矫正这种不良的社会风气。担任太常丞的许奇，是许允的儿子。晋武帝准备祭祀太庙，朝臣的一致意见是：许奇的父亲许允因为受诛而死，所以许奇不适宜侍奉在皇帝身边，请求晋武帝将许奇派往外地担任地方官员。晋武帝忆念许允当年的声望，又很赞赏许奇的才能，便擢升许奇为祠部郎。

有司言御牛[74]青丝纼[75]断，诏以青麻代之[76]。

初置谏官，以散骑常侍傅玄[77]、皇甫陶为之。玄，幹[78]之子也。玄以魏末士风颓敝[79]，上疏曰："臣闻先王之御天下，教化隆[80]于上，清议[81]行于下。近者魏武[82]好法术而天下贵刑名[83]，魏文慕通达[84]而天下贱守节[85]。其后纲维不摄[86]，放诞[87]盈朝，遂使天下无复清议。陛下龙兴[88]受禅，弘尧、舜之化[89]，惟未举清远有礼[90]之臣以敦风节[91]，未退虚鄙[92]之士以惩不恪[93]，臣是以犹敢有言。"上嘉纳其言，使玄草诏进之，然亦不能革[94]也。

初，汉征西将军司马钧[95]生豫章太守量，量生颍川太守隽，隽生京兆尹防，防生宣帝。

二年（丙戌，公元二六六年）

春，正月丁亥[96]，即用魏庙祭征西府君以下[97]，并景帝凡七室[98]。

辛丑[99][3]，尊景帝夫人羊氏[100]曰景皇后，居弘训宫。

丙午[101]，立皇后弘农杨氏。后，魏通事郎[102]文宗之女也。

群臣奏："五帝[103]，即天帝也。王气[104]时异，故名号有五[105]。自今明堂[106]、南郊[107]宜除五帝座[108]。"从之。帝，王肃[109]外孙也，故郊祀之礼[110]，有司多从肃议。

二月，除汉宗室禁锢[111]。

三月戊戌[112][4]，吴遣大鸿胪[113]张俨、五官中郎将丁忠来吊祭[114]。

吴散骑常侍庐江[5]王蕃[115]体气高亮[116]，不能承颜顺指[117]，吴主不悦。散骑常侍万彧、中书丞陈声从而谮之。丁忠使还，吴主大会群臣，

有关部门的官员报告说拴皇帝祭祀用牛的青丝缰绳断了，晋武帝下诏用青麻缰绳代替青丝缰绳拴牛。

晋武帝开始设置谏官，任命散骑常侍傅玄、皇甫陶担任这一职务。傅玄是傅幹的儿子。傅玄因为曹魏末年士大夫的风气颓废堕落，于是上疏说："我听说古代贤明的君主统治天下，在上位的人大力提倡教化，在下位的人公正地进行评论。近世因为魏武帝曹操喜好先秦法家之学，于是天下人都重视刑罚，魏文帝曹丕追求放纵、不拘小节，于是天下人不再重视操守名节。其后导致礼义廉耻、伦理道德的崩溃，朝中充满了荒唐放诞的臣子，使得天下再也没有了公正的评论。陛下受禅即皇帝位后，弘扬尧、舜的治国之道，实行了一系列的仁政，只是还没有提拔那些见识远大、行为守礼的官吏用以激励风化，没有罢免那些虚浮鄙陋的官员以惩治那些不恭敬、不谨慎的人，所以我还得大胆进言。"晋武帝很赞赏他的见解并采纳他的建议，他让傅玄撰写一份诏书草稿呈递上来，然而，仅凭一道诏书根本无法改变旧有的社会不良风气。

当初，后汉名将、征西将军司马钧生子司马量，司马量曾经担任过豫章太守，司马量生子司马隽，司马隽后来担任颍川太守，司马隽生子司马防，司马防后来担任了京兆尹，司马防生宣帝司马懿。

二年（丙戌，公元二六六年）

春季，正月初八日丁亥，晋武帝把魏国太庙改作自己的祖庙，祭祀从征西将军司马钧及以下的司马量、司马隽、司马防，一直到宣帝司马懿，并景帝司马师、文帝司马昭，共计七个灵牌，六代祖先。

二十二日辛丑，晋武帝尊奉景帝司马师的夫人羊氏为景皇后，让景皇后居住在弘训宫。

二十七日丙午，晋武帝立弘农人杨氏为皇后。杨皇后，是曹魏时期担任通事郎的杨文宗的女儿。

群臣奏称："五帝其实就是天帝。因为不同季节的气候时常变化，所以有了上述五种名称。从今以后明堂以及南郊的神坛中应该撤除五帝的灵牌。"晋武帝准奏。晋武帝是王肃的外孙，所以南、北郊祭祀天地神祇的礼仪，有关部门大多都听从王肃的意见。

二月，晋国废除了曹魏时期针对汉朝刘姓皇族所制定的各项禁锢律令。

三月二十日戊戌，吴国派遣大鸿胪张俨、五官中郎将丁忠到晋国来吊祭晋文帝司马昭之丧。

吴国担任散骑常侍的庐江王蕃性情清高正直，从来不看上头的脸色、顺着上头的意思办事，因此吴主孙皓很不喜欢他。散骑常侍万彧、中书丞陈声趁机在孙皓面前进谗言，诋毁王蕃。丁忠出使晋国回来后，吴主孙皓设宴招待群臣，酒席宴上王蕃喝得

蕃沉醉顿伏⑱。吴主疑其诈，轝蕃出外⑲。顷之，召还。蕃好治威仪⑳，行止自若㉑。吴主大怒，呵左右于殿下斩之。出，登来山㉒，使亲近掷蕃首，作虎跳狼争咋啮之㉓，首皆碎坏。

丁忠说吴主曰："北方无守战之备，弋阳㉔可袭而取。"吴主以问群臣，镇西大将军陆凯㉕曰："北方新并巴、蜀，遣使求和，非求援于我也，欲蓄力以俟时㉖耳。敌势方强，而欲徼幸求胜，未见其利也。"吴主虽不出兵，然遂与晋绝。凯，逊之族子也。

夏，五月壬子㉗，博陵元公王沈㉘卒。

六月丙午晦㉙，日有食之。

文帝之丧，臣民皆从权制㉚，三日除服。既葬，帝亦除之，然犹素冠疏食㉛，哀毁㉜如居丧者。秋，八月，帝将谒崇阳陵，群臣奏言，秋暑未平，恐帝悲感摧伤。帝曰："朕得奉瞻山陵㉝，体气自佳㉞耳。"又诏曰："汉文㉟不使天下尽哀，亦帝王至谦之志。当见山陵，何心无服㊱？其议以衰绖从行㊲。群臣自依旧制㊳。"尚书令裴秀奏曰："陛下既除而复服，义无所依。若君服而臣不服，亦未之敢安也。"诏曰："患情不能跂及㊴耳，衣服何在㊵？诸君勤勤㊶之至，岂苟相违。"遂止。

中军将军羊祜谓傅玄曰："三年之丧，虽贵遂服㊷，礼也。而汉文除之，毁伤礼义[6]。今主上至孝，虽夺其服㊸，实行丧礼㊹。若因此复先王之法㊺，不亦善乎！"玄曰："以日易月，已数百年㊻，一旦复古，难行也。"祜曰："不能使天下如礼㊼，且使主上遂服㊽，不犹愈乎㊾！"玄曰："主上不除而天下除之，此为但有父子，无复君臣也。"乃止。

大醉，跌倒在地上。吴主孙皓怀疑王蕃有诈，就叫人用担架把他抬到外面。过了一会儿，又召王蕃进来。王蕃平时好修饰仪表，举止庄严，这次虽然是酒醉之后却仍然像平时一样从容不迫地走了进来。吴主孙皓一看立时大怒，呵令左右把王蕃拖到殿下斩首。随后就率领群臣出宫，登上来山游览，还让亲信把王蕃的头抛来掷去地戏耍，又让一些人装扮成一群虎狼争抢啃咬王蕃的人头，王蕃的人头破碎损毁，惨不忍睹。

丁忠劝说吴主孙皓说："目前北方的晋国没有防范战争的准备，我们如果出兵，可以轻而易举地攻占晋国的弋阳县。"吴主孙皓征求群臣对此事的意见，镇西大将军陆凯说："晋国刚刚吞并了巴、蜀，又派遣使者到我们吴国谈判讲和，这并非向我们求援，只不过是为了拖延时日，蓄积力量以等待时机消灭我们罢了。现在敌人的势力正在强盛的时候，而我们想凭借侥幸取得胜利，恐怕是无利可图。"吴主孙皓虽然没有发兵，还是与晋国断绝了往来。陆凯是陆逊的远房侄子。

夏季，五月壬子日，晋国博陵公王沈去世，谥号"元"。

六月最后一天丙午日，发生日食。

晋文帝司马昭去世，全国官民都遵照临时的规定，服丧三天后便除去了丧服。晋文帝司马昭的安葬仪式完成之后，晋武帝司马炎也除去了丧服，但他仍然戴着白色的孝帽，只吃蔬菜和粗食，因哀伤而导致的身体虚弱就和居丧期间一样。秋季，八月，晋武帝准备到崇阳陵祭祀，群臣上奏说，秋后的暑气还没有完全消退，恐怕陛下悲伤过度而损害了身体健康。晋武帝说："我能够见到父亲的陵墓，身体自然会变得好起来。"又下诏说："汉文帝刘恒死前遗诏让臣民只为他穿三日丧服，不让天下臣民悲伤过度，这也是帝王最谦虚高尚的品德。现在朕去陵墓祭祀，怎么忍心不穿丧服呢？我打算戴着孝带、穿着丧服前去。众位臣僚可以按照平时的规定进行穿戴就可以了。"担任尚书令的裴秀上奏说："陛下已经除去了丧服而现在又要穿上丧服，这在礼法上没有依据。如果皇上穿丧服而群臣不穿丧服，群臣又怎敢安心呢。"晋武帝下诏说："我所担心的是真正的孝心与悲痛达不到这种程度，哪里在乎穿不穿丧服？你们诚心诚意地劝说我，我怎能轻易地违背你们的意愿呢。"于是不再坚持穿丧服去崇阳陵祭祀晋文帝司马昭。

晋国的中军将军羊祜对傅玄说："三年之丧，虽然以穿满三年丧服为好，因为这是古代的礼仪制度。汉文帝加以废除，破坏了礼仪制度。如今皇帝最孝顺，现在虽然勉强让他脱去丧服，但实际上主上仍在继续为他的父亲守丧。如果趁机恢复守丧三年的礼法，不也是很好的事情吗！"傅玄说："缩短守丧的日期，用一日代替一月的办法，从汉文帝的时候开始实行，到如今已经实行了几百年，现在一旦要恢复古法，恐怕很难行得通。"羊祜说："即使不能让天下所有的人遵从古代礼法，暂且让皇帝顺着心思服丧，不也是很好吗！"傅玄说："皇上不除去丧服而天下人除去丧服，这种行为是只有父子之亲，没有君臣之义。"于是羊祜不再坚持己见。

戊辰⑩，群臣奏请易服复膳⑪，诏曰："每感念幽冥⑫，而不得终苴绖之礼⑬，以为沉痛⑭，况当食稻衣锦乎！适足激切其心⑮，非所以相解⑯也。朕本诸生家⑰，传礼来久，何至一旦便易此情于所天⑱？相从已多⑲，可试省⑳孔子答宰我之言㉑，无事纷纭㉒也！"遂以疏素终三年。

臣光曰㉓："三年之丧，自天子达于庶人，此先王礼经，百世不易者也。汉文师心不学㉔，变古坏礼，绝父子之恩，亏君臣之义。后世帝王不能笃于哀戚之情㉕，而群臣谄谀㉖，莫肯厘正㉗。至于晋武独以天性矫而行之，可谓不世之贤君㉘。而裴、傅之徒，固陋㉙庸臣，习常玩故㉚，而不能将顺其美㉛，惜哉！"

吴改元宝鼎㉜。

吴主以陆凯为左丞相，万彧为右丞相。吴主恶人视己㉝，群臣侍见，莫敢举目。陆凯曰："君臣无不相识之道㉞，若猝有不虞㉟，不知所赴㊱。"吴主乃听凯自视㊲，而他人如故。

吴主居武昌，扬州之民溯流供给㊳，甚苦之，又奢侈无度，公私穷匮。凯上疏曰："今四边无事，当务养民丰财，而更穷奢极欲，无灾而民命尽，无为而国财空，臣窃忧[7]之。昔汉室既衰，三家鼎立。今曹、刘失道，皆为晋有，此目前之明验也。臣愚但为陛下惜国家㊴耳。武昌土地危险墒确㊵，非王者之都。且童谣云：'宁饮建业水，不食武昌鱼；宁还建业死，不止武昌居㊶。'以此观之，足明人[8]心与天意矣。今国无一年之蓄㊷，民有离散之怨，国有露根之渐㊸，而官吏务为苛急㊹，莫之或恤㊺。大帝时㊻，后宫列女及诸织络㊼数不满百，景帝㊽以来，乃有千数，此耗财之甚者[9]也。又左右之臣，率非其

八月二十二日戊辰，满朝文武大臣奏请晋武帝司马炎改换服装，恢复正常饮食，晋武帝下诏说："每当我想到九泉之下的父亲，而自己却未能为父亲穿满三年丧服，心里已经感到很痛苦了，更何况是改食稻米、换穿锦衣呢！那样将会更加激起我内心的悲痛，而不能使我宽心解怀。我本来出生在一个念儒书的家庭，礼仪相传由来已久，怎么竟然在对待父亲的礼节上就改换了章程呢？我学习孔子之礼已久，你们可以去看一看孔子回答宰我的那段对话，就不必再为此事议论纷纷了！"于是在此后的三年服丧期内，晋武帝司马炎始终坚持戴着孝帽，只吃蔬菜素食。

司马光说："三年之丧的制度，从天子到百姓都应该遵照实行，这是古代帝王制定的礼法，虽然历经百世也不应该改变。汉文帝按照自己的心愿办事，不学圣人礼法，擅自改变古代的规定，破坏了古代的礼法，割断了父子之间的恩情，损害了君臣之间的大义。后代帝王在对待父母的丧事上马马虎虎，而群臣只知道谄媚逢迎帝王的心思，没人肯加以纠正。唯独晋武帝司马炎凭借自己至孝的天性，矫正前世的错误，仍按古礼实行，真可称得上是世间难得的贤明君主。然而裴秀、傅玄之流，原本就是闭塞鄙陋的庸臣，他们习惯于常规而轻忽于旧法，不能拥护、顺从君王的美德，实在是太可惜了！"

吴主孙晧改年号为"宝鼎"。

吴主任命陆凯为左丞相，万彧为右丞相。吴主讨厌别人注视自己，所以文武大臣朝见他的时候，没有人敢抬头举目注视他。左丞相陆凯说："君臣之间没有彼此互不相识的道理，如果突然发生预料不到的意外情况，臣属都不知道应该救护谁。"于是吴主只准许陆凯一个人看他，而不许其他人看他。

吴主居住在武昌，扬州的百姓逆长江而上为武昌运输物资，百姓为此饱尝了各种艰辛痛苦，而京城又奢靡成风，不知道节制，导致国库空虚、民间匮乏。左丞相陆凯上疏说："如今国家边境没有战事，本来应当让人民得到休养生息，生殖财富，而实际上反而更加穷奢极欲，虽然没有天灾而百姓饿死，没有战争而国库空虚，我私下里对此感到十分忧虑。过去汉朝衰微，蜀、魏、吴三国鼎立。如今曹魏、蜀汉两国违背道义、失去民心，相继被晋国所占有，这是眼前看得到的事实。我虽然很愚昧，却为陛下心疼吴国也将被晋国所灭亡。武昌地势险要而土壤贫瘠，不适合作王者的都城。而且童谣说：'宁饮建业水，不食武昌鱼；宁还建业死，不止武昌居。'由此看来，足可以说明人心与天意。如今国家的积蓄不够一年的开销，人民有流离失所的怨言，国势危殆之形已经逐渐显露出来，而官吏们仍然横征暴敛，严刑峻法，没有人体恤百姓的疾苦。先帝吴大帝在位的时候，后宫所有的宫女加上给皇宫缝制衣服的织工总数不足一百人，自从景皇帝以来，宫女竟有上千人，这些人耗费了大

人[189]，群党相扶[190]，害忠隐贤[191]，此皆蠹政病民[192]者也。臣愿陛下省息百役，罢去苛扰，料出[193]宫女，清选百官，则天悦民附，国家永安矣。”吴主虽不悦，以其宿望[194]，特优容[195]之。

九月，诏：“自今虽诏有所欲[196]，及已奏得可[197]，而于事不便者，皆不可隐情[198]。”

戊戌[199]，有司奏：“大晋受禅于魏，宜一用[200]前代正朔[201]、服色[202]，如虞遵唐故事[203]。”从之。

冬，十月丙午朔[204]，日有食之。

永安[205]山贼施但因民劳怨，聚众数千人，劫吴主庶弟永安侯谦[206]作乱。北至建业，众万余人，未至三十里住[207]，择吉日入城。遣使以谦命召丁固、诸葛靓[208]，固、靓斩其使，发兵逆战于牛屯[209]。但兵皆无甲胄，即时败散[210]。谦独坐车中，生获之。固不敢杀，以状白吴主，吴主并其母[211]及弟俊皆杀之。初，望气[212]者云：荆州有王气，当破扬州。故吴主徙都武昌。及但反，自以为得计，遣数百人鼓噪入建业，杀但妻子，云：“天子使荆州兵来破扬州贼。”

十一月，初并圜丘、方丘之祀于南北郊[213]。

罢山阳国公[10]督军[214]，除其禁制。

十二月，吴主还都建业，使后父卫将军、录尚书事滕牧留镇武昌。朝士以牧尊戚，颇推令谏争[215]，滕后之宠由是渐衰，更遣牧居苍梧[216]，虽爵位不夺，其实迁[217]也，在道以忧死。何太后常保佑[218]滕后，太史[219]又言中宫不可易[220]。吴主信巫觋[221]，故得不废，常供养升平宫[222]，不复进见。诸姬佩皇后玺绂者甚众，滕后受朝贺表疏[223]而已。吴主使

量的资财。还有朝中的文武大臣，大都是不能胜任自己职务的人，他们拉帮结派，朋比为奸，陷害忠良，遮蔽贤能，这些都是祸国殃民的人。我希望陛下尽量减少甚至停止各种劳役，废除各种苛刻扰民的法令，清点放出多余的宫女，清理遴选文武官员，那么上天喜悦，民心归附，国家就可以长治久安了。”吴主看了奏章虽然心里很不高兴，但因为陆凯德高望重，所以特别优待宽容了他。

九月，晋武帝司马炎下诏说：“从今以后，即使是诏书要求办的事情以及经过上奏获得批准的事情，而实行起来如果发现有害于国家的，都不要隐瞒，要实事求是提出改正意见。”

九月二十三日戊戌，有关部门上奏说：“大晋国接受魏国的禅让，应该一律采用前代的正朔以及礼服的颜色，如同当初虞舜遵循唐尧的旧制一样。”晋武帝批准照办。

冬季，十月初一日丙午，发生日食。

东吴永安县的山贼施但利用百姓不堪忍受暴政的怨恨情绪，聚集起了几千人，劫持了吴主孙皓庶母所生的弟弟永安侯孙谦，起兵作乱。他们向北到达建业，很快发展到了一万多人，在距离建业三十里的地方驻扎下来，准备选择黄道吉日进入建业城。他们派遣使者以孙谦的名义来招降丁固、诸葛靓，丁固、诸葛靓分别将前来招降的使者斩首，随后发兵前往牛屯迎战施但。由于施但所率领的叛军没有铠甲头盔护体，所以一遇到官兵便立即溃败，四处逃散了。只有孙谦独自坐在车中，被生擒活捉。丁固不敢擅自杀死孙谦，就把情况如实报告给吴主，吴主就下令把孙谦连同他的母亲以及弟弟孙俊全部处死。当初，以观察云气来判断祸福的人说：荆州有王者气象，应当攻破扬州。所以吴主迁都武昌。等到施但造反，吴主自以为得计，就派遣几百人擂鼓呐喊，进入建业，杀死了施但的妻儿，宣称“天子命令荆州的士兵来消灭扬州的贼寇”。

十一月，晋国开始把城南圆坛的祭天与城北方坛的祭地活动与南北郊的祭祀活动合并起来进行。

晋武帝下令撤除对山阳国公汉献帝子孙的武装监管，废除对他们的所有限制。

十二月，吴主孙皓又把都城迁回建业，命令滕皇后的父亲卫将军、总领尚书事的滕牧留在武昌镇守。朝中大臣因为滕牧是皇帝的尊长至亲，所以总是推举他去向孙皓进谏规劝，因此滕皇后的恩宠逐渐衰落，孙皓又把滕牧打发到遥远荒僻的苍梧郡去居住，虽然没有取消他的爵位，其实滕牧是被贬逐了，滕牧在去苍梧郡的路上忧愤而死。何太后在宫中经常保护着滕皇后，太史又说皇后不能更换。吴主孙皓迷信巫婆神汉，所以才没有废黜滕皇后，滕皇后经常在升平宫侍奉何太后，孙皓不允许滕皇后进见。后宫中有很多嫔妃都佩戴着皇后的印信和绶带，滕皇后徒有虚名，只是以皇后的身份接受朝臣与嫔妃的朝贺并看一些礼节性的上疏而已。孙皓派遣黄

黄门[24]遍行州郡，料取[25]将吏家女，其二千石大臣子女，皆[11]岁岁言名[26]，年十五六一简阅[27]，简阅不中，乃得出嫁。后宫以千数，而采择[28]无已。

【段旨】

以上为第一段，写晋武帝泰始元年（公元二六五年）、二年两年间的大事，主要写了司马昭死，司马炎篡魏建晋，扫除了曹魏时代的许多弊政，使生民获得生机，的确有其得人拥护之处。但同时也矫枉过正，分封了司马氏的许多亲属为王，并给予极大权力，为日后晋朝的内乱埋下伏线。写了司马炎故作哀戚，坚持三年之丧的情景。写了吴主孙晧的性情乖张、奢侈无度、大肆挑选宫女的种种残暴不仁。

【注释】

①世祖武皇帝：即司马炎，司马昭之长子。②光禄大夫纪陟：字子上，曾为中书郎、中书令、豫章太守、光禄大夫，善言对。事见《三国志》卷四十八。③五官中郎将：帝王的侍从长官。④徐绍、孙彧：原吴人，寿春之役中被魏所俘，上年司马昭授以官职，令其访吴。⑤偕来报聘：一道前来回访。偕，陪同，一道。聘，国家间的友好访问。⑥濡须：吴国的军事要地名，在今安徽巢湖东南。当时为吴、魏两国的交界线。⑦誉中国之美：称扬曹魏的好处。⑧改元甘露：在此以前孙晧的年号是“元兴”。⑨加文王殊礼：给司马昭以人臣从未享有的品级与待遇，即让他的旌旗、车马、乐舞、冕服跟皇帝完全一样。⑩癸未：五月三十日。⑪景皇后：废帝孙休的皇后。⑫迁景帝四子于吴：将孙休的四个儿子都集中调集到吴县居住。吴县即今江苏苏州。⑬寻：不久。⑭长者二人：太子孙𩅦及其大弟孙𩃙。⑮辛卯：八月初九。⑯太子：即司马炎。⑰乙未：九月无“乙未”日，疑记载有误。⑱戊子：九月亦无“戊子”日，疑为“戊午”，即九月初七。⑲癸亥：九月十二日。⑳骠骑将军司马望：司马望是司马孚之子，司马昭的堂兄弟。㉑乙亥：九月二十四日。㉒崇阳陵：所在地不可考。㉓西陵督步阐：西陵的镇将步阐。西陵，即夷陵，在今湖北宜昌西北。步阐是孙权时的名将步骘之子。步骘曾为西陵督，骘死，其子继任。传见《三国志》卷五十二。㉔徙都武昌：将吴国都城迁到武昌。〖按〗吴国当时的武昌，即今湖北鄂州市鄂城区。将国家都城迁到离前线更近的地方，是一种有作为的表现。㉕丁固：原名丁密，为避孙晧滕皇后之父滕牧（本名密）之讳，改名丁固，曾为廷尉、司徒等。事见《三国志》卷四十八。㉖诸葛靓：诸葛诞之子，字仲思，为吴右

门官遍行州郡，挑选将军、官吏家中的美女，凡是享受二千石俸禄的大臣的女儿，全都每年必须呈报姓名，年龄长到十五六岁的时候就拣选一次，落选的才准许自行出嫁。后宫里的美女已经有上千人，而搜集拣选的工作却没有一点休止的迹象。

将军、副军师。㉗壬戌：十二月十三日。㉘魏帝禅位于晋：魏元帝曹奂时年二十岁。曹魏于公元二二〇年建立，传五世，立国共四十六年。㉙甲子：十二月十五日。㉚出舍于金墉城：搬出到金墉城居住。金墉城是洛阳城西北角的一个小城。㉛歔欷：低声哭泣的样子。㉜不自胜：禁不住。㉝固：仍是。㉞丙寅：十二月十七日。㉟改元：此之前是魏咸熙二年，之后是晋泰始元年。㊱丁卯：十二月十八日。㊲即宫于邺：回到邺城（今河北临漳西南）的魏国旧宫居住。当时魏国所有的王、公都被集中在这里。㊳皆仿魏初故事：都效仿当初曹魏对待东汉末帝刘协的做法。事见本书卷六十九黄初元年（公元二二〇年）。㊴宣王：即司马懿，司马炎的祖父。㊵景王：即司马师，司马炎的伯父。㊶文王：即司马昭，司马炎的父亲。㊷王太后：即王肃之女，司马昭之妻，司马炎的生母。㊸安平王：封地安平郡，都城即今河北衡水市冀州区。㊹幹为平原王：封地平原郡，都城在今山东平原县南。㊺亮为扶风王：封地为扶风郡，都城在今陕西兴平南。㊻伷为东莞王：封地东莞郡，都城在今山东沂水县东北。㊼骏为汝阴王：封地汝阴郡，都城即今安徽阜阳。㊽肜为梁王：都城睢阳，在今河南商丘南。㊾伦为琅邪王：封地琅邪郡，都城在今山东临沂北。〖按〗以上司马幹、司马亮、司马伷、司马骏、司马肜、司马伦，都是司马懿之子，司马炎的叔父。㊿弟攸为齐王：都城即山东淄博市临淄区。(51)鉴为乐安王：封地东安郡，都城在今山东高青东南。(52)机为燕王：都城即今北京市。〖按〗以上司马攸、司马鉴、司马机，都是司马炎的兄弟。(53)群从：司马炎的堂叔伯、堂兄弟。(54)司徒望：司马望，司马孚之子，现任司徒之职。(55)有差：根据原来的功劳地位进赏各有不同。(56)乙亥：十二月二十六日。(57)太宰：即原来的“太师”，因避司马师之讳，改称“太宰”，与太傅、太保合称“三公”。(58)未几：不久。(59)义阳王望：司马望，封地义阳郡，都城在今河南新野南。(60)八公：当时以太宰、太傅、太保为“三公”，此外大司马、太尉、大将军、司徒、司空也都称“公”。(61)惩魏氏孤立之敝：接受魏国皇室孤立无援的教训。孤立，指国家没有强大的同姓藩王，故司马氏一旦掌握大权，魏帝即孤立无援。(62)皆得自选国中长吏：都可以自己选择任命自己封国中的各级官吏。(63)皆令上请：都请朝廷任命，以示自己不敢专断。(64)除魏宗室禁锢：废除曹魏禁止宗室王公不准为官、不得相互往来等各种限制监管条例。(65)罢部曲将及长吏纳质任：废除军中将领及各州郡长吏都得留人质于京城的做法。(66)刻薄：指对宗室及大臣刻薄少恩。(67)矫：改正；改行。(68)太常丞许奇：太常丞是太常的属官，负责朝廷的礼

仪、祭祀。许奇是许允之子。许允因受魏帝曹芳亲信，被司马昭所杀，见本书卷七十六正元元年（公元二五四年）。⑥⑨有事于太庙：即准备祭祀祖庙。⑦⓪朝议：朝臣们的一般看法、意见。⑦①接近左右：指侍奉在皇上身边。⑦②宿望：当年的声望。⑦③祠部郎：相当于后来的礼部尚书。⑦④御牛：皇帝祭祀使用的牛。⑦⑤青丝纼：青丝做的缰绳。⑦⑥以青麻代之：以见其俭省。⑦⑦傅玄：字休奕，官至御史中丞，性刚直，上疏切论时事，常能反映社会实情。传见《晋书》卷四十七。⑦⑧幹：傅幹，汉代名臣傅燮之子。⑦⑨颓敝：堕落。⑧⓪隆：昌盛。⑧①清议：公正的评论。⑧②魏武：曹操，被谥为魏武帝。⑧③贵刑名：重视刑罚。⑧④慕通达：追求放纵，不拘礼节。⑧⑤贱守节：不重视操守名节。⑧⑥纲维不摄：指礼义廉耻的伦理崩溃。⑧⑦放诞：指荒唐放肆的人，如何晏、阮籍等。⑧⑧龙兴：即称帝即位。⑧⑨弘尧、舜之化：实行了一系列的仁政。⑨⓪清远有礼：见识远大，行为有礼。⑨①敦风节：激发社会的良好风气。⑨②虚鄙：虚浮鄙陋。⑨③惩不恪：惩治那些不恭敬、不谨慎的人。⑨④革：改变。⑨⑤司马钧：后汉名将。事迹见本书卷五十元初二年（公元一一四年）。⑨⑥正月丁亥：正月初八日。⑨⑦征西府君以下：即指上述的司马钧、司马量、司马儁、司马防、司马懿。⑨⑧并景帝凡七室：应说“并景帝、文帝，凡七室”。七室，七个灵牌。⑨⑨辛丑：正月二十二日。⑩⓪羊氏：羊道之女，羊祜的姐姐。⑩①丙午：正月二十七日。⑩②通事郎：中书省的属官，为皇帝掌管传达收发。⑩③五帝：即东方的青帝、南方的赤帝、中央的黄帝、西方的白帝、北方的黑帝。⑩④王气：不同季节的气候。⑩⑤名号有五：有了上述五种名称。⑩⑥明堂：古代帝王所建的颁布政令、尊敬贤人以及进行祭祀的场所。其制度自古说法不一。⑩⑦南郊：即如清代的天坛，是帝王祭天以祈求丰收的地方。⑩⑧除五帝座：撤除五帝的灵牌，不在这里祭祀五帝。⑩⑨王肃：曹魏时代的大臣王朗之子，当时著名的经学家。传见《三国志》卷十三。⑪⓪郊祀之礼：即南、北郊祭祀天地神祇的礼仪。⑪①除汉宗室禁锢：曹魏代汉后，对刘姓皇族曾严加看管，有许多禁令，今皆废除。⑪②戊戌：三月二十日。⑪③大鸿胪：官名，掌管少数民族的事务，又兼掌赞襄礼仪之事。⑪④吊祭：吊祭司马昭之丧。⑪⑤王蕃：字永元。传见《三国志》卷六十五。⑪⑥体气高亮：性情清高直正。⑪⑦承颜顺指：看着上头的脸色，顺着上头的意思办事。⑪⑧沉醉顿伏：喝醉酒跌倒在地。⑪⑨轝蕃出外：用担架把他抬了出去。⑫⓪好治威仪：好修饰仪表，举止庄严。⑫①行止自若：举止从容，如平时一样。⑫②来山：樊山，也称西山、寿昌山、樊岗，在湖北鄂州市鄂城区西五里。⑫③作虎跳狼争咋啮之：扮作一群虎狼争抢啃咬王蕃的人头。⑫④弋阳：魏县名，县治在今河南潢川县西。⑫⑤陆凯：字敬风，吴丞相陆逊的远房侄子，曾先后为征北将军、镇西大将军、领荆州牧等。传见《三国志》卷六十一。⑫⑥俟时：等待时机以灭吴国。⑫⑦五月壬子：五月无“壬子”日，疑字有误。⑫⑧博陵元公王沈：博陵公是王沈的封号，元字是谥。⑫⑨六月丙午晦：据《晋书》载，应为七月丙午晦，即七月三十日。⑬⓪皆从权制：都遵照临时规定。权，临时制宜。⑬①素冠疏食：戴着白色孝帽，只吃蔬菜粗食。⑬②哀毁：哀伤体弱。⑬③奉瞻山陵：能

见到父亲的陵墓。⑬④体气自佳：有什么病症都能变好。⑬⑤汉文：指汉文帝刘恒。汉文帝死前遗诏让臣民三日除服，事见本书卷十五后元七年（公元前一五七年）。⑬⑥何心无服：怎么忍心不穿丧服。⑬⑦议以衰绖从行：意思是我打算戴着孝带、穿着丧服前去。衰指丧服，绖指服丧者头上系的孝带或腰里系的麻绳。⑬⑧自依旧制：仍按规定，即不再穿孝服。⑬⑨情不能跂及：真正的孝心与哀痛达不到这种程度。跂，跷着脚盼望，这里即指达到。⑭⓪衣服何在：哪在乎穿不穿丧服。⑭①勤勤：恳切的样子。⑭②虽责遂服：虽然以穿满期限为好。⑭③今主上至孝二句：如今皇帝最孝顺，现在不让他穿孝。⑭④实行丧礼：但他实际上仍在继续为死者守丧。⑭⑤复先王之法：指恢复守丧三年的礼法。⑭⑥以日易月二句：指缩短守丧日期，用一天代替一月的办法，从汉文帝时实行，到如今已经实行了好几百年。⑭⑦如礼：遵从礼法。⑭⑧且使主上遂服：暂且让皇帝顺着心思服丧。遂服，按着心思继续守丧。⑭⑨不犹愈乎：不是更好吗。⑮⓪戊辰：八月二十二日。⑮①复膳：恢复正常的进食。⑮②幽冥：此指九泉下的父亲。⑮③终苴绖之礼：有始有终地穿满三年之期的孝服。苴绖，孝带、麻绳，指丧服。⑮④以为沉痛：已经感到很痛苦。⑮⑤激切其心：使其心里更难受。⑮⑥非所以相解：不能让自己宽心解怀。⑮⑦本诸生家：生在一个念儒书的家庭。诸生，意同儒生，以六经为业的人。⑮⑧便易此情于所天：在对待父亲的礼节上改换了章程。所天，即指父亲。《仪礼》曰："父者，子之天。"⑮⑨相从已多：指习孔子之礼已久。⑯⓪试省：试看。⑯①孔子答宰我之言：见《论语·阳货》，"宰我问：'三年之丧，期已久矣。君子三年不为礼，礼必坏；三年不为乐，乐必崩。旧谷既没，新谷既升，钻燧改火，期可已矣。'子曰：'食夫稻，衣夫锦，于女安乎？'曰：'安。''女安，则为之。夫君子之居丧，食旨不甘，闻乐不乐，居处不安，故不为也。今女安，则为之。'宰我出，孔子曰：'予之不仁也！子生三年，然后免于父母之怀。夫三年之丧，天下之通丧也，予也有三年之爱于其父母乎？'"⑯②无事纷纭：不必再为此事议论纷纷。⑯③臣光曰：以下文字是《通鉴》作者司马光对司马炎君臣对丧礼争论的评论。⑯④师心不学：按自己的心愿办事，不学圣人礼法。师心，以己心为师，即随心所欲。⑯⑤不能笃于哀戚之情：在对待父母的丧事上马马虎虎。笃，深沉专一。⑯⑥谄谀：谄媚奉迎帝王的心思。⑯⑦厘正：改正。⑯⑧不世之贤君：世间难得出现的贤明君主。⑯⑨固陋：闭塞鄙陋。⑰⓪习常玩故：习于常规，轻忽旧法。⑰①将顺其美：拥护、顺从君主的美德。《孝经》："君子之事上也……将顺其美，匡救其恶。"⑰②改元宝鼎：吴主孙晧此前的年号为"甘露"。⑰③恶人视己：讨厌别人看自己。⑰④无不相识之道：没有彼此互不认识的道理。⑰⑤猝有不虞：突然发生意料不到的事情，如有人谋害皇帝。⑰⑥不知所赴：不知该救助谁。⑰⑦听凯自视：准许陆凯一个人看他。⑰⑧扬州之民溯流供给：扬州在今江苏、浙江、安徽、江西一带，州治建业，而吴国的都城武昌（今湖北鄂州市鄂城区）在荆州境内，故扬州各郡向武昌运送粮草，都得从长江中逆流而上。溯流，逆水而上。⑰⑨惜国家：心疼吴国也被晋国所灭。⑱⓪危险塉确：指地势险要，土壤贫瘠。⑱①不止武昌居：不留在武昌居住。⑱②国无

一年之蓄：国家的积蓄不够一年开销。《礼记·王制》："国无六年之蓄曰急，无三年之蓄曰国非其国也。"⑱露根之渐：树根逐渐露出，以比喻国势危殆。⑱苛急：指横征暴敛，严刑酷法。⑱莫之或恤：没有人体恤百姓的疾苦。⑱大帝时：孙权在位的时候。⑱诸织络：各种给皇宫缝制衣服的织工。⑱景帝：指孙休。⑱率非其人：大都是不能胜任其职务的人。率，大都。⑲群党相扶：拉帮结派，狼狈为奸。⑲隐贤：遮蔽贤人。⑲蠹政病民：犹言"祸国殃民"。⑲料出：清点放出。⑲宿望：年老而又德高望重的人。⑲优容：优待宽容。⑲诏有所欲：诏书要办的事情。⑲已奏得可：已上奏获得批准的事情。⑲不可隐情：即实事求是地提出意见。⑲戊戌：九月二十三日。⑳一用：一律采用。㉑正朔：指用哪个月的初一作为一年的开始，这点过去历朝不同。㉒服色：礼服的颜色。㉓如虞遵唐故事：如同当初虞舜遵循唐尧的旧制一样。㉔十月丙午朔：十月初一是丙午日。㉕永安：吴县名，县治在今浙江德清西北。㉖永安侯谦：永安侯孙谦。㉗住：驻扎下来。㉘召丁固、诸葛靓：时丁固、诸葛靓为建业城的守将。㉙牛屯：地名，在建业城（今南京）北二十一里处。㉑实时败散：一哄而散。㉑其母：孙谦的生母何姬。孙晧的父亲孙和被孙峻所杀时，何姬留下来保护孙晧及其他三子事，见本书卷七十六嘉平五年。㉒望气：古代的一种迷信活动，以为观察云气可以预知人间祸福。㉓并圜丘、方丘之祀于南北郊：把城南圆坛的祭天与在城北方坛的祭地与南北郊合并起来。〖按〗圜丘、方丘之祀与南郊、北郊所祭的神灵略有不同，今将二者合而为一。㉔罢山阳国公督军：曹丕篡汉后，封汉献帝为山阳公，其地在今河南焦作东南，在那里驻有监管军队，今则撤除其对汉献帝子孙的武装监管。㉕推令谏争：推请他向孙晧进谏规劝。㉖苍梧：吴郡名，郡治广信，即今广西梧州。㉗迁：贬逐。㉘保佑：保护。㉙太史：官名，掌天象星历。㉚中宫不可易：意即皇后不能更换。㉑巫觋：操巫术的女人叫"巫"，男人

【原文】

三年（丁亥，公元二六七年）

春，正月丁卯㉙，立子衷㉚为皇太子。诏以"近世每立太子必有赦。今世运将平，当示之以好恶㉛，使百姓绝多幸㉜之望。曲惠小人㉝，朕无取焉。"遂不赦。

司隶校尉上党㉞李憙劾奏[12]故立进令刘友㉟、前尚书山涛、中山王睦㊱、尚书仆射武陔各占官稻田，请免涛、睦等官，陔已亡，请贬其谥㊲。

叫“觋”。㉒供养升平宫：在升平宫供养孙皓的生母何太后。㉓受朝贺表疏：以皇后的身份接受朝臣与嫔妃的朝贺，并看一些礼节性的上书。㉔黄门：以称太监。㉕料取：挑选。㉖岁岁言名：每年呈报姓名。㉗一简阅：拣选一次。㉘采择：搜集挑选。

【校记】

[1] 父：原无此字。据章钰校，甲十一行本、乙十一行本、孔天胤本皆有此字，张敦仁《通鉴刊本识误》、张瑛《通鉴校勘记》同，今据补。〖按〗《晋书》卷三《武帝纪》亦有此字。[2] 欲：原无此字。据章钰校，甲十一行本、乙十一行本、孔天胤本皆有此字，今据补。[3] 辛丑：原无此二字。据章钰校，甲十一行本、乙十一行本、孔天胤本皆有此二字，张敦仁《通鉴刊本识误》同，今据补。[4] 戊戌：原无此二字。据章钰校，甲十一行本、乙十一行本、孔天胤本皆有此二字，张敦仁《通鉴刊本识误》、张瑛《通鉴校勘记》同，今据补。[5] 庐江：原无此二字。据章钰校，甲十一行本、乙十一行本、孔天胤本皆有此二字，张敦仁《通鉴刊本识误》、张瑛《通鉴校勘记》同，今据补。[6] 而汉文除之毁伤礼义：原无此九字。据章钰校，甲十一行本、乙十一行本皆有此九字，张敦仁《通鉴刊本识误》同，今据补。《通鉴刊本识误》于“义”字下尚有“常以叹息”四字。[7] 忧：据章钰校，甲十一行本、乙十一行本、孔天胤本皆作“痛”，张敦仁《通鉴刊本识误》同。[8] 人：据章钰校，甲十一行本、乙十一行本、孔天胤本皆作“民”。[9] 者：原无此字。据章钰校，甲十一行本、乙十一行本、孔天胤本皆有此字，张敦仁《通鉴刊本识误》同，今据补。[10] 公：原无此字。据章钰校，甲十一行本、乙十一行本、孔天胤本皆有此字，今据补。[11] 皆：原无此字。据章钰校，甲十一行本、乙十一行本、孔天胤本皆有此字，张敦仁《通鉴刊本识误》同，今据补。

【语译】

三年（丁亥，公元二六七年）

春季，正月丁卯日，晋武帝司马炎立司马衷为皇太子。他下诏说：“近代每次立太子的时候必定颁布赦免罪犯的大赦令。如今天下即将实现太平，朝廷应当让臣民知道国家提倡什么，憎恶什么，要让百姓断绝犯了罪可以屡获侥幸得到赦免的念头。把不应当施舍的恩惠给予那些犯罪的小人，我认为这种做法不可取。”遂不再实行大赦。

晋国担任司隶校尉的上党郡人李憙上奏弹劾前任立进县县令刘友、前任尚书山涛、中山王司马睦、尚书仆射武陔等人各自非法侵占属于官有稻田的罪行，请求朝廷免去山涛、司马睦等人的官职，因为武陔已经去世，请求贬黜加给他的谥号。

诏曰:“友侵剥百姓,以缪惑朝士[238],其考竟[239]以惩邪佞。涛等不贰其过[240],皆勿有所问。憙亢志在公[241],当官而行[242],可谓邦之司直[243]矣。光武有云[244]:‘贵戚且敛手以避二鲍[245]。’其申敕[246]群僚,各慎所司[247],宽宥之恩,不可数遇[248]也!”睦,宣帝之弟子也。

臣光曰:“政之大本,在于刑赏,刑赏不明,政何以成?晋武帝赦山涛而褒李憙,其于刑赏两失之。使憙所言为是,则涛不可赦;所言为非,则憙不足褒。褒之使言[249],言而不用,怨结于下[250],威玩于上[251],将安用之!且四臣同罪,刘友伏诛而涛等不问,避贵施贱,可谓政乎?创业之初而政本不立,将以垂统后世,不亦难乎!”

帝以李憙为太子太傅,征犍为李密[252]为太子洗马[253]。密以祖母老,固辞[254],许之。密与人交,每公议其得失而切责[255]之。常言:“吾独立于世,顾影无俦[256]。然而不惧者,以无彼此于人[257]故也。”

吴大赦,以右丞相万彧镇巴丘[258]。

夏,六月,吴主作昭明宫[259],二千石以下,皆自入山督伐木。大开苑囿[260],起土山、楼观,穷极伎巧[261],功役之费以亿万计。陆凯谏,不听。中书丞华覈[262]上疏曰:“汉文[263]之世,九州晏然[264],贾谊独以为如抱火厝于积薪之下而寝其上[265]。今大敌[266]据九州之地,有太半[267]之众,欲与国家为相吞[268]之计,非徒汉之淮南、济北[269]而已也,比于贾谊之世,孰为缓急?今仓库空匮,编户[270]失业,而北方[271]积谷养民,专心东向[272]。又交趾沦没[273],岭表[274]动摇,胸背有嫌[275],首尾多难,乃国朝

晋武帝下诏说："刘友侵占剥夺百姓的田产，用来诱惑朝臣与社会名流，要对他考问清楚，以惩治那些奸佞之人。山涛等人没有再犯以往的过失，可以不必追究。李憙为了国家的利益，正直行事，尽到了自己应尽的职责，可称得上是国家坚持真理的人。汉光武帝曾经说过：'皇亲国戚因为畏惧鲍永、鲍恢二人的不避权贵、秉公执法，因而都缩起手来，不敢再胡作非为。'在此告诫群僚，都要小心地做好你们分内的工作，这种宽大的恩典，不可能屡次碰上！"司马睦，是宣帝司马懿的侄子。

司马光说："政治的根本，在于刑罚和奖赏，刑罚和奖赏不分明，政权怎么能够巩固呢？晋武帝赦免山涛等人而褒奖李憙，这在刑罚和奖赏上都有所失误。如果李憙所说的话正确，那么山涛的罪过就不应该赦免；如果李憙所说的话不正确，那么李憙也就不值得褒奖。褒奖人是为了让人敢于讲话，然而对于正确的建议朝廷却不予采纳，只会让臣僚之间结下怨仇，帝王的权威被看作儿戏，那么刑赏还有什么作用呢！而且四位官员犯了同样的罪过，刘友被杀而山涛等人却置之不问，避开地位高贵的人而惩治地位卑下的人，这能算作为政之道吗？在创业之初治理国家的根本政治措施就不能确立，还想把基业永远地流传给后代，不是很困难吗！"

晋武帝任命李憙为太子太傅，征聘犍为郡人李密为太子洗马。李密以祖母年老，需要自己奉养为由向朝廷呈送《陈情表》坚决推辞，晋武帝答应了李密的请求。李密与人交往，每每当众议论朋友的缺点，并严加责备。他常说："我孤立地生活在这个世界上，除了自己的影子以外再也没有其他同伴。然而我所以无所畏惧，是因为我对任何人都一样地看待。"

吴国实行大赦，任命右丞相万彧镇守巴丘。

夏季，六月，吴主孙皓建造昭明宫殿，凡是俸禄在二千石以下的官员，都必须亲自进山督促砍伐木材。大力建造皇家园林，堆积土山、修建楼台观阁，竭尽一切能工巧匠之技能，所用劳役和资金数以亿万计算。陆凯屡次劝谏，孙皓都置若罔闻。担任中书丞的华覈上疏说："汉文帝刘恒时期，九州安然，天下太平无事，即使如此，贾谊还认为当时的形势就像把火放置在柴草堆的下面而人却安稳地睡在柴草堆的上面一样危险。如今我国最大的敌人晋国占据了九州之地，拥有一大半以上的人口，正在准备吞并我们吴国，现在的形势又岂止是汉朝当年只是担忧淮南、济北两个封国谋乱所能相提并论的呢，目前的形势和贾谊所担忧的那个时代相比，哪一个舒缓哪一个紧急不是很明显吗？如今国家仓库空虚，编于户籍的人民流离失所，而北方的晋国正在积极地囤积粮食，休养士民，专心致志地做着吞并吴国的准备。况且交趾吕兴叛变归属了晋国，岭南的形势动荡不定，我们腹背受敌，首尾多灾多难，正

之厄会[276]也。若舍此急务，尽力功作[277]，卒有风尘不虞之变[278]，当委版筑而应烽燧[279]，驱怨民而赴白刃，此乃大敌所因以为资[280]者也。”时吴俗奢侈，覈又上疏曰：“今事多而役繁，民贫而俗奢，百工[281]作无用之器，妇人为绮靡之饰[282]，转相仿效，耻独无有[283]。兵民之家[284]，犹复逐俗[285]，内无甔石之储[286]，而出有绫绮[287]之服，上无尊卑等级之差[288]，下有耗财费力之损，求其富给[289]，庸可得乎[290]？”吴主皆不听。

秋，七月，王祥以睢陵公罢[291]。

九月甲申[292]，诏增吏俸。

以何曾为太保，义阳王望为太尉，荀顗为司徒。

禁星气、谶纬[293]之学。

吴主以孟仁[294]守丞相，奉法驾[295]东迎其父文帝神于明陵[296]。中使[297]相继，奉问起居[298]。巫觋言见文帝被服颜色如平生[299]。吴主悲喜，迎拜于东门[300]之外。既入庙，比七日[301]三祭，设诸倡伎，昼夜娱乐。

是岁，遣鲜卑拓跋沙漠汗[302]归其国。

四年（戊子，公元二六八年）

春，正月丙戌[303]，贾充等上[304]所刊修律令[305]。帝亲自临讲[306]，使尚书郎裴楷[307]执读。楷，秀之从弟也。侍中卢珽、中书侍郎范阳张华[308]请抄新律死罪条目，悬之亭传[309]以示民，从之。

又诏河南尹杜预为黜陟之课[310]。预奏：“古者黜陟，拟议[311]于心，不泥[312]于法。末世不能纪远[313]而专求密微[314]，疑心[315]而信耳目，疑耳目[316]而信简书[317]，简书愈繁，官方[318]愈伪。魏氏考课[319]，即京房[320]之遗意，其文可谓至密。然失于苛细以违本体，故历代不能通[321]也。岂

是我们国家生死存亡的紧急关头。如果舍弃紧急的国防事务于不顾，而把人力物力都花在土木建筑上，一旦敌人猝然发动进攻，那时再让人们丢下盖房的工具奔向敌兵进攻的疆场去抵御敌人，驱赶对我们心怀怨恨的士民为我们去赴汤蹈火，这恰好是敌人可以借助用来推翻我们的一种力量。”当时吴国的风俗崇尚奢侈，华覈又上疏说：“如今国家事务繁多而人民劳役繁重，百姓生活贫困而奢侈浪费却成为风俗，能工巧匠争相制作那些无用的器物，妇女崇尚奢侈华丽的装饰，而且互相攀比、仿效，把自家不能奢侈当作一种耻辱。最下层的平民百姓尚且追逐这种世俗的风气，即使家中穷得连一石、两石粮食的储蓄都没有，而出门却穿着绫罗绸缎，对上来说混淆了与统治者的等级差别，对平民百姓来说有消耗人力财力的损失，长此以往而希望国家富强，又怎么能够做到呢？”吴主孙晧对华覈的劝告都听不进去。

秋季，七月，晋国王祥被罢去太保官职，以睢陵县公的身份退休。

九月十四日甲申，晋武帝下诏增加官吏的俸禄。

晋武帝任命何曾为太保，任命义阳王司马望为太尉，任命荀顗为司徒。

晋国明令禁止以观望天文气象而推断人世吉凶以及靠附会、改纂古书以预言人间福祸的迷信活动。

吴主任命孟仁为丞相，派他带着皇帝专用的法驾将其生父孙和的神灵由明陵接到吴国的太庙。从宫中派出的使者一个跟着一个，像对待活人似的向孙和的灵牌请安问好。巫婆神汉说看见文帝孙和所穿戴的衣服、面容像当年活着的时候一样。吴主听后悲喜交加，亲自到建业城东门外跪拜迎接孙和的神灵。孙和的神灵被安放在皇家太庙之后，七天当中就举行了三次祭祀活动，还安排歌舞演奏人员，昼夜不停地演奏娱乐。

这一年，晋国派遣鲜卑拓跋沙漠汗回国。

四年（戊子，公元二六八年）

春季，正月十八日丙戌，贾充等人向晋武帝司马炎呈上在汉律基础上所修改制定的法令。晋武帝亲临会场听取讲解，他让担任尚书郎的裴楷手持律令宣读。裴楷是裴秀的堂弟。侍中卢珽、中书侍郎范阳人张华请求将新修定的律令中有关死罪的条目抄写出来，悬挂、张贴在驿亭、传舍等场所，以便家喻户晓，晋武帝表示同意。

晋武帝又下诏让担任河南尹的杜预负责制定官员升降的考校条例。杜预奏称：“古时候官吏的升降，全凭主观思考，作出判断，而不拘泥于法律条文。近世不能从长远考虑以决定官员的升降，而专门从细枝末节上加以考察，怀疑自己的主观判断而相信耳目的所闻所见，进而又怀疑起自己的所见所闻，而专门相信案卷、文本，于是案卷、文本愈加烦琐，为官之术也就愈加虚伪。曹魏时期的散骑常侍刘劭曾经制定《考课法》，实际上就是沿袭了汉代京房遗留下来的《考功课吏法》，其中的法律条文不能说不详细。然而失之于苛刻烦琐而违背了法律的根本作用，所以历

若申唐尧之旧制，取大舍小，去密就简，俾[322]之易从也。夫曲尽物理[323]，神而明之[324]，存乎其人[325]。去人而任法，则以文伤理[326]。莫若委任达官[327]，各考所统[328]，岁第其人[329]，言其优劣。如此六载，主者总集[330]，采按其言[331]，六优者超擢[332]，六劣者废免，优多劣少者平叙[333]，劣多优少者左迁[334]。其间所对不钧[335]，品有难易[336]，主者固当准量轻重，微加降杀[337]，不足曲以法尽[338]也。其有优劣徇情，不叶公论[339]者，当委监司[340]随而弹[341]之。若令上下公相容过[342]，此为清议[343]大颓[344]，虽有考课之法，亦无益也。"事竟不行。

丁亥[345]，帝耕籍田[346]于洛水之北。

戊子[347]，大赦。

二月，吴主以左御史大夫[348]丁固为司徒，右御史大夫孟仁为司空。

三月戊子[349]，皇太后王氏殂。帝居丧之制，一遵古礼[350]。

夏，四月戊戌[351]，睢陵元公王祥[352]卒，门无杂吊之宾[353]。其族孙戎[354]叹曰："太保当正始[355]之世，不在能言[356]之流，及间与之言[357]，理致清远[358]，岂非以德掩其言[359]乎？"

己亥[360]，葬文明皇后。有司又奏："既虞，除衰服[361]。"诏曰："受终身之爱而无数年之报[362]，情所不忍也。"有司固请，诏曰："患在不能笃孝[363]，勿以毁伤为忧[364]。前代礼典，质文不同[365]，何必限以近制[366]，使达丧阙然[367]乎？"群臣请不已，乃许之。然犹素冠疏食以终三年，如文帝之丧。

秋，七月，众星西流如雨而陨[368]。

己卯[369]，帝谒崇阳陵。

九月，青、徐、兖、豫四州大水。

代不能实行。现在不如重申唐尧时期的旧制，取其大旨而舍去细微，去掉繁杂而改成简易，使其容易遵守实行。其实了解各种事务的原委，通过个人的聪明才智把事情弄清楚，一切全在于人的主观作用。丢弃人的主观作用而全凭法律条文，那就会合于法律条文而有伤于情理。不如委任通晓事理的官员，让他们各自考核他们下属部门的官员，每年把自己的部下分出等级，评定出他们的优劣。这样连续坚持六年，朝廷主管考核工作的官员将历年考评的案卷调来，按照六年的评语，六年考核全部优秀的，就破格越级提升，六年考核全部劣等的，就免除他们的官职，六年考核优多劣少的人，就按照常规予以提拔任用，六年考核劣多优少的人，就贬官降职。在此期间，地方官的考核品评难免会稍微有些不平衡，品级有时不容易确定准确，主管官员当然可以评估轻重，稍微加以降低，而不必用法律条文来加以制裁。如果有人徇情枉法，乱下评语，与社会的公论不一致，就应当委派监察部门随时对他们加以弹劾。如果上下级公开互相包庇，隐瞒过失，这是社会名流评议作用的彻底衰败，纵然有再好的考核条例，也于事无补。”制定官员升降考核条例一事因此而搁置下来。

正月十九日丁亥，晋武帝来到洛水北边的籍田从事耕作。

二十日戊子，实行大赦。

二月，吴主任命左御史大夫丁固为司徒，任命右御史大夫孟仁为司空。

三月二十一日戊子，晋武帝的母亲王太后去世。晋武帝办理母亲的丧事，完全遵照古礼，为母亲守孝三年。

夏季，四月初二日戊戌，晋国睢陵公王祥逝世，谥号为“元”，上门吊唁的都是达官贵人而没有闲杂的宾客。他同族的孙子王戎感慨地说：“王太保在魏国正始年间，算不上是善于清谈的人，偶尔地和他谈起话来，他的思致情趣清晰广远，岂不是由于他的德望太高而掩盖了他能言的事实吗？”

四月初三日己亥，晋武帝安葬了他的母亲王太后。有关部门又奏称说：“安魂祭礼已经完成，请脱掉丧服。”晋武帝下诏说：“我终身受到母亲的关爱照顾而连几年的丧服也不穿，我实在是于心不忍啊。”有关部门坚决请求，晋武帝又下诏说：“令人担心的是人们没有那份真诚的孝心，而不必过多地担心人会由于哀伤而有损于身体健康。前代的礼仪，有时注重实际，有时注重形式，何必用近代的规定加以限制，而使美好的丧礼没人执行呢？”诸大臣不断地请求，晋武帝才表示同意。然而还是头戴白冠、只吃蔬菜素食坚持了整整三年，就像当年为父亲晋文帝司马昭守丧的时候一样。

秋季，七月，西方天空中出现了流星雨。

十四日己卯，晋武帝拜谒崇阳陵。

九月，晋国的青州、徐州、兖州、豫州洪水泛滥成灾。

大司马石苞[370]久在淮南[371]，威惠甚著。淮北监军王琛恶之，密表[372]苞与吴人交通[373]。会吴人将入寇，苞筑垒遏水[374]以自固，帝疑之。羊祜深[375]为帝言："苞必不然。"帝不信，乃下诏以苞不料[376]贼势，筑垒遏水，劳扰百姓，策免其官，遣义阳王望帅大军以征之[377]。苞辟[378]河内孙铄为掾[379]，铄先与汝阴王骏[380]善，骏时镇许昌[381]，铄过见之。骏知台[382]已遣军袭苞，私告之曰："无与于祸[383]！"铄既出，驰诣寿春，劝苞放兵[384]，步出都亭待罪[385]，苞从之。帝闻之，意解[386]。苞诣阙，以乐陵公还第[387]。

吴主出东关[388]。冬，十月，使其将施绩入江夏[389]，万彧寇襄阳[390]。诏义阳王望统中军步骑二万屯龙陂[391]，为二方[392]声援。会荆州刺史胡烈拒绩，破之，望引兵还。

吴交州刺史刘俊、大都督脩则、将军顾容前后三攻交趾[393]，交趾太守杨稷皆拒破之，郁林[394]、九真[395]皆附于稷。稷遣将军毛炅、董元攻合浦[396]，战于古城[397]，大破吴兵，杀刘俊、脩则，余兵散还合浦。稷表炅为郁林太守，元为九真太守。

十一月，吴丁奉、诸葛靓出芍陂[398]，攻合肥[399]，安东将军汝阴王骏拒却之。

以义阳王望为大司马，荀颢为太尉，石苞为司徒。

【段旨】

以上为第二段，写晋武帝泰始三年（公元二六七年）至泰始四年（公元二六八年）两年间的大事。主要写了晋国立司马衷为太子，不行全国大赦。写了司马炎之母死，司马炎又行三年之丧。写了吴主孙晧继续大兴土木，豪华奢侈。写了吴国进攻晋国的襄阳、江夏、交趾、合肥，皆被击退等。

晋国大司马石苞长期镇守淮南，威望很高，恩德广施，政绩卓著。在淮北担任监军的王琛因此非常嫉妒他，于是秘密上表诬告石苞与吴国勾结，图谋不轨。碰巧东吴准备发兵侵扰晋国边境，而石苞修建城堡、筑堤蓄水以加强防守力量，晋武帝因此对他产生了怀疑。羊祜恳切地对晋武帝说："石苞绝不会和东吴勾结。"晋武帝却不相信，于是下诏以石苞不认真分析敌情，就修筑城堡、遏制水流，兴工扰民为由，准备免去石苞的官职，同时派义阳王司马望率领大军前往淮南征调石苞进京。石苞聘请河内人孙铄为属吏，孙铄原先与汝阴王司马骏关系友好，当时司马骏正镇守许昌，孙铄应石苞之聘从许昌经过，顺便拜访司马骏。司马骏知道朝廷已经派遣大军去袭击石苞，就私下叮嘱孙铄说："你不要前去，免得惹祸上身！"孙铄从司马骏那里出来，就快马加鞭奔向寿春，他劝说石苞放弃兵权，步行出城，前往驿站等候处置，石苞听从了孙铄的劝告。晋武帝听说石苞主动放弃兵权，步行出城，前往驿站等候处置之事后，疑心顿时消散。石苞前往皇宫门口听候处置，晋武帝免去了石苞的官职，让他以乐陵公的身份回家。

吴主从东关出兵攻打晋国。冬季，十月，命令大将施绩攻取晋国的江夏郡，派万彧进攻晋国的襄阳郡。晋武帝下诏命义阳王司马望率领二万步兵、骑兵屯驻在龙陂，作为驻守江夏郡与襄阳郡晋军的声援。正赶上荆州刺史胡烈率军抵抗施绩，将施绩打败，于是司马望率军而回。

东吴交州刺史刘俊、大都督脩则、将军顾容前后三次进攻交趾郡，都被交趾郡太守杨稷打得大败，东吴的郁林郡、九真郡也都归附了杨稷。杨稷派遣自己属下的将军毛炅、董元攻打合浦郡，在合浦郡内的古城与吴军展开激战，他们杀死了交州刺史刘俊、大都督脩则，其余的吴军都纷纷逃回了合浦郡。杨稷向晋武帝上表，推荐毛炅担任郁林郡太守，董元为九真郡太守。

十一月，东吴丁奉、诸葛靓出兵芍陂，进而进攻合肥，被晋国的安东将军汝阴王司马骏率军击退。

晋国任命义阳王司马望为大司马，任命荀颉为太尉，任命石苞为司徒。

【注释】

㉙ 正月丁卯：正月甲戌，无丁卯，疑误。㉚ 衷：司马衷，即日后的晋惠帝。传见《晋书》卷四。㉛ 示之以好恶：让臣民们知道国家喜欢什么，不喜欢什么。㉜ 多幸：屡获侥幸。㉝ 曲惠小人：把不应当施舍的恩惠给予那些犯罪的小人。㉞ 上党：晋郡名，郡治壶关（今山西长治北）。㉟ 劾奏故立进令刘友：上表弹劾前任的立进县县令刘友。立进县的方位不详。㊱ 中山王睦：司马睦，司马懿之侄，司马炎的堂叔父，被封为中山王，

都城即今河北定州，当时称作卢奴。㉓⑦贬其谥：贬黜加给他的谥号。㉓⑧缪惑朝士：诱惑朝臣与社会名流。缪惑，误导。缪，通“谬”。㉓⑨其考竟：要对他考问清楚。其，表示指令的发语词。㉔⓪不贰其过：没有再犯以往的过失。㉔①亢志在公：正直行事为了国家。㉔②当官而行：尽到了自己应尽的职责。㉔③邦之司直：国家中坚持真理的人。㉔④光武有云：当年汉光武帝刘秀曾经说过。㉔⑤贵戚且敛手以避二鲍：二鲍指东汉初期的司隶校尉鲍永及其僚属鲍恢，二人皆秉公执法，不避权贵，因而贵戚们都缩起手来，不敢再胡作非为。刘秀称赞二鲍事见本书卷四十二。㉔⑥申敕：警告；告诫。㉔⑦各慎所司：都要小心地做好自己分内的工作。所司，所管，所主持。㉔⑧数遇：屡次碰上。㉔⑨褒之使言：表扬人让人讲话。㉕⓪怨结于下：让臣僚之间结下怨仇。㉕①威玩于上：帝王的权威被看作儿戏。㉕②李密：字令伯。师事谯周，年少时仕蜀为郎。事见《晋书·孝友传》。㉕③太子洗马：太子的属官，为太子掌管图籍。㉕④固辞：其文即世传之《陈情表》，为众多文章选本所载。㉕⑤公议其得失而切责：当众议论朋友的缺点，并严厉责备。㉕⑥顾影无俦：除了自己的影子再没有其他同伴。㉕⑦无彼此于人：对任何人都一样看待。㉕⑧巴丘：又名巴陵，在今湖南岳阳西南，濒临洞庭湖，为吴国军事重镇。㉕⑨昭明宫：在太初宫的东面，方圆五百丈。㉖⓪苑囿：供帝王游玩打猎的园林。㉖①穷极伎巧：尽一切能工巧匠之所能。㉖②华覈：字永先，东吴末期的忠直之臣。传见《三国志》卷六十五。㉖③汉文：西汉文帝刘恒，历史上以简朴闻名的皇帝。㉖④晏然：安然；太平无事的样子。㉖⑤抱火厝于积薪之下而寝其上：语见本书卷十四文帝六年（公元前一七四年）贾谊所上的《治安策》。厝，放置。㉖⑥大敌：指晋。㉖⑦太半：一大半。㉖⑧相吞：即吞并。㉖⑨汉之淮南、济北：汉文帝时，淮南王刘长、济北王刘兴居都曾反叛中央，被削平。见《史记》的《淮南衡山列传》与《齐悼惠王世家》。㉗⓪编户：编于户籍之民，即指平民。㉗①北方：指晋。㉗②东向：指对付东吴，东吴在晋国东南。㉗③交趾沦没：指吕兴叛吴归属于晋，见本书卷七十八咸熙元年（公元二六四年）。㉗④岭表：即岭南，指五岭以南的广东、广西和越南北部一带地区。㉗⑤胸背有嫌：犹言前后都有敌人。㉗⑥国朝之厄会：我们国家的危亡的关头。厄会，难关。㉗⑦尽力功作：把人力物力都花在土木建筑上。㉗⑧卒有风尘不虞之变：指敌人突然发动进攻。卒，通“猝”。不虞，预料不到。㉗⑨委版筑而应烽燧：丢下盖房的工具奔向敌兵进攻的疆场。烽燧，以指敌兵入侵。㉘⓪此乃大敌所因以为资：这正好是敌人可借以推翻我们的一种力量。㉘①百工：各种工匠。㉘②绮靡之饰：奢侈华丽的装饰。㉘③耻独无有：以自家不能奢侈为耻。㉘④兵民之家：指最下层的民众。㉘⑤逐俗：追逐这种世俗的风气。㉘⑥内无甔石之储：家里穷得连一石、两石粮食的储存都没有。甔，能盛两石粮食的小瓮。㉘⑦绫绮：绫罗丝绸。㉘⑧上无尊卑等级之差：因为整个社会都追求奢侈，所以与统治者的等级差别也就分不清了。㉘⑨富给：富裕；够用。㉙⓪庸可得乎：还怎么办得到呢。㉙①以睢陵公罢：罢去太保官，以睢陵县公的身份退休。㉙②九月甲申：九月十四日。㉙③星气、谶纬：星气是以观望天文气象而推断人世凶吉的迷信活动。谶纬是汉代以

来所流行的一种靠附会、改纂古书以预言人间祸福的迷信活动。㉙④孟仁：字恭武，初为吴监池司马、豫章太守，事母至孝。事见《晋书》卷九十四、九十八。㉙⑤法驾：皇帝举行重大仪式时所乘坐的最庄严的车驾。㉙⑥迎其父文帝神于明陵：将其父孙和的神主由明陵接到吴国的太庙。明陵是孙晧之父孙和的陵墓，在当时乌程县的西山（今浙江湖州西南）。孙晧追谥其父孙和为文帝。㉙⑦中使：宫中派出的使者，多由宦官担任。㉙⑧奉问起居：像对待活人似的请安问好。㉙⑨如平生：像当年活着的时候一样。㉚⓪东门：建业（今南京）城东门。㉚①比七日：即七日之中。比，到。㉚②拓跋沙漠汗：鲜卑族头领拓跋力微之子。沙漠汗来魏作人质见本书卷七十七景元二年（公元二六一年）。㉚③正月丙戌：正月十八日。㉚④上：奏报；呈上。㉚⑤所刊修律令：指在汉律基础上修改制定法令，共合二十篇，有律令二千九百二十六条。㉚⑥临讲：实际是指去听。㉚⑦裴楷：字叔则，裴秀的堂弟，当时有名的文臣。传见《晋书》卷三十五。㉚⑧张华：字茂先，当时的著名学者、文臣，曾任中书令、散骑常侍等职。著有《博物志》等书。传见《晋书》卷三十六。㉚⑨亭传：驿亭、传舍，都是过往行人必经的地方。㉛⓪黜陟之课：官员升降的考校条例。㉛①拟议：思考；拿主意。㉛②泥：拘泥。㉛③纪远：即“做长远打算”。㉛④密微：细枝末节。㉛⑤疑心：怀疑自己的良知。㉛⑥耳目：指所闻所见。㉛⑦简书：案卷、文本。㉛⑧官方：为官之术。㉛⑨魏氏考课：魏散骑常侍刘劭曾作《考课法》，其略见本书卷七十三景初元年（公元二三七年）。㉜⓪京房：字君明，西汉重要的阴阳五行家，曾奏进《考功课吏法》。传见《汉书》卷七十五。㉜①通：实行。㉜②俾：使。㉜③曲尽物理：了解各种事物的原委。㉜④神而明之：通过个人的聪明才智把事情弄清楚。㉜⑤存乎其人：一切全在于人的主观作用。㉜⑥以文伤理：虽合于法律条文，而有伤于情理。㉜⑦达官：通晓事理的官员。㉜⑧所统：自己下属的部门。㉜⑨岁第其人：每年把自己的部下分出等级。㉝⓪主者总集：朝廷主管考核工作的官员将历年考评的案卷调来。㉝①采按其言：按照六年的评语。㉝②超擢：破格越级提升。㉝③平叙：按常规提拔任用。㉝④左迁：贬降。㉝⑤所对不钧：指地方官的考核品评略有不平衡。㉝⑥品有难易：品级有些不容易确定。㉝⑦降杀：即降低。㉝⑧不足曲以法尽：不必用法律条文来加以制裁。㉝⑨不叶公论：与大家的公论不一致。叶，通“协”，和谐。㉞⓪监司：负责监察的部门。㉞①弹：弹劾。㉞②公相容过：公开互相包庇。㉞③清议：社会名流的评议。㉞④大颓：彻底衰败。㉞⑤丁亥：正月十九日。㉞⑥耕籍田：到籍田上去进行耕作。古代天子、诸侯为了表示重视农业，有时在春天也到他那块特定的土地（籍田）上象征性地耕作一下，这叫“耕籍田”，或叫“行籍礼”。㉞⑦戊子：正月二十日。㉞⑧御史大夫：御史台的长官，主管全国的监察工作。㉞⑨戊子：三月二十一日。㉟⓪一遵古礼：完全遵照古礼的守孝三年。㉟①四月戊戌：四月初二日。㉟②睢陵元公王祥：睢陵公是王祥封号，元字是谥。㉟③无杂吊之宾：没有闲杂的宾客，都是高官。㉟④族孙戎：王戎，字濬冲，“竹林七贤”之一。传见《晋书》卷四十三。㉟⑤正始：魏帝曹芳的年号（公元二四〇至二四八年）。㉟⑥能言：指善清谈，如何晏等人样子。㉟⑦间与之言：偶尔地和他谈起

来。㉟⑧理致清远：思致情趣清晰广远。㉟⑨以德掩其言：由于他的德望太高掩盖了他能言的事实。㊱⓪己亥：四月初三日。㊱①既虞二句：完成了安魂祭礼，就要脱掉丧服。㊱②无数年之报：意即连几年的丧服也不穿。㊱③患在不能笃孝：可忧虑是人们没有那份真诚的孝心。㊱④勿以毁伤为忧：不必过多地担心人会由于哀伤而有损于身体。㊱⑤质文不同：有时重质，有时重文。即有时重实际，有时重形式。㊱⑥近制：近年来的规定。㊱⑦使达丧阙然：让好的丧礼没人执行。阙，同"缺"。㊱⑧众星西流如雨而陨：陨，坠落。重大自然变化，古人照例书之于史。㊱⑨己卯：七月十四日。㊲⓪石苞：晋朝大将，曾先后任青州刺史、征东大将军、骠骑将军、大司马等职。传见《晋书》卷三十三。㊲①久在淮南：自甘露三年（公元二五八年）魏平诸葛诞之乱后，石苞即镇守淮南（今安徽寿县），迄今已十一年。㊲②密表：秘密向皇帝报告。㊲③交通：往来；勾结。㊲④筑垒遏水：修筑城堡，筑堤蓄水。遏，阻断。㊲⑤深：恳切。㊲⑥不料：不认真分析。㊲⑦帅大军以征之：带着军队来调石苞进京。征，调。"帅大军以征"，是怕其叛乱或投吴。㊲⑧辟：聘任。㊲⑨掾：属吏。㊳⓪汝阴王骏：司马骏。司马懿之子，司马炎之叔。传见《晋书》卷三十八。㊳①许昌：当年汉献帝的都城，在今河南许昌东。㊳②台：指朝廷。㊳③无与于祸：不要跟着卷进漩涡。劝他

【原文】

五年（己丑，公元二六九年）

春，正月，吴主立子瑾为皇太子。

二月，分雍、凉、梁州置秦州[400]，以胡烈为刺史。先是，邓艾纳鲜卑降者数万，置于雍、凉之间[401]，与民杂居[402]。朝廷恐其久而为患，以烈素著名于西方，故使镇抚之。

青、徐、兖三州大水。

帝有灭吴之志。壬寅[403]，以尚书左仆射羊祜都督荆州诸军事，镇襄阳；征东大将军卫瓘都督青州诸军事，镇临淄[404]；镇东大将军东莞王伷[405]都督徐州诸军事，镇下邳[406]。

祜绥怀[407]远近，甚得江、汉[408]之心，与吴人开布大信[409]，降者欲去，皆听之，减戍逻[410]之卒，以垦田[411]八百余顷。其始至也，军无百日之粮，及其季年[412]，乃有十年之积。祜在军，常轻裘缓带，身不被[413]甲，铃阁之下[414]，侍卫不过十数人。

不要再去了。与，参与，卷进。㊳④放兵：放弃兵权，离开军队。㊳⑤步出都亭待罪：步行出城，前往驿站，等候处置。都亭，城外路边的驿亭。㊳⑥意解：疑心消散。㊳⑦以乐陵公还第：指免去官职，单以乐陵公的身份回家。㊳⑧东关：故址在安徽含山县西南濡须山上。㊳⑨江夏：晋郡名，郡治即今湖北安陆。㊴⓪襄阳：晋郡名，郡治即今湖北襄阳。㊴①龙陂：也称“摩陂”，在今河南郏县东南。㊴②二方：被吴攻击的江夏与襄阳二郡。㊴③交趾：原为吴郡名，郡治龙编（今越南河内东北），此时已降晋。㊴④郁林：交州郡名，郡治布山（今广西桂平西南）。㊴⑤九真：交州郡名，郡治在今越南清化西北。㊴⑥合浦：交州郡名，郡治在今广西合浦东北，当时尚属吴国。㊴⑦古城：在合浦郡内，具体方位不详。㊴⑧芍陂：古代淮水流域最著名的水利工程，在今安徽寿县南。㊴⑨合肥：晋国淮南郡的郡治所在地，在今安徽合肥西北。

【校记】

［12］奏：原无此字。据章钰校，甲十一行本、乙十一行本、孔天胤本皆有此字，今据补。

【语译】

五年（己丑，公元二六九年）

春季，正月，吴主孙晧立皇子孙瑾为皇太子。

二月，晋国分割雍州、凉州、梁州各一部分，设置为秦州。任命胡烈为秦州刺史。早先，邓艾招降了几万名鲜卑人，安置在雍州、凉州一带，让他们与汉民杂居在一起。朝廷担心时间一久会引发祸患，认为胡烈在西部威名远扬，所以派他镇守秦州，安抚那里的百姓。

晋国的青州、徐州、兖州发生洪涝灾害。

晋武帝司马炎有吞并东吴的志向。壬寅日这一天，晋武帝任命尚书左仆射羊祜统管荆州各方面军务，镇守襄阳；任命征东大将军卫瓘总领青州各方面军务，镇守临淄；任命镇东大将军东莞王司马伷总领徐州各方面军务，镇守下邳郡。

羊祜对远近的百姓实行安抚感化的政策，深得长江、汉水一带人民的拥戴，与吴国人也讲求信义，遵守承诺，东吴投降过来的人如果还想回到东吴去，也悉听尊便，又裁减负责防守、巡逻的士兵，让这些士兵去开垦农田，共开垦出八百多顷。羊祜开始到这里任职的时候，军中没有一百天的存粮，等到他在任的最后几年，竟然囤积了够军队食用十年的粮食。羊祜在军中，经常穿着轻便的裘衣，系着宽松的带子，而不披铠甲，在他办公的地方，站在堂前的侍卫人员也不过十几个人。

济阴太守巴西文立[415]上言："故蜀之名臣子孙流徙中国者，宜量才叙用[416]，以慰巴、蜀之心，以倾吴人之望[417]。"帝从之。己未[418]，诏曰："诸葛亮在蜀，尽其心力，其子瞻临难而死义[419]，其孙京宜随才署吏[420]。"又诏曰："蜀将傅佥父子，死于其主[421]。天下之善一也，岂由彼此以为异哉！佥息著、募[422]没入奚官[423]，宜免为庶人。"

帝以文立为散骑常侍。汉故尚书犍为程琼[424]雅有德业[425]，与立深交，帝闻其名，以问立，对曰："臣至知[426]其人，但年垂[427]八十，禀性谦退，无复当时之望[428]，故不以上闻[429]耳。"琼闻之，曰："广休[430]可谓不党[431]矣，此吾所以善夫人[432]也。"

秋，九月，有星孛于紫宫[433]。

冬，十月，吴大赦，改元建衡[434]。

封皇子景度为城阳王[435]。

初，汝南何定尝为吴大帝给使[436]，及吴主[437]即位，自表先帝旧人，求还内侍。吴主以为楼下都尉[438]，典知酤籴[439]事，遂专为威福，吴主信任之，委以众事。左丞相陆凯面责定曰："卿见前后事主不忠，倾乱国政，宁有得以寿终者邪？何以专为奸邪，尘秽天听[440]，宜自改厉[441]。不然，方见[442]卿有不测之祸。"定大恨之。凯竭心公家，忠恳内发，表疏皆指事不饰[443]。及疾病，吴主遣中书令董朝问所欲言，凯陈"何定不可信用，宜授以外任。奚熙[444]小吏，建起浦里塘[445][13]，亦不可听。姚信、楼玄、贺邵、张悌、郭逴、薛莹、滕脩及族弟喜、抗[446]，或清白忠勤，或资才卓茂，皆社稷之良辅，愿陛下重留神思[447]，访以时务[448]，使各尽其忠，拾遗万一[449]。"邵，齐[450]之孙；莹，综[451]之子；玄，沛人；脩，南阳人也。凯寻卒[452]，吴主素衔其切直[453]，且日闻何定之谮，久之，竟徙凯家于建安[454]。

吴主遣监军虞汜、威南将军薛珝、苍梧太守丹阳陶璜从荆州道[455]，监军李勖、督军徐存从建安海道[456]，皆会于合浦[457]，以击交趾。

济阴郡太守巴西人文立上疏给晋武帝说:“原先蜀国那些名臣的子孙后来流落到内地的，应该量才选择录用，以安慰巴、蜀地区的民心，也促使东吴民心倾向于我们。”晋武帝听从了他的建议。己未日，晋武帝下诏说:“诸葛亮为蜀国尽心竭力，他的儿子诸葛瞻临危不惧、为国捐躯，他的孙子诸葛京要依照他的才能任以官职。”又下诏说:“蜀国将领傅佥父子，为其主尽忠而死。忠心善行，普天之下是一样的标准，怎么能因为他们身处异国就另眼看待呢！傅佥的儿子傅著、傅募被收入奚官为奴，应该赦免他们，使他们具有平民的身份。”

晋武帝任命文立为散骑常侍。曾经担任蜀汉尚书的犍为郡人程琼平素很有道德修养，与文立交情很深，晋武帝听说了程琼这个人后，就向文立询问程琼的情况，文立回答说:“我非常了解他，但他已经是快八十岁的人了，他天性谦虚退让，已不再要求闻达于世了，所以我没有向陛下推荐他。”程琼听说后，说:“文立才称得上是不拉党结派的人，这就是我为什么喜欢和他交好。”

秋季，九月，在紫微垣宫附近出现彗星。

冬季，十月，东吴实行大赦，改年号为“建衡”。

晋武帝封皇子司马景度为城阳王。

当初，汝南人何定曾经供东吴大帝孙权差遣，等到吴主孙晧即位后，就自己上表说明他是先帝孙权的旧臣，要求把他调入宫中侍奉皇帝。吴主就任命他为楼下都尉，主管为皇宫买酒、买粮等各项采购工作，何定于是便作威作福起来，吴主对何定非常信任，把许多事务都委托给他办理。左丞相陆凯当面责备何定说:“就你亲眼所见，前前后后那些侍奉皇帝不忠诚、败坏国家朝政的人，有哪一个获得寿终正寝的好下场吗?为什么你一定要专门为非作歹，污染天子的耳目呢，你应该悬崖勒马，立即改正，否则的话，我很快就会看到令你难以预料的大祸降临到你的头上。”何定对陆凯恨之入骨。陆凯尽心竭力地为公家办事，忠诚恳切全是发自内心，就是奏章也都是直话直说，毫不粉饰。等到陆凯身患重病时，吴主派遣中书令董朝前去探望并询问他还有什么话要说，陆凯说:“何定不可信用，应该让他到外地任职。奚熙只是个小官吏，却主张建造浦里塘，也不要听信他的话。姚信、楼玄、贺邵、张悌、郭逴、薛莹、滕脩以及我的堂弟陆喜、陆抗，他们当中有人为人清白、对皇帝忠诚、工作勤奋，有人才华出众、有智有谋，都是国家的忠贞栋梁之臣，希望陛下多多地留意他们，向他们询问政务之所宜，使他们得以各尽忠心，补救国家某些政令的缺失。”贺邵是贺齐的孙子，薛莹是薛综的儿子，楼玄是沛郡人，滕脩是南阳人。陆凯不久去世，吴主一向记恨陆凯的恳切直言，而且每天都听到何定对陆凯的诋毁之词，时间一长，竟把陆凯的家属发配到了建安。

吴主派遣监军虞汜、威南将军薛珝、苍梧太守丹阳人陶璜分别带领军队从荆州南下，监军李勖、督军徐存从建安乘船从海路出发，都到合浦会师，然后攻打交趾。

十二月，有司奏东宫[458]施敬二傅[459]，其仪不同。帝曰：“夫崇敬师傅，所以尊道重教也，何言臣不臣[460]乎？其令太子申拜礼[461]。”

六年（庚寅，公元二七〇年）

春，正月，吴丁奉入涡口[462]，扬州刺史牵弘[463]击走之。

吴万彧自巴丘还建业。

夏，四月，吴左大司马施绩卒。以镇军大将军陆抗都督信陵、西陵[464]、夷道、乐乡、公安[465]诸军事，治乐乡[466]。

抗以吴主政事多阙，上疏曰：“臣闻德均则众者胜寡[467]，力侔则安者制危[468]，此六国所以并于秦，西楚所以屈于汉[469]也。今敌之所据，非特关右之地[470]，鸿沟以西[471]，而国家外无连衡之援[472]，内非西楚之强[473]，庶政陵迟[474]，黎民未乂[475]。议者所恃，徒以长江、峻山限带封域[476]。此乃守国之末事[477]，非智者之所先也。臣每念及此，中夜抚枕[478]，临餐忘食。夫事君之义，犯而勿欺[479]，谨陈时宜[480]十七条以闻。”吴主不纳。

李勖以建安道不利[481]，杀导将冯斐，引军还。初，何定尝为子求婚于勖，勖不许，乃白勖枉杀冯斐，擅彻军还。诛勖及徐存并其家属，仍[482]焚勖尸。定又使诸将各上御犬[483]，一犬至直缣数十匹[484]，缨绁[485]直钱一万，以捕兔供厨。吴人皆归罪于定，而吴主以为忠勤，赐爵列侯。陆抗上疏曰：“小人不明理道[486]，所见既浅，虽使竭情尽节[487]，犹不足任，况其奸心素笃[488]而憎爱移易[489]哉！”吴主不从。

六月戊午[490]，胡烈讨鲜卑秃发树机能[491]于万斛堆[492]，兵败，被杀。都督雍、凉州诸军事扶风王亮[493]遣将军刘旂救之，旂观望不进。亮坐贬为平西将军，旂当斩。亮上言：“节度之咎，由亮而出，乞丐

十二月，晋国有关部门的官员奏报东宫太子对待太子太傅与太子少傅两位师傅不应该行叩拜礼。晋武帝说："崇敬师傅，就是尊重道德、重视教育，说什么人臣不人臣？现重申我的命令，太子必须对二位师傅行叩拜之礼。"

六年（庚寅，公元二七〇年）

春季，正月，东吴的将领丁奉率军攻入晋国的涡口，晋国的扬州刺史牵弘率军打退了丁奉的进攻。

吴国的万彧从巴丘返回建业。

夏季，四月，吴国的左大司马施绩逝世。吴主任命镇军大将军陆抗负责统领信陵县、西陵县、夷道县、乐乡县、公安县的各种军务，办公机构设在乐乡县。

陆抗认为吴主孙皓在处置朝政方面多有缺失，于是上疏说："我听说两国君主的道德水平与受人拥护的程度差不多时，那么人口众多的一方一定能战胜人口少的一方；双方的力量相等时，则国家安定的一方就一定能够制服国家不安定的一方，这就是东方六国所以被秦国吞并、西楚霸王项羽最终被汉王刘邦打败的原因。如今敌国所占据的地域，并不像当年刘邦那样，只占有函谷关以西的地盘，以鸿沟为界，而我们国家在外部既没有同盟国的援助，自身也没有西楚霸王项羽那样强大，各种政务都衰败腐朽，百姓的情绪动荡不安。决策的大臣所倚仗的，只有境内的长江、峻山可以作为国家的屏障。实际上这些天险对保卫国家起不了多大作用，明智的人认为这些并不是首先应该考虑的。我每每想到这些，就半夜惊醒，抚枕难眠，白天临餐忘食。侍奉君主的道理是宁可直言冒犯而不可谄媚欺骗，谨此陈述眼下应该做的十七条建议，请陛下阅览。"吴主孙皓没有采纳他的建议。

前去征讨交趾的李勖认为建安海道实在不好走，于是就杀了在前边带路的将领冯斐，然后率军而回。当初，何定曾经为自己的儿子向李勖求婚，李勖没有答应，于是何定可算抓住了机会，他在吴主面前进谗言说李勖枉杀冯斐，擅自撤军回国。于是吴主诛杀了李勖以及督军徐存和他们的家属，又焚烧了李勖的尸体。何定又让各将领贡献供吴主玩赏的御犬，致使一只犬的价格比得上几十匹细绢的价格，就连牵狗用的绳索都值一万钱，让这些御犬去捕捉野兔，以供应御厨房。吴国人把这些事情都归罪于何定，而吴主却认为何定忠诚，办事勤快，并封赏何定为列侯。陆抗上疏说："何定本来是一个小人物，既不明治国之道，又见识短浅，即使他尽心竭力，尚且不足以委以重任，何况他奸诈之心素来根深蒂固，而又把他喜欢谁、憎恨谁的劲头加上去用来影响陛下呢！"吴主不听。

六月初四日戊午，晋国的胡烈率军前往万斛堆讨伐叛变的鲜卑秃发树机能，胡烈兵败被杀。统领雍州、凉州各种军务的扶风王司马亮派遣将军刘旂前去援救胡烈，刘旂心怀畏缩，观望不前。司马亮受到牵连，被贬为平西将军，刘旂按律应当被斩首。司马亮上疏为他求情说："调度决策的失误，应该由我负责，请宽免刘旂的死

旃[14]死[494]。"诏曰："若罪不在旃，当有所在[495]。"乃免亮官。

遣尚书乐陵石鉴[496]行安西将军，都督秦州诸军事，讨树机能。树机能兵盛，鉴使秦州刺史杜预出兵击之。预以虏乘胜马肥，而官军县乏[497]，宜并力大运刍粮，须春[498]进讨。鉴奏预稽乏军兴[499]，槛车徵诣廷尉[500]，以赎论[501]。既而鉴讨树机能，卒不能克。

秋，七月乙巳[502]，城阳王景度[503]卒。

丁未[504]，以汝阴王骏为镇西大将军，都督雍、凉等州诸军事，镇关中。

冬，十一月，立皇子柬[15]为汝南王。

吴主从弟前将军秀[505]为夏口督[506]，吴主恶之，民间皆言秀当见图[507]。会吴主遣何定将兵五千人猎夏口，秀惊，夜将妻子、亲兵数百人来奔[508]。十二月，拜秀骠骑将军、开府仪同三司[509]，封会稽公。

是岁，吴大赦。

初，魏人居南匈奴五部于并州诸郡[510]，与中国民杂居，自谓其先汉氏外孙[511]，因改姓刘氏。

七年（辛卯，公元二七一年）

春，正月，匈奴右贤王刘猛叛出塞。

豫州刺史石鉴坐[512]击吴军虚张首级[513]，诏曰："鉴备大臣[514]，吾所取信，而乃下同为诈[515]，义得尔乎[516]？今遣归田里，终身不得复用。"

吴人刁玄诈增谶文[517]曰[16]："黄旗紫盖，见于东南，终有天下者，荆、扬之君[518]。"吴主信之。是月晦[519]，大举兵出华里[520]，载太后、皇后及后宫数千人，从牛渚[521]西上。东观令[522]华覈等固谏，不听。行遇大雪，道涂陷坏，兵士被甲持仗，百人共引一车[523]，寒冻殆死[524]，皆曰："若遇敌，便当倒戈[525]。"吴主闻之，乃还。

帝遣义阳王望[526]统中军二万、骑三千屯寿春以备之，闻吴师退，乃罢。

罪。”晋武帝下诏说：“如果罪责不在刘旂，那么就应该另有承担罪责的人。”于是罢免了司马亮的官职。

晋武帝派遣担任尚书的乐陵人石鉴代行安西将军的职责，负责统领秦州各种军务，讨伐鲜卑秃发树机能。鲜卑秃发树机能兵势强盛，石鉴便派秦州刺史杜预出兵攻打鲜卑秃发树机能。杜预认为当时鲜卑秃发树机能刚刚打了胜仗，正是士气高涨之时，加上战马肥壮，而官军孤立远出，彼此不相联系，首先应当集中力量运送粮草，等春天到来之时再进兵讨伐。石鉴奏称杜预延误军用物资的征集，把杜预装进囚车送交司法部门处理，被判处用他的侯爵赎取一命。后来石鉴讨伐鲜卑秃发树机能，始终不能取胜。

秋季，七月二十二日乙巳，晋国城阳王司马景度逝世。

二十四日丁未，晋武帝任命汝阴王司马骏为镇西大将军，统领雍州、凉州等州各项军务，镇守关中。

冬季，十一月，晋武帝封皇子司马柬为汝南王。

吴主孙皓的堂弟、前将军孙秀担任夏口驻军的统领，吴主很憎恶他，民间都传说孙秀将要遭人算计。碰巧吴主派遣何定带领五千名士兵到夏口打猎，孙秀惊慌失措，连夜带领妻子和数百名亲兵前来投奔晋国。十二月，晋武帝任命孙秀为骠骑将军，可以开建府署、自行聘任僚属、使用三公仪仗的开府仪同三司，又封他为会稽郡公。

这一年，东吴实行大赦。

当初，曹魏时期，南匈奴的五部被分别安置在并州各郡居住，这些匈奴人与汉民杂居，这些匈奴人说自己的祖先是汉朝皇帝的外孙，因此全都改姓刘氏。

七年（辛卯，公元二七一年）

春季，正月，匈奴右贤王刘猛叛变逃往塞外。

豫州刺史石鉴犯有攻打东吴时虚报杀敌数目之罪，晋武帝在诏书中说：“石鉴作为一名国家大臣，是我所信任的人，然而却与部属串通一气编造谎言欺骗朝廷，怎么能够这样做呢？如今免去他的官职，逐回乡里，终身不再起用。”

吴国人刁玄在司马徽著的一本预测吉凶的《论命运历》残书中，篡改、增加了几句神秘的预言，说：“黄旗紫盖，将出现于东南方，最终享有天下的人，是荆、扬之君。”吴主孙皓对这个所谓的预言非常相信。正月三十日，吴主调集了大批军队，从建业西面的华里出发，他带着母亲何太后、滕皇后以及后宫美女几千人，浩浩荡荡通过牛渚向西进发去攻打晋国。担任东观令的华覈等人极力劝阻，孙皓就是不听。路上遇到天降大雪，道路塌陷损毁，泥泞难行，兵士们身披铠甲手持武器，每一百人拉着一辆皇室人员的座车，天气寒冷，几乎把人冻死，军士们都说：“如果遇到敌人，我们就立马投降。”吴主听到这种议论，这才下令返回。

晋武帝派遣义阳王司马望统率朝廷主力部队二万、外加三千骑兵驻扎在寿春以防备东吴的进攻，听说东吴的军队已经撤回，于是也就罢兵而回。

三月丙戌[527]，钜鹿元公[528]裴秀卒。

夏，四月，吴交州刺史陶璜袭九真太守董元，杀之，杨稷以其将王素代之。

北地胡[529]寇金城[530]，凉州刺史牵弘讨之。众胡皆内叛，与树机能共围弘于青山，弘军败而死。

初，大司马陈骞言于帝曰："胡烈、牵弘皆勇而无谋，强于自用[531]，非绥边[532]之材也，将为国耻。"时弘为扬州刺史，多不承顺[533]骞命，帝以为骞与弘不协[534]而毁[535]之。于是征弘[536]，既至，寻复以为凉州刺史。骞窃叹息，以为必败。二人果失羌戎之和[537]，兵败身没，征讨连年，仅而能定[538]，帝乃悔之。

五月，立皇子宪为城阳王。

辛丑[539]，义阳成王望卒。

侍中、尚书令、车骑将军贾充自文帝时宠任用事，帝之为太子，充颇有力[540]，故益有宠于帝。充为人巧谄，与太尉、行太子太傅荀颉、侍中、中书监荀勖、越骑校尉安平冯𬘘[541]相为党友，朝野恶之。帝问侍中裴楷以方今得失，对曰："陛下受命，四海承风[542]，所以未比德于尧、舜者，但以贾充之徒尚在朝耳。宜引天下贤人，与弘政道[543]，不宜示人以私[544]。"侍中乐安任恺[545]、河南尹颍川庾纯[546]皆与充不协，充欲解其近职[547]，乃荐恺忠贞，宜在东宫[548]。帝以恺为太子少傅，而侍中如故。会树机能寇乱秦、雍，帝以为忧。恺曰："宜得威望重臣有智略者以镇抚之。"帝曰："谁可者？"恺因荐充[549]，纯亦称之。秋，七月癸酉[550]，以充为都督秦、凉二州诸军事，侍中、车骑将军如故。充患之。

吴大都督薛珝与陶璜等兵十万，共攻交趾。城中粮尽援绝，为吴所陷，虏杨稷、毛炅等。璜爱炅勇健，欲活之。炅谋杀璜，璜乃杀之。脩则之子允，生剖其腹，割其肝，曰："复能作贼不？"炅犹骂曰："恨不杀汝孙皓，汝父何死狗[551]也！"

三月初七日丙戌，晋国的钜鹿公裴秀去世，谥号为“元”。

夏季，四月，东吴交州刺史陶璜率军袭击九真郡，杀死了九真郡太守董元，杨稷任命他的将领王素代替董元为九真郡太守。

北地郡的胡人侵扰晋国的金城郡，凉州刺史牵弘率军前去讨伐。居于内地的胡人也趁机叛乱，与鲜卑秃发树机能联合起来把牵弘围困在青山，牵弘兵败阵亡。

当初，大司马陈骞曾经对晋武帝说：“胡烈、牵弘都属于有勇无谋之人，他们自以为是、不相信别人，根本不是安邦定国的材料，恐怕将来会给国家带来耻辱。”当时，牵弘为扬州刺史，多数情况下都不听从陈骞的命令，晋武帝认为陈骞是因为和牵弘有矛盾，所以才诋毁他。于是晋武帝召牵弘进京，牵弘到京后，很快又被任命为凉州刺史。陈骞暗自叹息，认为他们必定失败。胡烈、牵弘二人果然不能与羌、胡、鲜卑等族和睦相处，导致兵败身死，连年征讨，最后才勉强得以平定，晋武帝对当初没有听从陈骞的话而深感后悔。

五月，晋武帝立皇子司马宪为城阳王。

二十三日辛丑，义阳王司马望去世，谥号为“成”。

担任侍中、尚书令、车骑将军的贾充，在晋文帝司马昭时期就受到宠信而得到重用，司马炎被立为太子，贾充也起了很大作用，所以更加受到司马炎的宠信。贾充为人奸猾，善于谄媚取宠，与太尉、代理太子太傅的荀顗、侍中、中书监的荀勖、越骑校尉安平人冯纨互相结为朋党，无论朝中还是民间都对他们深恶痛绝。晋武帝向担任侍中的裴楷询问有关当今政事的得失，裴楷直言不讳地回答说：“陛下接受天命，四海望风归顺，而在德政方面所以还比不上唐尧、虞舜，就是因为贾充之徒还在朝中掌权的缘故。应该招引天下贤能之人，与他们共同弘扬为政之道，而不应该一味重用亲信，把自己的私心显示给别人看。”担任侍中的乐安郡人任恺、担任河南尹的颍川人庾纯都与贾充有矛盾，贾充想解除他们在皇帝身边的职务，使他们远离皇帝，于是就举荐任恺，说任恺忠贞正直，适宜在太子身边为官，为太子做出榜样。晋武帝便任命任恺为太子少傅，而侍中的职位依然如故。碰巧鲜卑秃发树机能侵扰秦州、雍州一带，晋武帝很为此事感到忧虑。任恺说：“应该派遣一位有威望又有智慧谋略的重要大臣去镇抚他们。”晋武帝问：“谁能胜此重任？”任恺趁机推荐贾充，庾纯也说贾充能够胜任。秋季，七月二十日癸酉，晋武帝任命贾充统领秦、凉二州诸军务，并保留贾充侍中、车骑将军的职衔。贾充对此感到非常忧虑。

东吴大都督薛珝与陶璜等率兵十万，共同进攻交趾。交趾城中粮尽援绝，终于被吴兵攻陷，杨稷、毛炅等人都被东吴俘虏。陶璜喜爱毛炅的勇敢善战，准备饶恕毛炅不死。毛炅却阴谋刺杀陶璜，陶璜只得将毛炅杀死。脩则的儿子脩允，在毛炅活着时就给他开了膛，割下了毛炅的肝脏，大声说：“看你还能做贼不能？”毛炅依然大骂说：“我恨不得杀了你们的孙皓，你爹是什么样一条死狗！”

王素欲逃归南中，吴人获之，九真、日南[552]皆降于吴。吴大赦，以陶璜为交州牧。璜讨降夷、獠[553]，州境皆平。

八月丙申[554]，城阳王宪[555]卒。

分益州、南中四郡置宁州[556]。

九月，吴司空孟仁卒。

冬，十月丁丑朔，日有食之。

十一月，刘猛寇并州，并州刺史刘钦击破之。

贾充将之镇[557]，公卿饯于夕阳亭[558]。充私问计于荀勖，勖曰："公为宰相，乃为一夫[559]所制，不亦鄙乎！然是行也，辞之实难[560]，独有结婚太子[561]，可不辞而自留矣。"充曰："然则孰可寄怀[562]？"勖曰："勖请言之。"因谓冯纨曰："贾公远出，吾等失势。太子婚尚未定，何不劝帝纳贾公之女乎？"纨亦然之。初，帝将纳卫瓘女为太子妃，充妻郭槐赂杨后左右，使后说帝求纳其女。帝曰："卫公女有五可，贾公女有五不可：卫氏种贤而多子[563]，美而长、白[564]；贾氏种妒而少子，丑而短、黑。"后固以为请，荀颉、荀勖、冯纨皆称充女绝美，且有才德，帝遂从之。留充复居旧任。

十二月，以光禄大夫郑袤为司空，袤固辞不受。

是岁，安乐思公刘禅[565]卒。

吴以武昌都督广陵范慎[566]为太尉。右将军司马[567]丁奉卒。

吴改明年元曰凤凰。

【段旨】

以上为第三段，写晋武帝泰始五年（公元二六九年）至泰始七年（公元二七一年）共三年间的大事。主要写了晋将羊祜镇守襄阳的政绩。写了司马炎听取蜀人文立的建议任用蜀国人士，以争取东吴。写了吴国丞相陆凯忠直为国，痛

王素准备逃归南中，被吴人捕获，于是九真郡、日南郡都投降了东吴。东吴实行大赦，任命陶璜为交州牧。陶璜又相继讨平了夷、獠各族的叛乱，交州境内全部平定。

八月十九日丙申，晋国城阳王司马宪去世。

晋国把益州、南中等四郡各划分出一部分，设置为宁州。

九月，东吴司空孟仁去世。

冬季，十月初一日丁丑，发生日食。

十一月，东吴刘猛率军侵扰晋国的并州，被并州刺史刘钦打败。

贾充将要前往秦、凉二州都督的军府赴任，公卿大臣都到夕阳亭为他饯行。贾充私下向荀勖请教，荀勖说:“你身为宰相，竟被一个下等人任恺所摆弄，难道不是很没有面子的事吗！然而这次出征，想推辞不去还真是件难事，现在只有一个办法，就是把你的女儿嫁给太子，那样一来用不着推辞自然就会被留在京师了。”贾充说:“有谁可以把我的心思转达给皇帝呢?”荀勖说:“就让我去替你转达吧。”荀勖于是对冯紞说:“贾公远出，我等就要失去依靠。如今太子的婚事还没有定下来，为何不劝说皇上为太子聘娶贾充的女儿呢?”冯紞也认为这个主意很好。当初，晋武帝准备为太子聘娶卫瓘的女儿为太子妃，贾充的妻子郭槐贿赂了杨皇后身边的侍从，让杨皇后劝说晋武帝为太子聘娶她的小女儿为妃。晋武帝对杨皇后说:“卫瓘的女儿为太子妃有五可，而贾充的女儿为太子妃有五不可：卫氏女儿的母亲贤惠而且生孩子多，卫氏的女儿容貌美丽、身材修长、皮肤白皙；而贾充的妻子生性妒忌而且生的孩子少，她的女儿形容丑陋、身材矮小、皮肤又黑。”杨皇后竭力请求聘娶贾充的女儿为太子妃，荀顗、荀勖、冯紞都说贾充的女儿绝对美丽，而且有才有德，司马炎于是应允了这门亲事。遂留贾充于京师仍旧担任旧职。

十二月，任命光禄大夫郑袤为司空，郑袤坚决辞让，不肯接受任命。

这一年，安乐公刘禅逝世，谥号为“思”。

东吴任命担任武昌都督的广陵人范慎为太尉。右将军司马丁奉逝世。

东吴决定明年更改年号为“凤凰”。

斥奸佞。写了吴将陆抗忧心国事，陈时宜十七条，都不被孙晧所用。写了吴主孙晧屡屡派兵伐晋，都被晋人击退。写了吴将陶璜平定交趾诸郡，使之重归吴国。写了贾充等人之奸佞，朝臣排斥贾充未果，反使其嫁女于太子，更进一步干预朝政。写了鲜卑头领秃发树机能势力强大，先后击败晋将胡烈、石鉴，北地胡又破杀晋将牵弘，北方少数民族逐渐成为晋朝的威胁等。

【注释】

⑳分雍、凉、梁州置秦州：分割雍州、凉州、梁州各一部分，设立秦州。辖陇西、南安、天水、略阳、武都、阴平等郡，州治冀县，今甘肃甘谷县东。㊶雍、凉之间：即今甘肃东部一带地区。雍州的州治是长安，凉州的州治是今甘肃的武威。㊷与民杂居：跟汉人杂居在一起。㊸壬寅：二月壬戌朔，没有壬寅，疑误。㊹临淄：即今山东淄博市临淄区。㊺东莞王伷：司马伷。司马懿之子，司马炎之叔。㊻下邳：晋郡名，郡治在今江苏睢宁西北。㊼绥怀：安抚感化。㊽江、汉：长江、汉水流经的地带，这里指湖北一带地区。㊾开布大信：即讲求信义，说话算话。㊿戍逻：防守、巡逻。411以垦田：让裁减下来的士卒开垦农田。412季年：在任的最后几年。413被：同“披”。414铃阁之下：指羊祜办公的地方。铃下，指将帅有令就摇铃呼士卒。阁下，指堂前的侍从人员。415济阴太守巴西文立：济阴是晋郡名，郡治定陶（今山东菏泽市定陶区西北）。巴西文立，巴西人姓文名立。416叙用：选择任用。417倾吴人之望：让吴人倾向我们。418己未：二月壬戌朔，没有己未，疑误。419临难而死义：诸葛瞻与其子诸葛尚为迎敌邓艾军而战死事，见本书卷七十八景元四年（公元二六三年）。420随才署吏：依照才能任以官职。421蜀将傅佥父子二句：傅佥之父傅彤随刘备征吴，夷陵之败后，傅彤战死在后撤途中，见本书卷六十九黄初三年（公元二二二年）。傅佥战死于阳安口，事见本书卷七十八景元四年。422佥息著、募：傅佥的儿子傅著、傅募。423没入奚官：被收入奚官为奴。奚官是管理苦役犯的地方。424犍为程琼：犍为人姓程名琼。犍为原是蜀郡名，郡治武阳，在今四川眉山市彭山区东。425雅有德业：平素很有道德修养。426至知：极其了解。427垂：近；年近。428无复当时之望：不再求闻达于现时。429不以上闻：不向朝廷推荐他。430广休：即文立，字广休。431不党：不拉党结派。432善夫人：喜欢他；愿意与他交好。夫人，彼人。433有星孛于紫宫：在紫微宫附近出现彗星。孛，火光四射，这里即指彗星。紫宫，即紫微宫，星座名，古人常用以比附帝王居住的地方。星孛于紫宫，预示帝王身边当有变乱。434改元建衡：吴主孙晧在此之前的年号是“宝鼎”。435城阳王：封地城阳郡，都城即今山东莒县。436给使：供……差遣。437吴主：指孙晧。438楼下都尉：掌管皇宫楼前禁卫。439典知酤籴：主管给皇宫买酒买粮。440尘秽天听：污染天子的耳目。441改厉：改正。442方见：很快就要见到。443指事不饰：直话直说，不加粉饰。444奚熙：姓奚名熙。445浦里塘：堤坝名，在宛陵县（今安徽宣城）附近。446族弟喜、抗：陆喜、陆抗。447重留神思：犹言多多留意。448访以时务：向他们询问现时政务之所宜。访，问。449拾遗万一：婉指纠正帝王的某些缺失。450齐：贺齐，字公苗，孙权时的大将。传见《三国志》卷六十。451综：薛综，字敬文，东吴的才士文臣。传见《三国志》卷五十三。452寻卒：不久去世。453素衔其切直：一向忌恨陆凯的直正。衔，心里记恨。454徙凯家于建安：把陆凯的家属发配到建安居住。建安是建安郡的郡治所在

地，即今福建建瓯。㊺⑤从荆州道：谓从荆州南下。㊺⑥从建安海道：指从建安乘船从海路出发。㊺⑦合浦：今广西合浦东北。㊺⑧东宫：指太子。㊺⑨施敬二傅：对待太子太傅与太子少傅两位师傅的礼节。㊻⓪何言臣不臣：大概有人认为让太子给老师行礼是有伤于君臣之分，故司马炎这么说。㊻①申拜礼：行叩拜之礼。㊻②涡口：涡水入淮河处。在今安徽怀远东。㊻③扬州刺史牵弘：扬州刺史姓牵名弘。当时西晋的扬州州治寿春，即今安徽寿县。㊻④信陵、西陵：皆吴县名，信陵在今湖北秭归东三十里，西陵即今湖北宜昌故城。㊻⑤夷道、乐乡、公安：皆吴县名，夷道即今湖北宜都，乐乡在今湖北松滋东北，公安在今湖北公安北。㊻⑥治乐乡：陆抗的办公机构设在乐乡，其城北江中有沙碛，渡江容易，是江津军事要地。㊻⑦德均则众者胜寡：两国君主的道德水平与受人拥护的程度差不多时，则人口多的一方战胜人口少的一方。㊻⑧力侔则安者制危：双方的力量相等时，则国家安定的一方制服国家不安定的一方。侔，相当，相等。㊻⑨西楚所以屈于汉：项羽所以被刘邦打败。㊼⓪非特关右之地：不像当年的刘邦，只占有函谷关以西的地盘。非特，不只。关右，函谷关以西。㊼①鸿沟以西：鸿沟是水道名，即后代所说的"汴河"，从河南荥阳北由黄河分出，流经今中牟北、开封北，东南入颍水。楚、汉相争时，刘邦、项羽曾一度划鸿沟为界，鸿沟以西属刘邦。㊼②外无连衡之援：意即外面没有同盟国的援助。㊼③内非西楚之强：自身也没有西楚霸王项羽那样的强大。㊼④庶政陵迟：各种政务都衰败腐朽。㊼⑤黎民未乂：百姓的情绪动荡不安。㊼⑥限带封域：意即作为我们国家的屏障。限，阻隔。带，围绕。㊼⑦守国之末事：指作用不可能太大。㊼⑧中夜抚枕：半夜不能入睡。㊼⑨犯而勿欺：宁可直言冒犯，不可谄媚欺骗。㊽⓪时宜：眼下所应该做的事情。㊽①不利：不好走。㊽②仍：乃；又。㊽③御犬：供孙皓玩赏的犬。㊽④直缣数十匹：极言这些狗的价钱之贵。直，同"值"，价值。缣，一种双股丝织成的细绢。㊽⑤缨绁：牵狗用的绳索。㊽⑥理道：治国之道。唐人为避高宗讳，常将古书上的"治"字改作"理"。㊽⑦竭情尽节：竭心尽力。㊽⑧奸心素笃：奸诈之心素来根深蒂固。㊽⑨憎爱移易：再把他们喜欢谁、憎恨谁的劲头都加上去。㊾⓪六月戊午：六月初四日。㊾①秃发树机能：鲜卑族部落首领的名字，姓秃发名树机能。后来南凉政权的创建者秃发乌孤的祖先。事见《晋书》卷一百二十六。㊾②万斛堆：地名，在今甘肃靖远西。㊾③扶风王亮：司马亮，司马懿之子，司马炎之叔。传见《晋书》卷五十九。㊾④乞丐旂死：请求宽免刘旂的死罪。㊾⑤当有所在：应当有承担罪责的人。㊾⑥乐陵石鉴：乐陵是晋县名，县治在今山东乐陵东南。石鉴字林伯，晋初名臣。传见《晋书》卷四十四。㊾⑦县乏：孤立远出，彼此不相联系。县，同"悬"，隔绝。㊾⑧须春：等春天来到。㊾⑨稽乏军兴：延误军用物资的征集。㊿⓪槛车征诣廷尉：装进囚车送司法部门处理。廷尉是全国最高的司法官。㊿①以赎论：杜预的妻子是司马懿的女儿（司马炎的姑妈），享有特权，所以才得以用他的侯爵（丰乐亭侯）赎出一命。㊿②七月乙巳：七月二十二日。㊿③城阳王景度：司马景度，司马炎之子。㊿④丁未：七月二十四日。㊿⑤前将军秀：孙秀，孙权弟孙匡之孙，孙晧的堂弟。㊿⑥夏口督：夏口驻

军的统领。夏口即今湖北武昌。⑤⑦当见图：将被人所害。⑤⑧来奔：前来投奔晋国。⑤⑨开府仪同三司：官阶名，开建府署，可以自己聘用僚属，使用国家三公的仪仗。⑤⑩居南匈奴五部于并州诸郡：西汉后期匈奴人内部分裂，南匈奴投降汉王朝，汉王朝将他们安排在山西、陕西北部的沿边地区，集中居住，称为“属国”。到曹魏时又将其分为五部：“左部”住在今太原一带；“右部”住在祁县（今山西祁县东）一带；“南部”住在蒲子（今山西隰县）一带；“北部”住在新兴（今山西忻州）一带；“中部”住在大陵（今山西交城）一带。“并州诸郡”大体都在今山西境内。⑤⑪汉氏外孙：因汉初与匈奴实行和亲政策，后代的匈奴单于是刘氏的公主所生，故自称“汉氏外孙”。事见《史记·匈奴列传》。⑤⑫坐：因……而犯罪。⑤⑬虚张首级：虚报杀敌数目。⑤⑭备大臣：作为一名国家的大臣。⑤⑮下同为诈：跟部属串通一气说假话。⑤⑯义得尔乎：能够这个样子吗。⑤⑰诈增谶文：增改古书字句，编造一些“预言吉凶”的隐语。⑤⑱荆、扬之君：即指东吴的君主孙晧，据《江表传》，刁玄曾出使蜀汉，得到司马徽著的《论命运历》残篇，于是加上这几句话，用以讨孙晧欢心，博取富贵。⑤⑲是月晦：这个月的最后一天，即正月三十日。⑤⑳华里：在今南京西。⑤㉑牛渚：即牛渚山，在今安徽当涂西北的长江边，北部突入江中，名采石矶，自古为大江南北的重要津渡，也是军事必争之地。⑤㉒东观令：管理皇家图书的官员。东观是汉代以来的国家图书馆。⑤㉓百人共引一车：每百人共拉一辆皇室人员的座车。⑤㉔寒冻殆死：把人几乎冻死。⑤㉕便当倒戈：立马就投降敌人。⑤㉖义阳王望：司马望。司马孚之子，司马炎的堂叔。⑤㉗三月丙戌：三月初七日。⑤㉘钜鹿元公：钜鹿公是裴秀的封号，元是谥。⑤㉙北地胡：居住在北地郡的少数民族。此处“北地”指汉代旧郡，约当今甘肃东北部、宁夏南部一带地区。郡治富平（今宁夏吴忠西南）。⑤㉚金城：晋郡名，郡治即今甘肃兰州。⑤㉛强于自用：自以为是，不相信别人。⑤㉜绥边：安定边疆。⑤㉝不承顺：不服从。当时陈骞以大司马都督扬州诸军，驻寿春（今安徽寿县）。牵弘为扬州刺史，应听命于陈骞。⑤㉞不协：今之所谓“不团结”“不合作”。⑤㉟毁：说人坏话。⑤㊱征弘：把牵弘调回了京城。⑤㊲失羌戎之和：与羌、胡、鲜卑等族闹不团结。⑤㊳仅而能定：最后才勉强地得以安定。⑤㊴辛丑：五月二十三日。⑤㊵充颇有力：事见本书卷七十七、七十八。⑤㊶冯

【原文】

八年（壬辰，公元二七二年）

春，正月，监军何桢讨刘猛，屡破之，潜以利诱[568]其左部帅李恪，恪杀猛以降。

二月辛卯[569]，皇太子纳贾妃[570]。妃年十五，长于太子二岁，妒忌多权诈，太子嬖[571]而畏之。

统：字少胄，晋初邪臣。传见《晋书》卷三十九。㊷承风：望风归顺。㊸与弘政道：与他们共同弘扬为政之道。㊹示人以私：言其一味重用亲信。㊺乐安任恺：乐安是晋郡名，郡治在今山东桓台东。任恺，字符褒，晋初直臣。传见《晋书》卷四十五。㊻庚纯：字谋甫，晋代直臣。传见《晋书》卷五十。㊼解其近职：解除他们在皇帝身边的职务。㊽宜在东宫：宜于在太子身边为官，为太子做榜样。㊾因荐充：乘机推荐贾充，实际是把他逐出朝廷。㊿七月癸酉：七月二十日。551何死狗：什么样的一条死狗。脩允父脩则被毛炅所杀，事见泰始四年。552九真、日南：交州所辖的郡名，九真郡在今越南清化省，日南郡治西卷，在今越南广治省广治河与甘露河合流处。553夷、獠：泛指西南地区的少数民族。554八月丙申：八月十九日。555城阳王宪：司马宪，司马炎之子。传见《晋书》卷三十八。556宁州：分益州与南中的四郡而置。四郡指建宁（郡治味县，即今云南曲靖）、兴古（郡治在今贵州普安西一百里）、云南（郡治在今云南祥云东南的云南驿）、永昌（郡治不韦，在今云南保山市东北）。宁州的州治滇池，在今云南昆明市晋宁区东北。557将之镇：将前往秦、凉都督的军府。558夕阳亭：在洛阳城西。559一夫：一个下等人，指任恺。560辞之实难：想推辞不免还是难事。561结婚太子：指把女儿嫁给太子。562寄怀：把心事向皇上去说。563种贤而多子：由其母贤惠而且多子，估计其女也能如此。564美而长、白：指卫女本人又美又白又高。565安乐思公刘禅：刘禅死时年六十五岁。安乐公是其封号，思字是谥。566范慎：字孝敬，广陵（今江苏扬州）人，先为侍中，出补武昌左都督。567右将军司马：胡三省以为应作“右大司马、左军师”。

【校记】

［13］塘：据章钰校，甲十一行本、乙十一行本、孔天胤本皆作“田”，张瑛《通鉴校勘记》同。［14］旂：原作“其”。据章钰校，甲十一行本、乙十一行本、孔天胤本皆作“旂”，今据改。［15］柬：原误作“东”。据章钰校，甲十一行本、乙十一行本皆作“柬”，张瑛《通鉴校勘记》同，今据校正。《晋书》卷六十四《武十三王传》作“柬”。［16］曰：据章钰校，甲十一行本、乙十一行本皆作“云”。

【语译】

八年（壬辰，公元二七二年）

春季，正月，晋国监军何桢率军讨伐刘猛，屡次将刘猛打败，又暗中用钱财收买了刘猛属下的左部帅李恪，李恪刺杀了刘猛向何桢投降。

二月十七日辛卯，皇太子司马衷娶贾充的女儿贾南风为妃。贾南风当时十五岁，比太子司马衷大两岁，既生性妒忌、奸诈，又喜欢玩弄权术，太子司马衷对她既宠爱又惧怕。

壬辰[572]，安平献王孚[573]卒，年九十三。孚性忠慎，宣帝执政，孚常自退损。后逢废立[574]之际，未尝预谋[575]。景、文二帝以孚属尊[576]，亦不敢逼。及帝即位，恩礼尤重。元会[577]，诏孚乘舆上殿，帝于阼阶[578]迎拜。既坐，亲奉觞上寿，如家人礼。帝每拜，孚跪而止之。孚虽见尊宠，不以为荣，常有忧色。临终，遗令曰："有魏贞士[579]河内司马孚字叔达，不伊不周[580]，不夷不惠[581]，立身行道，终始若一。当衣以时服[582]，敛以素棺[583]。"诏赐东园[584]温明秘器[585]，诸所施行，皆依汉东平献王[586]故事。其家遵孚遗旨，所给器物，一不施用[587]。

帝与右将军皇甫陶论事，陶与帝争言[588]，散骑常侍郑徽表请罪之[589]。帝曰："忠谠之言[590]，唯患不闻，徽越职妄奏，岂朕之意。"遂免徽官。

夏，汶山[591]白马胡[592]侵掠诸种[593]，益州刺史皇甫晏欲讨之。典学从事[594]蜀郡何旅等谏曰："胡夷相残，固其常性，未为大患。今盛夏出军，水潦[595]将降，必有疾疫，宜须[596]秋、冬图之。"晏不听。胡康木子烧香[597]言军出必败，晏以为沮众[598]，斩之。军至观阪[599]，牙门[600]张弘等以汶山道险，且畏胡众，因夜作乱，杀晏。军中惊扰，兵曹从事[601]犍为[602]杨仓勒兵力战而死。弘遂诬晏，云"率己共反"，故杀之，传首京师[603]。晏主簿蜀郡何攀方居母丧，闻之，诣洛[604]证晏不反。弘等纵兵抄掠。广汉主簿[605]李毅言于太守弘农王濬[606]曰："皇甫侯起自诸生[607]，何求而反？且广汉与成都密迩[608]，而统于梁州[609]者，朝廷欲以制益州之衿领[610]，正防今日之变也。今益州有乱，乃此郡之忧也。张弘小竖[611]，众所不与[612]，宜即时赴讨，不可失也。"濬欲先上请，

二月十八日壬辰，晋国安平王司马孚去世，谥号为“献”，享年九十三岁。司马孚秉性忠厚处事谨慎，宣帝司马懿掌权的时候，司马孚经常退避谦让。后来司马氏两次废立曹魏皇帝，他都没有参与过谋划。景帝司马师、文帝司马昭因为司马孚辈分高，是自己的亲叔父，所以也不敢逼迫他。等到司马炎即位做了皇帝，对叔祖父司马孚更加尊重优待。元旦司马炎朝见群臣的时候，司马炎下诏允许司马孚乘坐肩舆上殿，司马炎亲自站在殿前东阶迎接拜见他。司马孚落座以后，司马炎就亲自端着酒杯给叔祖父祝寿，跟家中的礼节一样。司马炎每次向司马孚行跪拜礼的时候，司马孚都跪下阻止皇帝不要行此大礼。司马孚虽然受到尊宠，却不以为荣，反而经常有忧虑的神色。临终的时候，司马孚在遗嘱中说：“魏国的忠贞之臣、河内人司马孚，字叔达，既非伊尹，又非周公，既不能效法伯夷，又不能当柳下惠，立身处世，始终如一。我平时穿什么衣服，入殓时就穿什么衣服，要用不加油漆的原木棺材。”司马炎下诏赏赐给司马孚东园特制的棺木，一切丧葬礼仪，都参照汉朝东平献王刘苍的故事。司马孚的家属却遵照司马孚的遗嘱，凡是朝廷所赏赐的丧葬器物，一概不用。

晋武帝司马炎与右将军皇甫陶探讨问题，皇甫陶总是争论曲直，散骑常侍郑徽上表请求晋武帝给皇甫陶治罪。晋武帝说：“忠实正直的言论，朕唯恐听不到，而郑徽却超越职权，妄加指控，这岂是我的本意。”于是罢免了郑徽的官职。

夏季，晋国汶山郡的白马胡部落侵掠附近其他的少数民族部落，益州刺史皇甫晏准备率军前去讨伐白马胡。担任典学从事的蜀郡人何旅等人劝阻说：“胡人和各少数民族之间的互相残杀，这是他们的生活习性，还形不成大患。如今正是盛夏，如果出兵讨伐他们，雨季一到，必然会有瘟疫流行，不如等到秋、冬季节再出兵讨伐他们。”皇甫晏不听劝告，坚持要出兵。皇甫晏部下一个名叫康木子烧香的胡人说，现在大军出动必定失败，皇甫晏认为他败坏士气，就把他杀了。皇甫晏率领军队到达观阪，帐前卫兵的头领张弘等人因为汶山道路艰险难行，而且又畏惧胡兵，于是就乘黑夜作乱，杀死了皇甫晏。军中失去了首领立时惊慌扰乱起来，担任兵曹从事的犍为郡人杨仓企图控制混乱局面，便组织军队与叛军奋勇作战，不幸战死。张弘于是诬陷皇甫晏，说“皇甫晏要率领我们共同谋反”，所以才杀掉了皇甫晏，并把皇甫晏的人头传送到京师洛阳。在皇甫晏手下担任主簿的蜀郡人何攀正在家中为母亲守丧，听说此事后，立即前往洛阳证明皇甫晏绝对不会谋反。张弘等人放纵士兵四处抢掠。广汉郡主簿李毅对太守弘农人王濬说：“皇甫晏出身于一介书生，已经被封为侯，他还追求什么而要反叛朝廷呢？而且广汉郡与成都近在咫尺，然而广汉郡却划归梁州管辖，朝廷的目的就是要让广汉郡扼制住益州的咽喉要害，正是为了防备像今天这样的变乱发生。如今益州发生变乱，这也是广汉郡的忧患。张弘这小子，众人不会拥护他，我们应该立即去讨伐他，千万不可错失良机。”王濬准备先请示朝廷批准，

毅曰："杀主之贼，为恶尤大，当不拘常制⑬，何请之有？"濬乃发兵讨弘。诏以濬为益州刺史。濬击弘，斩之，夷三族。封濬关内侯。

初，濬为羊祜参军，祜深知之。祜兄子暨白："濬为人志大奢侈，不可专任⑭，宜有以裁之⑮。"祜曰："濬有大才，将以济其所欲⑯，必可用也。"更转为车骑从事中郎⑰。濬在益州，明立威信，蛮夷多归附之，俄⑱迁大司农⑲。时帝与羊祜阴谋伐吴，祜以为伐吴宜藉上流之势⑳，密表留濬复为益州刺史，使治水军。寻加龙骧将军，监益、梁诸军事㉑。

诏濬罢屯田兵㉒[17]，大作舟舰。别驾㉓何攀以为："屯田兵不过五六百人，作船不能猝办㉔，后者未成，前者已腐。宜召诸郡兵合万余人造之，岁终可成。"濬欲先上须报㉕，攀曰："朝廷猝闻召万兵，必不听。不如辄召㉖，设当见却㉗，功夫已成㉘，势不得止。"濬从之，令攀典㉙造舟舰器仗。于是作大舰，长百二十步，受㉚二千余人，以木为城㉛，起楼橹㉜，开四出门㉝，其上皆得㉞驰马往来。

时作船木柹㉟，蔽江而下，吴建平㊱太守吴郡吾彦㊲取流柹以白吴主曰："晋必有攻吴之计，宜增建平兵以塞其冲要㊳。"吴主不从。彦乃为铁锁㊴横断江路。

王濬虽受中制㊵募兵，而无虎符㊶，广汉㊷太守敦煌张敩收濬从事㊸列上㊹。帝召敩还，责曰："何不密启而便收从事㊺？"敩曰："蜀、汉绝远㊻，刘备尝用之㊼矣。辄收㊽，臣犹以为轻。"帝善之。

壬辰㊾，大赦。

秋，七月，以贾充为司空，侍中、尚书令、领兵如故㊿。充与侍中

李毅说："谋杀主子的贼人，造成的损失尤其重大，在这种特殊情况下就不能受常规的约束，还请示什么呢？"王濬听从了李毅的意见，立即发兵讨伐张弘。晋武帝下诏任命王濬为益州刺史。王濬讨伐张弘，把张弘斩首，诛灭了张弘的三族。晋武帝封王濬为关内侯。

当初，王濬为羊祜的参军，羊祜非常了解王濬。羊祜哥哥的儿子羊暨对羊祜说："王濬志向远大而生活奢侈，不宜独当一面，应该采取措施控制住他。"羊祜说："王濬才能卓越，应该帮助他实现他的理想，他必定会成为国家的有用之才。"后来又提升王濬为车骑从事中郎。王濬在益州，有意识地树立自己的威信，于是那里的少数民族大部分都归顺了他，不久朝廷升任王濬为大司农。当时晋武帝正在与羊祜密谋筹划讨伐东吴的事情，羊祜认为讨伐东吴应当借助长江上游的有利地势，便秘密上表奏请晋武帝，要求将王濬继续留任益州刺史，让他负责训练水军。不久晋武帝又升任王濬为龙骧将军，监益州、梁州诸军事。

晋武帝下诏，让王濬命令士兵停止屯垦，一律回归军营，全部转入制造舟舰的活动。担任别驾的何攀认为："屯田的军队不过五六百人，制造舟舰不能很快完成，恐怕后一个舟舰还没有造好，前边制造的舟舰就已经腐烂了。应该召集各郡的兵力达一万多人共同制造舟舰，年底就可以完工。"王濬想先请示朝廷，等候朝廷答复后再开始行动，何攀说："朝廷突然听说你要召集一万多名士兵，一定不会同意。不如立即召集士兵，马上动手制造舟舰，即使申请遭到朝廷否决，我们这里制造舟舰的工程已经开工，想要停止恐怕也不能了。"王濬听从了何攀的建议，便命何攀负责制造舟舰、打造器械的工程。于是制造出的大舰长一百二十步，能够容纳二千多人，又用木头在舰上造起了城楼，城楼上建起了瞭望台，城楼四面开门可以进出，舟舰之上都可以骑着马来回奔跑。

当时做木工活剩下来的碎木屑，遮蔽了长江江面，顺流而下，东吴建平郡太守吴郡人吾彦拿着江面上漂流下来的碎木屑向吴主孙晧报告说："晋国必定有进攻吴国的打算，应该增加建平郡的驻军以便堵住晋军出川的咽喉要道。"孙晧不以为然。吾彦就自行制造了许多大铁索，拦截在长江江面，切断了长江航线。

王濬虽然奉朝廷的诏命招募军队，然而晋武帝却没有授予王濬可以调动军队的虎符，广汉郡太守敦煌郡人张敩逮捕了王濬的属官从事史，并列出了王濬的罪状奏报给朝廷。晋武帝将张敩召进京师，责备他说："你为何不秘密奏报朝廷就随便逮捕了王濬的属下官员？"张敩说："蜀郡、汉中郡距离朝廷路途遥远，刘备曾经利用这里建立了蜀汉政权。下令就地逮捕他，我认为这还是轻的呢。"晋武帝很赞赏他的看法。

六月二十日壬辰，晋国实行大赦。

秋季，七月，晋武帝任命贾充为司空，其他职务如侍中、尚书令、统领洛阳城

任恺皆为帝所宠任，充欲专名势[651]而忌恺，于是朝士各有所附，朋党纷然。帝知之，召充、恺宴于式乾殿而谓之曰："朝廷宜壹[652][18]，大臣当和。"充、恺等各拜谢[653]。既而充、恺以帝已知而不责，愈无所惮，外相崇重[654]，内怨益深。充乃荐恺为吏部尚书[655]，恺侍觐转希[656]，充因与荀勖、冯𬘘承间[657]共谮之。恺由是得罪，废于家。

八月，吴主征[658]昭武将军、西陵督步阐。阐世在西陵[659]，猝被征，自以失职，且惧有谗[660]，九月，据城来降[661]，遣兄子玑、璿诣洛阳为任[662]。诏以阐为都督西陵诸军事、卫将军、开府仪同三司、侍中，领交州牧，封宜都公。

冬，十月辛未朔[663]，日有食之。

敦煌太守尹璩卒。凉州刺史杨欣表敦煌令梁澄领太守，功曹[664]宋质辄废澄，表议郎[665]令狐丰为太守。杨欣遣兵击之，为质所败。

吴陆抗闻步阐叛，亟[666]遣将军左奕、吾彦等讨之。帝遣荆州刺史杨肇迎阐于西陵，车骑将军羊祜帅步军出[667]江陵，巴东监军徐胤帅水军击建平以救阐。陆抗敕西陵诸军[668]筑严围[669]，自赤溪[670]至于故市[671]，内以围阐，外以御晋兵，昼夜催切[672]，如敌已至，众甚苦之。诸将谏曰："今宜及三军之锐[673]，急攻阐，比晋救至，必可拔也，何事于围[674]，以敝[675]士民之力？"抗曰："此城处势既固[676]，粮谷又足，且凡备御之具，皆抗所宿规[677]，今反攻之[678]，不可猝拔。北兵至而无备[679]，表里受难，何以御之？"诸将皆欲攻阐。抗欲服众心，听令一攻[680]，果无利。围备始合[681]，而羊祜兵五万至江陵。诸将咸以抗不宜上[682]，抗曰："江陵城固兵足，无可忧者。假令敌得江陵，必不能守，所损者小。若晋据西陵，则南山群夷[683]皆当扰动，其患不可量也。"乃自帅众赴西陵。

初，抗以江陵之北，道路平易，敕江陵督张咸作大堰[684]遏水，渐

外诸军等都照旧保留。贾充与担任侍中的任恺都受到晋武帝的宠爱与信任，贾充想专享盛名、独揽权势，因而十分妒忌任恺，朝中大臣于是有的依附于贾充，有的依附于任恺，便形成了两个党派，互相钩心斗角。晋武帝了解到这种情况后，就在式乾殿设宴招待贾充、任恺，诚恳地对他们说："朝廷内部应该团结如一，大臣更应当和睦相处。"贾充、任恺等人当即磕头谢罪。过后贾充、任恺却认为晋武帝已经了解了真相却没有责备他们，于是就更加肆无忌惮，表面上彼此敬重，而内心结怨更深。贾充推荐任恺担任了吏部尚书，任恺侍奉、晋见皇帝的机会于是日渐减少，贾充便与荀勖、冯统一起利用各种机会诋毁任恺。任恺终于获罪，被免职回家。

八月，吴主孙晧征调昭武将军、西陵督步阐回京。步阐一家数代镇守西陵，突然被征召回京，自以为失职，而且惧怕有人在孙晧跟前进谗言陷害自己，九月，步阐带着整个西陵城投降了晋国，并派自己的侄子步玑、步璿到晋国都城洛阳来充当人质。晋武帝下诏任命步阐为都督西陵诸军事、卫将军、开府仪同三司、侍中，兼任交州牧，封步阐为宜都公。

冬季，十月初一日辛未，发生日食。

晋国敦煌郡太守尹璩去世。凉州刺史杨欣上表举荐敦煌县令梁澄担任敦煌郡太守，而敦煌郡功曹宋质却废掉了梁澄，上表请求任命议郎令狐丰为敦煌郡太守。杨欣派兵攻打宋质，反被宋质打败。

东吴陆抗听说步阐叛变的消息，立即派遣将军左奕、吾彦等人率军前去讨伐。晋武帝派荆州刺史杨肇到西陵去迎接步阐，车骑将军羊祜率领步兵向江陵进发，巴东监军徐胤率领水军攻打建平郡以援助步阐。陆抗命令进攻西陵的各路军队从赤溪一直到故市全部修筑起坚固的包围圈，对内围困步阐，对外抗拒晋军，昼夜催逼，就好像敌军已经到了面前一样，众人都感到非常辛劳、痛苦。诸将都来劝说陆抗："如今应该趁着全军的锐气，赶紧进攻步阐，等到晋国救兵到达的时候，步阐必定已被消灭。何必修筑这种围墙，白白消耗我们的人力物力呢？"陆抗解释说："西陵城所处的地势既稳固，粮食储备又很充足，而且所有的防御工事、器械，都是我以前多年计划设置的，现在反而是我们来进攻它，不可能很快攻下。当晋国的军队到达时，我们没有准备，就会腹背受敌，我们凭借什么来抵御他们呢？"诸将都要攻打步阐。陆抗为了说服众将，就听任他们攻打一回，果然没有任何成效。筑围的工作刚刚完成，羊祜率领的五万步兵就已经到达江陵。诸将都认为陆抗不应该亲自率军沿江而上去攻取西陵，陆抗说："江陵城墙坚固，兵力充足，没有什么可担忧的。即使敌人占领了江陵城，也必然不能坚守，这种损失是很小的。如果晋兵占据了西陵，就会引起长江南岸山区里的各少数民族惊扰动荡，后患将无法估量。"于是陆抗亲自率兵奔赴西陵。

当初，陆抗认为江陵以北的道路平坦，容易通行，就命令江陵督张咸修筑大坝

渍平土[685]以绝寇叛[686]。羊祜欲因所遏水以船运粮，扬声将破堰以通步军[687]。抗闻之，使咸亟破之[688]。诸将皆惑，屡谏不听。祜至当阳[689]，闻堰败，乃改船以车运粮，大费功力。

十一月，杨肇至西陵。陆抗令公安督孙遵循南岸[690]拒[19]羊祜，水军督留虑[691]拒徐胤[692]，抗自将大军凭围[693]对肇。将军朱乔营都督俞赞亡诣肇[694]。抗曰："赞军中旧吏[695]，知吾虚实。吾常虑夷兵[696]素不简练[697]，若敌攻围，必先此处。"即夜易夷兵[698]，皆以精兵守之。明日，肇果攻故夷兵处，抗命击之，矢石雨下，肇众伤[20]死者相属[699]。十二月，肇计屈，夜遁。抗欲追之，而虑步阐畜力伺间[700]，兵不足分，于是但鸣鼓戒众[701]，若将追者。肇众凶惧[702]，悉解甲挺走[703]。抗使轻兵蹑之[704]，肇兵大败，祜等皆引军还。抗遂拔西陵，诛阐及同谋将吏数十人，皆夷三族，自余所请赦[705]者数万口。东还乐乡，貌无矜色，谦冲[706]如常。吴主加抗都护[707]。羊祜坐贬平南将军[708]，杨肇免为庶人。

吴主既克西陵，自谓得天助，志益张大，使术士尚广[709]筮取天下[710]。对曰："吉。庚子岁[711]，青盖当入洛阳[712]。"吴主喜，不修德政，专为兼并之计。

贾充与朝士宴饮，河南尹庾纯[713]醉，与充争言。充曰："父老[714]，不归供养[715]，卿为无天地[716]！"纯曰："高贵乡公何在[717]？"充惭怒，上表解职，纯亦上表自劾[718]。诏免纯官，仍下五府正其臧否[719]。石苞以为纯荣官忘亲[720]，当除名，齐王攸等以为纯于礼律未有违。诏从攸议，复以纯为国子祭酒[721]。

吴主之游华里[722]也，右丞相万彧与右大司马丁奉、左将军留平[723]密谋曰："若至华里不归，社稷事重，不得不自还[724]。"吴主颇闻之[725]，以

拦截河水，把平原渐渐变成水地，以此使北寇不能南来，使叛者不能北去。羊祜却想趁机利用大坝拦截的河水通过船只运送粮食，就故意放出消息说要决堤放水以便步兵通过。陆抗听说后，赶紧命令张咸迅速破堤放水。诸将都感到迷惑不解，屡次劝阻，陆抗都不听从。羊祜率军到达当阳，听说拦河大坝已经被毁，于是只好放弃船只改用车子从陆路运送粮草，花费了很大的力气。

十一月，杨肇率军到达西陵。陆抗命令担任公安督的孙遵率军沿着长江南岸设防，使羊祜不得渡江，派担任水军督的留虑率军抵挡徐胤，防其顺江东下，陆抗则亲自率领大军凭借西陵城外修筑的长围抵抗晋军杨肇。吴将朱乔部下的一个武官名叫俞赞的开小差投降了晋将杨肇。陆抗说："俞赞是我军中的老兵，深知我军虚实。我经常担忧那些少数民族编成的军队平时没有经过严格的军事训练，如果晋兵攻打我们的围墙工事，必定先从他们那里下手。"于是就连夜把少数民族编成的军队撤换下来，全部换上精兵把守。第二天，不出陆抗所料，杨肇果然攻击少数民族军队防守的地方，陆抗下令进行反击，顷刻之间矢石如雨，杨肇的军队死伤的人一批接着一批。十二月，杨肇计穷力竭，连夜撤军。陆抗想要追击，又担心步阐积聚力量，伺机而动，自己兵力少不足以分头行动，于是陆抗命令军队只管擂鼓集合，制造出一种就像要追赶敌人的声势。杨肇的军队听到擂鼓声十分恐惧，全都甩掉铠甲，轻装逃走。陆抗派了一支轻装部队尾随追击，杨肇的军队大败，羊祜等也都撤军而回。于是陆抗攻占了西陵，诛杀了步阐以及同谋的将吏数十人，诛灭了他们的三族，其余奏请朝廷赦免的还有几万人。陆抗向东回到乐乡，脸上没有一点自夸的神色，其谦和平静就和平时一样。吴主孙皓加封陆抗为都护。晋国的车骑将军羊祜因为杨肇作战失利受牵连被贬为平南将军，杨肇被免去官职，贬为平民。

吴主孙皓因为已经攻克西陵，就自以为是得到上天的保佑，野心更加膨胀，他让善于以占卜、观星象等迷信活动为业名叫尚广的人占卜他是不是能够夺取天下。尚广占卜后说："卦象吉祥。庚子年，您当坐着青盖车进入晋都洛阳。"吴主非常喜悦，就更不去考虑如何施行德政，而是一门心思考虑怎样吞并晋国。

贾充与朝中众臣一起饮酒，河南尹庾纯喝醉了酒，与贾充发生争执。贾充说："您的年岁这么大了，却不回去供养你的父母，说明你的眼里没有父母！"庾纯反唇相讥说："魏国皇帝高贵乡公曹髦现在到哪里去了？"贾充恼羞成怒，上表章请求辞职，庾纯也为自己酒后失言，上表章自我弹劾。晋武帝下诏免去庾纯的官职，并交由五府评定他们的是非。石苞认为庾纯贪图做官的荣耀而忘记了父母年老，应当除去庾纯的名籍，齐王司马攸等人认为庾纯并没有违背礼教、法律。晋武帝下诏听从司马攸的建议，又任命庾纯为国子祭酒。

在吴主孙皓游览华里期间，右丞相万彧与右大司马丁奉、左将军留平秘密商议说："如果陛下到达华里而不能回京师，国家社稷的事务至关重要，我们不得不自己

彧等旧臣，隐忍不发。是岁，吴主因会[726]以毒酒饮彧，传酒人私减之。又饮留平，平觉之，服他药以解，得不死。彧自杀。平忧懑，月余亦死。徙彧子弟于庐陵[727]。

初，彧请选忠清之士以补近职[728]，吴主以大司农楼玄为宫下镇[729]，主殿中事。玄正身帅众[730]，奉法而行，应对切直，吴主浸不悦[731]。

中书令领太子太傅贺卲[732]上疏谏曰："自顷年[733]以来，朝列纷错[734]，真伪相贸[735]，忠良排坠[736]，信臣[737]被害。是以正士摧方[738]而庸臣苟媚[739]，先意承指[740]，各希时趣[741]。人执反理之评[742]，士吐诡道之论[743]，遂使清流变浊，忠臣结舌[744]。陛下处九天之上，隐百里之室[745]，言出风靡，令行景从[746]。亲洽[747]宠媚之臣，日闻顺意之辞，将谓此辈实贤而天下已平也。臣闻兴国之君乐闻其过，荒乱之主乐闻其誉；闻其过者过日消而福臻[748]，闻其誉者誉日损而祸至。陛下严刑法以禁直辞，黜善士以逆谏口，杯酒造次[749]，死生不保，仕者以退为幸，居者以出为福[750]，诚非所以保光洪绪[751]，熙隆道化[752]也。何定本仆隶小人，身无行能[753]。而陛下爱其佞媚，假以威福[754]。夫小人求入[755]，必进奸利[756]。定间者[757]妄兴事役，发江边戍兵以驱麋鹿，老弱饥冻，大小怨叹。《传》[758]曰：'国之兴也，视民如赤子；其亡也，以民为草芥[759]。'今法禁转苛，赋调[760]益繁，中官[761]、近臣所在兴事[762]，而长吏[763]畏罪，苦民求办[764]。是以人力不堪，家户离散，呼嗟之声，感伤和气[765]。今国无一年之储，家无经月之蓄，而后宫之中坐食者万有余人。又，北敌注目，伺国盛衰。长江之限[766]，不可久恃，苟我不能守，一苇可杭[767]也。愿陛下丰基强本[768]，割

先行回京。”孙晧稍微听到一些风声，因为万彧等都是国家的老臣，就心里隐忍着没有发作。这一年，吴主孙晧借着宴会的机会，就在酒里下了毒想毒死万彧，倒酒的人私自把酒量减少了，结果没有把万彧毒死。孙晧又让留平饮毒酒，留平事先觉察到了孙晧的阴谋，就先服了解毒药，才得以不死。事后万彧自杀。留平忧虑愤懑，一个多月后也死了。孙晧下令把万彧的子弟放逐到庐陵郡。

当初，万彧请求挑选忠贞清廉的人士充任皇帝左右的侍从官，吴主任命大司农楼玄为总管殿中事务的官下镇。楼玄端正自己，以身作则，带领其他人奉法行事，他应对恳切，行为正直，吴主却对他越来越不高兴。

吴国中书令兼任太子太傅的贺卲上疏劝谏孙晧说：“近年以来，朝中百官成分复杂，品德才干高低不齐，良莠不分，忠良的大臣被排挤掉，守信义的大臣屡次遭受陷害。所以忠贞的大臣们被磨去了棱角变得圆滑起来，而庸碌无为的大臣苟合谄媚，他们揣摩君主的旨意，奉承迎合，都只顾迎合时尚。每个人都在说着违反真理的话，士大夫谈论着歪门邪道的理论，于是使清高的士大夫变得污浊不堪，而忠臣也闭上嘴巴不敢再讲真话。陛下处在九天之上，身居与世隔绝的深宫内院，一言出口风靡天下，令行影从。陛下所亲近的是那些受宠爱、善于谄媚的大臣，每天听的是顺合心意的言论，一定会认为这些大臣确实贤能而天下已经太平无事了。我听说能使国家兴盛的君主都乐于听到自己的过错，荒淫昏乱的国君都乐于听到别人的赞美；乐于听到自己过错的君主，过错会越来越少，而福分会随之到来；乐于听到赞美的君主，他的美德会日渐亏损而灾祸就会接踵而至。陛下用严厉的刑罚来禁止人们正直的言论，罢免忠贞的人士来堵住进谏者的口，饮酒之间的一点小过失，就会导致性命不保，做官的认为能够辞去官职是一种幸运，在朝的把被贬出朝廷当作一种福分，这绝不是保持以往的光荣，弘扬伟大的传统，使社会的道德风化日益纯正兴隆的好办法。何定本来是一个卑贱的奴仆，既无德行、又无才能。而陛下却喜欢他的奸佞谄媚，给予他作威作福的权力。小人谋求入朝掌权，一定要拿一些不正当的利益以讨好朝廷。何定前不久曾经妄兴劳役，征调防守长江的军队去驱赶麋鹿，致使老弱忍饥受冻，大人孩子怨声载道。古代贤人的著作说：‘国家兴盛的时候，国君把人民当作婴儿一样关怀备至；国家将要灭亡的时候，国君把人民看作草芥一样任意践踏。’如今法律越来越苛刻，税赋征调越来越繁重，宦官、亲近的大臣到处搞些赚钱的事情，而所在地区的地方官员惧怕得罪朝廷而获罪，宁可叫百姓受苦，也得将上头赚钱的事情办成。所以人民不堪重负，妻离子散，怨声载道，伤害了天地之间的祥和之气。如今国家的储备不够一年开销，家庭的积蓄不够一月消费，而后宫中不劳而食的人却有一万多人。况且，北边的晋国虎视眈眈，等待时机灭亡吴国。长江天堑不可能作为永久的依靠，如果我们守不住长江天堑，乘坐一艘小舟就可以渡过长江。希望陛下关心爱护黎民百姓，加强自己的根基，舍弃个人的情欲，顺从

情从道[769]，则成、康之治兴[770]，圣祖之祚隆[771]矣。”吴主深恨之。于是左右共诬楼玄、贺邵相逢，驻共耳语大笑[772]，谤讪政事[773]，俱被诘责，送玄付广州，邵原复职[774]。既而复徙玄于交趾，竟[775]杀之。久之，何定奸秽发闻[776]，亦伏诛。

羊祜归自江陵[777]，务修德信以怀[778]吴人。每交兵，刻日方战[779]，不为掩袭[780]之计。将帅有欲进谲计[781]者，辄饮以醇酒，使不得言。祜出军行吴境[782]，刈谷为粮，皆计所侵送绢偿之[783]。每会众江、沔[784]游猎，常止晋地[785]，若禽兽先为吴人所伤而为晋兵所得者，皆送还之。于是吴边人皆悦服。祜与陆抗对境[786]，使命常通[787]。抗遗祜酒，祜饮之不疑。抗疾，求药于祜，祜以成药与之，抗即服之。人多谏抗，抗曰：“岂有鸩人羊叔子哉[788]？”抗告其边戍[789]曰：“彼专为德，我专为暴，是不战而自服也。各保分界而已，无求细利[790]。”吴主闻二境交和[791]，以诘抗，抗曰：“一邑一乡不可以无信义，况大国乎？臣不如此，正是彰其德[792]，于祜无伤也。”

吴主用诸将之谋，数侵盗晋边。陆抗上疏曰：“昔有夏[793]多罪而殷汤用师[794]，纣[795]作淫虐而周武授钺[796]。苟无其时[797]，虽复大圣，亦宜养威自保，不可轻动也。今不务力农富国，审官[798]任能，明黜陟[799]，慎[21]刑赏[800]，训诸司以德[801]，抚百姓以仁，而听诸将徇名[802]，穷兵黩武，动费万计，士卒凋瘁[803]，寇不为衰[804]而我已大病[805]矣。今争帝王之资而昧十百之利[806]，此人臣之奸便[807]，非国家之良策也。昔齐、鲁三战，鲁人再克[808]，而亡不旋踵[809]。何则？大小之势异也。况今师所克获，不补所丧[810]哉[22]！”吴主不从。

圣人的治国之道，那么周朝成王、康王那样的大好政治局面就可以形成，祖宗开创的基业将在陛下的手中获得光大。”吴主看了贺卲的奏章后，对贺卲非常怨恨。吴主孙皓的左右亲信于是群起攻击诬陷楼玄、贺卲，说他们一旦在路上相遇，就立即停下车来，交头接耳地说个不停，又时而放声大笑，诽谤讽刺朝政，于是楼玄、贺卲全都受到责问，把楼玄流放广州，贺卲受宽赦官复原职。不久，又把楼玄流放到交趾，后来竟派人把楼玄杀死。很久以后，何定与后宫妃嫔通奸的丑行被发现，也遭到诛杀。

晋国大臣羊祜从江陵打了败仗后回到襄阳，专门以恩德信义感化东吴的边境居民。每次与东吴交战，都预先和东吴约定好作战日期，从不突然袭击。将帅当中有人想向他进献诡诈的计谋，羊祜就先用美酒把他灌醉，使献计的人无法开口。羊祜派遣军队沿着吴国的边界巡逻，收割吴人的稻谷充作军粮，总要计算出所取吴国谷物的数量，送绢帛给他们以补偿其损失。羊祜每次约集众人到长江、沔水一带旅游打猎的时候，总是到了晋国的边界就停止下来，从不越过边界，如果禽兽先被吴国人打伤而后被晋国人获得，就一律送还吴国人。于是吴国边境的居民对羊祜都心悦诚服。羊祜与陆抗镇守的地区彼此相对，他们彼此常派使者往来。陆抗送给羊祜美酒，羊祜饮用时从不怀疑酒中有毒。陆抗有了疾病，就向羊祜求药，羊祜把成药送给陆抗，陆抗立即服用。很多人都劝谏陆抗，陆抗说：“怎么会有用毒酒害人的羊祜呢？”陆抗告诫属下守边的士兵说：“他们专门行善，我们专门施暴，就等于是不用战争，我们自己就屈服了。如今我们能够各自保住边界就行了，不要贪图小利。”吴主孙皓听说两国边境和睦交往，就责问陆抗，陆抗说：“一县一乡都不能不讲信义，何况是一个大国呢？我不这样做，更显示出对方的道德高尚，对于羊祜丝毫没有损害啊。”

吴主采纳诸将的计谋，屡次侵犯晋国的边境。陆抗上疏说：“过去夏桀暴虐无道而商朝的开国君主商汤才起兵来讨伐他，商纣王淫乱暴虐而后周武王才将象征权威的斧钺授予大将，命他去讨伐商纣。假如没有那样的机会，即使是再大的圣人出现，也应该培养自己的威信以求保全自己，怎么敢轻举妄动呢。如今我们不能做到奖励农耕使国家富强，认真地考核官吏以任用贤能的人为官，明确官吏升降的标准，慎重地对待处罚和奖赏，对各部门的官员加强道德教育，用仁义安抚百姓，而听任诸将为追求一时的名声而穷兵黩武，动不动就耗费上万资财，士卒凋伤憔悴，敌寇并没有因此而衰减，我们自己却受到了很大的削弱。如今奸诈的小人竟相挥霍国家的资财而贪图十个钱、百个钱的小利，这些都是对某些居心不良的臣子个人有利的事情，并不是治理国家的好办法。过去齐、鲁之间三次战斗，鲁国连胜二次，然而鲁国却很快就灭亡了。这是为什么呢？这是因为大国与小国的形势不同。更何况即使我们打了胜仗所获得的利益，还不如我们自己为打仗所付出的消耗大呢！”吴主不采纳他的建议。

羊祜不附结[811]中朝权贵[812]，荀勖、冯𬘘之徒皆恶之。从甥王衍[813]尝诣祜陈事，辞甚清辩[814]。祜不然之[815]，衍拂衣去。祜顾谓宾客曰："王夷甫方当以盛名处大位，然败俗伤化，必此人也。"及攻江陵，祜以军法将斩王戎。衍，戎之从弟也，故二人皆憾之[816]，言论多毁祜。时人为之语曰："二王当国，羊公无德[817]。"

【段旨】

以上为第四段，写晋武帝泰始八年（公元二七二年）一年间的大事。主要写了晋朝元老司马孚死。写了益州刺史皇甫晏讨叛羌，被内部奸人张弘所杀，且诬晏反，晏主簿何攀为主官辩诬，广汉太守王濬用主簿李毅之谋，起兵平定益州之乱。写了王濬为益州刺史，大造舰船为伐吴做准备。写了贾充等奸人排摈任恺，任恺被废；又与庾纯相争，使庾纯丢权。写了吴将步阐率西陵降晋，都督陆抗派军往讨，晋派荆州刺史杨肇率兵往救，陆抗筑长围，既攻步阐，又防杨肇、羊祜之援，结果既破杀步阐，讨平西陵，又大破杨肇、羊祜之兵的光辉胜利。写了吴主孙皓杀大臣万彧、留平，又害直臣楼玄、贺卲，荒悖绝伦。写了羊祜镇守襄阳，广行善政，招怀吴人；吴都督陆抗上书请孙皓多行善政，不要屡向晋国挑衅，孙皓不听等。

【注释】

[568]潜以利诱：暗中以利益引诱。[569]辛卯：二月十七日。[570]贾妃：即后来的惠帝贾皇后，贾充之女，名南风，性妒而淫乱。传见《晋书》卷三十一。[571]嬖：宠爱。[572]壬辰：二月十八日。[573]安平献王孚：司马孚，司马懿之弟，司马炎的叔祖。被封为安平王，献是谥。[574]废立：指司马氏两次改立皇帝，事见本书卷七十六正元元年（公元二五四年）及卷七十七景元元年（公元二六〇年）。[575]预谋：参与谋划。[576]属尊：辈分高。[577]元会：元旦时朝见群臣的会。[578]阼阶：堂前东阶。古代宾主相见，宾升自西阶，主人立于东阶。这里表示司马炎对司马孚的尊敬。[579]有魏贞士：曹魏的忠贞之臣。[580]不伊不周：既非商朝的伊尹，又非周公（姬旦）。伊尹能佐商灭夏，周公能辅佐幼主成王。[581]不夷不惠：既不能当伯夷，又不能当柳下惠。伯夷能不食周粟，自甘饿死；柳下惠虽任职于乱朝，但能行己之志。[582]衣以时服：平时穿什么，入殓时就穿什么。[583]素棺：不加油漆的原木棺材。[584]东园：官府名，主管为宫廷制作殡葬用品。[585]温明秘器：一种特制的棺木。[586]汉

羊祜从不巴结、攀附朝廷中的显贵，因此荀勖、冯统之流都非常憎恶羊祜。羊祜的堂外甥王衍曾经到羊祜那里去报告事情，声音悦耳，条理清晰。而羊祜对他报告的事情却不以为然，王衍一气之下拂袖而去。羊祜看着宾客们说："王衍将会享有盛名，官居高位，然而伤风败俗的也必定会是他。"等到攻打江陵的时候，羊祜曾经按照军法要将王戎斩首，但后来还是赦免了他。王衍是王戎的堂弟，所以王衍、王戎二人都从内心憎恨羊祜，言谈话语之间一有机会就要攻击诋毁他。当时的人都评论说："有二王在朝中掌权，羊祜就不会有美德传颂于世。"

东平献王：指东汉时的东平王刘苍。汉光武刘秀的儿子，死于汉章帝建初八年（公元八三年）。因为刘苍是汉章帝之叔，所以葬礼特别隆重。⑤⑧⑦一不施用：一概不用。⑤⑧⑧争言：争论曲直。⑤⑧⑨罪之：给皇甫陶治罪。⑤⑨⓪忠谠之言：忠实正直的言论。⑤⑨①汶山：晋郡名，郡治即今四川茂县。⑤⑨②白马胡：当地戎族的部落名。⑤⑨③诸种：其他少数民族部落。⑤⑨④典学从事：刺史手下主管所属郡县教育、考试的官员。⑤⑨⑤水潦：雨水。⑤⑨⑥须：等候。⑤⑨⑦胡康木子烧香：胡人名叫"康木子烧香"。⑤⑨⑧沮众：败坏士气。⑤⑨⑨观阪：地名，在四川都江堰市西。⑥⓪⓪牙门：帐前卫兵的头领。⑥⓪①兵曹从事：即兵曹从事史，刺史手下主管军事的官员。⑥⓪②犍为：晋郡名，郡治在今四川眉山市彭山区东。⑥⓪③传首京师：把人头送到京都洛阳。⑥⓪④诣洛：前往洛阳。⑥⓪⑤广汉主簿：广汉郡的文秘长官。广汉郡的郡治在今四川射洪南。⑥⓪⑥王濬：字士治，小字阿童，弘农湖县（今河南灵宝西南）人，曾为羊祜部属，后为晋朝名将。传见《晋书》卷四十二。⑥⓪⑦起自诸生：出身于一介书生。⑥⓪⑧密迩：极言其相距之近。广汉与成都相距仅二百余里。⑥⓪⑨统于梁州：归梁州（州治南郑，即今陕西汉中）统辖。⑥①⓪衿领：指咽喉要害。⑥①①小竖：犹今之所谓"小丑"。⑥①②众所不与：众人不会拥护他、协助他。⑥①③不拘常制：不受常规的约束。⑥①④专任：独当一面。⑥①⑤裁之：压抑；控制。⑥①⑥济其所欲：帮助他实现理想。⑥①⑦车骑从事中郎：车骑将军的高级僚属，当时羊祜任车骑将军。⑥①⑧俄：不久。⑥①⑨大司农：管理租税、钱谷、盐铁和国家财政收支的大臣。⑥②⓪藉上流之势：借助于长江上游的力量。⑥②①监益、梁诸军事：按晋朝制度，军队统帅分为三级，第一级叫"都督诸军事"，第二级叫"督诸军事"，第三级叫"监诸军事"。⑥②②罢屯田兵：即让屯田士兵一律回归军营。罢，停止。⑥②③别驾：州刺史的高级僚属，协助总理各项行政事务。因其出门单坐一辆车，故称别驾。⑥②④不能猝办：不能很快完成。⑥②⑤先上须报：先请示，等候朝廷回答。⑥②⑥辄召：立刻进行召集。⑥②⑦设当见却：即使被朝廷否决。⑥②⑧功夫已成：造船的工程已经结束。⑥②⑨典：主管。⑥③⓪受：容纳；装下。⑥③①以木为城：用木头在舰上造城楼。⑥③②楼橹：瞭望台。⑥③③开四出门：四面开门可以进出。⑥③④皆得：都能够。⑥③⑤木柿：做木工活剩下来的碎木屑。⑥③⑥建平：吴郡名，郡治巫县，在今重庆市巫

山县北。⑰吴郡吾彦：吴郡人姓吾名彦。⑱塞其冲要：堵住晋军出川的咽喉。⑲铁锁：铁链。锁，此处通“索”。⑳中制：朝廷的诏命。㉑虎符：古代调兵的凭信，由皇帝授予。将军无虎符，不能调动军队。㉒广汉：晋郡名，郡治郪县，在今四川射洪西南。㉓收濬从事：逮捕了王濬的属下官员。从事，即从事史，将军、刺史的僚属。㉔列上：列出王濬的罪状，奏报朝廷。㉕便收从事：一下子就把人家的属官逮捕起来。㉖蜀、汉绝远：蜀郡、汉中郡都远离朝廷。㉗刘备尝用之：这一带曾是刘备的故地。㉘辄收：立即逮捕。㉙壬辰：六月二十日。㉚领兵如故：贾充自司马昭在世时，便统领洛阳城外诸军。㉛专名势：专享盛名，独揽权势。㉜宜壹：应该团结、统一。㉝各拜谢：各自叩拜道歉。㉞外相崇重：表面上彼此敬重。㉟吏部尚书：掌全国官吏的任免、考课、升降、调动等事。㊱侍觐转希：侍奉、晋见皇帝的机会日渐减少。㊲承间：利用机会。㊳征：调之进京。㊴世在西陵：步阐的父亲步骘在吴主孙权时任西陵督，步骘去世后，步阐之兄步协继位，今步阐又接任。㊵惧有谗：害怕是有人在孙晧跟前进谗言。㊶据城来降：带着整座城投降了晋国。㊷诣洛阳为任：到晋都洛阳来充当人质。㊸十月辛未朔：十月初一是辛未日。㊹功曹：太守的僚属，负责下级官吏的考核任免。㊺议郎：官名，侍从皇帝左右以备顾问，为郎官中的最高者。㊻亟：立即。㊼出：这里是“向”的意思。出江陵即向江陵（今湖北江陵）进发。㊽西陵诸军：此指进攻西陵的各路吴军。㊾严围：坚固的包围圈。㊿赤溪：今地不详，当在西陵附近。671故市：在今湖北宜昌东南。672催切：催逼。673及三军之锐：趁着军队有锐气。及，趁。锐，士气旺盛。674何事于围：何必造这种围墙。675敝：消耗。676处势既固：所处的地势既稳固。677抗所宿规：都是我从前多年计划设置的。陆抗前曾为西陵督。678今反攻之：现在反而让我们自己来攻打它。679北兵至而无备：当晋王朝的军队到达，我们没有准备。680听令一攻：听任他们攻打了一回。681围备始合：筑围的工作刚刚完成。682不宜上：不宜亲自率军西上。从陆抗的驻防地乐乡（今湖北松滋东北）赴西陵为溯江而上。683南山群夷：长江南岸山区的各少数民族。684作大堰：修筑大坝。685渐渍平土：把平原渐渐变为水地。686以绝寇叛：使北寇不能南来，使叛者不能北去。687扬声将破堰以通步军：故意放出要决堤以便步兵通过的谣言。688亟破之：迅速破堤放水，不使北军水上运粮。689当阳：县名，县治在今湖北当阳东。690循南岸：沿着长江南岸设防，使羊祜不得渡江。691留虑：吴将名，姓留名虑。692拒徐胤：防其顺江东下。693凭围：凭借西陵城外的长围。694将军朱乔营都督俞赞亡诣肇：吴将朱乔部下的一个武官名叫俞赞的开小差投降晋将杨肇。这时的“都督”相当汉代的“都尉”“校尉”。亡，逃走，开小差。695军中旧吏：是我们吴军中的老兵。696夷兵：少数民族的人编成的军队。697素不简练：平时没有严格的训练。698易夷兵：将夷兵调换到别的地方。699伤死者相属：伤的死的人一批接一批。700畜力伺间：积蓄力量，伺机而动。间，时机。701鸣鼓戒众：擂鼓集合。702凶惧：恐惧。703解甲挺走：甩掉铠甲，轻装逃走。704蹑之：尾随追击。705请赦：请朝廷予以赦免。706谦冲：谦和

平静。⑦⓪⑦都护：犹过去之所谓“大都督”，统率所有将领。⑦⓪⑧平南将军：魏、晋设四征将军、四镇将军、四安将军、四平将军。四平职位最下。羊祜原为车骑将军，在“四征”之上，今贬为平南将军，共降十四号。⑦⓪⑨术士尚广：此指以占卜、观望星象等迷信活动为业的人名叫尚广。⑦①⓪筮取天下：占卜看能否夺取天下。筮，占测。⑦①①庚子岁：指从当时以后的第八年。⑦①②青盖当入洛阳：意即“您将坐着青盖车进入晋都洛阳”。青盖，青色的车盖。⑦①③庾纯：字谋甫，当时很有声望的儒生，曾任中书令、河南尹，曾与任恺共同排摈贾充。传见《晋书》卷五十。⑦①④父老：您的年岁这么大了。“父”是对老年人的敬称。⑦①⑤归供养：回家供养父母。⑦①⑥卿为无天地：说明您的眼里没有父母。古称父母为子女的天地。⑦①⑦高贵乡公何在：当年的魏帝高贵乡公曹髦现在到哪里去了。意思是你杀了魏国皇帝，你的眼里就有“天”了吗？古称君是臣的“天”。曹髦被贾充、成济所杀事见本书卷七十七景元元年。⑦①⑧自劾：自我弹劾，说自己当众与贾充争吵得不像样子。⑦①⑨仍下五府正其臧否：交由五府评定他们的是非。仍，同“乃”。五府，指五位公爵。当时居公位的共六人，贾充是六公之一，不能参与，由其他五人评判。这五个人是石苞、郑冲、何曾、陈骞、司马攸。⑦②⓪荣官忘亲：贪图做官的荣耀而忘记了父母年老。⑦②①国子祭酒：主管国子监，是太学教授们的领头人。实仍免其实权。⑦②②华里：在南京西。吴主孙皓游华里事见本卷泰始七年（公元二七一年），此乃追叙往事。⑦②③留平：姓留名平，吴国大臣。⑦②④不得不自还：意思是我们自己应返回京城。⑦②⑤颇闻之：稍微有些耳闻。颇，略微。⑦②⑥因会：借宴会之机。⑦②⑦庐陵：吴郡名，郡治石阳，在今江西吉水县东北。⑦②⑧近职：皇帝左右的官员。⑦②⑨宫下镇：总掌宫殿事务。⑦③⓪正身帅众：端正自己，以身作则。⑦③①浸不悦：越来越不高兴。浸，渐渐。⑦③②贺邵：字兴伯，吴国的直正之臣。传见《三国志》卷六十五。⑦③③顷年：近年。⑦③④朝列纷错：朝中百官的成分杂乱。⑦③⑤真伪相贸：指品德才干高下不齐，良莠不分。贸，掺杂。⑦③⑥排坠：被排挤掉。⑦③⑦信臣：守信义的大臣。⑦③⑧摧方：磨去棱角变得圆滑。⑦③⑨苟媚：苟合献媚。⑦④⓪先意承指：揣摩君主的旨意，奉承迎合。⑦④①各希时趣：都只顾迎合时尚。趣，趋势。⑦④②人执反理之评：每个人都在说违反真理的话。⑦④③诡道之论：邪门歪道的理论。⑦④④结舌：指闭上嘴不再说话。⑦④⑤百里之室：指与人世隔绝的深宫内院。⑦④⑥景从：如影之随身，极言其快。景，同“影”。⑦④⑦亲洽：亲近；与之和谐。⑦④⑧过日消而福臻：过失越来越少，而福分随之到来。⑦④⑨杯酒造次：饮酒之间的一点小过失。⑦⑤⓪居者以出为福：在朝者视贬出朝廷为得福。出，指离朝去外地任职。⑦⑤①保光洪绪：保持以往的光荣，弘扬伟大的传统。洪，此处通“宏”，弘扬。⑦⑤②熙隆道化：使社会的道德风化日益纯正兴隆。⑦⑤③行能：德行、才能。⑦⑤④假以威福：给予他作威作福的权力。假，授予。⑦⑤⑤求入：谋求入朝掌权。⑦⑤⑥必进奸利：一定要拿一些不正当的利益以讨好朝廷。奸利，非法获得的利益。⑦⑤⑦间者：前不久。⑦⑤⑧《传》：汉代称古代贤人的著作。⑦⑤⑨国之兴也四句：见《左传》哀公元年，原文为：“国之兴也，视民如伤，是其福也；其亡也，以民为土芥，是其祸也。”⑦⑥⓪赋调：赋税征调。⑦⑥①中官：

宦官。⑯所在兴事：到处搞些赚钱的事情。⑯长吏：指所在地区的地方长官。⑭苦民求办：宁可叫百姓受苦，也得让上头赚钱的事情办成。⑯感伤和气：伤害了天地之间的祥和之气。⑯长江之限：意即长江之险。限，隔；对敌人的阻挡能力。⑯一苇可杭：一只小船就可以渡过江来。《诗经·河广》："谁谓河广，一苇杭之。"一苇指小舟。杭，同"航"。⑯丰基强本：指关心爱护黎民百姓，加强自己的根基。古有所谓"民为邦本"，基、本都是指百姓。⑯割情从道：舍弃个人的情欲，顺从圣人的治国之道。⑰成、康之治兴：周朝成王、康王那样的政治局面可以形成。《史记·周本纪》："成、康之际，天下安宁，刑错四十余年不用。"后世赞美治世、盛世常比迹成、康。⑰圣祖之祚隆：指孙权开创的基业将在您手中获得光大。⑰驻共耳语大笑：停下车来，交头接耳地说个不停，又时而同声大笑。⑰谤讪政事：诽谤讽刺朝政。⑰邵原复职：贺邵受宽赦又官复原职。原，放过不究。⑰竟：最终。⑰奸秽发闻：与后宫妃嫔通奸的罪行被发现。⑰归自江陵：从江陵打败仗回到襄阳（今湖北襄阳）。⑰怀：感动；感化。⑰刻日方战：约定好日期才开战。⑱掩袭：突然袭击。⑱进谲计：进献诡诈的计谋。⑱行吴境：沿着吴国的边界巡走。⑱皆计所侵送绢偿之：计算所取吴民谷物的数量，送绢帛给他们以补偿其损失。绢，丝织物，古代用以代替钱币。⑱江、沔：长江、沔水。沔水是汉水的上游，这里即指汉水。羊祜的军府襄阳在长江之北，汉水之滨。⑱止晋地：指追赶禽兽到晋国边境为止，不越境入吴国地面。⑱对境：镇守的地区彼此相对。⑱使命常通：彼此常派使者相往来。使命，使臣，奉命者。⑱岂有鸩人羊叔子哉：怎么会有用毒酒害人的羊祜呢。叔子，羊祜的字。⑱边戍：边界上的戍卒。⑲细利：小利。⑲交和：和睦交往。⑲彰其德：更显扬对方的道德高尚。⑲有夏：原指夏王朝，这里指夏朝的末代帝王夏桀。⑲殷汤用师：商朝的开国帝商汤起兵来讨伐他。⑲纣：商纣，商朝的末代帝王。⑲周武授钺：周武王将象征权威的斧钺授予大将，命他讨伐殷纣。⑲苟无其时：假如没有那样的机会，指对方荒淫残暴，天怒人怨之时。⑲审官：认真地考核官吏。⑲明黜陟：明确升降的标准。⑳慎刑赏：在奖赏人、处罚人的问题上要极其慎重。⑳训诸司以德：指各个部门的官吏要加强道德教育。⑳而听诸将徇名：如果听任诸将追求一时的名声。而，假如。徇名，追求一时的声名。⑳凋瘁：凋伤憔悴。⑳寇不为衰：敌人没有被我们的进攻所衰减。⑳大病：大大地削弱、困顿。⑳昧十百之利：贪图十个钱、百个钱的小利。昧，贪图。⑳此人臣之奸便：这些都是对某个居心不良的臣子个人有利的事。⑳再克：连胜两次。⑳旋踵：转足之间，极言时间之短。这段话是根据张仪说齐愍王的言辞而改，见《战国策·齐策》。⑳不补所丧：还不如我们自己所付出消耗大。⑳不附结：不巴结；不攀扯。⑳中朝权贵：朝廷里的显贵。中朝，朝中。⑳从甥王衍：羊祜的堂外甥王衍，字夷甫，贾充的戚党，喜谈老庄。所议义理，随时更改，时人称之"口中雌黄"，是一个误国害民的家伙。传见《晋书》卷四十三。⑳清辩：声音好听，条理清楚。⑳不然之：不以为然；不认为他好。⑳憾之：从内心恨他。憾，恨。⑳无德：不会有威德传颂于世。

【校记】

[17] 兵：原作“军”。据章钰校，甲十一行本、乙十一行本、孔天胤本皆作“兵”，今从改。[18] 壹：据章钰校，甲十一行本、乙十一行本皆作“一”。[19] 拒：据章钰校，甲十一行本、乙十一行本、孔天胤本皆作“御”。[20] 伤：原无此字。据章钰校，甲十一行本、乙十一行本、孔天胤本皆有此字，今据补。[21] 慎：原作“任”。据章钰校，甲十一行本、乙十一行本、孔天胤本皆作“慎”，今据改。[22] 哉：原作“乎”。据章钰校，甲十一行本、乙十一行本、孔天胤本皆作“哉”，张敦仁《通鉴刊本识误》同，今据改。

【研析】

本卷写了晋武帝泰始元年（公元二六五年）至泰始八年（公元二七二年）共八年间的曹魏、孙吴与西晋等国的大事，其中值得议论的首先是司马氏篡取曹氏政权之轻而易举，竟至整个朝廷没有一个大臣表示反对，整个国家没有掀起一点波澜，就完成了两个家族间的权力交接，这也实在令人感慨。王志坚《读史商语》对此说：“司马氏之有天下也，天予之哉。懿一举而杀曹爽、王凌，师一举而杀李丰、毌丘俭，威已振矣，犹未见其德也。寿春之役，昭一举而平三叛，方且宠文鸯使葬其父，赦淮南士民为诞所胁略者，分吴兵家室在江南者于近郡，自是而天下归心矣。凡魏之臣子怀忠义而起抗之者，非张其威则助之见德，司马氏之有天下非天与之哉?”由曹丕篡汉到今之曹魏政权又被司马氏所篡，前后不过四十五年，当时的情景，现年六十岁以上的人都还记得清清楚楚。忠于曹家的人们本来就不会太多，而那些想对曹氏表忠心的如武将王凌、文钦、诸葛诞，文臣如何晏、邓飏、李丰等，也早已被司马氏与其党羽们诛杀殆尽，所以留到今天的就只有一个手续问题了。

令人感到颇不寂寞的倒是司马炎的叔祖司马孚，他挺身出来给被废的魏帝曹奂“拜辞”送行，他“执帝手，流涕歔欷不自胜”，自己说：“臣死之日，固大魏之纯臣也。”能做如此表现的大概也只能是司马孚，换了别人恐怕就性命不保。司马孚如果真有心做个“大魏纯臣”，他至少应该从此闭门家居，当个隐士，遗憾的是他同时又接受司马炎对他加封的“安平王”，又被任以为“太宰，都督中外诸军事”。王志坚《读史商语》评司马孚说：“以‘曹爽有无君之心，兄弟不宜典兵宿卫’奏太后者，司马孚也；以高贵乡公之出为‘欲弑太后，引《春秋》书襄王不能事母’事奏太后者，亦司马孚也。孚于禅代之事实为谋主，而佯为不忘故主者，自称‘有魏贞士’可谓无耻矣。温公为孚之裔，裔书孚事往往不欲尽言，读者识其微意可也。”

曹丕是由于曹操当年宠爱曹植，差点被夺去了王位继承权，所以上台后视兄弟诸人如寇雠，百般地打击摧残，把曹植的谏言全不当一回事，曹植在当时就曾上书说：“夫能使天下倾耳注目者，当权者是矣。故谋能移主，威能慑下。豪右执政，不

在亲戚，权之所在，虽疏必重；势之所去，虽亲必轻。盖取齐者田族，非吕宗也；分晋者赵、魏，非姬姓也。”提醒曹丕注意司马懿，曹丕当然听不进去，他与他的儿子魏明帝曹叡，都把司马懿看成他们的心腹。到此禅代之际，曹丕、曹叡倘地下有知，会对曹植感到有些惭愧吗？

司马炎记取曹魏政权虐待本族骨肉、亲信异姓大臣，结果政权被他们所篡取的教训，于是他从篡得帝位第一天起就大肆分封司马氏的兄弟叔侄为王，“授以职任。又诏诸王皆得自选国中长史”。结果几年之内就出现了同姓王的篡夺政权，并形成军阀混战。王夫之《读通鉴论》对此评论说：“晋诏诸王大国置三军，次国二军，小国一军……夫晋岂果循周制以追三代之长治久安也乎？惩魏之亏替宗室，而使权臣乘之耳。乃魏之削诸侯者，疑同姓也；晋之授兵宗室以制天下者，疑天下也。疑同姓而天下乘之，疑天下而同姓乘之，力防其所疑，而祸发于所不疑，其得祸也异，而受祸于疑则同也。”

晋国已经灭掉了西蜀，按理说，吴主孙皓即使不踧踖战栗，至少也应该警惕起来，不想他却仍能吃喝玩乐，傲慢奢侈，大选宫女，诛杀大臣，过着夏桀、殷纣般的日子。属于吴国的交州诸郡，掀起反吴暴乱，晋派军队支援，声势甚大，结果被吴将陶璜所平定；吴将步阐于西陵叛变，率城降晋，吴都督陆抗派军往讨，晋派荆州刺史杨肇与羊祜率兵往救，陆抗筑长围，既攻步阐，又防杨肇、羊祜之援，结果既破杀步阐，讨平西陵；又大破杨肇、羊祜之兵，获得了对晋作战的光辉胜利。这两仗表现了吴国的确还有一定的国力；但对于孙皓来说，反而更加助长了他的狂妄和为所欲为。相比之下，晋将羊祜、王濬等，正在巴蜀、襄阳造船、练兵，孙皓的享乐已经没有多长时间了。

卷第八十　晋纪二

起昭阳大荒落（癸巳，公元二七三年），尽屠维大渊献（己亥，公元二七九年），凡七年。

【题解】

本卷写了晋武帝泰始九年（公元二七三年）到咸宁五年（公元二七九年）共七年间的西晋与孙吴等国的大事。主要写了晋臣卫瓘施反间计，使拓跋力微杀其太子沙漠汗，其国遂衰；晋将马隆西讨，破杀树机能，平定了凉州一带的鲜卑部落。写了南匈奴刘渊已为左部帅，且与谋士王弥友善，为其日后灭西晋做伏线。写了司马炎大肆采择宫嫔，荒淫无度。写了贾充等排抑司马攸，欺蒙司马炎，护持低能儿司马衷为太子，为日后西晋内乱张本。写了羊祜上表请求伐吴，病后回朝，又面陈伐吴之计。写了晋将王濬、杜预等恳请伐吴，司马炎终于决策，二十万大兵数路并出。写了吴主孙晧荒悖无道，肆意杀害良臣贺卲、张咏、熊睦、史臣韦昭等，又醉生梦死，迷信谣言，自谓能统一天下而称帝，荒唐可笑。

【原文】

世祖武皇帝上之下

泰始九年（癸巳，公元二七三年）

春，正月辛酉[①]，密陵元侯郑袤[②]卒。

二月癸巳[③]，乐陵武公石苞卒。

三月，立皇子祗为东海王[④]。

吴以陆抗为大司马、荆州牧[⑤]。

夏，四月戊辰朔[⑥]，日有食之。

初，邓艾之死[⑦]，人皆冤之，而朝廷无为之辨者。及帝即位，议郎敦煌段灼[⑧]上疏曰："邓艾心怀至忠而荷[⑨]反逆之名，平定巴、蜀而受三族之诛。艾性刚急，矜功伐善[⑩]，不能协同朋类[⑪]，故莫肯理之[⑫]。臣窃以为艾本屯田掌犊人[⑬]，宠位已极，功名已成，七十老公，复何所求？正以刘禅初降，远郡未附，矫令承制[⑭]，权安社稷[⑮]。锺会有悖逆

【语译】

世祖武皇帝上之下

泰始九年（癸巳，公元二七三年）

春季，正月二十二日辛酉，晋国的密陵侯郑袤逝世，谥号为“元”。

二月二十五日癸巳，晋国的乐陵公石苞逝世，谥号为“武”。

三月，晋武帝司马炎立皇子司马祇为东海王。

吴主孙晧任命陆抗为大司马、荆州牧。

夏季，四月初一日戊辰，发生日食。

当初，邓艾被杀死，人们都为他喊冤叫屈，而朝廷中却没有人为他辩护。等到晋武帝即位，担任议郎的敦煌人段灼上疏说：“邓艾对朝廷忠心耿耿却蒙受叛逆的罪名，他在平定巴、蜀的战役中建立了丰功伟绩，却被诛灭了三族。邓艾性格刚烈、急躁、居功自傲，爱夸耀自己的长处，不能与同事、合作者搞好关系，所以没有人肯出面为他申冤辩白。我认为邓艾本来在屯垦的队伍中负责养牛，后来被提拔重用，恩宠已经达到顶点，功成名就，已经是一个七十岁的老翁，他还有什么可追求的而要谋反呢？正是因为刘禅刚投降，远处的郡县还没有归顺，所以他才假托秉承皇帝的旨意办事，因时制宜地为稳固国家政权考虑。而锺会早有叛逆之心，他畏惧邓艾的

之心，畏艾威名，因其疑似⑯，构成其事⑰。艾被诏书⑱，即遣强兵⑲，束身就缚，不敢顾望⑳，诚自[1]知奉见先帝㉑，必无当死㉒之理也。会受诛之后，艾官属将吏，愚戆相聚㉓，自共追艾，破坏槛车，解其囚执。艾在困地㉔，狼狈失据㉕，未尝与腹心之人有平素之谋，独受腹背之诛㉖，岂不哀哉！陛下龙兴㉗，阐弘大度㉘，谓㉙可听艾㉚归葬旧墓，还其田宅，以平蜀之功继封其后，使艾阖棺定谥㉛，死无所恨，则天下徇名㉜之士，思立功之臣，必投汤火㉝，乐为陛下死矣！”帝善其言而未能从。会㉞帝问给事中樊建㉟以诸葛亮之治蜀㊱，曰：“吾独不得㊲如亮者而臣之乎？”建稽首曰：“陛下知邓艾之冤而不能直㊳，虽得亮，得无如冯唐之言㊴乎？”帝笑曰：“卿言起我意㊵。”乃以艾孙朗为郎中㊶。

吴人多言祥瑞㊷者，吴主以问侍中韦昭㊸，昭曰：“此家人筐箧中物㊹耳！”昭领左国史㊺，吴主欲为其父作纪㊻。昭曰：“文皇不登极[2]位㊼，当为传㊽，不当为纪。”吴主不悦，渐见责怒。昭忧惧，自陈衰老，求去侍、史二官㊾，不听㊿。时有疾病，医药监护(51)，持之益急(52)。吴主饮群臣酒，不问能否，率(53)以七升为限。至昭，独以茶代之，后更见逼强(54)。又酒后常使侍臣嘲弄公卿，发摘私短(55)以为欢。时有愆失(56)，辄见收缚(57)，至于诛戮。昭以为外相毁伤(58)，内长尤恨(59)，使群臣不睦，不为佳事，故但难问经义(60)而已。吴主以为不奉诏命，意不忠尽(61)，积前后嫌忿(62)，遂收昭付狱。昭因狱吏[3]上辞(63)，献所著书，冀以此求免。而吴主怪其书垢故(64)，更被诘责，遂诛昭，徙其家于零陵(65)。

五月，以何曾领司徒。

六月乙未(66)，东海王祇卒。

威名，所以就利用了似是而非这一点，为邓艾编织了谋反的罪名。邓艾接到朝廷的诏书后，立即交出了强大的军队，束手就缚，不敢瞻回犹豫，他自己深信如果见到先帝，就会得到昭雪，绝对不会有被判处死罪的道理。锺会被杀后，邓艾属下的将吏，一群粗人集合起来，自发地去追赶押解邓艾的槛车，他们捣毁槛车，放出了邓艾。邓艾在这种情况下，仓促间手足无措，不知如何是好，他从来没有与他所亲近的那些人商量过谋反的事情，却突然受到叛乱分子与朝廷的前后追杀，岂不是很悲哀吗！陛下称帝，扩大容人之量，我认为应该允许把邓艾安葬在他家的祖坟里，归还他家的原有田地房产，把平定蜀国的功劳封赏给他的后代，使邓艾盖棺论定，赐给他一个谥号，让他死了也不感到遗憾，那么天下那些追求显姓扬名的人士以及想要建立功名的大臣，必定会赴汤蹈火，心甘情愿地为陛下竭尽忠诚，甚至牺牲自己的生命!”晋武帝虽然认为段灼说得合乎情理，然而并没有付诸行动。恰好晋武帝向担任给事中的樊建询问诸葛亮治理蜀国的方法，说:“我难道就不能得到像诸葛亮那样的人来作为我的大臣吗?”樊建磕头回答说:“陛下明明知道邓艾含冤受屈而死却不能给邓艾平反昭雪，即使陛下得到像诸葛亮那样的人，岂不是也照样像冯唐回答汉文帝询问时所说的那些话吗?”晋武帝笑着说:“你的话给了我很大启示。”于是任命邓艾的孙子邓朗为郎中。

东吴有许多人都在谈论国家出现了吉祥的征兆，吴主孙晧于是向侍中韦昭询问有关祥瑞的事情，韦昭回答说:“这些只不过是愚民家中箱子柜子里保存的破玩意儿罢了!”韦昭兼任左国史，吴主想将自己的父亲列入史书中的“本纪”。韦昭说:“文皇帝实际上并没有做过皇帝，只能归入‘列传’，而不应该列入‘本纪’。”吴主听了很不高兴，渐渐地对韦昭反感起来，一看见韦昭就愤怒地责备他。韦昭感到忧虑恐惧，于是上疏陈述自己年老体衰，请求辞去侍中及左国史两种官职，孙晧不准许。当时韦昭患有疾病，孙晧派医生、送医药、监视护理，对韦昭看管得越来越严。吴主让文武大臣喝酒，不管大臣能喝酒还是不能喝酒，一律以饮七升酒为限。轮到韦昭饮酒的时候，孙晧唯独容许韦昭以茶代酒，后来对韦昭也一改往日，强迫他必须饮酒。还有，孙晧经常酒后让侍奉他的亲信嘲笑戏弄朝中的公卿大臣，以揭发大臣们的隐私或短处取乐。大臣偶尔有点失误或是小的过错，就立刻被捆绑起来，甚至于被诛戮。韦昭认为公开地对人进行伤害，会使人家记恨在心，造成大臣之间互不和睦，不是件好事情，所以当孙晧让韦昭刁难大臣时，韦昭只是考问大臣们经书而已。吴主认为韦昭故意不执行诏命，对自己不够忠诚，前后猜疑与愤怒积攒在一起，于是就把韦昭逮捕入狱。韦昭通过狱吏给孙晧上书，并将自己所著的书进献给孙晧，希望能够以此免除自己的死罪。而吴主责怪他进献的书籍既脏又旧，反而更加严厉地诘责他，最后竟将韦昭处死，并把他的家人流放到了零陵郡。

五月，晋武帝任命何曾兼任司徒。

六月二十九日乙未，东海王司马祗去世。

秋，七月丁酉朔[67]，日有食之。

诏选公卿以下女备六宫[68]，有蔽匿[69]者以不敬[70]论。采择未毕，权[71]禁天下嫁娶。帝使杨后择之，后惟取洁白长大而舍其美者。帝爱卞氏女，欲留之。后曰："卞氏三世后族[72]，不可屈以卑位[73]。"帝怒，乃自择之。中选者以绛纱[74]系臂，公卿之女为三夫人、九嫔[75]，二千石、将、校女补良人[76]以下。

九月，吴主悉封其子弟为十一王[77]，王给三千兵，大赦。

是岁，郑冲以寿光公罢[78]。

吴主爱姬遣人至市夺民物。司市中郎将[79]陈声素有宠于吴主，绳之以法。姬诉[80]于吴主，吴主怒，假他事[81]烧锯断声头，投其身于四望[82]之下。

十年（甲午，公元二七四年）

春，正月乙未[83]，日有食之。

闰月癸酉[84]，寿光成公[85]郑冲卒。

丁亥[86]，诏曰："近世以来，多由内宠以登后妃[87]，乱尊卑之序，自今不得以妾媵[88]为正嫡。"

分幽州置平州[89]。

三月癸亥[90]，日有食之。

诏又取良家[91]及小将吏[92]女五千余[4]人入宫选之，母子号哭于宫中，声闻于外。

夏，四月己未[93]，临淮康公荀颉[94]卒。

吴左夫人王氏卒，吴主哀念，数月不出，葬送甚盛。时何氏以太后故，宗族骄横。吴主舅子[95]何都貌类吴主，民间讹言："吴主已死，立者[96]何都也。"会稽又讹言："章安侯奋[97]当为天子。"奋母仲姬墓在豫章，豫章太守张俊为之扫除[98]。临海[99]太守奚熙与会稽太守郭诞书，非议国政。诞但白熙书，不白妖言[100]。吴主怒，收诞系狱。诞惧，功曹[101]邵畴曰："畴在，明府[102]何忧！"遂诣吏自列[103]曰[5]："畴厕身本

秋季，七月初一日丁酉，发生日食。

晋武帝下诏遴选公卿以下大臣的女儿满足宫廷需要，有隐藏其女不参加遴选的以不敬王命罪论处。遴选没有结束之前，暂时禁止天下人嫁女娶妻。晋武帝派杨皇后选择美女，杨皇后只挑选那些长得皮肤白皙、身材修长的女子而把那些容貌美丽的女子全部舍弃。晋武帝喜爱卞氏女，想把卞氏女留下作为嫔妃。杨皇后却说："卞家是出过三代皇后的家族，不能让人家的女儿处于皇后以下的地位。"晋武帝听了非常生气，于是就亲自挑选美女。凡是选中的就用红色的丝织物系在她们的手臂上，中选的美女如果是公卿大臣的女儿，司马炎就封她们为三夫人、九嫔，中选的美女如果是二千石、将、校的女儿，司马炎就把她们补充良人以下。

九月，吴主把他的所有子弟都封为王，共封了十一个王，每个王拨给三千名亲兵，大赦天下。

这一年，晋武帝免去郑冲的官职，让他以寿光公爵的身份回家。

吴主孙皓的爱姬派人到集市上去抢夺市民的财物。担任司市中郎将的陈声一向受到孙皓的宠信，就将在集市上抢夺财物的人绳之以法。孙皓的爱姬向孙皓告状，孙皓便大怒，马上找了一件别的事情作为借口就把陈声的头用烧红的锯子锯断，还把他的尸体投入四望山下的长江中。

十年（甲午，公元二七四年）

春季，正月初二日乙未，发生日食。

闰正月十一日癸酉，晋国寿光公郑冲去世，谥号为"成"。

二十五日丁亥，晋武帝下诏说："近世以来，有许多姬妾因为受到皇帝的宠爱而登上后妃的位子，因而扰乱了尊卑的秩序；从今以后不容许再把姬妾扶升为正室。"

晋国把幽州划分出去一部分，设置为平州。

三月初二日癸亥，发生日食。

晋武帝又下诏从非官宦人家和低级文武官员的女儿中挑选五千余人入宫待选，待选的母女在宫中大声哭号，声音都传到了皇宫以外。

夏季，四月二十八日己未，晋国的临淮公荀颉去世，谥号为"康"。

吴主孙皓的左夫人王氏去世。吴主因为哀伤思念她，几个月都不曾走出皇宫，为左夫人送葬的仪式非常隆重。当时因为何太后的缘故，何姓家族骄横不法。孙皓舅舅的儿子何都长相酷似孙皓，民间谣传说："孙皓已经死了，现在的皇帝实际上是何都。"会稽郡又有谣言说："章安侯孙奋应当为天子。"孙奋母亲仲姬的坟墓在豫章郡，豫章太守张俊亲自为仲姬扫墓。临海郡太守奚熙写信给会稽郡太守郭诞，诽谤朝政。郭诞只是把奚熙给自己写信的事情报告给了孙皓，却没有把上述"章安侯孙奋应当为天子"的谣言向朝廷报告。孙皓因此大怒，立即将郭诞逮捕下狱。郭诞非常害怕，在他手下担任功曹的邵畴说："有我邵畴在，大人您担忧什么呢！"邵畴于是到主管部

郡[104]，位极朝右[105]，以噂喈之语[106]，本非事实，疾其丑声[107]，不忍闻见[108]，欲含垢藏疾，不彰之翰墨，镇躁归静，使之自息。故诞屈其所是[109]，默以见从[110]。此之为愆[111]，实由于畴，不敢逃死，归罪有司[112]。”因自杀。吴主乃免诞死，送付建安作船[113]。遣其舅三郡督[114]何植收奚熙。熙发兵自守[115]，其部曲[116]杀熙，送首建业。又车裂张俊，皆夷三族，并诛章安侯奋及其五子。

秋，七月丙寅[117]，皇后杨氏殂。初，帝以太子不慧[118]，恐不堪为嗣，常密以访后[119]，后曰：“立子以长不以贤，岂可动也！”镇军大将军胡奋女为贵嫔，有宠于帝。后疾笃，恐帝立贵嫔为后，致太子不安[120]，枕帝膝泣曰：“叔父骏[121]女芷有德色[122]，愿陛下以备六宫。”帝流涕许之。

以前太常山涛[123]为吏部尚书。涛典选十余年，每一官缺，辄择才资[124]可为者启拟数人[125]，得诏旨有所向[126]，然后显奏[127]之。帝之所用，或非举首[128]。众情不察，以涛轻重任意，言之于帝。帝益亲爱之。涛甄拔[129]人物，各为题目[130]而奏之，时称“山公启事”。

涛荐嵇绍[131]于帝，请以为秘书郎，帝发诏征之。绍以父康得罪[132]，屏居私门[133]，欲辞不就。涛谓之曰：“为君思之久矣。天地四时，犹有消息[134]，况于人乎？”绍乃应命。帝以为秘书丞。

初，东关之败[135]，文帝问僚属曰：“近日之事，谁任其咎？”安东司马[136]王仪，脩[137]之子也，对曰：“责在元帅[138]。”文帝怒曰：“司马欲委罪孤邪？”引出斩之。仪子裒痛父非命[139]，隐居教授，三征[140]七辟[141]，

门自己陈述说："我置身于本郡诸吏之中，职务在本郡诸吏之上，我以为那些街头巷尾的流言蜚语，本来就不是事实，我讨厌那些肮脏话，不好意思向朝廷报告，本想把这些污言秽语隐瞒下来，不愿意把它写在公文上而宣扬出去，以使谣言不攻自破，自行止息。所以郭诞就放弃了他原先准备将此事上报的正确主张而勉强地听从了我的意见。这件事现在成了罪过，实在是由于我邵畴的原因，我不敢逃避死罪，所以前来向主管部门认罪。"于是就自杀了。孙晧于是赦免了郭诞的死罪，把郭诞发配到建安郡充当造船的苦役犯。孙晧又派自己的舅舅即掌管临海、建安、会稽三郡军事防务的三郡督何植去逮捕奚熙。奚熙不服从诏命，拥兵拒捕，被自己的部下杀死，奚熙的人头被送到都城建业。孙晧又下令车裂了张俊，把奚熙、张俊都灭了三族，并把章安侯孙奋和他的五个儿子全部杀死。

秋季，七月初六日丙寅，晋国的皇后杨氏去世。当初，司马炎认为太子不聪明，恐怕他不能胜任皇位继承人的重任，曾经悄悄地探询皇后杨氏的意见；杨皇后说："历来都是以长子为皇位继承人而不是以贤能不贤能作为标准，太子的地位怎么能随便动摇呢！"镇军大将军胡奋的女儿胡芬身为贵嫔，很受司马炎的宠爱。杨皇后病势沉重，恐怕晋武帝立胡贵嫔为皇后而动摇了太子的地位，于是杨氏就趴在司马炎的膝上哭泣着说："我叔父杨骏的女儿杨芷有才德、又美貌，希望陛下娶她进宫，让她位居六宫之首。"司马炎泪流满面，顺口就答应了杨皇后的请求。

晋武帝任命担任过太常的山涛为吏部尚书。山涛主持全国官员的考核选拔工作十多年，每次遇有官员空缺，就选择几个才能与资历可以胜任的一起提出来，待摸准了皇帝的意向后，再明确地向皇帝提出人选。晋武帝所任用的人，有的并不是山涛推荐的第一名。由于众人不了解内情，所以认为山涛在选拔官吏时随意推荐，于是就在晋武帝面前指控山涛。而晋武帝却对山涛越加亲近和宠信。山涛选拔人才，对每个人都写出简短的介绍和评语而后上奏，当时人们把这种做法称作"山公启事"。

山涛把嵇绍推荐给晋武帝，请求晋武帝任命嵇绍为秘书郎，晋武帝下诏征调嵇绍进京。嵇绍因为自己的父亲嵇康写了《与山巨源绝交书》得罪了司马昭而被杀，于是就摒除人事，躲在家里不出门，他接到诏命后，就想谢绝不去任职。山涛对嵇绍说："我为你考虑很久了。天地的四时节气，都还会一消一长，相互更替，何况是人，怎可永远隐没不出呢？"嵇绍这才答应接受诏命。晋武帝任命嵇绍为秘书丞。

当初，晋军王昶、毌丘俭等率领大军伐吴，在东关被吴军打得大败，文帝司马昭问他的僚属说："近日作战失败的责任，应该由谁承担呢？"当时担任安东将军司马昭司马的王仪，是王脩的儿子，他回答说："应该由元帅承担责任。"司马昭大怒说："难道你想把罪责推卸给我吗？"于是便叫人把王仪推出去斩首了。王仪的儿子王裒因为自己的父亲无罪被杀感到非常悲痛，于是就隐居在家里以教授学生为业，朝廷三次下诏征聘王裒到朝廷为官，地方大员也曾经七次聘请王裒做自己的幕僚，

皆不就。未尝西向而坐[142]，庐于墓侧[143]，旦夕攀柏悲号，涕泪著树[144]，树为之枯。读《诗》至“哀哀父母，生我劬劳[145]”，未尝不三复[146]流涕，门人[147]为之废《蓼莪》[148]。家贫，计口而田[149]，度身而蚕[150]，人或馈之，不受，助之，不听。诸生密为刈麦[151]，裒辄弃之，遂不仕而终。

臣光曰：“昔舜诛鲧[152]而禹事舜，不敢废至公[153]也。嵇康、王仪，死皆不以其罪，二子不仕晋室可也。嵇绍苟无荡阴之忠[154]，殆不免于君子之讥乎！”

吴大司马陆抗疾病，上疏曰：“西陵、建平，国之蕃表[155]，既处上流，受敌二境[156]。若敌泛舟顺流，星奔电迈[157]，非可恃援他部[158]以救倒县[159]也。此乃社稷安危之机，非徒封疆侵陵[160]小害也。臣父逊[161]昔在西垂[162]上言，‘西陵，国之西门，虽云易守，亦复易失。若有不守，非但失一郡，荆州非吴有也。如其有虞[163]，当倾国争之。’臣前乞屯精兵三万，而主者[164]循常[165]，未肯差赴[166]。自步阐以后[167]，益更损耗。今臣所统千里，外御强对[168]，内怀百蛮[169]，而上下见兵[170]财[171]有数万，羸敝[172]日久，难以待变[173]。臣愚以为诸王幼冲[174]，无用兵马以妨要务[175]。又，黄门宦官开立占募[176]，兵民避役，逋逃入占[177]，乞特诏简阅[178]，一切料出[179]，以补疆埸受敌常处[180]，使臣所部足满八万，省息众务[181]，并力备御[182]，庶几无虞。若其不然，深可忧也！臣死之后，乞以西方为属[183]。”及卒，吴主使其子晏、景、玄、机、云[184]分将其兵。机、云皆善属文，名重于世[185]。

王裒都拒绝不就。王裒坐着的时候从来不面向西方，以此来表达对晋国朝廷的痛恨，他在父亲的坟墓旁边搭个棚子，自己住在里边，每天的早晚都抱住墓前的柏树放声痛哭，眼泪滴在柏树上，柏树为此而枯死。王裒每当读到《诗经·蓼莪》中的诗句“哀哀父母，生我劬劳”的时候，无不三番五次反复诵读以至于涕泗横流，门徒们怕引起他伤心，只得请求他不要再读再讲《诗经·蓼莪》这首诗。王裒家里很穷，但总是按照家里人口所需要的粮食的数量来耕种田地，算计着全家所需衣料的多少来养蚕织布，有人馈赠他财物，他拒绝接受，有人帮助他，也遭到他的拒绝。他的学生偷偷帮他收割麦子，王裒就把学生帮他偷割的麦子扔掉，王裒一生没有出去做官，终老于家。

司马光说：“古时候，舜因为鲧治洪水九年不成，所以将鲧杀死于羽山，而鲧的儿子禹却侍奉舜，因为他不敢废弃治水这件关系国家及黎民百姓的大事。嵇康、王仪的被杀，都不是因为他们有罪该杀，所以他们的儿子不做晋朝的官吏是可以理解的。嵇绍假设没有后来为护卫晋怀帝而被成都王司马颖杀于荡阴的忠烈行为，恐怕难免要遭受君子们的耻笑了！”

东吴大司马陆抗患病，他给吴主上疏说：“西陵郡、建平郡，是国家的外部屏障，位置又处在长江上游，西面和北面两面都受到晋国的压力，如果晋国的军队乘船顺流而下，就会像流星闪电一般的迅速，那时不可能依靠、等待其他方面的军队来解救它的倒悬之急。这是决定国家存亡的关键，而不是边境摩擦的小祸害。我父亲陆逊过去在镇守西部边境时曾经上疏说，‘西陵，是国家的西部门户，虽然说容易防守，但也容易丧失。如果西陵防守不住，就不仅是失去了一个郡的问题，恐怕整个荆州就不会再属于吴国所有了。如果西陵发生危机，要倾尽全国的力量去争夺它。’我以前曾经请求朝廷在西陵驻守精兵三万，而主持此事的朝廷大臣却按照常规处理，不肯为那里派遣精兵。自从步阐反叛后，部队的防守力量更加虚弱。如今我所统辖的国土有千里之广，对外抵御强大的对手晋国，对内要安抚数量众多的少数民族，而上上下下现有的全部兵力才不过几万人，老弱病残、疲惫不堪，时间一久，恐怕难以应付突发事件。我虽然愚笨，但我认为诸亲王年龄都还小，不要因为调拨兵马给他们而妨碍了国家的重要防务。还有，宦官们招募百姓到他们门下当‘荫户’，那些为了逃避国家劳役和税收的士兵和百姓，都受招募躲到了他们的门下充当‘荫户’，乞请陛下特别下诏进行清查，全部核计清出，然后补充到敌人经常进攻的边防要地，使我所统领的军队凑足八万，同时俭省各部门的开支，全力做好抵抗敌人进攻的准备，这样或许能够做到万无一失。如果不这样做，国家的安危很值得忧虑啊！我死之后，希望陛下能特别关注西部边境的问题。”等到陆抗去世之后，吴主任命陆抗的儿子陆晏、陆景、陆玄、陆机、陆云分别率领陆抗的军队。陆机、陆云都善于写作文章，以文章著名于世。

初，周鲂之子处[186]，膂力[187]绝人，不修细行[188]，乡里患之。处尝问父老曰："今时和岁丰而人不乐，何邪？"父老叹曰："三害不除，何乐之有！"处曰："何谓也？"父老曰："南山[189]白额虎，长桥[190]蛟，并子[191]为三矣。"处曰："若所患止此，吾能除之。"乃入山求虎，射杀之；因投水，搏杀蛟。遂从机、云受学，笃志[192]读书，砥节砺行[193]。比及期年[194]，州府交辟[195]。

八月戊申[196]，葬元皇后[197]于峻阳陵[198]，帝及群臣除丧即吉[199]。博士陈逵议，以为："今时所行，汉帝权制[200]。太子无有国事，自宜终服[201]。"尚书杜预以为："古者天子、诸侯三年之丧，始同齐、斩[202]，既葬除服，谅暗以居[203]，心丧终制[204]。故周公不言高宗[205]服丧三年而云谅暗，此服心丧之文[206]也；叔向[207]不讥景王除丧而讥其宴乐[208]，已早明既葬应除，而违谅暗之节[209]也。君[6]子之于礼，存诸内[210]而已，礼非玉帛之谓[211]，丧岂衰麻之谓乎[212]？太子出则抚军[213]，守则监国[214]，不为无事[215]，宜卒哭[216]除衰麻，而以谅暗终三年。"帝从之。

臣光曰："规矩主于方圆[217]，然庸工[218]无规矩则方圆不可得而制也；衰麻主于哀戚，然庸人[219]无衰麻则哀戚不可得而勉[220]也。《素冠》[221]之诗，正为是矣。杜预巧饰《经》《传》以附人情[222]，辩则辩矣[223]，臣谓不若陈逵之言质略而敦实[224]也。"

九月癸亥[225]，以大将军陈骞为太尉。

杜预以孟津渡险[226]，请建河桥于富平津[227]。议者以为："殷、周所都[228]，历圣贤而不作[229]者，必不可立故也。"预固请为之。及桥成，帝

当初，吴国周鲂的儿子周处，臂力超过常人，但为人不拘小节，横行一方，乡里人都把他当成祸害。周处曾经向乡里的长辈询问说：“现在风调雨顺、五谷丰登，而人们却郁郁不乐，这是什么原因呢？”那个长辈叹息了一声说：“三害不除，有什么可高兴的呢！”周处说：“您说的三害是什么呢？”父老说：“南山的白额虎，长桥的蛟龙，再加上你周处，不就是三害了嘛。”周处说：“如果所担忧的仅是这些，我能够除掉它们。”于是周处进入荆南山找到白额虎，便把白额虎射死了；又纵身跳入长桥水中，斩杀了蛟龙。周处又去拜陆机、陆云为老师，专心致志地读书，磨炼自己的节操、品行。整整一年后，州刺史与都督府的长官便都争相聘请他。

八月十九日戊申，晋武帝把杨元皇后安葬在峻阳陵，晋武帝和文武大臣脱下丧服，改穿上平时的服装。博士陈逵发表议论说：“如今所实行的丧葬制度，是汉文帝以来的权宜制度。太子不掌管国家大事，自然应该为母亲穿满三年丧服。”尚书杜预认为：“古时候的天子、诸侯都要穿满三年丧服，开始的时候就只有齐衰、斩衰两种，安葬后就脱去丧服，然后居住在特设的守丧房子里，心中哀悼，直到三年居丧期满为止。所以周公不说高宗服丧三年而仅说高宗在守丧的房子里居住了三年，这就是有关服‘心丧’的最早文字记载；叔向不讥讽周景王除去丧服而讥讽他在服丧期间设宴饮酒作乐，证明很早以前安葬完毕就可以除去丧服了，只是周景王违背了‘心丧’的规矩，不该在服丧期间饮酒作乐而已。君子对于礼节，只要保存在内心就行了，所谓的礼仪，并非仅指瑞玉锦帛之类这些外表的形式，守丧难道就只是表现在披麻戴孝上头吗？有战事的时候，太子要出外任监护众军之职；留守在后方，则负责监理整个国家的事务，并不是没有事干，所以太子在安葬完毕后就应该停止啼哭，除去丧服，而后服三年‘心丧’。”晋武帝采纳了杜预的意见。

司马光说：“规矩是为了让人画好方圆，然而没有本事的工匠没有规矩就制作不出方圆的东西；穿麻制丧服是为了让人悲伤哀痛，然而平庸的人不穿麻制丧服，就不能勉强自己做出哀戚的样子。《诗经·素冠》这首诗，正是为此而作。杜预故意用花言巧语解释《经》《传》以迎合当时的人情世俗需要，要说他的巧辩能力，当然是很强的了，但我认为他说的话不如陈逵说的话质朴简明，忠实厚道。”

九月初四日癸亥，晋武帝任命大将军陈骞为太尉。

杜预认为孟津渡口一带的形势险要，请求朝廷在富平津那里建筑大桥。参加决策的人都认为那里是：“殷、周两朝曾建都的地方，历代圣贤都没有在那里的黄河上建筑大桥，必然是因为那里不能建造大桥的缘故”。杜预坚持请求在那里建桥。等到

从百寮临会[230]，举觞属预[231]曰："非君，此桥不立。"对曰："非陛下之明，臣亦无所施其巧。"

是岁，邵陵厉公曹芳卒。初，芳之废迁金墉[232]也，太宰中郎[233]陈留范粲[234]素服拜送，哀动左右。遂称疾不出，阳狂[235]不言，寝所乘车，足不履地。子孙有婚宦[236]大事，辄密咨焉，合者[237]则色无变，不合则眠寝不安，妻子以此知其旨。子乔[238]等三人并弃学业，绝人事[239]，侍疾家庭，足不出邑里。及帝即位，诏以二千石禄养病，加赐帛百匹。乔以父疾笃[240]，辞不敢受。粲不言凡三十六年[241]，年八十四，终于所寝之车。

吴比三年[242]大疫。

【段旨】

以上为第一段，写晋武帝泰始九年（公元二七三年）至泰始十年两年间的大事。主要写了段灼、樊建请求为邓艾平反，司马炎最后勉强仕其孙。写了司马炎大肆采择宫嫔，荒淫无度；杨皇后临死又引一杨女入宫为后，为杨骏专权埋下伏线。写了吴主孙晧荒悖无道，杀害史臣韦昭，又因谣言而诛戮地方官员多人；吴都督陆抗死，死前提醒孙晧重视西陵前线的防御。写了被废的魏帝曹芳之死，魏臣范粲至死忠于曹魏，竟不言三十六年。写了魏臣王仪因直言被司马昭所杀，其子王裒至死敌视司马氏，竟一生不面向晋都洛阳坐；吴臣周处"除三害"的故事，颇有警世意义。

【注释】

①正月辛酉：正月二十二日。②密陵元侯郑袤：密陵侯是郑袤的封号，元字是谥。郑袤是汉代经学家郑众的后代，郑泰之子，历来是司马氏的亲信。③二月癸巳：二月二十五日。④东海王：封地东海郡，郡治即今山东郯城。⑤荆州牧：也称荆州刺史，吴国荆州的州治即今湖北荆州。⑥四月戊辰朔：四月初一是戊辰日。⑦邓艾之死：事见本书卷七十八咸熙元年（公元二六四年）。⑧段灼：字休然，晋初正直的文臣。传见《晋书》卷四十八。⑨荷：蒙受。⑩伐善：夸耀自己的长处。⑪协同朋类：与同事、合作

大桥建成之后，晋武帝率领百官到大桥集会庆祝，他举起酒杯向杜预敬酒说："要不是你，这个大桥就建造不起来。"杜预回答说："要不是陛下英明，我也没有施展我的技巧的地方。"

这一年，邵陵厉公曹芳去世。当初，曹芳被废黜迁往金墉城的时候，担任太宰中郎将的陈留人范粲身穿素服为曹芳跪拜送行，悲痛场面感动了周围所有的人。此后范粲便称身体有病不再出来做官，又佯装疯癫，不言不语，睡在他所乘坐的那辆车子里，脚不沾地。范粲的子孙有了婚姻以及入仕的喜庆大事，就秘密地征求他的意见，符合他心意的他就面不改色，不合他心意的他就翻来覆去，睡卧不安，妻儿从他的这些表情里推测他的心意。他的儿子范乔等三人全都抛弃了学业，断绝了与外界的人际交往，专心在家里侍奉父亲，从不走出村子。等到司马炎称帝后，下诏让范粲享受二千石的俸禄在家养病，另外还赏赐给他丝绸百匹。范乔以父亲病情严重为由，婉言谢绝，说不敢接受朝廷的赏赐。范粲从曹芳被废一直到死的三十六年里从来没有开口讲过话，享年八十四岁，就死在他所住的车子里。

东吴一连三年遭遇大瘟疫。

者搞好关系。⑫理之：为他申冤辩白。⑬屯田掌犊人：在屯垦的队伍中负责养牛。⑭矫令承制：假托秉承皇上的旨意。⑮权安社稷：临时制宜地为国家考虑。⑯疑似：似是而非。⑰构成其事：编织成了造反的罪名。⑱被诏书：接到朝廷的诏书之后。被，接到。⑲遣强兵：交出了强大的军队。⑳不敢顾望：不敢瞻回犹豫。顾，回头，迟疑。㉑奉见先帝：指回朝见到司马昭。㉒当死：被判死罪。当，判处。㉓愚戆相聚：一群粗人集合起来。愚戆，愚笨而刚直。㉔艾在困地：邓艾在这种情况下。㉕狼狈失据：手足无措，不知如何是好。㉖腹背之诛：叛乱分子与朝廷都要杀他。㉗龙兴：指称帝。㉘阐弘大度：扩大容人之量。度，胸襟，气量。㉙谓：我以为。㉚可听艾：应该允许邓艾。听，允许，任其。㉛阖棺定谥：即盖棺论定，赐给他谥号。㉜徇名：追求扬名。㉝投汤火：犹言赴汤蹈火。㉞会：恰值；刚好碰上。㉟给事中樊建：给事中是帝王的侍从官员，以备参谋顾问之用。樊建是蜀汉旧臣，现已归于晋朝。㊱诸葛亮之治蜀：诸葛亮治理蜀国的方法。㊲独不得：难道就不能得到。㊳不能直：不能给邓艾平反。㊴冯唐之言：冯唐是汉文帝时的直臣。汉文帝对冯唐说，他遗憾没有廉颇、李牧那种武将为他效力，冯唐说："即使有，您也不能使用！"事见本书卷十四汉文帝十四年（公元前一六六年）。㊵起我意：给我很大启示。㊶郎中：皇帝的侍从人员，上属郎中令。㊷祥瑞：吉祥的征兆，如凤凰、麒麟、灵芝一类的东西出现，这种观念汉代风行了几百年。㊸韦昭：字弘嗣，后因避晋讳改名曜。曾任吴国的太子中庶子，为当时著名学

者，著有《博弈论》《国语注》，又与人共撰《吴书》。传见《三国志》卷六十五。㊹家人筐箧中物：愚民箱子里保存的破烂儿。家人，犹言无知百姓。筐箧，箱笼。㊺左国史：东吴的史官，与右国史共同掌修国史。㊻为其父作纪：将其父列为“本纪”。“本纪”是纪传体史书中的一种体裁，是以帝王为纲的全国大事纪要。㊼不登极位：没有做过皇帝。孙晧父亲之所以称为“文皇”，乃是孙晧即位后的追谥。㊽传：也叫“列传”，纪传体史书中的各种人物传记。㊾侍、史二官：侍中及左国史两种官职。㊿不听：指孙晧不准许。51医药监护：派医生、送医药、监视护理。52持之益急：对韦昭看管得越来越严。持，控制。53率：一律。54逼强：逼迫、强制。55发摘私短：揭发人家的隐私或短处。摘，同“擿”，揭发。56时有愆失：偶尔有点失误、差错。57辄见收缚：立刻就被逮捕起来。58外相毁伤：公开地对人伤害。59内长尤恨：使人家记恨在心。尤，恨，怪罪。60难问经义：当孙晧让韦昭刁难大臣时，韦昭便考问大臣经书。61意不忠尽：对孙晧不够忠诚。62嫌忿：猜疑与愤怒。63因狱吏上辞：通过狱吏给孙晧上书。64垢故：既脏又旧。65零陵：晋郡名，郡治即今湖南永州市零陵区。66六月乙未：六月二十九日。67七月丁酉朔：七月初一是丁酉日。68备六宫：满足宫廷需要。69蔽匿：隐藏其女不参加遴选。70不敬：“不敬”王命，在当时是死罪。71权：暂时。72三世后族：出过三代皇后的家族。三代皇后指曹操的皇后、曹髦的皇后、曹奂的皇后。73不可屈以卑位：不能让人家处于皇后以下的地位。74绛纱：红色的丝织物。75三夫人、九嫔：都是嫔妃名称。晋朝宫廷里在皇后之下，第一级是“贵嫔”，第二级是“夫人”，第三级是“贵人”，以上称“三夫人”，位比三公。以下依次有“淑妃”“淑媛”“淑仪”“修华”“修容”“修仪”“婕妤”“容华”“充华”，以上九级称为“九嫔”，位比九卿。76良人：晋朝宫廷嫔妃编制中没有“良人”，此时可能沿用魏嫔妃名称。“良人”为魏制的第十二级，这里似应指十二级以下。77十一王：旧史不载，不知谁何。78郑冲以寿光公罢：指免去郑冲的朝官，以寿光公爵的身份归家。79司市中郎将：官名，掌管市场上的各种事务。80诉：告状。81假他事：找一件别的事情做借口。82四望：四望山，在今南京北。南接石头城，北接狮子山，西临长江。投尸四望山下，即投入四望山下的长江中。83正月乙未：正月初二日。84闰月癸酉：闰正月十一日。85寿光成公：寿光公是郑冲的封号，成字是郑冲的谥。86丁亥：闰正月二十五日。87由内宠以登后妃：由受宠的姬妾登上后妃的位子。曹操的卞皇后、曹丕的郭皇后、曹叡的毛皇后都是这种情况。88妾媵：泛指姬妾。媵，原指陪嫁的女子。89平州：晋州名，州治襄平（今辽宁辽阳）。辖昌黎、辽宁、乐浪、带方、玄菟五郡。90三月癸亥：三月初二日。91良家：非官宦的清白人家。92小将吏：下级武官和文官。93四月己未：四月二十八日。94临淮康公荀颉：临淮公是荀颉的封号，康字是荀颉的谥。95舅子：孙晧舅舅的儿子。96立者：指现在在位的人。97章安侯奋：孙奋，孙权之子，孙晧之叔。传见《三国志》卷五十九。98扫除：随时加土与铲除野草荆棘等。99临海：吴郡名，郡治即今浙江临海

市。⑩ 不白妖言：不把上述“章安侯奋当为天子”的谣言向朝廷报告。⑩ 功曹：郡太守的属吏。⑩ 明府：对太守的敬称。⑩ 诣吏自列：到主管部门自己陈述。⑩ 厕身本郡：置身于本郡诸吏之中。厕，置。⑩ 位极朝右：位在郡廷的诸吏之上。⑩ 以噂喈之语：我以为那些嘁嘁喳喳的流言。⑩ 疾其丑声：我讨厌那些肮脏话。疾，憎恨，讨厌。⑩ 不忍闻见：不好意思向朝廷报告。⑩ 屈其所是：放弃了他自己原想上报的正确主张。⑩ 默以见从：勉强地听了我的意见。⑪ 此之为愆：这件事成了罪过。⑪ 归罪有司：来向主管部门认罪。⑪ 付建安作船：发配到建安郡，充当造船的苦役犯。晋时的建安郡治即今福建建瓯。⑪ 三郡督：掌管临海（治今浙江临海）、建安（治今福建建瓯）、会稽（治今浙江绍兴）三郡军事防卫的长官。⑪ 发兵自守：意即不服命令，拥兵拒捕。⑪ 部曲：意即部下。将军属下有部，部的长官称校尉；部下有曲，曲的长官称军候。⑪ 七月丙寅：七月初六日。⑪ 不慧：不聪明；低能儿。⑪ 访后：探询皇后杨氏的意见。⑫ 致太子不安：指动摇太子的地位。⑫ 叔父骏：杨骏，西晋的权臣。传见《晋书》卷四十。⑫ 有德色：有才德、有美色。⑫ 太常山涛：太常是九卿之一，主管朝廷礼仪与宗庙祭祀。山涛是竹林七贤之一，是七人中官位最高的一个。⑫ 才资：才能与资历。⑫ 启拟数人：把几个人一起提出。⑫ 得诏旨有所向：待摸准了皇帝的意向。⑫ 显奏：明确向皇帝提出。⑫ 非举首：不是山涛所提的第一名。⑫ 甄拔：选拔。⑬ 题目：简短的介绍和评语。⑬ 嵇绍：嵇康之子。事见《晋书·忠义传》。⑬ 父康得罪：嵇康因写《与山巨源绝交书》得罪司马昭被杀。事见本书卷七十八景元三年（公元二六二年）。⑬ 屏居私门：摒除人事，躲在家里不出门。⑬ 犹有消息：都还会一消一长，相互更替。息，生，生长。《易·丰》：“天地盈虚，与时消息。”⑬ 东关之败：指王昶、毌丘俭等的伐吴，被大破于东关事。见本书卷七十五嘉平四年。东关，在今安徽含山县西南。⑬ 安东司马：安东将军的司马，当时司马昭任安东将军。⑬ 脩：字叔治，曾任魏郡太守、大司农、郎中令、奉常等职。传见《三国志》卷十一。⑬ 责在元帅：指应由您司马昭负责。元帅，总指挥。当时司马昭以安东将军监诸路军马。⑬ 非命：不正常的死亡。⑭ 三征：朝廷三次下诏征聘。⑭ 七辟：朝廷及地方大官七次对之延聘。辟，聘请。⑭ 未尝西向而坐：王裒家在城阳郡（郡治即今山东莒县），晋朝建都在洛阳，位于城阳之西。不面向西方以表现对这个政权的痛恨。⑭ 庐于墓侧：在坟墓旁边搭个棚子住在里边。⑭ 涕泪著树：眼泪滴在树上。⑭ 哀哀父母二句：语出《诗经·蓼莪》。劬劳，劳苦。⑭ 三复：反复念多遍。⑭ 门人：门徒们。⑭ 废《蓼莪》：指不读不讲这一篇，怕引起老师的伤心。⑭ 计口而田：按着人口所需粮食的数量来耕种田地。⑮ 度身而蚕：算着所需衣料的多少来养蚕，不求多余。⑮ 密为刈麦：偷偷帮他收割麦子。⑮ 鲧：禹之父。尧时鲧因四岳推荐而治洪水，九年不成，被舜杀死于羽山。事见《史记·五帝本纪》。⑮ 至公：指治水这件关系国家及黎民百姓的大事。⑮ 荡阴之忠：指嵇绍为护卫晋怀帝被成都王司马颖杀于荡阴事。见本书卷八十五永安元年（公元三〇四年）。荡阴是晋县名，县治在今河南汤阴西南。⑮ 蕃表：外部

的藩篱、屏障。⑮受敌二境：指其西、北两面都邻近晋国。⑰星奔电迈：如流星闪电一样迅速。迈，驰。⑱非可恃援他部：不能等候其他方面的军队前来救援。⑲救倒县：以喻解救极度的危机。县，同“悬”。⑯封疆侵陵：边境摩擦。⑯臣父逊：陆逊，吴国的名将，曾大破刘备于夷陵，使西蜀的元气大伤。⑯西垂：西部边境。垂，同“陲”。⑯有虞：有忧；有危机。⑯主者：主持此事的朝廷大臣。⑯循常：按照常规。⑯差赴：派遣。⑯步阐以后：步阐反叛降晋，后被陆抗讨平事，见本书卷七十九泰始八年（公元二七二年）。⑯强对：强大的对手。⑯内怀百蛮：在国内要安抚各少数民族。⑰上下见兵：上上下下现有的全部兵力。见，同“现”。⑰财：同“才”。⑰羸敝：老弱、疲惫。⑰待变：应付突然事变。⑰诸王幼冲：孙晧的儿子被封王的都还年纪幼小。冲，弱。⑰无用兵马以妨要务：不要因为调拨兵马给他们而妨碍了国家的重要事务。此指去年孙晧封其子弟十一人为王，每人给三千士兵，共有三万三千人之多。⑰开立占募：招募百姓到他们门下当“荫户”。⑰兵民避役二句：许多士兵和百姓为逃避政府的劳役和税收，而受募躲到了他们门下。⑰简阅：清查。⑰一切料出：全部核计清出。⑱以补疆埸受敌常处：把他们全部补充到敌人经常进攻的边防要地。疆埸，边疆。⑱省息众务：减省各部门的开支。⑱并力备御：全力做好抵抗敌人的准备。⑱乞以西方为属：希望能特别关注西部边境的问题。属，同“瞩”，注意力的集中点。⑱晏、景、玄、机、云：陆晏、陆景、陆玄、陆机、陆云。⑱名重于世：陆机字士衡，著有《文赋》，其诗被锺嵘《诗品》列为上等。陆云，字士龙，也是当时著名的文人，但二人的作品多堆砌辞藻，内容空洞。⑱周鲂之子处：周鲂曾任吴国的鄱阳太守。周处，字子隐，义兴阳羡（今江苏宜兴）人。传见《晋书》卷五十八。⑱膂力：臂力。⑱不修细行：不修小节。⑱南山：即荆南山，一名君山，亦名铜官山，孙晧封为南岳，在今江苏宜兴南。⑲长桥：在今江苏宜兴。⑲并子：再加上你周处。⑲笃志：专心致志。⑲砥节砺行：磨炼、提高自己的品行。⑲期年：整整一年。⑲州府交辟：州刺史与都督府的长官都争相延聘。交，竞相，争相。⑲八月戊申：八月十九日。⑲元皇后：即司马炎的杨皇后，谥曰“元”。⑲峻阳陵：司马炎为自己预造的陵墓。⑲除丧即吉：脱下丧服，改穿平时的服装。⑳汉帝权制：汉文帝以来的权宜制度，指服丧的日期甚短。⑳终服：指穿满三年丧服。⑳始同齐、斩：开始时都只是齐衰、斩衰两种。斩衰是丧服中最重的一种。衣、裤都用最粗的麻布做成，衣边及下摆不缝，使断处外露，以示无心修饰。齐衰是次重的丧服。用粗麻布做成，衣边缝好，故称“齐衰”。⑳谅暗以居：居住在特设的守丧的房子里。暗，同“阴”。⑳心丧终制：心中悲悼，直到三年居丧期满。⑳高宗：即殷帝武丁，公元前一二五〇至前一一九二年在位。⑳心丧之文：有关“心丧”的记载。传说为周公所作《尚书·无逸》中有“其在高宗，时旧劳于外，爰暨小人，作其即位，乃或亮阴，三年不言”之文。⑳叔向：即羊舌肸，字叔向。春秋时晋国大夫。⑳不讥景王除丧而讥其宴乐：周景王是周朝第二十八代王，公元前五四四至前五二〇年在位。《左传》昭公十五年：“晋荀跞如周，葬

穆后，籍谈为介，既葬除丧，以文伯宴……叔向曰：‘王其不终乎，吾闻之，所乐必卒焉。今王乐忧，若卒以忧，不可谓终。王一岁而有三年之丧二焉，于是乎以丧宾宴……三年之丧，虽贵遂服，礼也。王虽弗遂，宴乐以早，亦非礼也。’”⑳⑨违谅暗之节：指心丧期间，举酒宴乐而言。㉑⓪存诸内：记在心里就行了。㉑①礼非玉帛之谓：真正的礼，并非就是瑞玉锦帛这些外表形式。《论语·阳货》：“孔子曰：‘礼云礼云，玉帛云乎哉？’”㉑②丧岂衰麻之谓乎：守丧难道就表现在披麻戴孝上头吗。衰麻，衰指丧服，有齐衰、斩衰等类。麻指服丧者腰里所系的麻绳。㉑③出则抚军：有战事外出，则任监护众军之职。抚，监护。㉑④守则监国：留守在后方，则监理整个国家的事务。监，代理；总管。㉑⑤不为无事：并不是没有事干。㉑⑥卒哭：停止啼哭，即死者安葬后。㉑⑦主于方圆：是为了让人画好方圆。㉑⑧庸工：没本事的工匠。㉑⑨庸人：平庸之人。㉒⓪不可得而勉：不能勉强自己做出哀戚的样子。㉒①《素冠》：指《诗经·素冠》。内容为讥刺做人子者不能为父母行三年之丧。㉒②巧饰《经》《传》以附人情：故意巧诈地解释经典之文以迎合当时人情世俗的需要。㉒③辩则辩矣：要说他的巧辩能力，当然是很强的了。辩，会说，这里是贬义。㉒④质略而敦实：质朴简明，忠实厚道。㉒⑤九月癸亥：九月初四日。㉒⑥孟津渡险：孟津渡口一带的形势险要。孟津是黄河上的渡口名，在今河南洛阳市孟津区东北、孟州西南。㉒⑦富平津：即后来的所谓“孟津”。《水经注》：“孟津又曰富平津。”㉒⑧殷、周所都：殷、周两朝都曾建都在这一带。殷朝曾建都于邢，在今河南温县东北，周朝曾建都于洛阳，两地都在黄河岸边。㉒⑨不作：不在黄河上建桥。㉓⓪从百寮临会：率领百官到桥头集会庆祝。㉓①举觞属预：举杯向杜预敬酒。属，向，给。㉓②金墉：洛阳城西北角的小城。㉓③太宰中郎：太宰的属官。太宰是国家的三公，但通常是荣誉职衔。㉓④陈留范粲：陈留是魏时的诸侯国名，都城在今河南开封东南。范粲字承明，魏末的廉正之臣。传见《晋书》卷九十四。㉓⑤阳狂：装疯。㉓⑥婚宦：婚姻与入仕。㉓⑦合者：凡是合乎心意的。㉓⑧子乔：儿子范乔。㉓⑨绝人事：断绝与外界的人际交往。㉔⓪疾笃：病情已经沉重。㉔①不言凡三十六年：意谓范粲从曹芳被废黜，到自己死的三十六年里便没有再讲话。㉔②比三年：一连三年。比，挨着。

【校记】

［1］自：原无此字。据章钰校，甲十一行本、乙十一行本、孔天胤本皆有此字，张敦仁《通鉴刊本识误》同，今据补。［2］极：据章钰校，甲十一行本、乙十一行本、孔天胤本皆作“帝”。［3］吏：原无此字。据章钰校，甲十一行本、乙十一行本、孔天胤本皆有此字，张敦仁《通鉴刊本识误》、张瑛《通鉴校勘记》同，今据补。［4］余：原无此字。据章钰校，甲十一行本、乙十一行本、孔天胤本皆有此字，今据补。［5］曰：原作“白”。据章钰校，甲十一行本、乙十一行本、孔天胤本皆作“曰”，今据改。［6］君：原脱。据章钰校，甲十一行本、乙十一行本、孔天胤本皆有此字，张敦仁《通鉴刊本识误》同，今据补。

【原文】

咸宁元年（乙未，公元二七五年）

春，正月戊午朔，大赦，改元[243]。

吴掘地得银尺，上有刻文[244]。吴主大赦，改元天册[245]。

吴中书令贺卲中风不能言，去职数月。吴主疑其诈，收付酒藏[246]，掠考[247]千数，卒无一言，乃烧锯断其头，徙其家属于临海[248]。又诛楼玄子孙[249]。

夏，六月，鲜卑拓拔力微复遣其子沙漠汗入贡[250]。将还，幽州刺史卫瓘表请留之[251]，又密以金赂其诸部大人[252]离间之[253]。

秋，七月甲申晦[254]，日有食之。

冬，十二月丁亥[255]，追尊宣帝庙曰高祖，景帝曰世宗，文帝曰太祖。

大疫，洛阳死者以万数。

二年（丙申，公元二七六年）

春，令狐丰[256]卒，弟宏继立，杨欣[257]讨斩之。

帝得疾甚剧[258]，及愈，群臣上寿。诏曰："每念疫气死亡者[259]，为之怆然。岂以一身之休息[260]，忘百姓之艰难邪？诸上礼者，皆绝[261]之。"

初，齐王攸[262]有宠于文帝[263]，每见攸，辄抚床[264]呼其小字曰："此桃符座[265]也。"几为太子者数矣[266]。临终[267]，为帝叙汉淮南王[268]、魏陈思王[269]事而泣，执攸手以授帝[270]。太后临终，亦流涕谓帝曰："桃符性急，而汝为兄不慈。我若不起[271]，必恐汝不能相容，以是属[272]汝，勿忘我言！"及帝疾甚[273]，朝野皆属意于攸[274]。攸妃，贾充之长女也。河南尹夏侯和谓充曰："卿二婿[275]，亲疏等耳，立人当立德[276]。"充不答[277]。攸素恶荀勖

【语译】

咸宁元年（乙未，公元二七五年）

春季，正月初一日戊午，晋国实行大赦，改年号为“咸宁”。

吴国有人在挖掘土地时，挖出了一把银尺，上边刻有年、月、日等文字。吴主孙皓于是发布大赦令，改年号为“天册”。

吴国的中书令贺邵得了中风病不能言语，离开工作岗位已经好几个月了。吴主孙皓怀疑贺邵是在装病，就把他拘捕起来关押在藏酒的地窖里，反复拷打了他一千多次，但他始终不能发一言，于是就用烧红了的锯子将他的头锯下来，还把他的家属流放到了临海郡。孙皓又下令诛杀了楼玄的子孙。

夏季，六月，鲜卑拓跋力微又派他的儿子拓跋沙漠汗到晋国进献贡品。在拓跋沙漠汗将要返回本国的时候，幽州刺史卫瓘上表请求朝廷把拓跋沙漠汗扣留下来作人质，卫瓘又秘密地用金钱贿赂拓跋力微统辖下的各部落首领以离间拓跋沙漠汗与他父亲拓跋力微的关系。

秋季，七月最后一天三十日甲申，发生日食。

冬季，十二月初五日丁亥，晋武帝司马炎追尊司马懿的宣帝庙为高祖庙，司马师的景帝庙为世宗庙，司马昭的文帝庙为太祖庙。

晋国瘟疫流行，仅洛阳一地遭瘟疫病死的就有近一万人。

二年（丙申，公元二七六年）

春季，晋国敦煌郡太守令狐丰去世，令狐丰的弟弟令狐宏继任为敦煌郡太守，凉州刺史杨欣率领军队讨伐令狐宏，将令狐宏杀死。

晋武帝受瘟疫感染病得很厉害，等到病愈之后，文武大臣都来为晋武帝祝寿。晋武帝下诏说：“每当我想起因感染瘟疫而死亡的人，心里就感到非常沉痛。岂能因为我一人病情痊愈就忘记百姓的艰难呢？凡是有人敬献礼物的，一律拒绝接受。”

当初，齐王司马攸深受文帝司马昭的宠爱，司马昭每次看见司马攸，都要拍着自己的座位喊着司马攸的小名说：“桃符，这个座位将来就是你的。”司马攸好几次差点就被立为太子。司马昭临死的时候，对晋武帝司马炎述说汉朝淮南王刘长、魏国陈思王曹植的故事而泣不成声，他拉着司马攸的手，然后交到司马炎的手里，把司马攸托付给司马炎。太后临终的时候，也流着眼泪对司马炎说：“桃符性情急躁，而你这做哥哥的对他又不够慈爱。我如果一病不起，恐怕你必定容不下他，所以我嘱咐你，千万不要忘记我说的话！”这次司马炎病重的时候，朝野上下都归心于司马攸，希望司马攸能即位为皇帝。司马攸的妃子是贾充的长女。河南尹夏侯和对贾充说：“你的两个女婿，司马攸和司马衷叔侄两人与你的关系亲疏是一样的，选谁做皇帝继承人，首先应该看重他的品德。”贾充没有回答。司马攸一向厌恶荀勖以及左卫

及左卫将军冯纨倾谄[278]，勖乃使纨说帝曰："陛下前日疾若不愈，齐王为公卿百姓所归，太子虽欲高让[279]，其得免乎[280]！宜遣还藩[281]，以安社稷。"帝阴纳之，乃徙和为光禄勋[282]，夺充兵权[283]，而位遇无替[284]。

吴施但之乱[285]，或谮京下督孙楷[286]于吴主曰："楷不时赴讨[287]，怀两端[288]。"吴主数诘让之，征为宫下镇[289]骠骑将军。楷自疑惧，夏，六月，将妻子[290]来奔，拜车骑将军，封丹阳侯。

秋，七月，吴人或言于吴主曰："临平湖[291]自汉末薉塞[292]，长老[293]言：'此湖塞，天下乱；此湖开，天下平。'近无故忽更开通[294]，此天下当太平，青盖入洛之祥[295]也。"吴主以问奉禁都尉[296]历阳陈训，对曰："臣止能望气[297]，不能达[298]湖之开塞。"退而告其友曰："青盖入洛者，将有衔璧[299]之事，非吉祥也。"

或献小石刻"皇帝"字，云得于湖边。吴主大赦，改元天玺。

湘东[300]太守张咏不出算缗[301]，吴主就在所[302]斩之，徇首诸郡[303]。会稽太守车濬公清有政绩，值郡旱饥，表求振贷[304]。吴主以为收私恩[305]，遣使枭首[306]。尚书熊睦微有所谏，吴主以刀镮撞杀之，身无完肌。

八月己亥[307]，以何曾为太傅，陈骞为大司马，贾充为太尉，齐王攸为司空。

吴历阳山[308]有七穿骈罗[309]，穿中黄赤[310]，俗谓之石印，云"石印封发[311]，天下当太平"。历阳长[312]上言石印发，吴主遣使者以太牢[313]祠之。使者作高梯登其上，以朱书石[314]曰："楚九州渚[315]，吴九州都[316]。扬州士[317]，作天子。四世治[318]，太平始。"还以闻，吴主大喜，封其山神为王，大赦，改明年元曰天纪。

将军冯𬘘对下陷害、对上谄媚的丑态，于是荀勖便唆使冯𬘘对晋武帝说："陛下前些天的疾病如果不能痊愈，公卿百姓心里都向着齐王司马攸，太子即使主动将继承权让给司马攸，恐怕也难免一死！应该免去齐王的朝权，打发他回到他的封国去，以安定社稷。"晋武帝暗中采纳了冯𬘘的建议，于是将夏侯和调任为统领皇帝侍从、掌管宫廷警卫的光禄勋，剥夺了贾充的军权，而贾充的政治地位与享受的待遇都没有改变。

吴国施但扶持吴国宗室孙谦作乱的时候，有人在吴主面前诬陷担任京下督的孙楷，说："孙楷不及时出兵讨伐施但，而是心怀观望，脚踏两条船。"于是吴主多次责备孙楷，征调孙楷担任宫下镇骠骑将军。孙楷为此而疑虑不安，夏季，六月，孙楷携带着老婆孩子来投奔晋国，晋武帝任命孙楷为车骑将军，并封他为丹阳侯。

秋季，七月，吴国有人对吴主说："临平湖自从汉朝末年起就一直荒芜淤塞，老人们都说：'此湖塞，天下乱；此湖开，天下平。'最近临平湖无缘无故水势忽然上涨，与外面的河渠又联通了，大概预示着天下就要太平，是前两年占卜所得的'青盖入洛'的预言就要实现了。"吴主就此事询问担任奉禁都尉的历阳人陈训，陈训回答说："我只会观望云气变化来判断人世吉凶，而不懂得湖泊开塞预示着什么。"陈训回去后就对他的朋友说："青盖入洛阳，恐怕将有君主面缚衔璧请降的事情发生，这不是吉祥的预兆。"

有人向吴主贡献了一方小石头，上面刻有"皇帝"二字，说是从湖边捡到的。于是吴主大赦天下，改年号为"天玺"。

湘东郡太守张咏不向朝廷缴纳资产税，吴主于是派人到张咏所住的地方就地将张咏斩首，然后将张咏的人头拿到吴国的各郡示众。会稽郡太守车濬公正廉洁，政绩突出，碰巧会稽郡遭遇旱灾，粮食颗粒无收，于是车濬上表请求朝廷开仓救济与发放贷款。吴主认为他是故意收买人心，立即派使者前往会稽郡杀死了车濬，将车濬的人头挂在竿子上示众。担任尚书的熊睦稍微劝阻了一下，吴主就用刀柄将熊睦活活地撞击而死，熊睦死时遍体鳞伤，浑身上下没有一处完好的肌肤。

八月二十一日己亥，晋武帝任命何曾为太傅，陈骞为大司马，贾充为太尉，齐王司马攸为司空。

吴国历阳山发现有七个山洞并排罗列，山洞的石壁呈现黄红色，习惯上把这称作石印，说"石印外面遮掩的东西一旦自动打开，就预示着天下将要太平"。历阳县长上疏给吴主说遮掩石印的东西自动打开了，吴主立即派遣使者用牛、羊、猪三牲齐备的大礼前去祭祀。使者借助高梯子登上山洞，在石头上用朱砂写上："楚地是九州中的小岛，吴地是九州的国都。扬州士，做天子。传到第四世的时候，天下开始太平。"使者回建业后报告给吴主孙皓，孙皓大喜，封历阳山神为王，大赦天下，改明年年号为"天纪"。

冬，十月，以汝阴王骏[319]为征西大将军，羊祜为征南大将军，皆开府辟召[320]，仪同三司[321]。

祜上疏请伐吴曰："先帝西平巴、蜀[322]，南和吴、会[323]，庶几[324]海内得以休息。而吴复背信[325]，使边事更兴。夫期运[326]虽天所授，而功业必因人而成，不一大举扫灭，则兵役无时得息也。蜀平之时，天下皆谓吴当并亡[327]，自是以来，十有三年[328]矣。夫谋之虽多[329]，决之欲独[330]。凡以险阻得全者，谓其势均力敌耳。若轻重不齐，强弱异势，虽有险阻，不可保[331]也。蜀之为国，非不险也，皆云一夫荷戟，千人莫当。及进兵之日，曾无藩篱之限[332]，乘胜席卷，径至成都，汉中诸城[333]，皆鸟栖[334]而不敢出，非无战心，诚力不足以相抗也。及刘禅请降，诸营堡索然[335]俱散。今江、淮之险不如剑阁，孙皓之暴过于刘禅，吴人之困甚于巴、蜀，而大晋兵力盛于往时，不于此际平壹[336]四海，而更阻兵[337]相守[338]，使天下困于征戍，经历盛衰[339]，不可长久也。今若引梁、益之兵[340]水陆俱下，荆、楚之众[341]进临江陵，平南[342]、豫州[343]直指夏口[344]，徐、扬[345]、青、兖[346]并会秣陵[347]。以一隅[348]之吴当天下之众，势分形散，所备皆急。巴、汉奇兵[349]出其空虚，一处倾坏，则上下震荡，虽有智者不能为吴谋矣。吴缘江为国，东西数千里，所敌者大[350]，无有宁息。孙皓恣情任意，与下多忌，将疑于朝[351]，士困于野，无有保世[352]之计，一定[353]之心。平常之日，犹怀去就[354]，兵临之际，必有应者，终不能齐力致死[355]，已可知也。其俗急速[356]不能持久，弓弩戟楯不如中国[357]，唯有水战是其所便，一入其境，则长江非复所保，还趣城池[358]，去长入短，非吾敌也。官军县进[359]，人有致死之志；吴人内顾[360]，各有离散之心。如此，军不逾时[361]，克可必矣。"帝深纳之。

冬季，十月，晋武帝任命汝阴王司马骏为征西大将军，羊祜为征南大将军，都允许他们设立办事衙门，自行聘请僚属，享受的礼遇与使用的仪仗规格与国家的三公一样。

羊祜上疏请求讨伐东吴，他说："先帝时期向西平定了巴、蜀，南方则与东吴构和，希望全国的人民得以休养生息。而吴国背信弃义，一再挑起边境事端。时机虽然说是靠上天授予，而建功立业必定还是要靠人力才能获得成功，如果不一举把东吴消灭，战争就永远不会停止。蜀国灭亡的时候，天下人都说应该一鼓作气消灭东吴，从那时到现在，已经拖延了十三年了。征求意见时可以找许多人，最后拍板做决定的还得靠一个人。凡是依靠地形险要、交通阻塞而得以保全的国家，首要条件是两边的力量势均力敌。如果两边的力量大小不同，势力有强有弱，即使再有险阻，国家靠它也不能得到保全。蜀国的地理形势不能说不险要，都说是一夫当关，万夫莫敌。然而我军进攻的时候，这些险要却连一个篱笆的作用也起不到，我军乘胜席卷而前，径直到达成都，汉中各城的守军，都像栖息在树上的鸟儿一样高高观望而不敢出战，他们并不是没有作战的心思，确实是因为双方军事力量太悬殊无力抵抗而已。等到刘禅请求投降后，蜀国的各个营垒顷刻之间瓦解，如鸟兽散。如今东吴的长江、淮河的险要比不上剑阁，孙皓的残暴却胜过刘禅，吴人的贫困超过巴、蜀，而我大晋国的兵力超过以往任何时候，不趁此有利时机平定东吴统一天下，而只是屯兵边界，双方对峙，使天下人被困于连年的征伐和防守，使将士们经历由壮年到衰老，这不是长久之计。如今如果命令梁州、益州的军队沿长江水陆并进，命荆州一带的军队进逼江陵，命令平南将军胡奋、豫州刺史王戎各率所部直指夏口，命令王浑所统领的徐州、扬州的军队，司马伷所统率的青州、兖州的军队全部到秣陵会师。以一隅之地的东吴阻挡天下的重兵，必然兵力分散，四处告急。巴蜀、汉中出奇兵，乘虚而入，东吴的防线只要有一处被突破，吴国就会上下震动，即便有大智慧的人为它出谋划策，也挽救不了东吴必然灭亡的命运。东吴依靠长江建国，东西全长几千里，需要派兵防守的地方太多，士兵没有休息的时候。孙皓恣情任性，与下属互相猜忌，将军在外被朝廷所怀疑，士兵在野外遭受困苦，他们这些人没有保障自己活下去的办法，所以也就没有稳定的心情。太平之时，尚且动摇于去留之间，当大兵压境的时候，必定会有人起兵响应，终究不会齐心协力为国效死，这是可以预见的。吴地的风俗习惯是行动快捷、办事草率而没有长性，弓弩戟盾等武器又不如我们晋国的优良，唯有水战是他们的长处，一旦大军进入他们的国境，他们就无法依赖长江天堑，必然逃回到城堡之内，这样他们就失去了自己的长处而处于劣势，那时他们就不再是我们的对手。我军远离大后方，深入敌区，人人都有为国牺牲的壮志；而吴兵在自己的国境之内作战，人人担心自己的家庭受到伤害，因此各个怀有离散之心。在这种情况下，用不了几个月，就必定能把吴国灭掉。"晋武帝非常赞成羊祜对形势的分析，决定采纳他的建议。

而朝议方以秦、凉为忧[362]，祜复表曰："吴平则胡自定，但当速济[363]大功耳。"议者多有不同，贾充、荀勖、冯𬘘[7]尤以伐吴为不可。祜叹曰："天下不如意事[364]十常居七八，天与不取，岂非更事者[365]恨于后时[366]哉!"唯度支尚书[367]杜预、中书令张华[368]与帝意合，赞成其计。

丁卯[369]，立皇后杨氏[370]，大赦。后，元皇后之从妹也，美而有妇德。帝初聘后，后叔父珧[371]上表曰："自古一门二后，未有能全其宗[372]者。乞藏此表于宗庙[373]，异日如臣之言[374]，得以免祸。"帝许之。

十二月，以后父镇军将军骏为车骑将军，封临晋侯。尚书褚䂮、郭奕皆表骏小器，不可任社稷之重[375]，帝不从。骏骄傲自得，胡奋[376]谓骏曰："卿恃女更益豪[377]邪？历观前世，与天家[378]婚，未有不灭门者，但早晚事耳。"骏曰："卿女不在天家乎？"奋曰："我女与卿女作婢耳，何能为损益[379]乎!"

三年（丁酉，公元二七七年）

春，正月丙子朔，日有食之。

立皇子裕为始平王。庚寅[380]，裕卒。

三月，平虏护军文鸯[381]督凉、秦、雍州诸军讨树机能[382]，破之，诸胡二十万口来降。

夏，五月，吴将邵颉、夏祥帅众七千余人来降。

秋，七月，中山王睦[383]坐招诱逋亡[384]，贬为丹水县侯[385]。

有星孛于紫宫[386]。

卫将军杨珧等建议，以为"古者封建诸侯，所以藩卫王室[387]。今诸王公皆在京师，非扞城之义[388]。又，异姓诸将居边，宜参以亲戚[389]"。帝乃诏诸王各以户邑多少为三等[390]，大国置三军五千人，次国二军三千人，小国一军一千一百人。诸王为都督者，各徙其国使相近[391]。

八月癸亥[392]，徙扶风王亮[393]为汝南王[394]，出为镇南大将军，都督豫州诸军事；琅邪王伦[395]为赵王[396]，督邺城[397]守事；勃海王辅[398]为太原

而参加讨论的朝中大臣却都在担忧西部秃发树机能的势力会威胁秦州、凉州一带，羊祜又上表说："东吴平定了，胡人自然就平定了，只是应当速战速决，才能大功告成。"参加议论的大臣有很多人持不同看法，贾充、荀勖、冯紞尤其认为不应该讨伐吴国。羊祜感慨地说："天下之事不能按心愿去做的经常是十有七八，上天赏赐给你的而你不去取，岂不是让经历过这件事的人将来去后悔错失良机吗！"只有担任度支尚书的杜预、担任中书令的张华与晋武帝的心思一致，赞成羊祜伐吴的计策。

十月二十一日丁卯，晋武帝立杨芷为皇后，大赦天下。杨芷皇后是杨元皇后的堂妹，相貌美丽而又有为妇之德。晋武帝刚下聘礼的时候，杨芷的叔父杨珧就上表说："自古以来凡是一个家族出两个皇后的，没有能够保全她的宗族的。恳请陛下把我的这份奏章藏在皇家太庙里，如果我担忧的事情哪天真的发生了，希望能够以此为凭据免除我们杨氏家族的灾祸。"武帝答应了他的请求。

十二月，任命杨芷皇后的父亲镇军将军杨骏为车骑将军，并封为临晋侯。尚书褚䂮、郭奕都上表说杨骏没有大才，不可以委以国家重任，晋武帝不听劝告。杨骏非常骄傲，扬扬自得，胡奋对杨骏说："你仗着闺女做皇后就变得愈加强横无理了吗？纵观历朝历代，凡是与皇帝家结亲的，没有不被满门抄斩的，只是有早有晚罢了。"杨骏说："你的女儿不也在皇家后宫吗？"胡奋说："我的女儿只不过是为你的女儿当婢女而已，怎么能对决定国家大事起作用呢！"

三年（丁酉，公元二七七年）

春季，正月初一日丙子，发生日食。

晋武帝封皇子司马裕为始平王。十五日庚寅，司马裕去世。

三月，担任平虏护军的文鸯统领凉州、秦州、雍州诸军征讨秃发树机能，将秃发树机能打败，各少数民族部落有二十万人向晋国投降。

夏季，五月，吴国将领邵颢、夏祥率领七千多人前来晋国投降。

秋季，七月，中山王司马睦被指控犯有招纳逃亡罪犯的过失，被贬为丹水县侯。

在紫微垣星座附近出现流星。

晋国卫将军杨珧等人向朝廷建议，认为"古时候国君把国土分封给各个诸侯王，是为了让诸侯王给中央王朝作屏障、藩篱，起到保卫中央王朝之用；如今的亲王、公爵都居住在京城，起不到拱卫中央王朝的作用。再有，异姓诸将驻守在边境，应该派一些皇室的亲戚参与到守边诸将中去"。晋武帝于是下诏，按照各亲王封国区域内户口的多少分为三等，大的诸侯国设置三军，兵力五千人，次一等的诸侯国设置二军，兵力三千人，小的诸侯国设置一军，兵力一千一百人。诸亲王中有担任都督职务的，就改换他们的封国使之靠近他们的任所。

八月二十一日癸亥，改封扶风王司马亮为汝南王，让他出任镇南大将军，统管豫州的各种军务；改封琅邪王司马伦为赵王，负责镇守邺城；改封勃海王司马辅为

王[399]，监并州[400]诸军事。以东莞王伷[401]在徐州[402]，徙封琅邪王[403]；汝阴王骏在关中，徙封扶风王[404]。又徙太原王颙[405]为河间王[406]，汝南王柬[407]为南阳王[408]。辅，孚之子；颙，孚之孙也。其无官者，皆遣就国。诸王公恋京师，皆涕泣而去。又封皇子玮为始平王[409]，允为濮阳王[410]，该为新都王[411]，遐为清河王[412]。其异姓之臣有大功者，皆封郡公、郡侯。封贾充为鲁郡公[413]。追封王沈为博陵郡公[414]。

徙封钜平侯羊祜为南城郡侯[415]，祜固辞不受。祜每拜官爵，常多避让，至心素著[416]，故特见申于分列之外[417]。祜历事二世[418]，职典枢要[419]，凡谋议损益[420]，皆焚其草，世莫得闻，所进达[421]之人皆不知所由。常曰："拜官公朝[422]，谢恩私门[423]，吾所不敢也。"

兖、豫、徐、青、荆、益、梁七州大水。

冬，十二月，吴夏口督孙慎入江夏、汝南[424]，略[425]千余家而去。诏遣侍臣诘羊祜不追讨之意，并欲移荆州[426]。祜曰："江夏去襄阳八百里，比知贼问[427]，贼已去经日[428]，步军安能追之？劳师以免责，非臣志也。昔魏武帝置都督，类皆与州相近[429]，以兵势好合恶离[430]故也。疆埸[431]之间，一彼一此[432]，慎守而已。若辄徙州[433]，贼出无常，亦未知州之所宜据[434]也。"

是岁，大司马陈骞自扬州入朝[435]，以高平公罢[436]。

吴主以会稽张俶多所谮白[437]，甚见宠任，累迁司直中郎将[438]，封侯。其父为山阴县卒[439]，知俶不良，上表曰："若用俶为司直，有罪乞不从坐[440]。"吴主许之。俶表置弹曲[441]二十人，专纠司[442]不法，于是吏民各以爱憎互相告讦[443]，狱犴[444]盈溢，上下嚣然[445]。俶大为奸利[446]，骄奢暴横。事发，父子皆车裂[447]。

太原王，监管并州的各种军务。因为东莞王司马伷正在徐州任职，所以就改封司马伷为琅邪王；汝阴王司马骏正在关中任职，所以改封司马骏为扶风王。又改封太原王司马颙为河间王，汝南王司马柬为南阳王。司马辅是司马孚的儿子，司马颙是司马孚的孙子。其余没有担任官职的亲王，都要求他们回到自己的封国去。那些王、公都留恋京师的生活而不愿意到封国去，所以一个个都是哭哭啼啼地离开京师前往自己的封国去了。晋武帝司马炎又封皇子司马玮为始平王，司马允为濮阳王，司马该为新都王，司马遐为清河王。那些异姓的大臣凡是有大功劳的，都被封为郡公、郡侯。封贾充为鲁郡公。追封王沈为博陵郡公。

改封钜平侯羊祜为南城郡侯，羊祜坚决辞让，不肯接受封赏。晋武帝每次封官爵的时候，羊祜都要辞让，一片诚恳之心素来被众人所熟知，晋武帝为了满足他的愿望就特别准许他辞爵。羊祜经历司马昭、司马炎父子两代，主管中枢机要，凡是他参谋过的有关国家得失利害的主意，他都把草稿烧掉，所以世人完全不知道他建议的内容，被他推荐的人也不知道自己是被谁举荐的。羊祜经常说："在朝廷上推荐人为官，而让受推荐的人到自己家里来谢恩，我不敢这样做。"

晋国的兖州、豫州、徐州、青州、荆州、益州、梁州七个州都发生了大洪水。

冬季，十二月，东吴担任夏口督的孙慎率领军队侵入晋朝的江夏郡、汝南郡，掳掠了一千多家居民而后退去。晋武帝下诏，派侍臣去责问羊祜为什么不追赶孙慎索要被掳掠的百姓，还打算把荆州治所从襄阳移往别处。羊祜说："江夏郡距离襄阳八百里，等到得知贼寇进攻的消息，贼寇已经退走好几天了，步兵岂能追赶得上敌人呢？为了免除责罚而劳师动众，我不愿意这样子做。过去魏武帝曹操设置都督，大多都让都督的军镇与刺史的治所靠得很近，这是因为他认为兵力最好集中不宜分散的缘故。边境之间，有时他们攻击我们，有时我们也攻击他们，只要谨慎防守就行了。如果动不动就迁移州治，贼寇出没无常，恐怕也就不知道州治到底设在什么地方为好了。"

这一年，晋国大司马陈骞由扬州军镇寿春进京朝见，结果被免去职务，以高平公的爵位退休。

吴主孙晧因为会稽人张俶在自己面前说了别人的许多坏话，所以孙晧就特别宠信他，张俶经过屡次提拔，竟然升任为司直中郎将，并被封为侯爵。他的父亲是山阴县的一个小吏，他深知自己的儿子张俶品行不端，就上表给孙晧说："如果任用张俶为司直中郎将，日后他犯了罪，请不要牵连到我们。"吴主答应了他的请求。张俶上表要求设置二十个负责伺察官吏的特务人员，专门伺察隐微秘事等不法行为，于是官吏和百姓都以自己的爱憎为标准，互相告发他人的隐私，监狱里一时人满为患，上下惊恐不安。张俶借机大搞不正当的盈利，骄奢暴横。事情败露后，张俶父子都被处以车裂之刑。

卫瓘遣拓拔沙漠汗归国[448]。自沙漠汗入质[449]，力微可汗诸子在侧者多有宠。及沙漠汗归，诸部大人共谮而杀之。既而力微疾笃，乌桓王库贤亲近用事，受卫瓘赂，欲扰动诸部，乃砺斧[450]于庭，谓诸大人曰："可汗[451]恨汝曹谗杀太子，欲尽收汝曹长子杀之。"诸大人惧，皆散走。力微以忧卒，时年一百。四子悉禄[452]立，其国遂衰。

初，幽、并二州皆与鲜卑接，东有务桓[453]，西有力微，多为边患。卫瓘密以计间之，务桓降而力微死。朝廷嘉瓘功，封其弟为亭侯[454]。

四年（戊戌，公元二七八年）

春，正月庚午朔[455]，日有食之。

司马督[456]东平马隆上言："凉州刺史杨欣失羌戎之和，必败。"夏，六月，欣与树机能之党若罗拔能[457]等战于武威[458]，败死。

弘训皇后[459]羊氏殂。

羊祜以病求入朝，既至，帝命乘辇入殿，不拜而坐。祜面陈伐吴之计，帝善之。以祜病，不宜数入[460]，更遣张华就问筹策[461]。祜曰："孙皓暴虐已甚，于今可不战而克。若皓不幸而没，吴人更立令主[462]，虽有百万之众，长江未可窥[463]也，将为后患矣！"华深然之。祜曰："成吾志者，子也。"帝欲使祜卧护诸将[464]，祜曰："取吴不必臣行，但既平之后，当劳圣虑[465]耳。功名之际[466]，臣不敢居，若事了[467]，当有所付授[468]，愿审择其人也。"

秋，七月己丑[469]，葬景献皇后于峻平陵[470]。

司[471]、冀、兖、豫、荆、扬州大水，螟[472]伤稼。诏问主者[473]："何以佐百姓？"度支尚书杜预上疏，以为："今者水灾东南尤剧，宜敕兖、豫等诸州留汉氏旧陂[474]，缮以蓄水外[8]，余皆决沥[475]，令饥者尽得鱼菜螺蚌之饶，此目下日给[476]之益也。水去之后，填淤之田[477]，亩收数

晋国的卫瓘释放拓跋沙漠汗回国。自从拓跋沙漠汗到中原被留做人质以来，拓跋力微可汗的儿子们凡是在拓跋力微跟前的大多受到宠爱。等到拓跋沙漠汗回国以后，各部落的头领共进谗言，于是拓跋力微杀死了拓跋沙漠汗。不久拓跋力微可汗病情加重，乌桓王库贤正受到拓跋力微可汗的宠信而掌握实权，他接受了卫瓘的贿赂，准备挑动各部落之间互相争斗，于是就在大庭前一边磨斧子，一边对各酋长们说："拓跋力微可汗痛恨你们进谗言杀害了太子拓跋沙漠汗，现正在准备把你们的长子全部逮捕起来处死呢。"各部落酋长心惊胆战，都四处逃散。拓跋力微忧虑而死，享年一百岁。排行老四的拓跋悉禄继位后，其国势便逐渐衰落下来。

当初，晋国的幽州、并州都与鲜卑部落接壤，东边有刘务桓，西边有拓跋力微，边患不断。卫瓘秘密地使用离间计离间他们，于是东部的刘务桓向晋国投降，西边的拓跋力微忧虑而死。朝廷为表彰卫瓘的功劳，封卫瓘的弟弟为亭侯。

四年（戊戌，公元二七八年）

春季，正月初一日庚午，发生日食。

担任司马督的东平人马隆上疏给晋武帝说："凉州刺史杨欣不能与羌族、戎族和睦相处，必然失败。"夏季，六月，杨欣率兵与秃发树机能的党羽若罗拔能等在武威交战，杨欣战败被杀。

晋国弘训皇后羊氏去世。

羊祜因病请求入朝，到了朝廷之后，晋武帝让羊祜乘车入殿，朝见的时候不用下拜，特许他坐着说话。羊祜当面向晋武帝陈述讨伐东吴的计划，司马炎认为他的意见很好。因为羊祜有病，不适宜多次入朝晋见，于是晋武帝就另外派张华到羊祜家里去请教伐吴的谋略。羊祜说："吴主孙晧暴虐无道已达极点，我们现在用不着战争就可以征服他们。假如孙晧不幸死去，吴人另立贤明的君主，即使我们有百万之众，恐怕窥探长江的机会都没有了，后患将会无穷无尽！"张华完全同意羊祜的分析。羊祜说："能够实现我的意愿的，就靠你了。"晋武帝想让羊祜带病卧在车中监督协调各位将领，羊祜说："攻取吴国不一定非得我去，但平定吴国之后，就得让陛下多操心了。立功扬名的事情，我不敢抢着去，事成之后，要指派一个合适的人去镇抚东南地区，希望陛下谨慎地选择派遣的官员。"

秋季，七月二十二日己丑，晋武帝将景献皇后安葬于峻平陵。

晋国司州、冀州、兖州、豫州、荆州、扬州发大水，螟蛉虫危害庄稼。晋武帝下诏询问主管该项事务的人说："应该如何救助百姓？"担任度支尚书的杜预上疏给晋武帝，他认为："今年的水灾尤以东南部地区最为严重，应该下令兖州、豫州等州将汉朝时修建的旧河堤保留下来，修缮后用来蓄水外，其他的地方则挖掘淤泥，清理河道，把水引走，让饥民利用蔬菜、鱼虾螺蚌等资源维持生活，这是眼下每天都可以借以维持生计的好办法。等到大水退去之后，被大水淹过和被淤积过的农田，每亩可以收获几钟粮

钟[478]，此又明年之益也。典牧种牛[479]有四万五千余头，不供耕驾，至有老不穿鼻者，可分以给民，使及春耕种。谷登[480]之后，责其租税[481]，此又数年以后之益也。"帝从之，民赖其利。预在尚书七年，损益庶政[482]，不可胜数，时人谓之"杜武库"，言其无所不有也。

九月，以何曾为太宰。辛巳[483]，以侍中、尚书令李胤为司徒。

吴主忌胜己者，侍中、中书令张尚，纮[484]之孙也，为人辩捷[485]，谈论每出其表[486]，吴主积以致恨。后问："孤饮酒可以方谁[487]？"尚曰："陛下有百觚之量[488]。"吴主曰："尚知孔丘不王[489]，而以孤方之。"因发怒，收尚[490]。公卿已下百余人诣宫叩头，请尚罪，得减死，送建安作船，寻就杀之[491]。

冬，十月，征征北大将军卫瓘为尚书令。是时，朝野咸知太子昏愚，不堪为嗣[492]，瓘每欲陈启而未敢发。会侍宴陵云台[493]，瓘阳醉[494]，跪帝床[495]前曰："臣欲有所启。"帝曰："公所言何邪？"瓘欲言而止者三，因以手抚床曰："此座可惜！"帝意悟，因谬[496]曰："公真大醉邪？"瓘于此不复有言。帝悉召东宫官属[497]，为设宴会，而密封尚书疑事[498]，令太子决之。贾妃大惧，倩外人代对[499]，多引古义。给使[500]张泓曰："太子不学，陛下所知。而答诏多引古义，必责作草主[501]，更益谴负[502]，不如直以意对[503]。"妃大喜，谓泓曰："便为我好答[504]，富贵与汝共之。"泓即具草[505]，令太子自写，帝省[506]之甚悦。先以示瓘，瓘大踧踖[507]，众人乃知瓘尝有言也。贾充密遣人语妃[508]云："卫瓘老奴，几破汝家！"

吴人大佃皖城[509]，欲谋入寇。都督扬州诸军事王浑遣扬州刺史应绰攻破之，斩首五千级，焚其积谷百八十余万斛，践稻田[9]四千余顷，毁船六百余艘。

十一月辛巳[510]，太医司马程据[511]献雉头裘[512]，帝焚之于殿前。甲申[513]，敕内外敢有献奇技异服者，罪之[514]。

食，这又是明年的生计基础。典牧令掌管下的种牛还有四万五千多头，平常不用来从事耕田、拉车，有的牛甚至老了还没有穿牛鼻子，可以把这些牛分给百姓，等到春天让百姓利用它们耕种。谷物收获之后，可以向他们收取租税，这又会给今后几年带来好处。"晋武帝采纳了这个建议，人民依赖这项措施获得了生计。杜预任尚书七年，所修订改善的各种政策条例，多得不可胜数，当时的人称杜预为"杜武库"，是说他胸中无所不有。

九月，晋武帝任命何曾为太宰。十五日辛巳，任命侍中、尚书令李胤为司徒。

吴主孙晧嫉妒才能超过自己的人，担任侍中、中书令的张尚，是张纮的孙子，善于表达，说话来得快，其言谈见解每每超过孙晧，孙晧逐渐积累起对他的妒忌与愤恨。后来孙晧问张尚说："我饮酒的数量可以和谁相比?"张尚回答说："陛下有孔丘般百斛的酒量。"吴主说："张尚明知道孔丘没能称王，而把我比作孔丘。"因此大发雷霆之怒，立即将张尚逮捕下狱。公卿以下一百多位官员到皇宫磕头，请求赦免张尚的罪过，这才减轻了张尚的罪行，得以免死，张尚被遣送到建安造船处做奴工，不久孙晧就派人到造船处把张尚杀死了。

冬季，十月，晋武帝征调征北大将军卫瓘为尚书令。当时朝野都知道太子司马衷昏庸愚笨，担当不起皇位继承人的重任，卫瓘每每想提醒晋武帝，可是每次都是话到嘴边而没敢说出口。有一次，卫瓘在陵云台陪伴晋武帝饮酒，卫瓘佯装酒醉，跪倒在晋武帝的宝座前说："我有事情想向陛下启奏。"晋武帝说："你想启奏什么呢?"卫瓘几次三番想说又几次打住，就用手抚摸着龙椅说："此座位实在是可惜了!"晋武帝明白了他说的意思，却故意打岔说："你真的喝醉了吗?"卫瓘此时不敢再说什么。晋武帝将东宫所有的大小官员都召集起来，一面为他们摆设酒宴，一面秘密封好尚书省决定不下来的疑难事件，让太子做出决定。贾妃非常害怕，就请外面的人替他做好该回答的问题的答案，但很多都是引用古人所说的义理。担任东宫侍从官的张泓对贾妃说："太子不喜欢读书，陛下是知道的。而回答诏书却引用了很多古义，陛下必定要追究起草的人，反而将招致更多的谴责，不如径直地按着自己的意思说为好。"贾妃大喜，对张泓说："你就为我们准备好一份更好的答卷吧，富贵将与你同享。"于是张泓写好了草稿，让太子司马衷照样抄写了一遍，司马炎看了太子的答卷，心中喜悦。便先拿给卫瓘看，卫瓘窘促不安，众人这才知道卫瓘一定跟皇帝说过什么。贾充秘密派人告诉贾妃说："卫瓘这个老东西，差一点破败了你家!"

东吴派军队在皖城大规模屯垦，准备入侵晋国。晋国负责统领扬州诸军事的王浑派遣扬州刺史应绰将吴军打败，砍下了吴军五千颗人头，将吴军积存的稻谷一百八十多万斛全部烧毁，并将他们开垦的四千多顷稻田全部践踏毁坏，捣毁船只六百多艘。

十一月十六日辛巳，担任太医的司马程据向晋武帝贡献了一领用野鸡头上的羽毛制成的衣服，晋武帝立即在宫殿前当众焚毁了。十九日甲申，晋武帝下诏皇宫内外有人胆敢再献奇技异服，就一定治他的罪。

羊祜疾笃，举杜预自代[515]。辛卯[516]，以预为镇南大将军，都督荆州诸军事。祜卒，帝哭之甚哀。是日大寒，涕泪沾须鬓皆为冰。祜遗令不得以南城侯印入柩[517]。帝曰："祜固让历年，身没让存[518]，今听复本封[519]，以彰[520]高美。"南州民[521]闻祜卒，为之罢市，巷哭声相接，吴守边将士亦为之泣。祜好游岘山[522]，襄阳人建碑立庙于其地，岁时祭祀[523]，望其碑者无不流涕，因谓之堕泪碑。

杜预至镇[524]，简[525]精锐，袭吴西陵督张政，大破之。政，吴之名将也，耻以无备取败，不以实告吴主。预欲间之[526]，乃表还[527]其所获。吴主果召政还，遣武昌监留宪[528]代之。

十二月丁未[529]，朗陵公何曾卒。曾厚自奉养[530]，过于人主。司隶校尉东莱刘毅数劾奏曾侈汰[531]无度，帝以其重臣，不问。及卒，博士新兴秦秀议[532]曰："曾骄奢过度，名被九域[533]。宰相大臣，人之表仪[534]，若生极其情[535]，死又无贬，王公贵人复何畏哉！谨按《谥法》，'名与实爽[536]曰缪，怙乱肆行[537]曰丑'，宜谥缪丑公[10]。"帝策[538]谥曰孝。

前司隶校尉傅玄卒。玄性峻急[539]，每有奏劾，或值日暮，捧白简[540]，整簪带[541]，竦踊[542]不寐，坐而待旦。由是贵游震慑[543]，台阁生风[544]。玄与尚书左丞博陵崔洪善，洪亦清厉骨鲠[545]，好面折人过[546]，而退无后言[547]，人以是重之。

鲜卑树机能久为边患[548]，仆射李憙请发兵讨之。朝议皆以为出兵重事，虏[549]不足忧。

羊祜病势沉重，于是便向朝廷举荐杜预接替自己的职务。十一月二十六日辛卯，晋武帝任命杜预为镇南大将军，统领荆州诸军事。羊祜因病去世，晋武帝哭得非常悲痛。这一天天气特别寒冷，晋武帝哭得鼻涕眼泪粘到胡须鬓角上都结成了冰。羊祜在遗嘱中嘱咐家人不许把南城侯的印绶作为陪葬物装入自己的棺材。晋武帝说："羊祜连续多年谦让赏赐，其身虽死，其谦让不为郡侯之意犹存，现在就按照他的意愿恢复他原来的'钜平县侯'的封爵，以彰显他高尚的美德。"荆州的士民听说羊祜去世的消息，纷纷关闭店门停止了营业，大街小巷哭声不断，就连东吴的守边将士也禁不住为羊祜的去世而哭泣。羊祜喜好游览岘山，襄阳人便在岘山为羊祜建造了祭庙、刻立了石碑，每逢年关、节令就前来祭祀他，凡是看过羊祜的石刻碑文的人没有一个不被感动得涕泗横流，因此人们又称此碑为堕泪碑。

杜预到达军镇襄阳以后，立即挑选出一部分精锐，袭击了东吴西陵督张政，把张政打得大败。张政是东吴的名将，他认为自己事先没有准备而突然遭受晋军的袭击，并且打了败仗是一件羞耻的事情，所以就没有把真实情况报告给吴主孙晧。杜预想离间张政与孙晧的关系，就上表晋武帝请求发还所俘获的东吴将士和物资。吴主果然将张政召回建业，另派担任武昌地区的监军留宪接替张政的职务。

十二月十三日丁未，晋国的朗陵公何曾去世。何曾一向养尊处优，其生活豪华的程度超过皇帝。担任司隶校尉的东莱人刘毅屡次弹劾何曾奢侈、靡费没有限度，晋武帝因为何曾是朝中重臣，所以一直置之不闻。等到何曾死后，担任博士的新兴人秦秀建议说："何曾骄横奢侈过度，奢侈的名声传遍了天下。宰相大臣，是人民的表率，如果活着的时候纵情享乐，死后又没有遭受贬黜，那么王公贵人还有什么可畏惧的呢！应该认真地按照《谥法》的规定，'名声与实质不相符合的称为缪，仗势为乱、肆意横行的称为丑'，何曾的谥号应为'缪丑公'。"晋武帝直接下诏赐何曾的谥号为"孝"，没有采纳博士秦秀的意见。

以前曾经担任司隶校尉的傅玄去世了。傅玄性格严厉、急切，每当写好弹劾官员的奏章，如果赶上天色已晚，当日来不及上奏，他就捧着奏章，穿戴好上朝的衣帽，心绪不宁，彻夜不寐，坐以待旦。因此贵族子弟人人恐惧，朝廷各部门都呈现出一种良好的风气。傅玄与担任尚书左丞的博陵人崔洪关系友善，崔洪为人也清廉严厉，敢于秉公直言，喜好当面指责别人的过失，但绝对不在背后议论人，人们因此都很敬重他们。

鲜卑秃发树机能从泰始六年以来，一直扰乱晋朝的边境，担任仆射的李憙请求朝廷发兵讨伐秃发树机能。朝中大臣都认为出兵打仗是件重大的事情，而秃发树机能的侵扰不值得忧虑。

【段旨】

以上为第二段，写晋武帝咸宁元年（公元二七五年）至咸宁四年共四年间的大事。主要写了晋羊祜上表请求伐吴，没有结果；病后回朝，又面陈伐吴之计，终生谦退，死后朝野悲悼。写了卫瓘施反间计，使拓跋力微杀其太子沙漠汗，其国遂衰。写了杜预为度支，济灾民有法，人称“杜武库”；继羊祜镇襄阳，又破吴将张政。写了吴主孙晧残暴，杀其大臣贺卲、张咏、熊睦；又迷信谣言，自谓能帝，屡屡改元。写了贾充等排抑司马攸，欺蒙司马炎，护持低能之司马衷为太子，为贾氏日后害卫瓘张本；又写了名臣傅玄为官清正；何曾侈汰，独获司马炎之恩宠；等等。

【注释】

㉓改元：在此之前司马炎的年号是“泰始”，自此改称“咸宁”。㉔上有刻文：据《吴志》，上面刻的是年月日。㉕改元天册：此前吴国的年号是“凤凰”，此后改称“天册”。㉖收付酒藏：拘捕起来关押在藏酒的地窖里。㉗掠考：拷打。㉘临海：今浙江临海。㉙又诛楼玄子孙：楼玄因为官正直被孙晧所杀事，见本书卷七十九泰始八年（公元二七二年）。㉚入贡：到晋朝进献贡品。拓跋沙漠汗初入贡见本书卷七十八景元二年（公元二六一年）。㉛留之：留下他做人质。㉜诸部大人：拓跋力微属下的各部落首领。㉝离间之：离间沙漠汗与其父拓跋力微的关系。㉞七月甲申晦：七月的最后一天是甲申日。㉟十二月丁亥：十二月初五日。㊱令狐丰：令狐丰被宋质拥立为敦煌太守，事见本书上卷七十九泰始八年。㊲杨欣：时为晋王朝的凉州刺史。㊳甚剧：很厉害。㊴疫气死亡者：感染瘟疫而死亡的人。㊵休息：停止，这里指疾病痊愈。㊶绝：拒绝接受。㊷齐王攸：司马攸，司马昭的次子，司马炎之弟。㊸文帝：指司马昭。㊹抚床：拍着自己的座位。㊺此桃符座：这将来是司马攸的座位。桃符是司马攸的乳名。㊻几为太子者数矣：好多次差点被立为太子。事见本书卷七十八咸熙元年（公元二六四年）。㊼临终：指司马昭临死时。㊽汉淮南王：刘长，刘邦之子，汉文帝之弟，因图谋叛乱被汉文帝流放，自杀。㊾魏陈思王：即曹植，曹操之子，曹丕之弟。曹丕不能容曹植事，见本书卷六十九黄初元年（公元二二〇年）。㊿执攸手以授帝：意即让司马炎日后多关照司马攸。271不起：指病死。272属：通“嘱”，嘱咐。273及帝疾甚：当司马炎病重的时候。274皆属意于攸：都归心于司马攸，希望他继位为帝。275卿二婿：指司马攸和司马衷叔侄二人，叔叔娶的是贾充的长女，侄子娶的是小女。276立人当立德：希望能立司马攸，不要立司马炎的傻儿子司马衷。277充不答：贾充之所以不回答，一是他与他的同伙不被司马攸喜欢；二是他的长女乃李氏所生，李氏之父李丰忠于曹魏，被司马师所杀，贾充遂与李氏离婚；三是他后娶的这位郭氏，即小女贾南风的母亲，生性悍猛，贾充惧之如虎，自然这也影响他的抉择。278倾谄：对下陷

害，对上谄媚。倾，轧。㉗⑨高让：指将继承权让给司马攸。㉘⓪其得免乎：意即仍免不了一死。㉘①宜遣还藩：指免去司马攸的朝权，打发他去他的封国。㉘②徙和为光禄勋：将夏侯和调任为统领皇帝侍从、掌管宫廷警卫的官员。光禄勋原称郎中令，是九卿之一。㉘③夺充兵权：贾充自司马昭时期起一直掌握洛阳城外的禁兵，因他是齐王攸的岳父，故免其兵权。㉘④位遇无替：政治地位与享受的待遇都没有改变。㉘⑤施但之乱：吴人施但扶持吴国宗室孙谦为乱事，见本书卷七十九泰始二年。㉘⑥京下督孙楷：京下督是镇守京口（今江苏镇江）的军事长官。孙楷是孙韶之子。孙韶原姓俞，因受孙策喜欢，赐姓孙，官至镇北将军。其子孙越、孙楷，相继为京下督。传见《三国志》卷五十一。㉘⑦不时赴讨：没有及时地出兵讨伐。㉘⑧怀两端：两头观望，脚踏两条船。㉘⑨宫下镇：防卫建业的军事长官。㉙⓪将妻子：携带着老婆孩子。㉙①临平湖：在今浙江杭州市余杭区城东。东吴曾获宝鼎于此，故又名鼎湖。㉙②薉塞：荒芜淤塞。㉙③长老：老人们。㉙④忽更开通：忽然又水势上涨，与外面的河渠联通。㉙⑤青盖入洛之祥：和前两年占卜所得的“青盖入洛”是同一种吉祥的征兆。祥，祥瑞，好的征兆。孙晧占卜得“青盖入洛”之语，见本书卷七十九泰始八年。㉙⑥奉禁都尉：宫廷防卫部队的长官。㉙⑦望气：观望云气变化，以断人世吉凶，也是一种古代的迷信职业。㉙⑧不能达：不懂得；不明白。㉙⑨衔璧：口衔璧玉。“面缚衔璧”是古代帝王向人投降时的一种传统做法。㉚⓪湘东：吴郡名，郡治酃县，在今湖南衡阳东十二里。㉚①不出算缗：不向朝廷上缴资产税。据汉代规定，每千钱（一缗、一吊）交税二十文，由商人自己估算、上报自己货物的价值，按比例交税。不如实上报，则受罚。张咏拒绝实行这种政策。㉚②就在所：派人到他所住的地方。㉚③徇首诸郡：将张咏的人头拿到吴国的各郡示众。㉚④振贷：开仓救济与发放贷款。㉚⑤收私恩：用以收买人心，博得人民说好。㉚⑥枭首：割下他的人头挂在竿子上示众。㉚⑦八月己亥：八月二十一日。㉚⑧历阳山：历山，在安徽和县西北四十里。㉚⑨七穿骈罗：七个山洞并排罗列。穿，穴，山洞。㉛⓪穿中黄赤：山洞里是黄红色。㉛①石印封发：石印外面遮掩的东西一旦自动打开。㉛②历阳长：历阳县长。㉛③太牢：指牛、羊、猪三牲齐备的祭品，古代用于最隆重的祭祀。㉛④以朱书石：在石头上用朱砂写道。㉛⑤楚九州渚：楚地是九州中的岛。㉛⑥吴九州都：吴国是九州之首都。㉛⑦扬州士：孙晧，因其幼时“好学”，有士人之风。㉛⑧四世治：传到第四世的时候，天下大治。四世，指孙权、孙登、孙休、孙晧。㉛⑨汝阴王骏：司马骏，司马懿之子，司马炎之叔。传见《晋书》卷三十八。㉜⓪开府辟召：设立办事衙门，自己聘请僚属。这是朝廷赐予高官的一种特殊待遇。㉜①仪同三司：享受的礼遇与使用仪仗的规格，与国家的三公一样。㉜②先帝西平巴、蜀：指司马昭令邓艾、锺会平定蜀汉事，见本书卷七十八景元四年。㉜③南和吴、会：南方则与吴国构和。事见本书卷七十八咸熙元年。吴、会，吴郡、会稽郡，吴之二郡名，这里代指吴国。㉜④庶几：希望。㉜⑤背信：指向晋朝挑衅。事见本书卷七十八泰始元年。㉜⑥期运：时机；运数。㉜⑦并亡：一起灭亡。㉜⑧十有三年：从景元四年（公元二六三年）蜀汉灭亡至今已是十三年。㉜⑨谋之虽多：征求意见时，可以找许多人。㉝⓪决之欲

独：最后拍板作决定的还得靠一个人。㉛保：依靠。㉜曾无藩篱之限：连个篱笆的作用也起不到。藩篱，竹条荆棘编织的篱笆。㉝汉中诸城：汉城、乐城等军事据点。㉞鸟栖：如鸟在树上高高观望。㉟索然：顷刻瓦解的样子。㊱平壹：平定、统一。㊲阻兵：这里即指屯兵、拥兵。㊳相守：相持；双方对阵。㊴经历盛衰：指将士们经历盛年，而至于衰老。㊵梁、益之兵：汉中与成都一带的晋国军队，当时王濬任都督梁、益诸军事。梁州的州治汉中，益州的州治成都。㊶荆、楚之众：荆州一带的晋国军队，当时羊祜任都督荆州诸军事，驻兵襄阳。㊷平南：指平南将军胡奋率领的军队。㊸豫州：指豫州刺史王戎的军队。晋国豫州的州治在今河南正阳东北。㊹夏口：又称沔口、鲁口，即今湖北武汉，地处汉水与长江的汇口。㊺徐、扬：指王浑所统领的徐州、扬州的军队。㊻青、兖：指司马伷所统率的青州、兖州的军队。㊼秣陵：古县名，也就是吴国都城建邺，今江苏南京。㊽一隅：一角，极言其小。㊾巴汉奇兵：上述“梁益”之兵。㊿所敌者大：应当防守的地方太多。(351)将疑于朝：将军在外被朝廷所疑。(352)保世：保障自己活下去。(353)一定：稳定；确定。(354)怀去就：动摇于去留之间。(355)齐力致死：齐心协力，为国效死。(356)急速：草率从事，没有长性。(357)中国：指地处中原的晋王朝。(358)还趣城池：逃回到城堡之内。趣，同“趋”，逃向。(359)官军县进：官军，指晋朝军队。县进，即“悬进”，远离自己大后方深入敌区。(360)内顾：担心自己的家庭。(361)不逾时：用不了几个月。时，一个季度。(362)方以秦、凉为忧：当时秃发树机能势力正盛，威胁秦、凉二州。秦州州治冀县，在今甘肃甘谷县东，凉州州治即今甘肃武威。(363)速济：速战速决。(364)不如意事：不能按心愿去做的事。(365)更事者：经历过这件事的人。更，经历。(366)恨于后时：将来后悔错过良机。恨，遗憾，惋惜。(367)度支尚书：掌管全国财务收支的官。(368)张华：晋初名臣，也是著名的学者，著有《博物志》。传见《晋书》卷三十六。(369)丁卯：十月二十一日。(370)杨氏：杨芷，司马炎前一位皇后（元皇后）的堂妹，杨骏之女。(371)叔父珧：杨珧。传见《晋书》卷四十。(372)全其宗：保全她的宗族。(373)宗庙：此指皇家太庙。(374)如臣之言：杨氏遭遇灭门之祸的时候。(375)不可任社稷之重：车骑将军位在三公之上，执掌朝权，故褚䂮等有此言。(376)胡奋：字玄威，晋初名将。胡烈之兄，女为晋武帝“贵人”。传见《晋书》卷五十七。(377)更益豪：变得愈加强横无理。豪，霸道。(378)天家：指皇帝家。(379)何能为损益：指对决定大事起不了作用。(380)庚寅：正月十五日。(381)平虏护军文鸯：平虏护军，武官名号，主管西北胡人的安抚工作。文鸯是文钦之子，父子原魏将，后叛变降吴，在寿春之役中文鸯又归降司马昭。(382)树机能：鲜卑族部落首领的名字，姓秃发名树机能，后来南凉政权的创建者秃发乌孤的祖先。事见《晋书》卷一百二十六。(383)中山王睦：司马懿之侄，司马炎之叔。传见《晋书》卷三十七。(384)招诱逋亡：招收接纳逃亡的罪犯。(385)丹水县侯：封地丹水县，丹水县在今河南淅川县西南。(386)有星孛于紫宫：在紫微垣星座附近出现流星。孛，火光四射的样子，这里指流星。(387)藩卫王室：给中央王朝做屏障藩篱，以起护卫之用。(388)扞城之义：拱卫中央王朝的作用。(389)参以亲戚：派一些皇室的亲戚参与到守边诸将中去。(390)各以

户邑多少为三等：当时，平原国、汝南国、琅邪国、扶风国、齐国为“大国”；梁国、赵国、乐安国、燕国、安平国、义阳国为“次国”；其余为“小国”。㊴徙其国使相近：改换他们的封国使之靠近任所。㊲八月癸亥：八月二十一日。㊳扶风王亮：司马亮，司马懿之子。㊴汝南王：封地汝南郡，都城即今河南息县。㊵琅邪王伦：司马伦，司马懿之子。㊶赵王：封地赵国，都城房子县，在今河北石家庄南。㊷邺城：在今河北临漳西南。㊸勃海王辅：司马辅，司马懿之侄。㊹太原王：封地太原国，都城晋阳，在今太原西南。㊺并州：晋州名，州治亦在晋阳。㊻东莞王伷：司马伷，司马懿之子。㊼在徐州：意即此时正任职在徐州（今徐州）。㊽琅邪王：封地琅邪郡，郡治在今山东临沂北。㊾扶风王：封地扶风郡，都城在今陕西眉县东。㊿太原王颙：司马颙，司马懿的侄孙。406河间王：国都乐城，即今河北献县。407汝南王柬：司马柬，司马炎之子。408南阳王：都城宛县，即今河南南阳。409始平王：封地始平郡，都城槐里，在今陕西兴平东南。410濮阳王：都城在今河南濮阳西南。411新都王：都城地址不详。412清河王：都城在今河北清河县东南。413鲁郡公：封地鲁郡，郡治即今山东曲阜。414博陵郡公：封地博陵郡，郡治即今河北安平。415南城郡侯：封地南城郡，郡治在今山东费县西南。416至心素著：一片诚恳之心被众人所熟知。417特见申于分列之外：为使他的愿望满足而特别准许他辞爵。见申，谓愿望得行。分列，指分封列爵。418二世：指司马昭、司马炎父子两代。419职典枢要：主管中枢机要。420谋议损益：为国家出过有关得失利害的主意。421进达：推荐；举荐。422拜官公朝：在朝廷上推荐了什么人为官。423谢恩私门：让受任者到私人家庭来拜谢恩情。424入江夏、汝南：侵入晋朝的江夏、汝南二郡。江夏郡的郡治即今湖北云梦，汝南郡的郡治即今河南息县。425略：掳掠。426欲移荆州：打算把荆州治所从襄阳（今湖北襄阳）移往他处。427比知贼问：等得到贼寇进攻的消息。428已去经日：已经退走好几天了。429类皆与州相近：大抵都让都督的军镇与刺史的治所相靠近。430兵势好合恶离：兵力最好集中不宜分散。431疆埸：边境。432一彼一此：有时他们攻我们，有时我们也攻他们。433若辄徙州：倘若动不动就迁移州治。434宜据：应该设在什么地方。435自扬州入朝：由扬州军镇寿春进京朝见。436以高平公罢：免去职务，以高平公的爵封退休。437谮白：说别人的坏话。438司直中郎将：官名，执掌监察、弹劾。439山阴县卒：山阴县的卒史，即小吏。山阴县治即今浙江绍兴。440有罪乞不从坐：日后他犯了罪，请不要让我们跟着受牵连。441弹曲：一种伺察官吏、纠察隐微秘事的特务人员。442纠司：纠察、伺探。司，同“伺”。443告讦：告发他人的隐私。444狱犴：即监狱。445嚣然：惊恐不安的样子。446大为奸利：大搞不正当的盈利。447父子皆车裂：父子都被五马分尸，最后还是连累了他的父亲。448遣拓拔沙漠汗归国：前年卫瓘上表扣留沙漠汗，并派人离间沙漠汗与其父的关系，此时阴谋已经完成，遂将其放还。449自沙漠汗入质：沙漠汗到中原当人质，至今已十七年。见本书卷七十七景元二年。450砺斧：磨斧子。451可汗：北方民族首领的称号，犹如中原地区的帝王，此指拓跋力微。452四子悉禄：排行老四的儿子名叫悉禄。453务桓：刘务桓，匈奴右贤王刘去卑的曾

孙，赫连勃勃的祖父。㊹亭侯：三等侯爵，封地只有一个亭。㊺正月庚午朔：正月初一是庚午日。㊻司马督：武官名号，统领禁军，主管殿内宿卫。㊼若罗拔能：人名，鲜卑部落的首领。㊽武威：晋县名，县治在今甘肃民勤东北。㊾弘训皇后：司马师（司马炎的伯父）的皇后，因其居住弘训宫，故称"弘训皇后"。㊿数入：屡屡入见。(461)就问筹策：去羊祜家里请教谋略。(462)令主：贤明的君主。(463)未可窥：意即不可攻。窥，偷看，伺机进攻。(464)卧护诸将：带病卧在车上监督协调各部将领。(465)劳圣虑：就得让您操心啦。(466)功名之际：立功扬名的事情。(467)事了：事成之后。(468)当有所付授：要指派一个合适的人去镇抚东南地区。(469)己丑：七月二十二日。(470)峻平陵：司马师的陵墓。(471)司：司州，州治洛阳，今河南洛阳东北。(472)螟：一种有害于农作物的钻心虫。(473)主者：主管该项事务的人，指左民尚书及度支尚书。(474)汉氏旧陂：汉朝时代留下的旧有河堤。(475)决沥：挖掘淤泥，把水引走。(476)日给：每天的生活所需。(477)滇淤之田：被淹没过和被淤积过的农田。(478)钟：一钟等于六石四斗。(479)典牧种牛：典牧令管理下的种牛。典牧令是主管放牧的官名，上属太仆。种牛，专供繁殖之用的牛。(480)谷登：谷物丰收。(481)责其租税：可以向他们收取租税。责，收讨。(482)损益庶政：修订各种政策条例，该增的增，该减的减。(483)辛巳：九月十五日。(484)纮：张纮，字子纲，吴国初期的良臣，曾侍孙策、孙权。事见《三国志》卷五十三。(485)辩捷：善于表达，说话来得快。(486)每出其表：每每超过孙晧。出其表，出于其上。(487)可以方谁：可以与谁相比。(488)百觚之量：指与孔子相同。《孔丛子》中有所谓"尧饮千钟，孔子百觚"之语。觚是古代一种大酒杯，可容二升。(489)孔丘不王：孔丘没能称王。(490)收尚：将张尚逮捕下狱。(491)寻就杀之：不久派人去造船处把他杀了。(492)不堪为嗣：不能当接班人。(493)陵云台：魏文帝所筑。(494)阳醉：假装喝醉了酒。(495)帝床：皇帝的座位。床，座椅。(496)谬：故意打岔。(497)东宫官属：太子宫的大小官员。(498)尚书疑事：尚书省（犹如后代的国务院）决定不下来的疑难事件。(499)倩外人代对：请外面的人替他做好该回答的话。倩，请。(500)给使：东宫侍从官。(501)必责作草主：必定要追问是谁给起的草。(502)更益谴负：将招致更多的谴责。(503)直以意对：径直地按着自己的意思说。(504)便为我好答：你就为我们准备好一份更好的答卷。(505)具草：准备好草稿。(506)省：看。(507)踧踖：局促不安。(508)语妃：告诉其女贾南风。(509)大佃皖城：在皖城大规模屯垦。皖城，即今安徽潜山。(510)十一月

【原文】

五年（己亥，公元二七九年）

春，正月，树机能攻陷凉州(550)。帝甚悔之，临朝而叹曰："谁能为我讨此虏者？"司马督马隆(551)进曰："陛下能任臣，臣能平之。"帝曰：

辛巳：十一月十六日。⑪司马程据：姓司马，名程据。⑫雉头裘：用野鸡头上的羽毛制成的衣服。⑬甲申：十一月十九日。⑭敢有献奇技异服者二句：《礼记·王制》，“作淫声异服奇技奇器以疑众，杀”。司马炎的这种表现究竟是装腔作势，还是出自真心，后人的看法不同。⑮自代：代替自己的官职。⑯辛卯：十一月二十六日。⑰不得以南城侯印入柩：不让家人将南城侯印装入自己的棺材，意思是退回皇帝加给他的这种南城侯的封赏。羊祜拒绝南城侯事见上文咸宁三年（公元二七七年）。⑱身没让存：其身虽死，其谦让不为郡侯之意犹存。⑲听复本封：按照他的愿望恢复他原来的“钜平县侯”封爵。⑳彰：表彰；显扬。㉑南州民：指荆州的士民。㉒岘山：又名岘首山，在今湖北襄阳南九里。㉓岁时祭祀：按年关、按季节对其祭祀。㉔至镇：到达军镇襄阳。㉕简：挑选。㉖间之：离间张政与孙晧的关系。㉗表还：上表皇帝请求发还。㉘武昌监留宪：武昌地区的监军，姓留名宪。㉙十二月丁未：十二月十三日。㉚厚自奉养：意即养尊处优，生活豪华。㉛侈汰：奢侈；靡费。㉜议：建议，评议其人并建议加给他的谥号。㉝名被九域：奢侈的名声传遍天下。九域，九州之域。㉞表仪：表率。㉟生极其情：活着的时候纵情享乐。㊱名与实爽：名声与实质不相符合。爽，参差，不一致。㊲怙乱肆行：仗势为乱，肆意横行。㊳帝策：皇帝亲自下诏，未采用博士的意见。㊴峻急：严厉、急切。㊵白简：弹劾官员的奏章。㊶整簪带：指穿戴好上朝的衣帽。簪，簪笔。带，衣带。㊷踧踖：心绪不宁。㊸贵游震慑：贵族子弟人人恐惧。贵游，原指没有官职的王公子弟。㊹台阁生风：朝廷各部门都呈现出一种良好的风气。㊺清厉骨鲠：清廉严厉，能秉公直言。㊻面折人过：当面指责别人的过失。㊼退无后言：背后绝不议论人。㊽久为边患：从泰始六年（公元二七〇年）起，树机能侵扰甘肃东北部一带地区，到本年已是第九年。㊾虏：指秃发树机能的鲜卑部落。

【校记】

［7］冯紞：二字间原有两字空格。据章钰校，甲十一行本、乙十一行本、孔天胤本皆无空格，今从改。［8］外：原无此字。据章钰校，甲十一行本、乙十一行本、孔天胤本皆有此字，今据补。［9］田：据章钰校，甲十一行本、乙十一行本皆作“苗”。［10］缪丑公：原作“丑缪公”。据章钰校，甲十一行本、乙十一行本、孔天胤本皆作“缪丑公”，今据改。

【语译】

五年（己亥，公元二七九年）

春季，正月，秃发树机能率领鲜卑部落攻陷了晋朝的凉州。晋武帝司马炎感到非常后悔，在朝会的时候他叹息着问：“谁能为我讨伐此贼？”担任司马督的马隆走上前回答说：“陛下如果能任用我，我一定能够将秃发树机能讨平。”晋武帝说：

"必能平贼，何为不任，顾[552]方略何如耳?"隆曰："臣愿募勇士三千人，无问所从来[553]，帅之以西，虏不足平也。"帝许之。乙丑[554]，以隆为讨虏护军、武威太守。公卿皆曰："见兵[555]已多，不宜横设赏募[556]。隆小将妄言，不足信也。"帝不听。隆募能引弓四钧[557]、挽弩九石[558]者取之，立标简试[559]，自旦至日中，得三千五百人。隆曰："足矣。"又请自至武库[560]选仗[561]。武库令[562]与隆忿争，御史中丞劾奏隆。隆曰："臣当毕命战场[563]，武库令乃给以魏时朽仗，非陛下所以使臣之意也。"帝命惟隆所取，仍[564]给三年军资[565]而遣之。

初，南单于呼厨泉以兄於扶罗子豹[566]为左贤王，及魏武帝分匈奴为五部[567]，以豹为左部帅[568]。豹子渊幼而隽异[569]，师事上党崔游，博习经史。尝谓同门生[570]上党朱纪、雁门范隆曰："吾常耻随、陆无武，绛、灌无文[571]。随、陆遇高帝而不能建封侯之业[572]，绛、灌遇文帝而不能兴庠序之教[573]，岂不惜哉!"于是兼学武事。及长，猨臂[574]善射，膂力过人，姿貌魁伟。为任子[575]在洛阳，王浑及子济皆重之，屡荐于帝。帝召与语，悦之。济曰："渊有文武长才，陛下任以东南之事[576]，吴不足平也。"孔恂、杨珧曰："非我族类，其心必异[577]。渊才器诚少比，然不可重任也。"及凉州覆没，帝问将[578]于李憙，对曰："陛下诚能发匈奴五部之众，假[579]刘渊一将军之号，使将之而西，树机能之首可指日而枭也。"孔恂曰："渊果枭树机能，则凉州之患方更深耳。"帝乃止。

东莱王弥[580]家世二千石，弥有学术勇略，善骑射，青州人谓之"飞豹"，然喜任侠[11]。处士陈留董养见而谓之曰："君好乱乐祸，若天下有事，不作士大夫[581]矣。"渊与弥友善，谓弥曰："王、李以乡曲见

“你能够平定贼寇，我怎么会不任用你呢，问题是你平定贼寇的谋略是什么呢？”马隆说：“我准备招募三千名勇士，请陛下不要管他们的出身经历，我率领他们向西进攻，陛下不必忧虑贼寇不被消灭。”晋武帝答应了马隆的请求。初一日乙丑，任命马隆为讨虏护军、武威郡太守。公卿大臣都说：“现成的军队已经很多，不应该再任意设赏、招募新兵。马隆小将随便乱说，他说的话不值得相信。”晋武帝没有听从公卿大臣的意见。马隆招募勇士的标准，只要能拉开四钧的硬弓、拉开九石的强弩就被录用，马隆竖立起箭靶开始考试挑选人员，从早晨一直到中午，总共挑选了三千五百名勇士。马隆说：“有这些人就足够了。”马隆又请求朝廷允许他到国家的军械库挑选兵器。武库令与马隆激烈地争吵起来，御史中丞为此专门上奏章弹劾马隆。马隆说：“臣等正准备为国战死疆场，武库令竟然把魏国时期制造的已经腐朽了的兵器发给我们，这绝不是陛下任命我征讨贼寇的本意。”晋武帝下令任凭马隆到军械库选取武器，并拨给马隆足够使用三年的军用物资，而后派他们出征。

当初，南单于呼厨泉任命自己兄长於扶罗的儿子刘豹为左贤王，魏武帝曹操执政期间将当时居住在今山西北部一带的匈奴人分为五个部落，任命刘豹为左部帅。刘豹的儿子刘渊，年幼的时候就才能出众，拜上党人崔游为老师，广泛地学习经史。刘渊曾经对自己的同学上党人朱纪、雁门人范隆说：“我总觉得当年刘邦部下的随何、陆贾光有口才，不会打仗，而绛侯周勃、颍阳侯灌婴又只会打仗而缺乏文采。随何、陆贾遇到汉高祖刘邦这样的皇帝却不能建功立业博取封侯，周勃、灌婴遇到文帝刘恒这样的皇帝而没能建立学校，振兴文化教育，岂不是很可惜吗！”于是刘渊在广泛地学习文史知识的同时还兼学军事知识。等到刘渊长大之时，他的手臂像猿猴一样长而灵活，又善于射箭，臂力过人，姿态、相貌魁伟。刘渊在洛阳作人质，王浑和他的儿子王济都很器重他，屡次向晋武帝推荐刘渊。晋武帝召见刘渊并与他谈话后，也很喜欢他。王济对晋武帝说：“刘渊有文武全方面的才能，陛下如果任命他讨伐东吴，平定东吴就不是一件难事。”孔恂、杨珧却说：“刘渊跟我们不是同一个种族的人，他的心思绝不会和我们一样。刘渊的才能器量确实很少有人能比得上，然而不可以委以重任。”等到秃发树机能攻陷了凉州，晋武帝问李憙谁可以担任将领统兵征讨，李憙回答说：“陛下如果真能调动匈奴五部的兵力，授予刘渊一个将军的名号，让他率领着这支军队向西攻打秃发树机能，秃发树机能的项上人头指日间就会被砍下来示众。”孔恂说：“刘渊如果真的杀了秃发树机能，恐怕凉州的祸患会更加深重了。”晋武帝于是打消了任用刘渊的念头。

东莱人王弥世袭二千石的官职，王弥有学术有谋略，擅长骑马射箭，青州人称他为“飞豹”，但是喜欢仗义行侠。隐士陈留人董养看见王弥后对他说：“你好幸灾乐祸，如果天下发生动乱，你就不会甘心做一个士大夫了。”刘渊与王弥关系友好，刘渊对王弥说：“王浑、李憙因为和我是同乡，对我很了解，他们多次在晋武帝面前称

知[582]，每相称荐[583]，适足为吾患[584]耳。”因歔欷流涕。齐王攸闻之，言于帝曰：“陛下不除刘渊，臣恐并州不得久安。”王浑曰：“大晋方以信怀殊俗[585]，奈何以无形之疑[586]杀人侍子[587]乎？何德度之不弘也！”帝曰：“浑言是也。”会豹卒，以渊代为左部帅。

夏，四月，大赦。

除部曲督以下质任[588]。

吴桂林[589]太守脩允卒，其部曲应分给诸将[590]。督将[591]郭马、何典、王族等累世旧军，不乐离别。会吴主料实[592]广州户口，马等因民心不安，聚众攻杀广州督[593]虞授，马自号都督交、广二州诸军事，使典攻苍梧[594]，族攻始兴[595]。秋，八月，吴以军师张悌为丞相，牛渚[596]都督何植为司徒，执金吾滕脩为司空。未拜[597]，更以脩为广州牧，帅万人从东道讨郭马。马杀南海[598]太守刘略，逐广州刺史徐旗。吴主又遣徐陵督[599]陶濬将七千人，从西道与交州牧陶璜共击马。

吴有鬼目菜[600]生工人黄耇家，有买菜[601]生工人吴平家。东观案图书[602]，名鬼目曰“芝草”，买菜曰“平虑草”。吴主以耇为侍芝郎，平为平虑郎，皆银印青绶[603]。

吴主每宴群臣，咸令沉醉。又置黄门郎十人为司过[604]，宴罢之后，各奏其阙失，迕视[605]谬言[606]，罔有不举[607]，大者即加刑戮，小者记录为罪，或剥人面，或凿人眼。由是上下离心，莫为尽力。

益州刺史王濬上疏曰：“孙晧荒淫凶逆，宜速征伐。若一旦晧死，更立贤主，则强敌也。臣作船七年[608]，日有朽败。臣年七十，死亡无日[609]。三者一乖[610]，则难图也，诚愿陛下无失事机。”帝于是决意伐吴。会安东将军王浑表孙晧欲北上[611]，边戍[612]皆戒严，朝廷乃更议明年出师。王濬参军何攀奉使在洛，上疏称：“晧必不敢出，宜因[613]戒严，掩取[614]甚易。”

赞我、推荐我，这恰好更容易给我带来灾患。”说完忍不住泪流满面。齐王司马攸听说此事之后，就对晋武帝说：“陛下不除掉刘渊，我担心并州就不会长治久安了。”王浑说：“大晋国正在用信义感化其他民族，为什么因为毫无根据的怀疑而杀害人家派来做人质的子弟呢？我们的品德、肚量怎能如此的狭窄呢！”晋武帝说：“王浑说得对。”正赶上刘豹死，晋武帝遂任命刘渊接替刘豹担任左部帅。

夏季，四月，晋国宣布大赦。

晋武帝下诏，废除让军中中下级副职人员给朝廷留人质的规定。

东吴桂林郡太守脩允去世，他部下的军官应该分配到其他诸将属下供职。刺史手下的部曲武官郭马、何典、王族等几代人都在原有军队当中服役，所以不乐意分离。恰好遇上吴主孙皓清查、核实广州的户口，郭马等人便利用民心不稳之机，聚集众人攻打广州，杀害了广州督虞授，郭马自称都督交、广二州诸军事，他派何典率领军队攻取苍梧郡，派王族率领军队攻取始兴郡。秋季，八月，吴主任命军师张悌为丞相，任命担任牛渚都督的何植为司徒，任命担任执金吾的滕脩为司空。滕脩还没有来得及接受任命，就又被改任为广州牧，让他率领一万军队从东道去讨伐郭马。郭马杀死了南海郡太守刘略，赶跑了广州刺史徐旗。吴主又派遣担任徐陵督的陶濬率领七千人，从西道与交州牧陶璜共同攻打郭马。

吴国有一种鬼目菜，生长在工匠黄耉的家中，又有一种买菜，生长在工匠吴平的家中。吴国史馆的官员查阅图书，发现图书中称鬼目菜为“灵芝草”，称买菜为“平虑草”。于是吴主便任命工匠黄耉为侍芝郎，吴平为平虑郎，赏赐给他们银质的印信与青色的绶带。

吴主孙皓每次宴请群臣，都要让群臣喝得酩酊大醉。又安排十个黄门郎专门在酒席宴上担任寻找群臣中有过失的官员，宴会结束之后，分别奏报群臣的缺点、过失，有的大臣用不服气的眼光稍微看一眼孙皓，或者是偶尔说错了一句话，就没有人不遭到揭发的，情节严重的即时就被诛杀，过失轻微的就被记录在案，因此，有人被剥了脸皮，有人被挖了眼睛。从此，君臣离心离德，再也没有人肯尽心竭力为孙皓效力了。

晋国益州刺史王濬上疏给晋武帝说：“孙皓荒淫凶残，应该赶紧率兵讨伐他。一旦孙皓死亡，吴国改立贤君，那么吴国就成了我们强大的对手。我制造舰船已经七年了，现有的舰船每天都有腐朽、损坏的。我现在已经是七十岁的人了，离死亡已经没有几天。以上三个方面有一个方面出现问题，就很难灭掉东吴，恳请陛下不要坐失良机。”晋武帝于是决定讨平东吴。碰巧遇上安东将军王浑上表称孙皓准备北上攻打晋国，晋国边境的守军已经戒备森严，于是朝廷又商议是否等到明年再出师讨伐东吴。王濬的参军何攀奉命作为使者正在洛阳，他赶紧上疏说：“孙皓绝对不敢出兵，我们应该乘着我军戒严，突然袭击他们，很容易取得胜利。”

杜预上表曰："自闰月[615]以来，贼但敕严[616]，下无兵上[617]。以理势推之，贼之穷计，力不两完[618]，必保夏口以东[619]以延视息[620]，无缘[621]多兵西上，空其国都。而陛下过听[622]，便用委弃大计[623]，纵敌患生，诚可惜也。向使[624]举而有败，勿举可也。今事为之制[625]，务从完牢[626]，若或有成，则开太平之基，不成不过费损日月之间，何惜而不一试之？若当须后年[627]，天时人事，不得如常[628]，臣恐其更难也。今有万安之举，无倾败之虑，臣心实了[629]，不敢以暧昧之见[630]自取后累[631]，惟陛下察之。"

旬月未报[632]，预复上表曰："羊祜不先博谋于朝臣[633]，而密与陛下共施此计，故益令朝臣多异同之议。凡事当以利害相校[634]，今此举之利十有八九，而其害一二，止于无功[635]耳。必使朝臣言破败之形，亦不可得，直是计不出己[636]，功不在身[637]，各耻其前言之失[638]而固守[639]之也。自顷[640]朝廷事无大小，异意锋起[641]。虽人心不同，亦由恃恩[642]不虑后患，故轻相同异[643]也。自秋已来，讨贼之形颇露。今若中止，孙晧或怖而生计[644]，徙都武昌，更完修江南诸城，远其居民[645]，城不可攻，野无所掠，则明年之计或无所及[646]矣。"帝方与张华围棋[647]，预表适至，华推枰敛手[648]曰："陛下圣武，国富兵强。吴主淫虐，诛杀贤能，当今讨之，可不劳而定，愿勿以为疑。"帝乃许之。以华为度支尚书，量计运漕[649]。贾充、荀勖、冯紞固争之，帝大怒，充免冠谢罪。仆射山涛退而告人曰："自非[650]圣人，外宁必有内忧[651]，今释吴为外惧[652]，岂非算乎[653]？"

冬，十一月，大举伐吴，遣镇军将军琅邪王伷出涂中[654]，安东将军王浑出江西[655]，建威将军王戎出武昌[656]，平南将军胡奋出夏口[657]，镇南

杜预上疏说："自闰七月以来，东吴只是空口下令说要进攻我们，可是下游地区并没有军队向上游活动。以道理和形势推测，敌人已经黔驴技穷，他们的兵力已经不能同时保住北部和西部的边境，必然会集中兵力保住夏口以东的长江中游地区，以便苟延残喘，他们不可能再派很多兵力西上，而造成国都空虚。而陛下错误听信奏报，因而便想放弃伐吴的大事业，纵容敌人为患，实在是太可惜了。假如我们发兵有可能失败，不发兵是可以的。今天我们的伐吴准备，绝对是万无一失，如果伐吴获得成功，就开创了太平的基础，如果伐吴不成功，只不过耽误我们一些时日罢了，有什么值得吝惜而不肯尝试一下呢？如果再等到后年，天时人事，不再像现在的这个样子，我担心到那时攻取吴国会更加艰难。如今夺取东吴有万全之策，而没有失败的忧虑，我确实是看得明明白白，不敢用模棱两可的见解，为国家招来后患，请求陛下明察。"

一个月过去了没有得到回音，杜预于是又上表章说："羊祜不先广泛地和大臣们商议、谋划，而是秘密地与陛下共同商定了讨吴大计，所以更加引起朝臣们对伐吴多持不同的议论。任何事情都应该衡量利害得失，如今讨伐东吴的好处十分之中占了八九分，而害处只占一二分，顶多是不能取得彻底胜利而已。一定要让朝臣们说出为什么我们伐吴会失败的理由，恐怕他们也说不出个所以然来，只不过由于主意不是他出的，有了功劳也轮不到他头上，他们惧怕伐吴的胜利会证明他们过去拦阻伐吴是错误的，因而顽固地坚持反对伐吴。近来朝廷之上事无大小，不同意见纷纷出笼。虽然是因为每个人的想法不同，也是因为有人仗恃陛下的恩宠，不会加罪于他们，所以他们才随便地发表不同意见。进入秋季以来，讨伐东吴的迹象非常明显。现在如果我们又突然中止，孙皓有可能由于恐惧而改恶向善，改弦更张，好好地治理国家，并把都城迁往武昌，再加紧完善江南诸城的防御，疏散他们靠近边境的居民，到那时我军城攻不下，野无所掠，那么明年的伐吴大计有可能就来不及了。"晋武帝正与张华下围棋，杜预的表章正好送到，张华推开棋盘，拱手敬立说："陛下圣明威武，国家民富兵强。吴主孙皓荒淫暴虐，诛杀贤能，趁今天讨伐他，可以不劳而食，希望陛下不要再迟疑，以免错失良机。"晋武帝这才最后下定决心出兵伐吴。晋武帝任命张华为度支尚书，让他根据需要为出征大军调运粮草。贾充、荀勖、冯𬘘还要坚持己见反对伐吴，晋武帝大怒，贾充这才免冠谢罪，不敢再进行阻挠。担任仆射的山涛退朝后对人说："除非是圣人治理国家，否则的话外部没有了强敌则内部必然会有矛盾兴起，如果留着吴国，在那里经常提醒我们还有敌人存在，难道不是一种很好的谋略吗？"

冬季，十一月，晋国大举伐吴，晋武帝派遣镇军将军琅邪王司马伷率军进攻吴国的涂中，安东将军王浑率军进攻吴国的长江西侧地区，建威将军王戎率军进攻吴国的武昌，平南将军胡奋率军进攻吴国的夏口，镇南大将军杜预率军进攻吴国的江

大将军杜预出江陵[658]，龙骧将军王濬、巴东监军鲁国唐彬下巴、蜀，东西凡二十余万。命贾充为使持节、假黄钺、大都督[659]，以冠军将军杨济副之。充固陈伐吴不利，且自言衰老，不堪元帅[660]之任。诏曰："君若不行，吾便自出。"充不得已，乃受节钺，将中军南屯襄阳，为诸军节度[661]。

马隆西渡温水[662]，树机能等以众数万据险拒之。隆以山路狭隘，乃作扁箱车[663]，为木屋施于车上[664]，转战而前，行千余里，杀伤甚众。自隆之西[665]，音问[666]断绝，朝廷忧之，或谓已没[667]。后隆使夜到，帝抚掌欢笑，诘朝[668]，召群臣谓曰："若从诸卿言，无凉州矣！"乃诏假隆节[669]，拜宣威将军。隆至武威，鲜卑大人猝跋韩且万能[670]帅万余落来降。十二月，隆与树机能大战，斩之，凉州遂平[671]。

诏问朝臣以政之损益[672]，司徒左长史傅咸[673]上书，以为："公私不足，由设官太多。旧都督有四[674]，今并监军[675]乃盈于十；禹分九州，今之刺史几向一倍[676]；户口比汉十分之一[677]，而置郡县更多；虚立军府[678]，动有百数[679]，而无益宿卫[680]；五等诸侯[681]，坐置官属[682]；诸所廪给[683]，皆出百姓，此其所以困乏者也。当今之急，在于并官息役[684]，上下务农[685]而已。"咸，玄之子也。

时又议省州、郡、县半吏[686]以赴农功，中书监荀勖以为："省吏不如省官[687]，省官不如省事，省事不如清心[688]。昔萧、曹[689]相汉，载其清静，民以宁壹[690]，所谓清心也。抑浮说[691]，简文案[692]，略细苛[693]，宥小失[694]，有好变常以徼利[695]者，必行其诛，所谓省事也。以九寺并尚书[696]，兰台付三府[697]，所谓省官也。若直作大例[698]，凡天下之吏皆减其半，恐文武众官，郡国职业，剧易[699]不同，不可以一概施之。若有旷阙[700]，皆须更复[701]，或激而滋繁[702]，亦不可不重[703]也。"

陵，龙骧将军王濬、巴东监军鲁国人唐彬率军从巴、蜀沿长江顺流而下，东边和西边共计出动大军二十多万人。晋武帝又授予贾充符节、黄色斧钺，成为伐吴各路人马的总指挥，任命冠军将军杨济为副总指挥。贾充反复陈述伐吴不利，而且自言年纪已经衰老，承担不了总指挥的重任。晋武帝下诏说："你若不去，我便御驾亲征。"贾充不得已，才接受了符节、黄钺，率领中军驻扎在襄阳，调配指挥各路大军。

马隆向西渡过温水，秃发树机能等人率领几万人占据险阻抵抗马隆。马隆因为山路狭窄，就特地制作了一种车身扁窄，适合在狭窄的小路上行走的车子，又制造了坚固的小木屋安放在车子上，平时遮风雨，战时阻挡矢石，转战而前，深入敌境一千多里，杀伤了秃发树机能部下很多人。自从马隆向西出征后，便与朝廷音讯断绝，朝廷很为马隆担忧，有人说他已经全军覆没。后来马隆的使者深夜到达洛阳，晋武帝得知马隆的消息后抚掌欢笑，次日一早，就召集群臣说："如果听从了你们的意见，我们就没有凉州了！"于是下诏授予马隆旌节，任命马隆为宣威将军。马隆率领三千名勇士到达武威，鲜卑族的首领猝跋韩且万能率领自己部落中的一万多群落来归附马隆。十二月，马隆与秃发树机能大战，杀了秃发树机能，凉州被平定。

晋武帝下诏征求朝臣对现行方针、政策优劣得失的看法，担任司徒左长史的傅咸上书给晋武帝，他认为："无论是国家还是私人，储蓄都不足，原因就是由于设置的官员太多。魏国初年设置四个都督，如今连同监军已经超过十个；大禹分国家为九州，如今的刺史几乎为古代的两倍；如今的户口数只有汉朝时的十分之一，而设置的郡县却比汉朝还多；虚设的各种将军幕府，动不动就多达上百个，而对于保卫京城、保卫朝廷并没有什么好处；五等诸侯，每个享有封爵的人手下都设置有不同数量的官职；所有这些官员的粮食供给，都出自百姓，这是导致百姓贫困、国家匮乏的原因。当务之急，就是合并官署，停止征调劳役，上下一致地从事农业生产。"傅咸，是傅玄的儿子。

当时还有人建议将州、郡、县三级官府的官吏减少一半去支援农业，担任中书监的荀勖认为："裁减吏属不如裁减官府，裁减官府不如省事，省事不如清静无为。汉朝初年萧何、曹参为丞相，采取清静无为的治国方略，国家安静而民心朴实，这就是所说的清静无为。抑制浮躁的空话，精简各方面的规章条文，不要管得太琐碎，对犯有小过失的人要给予宽恕，对那些喜好改变传统章程以谋求利益的人，就一定要加以惩罚，这就是所说的省事。把今天设立的九卿都合并到尚书各曹中去，将御史台与三公府中的监察机构合并，这就是所说的省官。如果硬性做出统一规定，全国各地的官吏一律裁减一半，恐怕文武众官、郡国的职业，难易程度不同，所以不应该同等对待。如果官员人手不够，事情忙不过来，又得再恢复原状，甚至官吏变得比以前还要多，这种可能也不能不重视。"

【段旨】

以上为第三段，写晋武帝咸宁五年（公元二七九年）一年间的大事。主要写了晋将马隆西讨，破杀树机能，平定了凉州一带的鲜卑部落为患事。写了南匈奴刘渊为左部帅，且与王弥友善，为刘渊日后灭西晋做伏线。写吴主孙皓荒悖残虐，上下离心。写了吴将郭马等在广州一带作乱，孙皓派兵两路往讨。写了晋将王濬、杜预等恳请伐吴，司马炎遂决策二十万人数路并出，以及傅咸请求精兵简政，以纾民困等。

【注释】

㊿凉州：晋州名，州治姑臧，即今甘肃武威。551司马督马隆：司马督是军中司马手下的僚属，一种低级武官。马隆，字孝兴，晋初名将。传见《晋书》卷五十七。552顾：转折语词，问题是，总是在于。553无问所从来：请您不要管他们的出身经历，只要能打仗就行。554乙丑：正月初一日。555见兵：现成的部队。见，通“现”。556横设赏募：任意地设赏、招募。557引弓四钧：能拉开四钧的弓。钧，量词，三十斤为一钧。558挽弩九石：能拉开九石的弩。石，量词，一百二十斤为一石。559立标简试：立起箭靶子考试挑选。标，标的，箭靶子。560武库：国家的军械库。561选仗：挑选武器。562武库令：主管武库的长官，上属卫尉。563毕命战场：意即战死于战场。564仍：通“乃”。565三年军资：够使用三年的军中用品。566於扶罗子豹：於扶罗的儿子名豹。567分匈奴为五部：曹操将当时居住在今山西北部一带地区的匈奴人分为五个部落事，见本书卷六十八建安二十一年（公元二一六年）。568左部帅：南匈奴西部地区的大头领。569豹子渊幼而隽异：豹子渊，即日后灭掉西晋政权的匈奴首领刘渊。隽异，才能出众。570同门生：一起跟着崔游上学的同学。571常耻随、陆无武二句：总觉得在当年刘邦部下的名人中随何、陆贾光有口才，不会打仗；而周勃、灌婴只会打仗，缺乏文采，都不能让人满意。言外之意是我比他们都强。随何、陆贾都是刘邦的谋士，以口才闻名。随何曾奉刘邦之命赴淮南，劝说九江王英布归汉；陆贾曾奉命出使南越，说服南越王赵佗归服汉王朝。随何事见《史记·黥布列传》，陆贾事见《郦生陆贾列传》。绛侯周勃与颍阳侯灌婴，都是刘邦的开国功臣，又在平定吕氏之乱中立有大功。事迹分别见《史记·绛侯周勃世家》与《樊郦滕灌列传》。刘邦曾说周勃“厚重少文”。572不能建封侯之业：随何、陆贾都因功劳不够，未能封侯。573不能兴庠序之教：没能建立学校，振兴文化教育，“庠”“序”都是古代的学校名。574猨臂：手臂像猿猴一样长而灵活。575任子：人质。576东南之事：指攻打东吴。577非我族类二句：不跟我们同一个种族的人，其心思绝不会跟我们一样。语出《左传》成公四年。578问将：询问谁可统兵往讨。579假：加；授予。580王弥：东莱（今山东莱州）人，祖父王欣曾为魏玄菟太守。王弥先是起兵反晋，后归刘渊，成为前赵的重要

谋士，颠覆了西晋王朝。传见《晋书》卷一百。581 不作士大夫：意思是将要成为乱臣贼子。582 王、李以乡曲见知：王浑、李憙因为与我是同乡，对我了解。乡曲，同一地区的乡亲。王浑是太原人，李憙是上党（长治）人，与刘渊同为并州同乡。583 称荐：称道、推荐。584 适足为吾患：这恰恰更容易给我造成麻烦。585 以信怀殊俗：用信义感化其他民族。586 无形之疑：没影儿的疑心。587 杀人侍子：杀害人家派来做人质的子弟。588 除部曲督以下质任：废除让中下级军中副职给朝廷留人质的规定。部曲督，校尉、军候的副职。司马炎受禅之初，取消了"部曲将"留人质的做法，今又取消"部曲督"留人质的做法。589 桂林：吴郡名，郡治武安，在今广西象州东南。590 分给诸将：将其部下的军官分配到其他诸将属下供职。591 督将：刺史手下的各部曲武官。592 料实：清查；核查。593 广州督：广州一带的镇守武官。594 苍梧：吴郡名，郡治广信，即今广西梧州。595 始兴：吴郡名，郡治曲江，在今广东韶关市南。596 牛渚：吴国军事要地，在今安徽当涂西北的长江边。597 未拜：还没有来得及接受任命。598 南海：吴郡名，郡治番禺，即今广州。599 徐陵督：徐陵地区的部队长。徐陵在今江苏镇江京口里。600 鬼目菜：一种菌类植物，寄生于树木上，质坚。笠为半圆形，上面带有光泽及云纹，下面粗糙，白或黄褐色，笠柄亦光泽，宛如涂漆。601 买菜：形如枇杷，茎两边长有绿叶。602 东观案图书：吴国史馆的官员查考图书。东观，当时国家史馆的名称。案，查考。603 银印青绶：按汉朝官制，银印青绶为中二千石，属九卿一级。604 司过：专门寻找群臣过失的官员。605 迕视：用不服气的眼光看了一眼。606 谬言：说错了话。607 罔有不举：没有不被检举的。608 作船七年：王濬从泰始八年（公元二七二年）开始造船，至今已经整整七年。609 死亡无日：离死没有几天了。610 三者一乖：三个方面有一个出问题。三者，指东吴立贤主、船朽败、王濬死。乖，差错。611 北上：指北攻晋国。612 边戍：指晋国的边境守军。613 因：乘着。614 掩取：突然袭击。615 闰月：本年的闰七月。616 但敕严：只是空口地下令说要进攻。617 下无兵上：下游地区并没有军队向上游活动。下，指长江下游的吴国。618 力不两完：兵力不能同时保全北部和西部。619 夏口以东：汉口以东的长江中游地区。夏口的旧址在今湖北武汉黄鹤山上。620 延视息：苟延残喘。621 无缘：没有理由；不可能。622 过听：错误听信。623 用委弃大计：因而放弃伐吴的大事业。624 向使：假如。625 今事为之制：犹言"今天我们的伐吴准备"。626 务从完牢：绝对是万无一失。627 当须后年：再推到日后。须，等待。628 不得如常：不再像现在的样子。629 实了：实在是看得明明白白。630 暧昧之见：指带有不确定的因素。631 自取后累：指万一打不赢的后患。632 旬月未报：一个月过去了没有回音。633 博谋于朝臣：广泛地和大臣们商议、谋划。634 以利害相校：衡量利害得失。校，比较。635 止于无功：顶多是不能取得彻底胜利而已。636 直是计不出己：只不过由于主意不是他出的。637 功不在身：有了功劳也轮不到他头上。638 耻其前言之失：怕伐吴胜利证明了他们过去拦阻伐吴的错误。此指贾充、荀勖等人。639 固守：顽固地坚持反对意见。640 顷：近来。641 异意锋起：不同意见纷纷出笼。锋起，同"蜂起"。642 恃恩：

仗恃陛下恩宠，不会加罪于他们。643 轻相同异：随便地发表反对意见。644 怖而生计：指由于恐惧而改恶向善，改弦更张，治理好国家。645 远其居民：疏散他们靠近边境的居民。646 无所及：赶不上；来不及。647 围棋：下围棋。648 推枰敛手：推开棋盘，拱手敬立。649 量计运漕：根据需要调运粮食。650 自非：除非。651 外宁必有内忧：外部无敌，则内部矛盾兴起。此语见《左传》成公十六年。后柳宗元《敌戒》亦有所谓“敌存灭祸，敌去召过”之语。652 释吴为外惧：留着吴国，在那里经常提醒我们还有敌人存在。“惧”是警告、提醒的意思。653 岂非算乎：难道不是一种好的谋略吗。654 涂中：古地区名，指涂水流域，今安徽滁河。655 江西：长江西侧。指今安徽寿县、和县一带。656 出武昌：指向吴国的武昌，今湖北鄂州市鄂城区。657 出夏口：指向吴国的夏口，今湖北武汉之汉口区。658 出江陵：指向吴国的江陵，今湖北江陵县。659 使持节、假黄钺、大都督：伐吴诸路人马的总指挥。使持节，手执皇帝所授予的旌节，是最高特使的身份。假黄钺，授予黄色大斧，表示其有生杀大权。大都督，总指挥。660 元帅：最高统帅。661 节度：协调；调配。662 温水：在今甘肃武威东。663 扁箱车：一种车身扁窄，适合行走狭路的车。664 为木屋施于车上：平时蔽风雨，战时阻挡矢石。665 自隆之西：从马隆率军西行后。666 音问：音讯。667 或谓已没：有人说已经全军覆没。668 诘朝：次日一早。669 假隆节：授予马隆旌节，这是皇帝对派出官员的特别彰显与恩宠。670 鲜卑大人猝跋韩且万能：鲜卑族的首领名叫“猝跋韩且万能”。671 凉州遂平：秃发树机能自泰始六年（公元二七〇年）在万斛堆起兵，到此被灭，共历十年。672 政之损益：现行方针、政策的得失、优缺点。673 司徒左长史傅咸：傅咸字长虞，傅玄之子，曾多次上疏，主张裁减冗官，兴办学校，重视农桑。后任司隶校尉，屡劾权贵。传见《晋书》卷四十七。司徒左长史是司徒属下的众文吏之长。674 旧都督有四：指魏初置都督诸军。东南面防备吴，西面防备蜀，北面防备胡，随其资望轻重加上征某将军、镇某将军、安某将军、平某将军的称号，仅有四名而已。675 监军：朝廷在将军身边所设的特派监督人员，权力甚重。676 几向一倍：几乎成为过去的一倍。当时晋国设有司、豫、徐、兖、荆、扬、梁、益、宁、交、秦、雍、凉、冀、幽、平、并、青十八个州。677 户口比汉十分之一：汉代全国人口最多时达五千九百多万，晋国灭吴前的总人口为五百三十多万，仅为汉朝的十分之一。678 军府：统领军队的各种将军幕府，如骠骑、车骑、卫、伏波、抚军、都护、镇军等。679 动有百数：动不动就多达上百个。680 无益宿卫：对保卫京城、保卫朝廷没有好处。681 五等诸侯：指王一等，公一等，列侯分县侯、乡侯、亭侯三等。682 坐置官属：每个享有封爵的人，手下都要设置不同数量的官职。683 诸所廪给：所有官员的粮食供给。684 并官息役：合并官署，停止征调劳役。685 上下务农：上下一致地致力于农耕。686 省州郡县半吏：将州、郡、县三级官府的官吏裁减一半。687 省吏不如省官：裁减吏属不如裁减官府，即合并郡县。688 清心：静下心来。689 萧、曹：萧何、曹参。都是西汉初期的丞相，二人依次采取休养生息的政策，使百姓安宁、国力增强。690 载其清静二句：二句见《史记·曹相国世

家》的赞语，是司马迁记载当时的民谣，全文为："萧何为法，颟若画一。曹参代之，守而勿失。载其清静，民以宁一。"宁一，安静而民心朴实，一心只想生产生活而没有其他。⑥⑨①抑浮说：抑制浮躁的空话。⑥⑨②简文案：精减各方面的规章条文。⑥⑨③略细苛：不要管得太琐碎。⑥⑨④宥小失：对犯有小过失的人要给予宽恕。宥，原谅。⑥⑨⑤变常以徼利：改变传统章程以谋求利益。徼，求取。⑥⑨⑥以九寺并尚书：把今天设立的九卿都合并到尚书各曹中去。⑥⑨⑦兰台付三府：将御史台与三公府中的监察机构合并。兰台，即御史台，国家的最高监察机构。三府，即三公府，三公指丞相、太尉、御史大夫。当时三公属下也设有监察官员。⑥⑨⑧直作大例：另行做出统一规定，指减去各官府属吏的一半。⑥⑨⑨剧易：犹言"难易"。⑦⓪⓪旷阙：指人手不够，事情忙不过来。⑦⓪①皆须更复：又得再恢复原状。⑦⓪②或激而滋繁：甚至于变得比以前还要多。⑦⓪③不可不重：不能不重视。

【校记】

［11］然喜任侠：原无此四字。据章钰校，甲十一行本、乙十一行本、孔天胤本皆有此四字，张敦仁《通鉴刊本识误》、张瑛《通鉴校勘记》同，今据补。

【研析】

本卷写了晋武帝泰始九年（公元二七三年）到咸宁五年（公元二七九年）共七年间的西晋与东吴等国的大事，其中可议论的人物、事件主要如下。

本卷写了晋朝名臣羊祜的死。羊祜为人终生谦退，史文说他"每拜官爵，常多避让"，在进封他为南城郡侯的时候，他固辞不受，以至于朝廷也只好"见申于分列之外"，答应他的请求了。他"历事二世，职典枢要，凡谋议损益，皆焚其草，世莫得闻；所进达之人皆不知所由。常曰：'拜官公朝，谢恩私门，吾所不敢也'"。这样的在朝为官，的确是古今少有。羊祜是积极建议灭吴的将领，遗憾的是至死没有说动朝廷。可以得到告慰的是这件大事终于在他安排的另外两位大将杜预和王濬积极推动下实现了。羊祜死的时候，"帝哭之甚哀。是日大寒，涕泪沾须鬓皆为冰"，"南州民闻祜卒，为之罢市，巷哭声相接，吴守边将士亦为之泣。祜好游岘山，襄阳人建碑立庙于其地，岁时祭祀，望其碑者无不流涕，因谓之堕泪碑"。羊祜的历史贡献比汉代的李广大得多，而死后的哀荣也比《史记》所说的李广更为真实动人。王夫之《读通鉴论》说："三代以下，用兵以道，而从容以收大功者，其唯羊叔子乎？"明代杨一奇的《史谈补》为此说："羊祜，晋室一臣耳，卒之日君悲之，民悲之，边士悲之，以至行道之人无不悲之。晋室有此人物，其晋室之翘楚乎！"

本卷写到死亡的还有晋朝的显要人物何曾，这是一个极端虚伪、极会装腔作势的家伙。本书前文《魏纪十》写到"竹林七贤"的生活习性时说："阮籍为步兵校尉，其母卒，籍方与人围棋，对者求止，籍留与决赌。既而饮酒二斗，举声一号，吐血

数升，毁瘠骨立。居丧，饮酒无异平日。”对于这样的阮籍，当时任司隶校尉的何曾，当着司马昭的面斥责阮籍说：“卿，纵情、背礼、败俗之人，今忠贤执政，综核名实，若卿之曹，不可长也。”并转身对司马昭说：“公方以孝治天下，而听阮籍以重哀饮酒食肉于公座，何以训人！宜摈之四裔，无令污染华夏。”看起来多么义正词严！王志坚《读史商语》揭露何曾的面目说：“阮籍居丧饮酒，何曾欲摈四裔，可谓守礼之士矣；然曾‘日食万钱’，是何礼法耶？曾传称其‘生平无嬖幸，与妻相见如严宾，再拜上酒，即毕便出，一岁中如是者不过再三’；然何遵乃其庶出之子，所谓礼法者，乃作伪之薮耳。此嗣宗所谓裤中虱也。”本卷写到何曾死前，司隶校尉刘毅曾弹奏何曾的“侈汰无度”，司马炎不闻不问。等到何曾死后，博士秦秀建议说：“曾骄奢过度，名被九域。宰相大臣，人之表仪，若生极其情，死又无贬，王公贵人复何畏哉！谨按《谥法》，‘名与实爽曰缪，怙乱肆行曰丑’，宜谥缪丑公。”司马炎仍曲加保护，谥之曰“孝”。这个故事很能让我们加深理解魏末晋初时为什么会出现以阮籍、嵇康为代表的那么一群嫉“名教”如仇，而故意“放荡”的士大夫。

本卷还借着被司马氏所废的魏帝曹芳之死，写了不满于司马氏政权的几个极有棱角的臣民。第一是范粲。本卷写范粲说：“初，芳之废迁金墉也，太宰中郎陈留范粲素服拜送，哀动左右。遂称疾不出，阳狂不言，寝所乘车，足不履地。子孙有婚宦大事，辄密咨焉，合者则色无变，不合则眠寝不安，妻子以此知其旨。子乔等三人并弃学业，绝人事，侍疾家庭，足不出邑里。……粲不言凡三十六年，年八十四，终于所寝之车。”王志坚《读史商语》说此事：“噫！如粲者可谓真忠，如粲之子可谓真孝矣。彼身受王爵而称‘有魏贞士’者，吾谁欺？欺天乎？”其“身受王爵而称‘有魏贞士’者”是指司马炎的叔公司马孚。此人的行径，我们在上一卷里已经做过评论。第二是王仪之子王裒。本卷写王仪父子的故事说：“初，东关之败，文帝问僚属曰：‘近日之事，谁任其咎？’安东司马王仪，脩之子也，对曰：‘责在元帅。’文帝怒曰：‘司马欲委罪孤邪？’引出斩之。仪子裒痛父非命，隐居教授，三征七辟，皆不就。未尝西向而坐，庐于墓侧，旦夕攀柏悲号，涕泪着树，树为之枯。读《诗》至‘哀哀父母，生我劬劳’，未尝不三复流涕……遂不仕而终。”人总要活得有点精神，王裒为仇视司马昭，终身不面西而坐，可以称得上是好汉子！类似嵇康之子嵇绍的那种表现，简直可以称得上是“认贼作父”了。

资治通鉴

全本全注全译

纪年索引

赠品

浙江人民出版社

朕惟「君子多識前言往行，以畜其德」，故能「剛健篤實，輝光日新」。《書》亦曰：「王，人求多聞，時惟建事。」《詩》《書》《春秋》，皆所以明乎得失之迹，存王道之正，垂鑑戒於後世者也。

漢司馬遷紬石室金匱之書，據左氏《國語》，推《世本》《戰國策》《楚漢春秋》，采經摭傳，罔羅天下放失舊聞，考之行事，馳騁上下數千載間，首記軒轅，至于麟止，作為紀、表、世家、書、傳，後之述者不能易此體也。惟其是非不謬於聖人，褒貶出於至當，則良史之才矣。若稽古英考，留神載籍，萬機之下，未嘗廢卷。嘗命龍圖閣直學士司馬光論次歷代君臣事迹，俾就祕閣繙閱，給吏史筆札，起周威烈王，訖于五代。光之志以為周積衰，王室微，禮樂征伐自諸侯

《资治通鉴全本全注全译》纪年索引

为方便读者查阅，我们编排了本套书的纪年索引。本索引以《资治通鉴》纪年顺序排列，各年分别标注卷次、册数、页码。

通鉴纪年	公元纪年	卷次/册数/页码	通鉴纪年	公元纪年	卷次/册数/页码
周威烈王二十三年	公元前四〇三年	1/1/002	周烈王四年	公元前三七二年	1/1/054
周威烈王二十四年	公元前四〇二年	1/1/032	周烈王五年	公元前三七一年	1/1/054
周安王元年	公元前四〇一年	1/1/036	周烈王六年	公元前三七〇年	1/1/054
周安王二年	公元前四〇〇年	1/1/036	周烈王七年	公元前三六九年	1/1/056
周安王三年	公元前三九九年	1/1/036	周显王元年	公元前三六八年	2/1/062
周安王四年	公元前三九八年	1/1/036	周显王三年	公元前三六六年	2/1/062
周安王五年	公元前三九七年	1/1/036	周显王四年	公元前三六五年	2/1/062
周安王六年	公元前三九六年	1/1/036	周显王五年	公元前三六四年	2/1/062
周安王八年	公元前三九四年	1/1/038	周显王七年	公元前三六二年	2/1/064
周安王九年	公元前三九三年	1/1/038	周显王八年	公元前三六一年	2/1/064
周安王十一年	公元前三九一年	1/1/038	周显王十年	公元前三五九年	2/1/066
周安王十二年	公元前三九〇年	1/1/038	周显王十一年	公元前三五八年	2/1/074
周安王十三年	公元前三八九年	1/1/038	周显王十二年	公元前三五七年	2/1/074
周安王十五年	公元前三八七年	1/1/038	周显王十三年	公元前三五六年	2/1/074
周安王十六年	公元前三八六年	1/1/042	周显王十四年	公元前三五五年	2/1/074
周安王十七年	公元前三八五年	1/1/042	周显王十五年	公元前三五四年	2/1/076
周安王十九年	公元前三八三年	1/1/042	周显王十六年	公元前三五三年	2/1/076
周安王二十年	公元前三八二年	1/1/042	周显王十七年	公元前三五二年	2/1/078
周安王二十一年	公元前三八一年	1/1/042	周显王十八年	公元前三五一年	2/1/078
周安王二十二年	公元前三八〇年	1/1/042	周显王十九年	公元前三五〇年	2/1/078
周安王二十三年	公元前三七九年	1/1/042	周显王二十一年	公元前三四八年	2/1/080
周安王二十四年	公元前三七八年	1/1/042	周显王二十二年	公元前三四七年	2/1/080
周安王二十五年	公元前三七七年	1/1/044	周显王二十三年	公元前三四六年	2/1/080
周安王二十六年	公元前三七六年	1/1/044	周显王二十五年	公元前三四四年	2/1/080
周烈王元年	公元前三七五年	1/1/052	周显王二十六年	公元前三四三年	2/1/080
周烈王三年	公元前三七三年	1/1/052	周显王二十八年	公元前三四一年	2/1/080

续表

通鉴纪年	公元纪年	卷次/册数/页码	通鉴纪年	公元纪年	卷次/册数/页码
周显王二十九年	公元前三四〇年	2/1/082	周赧王六年	公元前三〇九年	3/1/160
周显王三十一年	公元前三三八年	2/1/084	周赧王七年	公元前三〇八年	3/1/160
周显王三十二年	公元前三三七年	2/1/094	周赧王八年	公元前三〇七年	3/1/162
周显王三十三年	公元前三三六年	2/1/094	周赧王九年	公元前三〇六年	3/1/164
周显王三十四年	公元前三三五年	2/1/096	周赧王十年	公元前三〇五年	3/1/164
周显王三十五年	公元前三三四年	2/1/096	周赧王十一年	公元前三〇四年	3/1/170
周显王三十六年	公元前三三三年	2/1/096	周赧王十二年	公元前三〇三年	3/1/170
周显王三十七年	公元前三三二年	2/1/110	周赧王十三年	公元前三〇二年	3/1/172
周显王三十九年	公元前三三〇年	2/1/110	周赧王十四年	公元前三〇一年	3/1/172
周显王四十年	公元前三二九年	2/1/112	周赧王十五年	公元前三〇〇年	3/1/172
周显王四十一年	公元前三二八年	2/1/112	周赧王十六年	公元前二九九年	3/1/172
周显王四十二年	公元前三二七年	2/1/112	周赧王十七年	公元前二九八年	3/1/174
周显王四十三年	公元前三二六年	2/1/112	周赧王十八年	公元前二九七年	4/1/186
周显王四十四年	公元前三二五年	2/1/112	周赧王十九年	公元前二九六年	4/1/186
周显王四十五年	公元前三二四年	2/1/112	周赧王二十年	公元前二九五年	4/1/188
周显王四十六年	公元前三二三年	2/1/114	周赧王二十一年	公元前二九四年	4/1/190
周显王四十七年	公元前三二二年	2/1/114	周赧王二十二年	公元前二九三年	4/1/190
周显王四十八年	公元前三二一年	2/1/114	周赧王二十三年	公元前二九二年	4/1/190
周慎靓王元年	公元前三二〇年	3/1/124	周赧王二十四年	公元前二九一年	4/1/192
周慎靓王二年	公元前三一九年	3/1/124	周赧王二十五年	公元前二九〇年	4/1/192
周慎靓王三年	公元前三一八年	3/1/126	周赧王二十六年	公元前二八九年	4/1/192
周慎靓王四年	公元前三一七年	3/1/126	周赧王二十七年	公元前二八八年	4/1/196
周慎靓王五年	公元前三一六年	3/1/126	周赧王二十八年	公元前二八七年	4/1/196
周慎靓王六年	公元前三一五年	3/1/130	周赧王二十九年	公元前二八六年	4/1/196
周赧王元年	公元前三一四年	3/1/134	周赧王三十年	公元前二八五年	4/1/198
周赧王二年	公元前三一三年	3/1/140	周赧王三十一年	公元前二八四年	4/1/198
周赧王三年	公元前三一二年	3/1/142	周赧王三十二年	公元前二八三年	4/1/212
周赧王四年	公元前三一一年	3/1/144	周赧王三十三年	公元前二八二年	4/1/214
周赧王五年	公元前三一〇年	3/1/148	周赧王三十四年	公元前二八一年	4/1/214

续表

通鉴纪年	公元纪年	卷次/册数/页码	通鉴纪年	公元纪年	卷次/册数/页码
周赧王三十五年	公元前二八〇年	4/1/216	秦孝文王元年	公元前二五〇年	6/1/348
周赧王三十六年	公元前二七九年	4/1/216	秦庄襄王元年	公元前二四九年	6/1/354
周赧王三十七年	公元前二七八年	4/1/238	秦庄襄王二年	公元前二四八年	6/1/354
周赧王三十八年	公元前二七七年	4/1/238	秦庄襄王三年	公元前二四七年	6/1/354
周赧王三十九年	公元前二七六年	4/1/238	秦始皇元年	公元前二四六年	6/1/362
周赧王四十年	公元前二七五年	4/1/238	秦始皇二年	公元前二四五年	6/1/362
周赧王四十一年	公元前二七四年	4/1/238	秦始皇三年	公元前二四四年	6/1/364
周赧王四十二年	公元前二七三年	4/1/238	秦始皇四年	公元前二四三年	6/1/366
周赧王四十三年	公元前二七二年	5/1/254	秦始皇五年	公元前二四二年	6/1/366
周赧王四十四年	公元前二七一年	5/1/254	秦始皇六年	公元前二四一年	6/1/366
周赧王四十五年	公元前二七〇年	5/1/256	秦始皇七年	公元前二四〇年	6/1/368
周赧王四十六年	公元前二六九年	5/1/260	秦始皇八年	公元前二三九年	6/1/368
周赧王四十七年	公元前二六八年	5/1/260	秦始皇九年	公元前二三八年	6/1/376
周赧王四十八年	公元前二六七年	5/1/260	秦始皇十年	公元前二三七年	6/1/380
周赧王四十九年	公元前二六六年	5/1/260	秦始皇十一年	公元前二三六年	6/1/382
周赧王五十年	公元前二六五年	5/1/270	秦始皇十二年	公元前二三五年	6/1/382
周赧王五十一年	公元前二六四年	5/1/272	秦始皇十三年	公元前二三四年	6/1/390
周赧王五十二年	公元前二六三年	5/1/274	秦始皇十四年	公元前二三三年	6/1/390
周赧王五十三年	公元前二六二年	5/1/278	秦始皇十五年	公元前二三二年	6/1/392
周赧王五十五年	公元前二六〇年	5/1/280	秦始皇十六年	公元前二三一年	6/1/394
周赧王五十六年	公元前二五九年	5/1/288	秦始皇十七年	公元前二三〇年	6/1/394
周赧王五十七年	公元前二五八年	5/1/300	秦始皇十八年	公元前二二九年	6/1/394
周赧王五十八年	公元前二五七年	5/1/312	秦始皇十九年	公元前二二八年	6/1/394
周赧王五十九年	公元前二五六年	5/1/316	秦始皇二十年	公元前二二七年	7/1/408
秦昭襄王五十二年	公元前二五五年	6/1/326	秦始皇二十一年	公元前二二六年	7/1/410
秦昭襄王五十三年	公元前二五四年	6/1/346	秦始皇二十二年	公元前二二五年	7/1/410
秦昭襄王五十四年	公元前二五三年	6/1/346	秦始皇二十三年	公元前二二四年	7/1/412
秦昭襄王五十五年	公元前二五二年	6/1/346	秦始皇二十四年	公元前二二三年	7/1/412
秦昭襄王五十六年	公元前二五一年	6/1/346	秦始皇二十五年	公元前二二二年	7/1/412

续表

通鉴纪年	公元纪年	卷次/册数/页码	通鉴纪年	公元纪年	卷次/册数/页码
秦始皇二十六年	公元前二二一年	7/1/414	汉惠帝四年	公元前一九一年	12/2/226
秦始皇二十七年	公元前二二〇年	7/1/426	汉惠帝五年	公元前一九〇年	12/2/226
秦始皇二十八年	公元前二一九年	7/1/426	汉惠帝六年	公元前一八九年	12/2/228
秦始皇二十九年	公元前二一八年	7/1/428	汉惠帝七年	公元前一八八年	12/2/228
秦始皇三十一年	公元前二一六年	7/1/428	汉高后元年	公元前一八七年	13/2/236
秦始皇三十二年	公元前二一五年	7/1/428	汉高后二年	公元前一八六年	13/2/238
秦始皇三十三年	公元前二一四年	7/1/430	汉高后三年	公元前一八五年	13/2/238
秦始皇三十四年	公元前二一三年	7/1/430	汉高后四年	公元前一八四年	13/2/240
秦始皇三十五年	公元前二一二年	7/1/432	汉高后五年	公元前一八三年	13/2/240
秦始皇三十六年	公元前二一一年	7/1/434	汉高后六年	公元前一八二年	13/2/240
秦始皇三十七年	公元前二一〇年	7/1/442	汉高后七年	公元前一八一年	13/2/242
秦二世元年	公元前二〇九年	7/1/450	汉高后八年	公元前一八〇年	13/2/252
秦二世二年	公元前二〇八年	8/1/476	汉文帝前元元年	公元前一七九年	13/2/270
秦二世三年	公元前二〇七年	8/1/510	汉文帝前元二年	公元前一七八年	13/2/284
汉高祖元年	公元前二〇六年	9/2/002	汉文帝前元三年	公元前一七七年	14/2/300
汉高祖二年	公元前二〇五年	9/2/038	汉文帝前元四年	公元前一七六年	14/2/310
汉高祖三年	公元前二〇四年	10/2/058	汉文帝前元五年	公元前一七五年	14/2/312
汉高祖四年	公元前二〇三年	10/2/090	汉文帝前元六年	公元前一七四年	14/2/318
汉高祖五年	公元前二〇二年	11/2/112	汉文帝前元七年	公元前一七三年	14/2/346
汉高祖六年	公元前二〇一年	11/2/138	汉文帝前元八年	公元前一七二年	14/2/346
汉高祖七年	公元前二〇〇年	11/2/154	汉文帝前元九年	公元前一七一年	14/2/346
汉高祖八年	公元前一九九年	12/2/170	汉文帝前元十年	公元前一七〇年	14/2/346
汉高祖九年	公元前一九八年	12/2/172	汉文帝前元十一年	公元前一六九年	15/2/354
汉高祖十年	公元前一九七年	12/2/176	汉文帝前元十二年	公元前一六八年	15/2/368
汉高祖十一年	公元前一九六年	12/2/186	汉文帝前元十三年	公元前一六七年	15/2/374
汉高祖十二年	公元前一九五年	12/2/198	汉文帝前元十四年	公元前一六六年	15/2/380
汉惠帝元年	公元前一九四年	12/2/220	汉文帝前元十五年	公元前一六五年	15/2/384
汉惠帝二年	公元前一九三年	12/2/222	汉文帝前元十六年	公元前一六四年	15/2/384
汉惠帝三年	公元前一九二年	12/2/224	汉文帝后元元年	公元前一六三年	15/2/386

续表

通鉴纪年	公元纪年	卷次/册数/页码	通鉴纪年	公元纪年	卷次/册数/页码
汉文帝后元二年	公元前一六二年	15/2/394	汉武帝元光二年	公元前一三三年	18/2/556
汉文帝后元三年	公元前一六一年	15/2/394	汉武帝元光三年	公元前一三二年	18/2/562
汉文帝后元四年	公元前一六〇年	15/2/394	汉武帝元光四年	公元前一三一年	18/2/564
汉文帝后元五年	公元前一五九年	15/2/396	汉武帝元光五年	公元前一三〇年	18/2/570
汉文帝后元六年	公元前一五八年	15/2/396	汉武帝元光六年	公元前一二九年	18/2/586
汉文帝后元七年	公元前一五七年	15/2/398	汉武帝元朔元年	公元前一二八年	18/2/586
汉景帝前元元年	公元前一五六年	15/2/404	汉武帝元朔二年	公元前一二七年	18/2/602
汉景帝前元二年	公元前一五五年	15/2/406	汉武帝元朔三年	公元前一二六年	18/2/610
汉景帝前元三年	公元前一五四年	16/2/416	汉武帝元朔四年	公元前一二五年	18/2/614
汉景帝前元四年	公元前一五三年	16/2/452	汉武帝元朔五年	公元前一二四年	19/3/002
汉景帝前元五年	公元前一五二年	16/2/452	汉武帝元朔六年	公元前一二三年	19/3/014
汉景帝前元六年	公元前一五一年	16/2/452	汉武帝元狩元年	公元前一二二年	19/3/018
汉景帝前元七年	公元前一五〇年	16/2/454	汉武帝元狩二年	公元前一二一年	19/3/034
汉景帝中元元年	公元前一四九年	16/2/456	汉武帝元狩三年	公元前一二〇年	19/3/040
汉景帝中元二年	公元前一四八年	16/2/456	汉武帝元狩四年	公元前一一九年	19/3/050
汉景帝中元三年	公元前一四七年	16/2/466	汉武帝元狩五年	公元前一一八年	20/3/072
汉景帝中元四年	公元前一四六年	16/2/468	汉武帝元狩六年	公元前一一七年	20/3/074
汉景帝中元五年	公元前一四五年	16/2/468	汉武帝元鼎元年	公元前一一六年	20/3/078
汉景帝中元六年	公元前一四四年	16/2/468	汉武帝元鼎二年	公元前一一五年	20/3/082
汉景帝后元元年	公元前一四三年	16/2/470	汉武帝元鼎三年	公元前一一四年	20/3/088
汉景帝后元二年	公元前一四二年	16/2/474	汉武帝元鼎四年	公元前一一三年	20/3/094
汉景帝后元三年	公元前一四一年	16/2/474	汉武帝元鼎五年	公元前一一二年	20/3/104
汉武帝建元元年	公元前一四〇年	17/2/490	汉武帝元鼎六年	公元前一一一年	20/3/110
汉武帝建元二年	公元前一三九年	17/2/510	汉武帝元封元年	公元前一一〇年	20/3/126
汉武帝建元三年	公元前一三八年	17/2/514	汉武帝元封二年	公元前一〇九年	21/3/138
汉武帝建元四年	公元前一三七年	17/2/528	汉武帝元封三年	公元前一〇八年	21/3/142
汉武帝建元五年	公元前一三六年	17/2/530	汉武帝元封四年	公元前一〇七年	21/3/154
汉武帝建元六年	公元前一三五年	17/2/530	汉武帝元封五年	公元前一〇六年	21/3/156
汉武帝元光元年	公元前一三四年	17/2/540	汉武帝元封六年	公元前一〇五年	21/3/156

续表

通鉴纪年	公元纪年	卷次/册数/页码	通鉴纪年	公元纪年	卷次/册数/页码
汉武帝太初元年	公元前一〇四年	21/3/160	汉昭帝元凤六年	公元前七五年	23/3/298
汉武帝太初二年	公元前一〇三年	21/3/168	汉昭帝元平元年	公元前七四年	24/3/308
汉武帝太初三年	公元前一〇二年	21/3/170	汉宣帝本始元年	公元前七三年	24/3/342
汉武帝太初四年	公元前一〇一年	21/3/176	汉宣帝本始二年	公元前七二年	24/3/344
汉武帝天汉元年	公元前一〇〇年	21/3/184	汉宣帝本始三年	公元前七一年	24/3/352
汉武帝天汉二年	公元前九九年	21/3/188	汉宣帝本始四年	公元前七〇年	24/3/358
汉武帝天汉三年	公元前九八年	22/3/202	汉宣帝地节元年	公元前六九年	24/3/360
汉武帝天汉四年	公元前九七年	22/3/204	汉宣帝地节二年	公元前六八年	24/3/360
汉武帝太始元年	公元前九六年	22/3/204	汉宣帝地节三年	公元前六七年	25/3/374
汉武帝太始二年	公元前九五年	22/3/204	汉宣帝地节四年	公元前六六年	25/3/392
汉武帝太始三年	公元前九四年	22/3/206	汉宣帝元康元年	公元前六五年	25/3/408
汉武帝太始四年	公元前九三年	22/3/208	汉宣帝元康二年	公元前六四年	25/3/412
汉武帝征和元年	公元前九二年	22/3/208	汉宣帝元康三年	公元前六三年	25/3/424
汉武帝征和二年	公元前九一年	22/3/214	汉宣帝元康四年	公元前六二年	25/3/430
汉武帝征和三年	公元前九〇年	22/3/228	汉宣帝神爵元年	公元前六一年	26/3/440
汉武帝征和四年	公元前八九年	22/3/232	汉宣帝神爵二年	公元前六〇年	26/3/472
汉武帝后元元年	公元前八八年	22/3/242	汉宣帝神爵三年	公元前五九年	26/3/484
汉武帝后元二年	公元前八七年	22/3/246	汉宣帝神爵四年	公元前五八年	27/3/492
汉昭帝始元元年	公元前八六年	23/3/258	汉宣帝五凤元年	公元前五七年	27/3/496
汉昭帝始元二年	公元前八五年	23/3/262	汉宣帝五凤二年	公元前五六年	27/3/502
汉昭帝始元三年	公元前八四年	23/3/262	汉宣帝五凤三年	公元前五五年	27/3/504
汉昭帝始元四年	公元前八三年	23/3/264	汉宣帝五凤四年	公元前五四年	27/3/508
汉昭帝始元五年	公元前八二年	23/3/268	汉宣帝甘露元年	公元前五三年	27/3/516
汉昭帝始元六年	公元前八一年	23/3/270	汉宣帝甘露二年	公元前五二年	27/3/524
汉昭帝元凤元年	公元前八〇年	23/3/278	汉宣帝甘露三年	公元前五一年	27/3/532
汉昭帝元凤二年	公元前七九年	23/3/284	汉宣帝甘露四年	公元前五〇年	27/3/534
汉昭帝元凤三年	公元前七八年	23/3/290	汉宣帝黄龙元年	公元前四九年	27/3/534
汉昭帝元凤四年	公元前七七年	23/3/294	汉元帝初元元年	公元前四八年	28/3/544
汉昭帝元凤五年	公元前七六年	23/3/298	汉元帝初元二年	公元前四七年	28/3/550

续表

通鉴纪年	公元纪年	卷次/册数/页码	通鉴纪年	公元纪年	卷次/册数/页码
汉元帝初元三年	公元前四六年	28/3/564	汉成帝鸿嘉四年	公元前一七年	31/4/074
汉元帝初元四年	公元前四五年	28/3/566	汉成帝永始元年	公元前一六年	31/4/078
汉元帝初元五年	公元前四四年	28/3/568	汉成帝永始二年	公元前一五年	31/4/090
汉元帝永光元年	公元前四三年	28/3/572	汉成帝永始三年	公元前一四年	31/4/102
汉元帝永光二年	公元前四二年	28/3/584	汉成帝永始四年	公元前一三年	32/4/114
汉元帝永光三年	公元前四一年	29/3/594	汉成帝元延元年	公元前一二年	32/4/118
汉元帝永光四年	公元前四〇年	29/3/594	汉成帝元延二年	公元前一一年	32/4/126
汉元帝永光五年	公元前三九年	29/3/598	汉成帝元延三年	公元前一〇年	32/4/130
汉元帝建昭元年	公元前三八年	29/3/604	汉成帝元延四年	公元前九年	32/4/132
汉元帝建昭二年	公元前三七年	29/3/604	汉成帝绥和元年	公元前八年	32/4/134
汉元帝建昭三年	公元前三六年	29/3/616	汉成帝绥和二年	公元前七年	33/4/150
汉元帝建昭四年	公元前三五年	29/3/624	汉哀帝建平元年	公元前六年	33/4/176
汉元帝建昭五年	公元前三四年	29/3/624	汉哀帝建平二年	公元前五年	34/4/190
汉元帝竟宁元年	公元前三三年	29/3/626	汉哀帝建平三年	公元前四年	34/4/202
汉成帝建始元年	公元前三二年	30/4/002	汉哀帝建平四年	公元前三年	34/4/208
汉成帝建始二年	公元前三一年	30/4/008	汉哀帝元寿元年	公元前二年	35/4/232
汉成帝建始三年	公元前三〇年	30/4/012	汉哀帝元寿二年	公元前一年	35/4/252
汉成帝建始四年	公元前二九年	30/4/014	汉平帝元始元年	公元一年	35/4/260
汉成帝河平元年	公元前二八年	30/4/024	汉平帝元始二年	公元二年	35/4/266
汉成帝河平二年	公元前二七年	30/4/028	汉平帝元始三年	公元三年	36/4/278
汉成帝河平三年	公元前二六年	30/4/036	汉平帝元始四年	公元四年	36/4/286
汉成帝河平四年	公元前二五年	30/4/040	汉平帝元始五年	公元五年	36/4/296
汉成帝阳朔元年	公元前二四年	30/4/046	王莽居摄元年	公元六年	36/4/308
汉成帝阳朔二年	公元前二三年	30/4/052	王莽居摄二年	公元七年	36/4/310
汉成帝阳朔三年	公元前二二年	31/4/060	王莽始初元年	公元八年	36/4/316
汉成帝阳朔四年	公元前二一年	31/4/062	王莽始建国元年	公元九年	37/4/330
汉成帝鸿嘉元年	公元前二〇年	31/4/064	王莽始建国二年	公元一〇年	37/4/342
汉成帝鸿嘉二年	公元前一九年	31/4/066	王莽始建国三年	公元一一年	37/4/364
汉成帝鸿嘉三年	公元前一八年	31/4/070	王莽始建国四年	公元一二年	37/4/374

续表

通鉴纪年	公元纪年	卷次/册数/页码	通鉴纪年	公元纪年	卷次/册数/页码
王莽始建国五年	公元一三年	37/4/378	汉光武帝建武十八年	公元四二年	43/5/032
王莽天凤元年	公元一四年	37/4/382	汉光武帝建武十九年	公元四三年	43/5/034
王莽天凤二年	公元一五年	38/4/392	汉光武帝建武二十年	公元四四年	43/5/042
王莽天凤三年	公元一六年	38/4/396	汉光武帝建武二十一年	公元四五年	43/5/046
王莽天凤四年	公元一七年	38/4/402	汉光武帝建武二十二年	公元四六年	43/5/048
王莽天凤五年	公元一八年	38/4/404	汉光武帝建武二十三年	公元四七年	44/5/056
王莽天凤六年	公元一九年	38/4/410	汉光武帝建武二十四年	公元四八年	44/5/060
王莽地皇元年	公元二〇年	38/4/414	汉光武帝建武二十五年	公元四九年	44/5/062
王莽地皇二年	公元二一年	38/4/420	汉光武帝建武二十六年	公元五〇年	44/5/070
王莽地皇三年	公元二二年	38/4/428	汉光武帝建武二十七年	公元五一年	44/5/074
淮阳王更始元年	公元二三年	39/4/444	汉光武帝建武二十八年	公元五二年	44/5/078
淮阳王更始二年	公元二四年	39/4/468	汉光武帝建武二十九年	公元五三年	44/5/084
汉光武帝建武元年	公元二五年	40/4/496	汉光武帝建武三十年	公元五四年	44/5/084
汉光武帝建武二年	公元二六年	40/4/524	汉光武帝建武三十一年	公元五五年	44/5/084
汉光武帝建武三年	公元二七年	41/4/548	汉光武帝中元元年	公元五六年	44/5/086
汉光武帝建武四年	公元二八年	41/4/558	汉光武帝中元二年	公元五七年	44/5/092
汉光武帝建武五年	公元二九年	41/4/566	汉明帝永平元年	公元五八年	44/5/096
汉光武帝建武六年	公元三〇年	42/4/604	汉明帝永平二年	公元五九年	44/5/098
汉光武帝建武七年	公元三一年	42/4/622	汉明帝永平三年	公元六〇年	44/5/102
汉光武帝建武八年	公元三二年	42/4/626	汉明帝永平四年	公元六一年	45/5/114
汉光武帝建武九年	公元三三年	42/4/632	汉明帝永平五年	公元六二年	45/5/116
汉光武帝建武十年	公元三四年	42/4/638	汉明帝永平六年	公元六三年	45/5/118
汉光武帝建武十一年	公元三五年	42/4/640	汉明帝永平七年	公元六四年	45/5/120
汉光武帝建武十二年	公元三六年	43/5/002	汉明帝永平八年	公元六五年	45/5/122
汉光武帝建武十三年	公元三七年	43/5/014	汉明帝永平九年	公元六六年	45/5/126
汉光武帝建武十四年	公元三八年	43/5/018	汉明帝永平十年	公元六七年	45/5/128
汉光武帝建武十五年	公元三九年	43/5/022	汉明帝永平十一年	公元六八年	45/5/130
汉光武帝建武十六年	公元四〇年	43/5/026	汉明帝永平十二年	公元六九年	45/5/132
汉光武帝建武十七年	公元四一年	43/5/030	汉明帝永平十三年	公元七〇年	45/5/134

续表

通鉴纪年	公元纪年	卷次/册数/页码	通鉴纪年	公元纪年	卷次/册数/页码
汉明帝永平十四年	公元七一年	45/5/134	汉和帝永元十二年	公元一〇〇年	48/5/296
汉明帝永平十五年	公元七二年	45/5/140	汉和帝永元十三年	公元一〇一年	48/5/296
汉明帝永平十六年	公元七三年	45/5/142	汉和帝永元十四年	公元一〇二年	48/5/300
汉明帝永平十七年	公元七四年	45/5/150	汉和帝永元十五年	公元一〇三年	48/5/308
汉明帝永平十八年	公元七五年	45/5/154	汉和帝永元十六年	公元一〇四年	48/5/310
汉章帝建初元年	公元七六年	46/5/164	汉和帝元兴元年	公元一〇五年	48/5/312
汉章帝建初二年	公元七七年	46/5/172	汉殇帝延平元年	公元一〇六年	49/5/318
汉章帝建初三年	公元七八年	46/5/182	汉安帝永初元年	公元一〇七年	49/5/326
汉章帝建初四年	公元七九年	46/5/184	汉安帝永初二年	公元一〇八年	49/5/336
汉章帝建初五年	公元八〇年	46/5/188	汉安帝永初三年	公元一〇九年	49/5/340
汉章帝建初六年	公元八一年	46/5/192	汉安帝永初四年	公元一一〇年	49/5/344
汉章帝建初七年	公元八二年	46/5/192	汉安帝永初五年	公元一一一年	49/5/354
汉章帝建初八年	公元八三年	46/5/196	汉安帝永初六年	公元一一二年	49/5/356
汉章帝元和元年	公元八四年	46/5/206	汉安帝永初七年	公元一一三年	49/5/358
汉章帝元和二年	公元八五年	47/5/218	汉安帝元初元年	公元一一四年	49/5/358
汉章帝元和三年	公元八六年	47/5/226	汉安帝元初二年	公元一一五年	49/5/362
汉章帝章和元年	公元八七年	47/5/230	汉安帝元初三年	公元一一六年	50/5/370
汉章帝章和二年	公元八八年	47/5/236	汉安帝元初四年	公元一一七年	50/5/372
汉和帝永元元年	公元八九年	47/5/246	汉安帝元初五年	公元一一八年	50/5/374
汉和帝永元二年	公元九〇年	47/5/256	汉安帝元初六年	公元一一九年	50/5/376
汉和帝永元三年	公元九一年	47/5/258	汉安帝永宁元年	公元一二〇年	50/5/380
汉和帝永元四年	公元九二年	48/5/266	汉安帝建光元年	公元一二一年	50/5/388
汉和帝永元五年	公元九三年	48/5/276	汉安帝延光元年	公元一二二年	50/5/404
汉和帝永元六年	公元九四年	48/5/282	汉安帝延光二年	公元一二三年	50/5/412
汉和帝永元七年	公元九五年	48/5/286	汉安帝延光三年	公元一二四年	50/5/418
汉和帝永元八年	公元九六年	48/5/286	汉安帝延光四年	公元一二五年	51/5/430
汉和帝永元九年	公元九七年	48/5/288	汉顺帝永建元年	公元一二六年	51/5/440
汉和帝永元十年	公元九八年	48/5/294	汉顺帝永建二年	公元一二七年	51/5/448
汉和帝永元十一年	公元九九年	48/5/294	汉顺帝永建三年	公元一二八年	51/5/456

续表

通鉴纪年	公元纪年	卷次/册数/页码	通鉴纪年	公元纪年	卷次/册数/页码
汉顺帝永建四年	公元一二九年	51/5/458	汉桓帝延熹元年	公元一五八年	54/5/600
汉顺帝永建五年	公元一三〇年	51/5/460	汉桓帝延熹二年	公元一五九年	54/5/604
汉顺帝永建六年	公元一三一年	51/5/460	汉桓帝延熹三年	公元一六〇年	54/5/622
汉顺帝阳嘉元年	公元一三二年	51/5/464	汉桓帝延熹四年	公元一六一年	54/5/626
汉顺帝阳嘉二年	公元一三三年	51/5/472	汉桓帝延熹五年	公元一六二年	54/5/630
汉顺帝阳嘉三年	公元一三四年	52/5/492	汉桓帝延熹六年	公元一六三年	54/5/636
汉顺帝阳嘉四年	公元一三五年	52/5/496	汉桓帝延熹七年	公元一六四年	55/6/002
汉顺帝永和元年	公元一三六年	52/5/500	汉桓帝延熹八年	公元一六五年	55/6/018
汉顺帝永和二年	公元一三七年	52/5/502	汉桓帝延熹九年	公元一六六年	55/6/032
汉顺帝永和三年	公元一三八年	52/5/504	汉桓帝永康元年	公元一六七年	56/6/052
汉顺帝永和四年	公元一三九年	52/5/510	汉灵帝建宁元年	公元一六八年	56/6/060
汉顺帝永和五年	公元一四〇年	52/5/512	汉灵帝建宁二年	公元一六九年	56/6/076
汉顺帝永和六年	公元一四一年	52/5/518	汉灵帝建宁三年	公元一七〇年	56/6/092
汉顺帝汉安元年	公元一四二年	52/5/524	汉灵帝建宁四年	公元一七一年	56/6/094
汉顺帝汉安二年	公元一四三年	52/5/532	汉灵帝熹平元年	公元一七二年	57/6/100
汉顺帝建康元年	公元一四四年	52/5/532	汉灵帝熹平二年	公元一七三年	57/6/108
汉冲帝永嘉元年	公元一四五年	52/5/536	汉灵帝熹平三年	公元一七四年	57/6/108
汉质帝本初元年	公元一四六年	53/5/546	汉灵帝熹平四年	公元一七五年	57/6/110
汉桓帝建和元年	公元一四七年	53/5/552	汉灵帝熹平五年	公元一七六年	57/6/114
汉桓帝建和二年	公元一四八年	53/5/558	汉灵帝熹平六年	公元一七七年	57/6/116
汉桓帝建和三年	公元一四九年	53/5/558	汉灵帝光和元年	公元一七八年	57/6/126
汉桓帝和平元年	公元一五〇年	53/5/564	汉灵帝光和二年	公元一七九年	57/6/134
汉桓帝元嘉元年	公元一五一年	53/5/570	汉灵帝光和三年	公元一八〇年	57/6/146
汉桓帝元嘉二年	公元一五二年	53/5/580	汉灵帝光和四年	公元一八一年	58/6/154
汉桓帝永兴元年	公元一五三年	53/5/582	汉灵帝光和五年	公元一八二年	58/6/158
汉桓帝永兴二年	公元一五四年	53/5/586	汉灵帝光和六年	公元一八三年	58/6/162
汉桓帝永寿元年	公元一五五年	53/5/586	汉灵帝中平元年	公元一八四年	58/6/164
汉桓帝永寿二年	公元一五六年	53/5/590	汉灵帝中平二年	公元一八五年	58/6/184
汉桓帝永寿三年	公元一五七年	54/5/596	汉灵帝中平三年	公元一八六年	58/6/192

续表

通鉴纪年	公元纪年	卷次/册数/页码	通鉴纪年	公元纪年	卷次/册数/页码
汉灵帝中平四年	公元一八七年	58/6/194	汉献帝建安二十一年	公元二一六年	67/6/620
汉灵帝中平五年	公元一八八年	59/6/202	汉献帝建安二十二年	公元二一七年	68/6/626
汉灵帝中平六年	公元一八九年	59/6/212	汉献帝建安二十三年	公元二一八年	68/6/636
汉献帝初平元年	公元一九〇年	59/6/236	汉献帝建安二十四年	公元二一九年	68/6/638
汉献帝初平二年	公元一九一年	60/6/254	魏文帝黄初元年	公元二二〇年	69/7/002
汉献帝初平三年	公元一九二年	60/6/272	魏文帝黄初二年	公元二二一年	69/7/016
汉献帝初平四年	公元一九三年	60/6/290	魏文帝黄初三年	公元二二二年	69/7/040
汉献帝兴平元年	公元一九四年	61/6/302	魏文帝黄初四年	公元二二三年	70/7/058
汉献帝兴平二年	公元一九五年	61/6/318	魏文帝黄初五年	公元二二四年	70/7/070
汉献帝建安元年	公元一九六年	62/6/352	魏文帝黄初六年	公元二二五年	70/7/076
汉献帝建安二年	公元一九七年	62/6/374	魏文帝黄初七年	公元二二六年	70/7/082
汉献帝建安三年	公元一九八年	62/6/388	魏明帝太和元年	公元二二七年	70/7/092
汉献帝建安四年	公元一九九年	63/6/406	魏明帝太和二年	公元二二八年	71/7/104
汉献帝建安五年	公元二〇〇年	63/6/426	魏明帝太和三年	公元二二九年	71/7/120
汉献帝建安六年	公元二〇一年	64/6/452	魏明帝太和四年	公元二三〇年	71/7/132
汉献帝建安七年	公元二〇二年	64/6/456	魏明帝太和五年	公元二三一年	72/7/146
汉献帝建安八年	公元二〇三年	64/6/462	魏明帝太和六年	公元二三二年	72/7/160
汉献帝建安九年	公元二〇四年	64/6/470	魏明帝青龙元年	公元二三三年	72/7/172
汉献帝建安十年	公元二〇五年	64/6/480	魏明帝青龙二年	公元二三四年	72/7/182
汉献帝建安十一年	公元二〇六年	65/6/492	魏明帝青龙三年	公元二三五年	73/7/200
汉献帝建安十二年	公元二〇七年	65/6/498	魏明帝青龙四年	公元二三六年	73/7/216
汉献帝建安十三年	公元二〇八年	65/6/508	魏明帝景初元年	公元二三七年	73/7/220
汉献帝建安十四年	公元二〇九年	66/6/544	魏明帝景初二年	公元二三八年	74/7/242
汉献帝建安十五年	公元二一〇年	66/6/548	魏明帝景初三年	公元二三九年	74/7/260
汉献帝建安十六年	公元二一一年	66/6/556	魏邵陵厉公正始元年	公元二四〇年	74/7/266
汉献帝建安十七年	公元二一二年	66/6/566	魏邵陵厉公正始二年	公元二四一年	74/7/268
汉献帝建安十八年	公元二一三年	66/6/576	魏邵陵厉公正始三年	公元二四二年	74/7/272
汉献帝建安十九年	公元二一四年	67/6/590	魏邵陵厉公正始四年	公元二四三年	74/7/274
汉献帝建安二十年	公元二一五年	67/6/606	魏邵陵厉公正始五年	公元二四四年	74/7/278

续表

通鉴纪年	公元纪年	卷次/册数/页码	通鉴纪年	公元纪年	卷次/册数/页码
魏邵陵厉公正始六年	公元二四五年	74/7/282	晋武帝泰始十年	公元二七四年	80/7/588
魏邵陵厉公正始七年	公元二四六年	75/7/294	晋武帝咸宁元年	公元二七五年	80/7/602
魏邵陵厉公正始八年	公元二四七年	75/7/298	晋武帝咸宁二年	公元二七六年	80/7/602
魏邵陵厉公正始九年	公元二四八年	75/7/300	晋武帝咸宁三年	公元二七七年	80/7/608
魏邵陵厉公嘉平元年	公元二四九年	75/7/310	晋武帝咸宁四年	公元二七八年	80/7/612
魏邵陵厉公嘉平二年	公元二五〇年	75/7/322	晋武帝咸宁五年	公元二七九年	80/7/622
魏邵陵厉公嘉平三年	公元二五一年	75/7/332	晋武帝太康元年	公元二八〇年	81/8/002
魏邵陵厉公嘉平四年	公元二五二年	75/7/338	晋武帝太康二年	公元二八一年	81/8/026
魏邵陵厉公嘉平五年	公元二五三年	76/7/354	晋武帝太康三年	公元二八二年	81/8/028
魏高贵乡公正元元年	公元二五四年	76/7/376	晋武帝太康四年	公元二八三年	81/8/034
魏高贵乡公正元二年	公元二五五年	76/7/388	晋武帝太康五年	公元二八四年	81/8/046
魏高贵乡公甘露元年	公元二五六年	77/7/408	晋武帝太康六年	公元二八五年	81/8/050
魏高贵乡公甘露二年	公元二五七年	77/7/414	晋武帝太康七年	公元二八六年	81/8/050
魏高贵乡公甘露三年	公元二五八年	77/7/430	晋武帝太康八年	公元二八七年	81/8/052
魏高贵乡公甘露四年	公元二五九年	77/7/444	晋武帝太康九年	公元二八八年	81/8/052
魏元帝景元元年	公元二六〇年	77/7/450	晋武帝太康十年	公元二八九年	82/8/058
魏元帝景元二年	公元二六一年	77/7/456	晋惠帝永熙元年	公元二九〇年	82/8/068
魏元帝景元三年	公元二六二年	78/7/466	晋惠帝元康元年	公元二九一年	82/8/078
魏元帝景元四年	公元二六三年	78/7/476	晋惠帝元康二年	公元二九二年	82/8/094
魏元帝咸熙元年	公元二六四年	78/7/498	晋惠帝元康三年	公元二九三年	82/8/094
晋武帝泰始元年	公元二六五年	79/7/520	晋惠帝元康四年	公元二九四年	82/8/094
晋武帝泰始二年	公元二六六年	79/7/524	晋惠帝元康五年	公元二九五年	82/8/096
晋武帝泰始三年	公元二六七年	79/7/536	晋惠帝元康六年	公元二九六年	82/8/096
晋武帝泰始四年	公元二六八年	79/7/540	晋惠帝元康七年	公元二九七年	82/8/098
晋武帝泰始五年	公元二六九年	79/7/548	晋惠帝元康八年	公元二九八年	82/8/102
晋武帝泰始六年	公元二七〇年	79/7/552	晋惠帝元康九年	公元二九九年	83/8/112
晋武帝泰始七年	公元二七一年	79/7/554	晋惠帝永康元年	公元三〇〇年	83/8/138
晋武帝泰始八年	公元二七二年	79/7/562	晋惠帝永宁元年	公元三〇一年	84/8/160
晋武帝泰始九年	公元二七三年	80/7/584	晋惠帝太安元年	公元三〇二年	84/8/192

续表

通鉴纪年	公元纪年	卷次/册数/页码	通鉴纪年	公元纪年	卷次/册数/页码
晋惠帝太安二年	公元三〇三年	85/8/208	晋成帝咸和七年	公元三三二年	95/9/122
晋惠帝永兴元年	公元三〇四年	85/8/234	晋成帝咸和八年	公元三三三年	95/9/128
晋惠帝永兴二年	公元三〇五年	86/8/260	晋成帝咸和九年	公元三三四年	95/9/144
晋惠帝光熙元年	公元三〇六年	86/8/276	晋成帝咸康元年	公元三三五年	95/9/156
晋怀帝永嘉元年	公元三〇七年	86/8/288	晋成帝咸康二年	公元三三六年	95/9/162
晋怀帝永嘉二年	公元三〇八年	86/8/304	晋成帝咸康三年	公元三三七年	95/9/168
晋怀帝永嘉三年	公元三〇九年	87/8/314	晋成帝咸康四年	公元三三八年	96/9/184
晋怀帝永嘉四年	公元三一〇年	87/8/326	晋成帝咸康五年	公元三三九年	96/9/208
晋怀帝永嘉五年	公元三一一年	87/8/342	晋成帝咸康六年	公元三四〇年	96/9/224
晋怀帝永嘉六年	公元三一二年	88/8/372	晋成帝咸康七年	公元三四一年	96/9/230
晋愍帝建兴元年	公元三一三年	88/8/394	晋成帝咸康八年	公元三四二年	97/9/244
晋愍帝建兴二年	公元三一四年	89/8/424	晋康帝建元元年	公元三四三年	97/9/252
晋愍帝建兴三年	公元三一五年	89/8/438	晋康帝建元二年	公元三四四年	97/9/256
晋愍帝建兴四年	公元三一六年	89/8/454	晋穆帝永和元年	公元三四五年	97/9/270
晋元帝建武元年	公元三一七年	90/8/482	晋穆帝永和二年	公元三四六年	97/9/278
晋元帝太兴元年	公元三一八年	90/8/504	晋穆帝永和三年	公元三四七年	97/9/288
晋元帝太兴二年	公元三一九年	91/8/532	晋穆帝永和四年	公元三四八年	98/9/304
晋元帝太兴三年	公元三二〇年	91/8/550	晋穆帝永和五年	公元三四九年	98/9/312
晋元帝太兴四年	公元三二一年	91/8/572	晋穆帝永和六年	公元三五〇年	98/9/338
晋元帝永昌元年	公元三二二年	92/8/586	晋穆帝永和七年	公元三五一年	99/9/358
晋明帝太宁元年	公元三二三年	92/8/622	晋穆帝永和八年	公元三五二年	99/9/378
晋明帝太宁二年	公元三二四年	93/9/002	晋穆帝永和九年	公元三五三年	99/9/396
晋明帝太宁三年	公元三二五年	93/9/024	晋穆帝永和十年	公元三五四年	99/9/402
晋成帝咸和元年	公元三二六年	93/9/040	晋穆帝永和十一年	公元三五五年	100/9/418
晋成帝咸和二年	公元三二七年	93/9/048	晋穆帝永和十二年	公元三五六年	100/9/430
晋成帝咸和三年	公元三二八年	94/9/060	晋穆帝升平元年	公元三五七年	100/9/448
晋成帝咸和四年	公元三二九年	94/9/092	晋穆帝升平二年	公元三五八年	100/9/460
晋成帝咸和五年	公元三三〇年	94/9/106	晋穆帝升平三年	公元三五九年	100/9/472
晋成帝咸和六年	公元三三一年	94/9/112	晋穆帝升平四年	公元三六〇年	101/9/482

续表

通鉴纪年	公元纪年	卷次/册数/页码	通鉴纪年	公元纪年	卷次/册数/页码
晋穆帝升平五年	公元三六一年	101/9/488	晋孝武帝太元十五年	公元三九〇年	107/10/230
晋哀帝隆和元年	公元三六二年	101/9/500	晋孝武帝太元十六年	公元三九一年	107/10/238
晋哀帝兴宁元年	公元三六三年	101/9/504	晋孝武帝太元十七年	公元三九二年	108/10/252
晋哀帝兴宁二年	公元三六四年	101/9/506	晋孝武帝太元十八年	公元三九三年	108/10/260
晋哀帝兴宁三年	公元三六五年	101/9/510	晋孝武帝太元十九年	公元三九四年	108/10/266
晋海西公太和元年	公元三六六年	101/9/522	晋孝武帝太元二十年	公元三九五年	108/10/278
晋海西公太和二年	公元三六七年	101/9/524	晋孝武帝太元二十一年	公元三九六年	108/10/290
晋海西公太和三年	公元三六八年	101/9/530	晋安帝隆安元年	公元三九七年	109/10/316
晋海西公太和四年	公元三六九年	102/9/544	晋安帝隆安二年	公元三九八年	110/10/364
晋海西公太和五年	公元三七〇年	102/9/572	晋安帝隆安三年	公元三九九年	111/10/412
晋简文帝咸安元年	公元三七一年	103/9/602	晋安帝隆安四年	公元四〇〇年	111/10/448
晋简文帝咸安二年	公元三七二年	103/9/626	晋安帝隆安五年	公元四〇一年	112/10/470
晋孝武帝宁康元年	公元三七三年	103/9/638	晋安帝元兴元年	公元四〇二年	112/10/498
晋孝武帝宁康二年	公元三七四年	103/9/644	晋安帝元兴二年	公元四〇三年	113/10/530
晋孝武帝宁康三年	公元三七五年	103/9/646	晋安帝元兴三年	公元四〇四年	113/10/546
晋孝武帝太元元年	公元三七六年	104/10/002	晋安帝义熙元年	公元四〇五年	114/10/586
晋孝武帝太元二年	公元三七七年	104/10/020	晋安帝义熙二年	公元四〇六年	114/10/604
晋孝武帝太元三年	公元三七八年	104/10/022	晋安帝义熙三年	公元四〇七年	114/10/614
晋孝武帝太元四年	公元三七九年	104/10/026	晋安帝义熙四年	公元四〇八年	114/10/632
晋孝武帝太元五年	公元三八〇年	104/10/036	晋安帝义熙五年	公元四〇九年	115/11/002
晋孝武帝太元六年	公元三八一年	104/10/044	晋安帝义熙六年	公元四一〇年	115/11/028
晋孝武帝太元七年	公元三八二年	104/10/048	晋安帝义熙七年	公元四一一年	116/11/062
晋孝武帝太元八年	公元三八三年	105/10/066	晋安帝义熙八年	公元四一二年	116/11/072
晋孝武帝太元九年	公元三八四年	105/10/090	晋安帝义熙九年	公元四一三年	116/11/090
晋孝武帝太元十年	公元三八五年	106/10/128	晋安帝义熙十年	公元四一四年	116/11/102
晋孝武帝太元十一年	公元三八六年	106/10/162	晋安帝义熙十一年	公元四一五年	117/11/122
晋孝武帝太元十二年	公元三八七年	107/10/190	晋安帝义熙十二年	公元四一六年	117/11/142
晋孝武帝太元十三年	公元三八八年	107/10/208	晋安帝义熙十三年	公元四一七年	118/11/170
晋孝武帝太元十四年	公元三八九年	107/10/216	晋安帝义熙十四年	公元四一八年	118/11/200

续表

通鉴纪年	公元纪年	卷次/册数/页码	通鉴纪年	公元纪年	卷次/册数/页码
晋恭帝元熙元年	公元四一九年	118/11/214	宋文帝元嘉二十五年	公元四四八年	125/12/006
宋武帝永初元年	公元四二〇年	119/11/230	宋文帝元嘉二十六年	公元四四九年	125/12/008
宋武帝永初二年	公元四二一年	119/11/244	宋文帝元嘉二十七年	公元四五〇年	125/12/016
宋武帝永初三年	公元四二二年	119/11/250	宋文帝元嘉二十八年	公元四五一年	126/12/070
宋营阳王景平元年	公元四二三年	119/11/266	宋文帝元嘉二十九年	公元四五二年	126/12/092
宋文帝元嘉元年	公元四二四年	120/11/290	宋文帝元嘉三十年	公元四五三年	127/12/116
宋文帝元嘉二年	公元四二五年	120/11/312	宋孝武帝孝建元年	公元四五四年	128/12/168
宋文帝元嘉三年	公元四二六年	120/11/318	宋孝武帝孝建二年	公元四五五年	128/12/192
宋文帝元嘉四年	公元四二七年	120/11/342	宋孝武帝孝建三年	公元四五六年	128/12/196
宋文帝元嘉五年	公元四二八年	121/11/358	宋孝武帝大明元年	公元四五七年	128/12/208
宋文帝元嘉六年	公元四二九年	121/11/370	宋孝武帝大明二年	公元四五八年	128/12/212
宋文帝元嘉七年	公元四三〇年	121/11/388	宋孝武帝大明三年	公元四五九年	129/12/240
宋文帝元嘉八年	公元四三一年	122/11/416	宋孝武帝大明四年	公元四六〇年	129/12/250
宋文帝元嘉九年	公元四三二年	122/11/432	宋孝武帝大明五年	公元四六一年	129/12/260
宋文帝元嘉十年	公元四三三年	122/11/450	宋孝武帝大明六年	公元四六二年	129/12/268
宋文帝元嘉十一年	公元四三四年	122/11/456	宋孝武帝大明七年	公元四六三年	129/12/280
宋文帝元嘉十二年	公元四三五年	122/11/462	宋孝武帝大明八年	公元四六四年	129/12/284
宋文帝元嘉十三年	公元四三六年	123/11/478	宋明帝泰始元年	公元四六五年	130/12/298
宋文帝元嘉十四年	公元四三七年	123/11/484	宋明帝泰始二年	公元四六六年	131/12/344
宋文帝元嘉十五年	公元四三八年	123/11/488	宋明帝泰始三年	公元四六七年	132/12/412
宋文帝元嘉十六年	公元四三九年	123/11/494	宋明帝泰始四年	公元四六八年	132/12/440
宋文帝元嘉十七年	公元四四〇年	123/11/514	宋明帝泰始五年	公元四六九年	132/12/446
宋文帝元嘉十八年	公元四四一年	123/11/526	宋明帝泰始六年	公元四七〇年	132/12/450
宋文帝元嘉十九年	公元四四二年	124/11/540	宋明帝泰始七年	公元四七一年	133/12/468
宋文帝元嘉二十年	公元四四三年	124/11/544	宋明帝泰豫元年	公元四七二年	133/12/496
宋文帝元嘉二十一年	公元四四四年	124/11/554	宋苍梧王元徽元年	公元四七三年	133/12/502
宋文帝元嘉二十二年	公元四四五年	124/11/570	宋苍梧王元徽二年	公元四七四年	133/12/512
宋文帝元嘉二十三年	公元四四六年	124/11/592	宋苍梧王元徽三年	公元四七五年	133/12/524
宋文帝元嘉二十四年	公元四四七年	125/12/002	宋苍梧王元徽四年	公元四七六年	134/12/536

续表

通鉴纪年	公元纪年	卷次/册数/页码	通鉴纪年	公元纪年	卷次/册数/页码
宋顺帝昇明元年	公元四七七年	134/12/548	梁武帝天监五年	公元五〇六年	146/14/094
宋顺帝昇明二年	公元四七八年	134/12/592	梁武帝天监六年	公元五〇七年	146/14/120
齐高帝建元元年	公元四七九年	135/13/002	梁武帝天监七年	公元五〇八年	147/14/136
齐高帝建元二年	公元四八〇年	135/13/030	梁武帝天监八年	公元五〇九年	147/14/154
齐高帝建元三年	公元四八一年	135/13/038	梁武帝天监九年	公元五一〇年	147/14/160
齐高帝建元四年	公元四八二年	135/13/054	梁武帝天监十年	公元五一一年	147/14/170
齐武帝永明元年	公元四八三年	135/13/060	梁武帝天监十一年	公元五一二年	147/14/176
齐武帝永明二年	公元四八四年	136/13/078	梁武帝天监十二年	公元五一三年	147/14/184
齐武帝永明三年	公元四八五年	136/13/096	梁武帝天监十三年	公元五一四年	147/14/188
齐武帝永明四年	公元四八六年	136/13/102	梁武帝天监十四年	公元五一五年	148/14/202
齐武帝永明五年	公元四八七年	136/13/106	梁武帝天监十五年	公元五一六年	148/14/222
齐武帝永明六年	公元四八八年	136/13/124	梁武帝天监十六年	公元五一七年	148/14/238
齐武帝永明七年	公元四八九年	136/13/132	梁武帝天监十七年	公元五一八年	148/14/244
齐武帝永明八年	公元四九〇年	137/13/148	梁武帝天监十八年	公元五一九年	149/14/268
齐武帝永明九年	公元四九一年	137/13/178	梁武帝普通元年	公元五二〇年	149/14/288
齐武帝永明十年	公元四九二年	137/13/200	梁武帝普通二年	公元五二一年	149/14/296
齐武帝永明十一年	公元四九三年	138/13/218	梁武帝普通三年	公元五二二年	149/14/314
齐明帝建武元年	公元四九四年	139/13/260	梁武帝普通四年	公元五二三年	149/14/316
齐明帝建武二年	公元四九五年	140/13/334	梁武帝普通五年	公元五二四年	150/14/332
齐明帝建武三年	公元四九六年	140/13/376	梁武帝普通六年	公元五二五年	150/14/354
齐明帝建武四年	公元四九七年	141/13/406	梁武帝普通七年	公元五二六年	151/14/396
齐明帝永泰元年	公元四九八年	141/13/434	梁武帝大通元年	公元五二七年	151/14/412
齐东昏侯永元元年	公元四九九年	142/13/464	梁武帝大通二年	公元五二八年	152/14/440
齐东昏侯永元二年	公元五〇〇年	143/13/514	梁武帝中大通元年	公元五二九年	153/14/484
齐和帝中兴元年	公元五〇一年	144/13/560	梁武帝中大通二年	公元五三〇年	154/14/518
梁武帝天监元年	公元五〇二年	145/14/002	梁武帝中大通三年	公元五三一年	155/14/570
梁武帝天监二年	公元五〇三年	145/14/036	梁武帝中大通四年	公元五三二年	155/14/608
梁武帝天监三年	公元五〇四年	145/14/052	梁武帝中大通五年	公元五三三年	156/15/002
梁武帝天监四年	公元五〇五年	146/14/076	梁武帝中大通六年	公元五三四年	156/15/016

续表

通鉴纪年	公元纪年	卷次/册数/页码	通鉴纪年	公元纪年	卷次/册数/页码
梁武帝大同元年	公元五三五年	157/15/056	陈文帝天嘉五年	公元五六四年	169/15/612
梁武帝大同二年	公元五三六年	157/15/070	陈文帝天嘉六年	公元五六五年	169/15/628
梁武帝大同三年	公元五三七年	157/15/078	陈文帝天康元年	公元五六六年	169/15/636
梁武帝大同四年	公元五三八年	158/15/102	陈临海王光大元年	公元五六七年	170/15/650
梁武帝大同五年	公元五三九年	158/15/116	陈临海王光大二年	公元五六八年	170/15/666
梁武帝大同六年	公元五四〇年	158/15/122	陈宣帝太建元年	公元五六九年	170/15/674
梁武帝大同七年	公元五四一年	158/15/126	陈宣帝太建二年	公元五七〇年	170/15/684
梁武帝大同八年	公元五四二年	158/15/132	陈宣帝太建三年	公元五七一年	170/15/692
梁武帝大同九年	公元五四三年	158/15/138	陈宣帝太建四年	公元五七二年	171/16/002
梁武帝大同十年	公元五四四年	158/15/146	陈宣帝太建五年	公元五七三年	171/16/024
梁武帝大同十一年	公元五四五年	159/15/158	陈宣帝太建六年	公元五七四年	171/16/048
梁武帝中大同元年	公元五四六年	159/15/174	陈宣帝太建七年	公元五七五年	172/16/062
梁武帝太清元年	公元五四七年	160/15/190	陈宣帝太建八年	公元五七六年	172/16/076
梁武帝太清二年	公元五四八年	161/15/226	陈宣帝太建九年	公元五七七年	173/16/106
梁武帝太清三年	公元五四九年	162/15/274	陈宣帝太建十年	公元五七八年	173/16/126
梁简文帝大宝元年	公元五五〇年	163/15/324	陈宣帝太建十一年	公元五七九年	173/16/136
梁简文帝大宝二年	公元五五一年	164/15/362	陈宣帝太建十二年	公元五八〇年	174/16/156
梁元帝承圣元年	公元五五二年	164/15/382	陈宣帝太建十三年	公元五八一年	175/16/192
梁元帝承圣二年	公元五五三年	165/15/410	陈宣帝太建十四年	公元五八二年	175/16/218
梁元帝承圣三年	公元五五四年	165/15/426	陈长城公至德元年	公元五八三年	175/16/228
梁敬帝绍泰元年	公元五五五年	166/15/450	陈长城公至德二年	公元五八四年	176/16/250
梁敬帝太平元年	公元五五六年	166/15/470	陈长城公至德三年	公元五八五年	176/16/262
陈武帝永定元年	公元五五七年	167/15/496	陈长城公至德四年	公元五八六年	176/16/270
陈武帝永定二年	公元五五八年	167/15/514	陈长城公祯明元年	公元五八七年	176/16/274
陈武帝永定三年	公元五五九年	167/15/528	陈长城公祯明二年	公元五八八年	176/16/284
陈文帝天嘉元年	公元五六〇年	168/15/546	隋文帝开皇九年	公元五八九年	177/16/298
陈文帝天嘉二年	公元五六一年	168/15/570	隋文帝开皇十年	公元五九〇年	177/16/330
陈文帝天嘉三年	公元五六二年	168/15/580	隋文帝开皇十一年	公元五九一年	177/16/342
陈文帝天嘉四年	公元五六三年	169/15/594	隋文帝开皇十二年	公元五九二年	178/16/348

续表

通鉴纪年	公元纪年	卷次/册数/页码	通鉴纪年	公元纪年	卷次/册数/页码
隋文帝开皇十三年	公元五九三年	178/16/354	唐高祖武德五年	公元六二二年	190/17/270
隋文帝开皇十四年	公元五九四年	178/16/358	唐高祖武德六年	公元六二三年	190/17/298
隋文帝开皇十五年	公元五九五年	178/16/364	唐高祖武德七年	公元六二四年	190/17/314
隋文帝开皇十六年	公元五九六年	178/16/368	唐高祖武德八年	公元六二五年	191/17/342
隋文帝开皇十七年	公元五九七年	178/16/370	唐高祖武德九年	公元六二六年	191/17/348
隋文帝开皇十八年	公元五九八年	178/16/384	唐太宗贞观元年	公元六二七年	192/17/400
隋文帝开皇十九年	公元五九九年	178/16/388	唐太宗贞观二年	公元六二八年	192/17/426
隋文帝开皇二十年	公元六〇〇年	179/16/402	唐太宗贞观三年	公元六二九年	193/17/456
隋文帝仁寿元年	公元六〇一年	179/16/430	唐太宗贞观四年	公元六三〇年	193/17/468
隋文帝仁寿二年	公元六〇二年	179/16/432	唐太宗贞观五年	公元六三一年	193/17/492
隋文帝仁寿三年	公元六〇三年	179/16/446	唐太宗贞观六年	公元六三二年	194/17/504
隋文帝仁寿四年	公元六〇四年	180/16/454	唐太宗贞观七年	公元六三三年	194/17/518
隋炀帝大业元年	公元六〇五年	180/16/474	唐太宗贞观八年	公元六三四年	194/17/524
隋炀帝大业二年	公元六〇六年	180/16/482	唐太宗贞观九年	公元六三五年	194/17/532
隋炀帝大业三年	公元六〇七年	180/16/488	唐太宗贞观十年	公元六三六年	194/17/544
隋炀帝大业四年	公元六〇八年	181/16/506	唐太宗贞观十一年	公元六三七年	194/17/556
隋炀帝大业五年	公元六〇九年	181/16/514	唐太宗贞观十二年	公元六三八年	195/17/576
隋炀帝大业六年	公元六一〇年	181/16/522	唐太宗贞观十三年	公元六三九年	195/17/588
隋炀帝大业七年	公元六一一年	181/16/530	唐太宗贞观十四年	公元六四〇年	195/17/602
隋炀帝大业八年	公元六一二年	181/16/538	唐太宗贞观十五年	公元六四一年	196/17/620
隋炀帝大业九年	公元六一三年	182/16/554	唐太宗贞观十六年	公元六四二年	196/17/636
隋炀帝大业十年	公元六一四年	182/16/584	唐太宗贞观十七年	公元六四三年	196/17/652
隋炀帝大业十一年	公元六一五年	182/16/590	唐太宗贞观十八年	公元六四四年	197/17/690
隋炀帝大业十二年	公元六一六年	183/16/604	唐太宗贞观十九年	公元六四五年	197/17/706
隋恭帝义宁元年	公元六一七年	183/16/624	唐太宗贞观二十年	公元六四六年	198/18/020
唐高祖武德元年	公元六一八年	185/17/002	唐太宗贞观二十一年	公元六四七年	198/18/034
唐高祖武德二年	公元六一九年	187/17/112	唐太宗贞观二十二年	公元六四八年	198/18/046
唐高祖武德三年	公元六二〇年	188/17/166	唐太宗贞观二十三年	公元六四九年	199/18/070
唐高祖武德四年	公元六二一年	188/17/200	唐高宗永徽元年	公元六五〇年	199/18/078

续表

通鉴纪年	公元纪年	卷次/册数/页码	通鉴纪年	公元纪年	卷次/册数/页码
唐高宗永徽二年	公元六五一年	199/18/082	唐高宗永隆元年	公元六八〇年	202/18/292
唐高宗永徽三年	公元六五二年	199/18/088	唐高宗开耀元年	公元六八一年	202/18/302
唐高宗永徽四年	公元六五三年	199/18/094	唐高宗永淳元年	公元六八二年	203/18/314
唐高宗永徽五年	公元六五四年	199/18/098	唐高宗弘道元年	公元六八三年	203/18/328
唐高宗永徽六年	公元六五五年	199/18/102	则天后光宅元年	公元六八四年	203/18/334
唐高宗显庆元年	公元六五六年	200/18/118	则天后垂拱元年	公元六八五年	203/18/360
唐高宗显庆二年	公元六五七年	200/18/128	则天后垂拱二年	公元六八六年	203/18/368
唐高宗显庆三年	公元六五八年	200/18/138	则天后垂拱三年	公元六八七年	204/18/380
唐高宗显庆四年	公元六五九年	200/18/142	则天后垂拱四年	公元六八八年	204/18/388
唐高宗显庆五年	公元六六〇年	200/18/156	则天后永昌元年	公元六八九年	204/18/404
唐高宗龙朔元年	公元六六一年	200/18/162	则天后天授元年	公元六九〇年	204/18/414
唐高宗龙朔二年	公元六六二年	200/18/166	则天后天授二年	公元六九一年	204/18/428
唐高宗龙朔三年	公元六六三年	201/18/184	则天后长寿元年	公元六九二年	205/18/444
唐高宗麟德元年	公元六六四年	201/18/194	则天后长寿二年	公元六九三年	205/18/462
唐高宗麟德二年	公元六六五年	201/18/202	则天后延载元年	公元六九四年	205/18/470
唐高宗乾封元年	公元六六六年	201/18/208	则天后天册万岁元年	公元六九五年	205/18/478
唐高宗乾封二年	公元六六七年	201/18/216	则天后万岁通天元年	公元六九六年	205/18/488
唐高宗总章元年	公元六六八年	201/18/222	则天后神功元年	公元六九七年	206/18/508
唐高宗总章二年	公元六六九年	201/18/228	则天后圣历元年	公元六九八年	206/18/532
唐高宗咸亨元年	公元六七〇年	201/18/236	则天后圣历二年	公元六九九年	206/18/548
唐高宗咸亨二年	公元六七一年	202/18/244	则天后久视元年	公元七〇〇年	206/18/558
唐高宗咸亨三年	公元六七二年	202/18/248	则天后长安元年	公元七〇一年	207/18/580
唐高宗咸亨四年	公元六七三年	202/18/252	则天后长安二年	公元七〇二年	207/18/586
唐高宗上元元年	公元六七四年	202/18/256	则天后长安三年	公元七〇三年	207/18/590
唐高宗上元二年	公元六七五年	202/18/262	则天后长安四年	公元七〇四年	207/18/604
唐高宗仪凤元年	公元六七六年	202/18/268	唐中宗神龙元年	公元七〇五年	207/18/618
唐高宗仪凤二年	公元六七七年	202/18/274	唐中宗神龙二年	公元七〇六年	208/18/654
唐高宗仪凤三年	公元六七八年	202/18/278	唐中宗景龙元年	公元七〇七年	208/18/672
唐高宗调露元年	公元六七九年	202/18/284	唐中宗景龙二年	公元七〇八年	209/18/692

续表

通鉴纪年	公元纪年	卷次/册数/页码	通鉴纪年	公元纪年	卷次/册数/页码
唐中宗景龙三年	公元七〇九年	209/18/714	唐玄宗开元二十六年	公元七三八年	214/19/300
唐睿宗景云元年	公元七一〇年	209/18/726	唐玄宗开元二十七年	公元七三九年	214/19/308
唐睿宗景云二年	公元七一一年	210/19/016	唐玄宗开元二十八年	公元七四〇年	214/19/312
唐玄宗先天元年	公元七一二年	210/19/030	唐玄宗开元二十九年	公元七四一年	214/19/316
唐玄宗开元元年	公元七一三年	210/19/046	唐玄宗天宝元年	公元七四二年	215/19/324
唐玄宗开元二年	公元七一四年	211/19/066	唐玄宗天宝二年	公元七四三年	215/19/338
唐玄宗开元三年	公元七一五年	211/19/090	唐玄宗天宝三载	公元七四四年	215/19/342
唐玄宗开元四年	公元七一六年	211/19/102	唐玄宗天宝四载	公元七四五年	215/19/346
唐玄宗开元五年	公元七一七年	211/19/116	唐玄宗天宝五载	公元七四六年	215/19/358
唐玄宗开元六年	公元七一八年	212/19/128	唐玄宗天宝六载	公元七四七年	215/19/366
唐玄宗开元七年	公元七一九年	212/19/132	唐玄宗天宝七载	公元七四八年	216/19/392
唐玄宗开元八年	公元七二〇年	212/19/140	唐玄宗天宝八载	公元七四九年	216/19/398
唐玄宗开元九年	公元七二一年	212/19/148	唐玄宗天宝九载	公元七五〇年	216/19/402
唐玄宗开元十年	公元七二二年	212/19/156	唐玄宗天宝十载	公元七五一年	216/19/410
唐玄宗开元十一年	公元七二三年	212/19/166	唐玄宗天宝十一载	公元七五二年	216/19/420
唐玄宗开元十二年	公元七二四年	212/19/170	唐玄宗天宝十二载	公元七五三年	216/19/432
唐玄宗开元十三年	公元七二五年	212/19/176	唐玄宗天宝十三载	公元七五四年	217/19/442
唐玄宗开元十四年	公元七二六年	213/19/192	唐玄宗天宝十四载	公元七五五年	217/19/452
唐玄宗开元十五年	公元七二七年	213/19/200	唐肃宗至德元载	公元七五六年	217/19/476
唐玄宗开元十六年	公元七二八年	213/19/210	唐肃宗至德二载	公元七五七年	219/19/564
唐玄宗开元十七年	公元七二九年	213/19/214	唐肃宗乾元元年	公元七五八年	220/19/632
唐玄宗开元十八年	公元七三〇年	213/19/222	唐肃宗乾元二年	公元七五九年	221/19/660
唐玄宗开元十九年	公元七三一年	213/19/230	唐肃宗上元元年	公元七六〇年	221/19/692
唐玄宗开元二十年	公元七三二年	213/19/236	唐肃宗上元二年	公元七六一年	222/19/712
唐玄宗开元二十一年	公元七三三年	213/19/240	唐肃宗宝应元年	公元七六二年	222/19/730
唐玄宗开元二十二年	公元七三四年	214/19/252	唐代宗广德元年	公元七六三年	222/19/754
唐玄宗开元二十三年	公元七三五年	214/19/262	唐代宗广德二年	公元七六四年	223/20/020
唐玄宗开元二十四年	公元七三六年	214/19/268	唐代宗永泰元年	公元七六五年	223/20/036
唐玄宗开元二十五年	公元七三七年	214/19/290	唐代宗大历元年	公元七六六年	224/20/062

续表

通鉴纪年	公元纪年	卷次/册数/页码	通鉴纪年	公元纪年	卷次/册数/页码
唐代宗大历二年	公元七六七年	224/20/070	唐德宗贞元十二年	公元七九六年	235/20/676
唐代宗大历三年	公元七六八年	224/20/078	唐德宗贞元十三年	公元七九七年	235/20/686
唐代宗大历四年	公元七六九年	224/20/086	唐德宗贞元十四年	公元七九八年	235/20/694
唐代宗大历五年	公元七七〇年	224/20/092	唐德宗贞元十五年	公元七九九年	235/20/696
唐代宗大历六年	公元七七一年	224/20/098	唐德宗贞元十六年	公元八〇〇年	235/20/704
唐代宗大历七年	公元七七二年	224/20/102	唐德宗贞元十七年	公元八〇一年	236/20/720
唐代宗大历八年	公元七七三年	224/20/104	唐德宗贞元十八年	公元八〇二年	236/20/728
唐代宗大历九年	公元七七四年	225/20/114	唐德宗贞元十九年	公元八〇三年	236/20/730
唐代宗大历十年	公元七七五年	225/20/118	唐德宗贞元二十年	公元八〇四年	236/20/738
唐代宗大历十一年	公元七七六年	225/20/128	唐顺宗永贞元年	公元八〇五年	236/20/740
唐代宗大历十二年	公元七七七年	225/20/134	唐宪宗元和元年	公元八〇六年	237/21/002
唐代宗大历十三年	公元七七八年	225/20/144	唐宪宗元和二年	公元八〇七年	237/21/024
唐代宗大历十四年	公元七七九年	225/20/150	唐宪宗元和三年	公元八〇八年	237/21/036
唐德宗建中元年	公元七八〇年	226/20/186	唐宪宗元和四年	公元八〇九年	237/21/046
唐德宗建中二年	公元七八一年	226/20/212	唐宪宗元和五年	公元八一〇年	238/21/074
唐德宗建中三年	公元七八二年	227/20/244	唐宪宗元和六年	公元八一一年	238/21/094
唐德宗建中四年	公元七八三年	228/20/282	唐宪宗元和七年	公元八一二年	238/21/102
唐德宗兴元元年	公元七八四年	229/20/366	唐宪宗元和八年	公元八一三年	239/21/122
唐德宗贞元元年	公元七八五年	231/20/470	唐宪宗元和九年	公元八一四年	239/21/130
唐德宗贞元二年	公元七八六年	232/20/496	唐宪宗元和十年	公元八一五年	239/21/138
唐德宗贞元三年	公元七八七年	232/20/510	唐宪宗元和十一年	公元八一六年	239/21/160
唐德宗贞元四年	公元七八八年	233/20/564	唐宪宗元和十二年	公元八一七年	240/21/172
唐德宗贞元五年	公元七八九年	233/20/578	唐宪宗元和十三年	公元八一八年	240/21/198
唐德宗贞元六年	公元七九〇年	233/20/582	唐宪宗元和十四年	公元八一九年	240/21/216
唐德宗贞元七年	公元七九一年	233/20/588	唐宪宗元和十五年	公元八二〇年	241/21/254
唐德宗贞元八年	公元七九二年	234/20/596	唐穆宗长庆元年	公元八二一年	241/21/272
唐德宗贞元九年	公元七九三年	234/20/616	唐穆宗长庆二年	公元八二二年	242/21/298
唐德宗贞元十年	公元七九四年	234/20/638	唐穆宗长庆三年	公元八二三年	243/21/328
唐德宗贞元十一年	公元七九五年	235/20/670	唐穆宗长庆四年	公元八二四年	243/21/336

续表

通鉴纪年	公元纪年	卷次/册数/页码	通鉴纪年	公元纪年	卷次/册数/页码
唐敬宗宝历元年	公元八二五年	243/21/350	唐宣宗大中八年	公元八五四年	249/21/684
唐敬宗宝历二年	公元八二六年	243/21/360	唐宣宗大中九年	公元八五五年	249/21/688
唐文宗太和元年	公元八二七年	243/21/370	唐宣宗大中十年	公元八五六年	249/21/692
唐文宗太和二年	公元八二八年	243/21/374	唐宣宗大中十一年	公元八五七年	249/21/698
唐文宗太和三年	公元八二九年	244/21/386	唐宣宗大中十二年	公元八五八年	249/21/704
唐文宗太和四年	公元八三〇年	244/21/396	唐宣宗大中十三年	公元八五九年	249/21/712
唐文宗太和五年	公元八三一年	244/21/404	唐懿宗咸通元年	公元八六〇年	250/21/722
唐文宗太和六年	公元八三二年	244/21/414	唐懿宗咸通二年	公元八六一年	250/21/738
唐文宗太和七年	公元八三三年	244/21/418	唐懿宗咸通三年	公元八六二年	250/21/742
唐文宗太和八年	公元八三四年	245/21/442	唐懿宗咸通四年	公元八六三年	250/21/750
唐文宗太和九年	公元八三五年	245/21/450	唐懿宗咸通五年	公元八六四年	250/21/758
唐文宗开成元年	公元八三六年	245/21/482	唐懿宗咸通六年	公元八六五年	250/21/762
唐文宗开成二年	公元八三七年	245/21/490	唐懿宗咸通七年	公元八六六年	250/21/764
唐文宗开成三年	公元八三八年	246/21/500	唐懿宗咸通八年	公元八六七年	250/21/770
唐文宗开成四年	公元八三九年	246/21/510	唐懿宗咸通九年	公元八六八年	251/22/002
唐文宗开成五年	公元八四〇年	246/21/518	唐懿宗咸通十年	公元八六九年	251/22/026
唐武宗会昌元年	公元八四一年	246/21/526	唐懿宗咸通十一年	公元八七〇年	252/22/050
唐武宗会昌二年	公元八四二年	246/21/536	唐懿宗咸通十二年	公元八七一年	252/22/062
唐武宗会昌三年	公元八四三年	247/21/558	唐懿宗咸通十三年	公元八七二年	252/22/064
唐武宗会昌四年	公元八四四年	247/21/598	唐懿宗咸通十四年	公元八七三年	252/22/068
唐武宗会昌五年	公元八四五年	248/21/630	唐僖宗乾符元年	公元八七四年	252/22/074
唐武宗会昌六年	公元八四六年	248/21/638	唐僖宗乾符二年	公元八七五年	252/22/082
唐宣宗大中元年	公元八四七年	248/21/646	唐僖宗乾符三年	公元八七六年	252/22/092
唐宣宗大中二年	公元八四八年	248/21/650	唐僖宗乾符四年	公元八七七年	253/22/106
唐宣宗大中三年	公元八四九年	248/21/658	唐僖宗乾符五年	公元八七八年	253/22/114
唐宣宗大中四年	公元八五〇年	249/21/668	唐僖宗乾符六年	公元八七九年	253/22/128
唐宣宗大中五年	公元八五一年	249/21/672	唐僖宗广明元年	公元八八〇年	253/22/140
唐宣宗大中六年	公元八五二年	249/21/678	唐僖宗中和元年	公元八八一年	254/22/172
唐宣宗大中七年	公元八五三年	249/21/682	唐僖宗中和二年	公元八八二年	254/22/194

续表

通鉴纪年	公元纪年	卷次/册数/页码
唐僖宗中和三年	公元八八三年	255/22/230
唐僖宗中和四年	公元八八四年	255/22/248
唐僖宗光启元年	公元八八五年	256/22/278
唐僖宗光启二年	公元八八六年	256/22/292
唐僖宗光启三年	公元八八七年	256/22/314
唐僖宗文德元年	公元八八八年	257/22/358
唐昭宗龙纪元年	公元八八九年	258/22/378
唐昭宗大顺元年	公元八九〇年	258/22/388
唐昭宗大顺二年	公元八九一年	258/22/410
唐昭宗景福元年	公元八九二年	259/22/434
唐昭宗景福二年	公元八九三年	259/22/456
唐昭宗乾宁元年	公元八九四年	259/22/478
唐昭宗乾宁二年	公元八九五年	260/22/494
唐昭宗乾宁三年	公元八九六年	260/22/526
唐昭宗乾宁四年	公元八九七年	261/22/548
唐昭宗光化元年	公元八九八年	261/22/570
唐昭宗光化二年	公元八九九年	261/22/584
唐昭宗光化三年	公元九〇〇年	262/22/598
唐昭宗天复元年	公元九〇一年	262/22/618
唐昭宗天复二年	公元九〇二年	263/22/650
唐昭宗天复三年	公元九〇三年	263/22/686
唐昭宗天祐元年	公元九〇四年	264/22/738
唐昭宣帝天祐二年	公元九〇五年	265/22/756
唐昭宣帝天祐三年	公元九〇六年	265/22/780
后梁太祖开平元年	公元九〇七年	266/23/002
后梁太祖开平二年	公元九〇八年	266/23/034
后梁太祖开平三年	公元九〇九年	267/23/066
后梁太祖开平四年	公元九一〇年	267/23/084
后梁太祖乾化元年	公元九一一年	267/23/106

通鉴纪年	公元纪年	卷次/册数/页码
后梁太祖乾化二年	公元九一二年	268/23/134
后梁均王（末帝）乾化三年	公元九一三年	268/23/156
后梁均王（末帝）乾化四年	公元九一四年	269/23/182
后梁均王（末帝）贞明元年	公元九一五年	269/23/192
后梁均王（末帝）贞明二年	公元九一六年	269/23/214
后梁均王（末帝）贞明三年	公元九一七年	269/23/232
后梁均王（末帝）贞明四年	公元九一八年	270/23/256
后梁均王（末帝）贞明五年	公元九一九年	270/23/286
后梁均王（末帝）贞明六年	公元九二〇年	271/23/306
后梁均王（末帝）龙德元年	公元九二一年	271/23/320
后梁均王（末帝）龙德二年	公元九二二年	271/23/336
后唐庄宗同光元年	公元九二三年	272/23/350
后唐庄宗同光二年	公元九二四年	273/23/408
后唐庄宗同光三年	公元九二五年	273/23/440
后唐明宗天成元年	公元九二六年	274/23/480
后唐明宗天成二年	公元九二七年	275/23/550
后唐明宗天成三年	公元九二八年	276/23/574
后唐明宗天成四年	公元九二九年	276/23/596
后唐明宗长兴元年	公元九三〇年	277/23/614

续表

通鉴纪年	公元纪年	卷次/册数/页码
后唐明宗长兴二年	公元九三一年	277/23/638
后唐明宗长兴三年	公元九三二年	277/23/652
后唐明宗长兴四年	公元九三三年	278/23/684
后唐潞王（末帝）清泰元年	公元九三四年	278/23/710
后唐潞王（末帝）清泰二年	公元九三五年	279/23/756
后晋高祖天福元年	公元九三六年	280/24/002
后晋高祖天福二年	公元九三七年	281/24/052
后晋高祖天福三年	公元九三八年	281/24/080
后晋高祖天福四年	公元九三九年	282/24/100
后晋高祖天福五年	公元九四〇年	282/24/120
后晋高祖天福六年	公元九四一年	282/24/134
后晋高祖天福七年	公元九四二年	283/24/158
后晋齐王（出帝）天福八年	公元九四三年	283/24/174
后晋齐王（出帝）开运元年	公元九四四年	283/24/200
后晋齐王（出帝）开运二年	公元九四五年	284/24/232
后晋齐王（出帝）开运三年	公元九四六年	285/24/270
后汉高祖天福十二年	公元九四七年	286/24/308
后汉高祖乾祐元年	公元九四八年	287/24/392
后汉隐帝乾祐二年	公元九四九年	288/24/428
后汉隐帝乾祐三年	公元九五〇年	289/24/448
后周太祖广顺元年	公元九五一年	290/24/492
后周太祖广顺二年	公元九五二年	290/24/526
后周太祖广顺三年	公元九五三年	291/24/554
后周太祖显德元年	公元九五四年	291/24/570
后周世宗显德二年	公元九五五年	292/24/606
后周世宗显德三年	公元九五六年	292/24/624
后周世宗显德四年	公元九五七年	293/24/666
后周世宗显德五年	公元九五八年	294/24/688
后周世宗显德六年	公元九五九年	294/24/708

出。平王東遷，齊、楚、秦、晉始大，桓、文更霸，猶託尊王為辭以服天下。威烈王自陪臣命韓、趙、魏為諸侯，周雖未滅，王制盡矣！此亦古人述作造端立意之所繇也。其所載明君、良臣，切摩治道，議論之精語，德刑之善制，天人相與之際，休咎庶證之原，威福盛衰之本，規模利害之效，良將之方略，循吏之條教，斷之以邪正，要之於治忽，辭令淵厚之體，箴諫深切之義，良謂備焉。凡十六代，勒成二百九十四卷，列于戶牖之間而盡古今之統，博而得其要，簡而周于事，是亦典刑之總會，冊牘之淵林矣。

若稽古英考，留神載籍，萬機之下，未嘗廢卷。嘗命龍圖閣直學士司馬光論次歷代君臣事迹，俾就祕閣繙閱，